国家出版基金项目
NATIONAL PUBLICATION FOUNDATION

漢語古音手冊

潘悟云 著

中西書局

前　　言

上古音研究一直是汉语音韵学的前沿。从高本汉的《汉文典》以后，出版了好几部汉语上古音的字典、手册，其中郑张尚芳的《上古音系》后附古音字表，能够比较全面地反映20世纪70年代以来汉语历史音韵学的发展。这个字表以谐声分类，对于了解上古音是一个很好的安排，但是也有不少读者反映检索起来有点困难。十几年过去了，这个领域又有许多新的发现与进展。19世纪，在达尔文进化论影响下出现了历史比较语言学，20世纪又出现了演化语言学。本手册的创新是从历史比较法转向演化语言学，其根本内容就是自然音变和音变链。

手册的编制历经10年，分两期推进。

第一期，用上古字建立上古音表。

我们根据上古文献做成上古字形库，这项工作主要由顾国林和上海师范大学的研究生葛佳琦、胡平、郭承禹、孟晓红、吴蕾完成。同时还建立了古音数据库，这来自两个基础材料，一个是蔡梦麒在2014年提供给我的《广韵校释》电子材料，另一个是郑张尚芳撰写《上古音系》时跟我合作的古音数据库。2015年，王奕桦在此基础上扩充成上古音表，这就是本手册的雏形。

第二期，在严格的谐声分析基础上做成本手册。

2020年开始，22位专家、学者先后参加了两个微信群："汉语古音手册"讨论群(2020)和"谐声分析"讨论群(2021)。这本手册包括大量的原始材料，许多青年专家对它们进行了整理，主要工作是声符整理，这是谐声系统的基础；除此之外，还有上古用字和中古切语的整理。其中包括：上古通用字的确定，文字、音韵材料的校对，音韵地位的核实，语音数据的统计，声符的确定，通假字的比较，等等，这使得本手册的基础更为坚实。

青年专家有李豪、应金琦、肖祎科、张振通、乔宇轩、葛佳琦、潘牧天、毕谦琦、赵庸、王艳红；电脑专家有顾国林、陈鹏、王奕桦；学者有叶玉英、张富海、邬可晶、边田钢、董建交、王弘治、来国龙、施瑞峰、蔡梦麒。

2013年，我申请到国家社科基金重大项目"基于语音对应关系的汉语和少数民族语言演化语素的研究"，把本手册列为这个项目的一部分。在汉藏语历史比较的基础上，汉语上古音的研究才有了更坚实的基础。子课题的负责人有郑张尚芳、黄树先、王双成、韦树关、李云兵。郑张尚芳2018年去世，他为汉语历史音韵学和汉藏历史比较语言学作出了不可磨灭的贡献。当古音手册即将出版的时候，我们深深地表示哀悼。手册有许多地方是来自于他半个多世纪的诸多努力，同时也超出了他的《上古音系》原来的范围和水平。本手册即将出版，可能还存在许多差错和不足之处。这一方面是对大量数据进行处理时带来的；另一方面则是本人学术水平的原因。特别是在写作过程中，我已经看到音韵学有可能发展的高度，演化语言学的新理论，出土文献和亲属语的新材料，所以，我们很希望再过两年能刊出手册的新版本来弥补此版的不足。

壹、基本材料

上古音构拟的依据是谐声材料、谐声规则和谐声类型。汉语几千年的语音和文字演变，虽然会有不确定性，但是总体上有据可依，有理可循。为此，我们将上古文献做成资料库，每个字加上中古音和声符，以声符为单位得到上古的谐声系列，从而得到谐声规则和谐声类型。

一、古文献材料

本手册的研究对象主要是汉语的上古读音，所以只收录传世文献中的上古用字。如“茶”是后起字，本手册就没有收录，只是把它作为“荼”的后起字放在检索中备查。为了得到上古用字表，我们参考了大量的先秦两汉文献，包括十三经、《史记》、《汉书》等89种著作，相关文献材料取自香港中文大学创建的汉达文库。

本手册收录上古用字18887个，包括主要的异读用字，这也是第一份比较可靠的上古传世文献用字表。

汉字所代表的语素是音义的结合体，只有通过上古的语音特征来确定上古用字。语音史的分期虽然还有不少争论，但是主流的意见认为，上古汉语有以下的语音特征：一是魚部字的读音为a，二是存在辅音丛，三是声调还属于非区别性特征。这三个特征从先秦到两汉一直存在，到魏晋就消失了。所以，我们认定上古汉语就是东汉以前所使用的文献语言。一个人到20岁通常进入语言的稳定期。东汉结束是公元220年，这个时候年届20岁的作家所使用的就是上古汉语。语言史用某个时间进行切分只是一种统计的方便，本手册把公元200年左右出生的作家定为东汉作家，把商周至东汉的文献定为本书的收字范围。但是，汉代的一些通用字在汉达文库中漏收，如否定词“無”。许多学者认为汉代才有专字“嫵”，但是西汉武威汉简《仪礼》、东汉熹平石经都收有否定词“無”。

汉语的通用字在历史上有几个大变化。文字改革以后的用字，我们叫作现代字，隶变以前的文字叫古文字。这两者之间的古籍通用字也经过了不少变化，本手册基本上沿用《汉语大词典》的繁体字作古籍通用字，个别地方根据上古的用字做了调整。

音韵学的研究对象是语素，而不是文字，所以本手册确定了通用字以后，就不再收录异体字，只在脚注中注明《广韵》的异体字以备检索。

二、中古音系

上古音研究应该首先从中古的音系开始，《切韵》系统的基本材料就是反切。通过反切行为和反切规则能切分成的基本单位是声、韵、调。

汉语最早形成的共同语即洛阳王室的语言，叫作“雅言”。这种共同语和中古时代的洛阳方言一脉相承。晋室从洛阳南迁，形成金陵的书音系统，是《切韵》的音系基础。汉语几千年来，从殷商的雅言到中古的洛阳金陵书音系统，再到中原官话，虽然有方言的变动，但共同语却都有相同的音系基础和语音规则。陆法言的《切韵》一方面记录了上万字的读音材料，另一方面将其分析为严密的音韵系统，这为梳理现代方言的语音变化、构拟上古汉语的语音和形态提供了可能。可以说，没有《切韵》，就不可能有现在的汉语语音史，《切韵》的出现实在是汉语语音史的幸运。

《切韵》原本已经失落，后来有过许多修订和扩充的本子，其中最常见的就是《广韵》。许多音韵学家用不同的本子和其他语言材料对《广韵》做了细致的校对，包含了《切韵》的精华，所以本手册所用的《切韵》实际上就是《广韵》的材料。我们基本采用《广韵》反切，并按照前人与我们自己的校勘作了改动。不见于《广韵》的用字，酌取《集韵》《说文》《玉篇》等中古《切韵》系韵书。《切韵》原本有193韵，王仁昫《刊谬补缺切韵》（即《王三》）增加为195韵。因为《王三》为最早的《切韵》完本，而且《王三》的韵目更有系统性，故本手册采用《王三》的音韵框架。《集韵》等《切韵》系韵书，与《切韵》的音韵框架并不完全一致，我们通过梳理它们的读音音注与《切韵》的对应关系，还原作《切韵》的音韵地位。

晋室南渡以后金陵有两个语言社团，一个是洛阳士族形成的书音系统，一个是金陵庶族形成的口语系统。二等韵在这两个语言社团中的读音相似又不完全一样，经常出现异读。如“頑”有删、山两个读音，从“元”得声的谐声系列中，二等只能出现在删韵，不可能出现在山韵。《切韵》佳与麻、佳与皆、山与删、庚与耕、銜与咸、鎋与黠、陌与麥、狎与洽都有相混现象，实际上就是金陵两个语言社团的不同读音。

本手册的这些异读通过谐声系统进行改动。

有些四等的合口介音在《切韵》时代失落,如四等“絃椵”,原来应该有合口介音,因为四等带前元音,合口介音舌位靠后,容易失落变成开口字。本手册根据谐声在上古音中补上合口介音,但是中古的开合口则沿用文献的原貌。

有些二等的合口介音^{w} 在中古二等介音^{ɯ} 的影响下变成介音^{ɯ},之后变成开口字：$C^{wɯ}$->$C^{ɯɯ}$->$C^{ɯ-}$。如二等“街”原来应该有合口介音,到中古变成开口字：$^{*}k^{wr}$e̱>$k^{wɯ}$e̱>$k^{ɯɯ}$e̱>中古 $k^{ɯ}$ɛ。

《切韵》不是古今南北方音的大杂烩,陆法言的记音以金陵洛下书音系统为严格依据,所以《切韵》是实际语言的记录。但是,《切韵》除了严格遵照书音系统以外,还掺杂了古代经师、文献的反切和记音。如“爇”字,《切韵》有“人兮反”“奴低反”两读,都读齐韵。齐韵属于四等韵,四等韵是不与日母配合的。陆法言从《字林》或徐邈的字典上看到,“爇”字的日母读音与他自己的金陵音系不合,于是他把这些反切抄到《切韵》中作为参考读音。他没有写明出处,因而造成混乱。本手册通过中古音跟谐声系统的比较,消除了这些混乱。

贰、上古音系

一、上古的音节结构

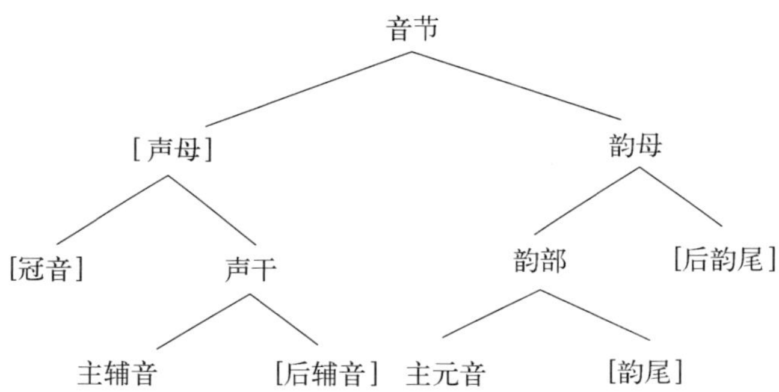

上古有两个后韵尾(postcode):-ʔ、-s,前者到中古形成上声调,后者形成去声调。后韵尾属于后缀,不属于词根。为了便于词根处理,上古韵母系统中只用韵部作基本单位,结合中古的声调反推后韵尾,再补全上古的韵母。

一个音节可能包括一个词根与前后缀,这是从构词平面所作的分析。但是目前好像没有与构词对应的音系名称。如“盖”有两读:“古太切”的*ka̱bs 和“古盍切”的*ka̱b,词根是*ka̱b。我们把音节中所包含的词根叫作音节根,同时把词根的音节叫作根音节。如音节 ka̱bs 中的词根部分 ka̱b 叫作音节根;ka̱b 是音节,同时是词根,叫作根音节。

二、上古声母辅音

上古声母分单声母与辅音丛两类。下面是单声母,都是简单辅音,用大写字母代表声类：

表 1 上古音单声母

声类	P	T	K	Q	L	R	S	M	N	NG
声母	p	t	k	q	l	r	s	m	n	ŋ
	p^{h}	t^{h}	k^{h}	q^{h}	l̥	r̥	s^{h}	m̥	n̥	ŋ̊
	b	d		ɢ	l̥^{h}		z	m̥^{h}	n̥^{h}	ŋ̊^{h}

表 1 的单声母是从上古汉语资料库归纳出来的，其中 r̥^{h} 空缺，在实际的语言中也许有可能出现。除了单辅音的声类以外，还有两个单辅音组成的辅音丛。以下主要讨论 CL 系列，其中 L 包括 r 和 l，它们变成单辅音以后有不同的音变。

1. 带冠辅音

东南亚许多语言中有一种包含次要音节（minor syllable）的音节类型，长度一般只有主要音节的一半，所以马提索夫（Matisoff 1973）把次要音节和主要音节组成的词叫作“一个半音节的词”（sesquisyllabic word）。大部分次要音节可以是辅音，也可以是没有音位价值的元音，音系功能实际上等同于一个辅音。许多人把它们叫作前置辅音，也有学者称作前冠音。比起鼻音前置辅音、咝音前置辅音、塞音前置辅音来，鼻冠音、咝冠音、塞冠音更容易上口，把它们叫作冠音更好。上古音音节中的冠音往往是带有无音位价值的弱元音，代号记作 Pre。

冠音是弱化音，用一个小圆点记音，上古以后都已经失落，C.L->L-。如“藍”上古 ɡ.ra̱m>ra̱m>中古 lɑm，可比较泰文中的借词 ɡraːmA2 蓝靛。有些以母字也有类似的带辅音的来源：C.l->l-，如“羑”k^{w}.lɯʔ>luʔ。

2. 复辅音

复辅音的 C 与 L 有两次成阻，两次除阻。C 除阻以后 L 再成阻，实际上就是由两个单辅音组成。复辅音变成单辅音的时候，有以下的音变规则 CL>T，其中的 T 来自于 C 的发音方法和 L 的发音部位。如藏文“肘”kru 到拉萨话中变成了 tʂu<*ʈu，ʈ 的发音部位与 kru 中 r 的卷舌部位相同，ʈ 的发音方法与 kru 中的塞音 k 相同。汉语的“塘”dɑŋ<*ɡla̱ŋ，d 的发音部位与 l 的舌齿音相同，d 的发音方法与塞音 ɡ 相同。苗瑶语和侗台语中的“池塘”借自汉语，可比较长坪勉语 ɡlaːŋ、全州勉语 ɡlaŋ、板考布依语 ɡɑŋ、隆安壮语 hlaŋ、扶绥壮语 laŋ，这些材料正可以印证汉语“塘”的复辅音声母的音变规则。复辅音是辅音丛中的一类，东亚语言中的这一类有特殊的音变类型。

3. 复杂辅音

雅洪托夫的有些辅音丛并不采用复辅音的音变规则。例如，他把二等字“家”拟作复辅音*kra，按照上面复辅音的变化规则应该是 kra>ʈa>tʂa，但它在中古以后却是变为 kia>tɕia。所以，雅洪托夫的这种辅音丛应该是复杂辅音，它变成单辅音的音变规则是：k 是主要调音，读音保留不变，r 是次要调音，变成介音或者失落，如“家”k^{r}a̱>k^{ɯ}a̱>kia̱>tɕia。为了与复辅音区分，复杂辅音的第二个成分用上标记音，如家*k^{r}a̱。

赖福吉（2015）提到复杂辅音这个术语的时候，认为是塞音（主要调音）+近音（次要调音）的组合。次要调音成分记作上标形式，如唇化音 k^{w}a，腭化音 k^{j}a。二等声母就是 r 化音 k^{r}a，它与其他的复杂辅音一样，主要调音成分 k 保持不变。

上古汉语的一些字与塞音或近音都发生关系，到中古的时候塞音保留不变，这就是来自上古的复杂辅音声母，如“告”*k^{l}u̱s>ku>k^{ə}u>中古 kɑu，可比较泰文 kluh<klaawh（说、说话）。“鸿”*ɡ^{l}o̱ŋ>ɡo̱ŋ>中古 ɦuŋ，可比较藏文 kruŋ（雁）。“刻”*k^{l}ɯ̱>kɯ̱>中古 k^{h}ək，可比较景颇语 krok、佤语 lok（雕刻）。

上古汉语的复杂辅音分为三套 C^{j}-、C^{l}-、C^{r}-。C 是主要调音。C^{l}-、C^{r}-中的 C-只限于钝音，如舉*k^{l}aʔ>kaʔ>中古 kiɤ，鏗*k^{hr}i̱ŋ>中古 k^{hɯ}ɛŋ。其中的 C^{j}-变为章组。复辅音 Cl-、Cr-加上次要调音^{j}以后也变成章组，复辅音先变成塞音，如 kl^{j}->t^{j}-，之后再与次要调音合成 t^{j}->tɕ-，如振*kl^{j}ɯn>t^{j}ɯn>中古 tɕin。

塞擦音也是复杂辅音中的一类，它们都有相同的成阻，不同的除阻。复杂辅音的近音清化以后，往往变成塞擦音，如青衣苗语 t^{l}->t$^{l̥}$->t^{s}-，t$^{l̥}$-的读音与 t^{s}-非常接近。

上古汉语的 sN 也是一种复杂辅音，如喪*s^{m}a̱ŋ>中古 sɑŋ、戌*s^{m}id>中古 s^{w}it、胥*s^{ŋ}a>中古 siɤ、絮*s^{n}as>中古 siɤ，其中的 s 是主要调音，后面的鼻音是次要调音，之后失落。

有个别 sN 还变成塞擦音，N 在 s 的影响下清化成送气塞音，接着与 s 合起来成为塞擦音：七*sn̥id>st^{h}it>中古 ts^{h}it、千*sni̱ŋ>sn̥iŋ>st^{h}in>中古 ts^{h}en。

上文所述，有些二等字并不像雅洪托夫所说带 r 介音。例如，有些二等知组字的谐声系列带有许多以母字,却没有一个来母字,如“擇”“澤”“襗”“爹”“哆”“瑒”,它们并不符合雅洪托夫二等与来母谐声的规则。

有些端组字在某种原因下从一等变成了二等,在二等介音^{r}>^{ɯ} 的影响下发生以下的音变 t^{ɯ}->ʈ->tʂ。还有些复辅音 KL 变成了端组字 T,变成二等以后成了知组。如“荼”上古来自 * ɡla̱>da̱,变成二等韵以后,在二等介音的影响下变成 d^{ɯ}a̱>ɖ^{ɯ}a。

三、等呼与介音

上古有 6 个主元音:a、e、i、ɯ、u、o,各分松(常态)、紧(咽化)两套。目前,上古汉语拟有这 6 个元音的有包拟古、白一平、沙加尔、斯塔罗斯金以及郑张尚芳和潘悟云,本手册把它简称为“六元音系统”。

中古的等和呼属于介音系统。带合口介音^{w} 和前滑音 u̯ 的字属于合口呼,主元音 u 和 ʊ 都会随带合口成分。紧元音到中古都变成一、二、四等,其中带介音^{ɯ} 的字属于二等,不带介音的字如带有主元音 e 属于四等,其他的字都属于一等。上古松元音到中古都变成三等韵,带有腭介音。其中带^{ɨ} 介音的字叫作重纽三等,或 B 类;带^{i} 介音的三等是无标记类,其中带前高元音的字叫作重纽四等,或 A 类。

来自上古歌^{a} 部的三等钝音,中古只有 B 类,没有 A 类。这些 B 类都来自上古的 * C^{r}-,却没有无标记的 * C-,这是不符合标记理论的。可见,上述 B 类字中一定有许多原来是无标记的,后来才产生了 B 类的介音,如“我”“皮”“可”谐声系列中的 B 类字,本手册就没有拟作上古介音 *^{r}。侵部的三等钝韵也只有 B 类,很少几个 A 类字,它们也可能后来才产生了介音 *^{r}。

四、上古韵尾

上古有 10 个词根韵尾(rootcode):-Ø、-ɡ、-ŋ;-l、-d、-n;-b、-m;-w、-ɡ^{w},有 2 个后韵尾(postcode):-ʔ、-s。-s 可以加在任何一个词根韵尾后面,-ʔ 可以加在塞韵尾以外的任何词根韵母后面。

绝大部分的汉藏语中,塞韵尾是清的不爆破音。俞敏(1984)和郑张尚芳(1990)认为上古的塞韵尾是浊塞音。潘悟云(2023)进一步提出,上古汉语和其他的藏缅语都有古藏文那样带有浊的爆破音。

五、上古韵部

清儒根据《诗经》的押韵,归纳出上古汉语的韵部,也就是韵。韵部的主元音相同、韵尾相同,但是后韵尾和主元音的松、紧可以不同,如-aŋ、-aŋs、-aŋʔ、-a̱ŋ、-a̱ŋs、-a̱ŋʔ,都属于同一个韵部-aŋ(陽部)。

上古有 6 个主元音,10 个韵尾,构成 60 个韵部。韵部根据 10 个韵尾的部位可以分为四大部类:G 部类、D 部类、B 部类、W 部类。

清儒早就提出对转的概念,有些字的主元音相同,韵尾的发音部位相同,而且语义相关,如陟 * tɯɡ ~ 登 * klɯ̱ŋ>tɯ̱ŋ,鵝 * ŋa̱l ~ 雁 * ŋ^{r}a̱ns,無 * ma ~ 亡 * maŋ,合 * ko̱b ~ 弇 * ko̱m。这实际上是上古汉语的形态变化,通过韵尾的交替造成新词。除了入声韵部和阳声韵部的对转以外,还有阴声韵部和入声韵部、阳声韵部的对转:如 * n^{j}a ~ 若 * n^{j}aɡ,女 * mlaʔ ~ 娘 * mlaŋ,吾 * ŋa̱ ~ 卬 * ŋa̱ŋ。发生对转的韵部合起来叫作韵部组,如魚、鐸、陽为鐸韵部组,歌、月、元为月韵部组。

表 2 上古韵部

主元音	G 类韵部				D 类韵部				B 类韵部			W 类韵部		
	韵部组	-Ø	-ɡ	-ŋ	韵部组	-l	-d	-n	韵部组	-b	-m	韵部组	-w	-ɡ^{w}
a	鐸组	魚	鐸	陽	月^{a} 组	歌^{a}	月^{a}	元^{a}	盍^{a} 组	盍^{a}	談^{a}	藥^{a} 组	宵^{a}	藥^{a}
e	錫组	佳	錫	耕	月^{e} 组	歌^{e}	月^{e}	元^{e}	盍^{e} 组	盍^{e}	談^{e}	藥^{e} 组	宵^{e}	藥^{e}
ɯ	職组	之	職	蒸	物^{ɯ} 组	微^{ɯ}	物^{ɯ}	文^{ɯ}	緝^{ɯ} 组	緝^{ɯ}	侵^{ɯ}	覺^{ɯ} 组	幽^{ɯ}	覺^{ɯ}
i	質^{g} 组	脂	質^{g}	真^{ŋ}	質^{d} 组	脂^{l}	質^{d}	真^{n}	緝^{i} 组	緝^{i}	侵^{i}	覺^{i} 组	幽^{i}	覺^{i}

续 表

主元音	G 类韵部				D 类韵部				B 类韵部			W 类韵部		
	韵部组	-Ø	-ɡ	-ŋ	韵部组	-l	-d	-n	韵部组	-b	-m	韵部组	-w	-ɡ^{w}
u	覺组	幽	覺	終	物^{u}组	微^{u}	物^{u}	文^{u}	緝^{u}组	緝^{u}	侵^{u}	覺^{u}组	幽^{u}	覺^{u}
o	屋组	侯	屋	東	月^{o}组	歌^{o}	月^{o}	元^{o}	盍^{o}组	盍^{o}	談^{o}	藥^{o}组	宵^{o}	藥^{o}

表格中的汉字，都是传统的韵部名称。有些韵部在六元音系统中再分为几个韵部。如传统的歌部分为*-al、*-el和*-ol三个韵部，我与郑张尚芳原来称作歌^{1}、歌^{2}、歌^{3}。本手册对这些韵部名称做了改动，在传统韵部的名称上加注上标式的主元音，如上述的歌部改作歌^{a}、歌^{e}、歌^{o}。传统的宵部、幽部也分为6个韵部：*a^{w}、*e^{w}、*o^{w}和*ɯ^{w}、*i^{w}、*u^{w}，分别改叫作宵^{a}部、宵^{e}部、宵^{o}部和幽^{ɯ}部、幽^{i}部、幽^{u}部。G类韵部有幽部(*-u)和覺部(*-uɡ)，在《诗经》时代跟W类韵部的幽^{u}部(*-u^{w})和覺^{u}部(*-uɡ^{w})已经合并。

叁、谐声分析

一、谐声性质

语言最重要的符号是语音与文字，其基本单位是音位与字位，古人用声音相同的汉字来代表另一个意义叫假借。例如，《诗·齐风·甫田》"無田甫田"，第二个"田"是象形字，象田地之形；第一个"田"为"耕治"义的动词，由于动词无形可依，造字比较困难，就用了同音的"田"字来表示，就叫假借字。但是同音同形字一多，容易混乱，于是古人又想出加形符的方法，把假借字跟本字区别开来。"耕治"义的"田"加了表动作的形符"攴"，成为"畋"，这个加了形符的假借字就是谐声字，"田"用来代表它的读音，叫作声符。带有同一个声符的一组汉字，叫作一个谐声系列，如"田佃畋沺畋甸佃"，都属于"田"谐声系列。

大部分的字位用声符和形符造成，但是还有一些字位比较复杂。如第一人称"吾"在雅言中读*ŋa。秦国第一人称写作"䲚"，上虍下魚，构成双声符字。有些汉藏语的词由鼻冠音与词根构成，"虍"的读音qa是词根，下边的"魚"读音ŋa实际上是鼻冠音前缀，"䲚"的读音就是ŋa̠ɡa或ŋka，即鼻冠音前缀加词根。

一个谐声字的声符本身就是假借字，它还通过同音关系形成更多的假借字，合起来都叫作通假字。

谐声和通假在本质上就是语言借用。一种语言借到另一种语言，分别叫作源语和借语，词汇叫作源词和借词。借词和外来词不一样，借词的读音必须采用借语的音系，借词的读音与源词之间采用最大相似原则。举北京话"热心"ɻɤɕin为例。因为上海话音系中没有北京的ɻ、ɤ，只能在上海话的音系成分中找到与北京话最接近的读音l和əʔ。通假字与本字之间的读音关系，也就是借词与源词之间的读音关系。

传世文献用字基本上都是采用雅言的用字，但古人也经常采用与雅言不一样的方言的用字。雅言的读音与方言的读音，实际上就是源语与借语的关系。同一个语义，源语和借语的读音如果过于悬殊，方言文献就不再采用雅言用字。如郭店简《老子》的第一人称读ka，与雅言"吾"的读音ŋa很不一样，应该是采用了方言用字"居"："居以寡復也"。

近年来，出土文献中的通假字虽然使上古音研究有了突破性的进展，但是，传世文献的谐声现象还是有最重要的构拟意义。清儒用《诗经》韵脚归纳韵部，但韵脚用字太少。后来段玉裁发现"同声必同部"现象，可以用谐声字来确定韵部。而且，上古声类还无法通过韵脚归类，只能利用谐声关系进行归类。所以，传世文献海量的谐声字，就是上古音研究的最基础材料。

根据段玉裁的谐声理论，一个声符基本上是一个韵部，但是为什么大部分的声符却有多个声类？原来，上古汉语是有形态现象的。韵部的形态交替比较少，主要出现于后缀的交替，特别是后缀-s 的交替，表现为去声读破。但是声类的形态交替却很复杂，其中的前缀读音表现为冠音，例如，词根 ka 带上冠音以后形成 ŋka、pka。

二、谐声交替

1. 有些声母加前缀形成清浊交替

“敗”是自动词 *b^{r}a̱ds，加了使动前缀 s-变成了使动词 *s.b^{r}a̱ds> *p^{r}a̱ds。下面是自动词为浊声母，使动词为清声母的例子：壞（匣～見）、斷（定～端）、屬（禪～章）、别（並～幫）、折（禪～章）、繫（匣～見）。

但是，清浊交替是不是都来自前缀，我们目前还不清楚。

形态交替与同音假借的交互关系，会形成更多的近音假借字。如“屬”的章母燭韵与禪母燭韵，分别是使动与自动的交替，但是“趨”的章母燭韵与禪母燭韵，并没有上述的形态交替，很可能只是从“屬”分别得到的同音假借：

屬　禪母燭韵　自动 ⟷ 章母燭韵　使动

趨　同音假借 → 禪母燭韵　　同音假借 → 章母燭韵

2. 送气与不送气的谐声交替

Benedict（1972）认为藏缅语中的“清塞音在音节起首位置是送气的，在多数或全部前缀后是不送气的。藏语在许多方面充分反映了这种现象……因此，我们必须构拟单纯的清塞音和浊塞音，并认为是由于有无前缀成分构成了送气和不送气的差别”。在东亚和东南亚的语言中，送气和不送气的对立似乎都是后来产生的。原始侗台语没有送气与不送气塞音的对立（梁敏、张均如 1993）。

在一个谐声系列中如果有送气与不送气的对立语素，我们只能暂时把它们看作是一种形态现象，通过同音假借，形成许多送气和不送气的近音假借关系：半 *pa̱ns～判 *p^{h}a̱ns，编 *pen～偏 *p^{h}en，方 *paŋ～芳 *p^{h}aŋ，工 *ko̱ŋ～箜 *k^{h}o̱ŋ，蛄 *ka̱～枯 *k^{h}a̱，圭 *k^{w}e̱～奎 *k^{wh}e̱。

3. 松紧谐声交替

上古松元音是无标记类，到中古变成三等，紧元音是有标记类，到中古变成非三等。下面是三等与非三等谐声的例子：姑 *ka̱～居 *ka，軍 *kun～褌 *ku̱n，駒 *ko～鉤 *ko̱。这种形态有怎样的语义关系，我们还不清楚。

4. 标记造字交替

有些谐声的例子看起来是一种形态交替，实际上是加了标记的同音字。比如“苦”是一种植物名，因为很难找到与“苦”同音的常用字，于是古人就用读音相近的“古”字来做声符，加了形符“艹”，形成谐声字“苦”。看起来“苦”与“古”只是送气与不送气的谐声交替，实际上是加了标记的同音谐声。这种谐声字在现代还在不断产生，如简化字“灿”“衬”“惩”“忧”与声符“山”“寸”“正”“尤”并不同音，因为加上了标记，并不会产生同音混乱。看来，许多谐声交替是古人的一种造字方法形成的，我们把它叫作标记造字交替。谐声交替可能来自形态交替，更多的可能是标记造字交替。

三、谐声的时空结构和历史层次

大部分的谐声字是在有限的时间与空间内部产生的。这个有限的时间我们称之为“谐声时代”，估计为先秦。这个有限的空间可以暂定在中原地区。随着谐声分析的深入，这个时空范围也许可以作适当的调整。有了这个时空假设，我们才能进行统一的谐声分析，才能发现一系列的谐声规则。这些谐声规则同中古音联系起来，就会得到很多的音变规则。我们会发现这些规则有很强的内部一致性。例如，同一个谐声系列属于同一个上古韵部；同一个上古韵部或者出现在中古的一等，或者出现在中古的四等，两者互补；中古的重纽对立，只出现于上古带前高元音的韵部；同一个谐声系列中发音部位相同。有规则就意味着有序。如果谐声是无序的组合,那就不可能得到有序的结果。从无序推导出有序是不可能的,所以如果我们得出的结果是有序的,那么就说明我们的假设是有效的,即:谐声内部是一致的。

谐声、假借有了时空结构也就有了历史层次。《说文》"岡"与"网"谐声,"网"又与"亡"谐声,从逻辑推导"岡"与"亡"一定也能谐声。但是"亡"的谐声系列和通假字中没有见系字。"亡"与"無"通用,"無"上古是 * ma,"亡"是 * maŋ,两者通过韵尾交替形成同根词。"岡"的词根是見母字 * k^{l}a̱ŋ,它怎么能够与明母字"亡" * maŋ 谐声呢?其原因是谐声有一个历史层次的问题。"网"的原始读音是 * mk^{l}aŋʔ>m^{l}aŋʔ>maŋʔ,词根是 * k^{l}aŋʔ,带鼻冠音前缀 m-。所以,"网"的词根与"岡"的词根 k^{l}aŋ 是可以谐声的。但是,"网"在早期的文字中还没有声符"亡",秦以后的文字中"网"字才加了声符"亡"。这个时候,"网"的读音已经变成了 * maŋʔ,与"亡"同音。"网"从"亡"得声与从"岡"得声是两个不同的历史层次。

我们曾经把氏声符中的"氏"构拟为 * kli>ti。张富海指出这种构拟是有问题的:脂部是个大韵部,t-也是一个大声母,脂部不太可能没有端母字。后来我们发现,氏声符有两个历史层次,"氏"属于第二个层次,声母就是 t-,而不是 kl-。

《史记》匈奴单于之妻叫"閼氏","氏"有好几种读音,《汉书》认为"氏"作"支"。"支"的谐声系列中只有两类,一类是見组字,一类是章组字。与見组谐声的章组字中声母也带软腭音,如日本地名 iki 汉语写作"一支","树枝"闽语读 $tɕ^{h}$iuk^{h}i。章组的语音特征带后辅音^{j},于是"氏"(支)的上古音读 * k^{j}e。"氏"谐声系列中,見组读 * ke,章组读 * k^{j}e。

"氏"与"氐"是同一个字,"氐"字后起,在"氏"的下面加了一个标记符,这是上古的一种造字方法。原来的一个字位,在原来读音的基础上加上变化,成了一个新字位,如"大"的下边加一点成了"太","令"字加口成了"命"。"氏"发生了音变以后就加了标记成为新的字位"氐"。这个音变就是三等介音的出现,使"氏"的元音发生了前高化,从佳部 e 变成了脂部 i。声母则从后舌位的 k-变成了前舌位的 t-。于是从同一个字位变成了两个不同的字位"氏"和"氐"。

肆、上古韵部构拟

一、韵部演变的主要原因

古老语言的文字系统往往以声母辅音为字母本位。阿拉伯语字母全部为辅音字母,元音通过字母上方或下方的符号来表示,通常省略。梵文的字母也代表辅音,元音符号分别写在字母的前面、后面、上面或者是下面,短音的 a 为无标记。藏文、柬埔寨文、缅甸文、泰文大体上也都采用梵文的书写方法。这些古老的文字系统说明,主元音比较简单,辅音比较复杂,上古汉语也是如此。任何复杂系统的分析都是从其中的子系统开始的。先把最简单的子系统确定好以后,才能开展后续的工作。这个最先确定的子系统,就是研究的基础部分。韵母系统就是上古音研究的基本框架,基本框架确定以后,才一步步地确定声母、声调。从顾炎武开始,上古音的研究就是从韵部划分逐渐深入的。

清儒通过《诗经》韵脚归纳出上古韵部。不过韵脚字很少,大部分的字无法确定韵部。绝大部分的汉字都是谐声字,一直到段玉裁提出同声必同部的方法,上古汉语才能有明确的韵部划分。但是,一个声符对应一个韵部只能是一个大致的语文学方法,实际的情况并非这么简单。如声符"卑"有歌^{e}、耕、佳、鍚、宵^{e}、元^{e}、脂、質^{g}8 个韵部。它们的中古韵母就更多。我们只能使用语言学的方法,即语音规则。而且语言的变动有很大的不确定性,上古的韵部还要用概率模型来检验。

上古韵部向中古韵母的演变,最重要的因素是声母和介音。中古的声母分钝音(G)和锐音,锐音分 R 类(卷舌的莊初崇生、知徹澄娘)和 T 类(非卷舌的其他锐音)。R 类来自上古的 * Cr 类辅音丛和三等的端组。中古的三、四等带元音性介音。三等字中带介音 ɨ 的是重纽 B 类,i 是重纽 A 类和其他三等字。三等来自上古带松元音的韵,一、二、四等来自带紧元音的韵。四等带前高元音,非四等带非前高元音。二等和重纽的 B 类来自上古的 r 类介音,其他的上古介音来自上古的零介音和 l 类介音。

二、韵部谐声模型。

中古音的声韵和介音是已知的，上古的声韵和介音是未知的，它们之间的关系，组成中古和上古之间声韵配合的谐声模型。这个谐声概率模型，是从已知的中古音通向未知的上古音之门。

表 3　韵部谐声模型

上古松紧	紧　元　音			松　元　音			
中古声类 上古韵母	Ⅰ：GT-V̲[C]		Ⅱ：GR-V̲[C]	Ⅲ：GT-V[C]		Ⅳ：GR-V[C]	
中古音类	非前高	一等 GT	二等 GR	非前高	GT	非前高	GR
	前高	四等 GT		前高	AT	前高	BR

这个谐声模型说明，上古的韵部有四大类：Ⅰ、Ⅱ、Ⅲ、Ⅳ。一个声符通过谐声关系可以确定它的上古韵部，每个韵部通过上表只能得到这四大类中的一类。举声符“京”为例，共有 2 个上古韵部：陽和鐸。举陽部的配合为例如表 4：

表 4　陽部声韵配合表

上古松紧	紧　元　音		松　元　音	
音变类型	Ⅰ	Ⅱ	Ⅲ	Ⅳ
中古声类 上古韵部	GT-V̲[C]	GR-V̲[C]	GT-V[C]	GR-V[C]
陽部	唐(GT)	庚$_{二}$(GR)	陽(GT)	庚$_{三}$(G)陽(R)

其中的Ⅲ类有中古陽韵“凉”“亮”“掠”等字，松元音，声母是 T 类(来母)。Ⅳ类有中古庚$_{三}$韵“景”“倞”“京”“黥”等字，松元音，带介音-r 类，声母是 G 类(软腭音)。同一个声符中数目最多的韵部，叫作主韵部，如上述声符“京”中几乎都是陽部字，声符中非主韵部的字很少。主元音相同而韵尾不同的韵部可以互相谐声，叫对转韵部，如声符“京”属陽部，而“掠”读鐸部，鐸和陽属于对转韵部 ag～aŋ。韵尾相同而主元音相近的韵部，属于旁转韵部，如“敬”为耕部，同声符的“憼”则读陽部，“惊”读耕部，两者属于陽耕旁转 aŋ～eŋ。对转和旁转合叫通转韵部。

中古韵母与谐声系列所包含的中古韵母要区分开来，后者是专门用作谐声研究的，我们把它叫作中古谐声类，简称为“谐声类”。如声符“京”所包含的中古韵母有陽、庚$_{三}$、藥，叫作声符“京”的谐声类。

经过数千年的演变，有些上古韵部已经变得不规则了。我们只能通过谐声模型探寻原来的面貌。

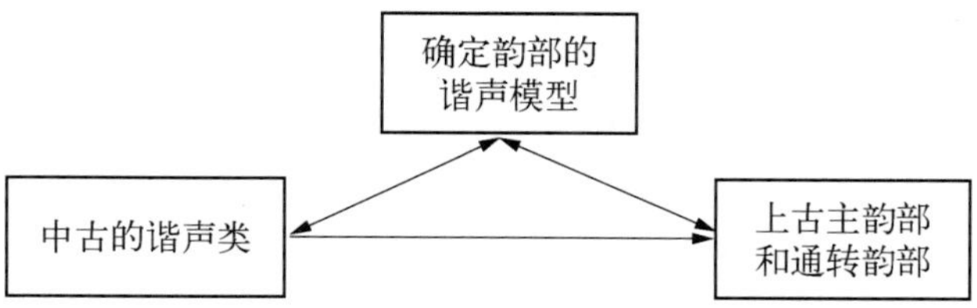

三、韵部谐声表

表 5 的主韵部包含大量的谐声字，无法一一列举，只列出主韵部所对应的声符，如“巴”“步”“叉”

“車”等声符都包含有主韵部魚。通转韵部的字比较少，谐声字可以一一列出，如跟主韵部魚对转的鐸部字“跬”“涸”“鹵”“着”等，而声符“步”“古”“者”等将不再列出。

表5　韵部谐声表

主韵部和通转韵部	谐声中古类	主韵部的声符
主韵部	模麻魚虞支歌	
魚		巴步叉車初麤夫甫父劢古兆鼓蠱瓜寡乎虍壺互户華吴加家叚斝凥朋巨姥鹵吕旅馬某女普且去疋黍鼠素圖土兔巫烏無吴無五午武下夏丫牙襾于余魚予羽雨禹圉馭者寧
对转韵部		
鐸		跬涸滷趩檏著礑檞鍺蹗覤劇噱醵臄唬
陽		畀絮駔
月[a]		粵閼
元[a]		閼
旁转韵部		
侯		呶怓
屋		豧
錫		滷
元[e]		閼
之		家居抾
主韵部	齊佳支	
佳		卑此氏帝兒圭解買米芉企氏是舐虒斯兮奚醯匸支戹知只豸鳫
对转韵部		
錫		椑鞞綼詆砉騞屄鬩瀾鵖屐澌覤迟
耕		鞞廛烓氏鍚
歌[e]		觜柴
月[e]		霓蜺隉裞
元[e]		琕硯齞
宵[e]		蜱蠡
旁转韵部		
脂		髀蘼痺眭樉迷米眯絥蘇寐麋蘪攈疷
質[g]		鵯綼奊
真[ŋ]		鲞踶
之		厎褫榼
職		寔湜
主韵部	咍灰皆之尤脂微	
之		毐啚不才毚采辭而耳否負龜亥其己久咎來里某母乃昚牛佩其丘史士司絲巳醢喜囟以矣尤郵又甾宰再止徵
对转韵部		
職		否菩踣畊惐誡戒械麥堇坶黮嶷薿嶷儗鬌儗鬱轗栯圁特杼
蒸		棓懋憖敏肇憨栫鬵凝等
微[ɯ]		洶細俟郲
文[ɯ]		存郁袸薦洊栫鱉
旁转韵部		
覺		恧鰤堇
脂		髯菭治皼滍
真[ŋ]		囟
魚		毋
佳		佴洱弭葞恲靡

续 表

主韵部和通转韵部	谐声中古类	主韵部的声符
主韵部 幽	豪侯肴尤幽	包保夲麃輮艸雔酉臭缶孚阜皋羔夰杲鬼好号昊顥丩九韭臼咎丂牢老㐬翏矛卯牟牡夒腦鳥抛秋畫囚求裘埽手守首獸叟戊攸孝休秀爻舀攸麀憂由斿酉卣早蚤棗爪叉舟州周盩肘帚書
对转韵部		
覺		搯譾透㓞糕阬梀朒肉茜敽颮鞄雹跑爮教季駁較較怞䖮䖮䎀沺儵倏跾儵鱐鶩稌務鞏桼晵覺繆戮勠蓼僇穋劉
終		慒嫪趙霧趮嗅霁蝨罙髼
旁转韵部		
之		暠孱毿鰷
職		搖瑁瑁䐣冒
侯		捄咻舀
屋		旭
幽^{i}		湫聊陶卣瀌鄌櫌擾艘瞍謏叫訆詔窌椙咰鴇邬鄂禂鳥禂寫蔦莩莜舀楢旇塹鴾髎熮顙窯湀楸窙
覺^{i}		寥倜禚糕蓨睎滌蓧徜迪笛郵苗
幽^{ɯ}		艏艽頄甌朹軌宄氿
侵^{u}		灦
微^{u}		懮
主韵部 侯	侯虞肴	芻、兜鬥豆斗豈凫付冓侯后厚後具口寇婁匧扇區取乳殳戍敄須需臾禺俞呱朱主邁走奏
对转韵部		
屋		斠絛罡齺趣鰍數暈暴暴褜斲掏梮局跼駶
東		鲘頌講傋顒鰅喁蕠叢
月^{o}		祋最蕞繓撮嘬
元^{o}		短敼鄹瑞蠕濡
旁转韵部		
幽		藳頌揄俞咮鄒騶篘縐腸
魚		艄醧
微^{u}		撨
主韵部 脂	齊皆脂	比次氏弟二㕚豊履米尼屍師矢死兕伊医夷彝旨凿𠂔
对转韵部		
質^{g}		蠮銕鬄昵軟榕扻窫
真^{ŋ}		巻玭
旁转韵部		氐醫瘛胏𠂔疪第柹柿
之		垐
職		楮猊旎抳駈砥坻罘蘼宩敉敃紕仳訛吡
佳		詆
錫		堯璣
月^{e}		

四、中古谐声类的特殊变化

中古的韵母是已知的，但是中古韵母的谐声关系有时候并不清楚。

上古魚部的谐声系列中，有中古支韵字，许多音韵学家却认为它们属于歌部，包括郑张尚芳和白一平。他们的理由有几个：（1）出现中古支韵的上古韵部字更多的有佳部、歌部，魚部却只有“巇”“戲”“䖒”“檖”“戱”“虧”6个字。但是，谐声字数的多少并不能说明问题。（2）在汉代的韵文中这几个支韵字与上古歌部字押韵,如枚乘《七发》叶“戲”“池”“罷”。但是,早期的文献中“戲”是与魚部字通假的,如“于戲”即“嗚呼”。《楚辞·远游》中“戲”与魚部字押韵:居戲霞除。支韵与歌部字押韵的例子基本上在汉代,战国有少数的几个,战国前就没有见过。可见,与歌部押韵的支韵只出现于上古晚期。

中古的麻韵二等,分别来自上古的魚部和歌部。歌部的韵尾 l 与二等的介音 r 都是流音,因为语音相近发生异化关系导致韵尾失落,从而与魚部合流 C^ra̱l>C^ra̱。这种合流的时间上限在战国。上述魚部和歌部的支韵字都是 B 类,也都带有介音 r,歌部的支韵也有同样的音变 C^ral>C^ra>中古 $C^{ɨ}$ᴇ。魚部和歌部中的麻韵合流,和与支韵的合流是同样的道理,而且这种合流的时间也都出现于战国以后。

“弜”也可支持魚部有支韵说。《切韵》“弜”有群母陽韵和支韵二读。如果认为支韵来自上古的魚部,陽支二读就属于魚陽对转。如果如其他人所说支韵来自歌部,这二读就属于歌陽对转。上古是不可能有歌陽对转的。不过也有人怀疑支韵一读在《切韵》中不可靠。除《切韵》以外,“弜”的支韵还收有《集韵》《五音集韵》《类篇》。蜀国的《华阳国志》也有相同的二读,很可能在上古就已经出现。

魚部还有几个歌韵字“個”“鄌”“蘆”“虘”“侉”,这是高频字的滞后现象。汉代歌部韵尾失落 al>a,与魚部合流。而原来的魚部发生了后高化 a>ɔ,上述几个高频字滞后读为原来的魚部 a,这是上述魚部字与歌部字合流的现象。

主韵部在中古韵母的变化,是上古韵部研究的一个重要部分。

伍、上古声母构拟

一、上古声类与中古谐声类

上古韵部研究以声符为基本单位,声母的研究也是同样如此。

韵部包括多个韵母,声类则包括多个声母,上述的上古音系中声类用大写字母来表示,如声类 P 代表声母 p、p^h、b,K 代表声母 k、k^h、g,M 代表 m̥、$m̥^h$、m。冠音用 Pre 表示,如 Pre.R 代表 p.r-、g.r-。在谐声关系上,每个声符在中古出现的声母叫声母谐声类,简称作谐声类。如从“賁”的谐声系列中,谐声类包括“幫並滂曉”4 个声母。“后”谐声系列中,谐声类有“見溪匣曉”4 个声母。下面是几个声符与谐声类的对照表:

表 6 声符与中古谐声类对照示例表

声　符	中古谐声类	声　符	中古谐声类
賁	幫並滂曉	雈	崇見溪匣曉疑以莊
朋	幫並滂	堯	見泥娘群日書溪曉疑影
后	見溪匣曉	疑	徹曉疑

二、上古声类的谐声模型

上古声母的构拟,基本上用谐声模型来进行。

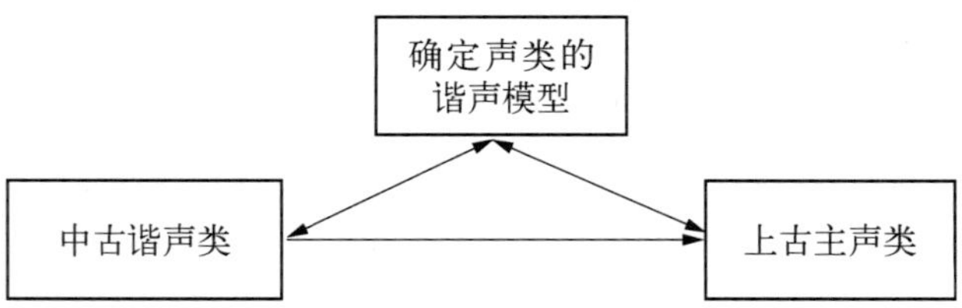

确定声类的谐声模型主要来自以下的谐声规则:

声母谐声规则 1:上古相同的发音部位类,能够互相谐声。

上古汉语中，以下的声母发音部位各自构成发音部位类。

p、p^h、b 构成唇音的发音部位类。t、t^h、d 构成龈齿音的发音部位类。软腭音 k、k^h、g 与小舌音 q、q^h、ɢ、ɴ 构成腭后发音部位类。软腭音、小舌音能够谐声，如“渴”与“喝”谐声，“渴”是溪母字，上古是*k^ha̱d；“喝”是曉母字，上古是*q^ha̱d。“聆”和“佮”谐声，“聆”是見母字*ku̱b，“佮”是影母字*qu̱b。

声母谐声规则 2：上古相同的发音方法类，能够互相谐声。

上古有以下的发音方法类：塞音、擦音、流音、鼻音。

上古互相谐声的字，发音方法和发音部位都必须相同。如果其中的一个不同，一定不能够互相谐声。比如，幫母 p 和明母 m，发音部位相同，都是双唇音，但是发音方法不一样，一个是塞音，一个是鼻音，所以这两个声母的字不能谐声。同样是鼻音的 m 和 n，虽然发音方法都是鼻音，但是发音部位一个是双唇音，一个是龈齿音，所以所含的字不能谐声。

如果谐声的两个字，发音部位和发音方法中有一个不一样，那就可能是来自不同的上古声母，或者来自中古不存在的音类。举两个例子：

有些中古明母字和泥母字谐声：“禰”泥母～“彌”明母。它们的发音部位不一样，所以这里的泥母就不是上古普通的 n，而是 ml>n。m 与 ml 的谐声，是因为发音部位都是双唇，发音方法都是鼻音。

中古曉母字和明母字谐声：“海”～“每母”。这里的曉母实际上来自上古清鼻音 m̥^{h}->h-。所以此处是 m-与 m̥^{h}-的谐声，发音部位都是双唇，发音方法都是鼻音。

为了检索方便起见，我们以上古声类为基本单位做成表 7。如上古的声类 P 中有以下的声符“痺”“蕇”“蹕”“鞞”“滭”“熚”“彈”，其中的“痺”中古谐声类是並母字，“蕇”是幫母字。

有些个别谐声字之间有近音交替，出现少有的谐声声类。如“旦”声几乎都是端组字，上古声类是 T，但是“膻”字書母，上古的拟音只能是*l̥an。“易”声符中的声类几乎都是 L，只有“狄”一个字读*te̱g。上面两个声符的例子都可把它们看作是 t 与 l̥ 的近音谐声。

氏与氐原来是同一个字，紙与砥都是章母支韵上声，上古读音都是*kl^{j}eʔ。为什么这两个字的声符一个是氏，另一个是氐？紙的读音变化是*kl^{j}eʔ>k^{j}eʔ>中古 tɕiᴇʔ，砥的读音变化是*kl^{j}eʔ>t^{j}eʔ>中古 tɕiᴇʔ。它们的中古读音虽然都是一样的，但是它们的中间音变并不完全一样。紙的中间读音是 k^j-，砥的中间读音则是 t^j-。汉代的某个时期发生了音变 kl->t-。声母的骤变，使字位也发生了变化，氏>氐。这属于谐声的历史层次。

上面的这些现象都会出现谐声的混乱，表 7 的声符也有可能出现谐声的不一致。

表 7　上古声类的谐声模型表

上古声类	中古谐声类	主声类的声符
P	幫並滂	班㲌保報畐皕髟猋贔表兵秉匸飛由霏轡本畢閉别巴癶暴貝㡀扁彬方夫畐父八拜畀缶普反甫趺葡弼叜步罰鲦煩吠焚否㞋伏㲋阜負玨佩頻憑屃般北孛便彪冰並伐奮犮罷比采弁辡並非丰付朋菐楙彭半肥分弗孚复平朏豐乀驫𣏌抛配匹片朩葡匕麃市妃票
M(包括清鼻音)	明曉滂明書	賁耳黑桼毀卉昏麻馬買𥜽曼尨莽毛矛冃冃皃枚眉美門覓冡瞢米芈糸冂宀緜巿免面苗淼蔑民皿敃名冥鳴叒末莫牟某姥母牡木目牧𠂢日奚萬万亡微尾未旻文巫無无武勿戊敄釁欻戌
N(包括清鼻音)	日泥娘透徹書昌曉	朶而二乃柰男南妫腦疒饕内能匿囟㞋廿褭尿奄聿盗農女匕㪔肰冉人壬羊刃戎茸軵宂肉甏乳辱人耎㹗閏叒若弱退妥需
NG(包括清鼻音)	疑曉日書昌娘	卬圭厂化鬳咢牛虐犬設瓦我臥五午兀顯嚻广言咢㗊虤宜乙乂埶劓豖礬獄月岳

续 表

上古声类	中古谐声类	主声类的声符
K	見溪群匣	杲个羹廾及兆鼓蠱寡毌丱盥亜龜虢其朩丮戟彑冀戛斝姦繭孑劊巾筋炅韭尻厍臼衛乚孓乑蚀劂丨衙襾幾几畺敬具己匊欶叶革耿乖毁肩屆凷聖梟亟件弜杰競臼亅夔弆裘犾季建巨弅强其虔克肯寇干款坤壺企啟棄器憩辛牽凵耆慶丘曲去叡歸欠
MP	明	卑必鼻丏免黽萬武
Pre.R	來	牢老了畾耒厽頪黎叕力利戾荔砅栗秝詈盭聯兩量敹尞列劣叓鬣粦吝闌靁叵扁鹿羅蓏贏旅履犛洛虜鎌隆涼里鬲立林廩令龍婁吕
T	端定透知徹澄	蒧袓巤中疢彳敇闖乏珏联皀亍鏖塵丈肈豸鳫逐徹奠自黽寍盭中盜奪曇田彤圖豚毒段屍對狄突弟同翯得兜鬥鳥珥詹追咒夲少鼙叏替天靦丙壬秃退遻夅兔典、翟舁夊滿晝邁徵長知豖鼎竹耴
Q	影曉匣云以	毐安奥厓好号乎寣乕回彗火或蒦霍虫區申身突奭豙允王威爲委畏胃尉衛昷叚屋烏兮希肸醯喜宊舄覽畫亼次香鄉亯向孝劦興羊凶兄熊复休亘叩穴血旻熏丫亞焉炎㫃奄衍晏厭燕央羊幺夭爻杳舀窅要曄一伊衣医壹叵遺乙以矣嗌弋亦抑邑役益異啻溢翼因亜音殷冘罣尹引䍃印胤雁嬰盈熒贏邕永用攸麀憂由斿酉又于余俞予羽裔鬻鬱冤淵肙爰袁員夗曰戉龠云匀允
L	透定徹澄以心邪昌船書曉	徹舛肜夾閃扇審尸失豕戠獸黍戍司死兕替天西同豚它也旬秀卂延覞曳夷彝丿厂易希逸裔異寅廴䍃卣牖余臾胍充兩
KL	見溪群匣知徹澄定端	長袓朝中辰呈尺赤舂蟲鬲出畜川穿垂皀龖眾刀盜登翟弟丁東豆毒耑自兑對盾多奪臭艮庚公冎鬼号合陸祭幵疌今巠絶君韯刺勞鹵賣屰尚勺舌申身突甚生聖涇十石食矢豕世筮首叔蜀朮束水虒豙壴覃夲叏田廷壬同土兔象屯屍它也希習次咸舀尋襾延炎㫃易巳舀遺以睪隶弋亦異豙冘引盈用攸由余俞予詹占章釗兆翟乇耴折者真㐱朕正執止至豸制炙鳫中舟周朱逐宁隹叔卓叕
SK	精清從心邪莊初從生	倉棘叟叉臿巢刅垂辭此恖从矗毳告公巂彗惠亼及集祭夾尖戔薦焦疌歾聿進晶井就雋爵麗屰戚咠僉牆且妾侵秋囚取全泉雀睿嗇澀彝勺生涇史茉束爽虒巳嵩叟宿粟蒜算豙祟孫惢索夕習宊舄相象小笑离凶旋尋乙以矣異用攸由酉余予匀允則

声类的谐声非常复杂,还不能全以上面的谐声模型来概括。所以,我们提出下面的上古音变规则,一方面以此来弥补谐声类型的不足,另一方面可以对谐声模型做音理解释。

陆、上古音变规则

一、流音

上古的流音有 r 和 l 两类,r 到中古变成来母 l。上古 l 的演变比较复杂,主要有表 8 的音变:

表 8　上古 l 的音变规则

紧元音音节	松元音音节(双向音变)
l->ɾ>d-一、二、四等定母	l->ʎ->j-三等以母 l->ɾ->ɖ 三等澄母
l̥->ɾ̥->t^h-一、二、四等透母	l̥->ʎ̥->ɕ-三等書母 l̥->ɾ̥->$ʈ^h$-三等徹母

续 表

紧元音音节	松元音音节(双向音变)
	l̥^{j}->ʎ̥^{j}->s-心母(司死寫錫) l̥^{j}->ɾ̥^{j}->t^{hj}->tɕ^{h}-昌母(舛瀋)
	l^{j}->ʎ^{j}->z-邪母(襲餳詞) l^{j}->ɾ^{j}->ʑ 船母(舓舐)

中古音的知组 ʈ-、ʈ^{h}-、ɖ-在中古早期原是端组 t-、t^{h}-、d-,所以,表 8 的二等跟一、四等算是一类。

李方桂(1971)认为以母原是闪音 ɾ,与 d 非常接近。潘悟云(2014)认为,一、二、四等是咽化音,咽化会使舌头后移:l->ɾ>d-:徲* li̠、軼* li̠d、舵* la̠lʔ、駝* la̠l、田* li̠ŋ、荑* li̠。

清的 l̥-在一、二、四等变成与定母对应的清音透母:拖* l̥a̠ls、天* l̥i̠n、透* l̥u̠s、洟* l̥i̠s、剔* l̥e̠。

l-在三等会出现双向音变(潘悟云 2022),有些变成以母 j-,有些变成澄母 ɖ-。三等介音最早出现的时候是接近于 ɯ 的音,后来发生以下的音变:^{ɯ}>^{ɨ}>^{i}。于是,三等介音会出现自由变体,前面的 l 也会有以下的声母变体 l^{i}-和 l^{ɯ}-:l^{i}->ʎ^{i}->j-和 l^{ɯ}->ɾ^{ɯ}->d^{ɯ}->ɖ-。例如 lid 有以母佚,又有澄母帙;lal 有以母也,又有澄母池。

清边音也有与浊边音对应的音变。

三等* l̥-有的变成書母* l̥->l̥^{i}->ʎ̥->ɕ-,有的变成徹母* l̥->ɾ̥^{ɯ}->t^{hɯ}->ʈ^{h}-。如* l̥id 有書母“失”,也有徹母“抶”;* l̥ 有書母“束”,也有澄母“楝”。

有些* sl->hl-也变成清边音* l̥-,与上述清边音的音变相同:紧元音变成透母* l̥->t^{h}-,松元音变成書母* l̥->ɕ-,如“施”有以母* lal>jiᴇ 是自动词,延义,書母* s.lal>l̥al>ɕiᴇ 是使动词,使延义。“拖”* s.la̠l>l̥a̠l>t^{h}ɑ,也是另一种使动义。

二、鼻音

汉语中古和上古的塞音都有清塞音、送气清塞音和浊塞音三分格局。

我们把带鼻音的字按声符列出来,从音变的结果看显然也是一个三分格局:

表 9　带鼻音的字的中古音

中古带送气清塞音	中古带擦音	中古带浊鼻音
滂母 撫墲嘸 岥 鋠爪派紙	**曉母** 膴 巟荒謊慌 黑潶嫼	**明母** 無憮嫵 亡妄望 脈覛霢眽 墨默嚜
透、徹母 絮帤 婼蠚 攤歎灘	**曉、書母** 恕 蚉蠚 熯暵灘漢	**泥、娘、日母** 女汝怒 諾若 難儺
溪、昌母 髡扤 杵	**曉、書母** 虺 許滸 化匕傀魤	**疑母** 杌兀軏 午忤禦 吪訛囮訛

上面这三类音,相对应的上古声母也有三类,在类型上非常一致。其中的常态浊音到中古不变,清鼻音 m̥-、n̥-、ŋ̊-在听觉上很接近 p^{h}-、t^{h}-、k^{h}-,所以到中古就变成了清送气塞音。另一类到中古都变成擦音,

应该属于送气清鼻音一类。由于送气清鼻音带有强的 h-，到中古变成了晓母 h-。三等送气清鼻音，变成 h^j->ç-，就是書母。于是我们就得到各类鼻音从上古到中古的演变规则：

表 10　鼻音由上古到中古的演变

上古	中古	上古	中古	上古	中古
清鼻音	送气清阻音	送气清鼻音	擦音	常态鼻音	鼻音
m̥>p^h 滂母		m̥^{h}>h 晓母		m>m 明母	
n̥>t^h 透母		n̥^{h}>h 晓母		n>n 泥母	
ŋ̊>k^h 溪母		ŋ̊^{h}>h 晓母		ŋ>ŋ 疑母	
m̥^{j}>tç^h 昌母		m̥^{hj}>ç 書母		m^j>ȵ 日母	
n̥^{j}>tç^h 昌母		n̥^{hj}>ç 書母		n^j>ȵ 日母	
ŋ̊^{j}>tç^h 昌母		ŋ̊^{hj}>ç 書母		ŋ^j>ȵ 日母	

举双唇鼻音的三分格局为例：

m 变成中古明母：墨*mɯ̱g、毛*mɯ̱^{w}、冒*mɯ̱gs、萝*mɯŋs、民*miŋ、每*mɯ̱ʔ。

m̥ 变成中古滂母：䁕*m̥uŋs、鎃*m̥e̱g、攺*m̥aʔ、撫*m̥aʔ。

m̥^{h} 变成中古晓母：黑*m̥^{h}ɯ̱g、昏*m̥^{h}u̱n、薨*m̥^{h}ɯ̱ŋ、海*m̥^{h}ɯ̱ʔ、慌*m̥^{h}a̱ŋʔ、膴*m̥^{h}a̱。

从汉藏语的历史比较看，汉语的清鼻音来自于*sN->hN-。h-是一个很特殊的辅音，它的声腔会跟随后接的音段变化。它的后面跟随着一个鼻音，鼻音的软腭下降动作有可能提前发生，发生时段错配（mis-timing）。口腔通道封闭，h 就会从鼻腔出来，变成清鼻音。因为清鼻音送气段都比较弱，所以清鼻音的送气与不送气读音会非常接近，形成不同的自由变体，自由变体则会形成多向音变。

我们举双唇的鼻音演变为例：

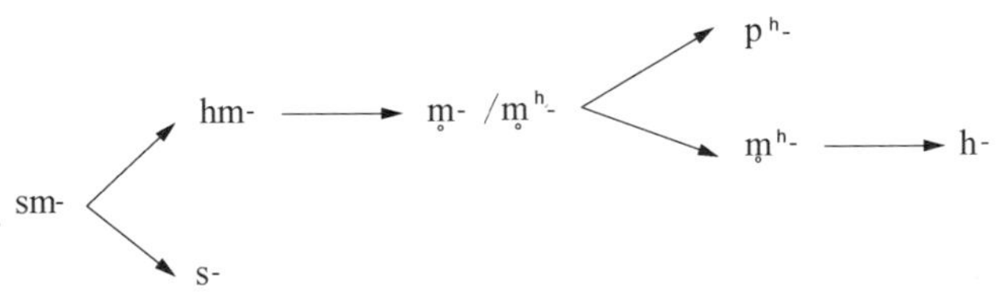

1. *sN-的第一种变体是 hN-，其中的 h-很不稳定，很快就与 N 融合为清鼻音。因为 hN-是一种过渡音，本手册的上古音并不拟作 hN-，而是拟作清鼻音。

2. *sN-的另一种变体类似复杂辅音，其中的 s-是主要调音成分，到中古保留为 s-；N 则发生弱化，类似于次要调音成分，后来失落：*sN->s-。比如：喪*sma̱ŋ>中古 sɑŋ、犀*smɯ̱l>sei、戌*smid>s^{w}it、絮*snas>siɤ、綏*snul>s^{w}i、薛*sŋed>siɛt、蘇*sŋa̱>su̯o、胥*sŋa>siɤ。这种类似于复杂辅音的 sN-，不妨记作 s^m->s-，s^n->s-，s^ŋ->s-。因为没有 s^m-、s^n-、s^ŋ-与 sm-、sn-、sŋ-的对立，我们可以简单地把它们记作 sm-、sn、sŋ。

还有几个字会出现带冠音声母的音变 s.N->N-，如午*s.ŋa̱ʔ>ŋa̱ʔ>ŋu̯o、五*s.ŋa̱ʔ>ŋa̱ʔ>ŋu̯o。可比较地支名午的借词，德宏傣语 si^{1}ŋa^4、西双版纳傣语 să^{1}ŋa^2。五，泰语 ha，实际上是来自汉语借词*sŋa>sa>ha。

上古的鼻音还有以下的变化：鼻冠音能够把后面的浊塞音同化为同部位的鼻音：

*mb->m-

蜱*mbe^{w}>miᴇu、蜜*mbiɡ>mit、丏*mbe̠nʔ>men、武*mbaʔ>miʊ

*ŋɡ->ŋ-

齩*ŋɡ^{r}e̠^{w}ʔ>ŋ^{ɯ}æu,礙*ŋɡɯ̠s>ŋəi,凝*ŋɡ^{r}ɯŋ>ŋɨŋ,元*ŋɡon>ŋ^{w}iɤn

三、塞擦音

东亚的许多语言中没有塞擦音,像侗台语的塞擦音就是后来产生的(张均如 1983)。孙宏开(1991)也指出:“藏缅语族各语言塞擦音的发展是后起的。”包拟古(Bodman 1958)、蒲立本(Pulleyblank 1962—63)、李方桂(1971)都提出了塞擦音*sC-的构拟。s-作为冠音有特殊的音变。

汉藏语有以下音变:sT->Ts-,如老虎藏语是 stag,拉祜语是 tsa,很多音韵学家认为是一种换位音变,实际上是慢爆音的音变结果。爆音与塞擦音本属于一类。爆音叫作强爆音与快爆音,塞擦音叫作弱爆音与慢爆音。前者是瞬间除阻,成阻气压很大,爆破强烈;后者除阻较缓慢,成阻擦音部分气流泄露,气压会比较小,爆破较弱。前者的音系强度强,后者的音系强度弱。英语 two 中的 t,是慢爆音,听起来就像塞擦音。st-中的 t 在 s 的影响下可能会出现气流的泄露,形成塞擦,然后前面的 s 弱化脱落。

本手册提出更系统的塞擦音变化:

精母*sk-、skl>st->ts,例子:總*sko̠ŋʔ、將*skaŋs、焦*ske^{w}、祭*skleds、精*skleŋ。

清母*sk^{h}-、*sk^{h}l->st^{h}->ts^{h},例子:蛆*sk^{h}as、聰*sk^{h}o̠ŋ、倉*sk^{h}la̠ŋ、青*sk^{h}le̠ŋ。

從母*sɡ-、*sɡl->sd->dz-,例子:螬*sɡu̠、造*sɡu̠ʔ、嚼*sɡe^{w}、蘩*sɡlo̠ŋs、坐*sɡlo̠lʔ。

上述的精组字到底来自 sC-或 sCl,还难确定。

莊组与精组有对应的构拟:

莊母 skr>sʈ->tʂ-,例子:茁*skrod、盞*skre̠nʔ、裝*skraŋ、阻*skraʔ、渣*skra̠。

初母*sk^{h}r>sʈ^{h}->tʂ^{h}-,例子:創*sk^{h}raŋ、叉*sk^{h}ra̠、窻*sk^{h}ro̠ŋ、楚*sŋ̊raʔ>sk^{h}raʔ。

崇母*sɡr->sɖ->dʐ,例子:棧*sɡre̠nʔ、狀*sɡraŋs、鉏*sɡra、潺*sɡrɯ̠n、撰*sɡro̠nʔ。

来自 sC-或 sCl 的精组字,C 是唇音的例子很少,有穧*sbɯls、匠*sbaŋs、誚*sble^{w}s、自*sblids,且不是很可靠。自*sblids 可能是鼻的本字鼻*b^{l}ids。匠字是否从匚得声,很难确定。

塞擦音除了来自*sC(l)-、*sC(r)-的读音以外,还可能有其他的来源。郑张尚芳(2003)指出,在没有塞擦音的亲属语中,它们的擦音 s、z,在其他亲属语中往往对应于塞擦音。所以,汉语的塞擦音 ts-、ts^{h}-、dz-有可能来自上古的 s-、s^{h}-、z-。但是,既然上古 s-到中古变成 ts-,那么中古的 s-的上古来源是什么?在郑张尚芳的基础上,本手册的精组构拟则作以下调整:

s->ts-(精)　　s^{h}->ts^{h}-(清)　　z->dz-(從)　　s^{l}->s-(心)

*sl->s^{l}->s-也会变成复杂辅音,这与上述的音变 sm->s^{m}->s-相似。这有大量心母字的证据:珊*s^{l}a̠n>sɑn,纖*s^{l}em>siᴇm,*娑 s^{l}a̠l>sɑ,*絲 s^{l}ɯ>sɨ,*宿 s^{l}uɡ>siuk,*析 s^{l}e̠ɡ>sek,*心 s^{l}um>sim。比较絲在藏文的汉语借词 sri,綫在韩文中是 sli>sili>sil,这说明汉语上古音的絲只能是 s^{l}ɯ>si。但是,s^{l}-与 s-是有对立的音变例子,下文三辅音*sk^{l}->s^{l}->s-跟*skl->st->ts-有不同的音变。可见,sl-在上古已经变成了 s^{l}-。

四、冠音加辅音丛

上古的冠音 Pre 加上辅音丛成为三个辅音的组合 Pre.CL。

马王堆汉墓帛书《老子甲本》“柔”作“秡”,是双声符字,主声符是“求”*ɡ^{l}u,次声符是冠音 m-,合起来就是*mɡl^{j}u,第二个辅音失落,变成*ml^{j}u>中古 ȵɨu。为什么三辅音中的第二个辅音会失落?

冠音和辅音丛合在一起,每一个音段的时长会缩短。冠音往往是无音位价值的元音,L 是近音,三个之中 C 是阻音,响度和长度最小,所以更加容易失落。

《左传》地名“不羹”中的“羹”字《经典释文》“音郎”。“不羹”中的“不”是地名中的词头冠音*pə̥,“羹”的读音是*k^{r}a̠ŋ,合起来实际上就是三辅音*pə̥kra̠ŋ。其中第二个辅音 k 的响度和长度最小,容易失落，于是“不羹”就变成“不郎”* pə̣ra̱ŋ。

这条规则，可以解释许多以前无法解释的音韵现象。

“明”的声符是“囧”* k^{wr}aŋ，“明”的上古读音可能是* mk^{wr}aŋ > m^{r}aŋ。这样就可以把它与“光”* k^{wl}aŋ作词族联系。

“豳”为幫母真韵* p^{r}ɯn，从它得声的“燹”却是心母字，可以做如下的音韵解释：“燹”带 s 冠音 sp^{l}ɯ̱nʔ>s^{l}ɯn>中古 sen。“燹”跟同根字“焚”* bɯn、“燔”ban 也有词族的关系。

于是，我们就会明白以“龍”得声的谐声系列中，为什么会出现有見母、生母、並母、徹母如此不同的读音：

龍* ɡ.roŋ>roŋ ~ 龐* bɡ^{r}o̱ŋ>b^{r}o̱ŋ ~ 瀧* sk^{r}o̱ŋ>s^{r}o̱ŋ ~ 龔* k^{r}oŋ ~ 寵* k^{h}roŋ>ʈ^{h}oŋ

“龍”ɡ.roŋ 可以通过上述的谐声规则，清浊交替、复辅音与复杂辅音交替，产生许多以它为声符的谐声字。

三辅音的音变规则，不仅出现于上古汉语，还出现于藏文。西藏《贤者喜筵》“肿胀”sraŋs，16 世纪该书作者有的地方写作 skraŋs，说明在历史上第 2 个塞音失落（张济川 1986）。

藏文“计数”bɡraŋ，其中的词根是 ɡraŋ。藏文的“秤”“量”和“斤两”的“两”读 sraŋ，实际上是 s 前缀加上词根 ɡraŋ，发生塞音失落：sɡraŋ>sraŋ。

藏文“街道”sraŋ，根据藏语的语音规则应该来自于* skraŋ，它与上古汉语的莊* skra̱ŋ 同源：六達謂之莊。

除了鼻冠音加辅音丛的许多例子以外，还有各种咝冠音加辅音丛的例子。

1. 咝冠音加复杂辅音

sk^{l}->s^{l}->s-（心）	sk^{hl}->s^{l}->s-（心）	sɡ^{l}->z^{l}->z-（邪）
sq^{l}->s^{l}->s-（心）	sq^{hl}->s^{l}->s-（心）	sɢ^{l}->z^{l}->z-（邪）
sk^{r}->s^{r}->ʂ-（生）	sk^{hr}->s^{r}->ʂ-（生）	sɡ^{r}->z^{r}->ʐ-（崇）
sq^{r}->s^{r}->ʂ-（生）	sq^{hr}->s^{r}->ʂ-（生）	sɢ^{r}->z^{r}->ʐ-（崇）

楔* sk^{l}e̱d>s^{l}e̱d>中古 set，声符“契”* k^{h}ed，冠音 s-。

澀* sk^{r}ɯb>s^{r}ɯb>中古 ʂip，《说文》：“翜读若濇。”“翜”的声符“夾”* k^{r}e̱b，冠音 s-。

搜* sk^{r}u>s^{r}u>中古 ʂiu，声符“鬼”* kulʔ，冠音 s-。

“粟”的上面字形隶化为“西”，实际上是声符“角”的变形，《战国古文字典》即从米角声，“角”上古音* k^{r}o̱ɡ。“粟”前带冠音 s-，有下面的音变：* sk^{l}oɡ>s^{l}oɡ>中古 siok。

复合声母的主辅音在消失前，冠音 s 会浊化为 z-或 ʐ-：

松* sɡ^{l}oŋ>z^{l}oŋ>中古 ziʊŋ，声符“公”* k^{l}o̱ŋ，冠音 s->z-。

緖* sɡ^{l}aʔ>z^{l}aʔ>中古 ziɤ，张家山汉简《二年》：“緖”通“絡”，冠音 s->z-。

2. 咝冠音加复辅音

其中的复辅音先变成单辅音 KL>T，再与咝冠音一起变成塞擦音 Ts。

skl->st->ts-（精）	sk^{h}l->st^{h}->ts^{h}-（清）	sɡl->sd->dz-（從）
skr->sʈ->tʂ-（莊）	sk^{h}r->sʈ^{h}->tʂ^{h}-（初）	sɡr->sɖ>dʐ-（崇）。

稷* sklɯɡ>stɯɡ>中古 tsɨk，“稷”一作“稯”* k^{r}ɯɡ，冠音 s-。

静* sɡleŋʔ>sdeŋʔ>中古 dziᴇŋ，上海博物馆藏战国楚竹书《容成氏》：“静”通“耕”* k^{r}e̱ŋ，冠音 s-。

岑* sɡrɯm>sɖɯm>中古 dʐim，声符“今”* k^{r}ɯm，冠音 s-。

五、章组

章组是来自基本辅音加^{j} 的复杂辅音，塞音在^{j} 的影响下腭化：

t^{j}->tɕ-、t^{hj}->tɕ^{h}、d^{j}->dʑ

k^{j}->tɕ-(章)　　p^{j}->tɕ-(章)　　q^{j}->ʔ^{j}-(影)

k^{hj}->tɕ^{h}-(昌)　　p^{hj}->tɕ^{h}-(昌)　　q^{hj}->h^{j}-(晓)

g^{j}->dʑ-(禅)　　b^{j}->dʑ-(禅)　　ɢ^{j}->ɦ^{j}->ʑ-(船)

kl^{j}-属于三辅音,有以下的音变:kl^{j}->k^{j}->中古 tɕ-。

到汉代中期,发生音变 kl->t-,章组发生以下的音变:

kl^{j}->t^{j}->tɕ-(章)　　k^{h}l^{j}->t^{hj}->tɕ^{h}-(昌)　　gl^{j}->d^{j}->dʑ-(禅)

上述章组的两类音变,在中间阶段会产生不同的历史层次。

船母的上古音很难构拟。从谐声看,中古的船禅非常接近,与禅谐声的声母更多的是阻音,与船谐声的更多的是近音和擦音,如以母、邪母等。上文对流音的讨论中有双向音变:*l^{j}-变成邪母 z-,也可以变成船母 ʑ-。船母有少数与阻音谐声的字,实际上来自小舌塞音*ɢ-。下文提到中古的以母有部分也来自于*ɢ-,*ɢl->l->j-,与章、昌、禅谐声的船母更多的来自于 ɢl^{j}->l^{j}->ʑ-与 ɢ^{j}-,如唇*ɢl^{j}ɯn、晨*ɢl^{j}ɯn、謚*ɢ^{j}igs、吮*ɢ^{j}unʔ。

有些船母字还有其他的来源,如船母"䏜"同"孕",藏文有同源词 sbrum(怀孕)。"䏜"的读音是*sbl^{j}um>sbl^{j}ɯŋ>zl^{j}ɯŋ>ʑɯŋ,带 s 的三辅音中第二个辅音 b 失落,同时使 s 浊化为 z,^{j} 使 z 腭化为 ʑ(船母)。

六、小舌音

表 11　小舌音从上古到中古的音变

上古汉语	*q-	*q^{h}-	非三等*ɢ-	三等*ɢ-/*ɢl-	三等*ɢ^{w}-前高元音	三等*ɢ^{w}-非前高元音	三等*ɢ^{r}-
中古汉语	影母 ʔ-	晓母 h-	匣母 ɦ-	以母 j-		云母 ɦ^{i}-	

影母:影*q^{r}aŋʔ、安*qa̱n、愛*qɯ̱ds、汪*q^{w}aŋʔ、幽*q^{r}i^{w}

晓母:虎*q^{h}a̱ʔ、香*q^{h}aŋ、呵*q^{h}a̱l、喜*q^{h}ɯʔ、胸*q^{h}oŋ

匣母:桓*ɢo̱n、兮*ɢe̱、回*ɢu̱l、號*ɢu̱、鸖*ɢo̱l

云母:雲*ɢ^{r}un、運*ɢ^{r}uns、位*ɢ^{r}ɯbs、於*ɢ^{wr}a、往*ɢ^{w}aŋʔ、雄*ɢ^{w}ɯŋ、有*ɢ^{w}ɯʔ

以母:融*ɢluŋ、耀*ɢleg^{w}s、移*ɢlal、譯*ɢlag、羊*ɢlaŋ、役*ɢ^{w}eg、營*ɢ^{w}eŋ。

*ɢl-与*C.l-都变成 l->j-,后者即*k.l-、*k^{h}.l-、*g.l-、*ɢ.l-。它们的上古来源到底是前者还是后者-,还没有明确的答案,本手册暂时拟作*ɢl-。

柒、中古韵母与上古韵部的对应

第一列是中古的韵母,第二列是对应的上古韵部,按韵部总数排序。

表 12　中古韵母所对应的上古韵部

中古韵母	对应的上古韵部
德开一	職 52　緝^{u}1
德合一	職 5
登开一	蒸 68　侵^{u}10
登合一	蒸 5

续 表

中古韵母	对应的上古韵部
冬合一	終 34　侵^{u}1
東合三	終 70　侵^{u}12　蒸 12
東合一	東 259　終 8　蒸 3　談^{o}2
鐸开一	鐸 146　藥^{o}22　藥^{a}2
鐸合一	鐸 25　藥^{o}7
廢开三	月^{a}6
廢合三	月^{a}16　月^{o}8
乏合三	盍^{o}3　盍^{a}1
凡开三	談^{a}2
凡合三	談^{o}17
歌开一	歌^{a}124　魚 4
歌开一去	歌^{a}21　魚 3　鐸 1
歌合一	歌^{o}112　歌^{a}36
歌合一去	歌^{o}39　歌^{a}13　鐸 1　月^{o}1
庚开二	陽 81
庚开三	陽 43　耕 26
庚合二	陽 23
庚合三	陽 9　耕 7
耕开二	耕 98　蒸 13　真^{ŋ}4
耕合二	蒸 11　耕 10
夬开二	月^{a}17　月^{o}2　職 2
夬合二	盍^{o}4　月^{o}4　月^{a}3
咍开一	之 123　微^{ɯ}20
咍开一去	之 39　職 19　物^{ɯ}17　微^{ɯ}2　緝^{u}1
寒开一	元^{a}242　元^{o}3　談^{a}1
寒合一	元^{o}264　元^{a}55
豪开一	幽 175　宵^{o}49　宵^{a}46　幽^{ɯ}7
豪开一去	覺 26　幽 21　宵^{a}17　宵^{o}16　幽^{ɯ}9　藥^{o}5　宵^{e}1　藥^{a}1

续 表

中古韵母	对应的上古韵部
合开一	盍^{o}50 緝^{ɯ}32 緝^{u}24
曷开一	月^{a}85 月^{o}1
曷合一	月^{o}82 月^{a}32 盍^{o}4
盍开一	盍^{a}46 盍^{o}4
痕开一	文^{ɯ}26
侯合一	侯 178 之 24 幽 10
侯合一去	侯 73 屋 18 幽 17 之 5
灰合一	微^{u}133 之 40 微^{ɯ}12
灰合一去	物^{u}26 微^{u}25 之 15 物^{ɯ}12 緝^{u}10 職 8 微^{ɯ}7 物^{ɯ}1
魂合一	文^{u}198 文^{ɯ}42
緝开 A	緝^{i}1 緝^{ɯ}1
緝开 B	緝^{ɯ}25 緝^{u}13
緝开三	緝^{i}35 緝^{ɯ}27 緝^{u}22
祭开 A	月^{e}21 月^{a}1
祭开 B	月^{a}14 月^{e}5 盍^{e}1
祭开三	月^{e}48 月^{a}17 盍^{e}14
祭合 A	月^{o}1
祭合 B	月^{o}4 月^{a}1 月^{e}1
祭合三	月^{o}44 月^{e}17 盍^{o}6 月^{a}1 質^{d}1
佳开二	佳 44 歌^{e}12
佳开二去	佳 16 錫 8 歌^{e}2
佳合二	佳 15
佳合二去	佳 12 錫 3
江开二	東 70 終 15 蒸 1
皆开二	脂^{l}24 之 20 微^{ɯ}6
皆开二去	月^{e}28 職 10 物^{ɯ}8 之 3 緝^{u}1 微^{ɯ}1 物^{u}1 脂 1 脂^{l}1
皆合二	微^{u}12 脂^{l}5
皆合二去	物^{u}13 微^{u}4 微^{ɯ}1 月^{e}1

续 表

中古韵母	对应的上古韵部
覺开二	屋 68　藥^{e}39　藥^{o}35　覺 27　鐸 6　藥^{a}3　藥^{ɯ}1
麻开二	魚 119　歌^{a}33　歌^{o}1
麻开二去	魚 38　鐸 31　歌^{a}12
麻开三	魚 50　歌^{a}10
麻开三去	鐸 26　魚 6
麻合二	歌^{o}24　魚 23　歌^{a}4
麻合二去	魚 10　歌^{a}5　歌^{o}4　鐸 2
麥开二	錫 75　職 21
麥合二	錫 10　職 8
没开一	物^{ɯ}5
没合一	物^{u}89　物^{ɯ}20　緝^{u}4
模合一	魚 298　侯 2　幽 2　之 2
模合一去	魚 69　鐸 53
陌开二	鐸 91
陌开三	鐸 26　錫 1
陌合二	鐸 17
齊开四	佳 116　脂 93　脂^{l}51　歌^{e}27　微^{ɯ}4　緝^{u}1
齊开四去	月^{e}31　脂 27　佳 23　錫 22　歌^{e}17　脂^{l}14　物^{ɯ}13　質^{d}10　質^{g}10　微^{ɯ}5　盍^{e}2　緝^{i}1　緝^{ɯ}1
齊合四	佳 26　微^{u}10　脂^{l}5　歌^{o}1
齊合四去	質^{d}9　佳 4　月^{e}3　錫 1
迄开三	物^{ɯ}26
洽开二	盍^{e}37　盍^{o}15　緝^{ɯ}3
侵开 A	侵^{ɯ}3
侵开 B	侵^{ɯ}63　侵^{u}13
侵开三	侵^{u}146　侵^{ɯ}29　侵^{i}27
青开四	耕 229　真^{ŋ}3　陽 1
青合四	耕 29
清开三	耕 155

续　表

中古韵母	对应的上古韵部
清合三	耕 43
山开二	元^{e}77　文^{ɯ}19　真^{ŋ}6　真^{n}5
山合二	元^{e}19　文^{u}4　文^{ɯ}1　真^{n}1　真^{ŋ}1
删开二	元^{a}68　元^{o}12　元^{e}1
删合二	元^{o}38　元^{a}1
泰开一	月^{a}54　月^{o}11　盍^{a}6
泰合一	盍^{o}22　月^{o}19　月^{a}6
覃开一	侵^{u}111　談^{o}49　侵^{ɯ}41
談开一	談^{a}99　談^{o}8　侵^{u}1
唐开一	陽 276
唐合一	陽 77
添开四	談^{e}56　侵^{ɯ}11　侵^{i}6　侵^{u}4
帖开四	盍^{e}66　緝^{ɯ}16　緝^{i}5
微开三	微^{ɯ}72
微开三去	物^{ɯ}25　微^{ɯ}6
微合三	微^{ɯ}58　微^{u}50
微合三去	物^{u}26　物^{ɯ}19　微^{ɯ}16　微^{u}10
文合三	文^{u}106　文^{ɯ}102
沃合一	覺 45　藥^{o}12
屋合三	覺 192　職 40　覺^{ɯ}9　屋 2　覺^{i}1　質^{g}1
屋合一	屋 134　覺 6
物合三	物^{u}44　物^{ɯ}31
昔开三	鐸 79　錫 64
昔合三	錫 7
錫开四	錫 109　藥^{e}41　覺^{i}25　覺^{ɯ}2　質^{g}2
錫合四	錫 12
狎开二	盍^{a}14　盍^{o}1
黠开二	月^{e}29　質^{d}10　質^{g}9　物^{ɯ}1

续 表

中古韵母	对应的上古韵部
黠合二	物^{u}20　月^{e}1　質^{d}1　質^{g}1
鎋开二	月^{a}21　月^{o}3
鎋合二	月^{o}20　盍^{o}3　物^{u}2
仙开 A	元^{e}64　元^{o}1　真^{ŋ}1
仙开 B	元^{a}52　元^{o}20　元^{e}9
仙开三	元^{e}118　元^{a}110　元^{o}3　真^{ŋ}3
仙合 A	元^{e}20
仙合 B	元^{o}55　元^{e}2　元^{a}1
仙合三	元^{o}206　元^{e}6
先开四	元^{e}148　真^{ŋ}56　真^{n}53　文^{ɯ}46
先合四	元^{e}44　真^{ŋ}24　真^{n}12　文^{u}1
咸开二	談^{o}63　談^{e}25　侵^{u}16　侵^{ɯ}13
銜开二	談^{a}35
宵开 A	宵^{e}70　宵^{a}1　幽^{i}1
宵开 A 去	宵^{e}16　宵^{a}2　宵^{o}1　藥^{e}1
宵开 B	宵^{o}50　宵^{e}13　幽^{i}4
宵开 B 去	宵^{o}2　宵^{e}1
宵开三	宵^{e}103　宵^{ɯ}23　幽^{i}19　宵^{a}9
宵开三去	宵^{e}34　宵^{ɯ}10　藥^{e}10　幽^{i}3　宵^{a}1
蕭开四	宵^{e}121　幽^{i}58　幽^{ɯ}6　宵^{ɯ}1
蕭开四去	藥^{e}19　宵^{e}16　幽^{i}9　覺^{ɯ}3　覺^{i}2
屑开四	月^{e}71　質^{g}55　質^{d}17　物^{ɯ}13　盍^{e}1　物^{u}1
屑合四	月^{e}35　物^{u}8　質^{d}7　質^{g}2
薛开 A	月^{e}11　月^{a}1
薛开 B	月^{a}20　月^{e}15
薛开三	月^{e}56　盍^{e}8　月^{a}5
薛合 A	月^{e}7
薛合 B	月^{e}3　月^{o}3　月^{a}1

续 表

中古韵母	对应的上古韵部
薛合三	月^{o}51　盍^{o}5　月^{e}2
嚴开三	談^{o}12　談^{a}10　談^{e}1
鹽开 A	談^{e}9　談^{a}6
鹽开 B	談^{o}40　談^{a}11　談^{e}4
鹽开三	談^{a}67　談^{e}66　談^{o}54
陽开三	陽 382
陽合三	陽 101
肴开二	幽 75　宵^{e}67　宵^{a}8　宵^{o}7　幽^{i}5　侯 3　之 2　藥^{e}1
肴开二去	宵^{e}24　藥^{e}19　幽 14　覺 7　宵^{a}2　宵^{o}2　藥^{o}2　侯 1　宵^{ɯ}1
藥开三	藥^{e}56　鐸 40　藥^{o}11　藥^{a}7　覺^{i}2　藥^{ɯ}1
藥合三	鐸 23
葉开 A	盍^{e}4
葉开 B	盍^{a}4　盍^{o}3　盍^{e}2
葉开三	盍^{e}81　盍^{a}17　盍^{o}7
業开三	盍^{o}18　盍^{a}13
殷开三	文^{ɯ}71　真^{ŋ}1
幽开三	幽 18　幽^{i}16　幽^{ɯ}3
幽开三去	幽 5　幽^{i}1
尤合三	幽 367　之 54　幽^{i}8　幽^{ɯ}2　宵^{ɯ}1
尤合三去	幽 84　覺 25　之 24　職 8　覺^{ɯ}2　幽^{i}2
魚开三	魚 307
魚开三去	魚 83　鐸 6
虞合三	侯 247　魚 172　幽 14　之 9　幽^{i}1
虞合三去	侯 78　魚 16　幽 12　屋 9　鐸 4　覺 1
元开三	元^{a}58　元^{e}1
元合三	元^{o}159　元^{a}65
月开三	月^{a}15
月合三	月^{o}40　月^{a}28　月^{e}1

续　表

中古韵母	对应的上古韵部
真开 A	真^{n}54　真^{ŋ}20　文^{ɯ}1
真开 B	文^{ɯ}50　蒸 15　文^{u}13　真^{n}11　真^{ŋ}6　侵^{ɯ}1
真开三	文^{ɯ}87　真^{ŋ}86　真^{n}67　文^{u}2　侵^{u}1
真合 A	真^{ŋ}4
真合 B	文^{u}26　真^{ŋ}1
真合三	文^{u}134　真^{ŋ}33　文^{ɯ}4　侵^{u}1　真^{n}1
臻开三	真^{n}13　真^{ŋ}11　文^{ɯ}10
蒸开三	蒸 102　侵^{u}11
之开三	之 291　脂 1
之开三去	之 69　職 25
支开 A	佳 66　歌^{e}13
支开 A 去	佳 4　錫 4
支开 B	歌^{a}94　佳 17　歌^{e}6　魚 5
支开 B 去	歌^{a}20　佳 4　歌^{e}2　微^{ɯ}2　魚 1
支开三	佳 142　歌^{a}87　歌^{e}64　歌^{o}1
支开三去	佳 20　錫 15　歌^{a}11　歌^{e}8
支合 A	佳 7　歌^{o}5　歌^{e}4
支合 A 去	佳 2　歌^{e}1　歌^{o}1　月^{e}1
支合 B	歌^{o}35　歌^{a}8　歌^{e}6　佳 2　魚 1
支合 B 去	歌^{o}6　歌^{a}2　佳 2　歌^{e}1
支合三	歌^{o}61　歌^{a}11　佳 3　歌^{e}2
支合三去	歌^{o}20　歌^{a}1　佳 1
脂开 A	脂 33　脂^{l}4　幽^{ɯ}2
脂开 A 去	脂 10　質^{g}9　質^{d}8　物^{ɯ}2　脂^{l}1
脂开 B	之 35　脂^{l}20　微^{ɯ}14　脂 11
脂开 B 去	質^{g}20　物^{ɯ}10　質^{d}10　職 8　微^{ɯ}6　緝^{u}5　脂^{l}4　脂 1
脂开三	脂 95　脂^{l}27　微^{ɯ}5　歌^{a}2　歌^{e}1
脂开三去	質^{g}29　脂 26　緝^{i}10　質^{d}9　物^{ɯ}5　脂^{l}4　緝^{ɯ}2　歌^{e}1

续　表

中古韵母	对应的上古韵部
脂合 A	脂^{l}13　微^{u}3　脂 1
脂合 A 去	微^{u}3　質^{d}3　脂^{l}2　質^{g}1
脂合 B	微^{u}11　之 10　幽^{ɯ}8　脂^{l}4
脂合 B 去	物^{u}13　微^{u}7　微^{ɯ}1
脂合三	微^{u}92　之 4　脂^{l}1
脂合三去	物^{u}34　微^{u}12　質^{d}3　緝^{u}2　物^{ɯ}2　緝^{ɯ}1　微^{ɯ}1
職开三	職 151　質^{g}11
職合三	職 20
質开 A	質^{g}30　質^{d}29
質开 B	質^{g}14　物^{ɯ}9　物^{u}2　質^{d}2　職 1
質开三	質^{g}75　質^{d}21　物^{ɯ}1
質合 A	物^{u}8　質^{d}2　質^{g}1
質合三	物^{u}65　質^{d}3　質^{g}3
櫛开三	質^{g}8　質^{d}2　物^{ɯ}1　物^{u}1
櫛合三	物^{u}8　質^{g}1
鍾合三	東 241　談^{o}1
燭合三	屋 103

参考文献

陈剑,2007,《甲骨金文考释论集》,线装书局。

冯胜君,2007,《郭店简与上博简对比研究》,线装书局。

葛信益,1993,《广韵丛考》,北京师范大学出版社。

彼得·赖福吉、伊恩·麦迪森,2015,《世界语音》,张维佳、田飞洋译,商务印书馆。

李方桂,1971,《上古音研究》,《清华学报》新 9 卷 1、2 期合刊。本文参用商务印书馆 1980 年再版本。

李家浩,2013,《〈说文〉篆文有汉代小学家篡改和虚造的字形》,《安徽大学汉语言文字研究丛书 李家浩卷》,北京师范大学出版集团、安徽大学出版社。

李家浩,2017,《十九年邦大夫史贾戈铭文考释》,《出土文献》第十一辑,中西书局。

陆宗达,2019,《〈说文解字〉同源字新证》,学苑出版社。

潘悟云,2014,《对三等来源的再认识》,《中国语文》第 6 期。

潘悟云,2022,《多向音变》,《汉语方言研究的多维视角：游汝杰教授八秩寿庆论文集》,上海教育出版社。

孙宏开等,1991,《藏缅语语音和词汇》,中国社会科学出版社。

孙俊、赵鹏,2011,《"艰"字补释》,《甲骨文与殷商史(新二辑)》,上海古籍出版社。

王国维,1959,《观堂集林》卷三《说珏朋》,中华书局。

俞敏,1984,《中国语文学论文选》,东京光生馆。

张济川,1986,《藏语声母 *sr 的来源和演变》,《中国民族语言论文集》,四川民族出版社。

张均如,1983,《壮侗语族塞擦音的产生和发展》,《民族语文》第 1 期。

张均如、梁敏等,1999,《壮语方言研究》,四川民族出版社。

郑张尚芳,1990,《上古入声韵尾的清浊问题》,《语言研究》第 1 期。

Bodman, N. C. 1980. Proto-Chinese and Sino-Tibetan: Data towrds Extablishing the Natrue of the Reltionship. *Contributions to Historical Linguistics: Issues and Materials*, edited by Frans Van Coetsem and Linda Waugh, pp.34 - 199. Leiden: E. J. Brill. 中译本为包拟古《原始汉语与汉藏语》,潘悟云、冯蒸译,中华书局,1995 年。

Hock, H. H. 1986. *Principles of Historical Linguistics*. Berlin: Mouton de Gruyter.

Matisoff, J. A. 1973. Tonogenesis in Southeast Asia. *Consonant types and tone*, edited by Larry Hyman, pp.73 - 95. Southern California Occasional Papers in Linguistics, No.1. Los Angeles: UCLA.

Pulleyblank, E. G. 1962. The consonantal system of Old Chinese. *Asia Major* 9. 中译本为蒲立本《上古汉语的辅音系统》,潘悟云、徐文堪译,中华书局,1999 年。

凡　　例

一、本手册收录上古用字 18887 个，字头基本上按《广韵》收录，《广韵》之外的字酌收《集韵》《说文》和《玉篇》。

二、本手册声符以拼音排序。声符下字头分别列有序号、中古音和上古音。中古音列有反切、声、韵、调、等、呼。中古韵类除祭、泰、夬、廢外都以平声赅上去。音韵地位遵循《切韵》的框架。上古音包括韵部和音标。每个声符中的上古音按上古韵部及其主元音、松紧、韵尾相聚。

三、韵部基本上利用清儒的韵部名称并稍作规整，便于与传统音韵文献对接。支、脂、之现代读音相混，故将支部改作佳部（李方桂）。冬部改作终部（郑张尚芳），用来区别东部和冬部的现代读音。传统的祭部、叶部、寒部现规定为月部、盍部、元部。

四、六元音系统将传统的歌（月元）、微（物文）、脂（質真）、談（盍）、宵（藥）离析为多个韵部，本手册用上标的主元音表示，如歌^{a}、歌^{e}、歌^{o} 代表-al、-el、-ol。

五、中古声母的传统名称或作照$_{二}$、穿$_{二}$、牀$_{二}$、審$_{二}$、照$_{三}$、穿$_{三}$、牀$_{三}$、審$_{三}$、常、喻$_{三}$、喻$_{四}$，本手册则改定为《方言调查字表》中的声母用字：莊、初、崇、生、章、昌、船、書、禪、云、以。重纽四等和重纽三等，从周法高定为 A 类和 B 类。

六、中古音韵地位有错误的地方，分两种情况处理。第一是原韵书的文字如有误，直接更正。如“摽，苻少切”，反切上字原作“符”，误，本手册改为“苻”。第二是原来的韵书文字没有错，我们直接根据本手册所认定的文字改动，对韵书的原文字则不作修改。如“鞋”的反切“户皆切”，但是根据音韵规则，该字应该是佳韵，本手册把该字的中古韵从皆韵改为佳韵。上述改正在脚注中加以说明。

七、侯韵和尤韵在《切韵》中都是合口，到了韵图时代变为开口。本手册依据《切韵》的读音将侯韵和尤韵定为合口；魚韵在《切韵》中是开口，到了韵图时代变为合口。本手册依据《切韵》的读音将魚韵定为开口。

八、中古拟音的 i、u 元音下加弧线表示为前滑音，如 ŋi̯ʊk、pu̯oi。上古拟音的主元音下加短横线表示紧元音，如 qɯ̱。不加表示松元音，如 pod。

九、为了区分复辅音声母和复杂辅音声母的第二个成分，本手册把后者的第二个成分（即次要调音）用上标记音，如 k^{l}-、p^{r}-、t^{j}-。送气符号、辅音合口符也用上标记音，如 p^{h}-、k^{w}-、-^{w}。这几个上标记音符号，按以下顺序排列：合口符—送气符—次要调音符，如 k^{wr}an、k^{whl}ud。

十、本手册正文使用繁体字，字形以《汉语大词典》的字形为准，个别字的字形因谐声实际作出修改。

十一、本手册后附笔画索引。

目　录

毐 ǎi

00001 毐 烏開 影咍平一開 ʔəi 之 qɯ̱
00002 毐 於改 影咍上一開 ʔəi 之 qɯ̱ʔ

安 ān

00003 鞍[1] 烏寒 影寒平一開 ʔɑn 元^{a} qa̱n
00004 侒 烏寒 影寒平一開 ʔɑn 元^{a} qa̱n
00005 安 烏寒 影寒平一開 ʔɑn 元^{a} qa̱n
00006 盦 烏寒 影寒平一開 ʔɑn 元^{a} qa̱n
00007 按 烏旰 影寒去一開 ʔɑn 元^{a} qa̱ns
00008 案 烏旰 影寒去一開 ʔɑn 元^{a} qa̱ns
00009 洝 烏旰 影寒去一開 ʔɑn 元^{a} qa̱ns
00010 晏 烏旰 影寒去一開 ʔɑn 元^{a} qa̱ns
00011 荌 烏旰 影寒去一開 ʔɑn 元^{a} qa̱ns
00012 案 烏旰 影寒去一開 ʔɑn 元^{a} qa̱ns
00013 鴳 烏澗 影删去二開 ʔ^{ɯ}æn 元^{a} qʳa̱ns
00014 鴳 烏澗 影删去二開 ʔ^{ɯ}æn 元^{a} qʳa̱ns
00015 晏 烏澗 影删去二開 ʔ^{ɯ}æn 元^{a} qʳa̱ns
00016 晏 烏澗 影删去二開 ʔ^{ɯ}æn 元^{a} qʳa̱ns
00017 騴 烏澗 影删去二開 ʔ^{ɯ}æn 元^{a} qʳa̱ns
00018 頞 烏葛 影曷入一開 ʔɑt 月^{a} qa̱d

卬 áng

00019 迎 語京 疑庚平三開 ŋiæŋ 陽 ŋʳaŋ
00020 仰 魚兩 疑陽上三開 ŋiaŋ 陽 ŋaŋʔ
00021 茚 魚兩 疑陽上三開 ŋiaŋ 陽 ŋaŋʔ
00022 卬 魚兩 疑陽上三開 ŋiaŋ 陽 ŋaŋʔ
00023 迎 魚敬 疑庚去三開 ŋiæŋ 陽 ŋʳaŋs
00024 仰 魚向 疑陽去三開 ŋiaŋ 陽 ŋaŋs
00025 卬 五剛 疑唐平一開 ŋɑŋ 陽 ŋa̱ŋ
00026 駠 五剛 疑唐平一開 ŋɑŋ 陽 ŋa̱ŋ
00027 枊 五剛 疑唐平一開 ŋɑŋ 陽 ŋa̱ŋ
00028 昂 五剛 疑唐平一開 ŋɑŋ 陽 ŋa̱ŋ
00029 茚 五剛 疑唐平一開 ŋɑŋ 陽 ŋa̱ŋ
00030 鞅 五剛 疑唐平一開 ŋɑŋ 陽 ŋa̱ŋ
00031 駠 五朗 疑唐上一開 ŋɑŋ 陽 ŋa̱ŋʔ
00032 駠 五浪 疑唐去一開 ŋɑŋ 陽 ŋa̱ŋs
00033 枊 五浪 疑唐去一開 ŋɑŋ 陽 ŋa̱ŋs

敖 áo

00034 勢 胡刀 匣豪平一開 ɦɑu 宵^{o} go̱ʷ
00035 慠 牛刀 疑豪平一開 ŋɑu 宵^{o} ŋgo̱ʷ
00036 隞 牛刀 疑豪平一開 ŋɑu 宵^{o} ŋgo̱ʷ
00037 獓 牛刀 疑豪平一開 ŋɑu 宵^{o} ŋgo̱ʷ
00038 敖 五勞 疑豪平一開 ŋɑu 宵^{o} ŋgo̱ʷ
00039 鰲 五勞 疑豪平一開 ŋɑu 宵^{o} ŋgo̱ʷ
00040 熬 五勞 疑豪平一開 ŋɑu 宵^{o} ŋgo̱ʷ
00041 嶅 五勞 疑豪平一開 ŋɑu 宵^{o} ŋgo̱ʷ
00042 獒 五勞 疑豪平一開 ŋɑu 宵^{o} ŋgo̱ʷ
00043 滶 五勞 疑豪平一開 ŋɑu 宵^{o} ŋgo̱ʷ
00044 薮 五勞 疑豪平一開 ŋɑu 宵^{o} ŋgo̱ʷ
00045 鷔 五勞 疑豪平一開 ŋɑu 宵^{o} ŋgo̱ʷ
00046 鼇 五勞 疑豪平一開 ŋɑu 宵^{o} ŋgo̱ʷ
00047 螯 五勞 疑豪平一開 ŋɑu 宵^{o} ŋgo̱ʷ
00048 謷 五勞 疑豪平一開 ŋɑu 宵^{o} ŋgo̱ʷ
00049 嗷 五勞 疑豪平一開 ŋɑu 宵^{o} ŋgo̱ʷ
00050 摮 五勞 疑豪平一開 ŋɑu 宵^{o} ŋgo̱ʷ
00051 嫯 五勞 疑豪平一開 ŋɑu 宵^{o} ŋgo̱ʷ
00052 鰲 五勞 疑豪平一開 ŋɑu 宵^{o} ŋgo̱ʷ
00053 嶅 魚到 疑豪去一開 ŋɑu 宵^{o} ŋgo̱ʷs
00054 傲 五到 疑豪去一開 ŋɑu 宵^{o} ŋgo̱ʷs
00055 嫯 五到 疑豪去一開 ŋɑu 宵^{o} ŋgo̱ʷs
00056 鏊 五到 疑豪去一開 ŋɑu 宵^{o} ŋgo̱ʷs
00057 鷔 五到 疑豪去一開 ŋɑu 宵^{o} ŋgo̱ʷs
00058 謷 五到 疑豪去一開 ŋɑu 宵^{o} ŋgo̱ʷs
00059 謷 五交 疑肴平二開 ŋ^{ɯ}æu 宵^{o} ŋgʳo̱ʷ
00060 磝 五交 疑肴平二開 ŋ^{ɯ}æu 宵^{o} ŋgʳo̱ʷ

奡 ào

00061 奡 五到 疑豪去一開 ŋɑu 宵^{o} ŋgo̱ʷs
00062 夰 古老 見豪上一開 kɑu 宵^{o} ko̱ʷʔ
00063 夰 胡老 匣豪上一開 ɦɑu 宵^{o} go̱ʷʔ

奧 ào

00064 燠 於六 影屋入三合 ʔiuk 覺 qug
00065 墺 於六 影屋入三合 ʔiuk 覺 qug
00066 澳 於六 影屋入三合 ʔiuk 覺 qug
00067 薁 於六 影屋入三合 ʔiuk 覺 qug
00068 澳 於六 影屋入三合 ʔiuk 覺 qug
00069 篽 於六 影屋入三合 ʔiuk 覺 qug

---

1 《广韵》作"鞌"。

00070	鄓	於六	影屋入三合	ʔiuk	覺	qu̱g
00071	燠	於六	影屋入三合	ʔiuk	覺	qu̱g
00072	隩	於六	影屋入三合	ʔiuk	覺	qu̱g
00073	澳	烏到	影豪去一開	ʔɑu	覺	qu̱gs
00074	奥	烏到	影豪去一開	ʔɑu	覺	qu̱gs
00075	懊	烏到	影豪去一開	ʔɑu	覺	qu̱gs
00076	膢	烏到	影豪去一開	ʔɑu	覺	qu̱gs
00077	隩	烏到	影豪去一開	ʔɑu	覺	qu̱gs
00078	燠	烏到	影豪去一開	ʔɑu	覺	qu̱gs
00079	墺	烏到	影豪去一開	ʔɑu	覺	qu̱gs
00080	懊	烏晧	影豪上一開	ʔɑu	幽	qu̱ʔ
00081	膢	烏晧	影豪上一開	ʔɑu	幽	qu̱ʔ
00082	燠	烏晧	影豪上一開	ʔɑu	幽	qu̱ʔ

八 bā

00083	宂	筆別	幫薛入B 開	pɨᴇt	月^{e}	p^{r}ed
00084	八	博拔	幫黠入二開	p^{ɯ}ɛt	月^{e}	p^{r}e̱d
00085	馴	博拔	幫黠入二開	p^{ɯ}ɛt	月^{e}	p^{r}e̱d
00086	汃	普八	滂黠入二開	p^{hɯ}ɛt	月^{e}	p^{hr}e̱d
00087	汃	府巾	幫真平B 開	pɨin	真^{n}	p^{r}in
00088	龑[1]	布還	幫山平二開	p^{ɯ}ɛn	元^{e}	p^{r}e̱n

巴 bā

00089	巴	伯加	幫麻平二開	p^{ɯ}æ	魚	p^{r}a̱
00090	鈀	伯加	幫麻平二開	p^{ɯ}æ	魚	p^{r}a̱
00091	豝	伯加	幫麻平二開	p^{ɯ}æ	魚	p^{r}a̱
00092	芭	伯加	幫麻平二開	p^{ɯ}æ	魚	p^{r}a̱
00093	蚆	伯加	幫麻平二開	p^{ɯ}æ	魚	p^{r}a̱
00094	吧	伯加	幫麻平二開	p^{ɯ}æ	魚	p^{r}a̱
00095	皅	披巴	滂麻平二開	p^{hɯ}æ	魚	p^{hr}a̱
00096	葩	普巴	滂麻平二開	p^{hɯ}æ	魚	p^{hr}a̱
00097	鈀	普巴	滂麻平二開	p^{hɯ}æ	魚	p^{hr}a̱
00098	蚆	普巴	滂麻平二開	p^{hɯ}æ	魚	p^{hr}a̱
00099	吧	普巴	滂麻平二開	p^{hɯ}æ	魚	p^{hr}a̱
00100	爬	蒲巴	並麻平二開	b^{ɯ}æ	魚	b^{r}a̱
00101	杷	蒲巴	並麻平二開	b^{ɯ}æ	魚	b^{r}a̱
00102	琶	蒲巴	並麻平二開	b^{ɯ}æ	魚	b^{r}a̱
00103	祀	博下	幫麻上二開	p^{ɯ}æ	魚	p^{r}a̱ʔ
00104	把	博下	幫麻上二開	p^{ɯ}æ	魚	p^{r}a̱ʔ
00105	靶	必駕	幫麻去二開	p^{ɯ}æ	魚	p^{r}a̱s
00106	弝	必駕	幫麻去二開	p^{ɯ}æ	魚	p^{r}a̱s
00107	杷	白駕	並麻去二開	b^{ɯ}æ	魚	b^{r}a̱s
00108	皅	步化	並麻去二開	b^{ɯ}æ	魚	b^{r}a̱s

犮 bá

00109	祓[2]	方肺	幫廢去三合	p^{w}iai	月^{o}	pods
00110	鮁	房廢	並廢去三合	b^{w}iai	月^{o}	bods
00111	髮	方伐	幫月入三合	p^{w}iɤt	月^{o}	pod
00112	沷	方伐	幫月入三合	p^{w}iɤt	月^{o}	pod
00113	瞂	房越	並月入三合	b^{w}iɤt	月^{o}	bod
00114	拔	房越	並月入三合	b^{w}iɤt	月^{o}	bod
00115	坺	房越	並月入三合	b^{w}iɤt	月^{o}	bod
00116	軷	蒲蓋	並泰去一開	bɑi	月^{o}	bo̱ds
00117	帗	北末	幫曷入一合	p^{w}ɑt	月^{o}	po̱d
00118	柭	北末	幫曷入一合	p^{w}ɑt	月^{o}	po̱d
00119	袚	北末	幫曷入一合	p^{w}ɑt	月^{o}	po̱d
00120	茇	北末	幫曷入一合	p^{w}ɑt	月^{o}	po̱d
00121	鳺	北末	幫曷入一合	p^{w}ɑt	月^{o}	po̱d
00122	軷	蒲撥	並曷入一合	b^{w}ɑt	月^{o}	bo̱d
00123	跋	蒲撥	並曷入一合	b^{w}ɑt	月^{o}	bo̱d
00124	魃	蒲撥	並曷入一合	b^{w}ɑt	月^{o}	bo̱d
00125	炦	蒲撥	並曷入一合	b^{w}ɑt	月^{o}	bo̱d
00126	妭	蒲撥	並曷入一合	b^{w}ɑt	月^{o}	bo̱d
00127	犮	蒲撥	並曷入一合	b^{w}ɑt	月^{o}	bo̱d
00128	拔[3]	蒲撥	並曷入一合	b^{w}ɑt	月^{o}	bo̱d
00129	胈	蒲撥	並曷入一合	b^{w}ɑt	月^{o}	bo̱d
00130	鳺	蒲撥	並曷入一合	b^{w}ɑt	月^{o}	bo̱d
00131	坺	蒲撥	並曷入一合	b^{w}ɑt	月^{o}	bo̱d
00132	茇	蒲撥	並曷入一合	b^{w}ɑt	月^{o}	bo̱d
00133	柭	蒲撥	並曷入一合	b^{w}ɑt	月^{o}	bo̱d
00134	废	蒲撥	並曷入一合	b^{w}ɑt	月^{o}	bo̱d
00135	軷	蒲葛	並曷入一合	b^{w}ɑt	月^{o}	bo̱d
00136	柭	布拔	幫鎋入二開	p^{ɯ}æt	月^{o}	p^{r}o̱d
00137	拔[4]	蒲八	並鎋入二開	b^{ɯ}æt	月^{o}	b^{r}o̱d
00138	紱	分勿	幫物入三合	piut	物^{u}	pud
00139	黻	分勿	幫物入三合	piut	物^{u}	pud

---

1 原为删韵，但是根据谐声系统应该为山韵，《切韵》音系二等有山、删的历史层次。

2 见“肺”字注。

3 藏文 fibud 拉扯、拔根（格西曲扎），故拔带圆唇元音。

4 原为黠韵，但是根据谐声系统应该为鎋韵，《切韵》音系二等有鎋、黠的历史层次。

00140 翇 分勿 幫物入三合 piut 物^{u} pud
00141 沷 分勿 幫物入三合 piut 物^{u} pud
00142 帗 分勿 幫物入三合 piut 物^{u} pud
00143 祓 敷勿 滂物入三合 p^{h}iut 物^{u} p^{h}ud
00144 蛂[1] 蒲結 並屑入四開 bet 物^{u} bu̱d

罷 bà

00145 羆 彼爲 幫支平B 開 pɨe 歌^{e} p^{r}el
00146 襬 彼爲 幫支平B 開 pɨe 歌^{e} p^{r}el
00147 藣 彼爲 幫支平B 開 pɨe 歌^{e} p^{r}el
00148 罷 符羈 並支平B 開 bɨe 歌^{e} b^{r}el
00149 犤 符羈 並支平B 開 bɨe 歌^{e} b^{r}el
00150 罷 皮彼 並支上B 開 bɨe 歌^{e} b^{r}elʔ
00151 藣 彼義 幫支去B 開 pɨe 歌^{e} p^{r}els
00152 襬 披義 滂支去B 開 p^{h}ɨe 歌^{e} p^{hr}els
00153 犤 薄佳 並佳平二開 b^{ɯ}ɛ 歌^{e} b^{r}e̱l
00154 擺 北買 幫佳上二開 p^{ɯ}ɛ 歌^{e} p^{r}e̱lʔ
00155 罷 薄蟹 並佳上二開 b^{ɯ}ɛ 歌^{e} b^{r}e̱lʔ
00156 矲 薄蟹 並佳上二開 b^{ɯ}ɛ 歌^{e} b^{r}e̱lʔ
00157 羅 薄蟹 並佳上二開 b^{ɯ}ɛ 歌^{e} b^{r}e̱lʔ

白 bái

00158 碧[2] 彼役 幫陌入三開 piæk 鐸 p^{r}ag
00159 狛 筆戟 幫陌入三開 piæk 鐸 p^{r}ag
00160 狛 伯各 幫鐸入一開 pɑk 鐸 pa̱g
00161 粕 匹各 滂鐸入一開 p^{h}ɑk 鐸 p^{h}a̱g
00162 胉 匹各 滂鐸入一開 p^{h}ɑk 鐸 p^{h}a̱g
00163 狛 匹各 滂鐸入一開 p^{h}ɑk 鐸 p^{h}a̱g
00164 魄 他各 透鐸入一開 t^{h}ɑk 鐸 p^{h}la̱g
00165 泊 傍各 並鐸入一開 bɑk 鐸 ba̱g
00166 怕 普駕 滂麻去二開 p^{hɯ}æ 鐸 p^{hr}a̱gs
00167 狛 步化 並麻去二開 b^{ɯ}æ 鐸 b^{r}a̱gs
00168 貊[3] 莫白 明陌入二開 m^{ɯ}æk 鐸 mg^{r}a̱g
00169 敀 博陌 幫陌入二開 p^{ɯ}æk 鐸 p^{r}a̱g
00170 伯 博陌 幫陌入二開 p^{ɯ}æk 鐸 p^{r}a̱g
00171 迫 博陌 幫陌入二開 p^{ɯ}æk 鐸 p^{r}a̱g
00172 百 博陌 幫陌入二開 p^{ɯ}æk 鐸 p^{r}a̱g
00173 柏 博陌 幫陌入二開 p^{ɯ}æk 鐸 p^{r}a̱g
00174 魄 普伯 滂陌入二開 p^{hɯ}æk 鐸 p^{hr}a̱g
00175 怕 普伯 滂陌入二開 p^{hɯ}æk 鐸 p^{hr}a̱g
00176 敀 普伯 滂陌入二開 p^{hɯ}æk 鐸 p^{hr}a̱g
00177 珀 普伯 滂陌入二開 p^{hɯ}æk 鐸 p^{hr}a̱g
00178 洦 普伯 滂陌入二開 p^{hɯ}æk 鐸 p^{hr}a̱g
00179 拍 普伯 滂陌入二開 p^{hɯ}æk 鐸 p^{hr}a̱g
00180 白 傍陌 並陌入二開 b^{ɯ}æk 鐸 b^{r}a̱g
00181 帛 傍陌 並陌入二開 b^{ɯ}æk 鐸 b^{r}a̱g
00182 舶 傍陌 並陌入二開 b^{ɯ}æk 鐸 b^{r}a̱g
00183 鮊 傍陌 並陌入二開 b^{ɯ}æk 鐸 b^{r}a̱g
00184 陌 莫白 明陌入二開 m^{ɯ}æk 鐸 mb^{r}a̱g
00185 帞 莫白 明陌入二開 m^{ɯ}æk 鐸 mb^{r}a̱g
00186 佰 莫白 明陌入二開 m^{ɯ}æk 鐸 mb^{r}a̱g
00187 洦 莫白 明陌入二開 m^{ɯ}æk 鐸 mb^{r}a̱g
00188 拍 莫白 明陌入二開 m^{ɯ}æk 鐸 mb^{r}a̱g

拜 bài

00189 拜[4] 博怪 幫夬去二開 p^{ɯ}æi 月^{o} p^{r}o̱ds
00190 湃[5] 普拜 滂夬去二開 p^{hɯ}æi 月^{o} p^{hr}o̱ds

班 bān

00191 班 布還 幫刪平二開 p^{ɯ}æn 元^{a} p^{r}a̱n
00192 斑 布還 幫刪平二開 p^{ɯ}æn 元^{a} p^{r}a̱n
00193 辬[6] 布還 幫刪平二開 p^{ɯ}æn 元^{a} p^{r}a̱n

般 bān

00194 般 北潘 幫寒平一合 p^{w}ɑn 元^{a} pa̱n
00195 鎜 薄官 並寒平一合 b^{w}ɑn 元^{a} ba̱n
00196 癈 薄官 並寒平一合 b^{w}ɑn 元^{a} ba̱n
00197 槃 薄官 並寒平一合 b^{w}ɑn 元^{a} ba̱n
00198 幋 薄官 並寒平一合 b^{w}ɑn 元^{a} ba̱n
00199 磐 薄官 並寒平一合 b^{w}ɑn 元^{a} ba̱n
00200 鬆 薄官 並寒平一合 b^{w}ɑn 元^{a} ba̱n
00201 般 薄官 並寒平一合 b^{w}ɑn 元^{a} ba̱n

---

1 元音 u 在唇音声母的异化下变成非圆唇元音 ɯ：*-u̱d> *ɯ̱d> *i̱d>et。

2 《广韵》"彼役切"，昔韵。从"白"得声的谐声系列中，唇音三等不可能有昔韵，而有陌韵，《王二》"逋逆反"在陌韵。

3 通"貉"，见"貉"字注。

4 原为皆韵，但是根据谐声系统应该为夬韵，《切韵》音系二等有夬、皆的历史层次。

5 原为皆韵，但是根据谐声系统应该为夬韵，《切韵》音系二等有夬、皆的历史层次。

6 《广韵》又同"斑"。

00202 搫 薄官 並寒平一合 bʷɑn 元ᵃ ba̱n

00203 鞶 薄官 並寒平一合 bʷɑn 元ᵃ ba̱n

00204 ⿱般鳥 薄官 並寒平一合 bʷɑn 元ᵃ ba̱n

00205 ⿱般目 薄官 並寒平一合 bʷɑn 元ᵃ ba̱n

00206 媻 薄官 並寒平一合 bʷɑn 元ᵃ ba̱n

00207 縏 薄官 並寒平一合 bʷɑn 元ᵃ ba̱n

00208 ⿱般黑 薄官 並寒平一合 bʷɑn 元ᵃ ba̱n

00209 盤 薄官 並寒平一合 bʷɑn 元ᵃ ba̱n

00210 螌 布還 幫删平二開 pᵚæn 元ᵃ pʳa̱n

00211 ⿱髟般 布還 幫删平二開 pᵚæn 元ᵃ pʳa̱n

00212 般 布還 幫删平二開 pᵚæn 元ᵃ pʳa̱n

00213 媻 薄波 並歌平一合 bʷɑ 歌ᵃ ba̱l

00214 搫 薄波 並歌平一合 bʷɑ 歌ᵃ ba̱l

00215 般 北末 幫曷入一合 pʷɑt 月ᵃ pa̱d

半 bàn

00216 袢 附袁 並元平三合 bʷiɣn 元ᵃ ban

00217 拌 普官 滂寒平一合 pʰʷɑn 元ᵃ pʰa̱n

00218 跘 蒲官 並寒平一合 bʷɑn 元ᵃ ba̱n

00219 柈 薄官 並寒平一合 bʷɑn 元ᵃ ba̱n

00220 跘 補滿 幫寒上一合 pʷɑn 元ᵃ pa̱nʔ

00221 伴 蒲旱 並寒上一合 bʷɑn 元ᵃ ba̱nʔ

00222 拌 蒲旱 並寒上一合 bʷɑn 元ᵃ ba̱nʔ

00223 半 博漫 幫寒去一合 pʷɑn 元ᵃ pa̱ns

00224 絆 博漫 幫寒去一合 pʷɑn 元ᵃ pa̱ns

00225 姅 博漫 幫寒去一合 pʷɑn 元ᵃ pa̱ns

00226 ⿰半斗 博漫 幫寒去一合 pʷɑn 元ᵃ pa̱ns

00227 靽 博漫 幫寒去一合 pʷɑn 元ᵃ pa̱ns

00228 判 普半 滂寒去一合 pʰʷɑn 元ᵃ pʰa̱ns

00229 泮 普半 滂寒去一合 pʰʷɑn 元ᵃ pʰa̱ns

00230 頖 普半 滂寒去一合 pʰʷɑn 元ᵃ pʰa̱ns

00231 胖 普半 滂寒去一合 pʰʷɑn 元ᵃ pʰa̱ns

00232 姅 普半 滂寒去一合 pʰʷɑn 元ᵃ pʰa̱ns

00233 牉 普半 滂寒去一合 pʰʷɑn 元ᵃ pʰa̱ns

00234 柈 普半 滂寒去一合 pʰʷɑn 元ᵃ pʰa̱ns

00235 叛 薄半 並寒去一合 bʷɑn 元ᵃ ba̱ns

00236 畔 薄半 並寒去一合 bʷɑn 元ᵃ ba̱ns

00237 伴 薄半 並寒去一合 bʷɑn 元ᵃ ba̱ns

00238 跘[1] 皮莧 並删去二開 bᵚæn 元ᵃ bʳa̱ns

扶 bàn

00239 扶 蒲旱 並寒上一合 bʷɑn 元ᵃ ba̱nʔ

勹 bāo

00240 枹 縛謀 並尤平三合 biu 幽 bu

00241 ⿱罒包 縛謀 並尤平三合 biu 幽 bu

00242 枹[2] 防無 並虞平三合 biʊ 幽 bu

00243 炰 俯九 幫尤上三合 piu 幽 puʔ

00244 ⿰包阝 博毛 幫豪平一開 pɑu 幽 pu̱

00245 蜪 土刀 透豪平一開 tʰɑu 幽 pʰlu̱

00246 袍 薄褒 並豪平一開 bɑu 幽 bu̱

00247 陶 徒刀 定豪平一開 dɑu 幽 blu̱

00248 ⿰言匋 徒刀 定豪平一開 dɑu 幽 blu̱

00249 綯 徒刀 定豪平一開 dɑu 幽 blu̱

00250 騊 徒刀 定豪平一開 dɑu 幽 blu̱

00251 萄 徒刀 定豪平一開 dɑu 幽 blu̱

00252 匋 徒刀 定豪平一開 dɑu 幽 blu̱

00253 蜪 徒刀 定豪平一開 dɑu 幽 blu̱

00254 裪 徒刀 定豪平一開 dɑu 幽 blu̱

00255 淘 徒刀 定豪平一開 dɑu 幽 blu̱

00256 抱 薄浩 並豪上一開 bɑu 幽 bu̱ʔ

00257 袌 薄報 並豪去一開 bɑu 幽 bu̱s

00258 笣 班交 幫肴平二開 pᵚæu 幽 pʳu̱

00259 包 布交 幫肴平二開 pᵚæu 幽 pʳu̱

00260 胞 布交 幫肴平二開 pᵚæu 幽 pʳu̱

00261 枹 布交 幫肴平二開 pᵚæu 幽 pʳu̱

00262 苞 布交 幫肴平二開 pᵚæu 幽 pʳu̱

00263 勹 布交 幫肴平二開 pᵚæu 幽 pʳu̱

00264 胞 匹交 滂肴平二開 pʰᵚæu 幽 pʰʳu̱

00265 ⿰包阝 匹交 滂肴平二開 pʰᵚæu 幽 pʰʳu̱

00266 ⿱罒包 匹交 滂肴平二開 pʰᵚæu 幽 pʰʳu̱

00267 泡 匹交 滂肴平二開 pʰᵚæu 幽 pʰʳu̱

00268 庖 薄交 並肴平二開 bᵚæu 幽 bʳu̱

00269 咆 薄交 並肴平二開 bᵚæu 幽 bʳu̱

00270 匏 薄交 並肴平二開 bᵚæu 幽 bʳu̱

00271 炮 薄交 並肴平二開 bᵚæu 幽 bʳu̱

00272 颮 薄交 並肴平二開 bᵚæu 幽 bʳu̱

00273 鞄 薄交 並肴平二開 bᵚæu 幽 bʳu̱

00274 狍 薄交 並肴平二開 bᵚæu 幽 bʳu̱

---

1 原为山韵，但是根据谐声系统应该为删韵，《切韵》音系二等有删、山的历史层次。

2 见“務”字注。

00275 跑 薄交 並肴平二開 b^{ɯ}æu 幽 b^{r}u̲

00276 炰 薄交 並肴平二開 b^{ɯ}æu 幽 b^{r}u̲

00277 泡 薄交 並肴平二開 b^{ɯ}æu 幽 b^{r}u̲

00278 匏 薄交 並肴平二開 b^{ɯ}æu 幽 b^{r}u̲

00279 飽 博巧 幫肴上二開 p^{ɯ}æu 幽 p^{r}u̲ʔ

00280 鮑 薄巧 並肴上二開 b^{ɯ}æu 幽 b^{r}u̲ʔ

00281 鞄 薄巧 並肴上二開 b^{ɯ}æu 幽 b^{r}u̲ʔ

00282 炮 匹皃 滂肴去二開 p^{hɯ}æu 幽 p^{hr}u̲s

00283 皰 匹皃 滂肴去二開 p^{hɯ}æu 幽 p^{hr}u̲s

00284 皰 防教 並肴去二開 b^{ɯ}æu 幽 b^{r}u̲s

00285 鞄 防教 並肴去二開 b^{ɯ}æu 幽 b^{r}u̲s

00286 颮 匹角 滂覺入二開 p^{hɯ}ɔk 覺 p^{hr}u̲g

00287 鞄 匹角 滂覺入二開 p^{hɯ}ɔk 覺 p^{hr}u̲g

00288 雹 蒲角 並覺入二開 b^{ɯ}ɔk 覺 b^{r}u̲g

00289 跑 蒲角 並覺入二開 b^{ɯ}ɔk 覺 b^{r}u̲g

00290 瓟 蒲角 並覺入二開 b^{ɯ}ɔk 覺 b^{r}u̲g

00291 陶 餘昭 以宵平三開 jiᴇu 幽^{i} b.li^{w}

00292 ⿰扌雹 普麥 滂麥入二開 p^{hɯ}ɛk 職 p^{hr}ɯ̲g

𠤏 bǎo

00293 鴇 博抱 幫豪上一開 pɑu 幽 pu̲ʔ

00294 鳵 博抱 幫豪上一開 pɑu 幽 pu̲ʔ

00295 𠤏 博抱 幫豪上一開 pɑu 幽 pu̲ʔ

保 bǎo

00296 ⿰扌保[1] 方垢 幫侯上一合 pu 幽 puʔ

00297 保 博抱 幫豪上一開 pɑu 幽 pu̲ʔ

00298 堡 博抱 幫豪上一開 pɑu 幽 pu̲ʔ

00299 褓 博抱 幫豪上一開 pɑu 幽 pu̲ʔ

00300 緥 博抱 幫豪上一開 pɑu 幽 pu̲ʔ

00301 葆 博抱 幫豪上一開 pɑu 幽 pu̲ʔ

00302 宲 博抱 幫豪上一開 pɑu 幽 pu̲ʔ

報 bào

00303 報 博秏 幫豪去一開 pɑu 覺 pu̲gs

暴 bào

00304 暴 薄報 並豪去一開 bɑu 藥^{o} bo̲g^{w}s

00305 曝 薄報 並豪去一開 bɑu 藥^{o} bo̲g^{w}s

00306 瀑 薄報 並豪去一開 bɑu 藥^{o} bo̲g^{w}s

00307 鸔 薄報 並豪去一開 bɑu 藥^{o} bo̲g^{w}s

00308 虣[2] 薄報 並豪去一開 bɑu 藥^{o} bo̲g^{w}s

00309 㬥 伯各 幫鐸入一開 pɑk 藥^{o} po̲g^{w}

00310 爆 補各 幫鐸入一開 pɑk 藥^{o} po̲g^{w}

00311 襮 補各 幫鐸入一開 pɑk 藥^{o} po̲g^{w}

00312 㬥 補各 幫鐸入一開 pɑk 藥^{o} po̲g^{w}

00313 爆 北教 幫肴去二開 p^{ɯ}æu 藥^{o} p^{r}o̲g^{w}s

00314 ⿰月暴 北角 幫覺入二開 p^{ɯ}ɔk 藥^{o} p^{r}o̲g^{w}

00315 嚗 北角 幫覺入二開 p^{ɯ}ɔk 藥^{o} p^{r}o̲g^{w}

00316 爆 北角 幫覺入二開 p^{ɯ}ɔk 藥^{o} p^{r}o̲g^{w}

00317 鸔 北角 幫覺入二開 p^{ɯ}ɔk 藥^{o} p^{r}o̲g^{w}

00318 㬥 北角 幫覺入二開 p^{ɯ}ɔk 藥^{o} p^{r}o̲g^{w}

00319 ⿰扌暴 匹角 滂覺入二開 p^{hɯ}ɔk 藥^{o} p^{hr}o̲g^{w}

00320 曓 匹角 滂覺入二開 p^{hɯ}ɔk 藥^{o} p^{hr}o̲g^{w}

00321 嚗 孚邈 滂覺入二開 p^{hɯ}ɔk 藥^{o} p^{hr}o̲g^{w}

00322 ⿰扌暴 蒲角 並覺入二開 b^{ɯ}ɔk 藥^{o} b^{r}o̲g^{w}

00323 犦 蒲角 並覺入二開 b^{ɯ}ɔk 藥^{o} b^{r}o̲g^{w}

00324 ⿰月暴 蒲角 並覺入二開 b^{ɯ}ɔk 藥^{o} b^{r}o̲g^{w}

00325 曓 蒲角 並覺入二開 b^{ɯ}ɔk 藥^{o} b^{r}o̲g^{w}

00326 懪 蒲角 並覺入二開 b^{ɯ}ɔk 藥^{o} b^{r}o̲g^{w}

00327 鸔 博木 幫屋入一合 puk 屋 po̲g

00328 暴 蒲木 並屋入一合 buk 屋 bo̲g

00329 㬥 步木 並屋入一合 buk 屋 bo̲g

00330 瀑 蒲木 並屋入一合 buk 屋 bo̲g

00331 曝 蒲木 並屋入一合 buk 屋 bo̲g

00332 襮 博沃 幫沃入一合 pu̯ok 覺 pu̲g

00333 犦 博沃 幫沃入一合 pu̯ok 覺 pu̲g

00334 鸔 博沃 幫沃入一合 pu̯ok 覺 pu̲g

卑 bēi

00335 ⿰卩卑 府移 幫支平A 開 pie 佳 pe

00336 卑 府移 幫支平A 開 pie 佳 pe

00337 鵯 府移 幫支平A 開 pie 佳 pe

00338 椑 府移 幫支平A 開 pie 佳 pe

00339 箄 府移 幫支平A 開 pie 佳 pe

00340 裨 府移 幫支平A 開 pie 佳 pe

00341 鞞 府移 幫支平A 開 pie 佳 pe

00342 顊 府移 幫支平A 開 pie 佳 pe

00343 庳 府移 幫支平A 開 pie 佳 pe

---

1 见“裒”字注。

2 为“搏鬥”义“暴”的本字。

00344 錍 府移 幫支平A 開 pie 佳 pe

00345 陴 符支 並支平A 開 bie 佳 be

00346 脾 符支 並支平A 開 bie 佳 be

00347 鼙 符支 並支平A 開 bie 佳 be

00348 埤 符支 並支平A 開 bie 佳 be

00349 裨 符支 並支平A 開 bie 佳 be

00350 蜱 符支 並支平A 開 bie 佳 be

00351 蠯 符支 並支平A 開 bie 佳 be

00352 郫 符支 並支平A 開 bie 佳 be

00353 髀 頻彌 並支平A 開 bie 佳 be

00354 俾 并弭 幫支上A 開 pie 佳 peʔ

00355 鞞 并弭 幫支上A 開 pie 佳 peʔ

00356 箄 并弭 幫支上A 開 pie 佳 peʔ

00357 髀 并弭 幫支上A 開 pie 佳 peʔ

00358 貏 并弭 幫支上A 開 pie 佳 peʔ

00359 崥 并弭 幫支上A 開 pie 佳 peʔ

00360 蓖 并弭 幫支上A 開 pie 佳 peʔ

00361 婢 便俾 並支上A 開 bie 佳 beʔ

00362 庳 便俾 並支上A 開 bie 佳 beʔ

00363 碑 彼爲 幫支平B 開 pɨe 佳 p^{r}e

00364 郫 符羈 並支平B 開 bɨe 佳 b^{r}e

00365 猈 甫委 幫支上B 開 pɨe 佳 p^{r}eʔ

00366 貏 補靡 幫支上B 開 pɨe 佳 p^{r}eʔ

00367 貏 部靡 並支上B 開 bɨe 佳 b^{r}eʔ

00368 豍 邊兮 幫齊平四開 pei 佳 pe̱

00369 箄 邊兮 幫齊平四開 pei 佳 pe̱

00370 錍 匹迷 滂齊平四開 p^{h}ei 佳 p^{h}e̱

00371 鼙 部迷 並齊平四開 bei 佳 be̱

00372 椑 部迷 並齊平四開 bei 佳 be̱

00373 崥 部迷 並齊平四開 bei 佳 be̱

00374 甈 部迷 並齊平四開 bei 佳 be̱

00375 鞞 部迷 並齊平四開 bei 佳 be̱

00376 鞁 補米 幫齊上四開 pei 佳 pe̱ʔ

00377 頩 匹米 滂齊上四開 p^{h}ei 佳 p^{h}e̱ʔ

00378 髀 傍禮 並齊上四開 bei 佳 be̱ʔ

00379 蓖 傍禮 並齊上四開 bei 佳 be̱ʔ

00380 鞁 博計 幫齊去四開 pei 佳 pe̱s

00381 轉 匹計 滂齊去四開 p^{h}ei 佳 p^{h}e̱s

00382 睥 匹詣 滂齊去四開 p^{h}ei 佳 p^{h}e̱s

00383 簰 薄佳 並佳平二開 b^{ɯ}ε 佳 b^{r}e̱

00384 郫 薄佳 並佳平二開 b^{ɯ}ε 佳 b^{r}e̱

00385 蠯 薄佳 並佳平二開 b^{ɯ}ε 佳 b^{r}e̱

00386 猈[1] 步皆 並佳平二開 b^{ɯ}ε 佳 b^{r}e̱

00387 捭 北買 幫佳上二開 p^{ɯ}ε 佳 b^{r}e̱ʔ

00388 竨 傍下 並佳上二開 b^{ɯ}ε 佳 b^{r}e̱ʔ

00389 猈 薄蟹 並佳上二開 b^{ɯ}ε 佳 b^{r}e̱ʔ

00390 捭 部買 並佳上二開 b^{ɯ}ε 佳 b^{r}e̱ʔ

00391 澼 匹卦 滂佳去二開 p^{hɯ}ε 佳 p^{hr}e̱s

00392 粺 傍卦 並佳去二開 b^{ɯ}ε 佳 b^{r}e̱s

00393 稗 傍卦 並佳去二開 b^{ɯ}ε 佳 b^{r}e̱s

00394 貏 傍卦 並佳去二開 b^{ɯ}ε 佳 b^{r}e̱s

00395 椑 房益 並昔入三開 biɛk 錫 beg

00396 萆 房益 並昔入三開 biɛk 錫 beg

00397 綼 北激 幫錫入四開 pek 錫 pe̱g

00398 椑 扶歷 並錫入四開 bek 錫 be̱g

00399 髀 卑履 幫脂上A 開 pi 脂 piʔ

00400 蓖 必至 幫脂去A 開 pi 脂 pis

00401 痺 毗至 並脂去A 開 bi 脂 bis

00402 蜱 彌遥 明宵平A 開 miɛu 宵^{e} mbe^{w}

00403 蠯 彌遥 明宵平A 開 miɛu 宵^{e} mbe^{w}

00404 鵯 譬吉 滂質入A 開 p^{h}it 質^{g} p^{h}ig

00405 綼 毗必 並質入A 開 bit 質^{g} big

00406 鞞 補鼎 幫青上四開 peŋ 耕 pe̱ŋʔ

00407 蠯 蒲幸 並耕上二開 b^{ɯ}εŋ 耕 b^{r}e̱ŋʔ

00408 玭 部田 並先平四開 ben 元^{e} be̱n

北 běi

00409 背 補妹 幫灰去一合 pu̯oi 職 pɯ̱gs

00410 邶 蒲昧 並灰去一合 bu̯oi 職 bɯ̱gs

00411 偝 蒲昧 並灰去一合 bu̯oi 職 bɯ̱gs

00412 背 蒲昧 並灰去一合 bu̯oi 職 bɯ̱gs

00413 北 博墨 幫德入一開 pək 職 pɯ̱g

孛 bèi

00414 綍 分勿 幫物入三合 piut 物^{ɯ} pɯd

00415 誖 補妹 幫灰去一合 pu̯oi 物^{ɯ} pɯ̱ds

00416 孛 蒲昧 並灰去一合 bu̯oi 物^{ɯ} bɯ̱ds

00417 誖 蒲昧 並灰去一合 bu̯oi 物^{ɯ} bɯ̱ds

00418 悖 蒲昧 並灰去一合 bu̯oi 物^{ɯ} bɯ̱ds

1　原为皆韵，但是根据谐声系统应该为佳韵，《切韵》音系二等有佳、皆的历史层次。

00419 侼 薄孛 並没入一合 bu̯ot 物^{ɯ} bɯ̱d
00420 㶿 薄孛 並没入一合 bu̯ot 物^{ɯ} bɯ̱d
00421 勃 蒲没 並没入一合 bu̯ot 物^{ɯ} bɯ̱d
00422 渤 蒲没 並没入一合 bu̯ot 物^{ɯ} bɯ̱d
00423 鬻 蒲没 並没入一合 bu̯ot 物^{ɯ} bɯ̱d
00424 悖 蒲没 並没入一合 bu̯ot 物^{ɯ} bɯ̱d
00425 郣 蒲没 並没入一合 bu̯ot 物^{ɯ} bɯ̱d
00426 浡 蒲没 並没入一合 bu̯ot 物^{ɯ} bɯ̱d
00427 愂 蒲没 並没入一合 bu̯ot 物^{ɯ} bɯ̱d
00428 敎 蒲没 並没入一合 bu̯ot 物^{ɯ} bɯ̱d
00429 誖 蒲没 並没入一合 bu̯ot 物^{ɯ} bɯ̱d
00430 桲 蒲没 並没入一合 bu̯ot 物^{ɯ} bɯ̱d
00431 孛 蒲没 並没入一合 bu̯ot 物^{ɯ} bɯ̱d
00432 挬 蒲没 並没入一合 bu̯ot 物^{ɯ} bɯ̱d
00433 脖 蒲没 並没入一合 bu̯ot 物^{ɯ} bɯ̱d
00434 馞 蒲没 並没入一合 bu̯ot 物^{ɯ} bɯ̱d
00435 馞 蒲角 並覺入二開 b^{ɯ}ɔk 覺 b^{r}ɯ̱g

貝 bèi

00436 貝 博蓋 幫泰去一開 pɑi 月^{a} pa̱ds
00437 䟺 博蓋 幫泰去一開 pɑi 月^{a} pa̱ds
00438 狽 博蓋 幫泰去一開 pɑi 月^{a} pa̱ds
00439 浿 普蓋 滂泰去一開 p^{h}ɑi 月^{a} p^{h}a̱ds
00440 䟺 蒲蓋 並泰去一開 bɑi 月^{a} ba̱ds
00441 敗 補邁 幫夬去二開 p^{ɯ}æi 月^{a} p^{r}a̱ds
00442 浿[1] 普拜 滂夬去二開 p^{hɯ}æi 月^{a} p^{hr}a̱ds
00443 敗 薄邁 並夬去二開 b^{ɯ}æi 月^{a} b^{r}a̱ds
00444 䢅 薄邁 並夬去二開 b^{ɯ}æi 月^{a} b^{r}a̱ds

葡 bèi

00445 犕 平祕 並脂去B 開 bɨi 職 b^{r}ɯgs
00446 構 平祕 並脂去B 開 bɨi 職 b^{r}ɯgs
00447 備 平祕 並脂去B 開 bɨi 職 b^{r}ɯgs
00448 葡 平祕 並脂去B 開 bɨi 職 b^{r}ɯgs
00449 糒 平祕 並脂去B 開 bɨi 職 b^{r}ɯgs
00450 葡 平祕 並脂去B 開 bɨi 職 b^{r}ɯgs
00451 㣁[2] 符逼 並職入三開 bɨk 職 b^{r}ɯg
00452 㥶 鼻墨 並德入一開 bək 職 bɯ̱g
00453 㣁[3] 鼻墨 並德入一開 bək 職 bɯ̱g
00454 㥶 蒲拜 並皆去二開 b^{ɯ}ɛi 職 b^{r}ɯ̱gs
00455 㥶[4] 部買 並皆上二開 b^{ɯ}ɛi 之 b^{r}ɯ̱ʔ

𩰲 bèi

00456 𩰲[5] 蒲昧 並灰去一合 bu̯oi 物^{ɯ} bɯ̱ds
00457 𩰫 分物 幫物入三合 piut 物^{ɯ} pɯd
00458 𩰫 敷勿 滂物入三合 p^{h}iut 物^{ɯ} p^{h}ɯd
00459 𩿧[6] 王勿 云物入三合 ɦ^{ɨ}iut 物^{ɯ} ɢb^{r}ɯd
00460 𩿧 卑吉 幫質入A 開 pit 質^{d} pid

本 běn

00461 本 布忖 幫魂上一合 pu̯on 文^{ɯ} pɯ̱nʔ
00462 笨 布忖 幫魂上一合 pu̯on 文^{ɯ} pɯ̱nʔ
00463 苯 布忖 幫魂上一合 pu̯on 文^{ɯ} pɯ̱nʔ
00464 笨 蒲本 並魂上一合 bu̯on 文^{ɯ} bɯ̱nʔ

匕 bǐ

00465 匕 卑履 幫脂上A 開 pi 脂^{l} pilʔ
00466 疕 卑履 幫脂上A 開 pi 脂^{l} pilʔ
00467 朼 補履 幫脂上A 開 pi 脂^{l} pilʔ
00468 牝 扶履 並脂上A 開 bi 脂^{l} bilʔ
00469 疕 匹鄙 滂脂上B 開 p^{h}ɨi 脂^{l} p^{hr}ilʔ
00470 朼 部鄙 並脂上B 開 bɨi 脂^{l} b^{r}ilʔ
00471 朼[7] 怦買 滂皆上二開 p^{hɯ}ɛi 脂^{l} p^{hr}i̱lʔ
00472 庀 匹婢 滂支上A 開 p^{h}ie 歌^{e} p^{h}elʔ
00473 疕 匹婢 滂支上A 開 p^{h}ie 歌^{e} p^{h}elʔ
00474 牝 毗忍 並真上A 開 bin 真^{n} binʔ

比 bǐ

00475 紕 匹夷 滂脂平A 開 p^{h}i 脂 p^{h}i
00476 𢗺 匹夷 滂脂平A 開 p^{h}i 脂 p^{h}i
00477 毘 房脂 並脂平A 開 bi 脂 bi
00478 毗 房脂 並脂平A 開 bi 脂 bi
00479 比 房脂 並脂平A 開 bi 脂 bi

---

1 原为皆韵，但是根据谐声系统应该为夬韵，《切韵》音系二等有夬、皆的历史层次。

2 《广韵》作"㣁"。

3 《广韵》作"㣁"。

4 原为佳韵，从谐声看应为皆韵，《切韵》音系二等有皆、佳的历史层次。

5 籀文"誖"字。

6 元音 *ɯ 由非正则元音变成正则元音 *u。

7 原为佳韵，但是根据谐声系统应该为皆韵，《切韵》音系二等有皆、佳的历史层次。

00480 槐 房脂 並脂平A 開 bi 脂 bi

00481 芘 房脂 並脂平A 開 bi 脂 bi

00482 沘 房脂 並脂平A 開 bi 脂 bi

00483 貔 房脂 並脂平A 開 bi 脂 bi

00484 膍 房脂 並脂平A 開 bi 脂 bi

00485 蚍 房脂 並脂平A 開 bi 脂 bi

00486 枇 房脂 並脂平A 開 bi 脂 bi

00487 仳 房脂 並脂平A 開 bi 脂 bi

00488 魮 房脂 並脂平A 開 bi 脂 bi

00489 鈚 房脂 並脂平A 開 bi 脂 bi

00490 䟢 房脂 並脂平A 開 bi 脂 bi

00491 阰 房脂 並脂平A 開 bi 脂 bi

00492 妣 卑履 幫脂上A 開 pi 脂 piʔ

00493 秕 卑履 幫脂上A 開 pi 脂 piʔ

00494 比 卑履 幫脂上A 開 pi 脂 piʔ

00495 祉 卑履 幫脂上A 開 pi 脂 piʔ

00496 沘 卑履 幫脂上A 開 pi 脂 piʔ

00497 枇 卑履 幫脂上A 開 pi 脂 piʔ

00498 朼[1] 卑履 幫脂上A 開 pi 脂 biʔ

00499 蜌 並履 並脂上A 開 bi 脂 biʔ

00500 比 必至 幫脂去A 開 pi 脂 pis

00501 祉 必至 幫脂去A 開 pi 脂 pis

00502 庇 必至 幫脂去A 開 pi 脂 pis

00503 屁 匹寐 滂脂去A 開 $p^{h}i$ 脂 $p^{h}is$

00504 坒 毗至 並脂去A 開 bi 脂 bis

00505 庀 匹鄙 滂脂上B 開 $p^{h}ɨi$ 脂 $p^{hr}iʔ$

00506 仳 符鄙 並脂上B 開 bɨi 脂 $b^{r}iʔ$

00507 庀 符鄙 並脂上B 開 bɨi 脂 $b^{r}iʔ$

00508 粊[2] 兵媚 幫脂去B 開 pɨi 脂 $p^{r}is$

00509 槐 方奚 幫齊平四開 pei 脂 pi̱

00510 螕 邊兮 幫齊平四開 pei 脂 pi̱

00511 梐 邊兮 幫齊平四開 pei 脂 pi̱

00512 狴 邊兮 幫齊平四開 pei 脂 pi̱

00513 性 邊兮 幫齊平四開 pei 脂 pi̱

00514 陛 邊兮 幫齊平四開 pei 脂 pi̱

00515 陛 匹迷 滂齊平四開 $p^{h}ei$ 脂 p^{h}i̱

00516 批 匹迷 滂齊平四開 $p^{h}ei$ 脂 p^{h}i̱

00517 鈚 匹迷 滂齊平四開 $p^{h}ei$ 脂 p^{h}i̱

00518 膍 部迷 並齊平四開 bei 脂 bi̱

00519 朼 補米 幫齊上四開 pei 脂 pi̱ʔ

00520 陛 傍禮 並齊上四開 bei 脂 bi̱ʔ

00521 梐 傍禮 並齊上四開 bei 脂 bi̱ʔ

00522 蜌 部禮 並齊上四開 bei 脂 bi̱ʔ

00523 媲 匹詣 滂齊去四開 $p^{h}ei$ 脂 p^{h}i̱s

00524 妣 甫至 幫脂去A 開 pi 質^{g} pigs

00525 比 毗至 並脂去A 開 bi 質^{g} bigs

00526 枇 毗至 並脂去A 開 bi 質^{g} bigs

00527 坒 毗至 並脂去A 開 bi 質^{g} bigs

00528 祉 毗至 並脂去A 開 bi 質^{g} bigs

00529 芘 毗至 並脂去A 開 bi 質^{g} bigs

00530 邲 簿必 並質入A 開 bit 質^{g} big

00531 比 毗必 並質入A 開 bit 質^{g} big

00532 坒 毗必 並質入A 開 bit 質^{g} big

00533 吡 毗必 並質入A 開 bit 質^{g} big

00534 搥 蒲結 並屑入四開 bet 質^{g} bi̱g

00535 庀 匹支 滂支平A 開 $p^{h}ie$ 佳 $p^{h}e$

00536 紕 符支 並支平A 開 bie 佳 be

00537 仳 匹婢 滂支上A 開 $p^{h}ie$ 佳 $p^{h}eʔ$

00538 訛 匹婢 滂支上A 開 $p^{h}ie$ 佳 $p^{h}eʔ$

00539 吡 匹婢 滂支上A 開 $p^{h}ie$ 佳 $p^{h}eʔ$

00540 庀 敷羈 滂支平B 開 $p^{h}ɨe$ 佳 $p^{hr}e$

00541 玭 符真 並真平A 開 bin 真^{ŋ} biŋ

00542 玭 部田 並先平四開 ben 真^{ŋ} bi̱ŋ

啚 bǐ

00543 鄙 方美 幫脂上B 開 pɨi 之 $p^{r}ɯʔ$

00544 啚 方美 幫脂上B 開 pɨi 之 $p^{r}ɯʔ$

賁 bì

00545 饙 府文 幫文平三合 piun 文^{ɯ} pɯn

00546 幩 敷文 滂文平三合 $p^{h}iun$ 文^{ɯ} $p^{h}ɯn$

00547 墳[3] 符分 並文平三合 biun 文^{ɯ} bɯn

00548 蕡[4] 符分 並文平三合 biun 文^{ɯ} bɯn

---

1 《广韵》又同"枇"。

2 边田钢:《说文·米部》:"粊,惡米也。从米北聲。《周書》有《粊誓》。(兵媚切)"段玉裁指出"粊"乃"粊"之形讹。今本《尚书·费誓》作"費"乃唐代卫包所改,郑玄、司马贞等早期学者引文及古抄本皆作"粊誓"。"粊"及其异体"粃""秕""粜""粺"均为形声字,所从"比""非"为声符。"比""非"两声系在上古通用甚广。《王一》《王二》《王三》"粊"字条下均不出"粊"字异体。

3 见"蕡"字注。

4 郑张尚芳:大徐本:"从鼓,賁省聲。"小徐本:"從鼓,卉聲。"

00549 濆 符分 並文平三合 biun 文ᵚ bɯn
00550 豶 符分 並文平三合 biun 文ᵚ bɯn
00551 羵 符分 並文平三合 biun 文ᵚ bɯn
00552 鷏 符分 並文平三合 biun 文ᵚ bɯn
00553 賁 符分 並文平三合 biun 文ᵚ bɯn
00554 鐼 符分 並文平三合 biun 文ᵚ bɯn
00555 轒 符分 並文平三合 biun 文ᵚ bɯn
00556 燌 符分 並文平三合 biun 文ᵚ bɯn
00557 幩 符分 並文平三合 biun 文ᵚ bɯn
00558 蕡 符分 並文平三合 biun 文ᵚ bɯn
00559 憤 房吻 並文上三合 biun 文ᵚ bɯnʔ
00560 墳 房吻 並文上三合 biun 文ᵚ bɯnʔ
00561 轒 房吻 並文上三合 biun 文ᵚ bɯnʔ
00562 膹 房吻 並文上三合 biun 文ᵚ bɯnʔ
00563 鐼 許運 曉文去三合 hiun 文ᵚ m̥ʰɯns
00564 僨 方問 幫文去三合 piun 文ᵚ pɯns
00565 奔 博昆 幫魂平一合 pu̯on 文ᵚ pɯ̯n
00566 賁 博昆 幫魂平一合 pu̯on 文ᵚ pɯ̯n
00567 鷏 博昆 幫魂平一合 pu̯on 文ᵚ pɯ̯n
00568 犇 博昆 幫魂平一合 pu̯on 文ᵚ pɯ̯n
00569 濆 普魂 滂魂平一合 pʰu̯on 文ᵚ pʰɯ̯n
00570 歕 普魂 滂魂平一合 pʰu̯on 文ᵚ pʰɯ̯n
00571 噴 普魂 滂魂平一合 pʰu̯on 文ᵚ pʰɯ̯n
00572 獖 蒲本 並魂上一合 bu̯on 文ᵚ bɯ̯nʔ
00573 奔 甫悶 幫魂去一合 pu̯on 文ᵚ pɯ̯ns
00574 歕 普悶 滂魂去一合 pʰu̯on 文ᵚ pʰɯ̯ns
00575 噴 普悶 滂魂去一合 pʰu̯on 文ᵚ pʰɯ̯ns
00576 燌 蒲悶 並魂去一合 bu̯on 文ᵚ bɯ̯ns
00577 賁[1] 彼義 幫支去B 開 pɨe 微ᵚ pʳɯls
00578 幩[2] 彼義 幫支去B 開 pɨe 微ᵚ pʳɯls
00579 蟦 符非 並微平三合 bʷɣi 微ᵚ bɯl
00580 賁 符非 並微平三合 bʷɣi 微ᵚ bɯl
00581 黂 符非 並微平三合 bʷɣi 微ᵚ bɯl
00582 膹 浮鬼 並微上三合 bʷɣi 微ᵚ bɯlʔ
00583 蟦 浮鬼 並微上三合 bʷɣi 微ᵚ bɯlʔ
00584 黂[3] 扶沸 並微去三合 bʷɣi 微ᵚ bɯls
00585 蟦[4] 扶沸 並微去三合 bʷɣi 微ᵚ bɯls

皕 bì

00586 皕 彼側 幫職入三開 pɨk 職 pʳɯg

必 bì

00587 柲 毗至 並脂去A 開 bi 質^{9} bigs
00588 必 卑吉 幫質入A 開 pit 質^{9} pig
00589 珌 卑吉 幫質入A 開 pit 質^{9} pig
00590 鮅 卑吉 幫質入A 開 pit 質^{9} pig
00591 柲 僻吉 滂質入A 開 pʰit 質^{9} pʰig
00592 柲 簿必 並質入A 開 bit 質^{9} big
00593 邲 毗必 並質入A 開 bit 質^{9} big
00594 柲 毗必 並質入A 開 bit 質^{9} big
00595 苾 毗必 並質入A 開 bit 質^{9} big
00596 鞁 毗必 並質入A 開 bit 質^{9} big
00597 佖 毗必 並質入A 開 bit 質^{9} big
00598 駜 毗必 並質入A 開 bit 質^{9} big
00599 飶 毗必 並質入A 開 bit 質^{9} big
00600 鮅 毗必 並質入A 開 bit 質^{9} big
00601 怭 毗必 並質入A 開 bit 質^{9} big
00602 泌 毗必 並質入A 開 bit 質^{9} big
00603 咇 毗必 並質入A 開 bit 質^{9} big
00604 淧 彌畢 明質入A 開 mit 質^{9} mbig
00605 蜜 彌畢 明質入A 開 mit 質^{9} mbig
00606 謐 彌畢 明質入A 開 mit 質^{9} mbig
00607 醯 彌畢 明質入A 開 mit 質^{9} mbig
00608 盜 彌畢 明質入A 開 mit 質^{9} mbig
00609 宓 彌畢 明質入A 開 mit 質^{9} mbig
00610 鉍 兵媚 幫脂去B 開 pɨit 質^{9} pʳigs
00611 鉍 兵媚 幫脂去B 開 pɨi 質^{9} pʳigs
00612 祕 兵媚 幫脂去B 開 pɨi 質^{9} pʳigs
00613 毖 兵媚 幫脂去B 開 pɨi 質^{9} pʳigs
00614 閟 兵媚 幫脂去B 開 pɨi 質^{9} pʳigs
00615 柲 兵媚 幫脂去B 開 pɨi 質^{9} pʳigs
00616 泌 兵媚 幫脂去B 開 pɨi 質^{9} pʳigs
00617 䏟 兵媚 幫脂去B 開 pɨi 質^{9} pʳigs
00618 鞑 兵媚 幫脂去B 開 pɨi 質^{9} pʳigs
00619 邲 兵媚 幫脂去B 開 pɨi 質^{9} pʳigs
00620 秘 兵媚 幫脂去B 開 pɨi 質^{9} pʳigs

1 中古应是脂韵 B 类。
2 中古应是脂韵 B 类。
3 见“菲”字注。
4 见“菲”字注。

00621 𦔻 兵媚 幫脂去B 開 pɨi 質^{g} p^{r}igs
00622 柲 鄙密 幫質入B 開 pɨit 質^{g} p^{r}ig
00623 泌 鄙密 幫質入B 開 pɨit 質^{g} p^{r}ig
00624 咇 鄙密 幫質入B 開 pɨit 質^{g} p^{r}ig
00625 佖 房密 並質入B 開 bɨit 質^{g} b^{r}ig
00626 駜 房密 並質入B 開 bɨit 質^{g} b^{r}ig
00627 邲 房密 並質入B 開 bɨit 質^{g} b^{r}ig
00628 密 美筆 明質入B 開 mɨit 質^{g} mb^{r}ig
00629 蔤 美筆 明質入B 開 mɨit 質^{g} mb^{r}ig
00630 宓 美筆 明質入B 開 mɨit 質^{g} mb^{r}ig
00631 滵 美筆 明質入B 開 mɨit 質^{g} mb^{r}ig
00632 虙 房六 並屋入三合 biuk 質^{g} b^{l}ig
00633 瑟 所櫛 生櫛入三開 ʂiɪt 質^{g} sp^{r}ig
00634 飋 所櫛 生櫛入三開 ʂiɪt 質^{g} sp^{r}ig
00635 璱 所櫛 生櫛入三開 ʂiɪt 質^{g} sp^{r}ig
00636 抋 必結 幫屑入四開 pet 質^{g} pi̱g
00637 咇 蒲結 並屑入四開 bet 質^{g} bi̱g
00638 苾 蒲結 並屑入四開 bet 質^{g} bi̱g
00639 䏟 蒲結 並屑入四開 bet 質^{g} bi̱g
00640 飶 蒲結 並屑入四開 bet 質^{g} bi̱g
00641 柲 蒲結 並屑入四開 bet 質^{g} bi̱g
00642 抋 蒲結 並屑入四開 bet 質^{g} bi̱g
00643 秘 蒲結 並屑入四開 bet 質^{g} bi̱g
00644 覕 莫結 明屑入四開 met 質^{g} mbi̱g
00645 䀣 莫八 明黠入二開 m^{ɯ}ɛt 質^{g} mb^{r}i̱g
00646 覕 必刃 幫真去A 開 pin 真^{ŋ} piŋs

㡀 bì

00647 蔽 必袂 幫祭去A 開 piɛi 月^{e} peds
00648 鱉 必袂 幫祭去A 開 piɛi 月^{e} peds
00649 鷩 必袂 幫祭去A 開 piɛi 月^{e} peds
00650 彆 必袂 幫祭去A 開 piɛi 月^{e} peds
00651 弊[1] 必袂 幫祭去A 開 piɛi 月^{e} peds
00652 潎 匹蔽 滂祭去A 開 p^{h}iɛi 月^{e} p^{h}eds
00653 斃 毗祭 並祭去A 開 biɛi 月^{e} beds
00654 幣 毗祭 並祭去A 開 biɛi 月^{e} beds
00655 㡀 毗祭 並祭去A 開 biɛi 月^{e} beds
00656 潎 毗祭 並祭去A 開 biɛi 月^{e} beds
00657 弊[2] 毗祭 並祭去A 開 biɛi 月^{e} beds
00658 獙 毗祭 並祭去A 開 biɛi 月^{e} beds
00659 虌 并列 幫薛入A 開 piɛt 月^{e} ped
00660 鷩 并列 幫薛入A 開 piɛt 月^{e} ped
00661 鼈 并列 幫薛入A 開 piɛt 月^{e} ped
00662 鱉 并列 幫薛入A 開 piɛt 月^{e} ped
00663 憋 并列 幫薛入A 開 piɛt 月^{e} ped
00664 鷩 并列 幫薛入A 開 piɛt 月^{e} ped
00665 瞥 芳滅 滂薛入A 開 p^{h}iɛt 月^{e} p^{h}ed
00666 潎 芳滅 滂薛入A 開 p^{h}iɛt 月^{e} p^{h}ed
00667 憋 芳滅 滂薛入A 開 p^{h}iɛt 月^{e} p^{h}ed
00668 蟞 必結 幫屑入四開 pet 月^{e} pe̱d
00669 撇 必結 幫屑入四開 pet 月^{e} pe̱d
00670 蟞 匹蔑 滂屑入四開 p^{h}et 月^{e} p^{h}e̱d
00671 撆 普蔑 滂屑入四開 p^{h}et 月^{e} p^{h}e̱d
00672 瞥 普蔑 滂屑入四開 p^{h}et 月^{e} p^{h}e̱d
00673 嫳 普蔑 滂屑入四開 p^{h}et 月^{e} p^{h}e̱d
00674 鐅 普蔑 滂屑入四開 p^{h}et 月^{e} p^{h}e̱d
00675 蹩 蒲結 並屑入四開 bet 月^{e} be̱d
00676 襒 蒲結 並屑入四開 bet 月^{e} be̱d
00677 弊[3] 蒲結 並屑入四開 bet 月^{e} be̱d
00678 蟞 蒲結 並屑入四開 bet 月^{e} be̱d

畀 bì

00679 痹 必至 幫脂去A 開 pi 質^{d} pids
00680 畀 必至 幫脂去A 開 pi 質^{d} pids
00681 淠 匹備 滂脂去B 開 p^{h}ɨi 質^{d} p^{hr}ids
00682 箅 博計 幫齊去四開 pei 質^{d} pi̱ds
00683 淠 匹詣 滂齊去四開 p^{h}ei 質^{d} p^{h}i̱ds

畢 bì

00684 𤸎 毗至 並脂去A 開 bi 質^{d} bids
00685 蓽 卑吉 幫質入A 開 pit 質^{d} pid
00686 蹕[4] 卑吉 幫質入A 開 pit 質^{d} pid
00687 𢧢 卑吉 幫質入A 開 pit 質^{d} pid
00688 滭 卑吉 幫質入A 開 pit 質^{d} pid
00689 熚 卑吉 幫質入A 開 pit 質^{d} pid
00690 彃 卑吉 幫質入A 開 pit 質^{d} pid
00691 㮰 卑吉 幫質入A 開 pit 質^{d} pid

---

1 《广韵》作“獘”。
2 《广韵》作“獘”。
3 《广韵》作“獘”。
4 《广韵》又同“趩”。

00692 縪 卑吉 幫質入A 開 pit 質^{d} pid

00693 罼 卑吉 幫質入A 開 pit 質^{d} pid

00694 華[1] 卑吉 幫質入A 開 pit 質^{d} pid

00695 畢 卑吉 幫質入A 開 pit 質^{d} pid

00696 篳 卑吉 幫質入A 開 pit 質^{d} pid

00697 韠 卑吉 幫質入A 開 pit 質^{d} pid

00698 趩 卑吉 幫質入A 開 pit 質^{d} pid

00699 滭 卑吉 幫質入A 開 pit 質^{d} pid

00700 醳 蒲計 並齊去四開 bei 質^{d} bi̱ds

閉 bì

00701 閉 博計 幫齊去四開 pei 質^{d} pi̱ds

00702 閉 方結 幫屑入四開 pet 質^{d} pi̱d

弼 bì

00703 弼 房密 並質入B 開 bɨit 物^{ɯ} b^{r}ɯd

奰 bì

00704 𤺌 匹備 滂脂去B 開 p^{h}ɨi 質^{d} p^{hr}ids

00705 𤻞 匹備 滂脂去B 開 p^{h}ɨi 質^{d} p^{hr}ids

00706 奰 平祕 並脂去B 開 bɨi 質^{d} b^{r}ids

00707 贔 平祕 並脂去B 開 bɨi 質^{d} b^{r}ids

辟 bì

00708 臂 卑義 幫支去A 開 pie 錫 pegs

00709 譬 匹賜 滂支去A 開 p^{h}ie 錫 p^{h}egs

00710 避 毗義 並支去A 開 bie 錫 begs

00711 襞 必益 幫昔入三開 piᴇk 錫 peg

00712 𢍮 必益 幫昔入三開 piᴇk 錫 peg

00713 辟[2] 必益 幫昔入三開 piᴇk 錫 peg

00714 璧 必益 幫昔入三開 piᴇk 錫 peg

00715 躄 必益 幫昔入三開 piᴇk 錫 peg

00716 廦 之石 章昔入三開 tɕiᴇk 錫 p^{j}eg

00717 辟 芳辟 滂昔入三開 p^{h}iᴇk 錫 p^{h}eg

00718 僻 芳辟 滂昔入三開 p^{h}iᴇk 錫 p^{h}eg

00719 癖 芳辟 滂昔入三開 p^{h}iᴇk 錫 p^{h}eg

00720 廦 芳辟 滂昔入三開 p^{h}iᴇk 錫 p^{h}eg

00721 擗 房益 並昔入三開 biᴇk 錫 beg

00722 躃 房益 並昔入三開 biᴇk 錫 beg

00723 闢 房益 並昔入三開 biᴇk 錫 beg

00724 辟 房益 並昔入三開 biᴇk 錫 beg

00725 嬖 博計 幫齊去四開 pei 錫 pe̱gs

00726 薜 蒲計 並齊去四開 bei 錫 be̱gs

00727 壁 北激 幫錫入四開 pek 錫 pe̱g

00728 鼊 北激 幫錫入四開 pek 錫 pe̱g

00729 繴 北激 幫錫入四開 pek 錫 pe̱g

00730 廦 北激 幫錫入四開 pek 錫 pe̱g

00731 礕 匹歷 滂錫入四開 p^{h}ek 錫 p^{h}e̱g

00732 霹 普擊 滂錫入四開 p^{h}ek 錫 p^{h}e̱g

00733 劈 普擊 滂錫入四開 p^{h}ek 錫 p^{h}e̱g

00734 澼 普擊 滂錫入四開 p^{h}ek 錫 p^{h}e̱g

00735 憵 普擊 滂錫入四開 p^{h}ek 錫 p^{h}e̱g

00736 癖 普擊 滂錫入四開 p^{h}ek 錫 p^{h}e̱g

00737 僻 普擊 滂錫入四開 p^{h}ek 錫 p^{h}e̱g

00738 甓 扶歷 並錫入四開 bek 錫 be̱g

00739 鷿[3] 扶歷 並錫入四開 bek 錫 be̱g

00740 幦 莫狄 明錫入四開 mek 錫 mbe̱g

00741 檗 博厄 幫麥入二開 p^{ɯ}ɛk 錫 p^{r}e̱g

00742 擘 博厄 幫麥入二開 p^{ɯ}ɛk 錫 p^{r}e̱g

00743 薜 博厄 幫麥入二開 p^{ɯ}ɛk 錫 p^{r}e̱g

00744 糪 博厄 幫麥入二開 p^{ɯ}ɛk 錫 p^{r}e̱g

00745 檗 普麥 滂麥入二開 p^{hɯ}ɛk 錫 p^{hr}e̱g

00746 繴 蒲革 並麥入二開 b^{ɯ}ɛk 錫 b^{r}e̱g

扁 biǎn

00747 编 卑連 幫仙平A 開 piᴇn 元^{e} pen

00748 揙 卑連 幫仙平A 開 piᴇn 元^{e} pen

00749 篇 芳連 滂仙平A 開 p^{h}iᴇn 元^{e} p^{h}en

00750 偏 芳連 滂仙平A 開 p^{h}iᴇn 元^{e} p^{h}en

00751 翩 芳連 滂仙平A 開 p^{h}iᴇn 元^{e} p^{h}en

00752 媥 芳連 滂仙平A 開 p^{h}iᴇn 元^{e} p^{h}en

00753 㾫 芳連 滂仙平A 開 p^{h}iᴇn 元^{e} p^{h}en

00754 扁 芳連 滂仙平A 開 p^{h}iᴇn 元^{e} p^{h}en

00755 萹 芳連 滂仙平A 開 p^{h}iᴇn 元^{e} p^{h}en

00756 鶣 紕延 滂仙平A 開 p^{h}iᴇn 元^{e} p^{h}en

---

1 李豪:“華”字根据古文字,本来是两个来源的字,后来在小篆中变得同形了。许慎为了分析“畢”和“棄”等字,设立了这个部首。“卑吉切”为“畢”字的初文。另有一读“北潘切”,大概是取“畚”字的读音。

2 s 为使动前级,“辟(避)”的自动形式为 beg,使动词 s.beg>peg。

3 《广韵》又同“鸊”。

00757 諞 房連 並仙平A 開 biᴇn 元^{e} ben
00758 楄 房連 並仙平A 開 biᴇn 元^{e} ben
00759 褊 方緬 幫仙上A 開 piᴇn 元^{e} penʔ
00760 鞭 婢善 並仙上A 開 biᴇn 元^{e} benʔ
00761 諞 符善 並仙上A 開 biᴇn 元^{e} benʔ
00762 扁 符善 並仙上A 開 biᴇn 元^{e} benʔ
00763 偏 匹戰 滂仙去A 開 p^{h}iᴇn 元^{e} p^{h}ens
00764 諞 符蹇 並仙上B 開 bɨᴇn 元^{e} b^{r}enʔ
00765 编 布玄 幫先平四開 pen 元^{e} pe̱n
00766 萹 布玄 幫先平四開 pen 元^{e} pe̱n
00767 甂 布玄 幫先平四開 pen 元^{e} pe̱n
00768 蝙 布玄 幫先平四開 pen 元^{e} pe̱n
00769 猵 布玄 幫先平四開 pen 元^{e} pe̱n
00770 牑 布玄 幫先平四開 pen 元^{e} pe̱n
00771 蹁 布玄 幫先平四開 pen 元^{e} pe̱n
00772 蹁 部田 並先平四開 ben 元^{e} be̱n
00773 楄 部田 並先平四開 ben 元^{e} be̱n
00774 编 方典 幫先上四開 pen 元^{e} pe̱nʔ
00775 萹 方典 幫先上四開 pen 元^{e} pe̱nʔ
00776 惼 方典 幫先上四開 pen 元^{e} pe̱nʔ
00777 扁 方典 幫先上四開 pen 元^{e} pe̱nʔ
00778 扁 薄泫 並先上四開 ben 元^{e} be̱nʔ
00779 徧 方見 幫先去四開 pen 元^{e} pe̱ns
00780 遍[1] 方見 幫先去四開 pen 元^{e} pe̱ns
00781 猵[2] 布還 幫山平二開 p^{ɯ}ɛn 元^{e} p^{r}e̱n
00782 鯿[3] 布還 幫山平二開 p^{ɯ}ɛn 元^{e} p^{r}e̱n
00783 猵 方閑 並山平二開 b^{ɯ}ɛn 元^{e} b^{r}e̱n
00784 獱 毗忍 並真上A 開 bin 真^{n} binʔ
00785 瑂 府巾 幫真平B 開 pɨin 真^{n} p^{r}in

㝵 biǎn

00786 㝵[4] 方斂 幫鹽上B 開 pɨᴇm 談^{o} p^{r}omʔ

釆 biàn

00787 繙 皮變 並仙去B 開 bɨᴇn 元^{a} b^{r}ans
00788 蕃 甫煩 幫元平三合 p^{w}iɤn 元^{a} pan
00789 藩 甫煩 幫元平三合 p^{w}iɤn 元^{a} pan
00790 轓 甫煩 幫元平三合 p^{w}iɤn 元^{a} pan
00791 籓 甫煩 幫元平三合 p^{w}iɤn 元^{a} pan
00792 鐇 甫煩 幫元平三合 p^{w}iɤn 元^{a} pan
00793 翻 孚袁 滂元平三合 p^{hw}iɤn 元^{a} p^{h}an
00794 旛 孚袁 滂元平三合 p^{hw}iɤn 元^{a} p^{h}an
00795 番 孚袁 滂元平三合 p^{hw}iɤn 元^{a} p^{h}an
00796 幡 孚袁 滂元平三合 p^{hw}iɤn 元^{a} p^{h}an
00797 瀿 孚袁 滂元平三合 p^{hw}iɤn 元^{a} p^{h}an
00798 轓 孚袁 滂元平三合 p^{hw}iɤn 元^{a} p^{h}an
00799 繙 孚袁 滂元平三合 p^{hw}iɤn 元^{a} p^{h}an
00800 膰 符袁 並元平三合 b^{w}iɤn 元^{a} ban
00801 番 附袁 並元平三合 b^{w}iɤn 元^{a} ban
00802 蹯 附袁 並元平三合 b^{w}iɤn 元^{a} ban
00803 繙 附袁 並元平三合 b^{w}iɤn 元^{a} ban
00804 鷭 附袁 並元平三合 b^{w}iɤn 元^{a} ban
00805 燔 附袁 並元平三合 b^{w}iɤn 元^{a} ban
00806 膰 附袁 並元平三合 b^{w}iɤn 元^{a} ban
00807 羳 附袁 並元平三合 b^{w}iɤn 元^{a} ban
00808 蟠 附袁 並元平三合 b^{w}iɤn 元^{a} ban
00809 蕃 附袁 並元平三合 b^{w}iɤn 元^{a} ban
00810 璠 附袁 並元平三合 b^{w}iɤn 元^{a} ban
00811 獂 附袁 並元平三合 b^{w}iɤn 元^{a} ban
00812 襎 附袁 並元平三合 b^{w}iɤn 元^{a} ban
00813 墦 附袁 並元平三合 b^{w}iɤn 元^{a} ban
00814 旛 附袁 並元平三合 b^{w}iɤn 元^{a} ban
00815 藩 附袁 並元平三合 b^{w}iɤn 元^{a} ban
00816 鐇 附袁 並元平三合 b^{w}iɤn 元^{a} ban
00817 橎 府遠 幫元上三合 p^{w}iɤn 元^{a} panʔ
00818 番 普官 滂寒平一合 p^{hw}ɑn 元^{a} p^{h}a̱n
00819 潘 普官 滂寒平一合 p^{hw}ɑn 元^{a} p^{h}a̱n
00820 磻 薄官 並寒平一合 b^{w}ɑn 元^{a} ba̱n
00821 蟠 薄官 並寒平一合 b^{w}ɑn 元^{a} ba̱n
00822 釆[5] 蒲莧 並刪去二開 b^{ɯ}æn 元^{a} b^{r}a̱ns
00823 皤 博禾 幫歌平一合 p^{w}ɑ 歌^{a} pa̱l
00824 嶓 博禾 幫歌平一合 p^{w}ɑ 歌^{a} pa̱l
00825 番 博禾 幫歌平一合 p^{w}ɑ 歌^{a} pa̱l
00826 鄱 薄波 並歌平一合 b^{w}ɑ 歌^{a} ba̱l

---

1 《广韵》又同“徧”。

2 原为删韵，但是根据谐声系统应该为山韵，《切韵》音系二等有山、删的历史层次。

3 原为删韵，但是根据谐声系统应该为山韵，《切韵》音系二等有山、删的历史层次。

4 《广韵》作“导”。

5 原为山韵，但是根据谐声系统应该为删韵，《切韵》音系二等有删、山的历史层次。

00827 皤 薄波 並歌平一合 b^{w}ɑ 歌^{a} ba̱l
00828 譒 補過 幫歌去一合 p^{w}ɑ 歌^{a} pa̱ls
00829 播 補過 幫歌去一合 p^{w}ɑ 歌^{a} pa̱ls
00830 番 補過 幫歌去一合 p^{w}ɑ 歌^{a} pa̱ls

弁 biàn

00831 卞[1] 皮變 並仙去B 開 bɨᴇn 元^{o} b^{r}ons
00832 拚 皮變 並仙去B 開 bɨᴇn 元^{o} b^{r}ons
00833 弁 皮變 並仙去B 開 bɨᴇn 元^{o} b^{r}ons
00834 汴 皮變 並仙去B 開 bɨᴇn 元^{o} b^{r}ons
00835 閞 皮變 並仙去B 開 bɨᴇn 元^{o} b^{r}ons
00836 昪 皮變 並仙去B 開 bɨᴇn 元^{o} b^{r}ons
00837 笲 皮變 並仙去B 開 bɨᴇn 元^{o} b^{r}ons
00838 頯 皮變 並仙去B 開 bɨᴇn 元^{o} b^{r}ons
00839 閅 皮變 並仙去B 開 bɨᴇn 元^{o} b^{r}ons
00840 抃[2] 皮變 並仙去B 開 bɨᴇn 元^{o} b^{r}ons
00841 犿[3] 方煩 幫元平三合 p^{w}iɤn 元^{o} p^{l}on
00842 犿 孚袁 滂元平三合 p^{hw}iɤn 元^{o} p^{h}on
00843 笲 附袁 並元平三合 b^{w}iɤn 元^{o} bon
00844 犿 甫遠 幫元上三合 p^{w}iɤn 元^{o} p^{l}onʔ
00845 笲 扶晚 並元上三合 b^{w}iɤn 元^{o} bonʔ
00846 頯 扶晚 並元上三合 b^{w}iɤn 元^{o} bonʔ
00847 飰 父遠 並元上三合 b^{w}iɤn 元^{o} bonʔ
00848 畚 扶晚 並元上三合 b^{w}iɤn 元^{o} bonʔ
00849 畓 芳万 滂元去三合 p^{hw}iɤn 元^{o} p^{h}ons
00850 飰 符万 並元去三合 b^{w}iɤn 元^{o} bons
00851 閞 符万 並元去三合 b^{w}iɤn 元^{o} bons
00852 叁 府文 幫文平三合 piun 文^{u} pun
00853 坌 方問 幫文去三合 piun 文^{u} puns
00854 拚 方問 幫文去三合 piun 文^{u} puns
00855 畚 布忖 幫魂上一合 pu̯on 文^{u} pu̱nʔ
00856 楍 蒲本 並魂上一合 bu̯on 文^{u} bu̱nʔ

便 biàn

00857 鞭 卑連 幫仙平A 開 piᴇn 元^{e} pen
00858 鯾 卑連 幫仙平A 開 piᴇn 元^{e} pen
00859 箯 卑連 幫仙平A 開 piᴇn 元^{e} pen
00860 便 房連 並仙平A 開 biᴇn 元^{e} ben
00861 緶 房連 並仙平A 開 biᴇn 元^{e} ben
00862 楩 房連 並仙平A 開 biᴇn 元^{e} ben
00863 媥 房連 並仙平A 開 biᴇn 元^{e} ben
00864 箯 房連 並仙平A 開 biᴇn 元^{e} ben
00865 楩 符善 並仙上A 開 biᴇn 元^{e} benʔ
00866 便 婢面 並仙去A 開 biᴇn 元^{e} bens
00867 緶 方典 幫先上四開 pen 元^{e} pe̱nʔ

辡 biàn

00868 辯 方緬 幫仙上A 開 piᴇn 元^{e} penʔ
00869 辡 方免 幫仙上B 開 pɨᴇn 元^{e} p^{r}enʔ
00870 辯 符蹇 並仙上B 開 bɨᴇn 元^{e} b^{r}enʔ
00871 辡 符蹇 並仙上B 開 bɨᴇn 元^{e} b^{r}enʔ
00872 辨 符蹇 並仙上B 開 bɨᴇn 元^{e} b^{r}enʔ
00873 辮 薄泫 並先上四開 ben 元^{e} be̱nʔ
00874 辦 匹莧 滂山去二開 p^{hɯ}ɛn 元^{e} p^{hr}e̱ns
00875 辧 蒲莧 並山去二開 b^{ɯ}ɛn 元^{e} b^{r}e̱ns
00876 瓣 蒲莧 並山去二開 b^{ɯ}ɛn 元^{e} b^{r}e̱ns
00877 辨 蒲莧 並山去二開 b^{ɯ}ɛn 元^{e} b^{r}e̱ns
00878 辦 蒲莧 並山去二開 b^{ɯ}ɛn 元^{e} b^{r}e̱ns

髟 biāo

00879 髟 甫遥 幫宵平A 開 piᴇu 宵^{e} pe^{w}
00880 髟 甫烋 幫幽平三開 pɨu 幽^{i} p^{r}i^{w}

彪 biāo

00881 彪 甫烋 幫幽平三開 pɨu 幽^{ɯ} p^{r}ɯ^{w}
00882 滮 平幽 並幽平三開 bɨu 幽^{ɯ} b^{r}ɯ^{w}
00883 淲 皮彪 並幽平三開 bɨu 幽^{ɯ} b^{r}ɯ^{w}

猋 biāo

00884 飆[4] 甫遥 幫宵平A 開 piᴇu 宵^{e} pe^{w}
00885 猋 甫遥 幫宵平A 開 piᴇu 宵^{e} pe^{w}
00886 旚 甫遥 幫宵平A 開 piᴇu 宵^{e} pe^{w}
00887 贆 甫遥 幫宵平A 開 piᴇu 宵^{e} pe^{w}

---

1 应金琦：取陈剑课程讲义的意见，“卞”由“弁”隶变而来。《说文》：“覍，冕也。”“弁”或“覍”字。“冕”*mb^{r}onʔ 带鼻冠音，与“弁”*b^{r}ons 同根。

2 “抃”又通“拊”*bo。

3 “犿”同“貛”*q^{h}o̱n，汉藏语中经常有音变 k^{w}->p-，q->k-，-on>-^{w}on，所以“貛”*q^{h}o̱n 在某个方言中出现以下的音变*q^{h}o̱n>k^{w}on>pon。

4 《广韵》作“飆”。

麃 biāo

00888 犥 撫招 滂宵平A 開 p^{h}iᴇu 宵^{e} p^{h}e^{w}

00889 犥 敷沼 滂宵上A 開 p^{h}iᴇu 宵^{e} p^{h}e^{w}ʔ

00890 皫 敷沼 滂宵上A 開 p^{h}iᴇu 宵^{e} p^{h}e^{w}ʔ

00891 穮 悲嬌 幫宵平B 開 pɨᴇu 宵^{e} p^{r}e^{w}

00892 鑣 甫嬌 幫宵平B 開 pɨᴇu 宵^{e} p^{r}e^{w}

00893 儦 甫嬌 幫宵平B 開 pɨᴇu 宵^{e} p^{r}e^{w}

00894 瀌 甫嬌 幫宵平B 開 pɨᴇu 宵^{e} p^{r}e^{w}

00895 藨 甫嬌 幫宵平B 開 pɨᴇu 宵^{e} p^{r}e^{w}

00896 麃 滂表 滂宵上B 開 p^{h}ɨᴇu 宵^{e} p^{hr}e^{w}ʔ

00897 藨 平表 並宵上B 開 bɨᴇu 宵^{e} b^{r}e^{w}ʔ

00898 穮 披交 滂肴平二開 p^{hɯ}æu 宵^{e} p^{hr}e̱^{w}

00899 麃 薄交 並肴平二開 b^{ɯ}æu 宵^{e} b^{r}e̱^{w}

00900 穮 披教 滂肴去二開 p^{hɯ}æu 宵^{e} p^{hr}e̱^{w}s

00901 瀌 皮彪 並幽平三開 bɨu 幽^{i} b^{r}i^{w}

00902 鄜[1] 芳無 滂虞平三合 p^{h}iʊ 幽^{i} p^{h}i^{w}

00903 藨 普袍 滂豪平一開 p^{h}ɑu 幽 p^{h}u̱

驫 biāo

00904 驫 甫遥 幫宵平A 開 piᴇu 宵^{e} pe^{w}

00905 驫 甫烋 幫幽平三開 pɨu 幽^{i} p^{r}i^{w}

表 biǎo

00906 表 陂矯 幫宵上A 開 piᴇu 宵^{a} pa^{w}ʔ

00907 裱 方廟 幫宵去A 開 piᴇu 宵^{a} pa^{w}s

00908 俵 方廟 幫宵去A 開 piᴇu 宵^{a} pa^{w}s

受 biào

00909 莩[2] 苻少 並宵上A 開 biᴇu 宵^{e} be^{w}ʔ

00910 殍 平表 並宵上B 開 bɨᴇu 宵^{e} b^{r}e^{w}ʔ

00911 受 平表 並宵上B 開 bɨᴇu 宵^{e} b^{r}e^{w}ʔ

00912 殍 符鄙 並脂上B 開 bɨi 之 b^{r}ɯʔ

别 bié

00913 莂 方别 幫薛入B 開 pɨᴇt 月^{e} p^{r}ed

00914 別[3] 方别 幫薛入B 開 pɨᴇt 月^{e} p^{r}ed

00915 別 皮列 並薛入B 開 bɨᴇt 月^{e} b^{r}ed

00916 捌[4] 百鎋 幫黠入二開 p^{ɯ}ɛt 月^{e} p^{r}e̱d

00917 捌 博拔 幫黠入二開 p^{ɯ}ɛt 月^{e} p^{r}e̱d

彬 bīn

00918 彬 府巾 幫真平B 開 pɨin 文^{ɯ} p^{r}ɯn

00919 虨 府巾 幫真平B 開 pɨin 文^{ɯ} p^{r}ɯn

00920 虨 普巾 滂真平B 開 p^{h}ɨin 文^{ɯ} p^{hr}ɯn

00921 虨 方閑 並山平二開 b^{ɯ}ɛn 文^{ɯ} b^{r}ɯ̱n

豩 bīn

00922 豩 悲巾 幫真平B 開 pɨin 文^{ɯ} p^{r}ɯn

00923 豳 府巾 幫真平B 開 pɨin 文^{ɯ} p^{r}ɯn

00924 燹 蘇典 心先上四開 sen 文^{ɯ} sp^{l}ɯ̱nʔ

00925 豩[5] 呼關 曉山平二合 h^{wɯ}ɛn 文^{ɯ} qp^{hr}ɯ̱n

00926 燹[6] 許位 曉脂去B 合 h^{w}ɨi 微^{ɯ} qp^{hr}ɯls

00927 燹[7] 息淺 心仙上三開 siᴇn 元^{a} sp^{l}anʔ

仌 bīng

00928 馮 房戎 並東平三合 biuŋ 蒸 bg^{l}ɯŋ

00929 溈 房戎 並東平三合 biuŋ 蒸 bg^{l}ɯŋ

00930 馮 扶冰 並蒸平三開 bɨŋ 蒸 bg^{r}ɯŋ

00931 凴 扶冰 並蒸平三開 bɨŋ 蒸 bg^{r}ɯŋ

00932 冰[8] 筆陵 幫蒸平三開 pɨŋ 蒸 pg^{r}ɯŋ

00933 仌 悲陵 幫蒸平三開 pɨŋ 蒸 pg^{r}ɯŋ

兵 bīng

00934 兵 甫明 幫庚平三開 piæŋ 陽 p^{r}aŋ

丙 bǐng

00935 丙 兵永 幫庚上三開 piæŋ 陽 pk^{r}aŋʔ

---

1 见“務”字注。

2 郑张尚芳：反切上字由原“符”改为“苻”。

3 “别”的自动词为 *b^{r}ed，使动词为 *s.b^{r}ed> *p^{r}ed。

4 原为鎋韵，但是根据谐声系统应该为黠韵，《切韵》音系二等有黠、鎋的历史层次。

5 见“存”字注。原为删韵，但是根据谐声系统应该为山韵，《切韵》音系二等有山、删的历史层次。

6 见“存”字注。

7 李豪：据金文，“豳”“燹”本一字分化，上所从非二“豕”，实为二“豩”；下部之“山”乃“火”之讹。

8 《说文》以“凝”为“冰”字俗体，“冰”“凝”文献中可互作，《尔雅·释器》：“冰，脂也。”《释文》：“‘冰’……孫本作‘凝’。”“疑”通“矣”，《上海博物馆藏战国楚竹书（四）·曹沫之阵》：“是古（故）矣（疑）戟（陳）敗，矣（疑）戰死。”故“疑” *ŋg^{r}ɯ 的词根与“矣”音近，为 *g^{r}ɯ。故“凝”上古音为 *ŋg^{r}ɯŋ> *ŋ^{r}ɯŋ，“冰”则为 *pg^{r}ɯŋ> *p^{r}ɯŋ。

00936 眪 兵永 幫庚上三開 piæŋ 陽 pk^{r}aŋʔ
00937 怲 兵永 幫庚上三開 piæŋ 陽 pk^{r}aŋʔ
00938 邴 兵永 幫庚上三開 piæŋ 陽 pk^{r}aŋʔ
00939 炳 兵永 幫庚上三開 piæŋ 陽 pk^{r}aŋʔ
00940 柄 陂病 幫庚去三開 piæŋ 陽 pk^{r}aŋs
00941 怲 陂病 幫庚去三開 piæŋ 陽 pk^{r}aŋs
00942 邴 陂病 幫庚去三開 piæŋ 陽 pk^{r}aŋs
00943 鈵 陂病 幫庚去三開 piæŋ 陽 pk^{r}aŋs
00944 寎 陂病 幫庚去三開 piæŋ 陽 pk^{r}aŋs
00945 病 皮命 並庚去三開 biæŋ 陽 bg^{r}aŋs
00946 粳 古行 見庚平二開 k^{ɯ}æŋ 陽 k^{r}a̱ŋ
00947 更[1] 古行 見庚平二開 k^{ɯ}æŋ 陽 k^{r}a̱ŋ
00948 埂 古行 見庚平二開 k^{ɯ}æŋ 陽 k^{r}a̱ŋ
00949 浭 古行 見庚平二開 k^{ɯ}æŋ 陽 k^{r}a̱ŋ
00950 梗 古杏 見庚上二開 k^{ɯ}æŋ 陽 k^{r}a̱ŋʔ
00951 哽 古杏 見庚上二開 k^{ɯ}æŋ 陽 k^{r}a̱ŋʔ
00952 郠 古杏 見庚上二開 k^{ɯ}æŋ 陽 k^{r}a̱ŋʔ
00953 綆 古杏 見庚上二開 k^{ɯ}æŋ 陽 k^{r}a̱ŋʔ
00954 鯁 古杏 見庚上二開 k^{ɯ}æŋ 陽 k^{r}a̱ŋʔ
00955 埂 古杏 見庚上二開 k^{ɯ}æŋ 陽 k^{r}a̱ŋʔ
00956 骾 古杏 見庚上二開 k^{ɯ}æŋ 陽 k^{r}a̱ŋʔ
00957 鲕[2] 蒲幸 並庚上二開 b^{ɯ}æŋ 陽 bg^{r}a̱ŋʔ
00958 更 古孟 見庚去二開 k^{ɯ}æŋ 陽 k^{r}a̱ŋs
00959 硬[3] 五諍 疑庚去二開 ŋ^{ɯ}æŋ 陽 ŋg^{r}a̱ŋs

秉 bǐng

00960 秉 兵永 幫庚上三開 piæŋ 陽 p^{r}aŋʔ

并 bìng

00961 并 府盈 幫清平三開 piᴇŋ 耕 peŋ
00962 栟 府盈 幫清平三開 piᴇŋ 耕 peŋ
00963 屏 府盈 幫清平三開 piᴇŋ 耕 peŋ
00964 餠 必郢 幫清上三開 piᴇŋ 耕 peŋʔ
00965 屏 必郢 幫清上三開 piᴇŋ 耕 peŋʔ
00966 鉼 必郢 幫清上三開 piᴇŋ 耕 peŋʔ
00967 併 必郢 幫清上三開 piᴇŋ 耕 peŋʔ
00968 庰 必郢 幫清上三開 piᴇŋ 耕 peŋʔ
00969 鞞 必郢 幫清上三開 piᴇŋ 耕 peŋʔ
00970 併 畀政 幫清去三開 piᴇŋ 耕 peŋs
00971 并 畀政 幫清去三開 piᴇŋ 耕 peŋs
00972 偋 防正 並清去三開 biᴇŋ 耕 beŋs
00973 庰 防正 並清去三開 biᴇŋ 耕 beŋs
00974 艵 普丁 滂青平四開 p^{h}eŋ 耕 p^{h}e̱ŋ
00975 頩 普丁 滂青平四開 p^{h}eŋ 耕 p^{h}e̱ŋ
00976 姘 普丁 滂青平四開 p^{h}eŋ 耕 p^{h}e̱ŋ
00977 瓶 薄經 並青平四開 beŋ 耕 be̱ŋ
00978 蛢 薄經 並青平四開 beŋ 耕 be̱ŋ
00979 屏 薄經 並青平四開 beŋ 耕 be̱ŋ
00980 荓 薄經 並青平四開 beŋ 耕 be̱ŋ
00981 輧 薄經 並青平四開 beŋ 耕 be̱ŋ
00982 郱 薄經 並青平四開 beŋ 耕 be̱ŋ
00983 鮩 薄經 並青平四開 beŋ 耕 be̱ŋ
00984 洴 薄經 並青平四開 beŋ 耕 be̱ŋ
00985 竮 旁經 並青平四開 beŋ 耕 be̱ŋ
00986 帡 旁經 並青平四開 beŋ 耕 be̱ŋ
00987 頩 匹迥 滂青上四開 p^{h}eŋ 耕 p^{h}e̱ŋʔ
00988 併 蒲迥 並青上四開 beŋ 耕 be̱ŋʔ
00989 偋 蒲徑 並青去四開 beŋ 耕 be̱ŋs
00990 絣 北萌 幫耕平二開 p^{ɯ}ɛŋ 耕 p^{r}e̱ŋ
00991 拼 北萌 幫耕平二開 p^{ɯ}ɛŋ 耕 p^{r}e̱ŋ
00992 怦[4] 撫庚 滂耕平二開 p^{hɯ}ɛŋ 耕 p^{hr}e̱ŋ
00993 姘 普耕 滂耕平二開 p^{hɯ}ɛŋ 耕 p^{hr}e̱ŋ
00994 皏 普幸 滂耕上二開 p^{hɯ}ɛŋ 耕 p^{hr}e̱ŋʔ
00995 跰 北孟 幫耕去二開 p^{ɯ}ɛŋ 耕 p^{r}e̱ŋs
00996 迸 北諍 幫耕去二開 p^{ɯ}ɛŋ 耕 p^{r}e̱ŋs
00997 跰 部田 並先平四開 ben 元^{e} be̱n
00998 骿 部田 並先平四開 ben 元^{e} be̱n
00999 軿 部田 並先平四開 ben 元^{e} be̱n
01000 駢 部田 並先平四開 ben 元^{e} be̱n
01001 胼 部田 並先平四開 ben 元^{e} be̱n
01002 鵧 蒲眠 並先平四開 ben 元^{e} be̱n
01003 鵧 房脂 並脂平A開 bi 脂 bi

1 "更"字从"丙"声,或从二"丙"得声。二"丙"是双声符字,双声符"丙"即与单声符的"丙"表示语音有别,它们的词根为 *k^{r}a̱ŋ,加了前缀 p 为 *pk^{r}a̱ŋ>*k^{r}a̱ŋ。

2 原为耕韵,但是根据谐声系统应该为庚韵,《切韵》音系二等有庚、耕的历史层次。

3 《伤寒论》"硬"作"鞕"。藏文 ɦk^{h}raŋ、k^{h}raŋ 硬,泰文 krɛɛŋh 坚硬的。同根词"刚" *k^{l}a̱ŋ,"固" *ka̱s。原为耕韵,但是根据谐声系统应该为庚韵,《切韵》音系二等有庚、耕的历史层次。

4 原为庚韵,但是根据谐声系统应该为耕韵,《切韵》音系二等有耕、庚的历史层次。

並 bìng

01004 髲 北朗 幫唐上一開 pɑŋ 陽 pa̱ŋʔ

01005 並[1] 蒲迴 並青上四開 beŋ 陽 ba̱ŋʔ

01006 髲 薄庚 並庚平二開 b^{ɯ}æŋ 陽 b^{r}a̱ŋ

癶 bō

01007 廢[2] 方肺 幫廢去三合 p^{w}iai 月^{a} pads

01008 癈[3] 方肺 幫廢去三合 p^{w}iai 月^{a} pads

01009 橃[4] 方肺 幫廢去三合 p^{w}iai 月^{a} pads

01010 鱍[5] 方肺 幫廢去三合 p^{w}iai 月^{a} pads

01011 墢 放吠 幫廢去三合 p^{w}iai 月^{a} pads

01012 蕟 放吠 幫廢去三合 p^{w}iai 月^{a} pads

01013 櫠 放吠 幫廢去三合 p^{w}iai 月^{a} pads

01014 發 方伐 幫月入三合 p^{w}iɤt 月^{a} pad

01015 蕟 方伐 幫月入三合 p^{w}iɤt 月^{a} pad

01016 橃 房越 並月入三合 b^{w}iɤt 月^{a} bad

01017 墢 房越 並月入三合 b^{w}iɤt 月^{a} bad

01018 撥 北末 幫曷入一合 p^{w}ɑt 月^{a} pa̱d

01019 癶 北末 幫曷入一合 p^{w}ɑt 月^{a} pa̱d

01020 襏 北末 幫曷入一合 p^{w}ɑt 月^{a} pa̱d

01021 蹳 北末 幫曷入一合 p^{w}ɑt 月^{a} pa̱d

01022 鏺 普活 滂曷入一合 p^{hw}ɑt 月^{a} p^{h}a̱d

01023 癹 蒲撥 並曷入一合 b^{w}ɑt 月^{a} ba̱d

01024 鱍 蒲撥 並曷入一合 b^{w}ɑt 月^{a} ba̱d

01025 蹳 蒲撥 並曷入一合 b^{w}ɑt 月^{a} ba̱d

卜 bǔ

01026 赴 芳遇 滂虞去三合 p^{h}iʊ 屋 p^{h}ogs

01027 訃 芳遇 滂虞去三合 p^{h}iʊ 屋 p^{h}ogs

01028 𧿒 芳遇 滂虞去三合 p^{h}iʊ 屋 p^{h}ogs

01029 仆 芳遇 滂虞去三合 p^{h}iʊ 屋 p^{h}ogs

01030 仆 匹候 滂侯去一合 p^{h}u 屋 p^{h}o̱gs

01031 卜 博木 幫屋入一合 puk 屋 po̱g

01032 鳪 博木 幫屋入一合 puk 屋 po̱g

01033 扑 普木 滂屋入一合 p^{h}uk 屋 p^{h}o̱g

01034 攴 普木 滂屋入一合 p^{h}uk 屋 p^{h}o̱g

01035 朴 匹角 滂覺入二開 p^{hɯ}ɔk 屋 p^{hr}o̱g

01036 攴 匹角 滂覺入二開 p^{hɯ}ɔk 屋 p^{hr}o̱g

01037 仆 敷救 滂尤去三合 p^{h}iu 覺 p^{h}ugs

01038 仆 蒲北 並德入一開 bək 職 bɯ̱g

不 bù

01039 ⿰丕頁 敷悲 滂脂平B 開 p^{h}ɨi 之 p^{hr}ɯ

01040 丕 敷悲 滂脂平B 開 p^{h}ɨi 之 p^{hr}ɯ

01041 伾 敷悲 滂脂平B 開 p^{h}ɨi 之 p^{hr}ɯ

01042 秠 敷悲 滂脂平B 開 p^{h}ɨi 之 p^{hr}ɯ

01043 駓 敷悲 滂脂平B 開 p^{h}ɨi 之 p^{hr}ɯ

01044 狉 攀悲 滂脂平B 開 p^{h}ɨi 之 p^{hr}ɯ

01045 ⿰金平 攀悲 滂脂平B 開 p^{h}ɨi 之 p^{hr}ɯ

01046 髬 敷悲 滂脂平B 開 p^{h}ɨi 之 p^{hr}ɯ

01047 魾 敷悲 滂脂平B 開 p^{h}ɨi 之 p^{hr}ɯ

01048 鉟 敷悲 滂脂平B 開 p^{h}ɨi 之 p^{hr}ɯ

01049 邳 符悲 並脂平B 開 bɨi 之 b^{r}ɯ

01050 鉟 符悲 並脂平B 開 bɨi 之 b^{r}ɯ

01051 鴀 符悲 並脂平B 開 bɨi 之 b^{r}ɯ

01052 岯 符悲 並脂平B 開 bɨi 之 b^{r}ɯ

01053 魾 符悲 並脂平B 開 bɨi 之 b^{r}ɯ

01054 ⿰丕頁 符悲 並脂平B 開 bɨi 之 b^{r}ɯ

01055 ⿰金平 貧悲 並脂平B 開 bɨi 之 b^{r}ɯ

01056 ⿰豸否 貧悲 並脂平B 開 bɨi 之 b^{r}ɯ

01057 狉 貧悲 並脂平B 開 bɨi 之 b^{r}ɯ

01058 ⿰馬否 貧悲 並脂平B 開 bɨi 之 b^{r}ɯ

01059 ⿰馬否 補美 幫脂上B 開 pɨi 之 p^{r}ɯʔ

01060 娝 方美 幫脂上B 開 pɨi 之 p^{r}ɯʔ

01061 痞 方美 幫脂上B 開 pɨi 之 p^{r}ɯʔ

01062 嚭 匹鄙 滂脂上B 開 p^{h}ɨi 之 p^{hr}ɯʔ

01063 秠 匹鄙 滂脂上B 開 p^{h}ɨi 之 p^{hr}ɯʔ

01064 ⿰豸否 部鄙 並脂上B 開 bɨi 之 b^{r}ɯʔ

01065 ⿰馬否 部鄙 並脂上B 開 bɨi 之 b^{r}ɯʔ

01066 否 符鄙 並脂上B 開 bɨi 之 b^{r}ɯʔ

01067 痞 符鄙 並脂上B 開 bɨi 之 b^{r}ɯʔ

01068 不 甫鳩 幫尤平三合 piu 之 pɯ

01069 紑 甫鳩 幫尤平三合 piu 之 pɯ

---

1 “並”,颜氏《汉书注》都作“步浪反”。《释名》“病”以“並”为声训,应是庚韵阳部字。肖祎科:《老子》“萬物並作”,郭店甲本简24作“方”,马王堆帛书甲乙本作“旁”。由于“並”与“併”两词义近,后来读作青韵。

2 郑张尚芳:反切上字“肺”原作“胇”,依校本。张富海指出甲金文作“瀍”,故带 *-b 尾。

3 见“肺”字注。

4 见“肺”字注。

5 见“肺”字注。

01070 䳕 甫鳩 幫尤平三合 piu 之 pɯ

01071 秠 匹尤 滂尤平三合 pʰiu 之 pʰɯ

01072 衃 匹尤 滂尤平三合 pʰiu 之 pʰɯ

01073 肧 匹尤 滂尤平三合 pʰiu 之 pʰɯ

01074 紑 匹尤 滂尤平三合 pʰiu 之 pʰɯ

01075 醅 匹尤 滂尤平三合 pʰiu 之 pʰɯ

01076 罘 縛謀 並尤平三合 biu 之 bɯ

01077 涪 縛謀 並尤平三合 biu 之 bɯ

01078 芣 縛謀 並尤平三合 biu 之 bɯ

01079 棓 縛謀 並尤平三合 biu 之 bɯ

01080 掊 縛謀 並尤平三合 biu 之 bɯ

01081 錇 縛謀 並尤平三合 biu 之 bɯ

01082 瓿[1] 防無 並虞平三合 biʊ 之 bɯ

01083 䳕 方久 幫尤上三合 piu 之 pɯʔ

01084 痞 方久 幫尤上三合 piu 之 pɯʔ

01085 否 方久 幫尤上三合 piu 之 pɯʔ

01086 不 方久 幫尤上三合 piu 之 pɯʔ

01087 紑 芳否 滂尤上三合 pʰiu 之 pʰɯʔ

01088 秠 芳婦 滂尤上三合 pʰiu 之 pʰɯʔ

01089 菩 房久 並尤上三合 biu 之 bɯʔ

01090 結[2] 芳武 滂虞上三合 pʰiʊ 之 pʰɯʔ

01091 剖[3] 芳武 滂虞上三合 pʰiʊ 之 pʰɯʔ

01092 髻[4] 芳武 滂虞上三合 pʰiʊ 之 pʰɯʔ

01093 不 甫救 幫尤去三合 piu 之 pɯs

01094 肧 普來 滂咍平一開 pʰəi 之 pʰɯ̠

01095 髻[5] 薄侯 並侯平一合 bu 之 bɯ̠

01096 抔[6] 薄侯 並侯平一合 bu 之 bɯ̠

01097 掊[7] 薄侯 並侯平一合 bu 之 bɯ̠

01098 腤[8] 薄侯 並侯平一合 bu 之 bɯ̠

01099 錇[9] 薄侯 並侯平一合 bu 之 bɯ̠

01100 箁[10] 薄侯 並侯平一合 bu 之 bɯ̠

01101 桮 布回 幫灰平一合 pu̯oi 之 pɯ̠

01102 杯[11] 布回 幫灰平一合 pu̯oi 之 pɯ̠

01103 肧 芳杯 滂灰平一合 pʰu̯oi 之 pʰɯ̠

01104 坏 芳杯 滂灰平一合 pʰu̯oi 之 pʰɯ̠

01105 醅 芳杯 滂灰平一合 pʰu̯oi 之 pʰɯ̠

01106 衃 芳杯 滂灰平一合 pʰu̯oi 之 pʰɯ̠

01107 抔 芳杯 滂灰平一合 pʰu̯oi 之 pʰɯ̠

01108 胚 鋪枚 滂灰平一合 pʰu̯oi 之 pʰɯ̠

01109 阫 鋪枚 滂灰平一合 pʰu̯oi 之 pʰɯ̠

01110 培 薄回 並灰平一合 bu̯oi 之 bɯ̠

01111 陪 薄回 並灰平一合 bu̯oi 之 bɯ̠

01112 碩 薄回 並灰平一合 bu̯oi 之 bɯ̠

01113 焙 蒲昧 並灰去一合 bu̯oi 之 bɯ̠s

01114 菩[12] 薄胡 並模平一合 bu̯o 之 bɯ̠

01115 倍 薄亥 並咍上一開 bəi 之 bɯ̠ʔ

01116 菩 薄亥 並咍上一開 bəi 之 bɯ̠ʔ

01117 掊[13] 方垢 幫侯上一合 pu 之 pɯ̠ʔ

01118 剖[14] 普后 滂侯上一合 pʰu 之 pʰɯ̠ʔ

01119 蔀[15] 普后 滂侯上一合 pʰu 之 pʰɯ̠ʔ

01120 髻[16] 普后 滂侯上一合 pʰu 之 pʰɯ̠ʔ

01121 蔀[17] 普后 滂侯上一合 pʰu 之 pʰɯ̠ʔ

01122 錇[18] 蒲口 並侯上一合 bu 之 bɯ̠ʔ

01123 篰[19] 蒲口 並侯上一合 bu 之 bɯ̠ʔ

01124 蔀[20] 蒲口 並侯上一合 bu 之 bɯ̠ʔ

01125 部[21] 蒲口 並侯上一合 bu 之 bɯ̠ʔ

01126 培[22] 蒲口 並侯上一合 bu 之 bɯ̠ʔ

01127 腤[23] 蒲口 並侯上一合 bu 之 bɯ̠ʔ

01128 瓿[24] 蒲口 並侯上一合 bu 之 bɯ̠ʔ

01129 琣 普罪 滂灰上一合 pʰu̯oi 之 pʰɯ̠ʔ

01130 部[25] 裴古 並模上一合 bu̯o 之 bɯ̠ʔ

---

1 见“侮”字注。

2 见“侮”字注。

3 见“侮”字注。

4 见“侮”字注。

5 见“侮”字注。

6 见“侮”字注。

7 见“侮”字注。

8 见“侮”字注。

9 见“侮”字注。

10 见“侮”字注。

11 《广韵》又同“桮”。

12 见“侮”字注。之部变成幽部以后，通过几次音变滞后，先变成侯部字，再变成鱼部字。

13 见“侮”字注。

14 见“侮”字注。

15 见“侮”字注。

16 见“侮”字注。

17 见“侮”字注。

18 见“侮”字注。

19 见“侮”字注。

20 见“侮”字注。

21 见“侮”字注。

22 见“侮”字注。

23 见“侮”字注。

24 见“侮”字注。

25 见“侮”字注。之部变成幽部以后，通过几次音变滞后，先变成侯部字，再变成鱼部字。

01131 踣[1] 匹候 滂侯去一合 p^{h}u 之 p^{h}ɯ̱s
01132 音 他候 透侯去一合 t^{h}u 之 p^{h}lɯ̱s
01133 脴[2] 蒲候 並侯去一合 bu 之 bɯ̱s
01134 碩 步皆 並皆平二開 b^{ɯ}ɛi 之 b^{r}ɯ̱
01135 掊[3] 薄交 並肴平二開 b^{ɯ}æu 之 b^{r}ɯ̱
01136 否 莫筆 明質入B 開 mɨit 職 mb^{r}ɯg
01137 菩 蒲北 並德入一開 bək 職 bɯ̱g
01138 踣 蒲北 並德入一開 bək 職 bɯ̱g
01139 棓[4] 步項 並江上二開 b^{ɯ}ɔŋ 蒸 b^{r}ɯ̱ŋʔ

步 bù

01140 荹 薄胡 並模平一合 bu̯o 魚 ba̱
01141 步 薄故 並模去一合 bu̯o 魚 ba̱s
01142 荹 薄故 並模去一合 bu̯o 魚 ba̱s
01143 跡 傍各 並鐸入一開 bɑk 鐸 ba̱g

叐 bù

01144 叐 蒲木 並屋入一合 buk 屋 bo̱g

才 cái

01145 𦍶 子之 精之平三開 tsɨ 之 sɯ
01146 茬 側持 莊之平三開 tʂɨ 之 srɯ
01147 茬 士之 崇之平三開 dʐɨ 之 zrɯ
01148 薣 側吏 莊之去三開 tʂɨ 之 srɯs
01149 載 七吏 清之去三開 ts^{h}ɨ 之 s^{h}ɯs
01150 𢦏 祖才 精咍平一開 tsəi 之 sɯ̱
01151 栽 祖才 精咍平一開 tsəi 之 sɯ̱
01152 哉 祖才 精咍平一開 tsəi 之 sɯ̱
01153 戋 祖才 精咍平一開 tsəi 之 sɯ̱
01154 渽 祖才 精咍平一開 tsəi 之 sɯ̱
01155 𢦒 祖才 精咍平一開 tsəi 之 sɯ̱
01156 災[5] 祖才 精咍平一開 tsəi 之 sɯ̱
01157 赽 倉才 清咍平一開 ts^{h}əi 之 s^{h}ɯ̱
01158 裁 昨哉 從咍平一開 dzəi 之 zɯ̱
01159 財 昨哉 從咍平一開 dzəi 之 zɯ̱
01160 才 昨哉 從咍平一開 dzəi 之 zɯ̱
01161 材 昨哉 從咍平一開 dzəi 之 zɯ̱
01162 纣 昨哉 從咍平一開 dzəi 之 zɯ̱
01163 渽 昨哉 從咍平一開 dzəi 之 zɯ̱
01164 𦍶 昨哉 從咍平一開 dzəi 之 zɯ̱
01165 載 作亥 精咍上一開 tsəi 之 sɯ̱ʔ
01166 在 昨宰 從咍上一開 dzəi 之 zɯ̱ʔ
01167 載 作代 精咍去一開 tsəi 之 sɯ̱s
01168 截 作代 精咍去一開 tsəi 之 sɯ̱s
01169 䣜 作代 精咍去一開 tsəi 之 sɯ̱s
01170 載 昨代 從咍去一開 dzəi 之 zɯ̱s
01171 裁 昨代 從咍去一開 dzəi 之 zɯ̱s
01172 在 昨代 從咍去一開 dzəi 之 zɯ̱s
01173 截 昨代 從咍去一開 dzəi 之 zɯ̱s
01174 栽 昨代 從咍去一開 dzəi 之 zɯ̱s
01175 截 徒耐 定咍去一開 dəi 之 dɯ̱s
01176 赽 楚皆 初皆平二開 tʂ^{hɯ}ɛi 之 s^{h}rɯ̱
01177 豺 士皆 崇皆平二開 dʐ^{ɯ}ɛi 之 zrɯ̱
01178 存[6] 徂尊 從魂平一合 dzu̯on 文^{ɯ} zɯ̱n
01179 郁[7] 徂尊 從魂平一合 dzu̯on 文^{ɯ} zɯ̱n
01180 袸[8] 徂尊 從魂平一合 dzu̯on 文^{ɯ} zɯ̱n
01181 栫[9] 徂悶 從魂去一合 dzu̯on 文^{ɯ} zɯ̱ns
01182 荐 在甸 從先去四開 dzen 文^{ɯ} zɯ̱ns
01183 洊 在甸 從先去四開 dzen 文^{ɯ} zɯ̱ns
01184 栫 在甸 從先去四開 dzen 文^{ɯ} zɯ̱ns
01185 袸 在甸 從先去四開 dzen 文^{ɯ} zɯ̱ns

纔 cái

01186 纔 昨哉 從咍平一開 dzəi 之 zɯ̱

采 cǎi

01187 𩯣 倉宰 清咍上一開 ts^{h}əi 之 s^{h}ɯ̱ʔ
01188 倸 倉宰 清咍上一開 ts^{h}əi 之 s^{h}ɯ̱ʔ
01189 采 倉宰 清咍上一開 ts^{h}əi 之 s^{h}ɯ̱ʔ
01190 採 倉宰 清咍上一開 ts^{h}əi 之 s^{h}ɯ̱ʔ
01191 綵 倉宰 清咍上一開 ts^{h}əi 之 s^{h}ɯ̱ʔ
01192 寀 倉宰 清咍上一開 ts^{h}əi 之 s^{h}ɯ̱ʔ
01193 彩 倉宰 清咍上一開 ts^{h}əi 之 s^{h}ɯ̱ʔ

---

1 见“侮”字注。
2 见“侮”字注。
3 之部读作侯部，见“侮”字注。
4 主元音 *ɯ 在唇音后圆唇化，从蒸部变成终部：*-ɯ̱ŋ > *-uŋ。
5 《广韵》又同“烖”。
6 元音 *ɯ 由非正则元音变成正则元音 *u。
7 见“存”字注。
8 见“存”字注。
9 见“存”字注。

01194	菜	倉代	清咍去一開	tsʰəi	之	sʰɯ̱s
01195	埰	倉代	清咍去一開	tsʰəi	之	sʰɯ̱s
01196	棌	倉代	清咍去一開	tsʰəi	之	sʰɯ̱s
01197	⿱髟采	倉代	清咍去一開	tsʰəi	之	sʰɯ̱s
01198	⿰月采	倉代	清咍去一開	tsʰəi	之	sʰɯ̱s

參 cān

01199	幓	疏簪	生侵平三開	ʂim	侵ᵘ	sʳum
01200	參	所今	生侵平三開	ʂim	侵ᵘ	sʳum
01201	蔘	所今	生侵平三開	ʂim	侵ᵘ	sʳum
01202	椮	所今	生侵平三開	ʂim	侵ᵘ	sʳum
01203	槮	楚簪	初侵平三開	tʂʰim	侵ᵘ	sʰrum
01204	篸	楚簪	初侵平三開	tʂʰim	侵ᵘ	sʰrum
01205	槮	踈錦	生侵上三開	ʂim	侵ᵘ	sʳumʔ
01206	瘮	踈錦	生侵上三開	ʂim	侵ᵘ	sʳumʔ
01207	瘮	楚錦	初侵上三開	tʂʰim	侵ᵘ	sʰrumʔ
01208	滲	所禁	生侵去三開	ʂim	侵ᵘ	sʳums
01209	瘮	所禁	生侵去三開	ʂim	侵ᵘ	sʳums
01210	篸	作含	精覃平一開	tsəm	侵ᵘ	su̱m
01211	蔘	蘇含	心覃平一開	səm	侵ᵘ	sˡu̱m
01212	慘	蘇含	心覃平一開	səm	侵ᵘ	sˡu̱m
01213	襂	蘇含	心覃平一開	səm	侵ᵘ	sˡu̱m
01214	糝	蘇含	心覃平一開	səm	侵ᵘ	sˡu̱m
01215	參[1]	倉含	清覃平一開	tsʰəm	侵ᵘ	sʰu̱m
01216	驂	倉含	清覃平一開	tsʰəm	侵ᵘ	sʰu̱m
01217	⿺走參	倉含	清覃平一開	tsʰəm	侵ᵘ	sʰu̱m
01218	傪	倉含	清覃平一開	tsʰəm	侵ᵘ	sʰu̱m
01219	⿰女參	倉含	清覃平一開	tsʰəm	侵ᵘ	sʰu̱m
01220	參[2]	蘇甘	心談平一開	sɑm	侵ᵘ	sˡu̱m
01221	篸	作感	精覃上一開	tsəm	侵ᵘ	su̱mʔ
01222	糝	桑感	心覃上一開	səm	侵ᵘ	sˡu̱mʔ
01223	槮	桑感	心覃上一開	səm	侵ᵘ	sˡu̱mʔ
01224	慘	七感	清覃上一開	tsʰəm	侵ᵘ	sʰu̱mʔ
01225	黲	七感	清覃上一開	tsʰəm	侵ᵘ	sʰu̱mʔ
01226	⿰女參	七感	清覃上一開	tsʰəm	侵ᵘ	sʰu̱mʔ
01227	傪	七感	清覃上一開	tsʰəm	侵ᵘ	sʰu̱mʔ
01228	篸	作紺	精覃去一開	tsəm	侵ᵘ	su̱ms
01229	謲	七紺	清覃去一開	tsʰəm	侵ᵘ	sʰu̱ms
01230	參	七紺	清覃去一開	tsʰəm	侵ᵘ	sʰu̱ms
01231	⿰犭參	所咸	生咸平二開	ʂᵚɛm	侵ᵘ	sʳu̱m
01232	摻	所咸	生咸平二開	ʂᵚɛm	侵ᵘ	sʳu̱m
01233	犙	山函	生咸平二開	ʂᵚɛm	侵ᵘ	sʳu̱m
01234	⿰犭參	所斬	生咸上二開	ʂᵚɛm	侵ᵘ	sʳu̱mʔ
01235	黲[3]	倉敢	清談上一開	tsʰɑm	談ᵒ	sʰo̱mʔ
01236	幓[4]	師銜	生咸平二開	ʂᵚɛm	談ᵒ	sʳo̱m
01237	剼[5]	師銜	生咸平二開	ʂᵚɛm	談ᵒ	sʳo̱m
01238	縿[6]	所銜	生咸平二開	ʂᵚɛm	談ᵒ	sʳo̱m
01239	⿰犭參[7]	山檻	生咸上二開	ʂᵚɛm	談ᵒ	sʳo̱mʔ
01240	⿺走參	七合	清合入一開	tsʰəp	盍ᵒ	sʰo̱b
01241	⿰女參	七合	清合入一開	tsʰəp	盍ᵒ	sʰo̱b

𣦼 cán

01242	餐	七安	清寒平一開	tsʰɑn	元ᵃ	sʰa̱n
01243	𣦼	昨干	從寒平一開	dzɑn	元ᵃ	za̱n
01244	粲	蒼案	清寒去一開	tsʰɑn	元ᵃ	sʰa̱ns
01245	⿱𣦼女	蒼案	清寒去一開	tsʰɑn	元ᵃ	sʰa̱ns
01246	燦	蒼案	清寒去一開	tsʰɑn	元ᵃ	sʰa̱ns
01247	璨	蒼案	清寒去一開	tsʰɑn	元ᵃ	sʰa̱ns
01248	⿱𣦼巾	倉甸	清先去四開	tsʰen	元ᵉ	sʰe̱ns

倉 cāng

01249	瑲	七羊	清陽平三開	tsʰiaŋ	陽	skʰlaŋ
01250	槍	七羊	清陽平三開	tsʰiaŋ	陽	skʰlaŋ
01251	蹌	七羊	清陽平三開	tsʰiaŋ	陽	skʰlaŋ
01252	牄	七羊	清陽平三開	tsʰiaŋ	陽	skʰlaŋ
01253	搶	七羊	清陽平三開	tsʰiaŋ	陽	skʰlaŋ
01254	創	初良	初陽平三開	tʂʰiaŋ	陽	skʰraŋ
01255	瘡	初良	初陽平三開	tʂʰiaŋ	陽	skʰraŋ
01256	搶	初兩	初陽上三開	tʂʰiaŋ	陽	skʰraŋʔ
01257	愴	初兩	初陽上三開	tʂʰiaŋ	陽	skʰraŋʔ
01258	搶	七兩	清陽去三開	tsʰiaŋ	陽	skʰlaŋs
01259	創	初亮	初陽去三開	tʂʰiaŋ	陽	skʰraŋs

1 见“三”字注。

2 见“三”字注。

3 覃韵读入谈韵，与“三”的变化相同。

4 原为衔韵，但是根据谐声系统应该为咸韵，《切韵》音系二等有咸、衔的历史层次。

5 原为衔韵，但是根据谐声系统应该为咸韵，《切韵》音系二等有咸、衔的历史层次。

6 原为衔韵，但是根据谐声系统应该为咸韵，《切韵》音系二等有咸、衔的历史层次。

7 原为衔韵，但是根据谐声系统应该为咸韵，《切韵》音系二等有咸、衔的历史层次。

01260 愴 初亮 初陽去三開 tʂʰiaŋ 陽 skʰraŋs
01261 滄 初亮 初陽去三開 tʂʰiaŋ 陽 skʰraŋs
01262 倉[1] 七岡 清唐平一開 tsʰɑŋ 陽 skʰla̱ŋ
01263 蒼 七岡 清唐平一開 tsʰɑŋ 陽 skʰla̱ŋ
01264 鶬 七岡 清唐平一開 tsʰɑŋ 陽 skʰla̱ŋ
01265 滄 七岡 清唐平一開 tsʰɑŋ 陽 skʰla̱ŋ
01266 滄 七岡 清唐平一開 tsʰɑŋ 陽 skʰla̱ŋ
01267 匳 七岡 清唐平一開 tsʰɑŋ 陽 skʰla̱ŋ
01268 蒼 麁朗 清唐上一開 tsʰɑŋ 陽 skʰla̱ŋʔ
01269 鎗 楚庚 初庚平二開 tʂʰɯæŋ 陽 skʰra̱ŋ
01270 槍 楚庚 初庚平二開 tʂʰɯæŋ 陽 skʰra̱ŋ
01271 傖 助庚 崇庚平二開 dʐɯæŋ 陽 sgra̱ŋ

螬 cáo

01272 憎 似由 邪尤平三合 ziu 幽 sɢu
01273 糟 作曹 精豪平一開 tsɑu 幽 sku̱
01274 遭 作曹 精豪平一開 tsɑu 幽 sku̱
01275 熷 作曹 精豪平一開 tsɑu 幽 sku̱
01276 槽 作曹 精豪平一開 tsɑu 幽 sku̱
01277 僧 作曹 精豪平一開 tsɑu 幽 sku̱
01278 螬 臧曹 精豪平一開 tsɑu 幽 sku̱
01279 曹 昨勞 從豪平一開 dzɑu 幽 sgu̱
01280 槽 昨勞 從豪平一開 dzɑu 幽 sgu̱
01281 螬 昨勞 從豪平一開 dzɑu 幽 sgu̱
01282 嘈 昨勞 從豪平一開 dzɑu 幽 sgu̱
01283 蓸 昨勞 從豪平一開 dzɑu 幽 sgu̱
01284 漕 昨勞 從豪平一開 dzɑu 幽 sgu̱
01285 褿 昨勞 從豪平一開 dzɑu 幽 sgu̱
01286 漕 在到 從豪去一開 dzɑu 幽 sgu̱s
01287 憎 藏宗 從冬平一合 dzu̯oŋ 終 sgu̱ŋ

艸 cǎo

01288 艸 采老 清豪上一開 tsʰɑu 幽 sʰu̱ʔ

冊 cè

01289 筴 楚革 初麥入二開 tʂʰɯɛk 錫 sʰre̱g
01290 柵[2] 測戟 初麥入二開 tʂʰɯɛk 錫 sʰre̱g
01291 冊 楚革 初麥入二開 tʂʰɯɛk 錫 sʰre̱g
01292 栅 楚革 初麥入二開 tʂʰɯɛk 錫 sʰre̱g
01293 䇲 楚革 初麥入二開 tʂʰɯɛk 錫 sʰre̱g

畟 cè

01294 謖[3] 所六 生屋入三合 ʂiuk 職 skˤɯg
01295 稷[4] 子力 精職入三開 tsɨk 職 sklɯg
01296 禝 節力 精職入三開 tsɨk 職 sklɯg
01297 楔 子力 精職入三開 tsɨk 職 sklɯg
01298 畟 子力 精職入三開 tsɨk 職 sklɯg
01299 畟 初力 初職入三開 tʂʰɨk 職 skʰrɯg

叉 chā

01300 扠[5] 丑佳 徹麻平二開 ʈʰɯæ 魚 kʰra̱
01301 叉 初牙 初麻平二開 tʂʰɯæ 魚 skʰra̱
01302 杈 初牙 初麻平二開 tʂʰɯæ 魚 skʰra̱
01303 釵[6] 楚佳 初麻平二開 tʂʰɯæ 魚 skʰra̱
01304 杈[7] 楚懈 初麻去二開 tʂʰɯæ 魚 skʰra̱s

臿 chā

01305 歃 山輒 生葉入三開 ʂiɛp 盍ᵉ skˤeb
01306 唼 山輒 生葉入三開 ʂiɛp 盍ᵉ skˤeb
01307 唼 叱涉 昌葉入三開 tɕʰiɛp 盍ᵉ kʰlʲeb
01308 鍤 丑輒 徹葉入三開 ʈʰiɛp 盍ᵉ kʰreb
01309 扉 側洽 莊洽入二開 tʂɯɛp 盍ᵉ skre̱b
01310 歃 山洽 生洽入二開 ʂɯɛp 盍ᵉ skˤe̱b
01311 唼 山洽 生洽入二開 ʂɯɛp 盍ᵉ skˤe̱b
01312 扉[8] 所甲 生洽入二開 ʂɯɛp 盍ᵉ skˤe̱b
01313 插 楚洽 初洽入二開 tʂʰɯɛp 盍ᵉ skʰre̱b
01314 臿 楚洽 初洽入二開 tʂʰɯɛp 盍ᵉ skʰre̱b
01315 鍤 楚洽 初洽入二開 tʂʰɯɛp 盍ᵉ skʰre̱b
01316 媑 楚洽 初洽入二開 tʂʰɯɛp 盍ᵉ skʰre̱b

---

1 颜师古:"京,方倉也。""京"读*kˤaŋ,故"倉"读*skʰla̱ŋ>tsʰa̱ŋ。

2 原为陌韵,但是根据谐声系统应该为麦韵,《切韵》音系二等有麦、陌的历史层次。

3 见"存"字注。

4 通"穧"。"稷下"一作"穧下",声母有*k-。

5 原为佳韵,但是根据谐声系统应该为麻韵,《切韵》音系二等有麻、佳的历史层次。

6 原为佳韵,但是根据谐声系统应该为麻韵,《切韵》音系二等有麻、佳的历史层次。

7 原为佳韵,但是根据谐声系统应该为麻韵,《切韵》音系二等有麻、佳的历史层次。

8 原为狎韵,但是根据谐声系统应该为洽韵,《切韵》音系二等有洽、狎的历史层次。

01317 唽 楚洽 初洽入二開 tʂ^{hɯ}ɛp 盍^{e} sk^{h}re̱b
01318 届 初戢 初緝入三開 tʂ^{h}ip 緝^{i} sk^{h}rib

廛 chán

01319 纏 直連 澄仙平三開 ɖiᴇn 元^{a} dan
01320 躔 直連 澄仙平三開 ɖiᴇn 元^{a} dan
01321 瀍 直連 澄仙平三開 ɖiᴇn 元^{a} dan
01322 鄽 直連 澄仙平三開 ɖiᴇn 元^{a} dan
01323 蟺 直連 澄仙平三開 ɖiᴇn 元^{a} dan
01324 廛 直連 澄仙平三開 ɖiᴇn 元^{a} dan
01325 纏 持碾 澄仙去三開 ɖiᴇn 元^{a} dans

毚 chán

01326 嚵 慈染 從鹽上三開 dziᴇm 談^{o} zomʔ
01327 纔[1] 所銜 生咸平二開 ʂ^{ɯ}ɛm 談^{o} s^{r}o̱m
01328 攙[2] 楚銜 初咸平二開 tʂ^{hɯ}ɛm 談^{o} s^{h}ro̱m
01329 巉[3] 鋤銜 崇咸平二開 dʐ^{ɯ}ɛm 談^{o} zro̱m
01330 劖[4] 鋤銜 崇咸平二開 dʐ^{ɯ}ɛm 談^{o} zro̱m
01331 鑱[5] 鋤銜 崇咸平二開 dʐ^{ɯ}ɛm 談^{o} zro̱m
01332 毚[6] 鋤銜 崇咸平二開 dʐ^{ɯ}ɛm 談^{o} zro̱m
01333 嚵[7] 鋤銜 崇咸平二開 dʐ^{ɯ}ɛm 談^{o} zro̱m
01334 讒[8] 士銜 崇咸平二開 dʐ^{ɯ}ɛm 談^{o} zro̱m
01335 巉[9] 仕檻 崇咸上二開 dʐ^{ɯ}ɛm 談^{o} zro̱mʔ
01336 儳[10] 楚鑒 初咸去二開 tʂ^{hɯ}ɛm 談^{o} s^{h}ro̱ms
01337 嚵[11] 楚鑒 初咸去二開 tʂ^{hɯ}ɛm 談^{o} s^{h}ro̱ms
01338 蹍[12] 仕懺 崇咸去二開 dʐ^{ɯ}ɛm 談^{o} zro̱ms
01339 鑱[13] 士懺 崇咸去二開 dʐ^{ɯ}ɛm 談^{o} zro̱ms
01340 欃[14] 士懺 崇咸去二開 dʐ^{ɯ}ɛm 談^{o} zro̱ms
01341 讒[15] 士懺 崇咸去二開 dʐ^{ɯ}ɛm 談^{o} zro̱ms
01342 嚵 初咸 初咸平二開 tʂ^{hɯ}ɛm 侵^{u} s^{h}ru̱m
01343 饞 士咸 崇咸平二開 dʐ^{ɯ}ɛm 侵^{u} zru̱m
01344 毚 士咸 崇咸平二開 dʐ^{ɯ}ɛm 侵^{u} zru̱m
01345 欃 士咸 崇咸平二開 dʐ^{ɯ}ɛm 侵^{u} zru̱m
01346 攙 士咸 崇咸平二開 dʐ^{ɯ}ɛm 侵^{u} zru̱m
01347 儳 士咸 崇咸平二開 dʐ^{ɯ}ɛm 侵^{u} zru̱m
01348 鄿 士咸 崇咸平二開 dʐ^{ɯ}ɛm 侵^{u} zru̱m
01349 瀺 士減 崇咸上二開 dʐ^{ɯ}ɛm 侵^{u} zru̱mʔ
01350 儳 仕陷 崇咸去二開 dʐ^{ɯ}ɛm 侵^{u} zru̱ms
01351 纔 昨代 從咍去一開 dzəi 之 zɯ̱s

蒇 chǎn

01352 蒇 丑善 徹仙上三開 ʈ^{h}iᴇn 元^{a} t^{h}anʔ

昌 chāng

01353 昌[16] 尺良 昌陽平三開 tɕ^{h}iaŋ 陽 k^{h}liaŋ
01354 倡 尺良 昌陽平三開 tɕ^{h}iaŋ 陽 k^{h}liaŋ
01355 猖 尺良 昌陽平三開 tɕ^{h}iaŋ 陽 k^{h}liaŋ
01356 閶 尺良 昌陽平三開 tɕ^{h}iaŋ 陽 k^{h}liaŋ
01357 菖 尺良 昌陽平三開 tɕ^{h}iaŋ 陽 k^{h}liaŋ
01358 唱 尺亮 昌陽去三開 tɕ^{h}iaŋ 陽 k^{h}liaŋs
01359 倡 尺亮 昌陽去三開 tɕ^{h}iaŋ 陽 k^{h}liaŋs

長 cháng

01360 張[17] 陟良 知陽平三開 ʈiaŋ 陽 klaŋ

---

1 原为銜韵,但是根据谐声系统应该为咸韵,《切韵》音系二等有咸、銜的历史层次。

2 原为銜韵,但是根据谐声系统应该为咸韵,《切韵》音系二等有咸、銜的历史层次。

3 原为銜韵,但是根据谐声系统应该为咸韵,《切韵》音系二等有咸、銜的历史层次。

4 原为銜韵,但是根据谐声系统应该为咸韵,《切韵》音系二等有咸、銜的历史层次。

5 原为銜韵,但是根据谐声系统应该为咸韵,《切韵》音系二等有咸、銜的历史层次。

6 《清华大学藏战国竹简(伍)·殷高宗问于三寿》"鬲(麻)毚(参)天時","参"音 * s^{h}u̱m。原为銜韵,但是根据谐声系统应该为咸韵,《切韵》音系二等有咸、銜的历史层次。

7 原为銜韵,但是根据谐声系统应该为咸韵,《切韵》音系二等有咸、銜的历史层次。

8 原为銜韵,但是根据谐声系统应该为咸韵,《切韵》音系二等有咸、銜的历史层次。

9 原为銜韵,但是根据谐声系统应该为咸韵,《切韵》音系二等有咸、銜的历史层次。

10 原为銜韵,但是根据谐声系统应该为咸韵,《切韵》音系二等有咸、銜的历史层次。

11 原为銜韵,但是根据谐声系统应该为咸韵,《切韵》音系二等有咸、銜的历史层次。

12 原为銜韵,但是根据谐声系统应该为咸韵,《切韵》音系二等有咸、銜的历史层次。

13 原为銜韵,但是根据谐声系统应该为咸韵,《切韵》音系二等有咸、銜的历史层次。

14 原为銜韵,但是根据谐声系统应该为咸韵,《切韵》音系二等有咸、銜的历史层次。

15 原为銜韵,但是根据谐声系统应该为咸韵,《切韵》音系二等有咸、銜的历史层次。

16 《史记·五帝纪》:"黄帝子昌意,娶蜀山氏女曰昌仆。"《经典释文》:"黄帝之孫昌意之子母曰景僕。""景"音 * k^{r}aŋ,故"昌"带复辅音 * k^{h}l^{j}aŋ>tɕ^{h}iaŋ。

17 "張"通"綱" * k^{l}a̱ŋ,《白虎通义》:"綱者,張也。""張"又通"彊" * ɡaŋ,《史记·高祖功臣侯者年表》"彊瞻",《索隐》《汉表》作"張瞻"(有的文献中"瞻"后也有"師"字)。知母"張"字与见组通假,它的上古读音是 * klaŋ> * taŋ>中古 ʈiaŋ。

01361 倀 陟良 知陽平三開 ʈiaŋ 陽 klaŋ

01362 粻 陟良 知陽平三開 ʈiaŋ 陽 klaŋ

01363 漲 陟良 知陽平三開 ʈiaŋ 陽 klaŋ

01364 倀 褚羊 徹陽平三開 ʈ^{h}iaŋ 陽 k^{h}laŋ

01365 餦 褚羊 徹陽平三開 ʈ^{h}iaŋ 陽 k^{h}laŋ

01366 長[1] 直良 澄陽平三開 ɖiaŋ 陽 glaŋ

01367 萇 直良 澄陽平三開 ɖiaŋ 陽 glaŋ

01368 踼 直良 澄陽平三開 ɖiaŋ 陽 glaŋ

01369 蝪 直良 澄陽平三開 ɖiaŋ 陽 glaŋ

01370 瓺 直良 澄陽平三開 ɖiaŋ 陽 glaŋ

01371 長 知丈 知陽上三開 ʈiaŋ 陽 klaŋʔ

01372 帳 知亮 知陽去三開 ʈiaŋ 陽 klaŋs

01373 脹 知亮 知陽去三開 ʈiaŋ 陽 klaŋs

01374 漲 知亮 知陽去三開 ʈiaŋ 陽 klaŋs

01375 張 知亮 知陽去三開 ʈiaŋ 陽 klaŋs

01376 悵 丑亮 徹陽去三開 ʈ^{h}iaŋ 陽 k^{h}laŋs

01377 韔 丑亮 徹陽去三開 ʈ^{h}iaŋ 陽 k^{h}laŋs

01378 長 直亮 澄陽去三開 ɖiaŋ 陽 glaŋs

01379 瓺 直亮 澄陽去三開 ɖiaŋ 陽 glaŋs

01380 棖 直庚 澄庚平二開 ɖ^{ɯ}æŋ 陽 gla̱ŋ

01381 倀[2] 猪孟 知庚去二開 ʈ^{ɯ}æŋ 陽 kla̱ŋs

昶 chǎng

01382 昶 丑兩 徹陽上三開 ʈ^{h}iaŋ 陽 k^{h}laŋʔ

01383 昶 丑亮 徹陽去三開 ʈ^{h}iaŋ 陽 k^{h}laŋs

鬯 chàng

01384 鬯 丑亮 徹陽去三開 ʈ^{h}iaŋ 陽 t^{h}aŋs

巢 cháo

01385 剿 子小 精宵上三開 tsiᴇu 宵^{a} ska^{w}ʔ

01386 勦 子小 精宵上三開 tsiᴇu 宵^{a} ska^{w}ʔ

01387 漅 子小 精宵上三開 tsiᴇu 宵^{a} ska^{w}ʔ

01388 繅 蘇遭 心豪平一開 sɑu 宵^{a} sqa̱^{w}

01389 薻 子皓 精豪上一開 tsɑu 宵^{a} ska̱^{w}ʔ

01390 鱢 子皓 精豪上一開 tsɑu 宵^{a} ska̱^{w}ʔ

01391 璅 子皓 精豪上一開 tsɑu 宵^{a} ska̱^{w}ʔ

01392 繅 子皓 精豪上一開 tsɑu 宵^{a} ska̱^{w}ʔ

01393 罺 側交 莊肴平二開 tʂ^{ɯ}æu 宵^{a} skra̱^{w}

01394 摷 側交 莊肴平二開 tʂ^{ɯ}æu 宵^{a} skra̱^{w}

01395 巢 鉏交 崇肴平二開 dʐ^{ɯ}æu 宵^{a} sgra̱^{w}

01396 轈 鉏交 崇肴平二開 dʐ^{ɯ}æu 宵^{a} sgra̱^{w}

01397 勦 鉏交 崇肴平二開 dʐ^{ɯ}æu 宵^{a} sgra̱^{w}

01398 樔 鉏交 崇肴平二開 dʐ^{ɯ}æu 宵^{a} sgra̱^{w}

01399 鄛 鉏交 崇肴平二開 dʐ^{ɯ}æu 宵^{a} sgra̱^{w}

01400 罺 初教 初肴去二開 tʂ^{hɯ}æu 宵^{a} sk^{h}ra̱^{w}s

01401 巢[3] 士稍 崇肴去二開 dʐ^{ɯ}æu 宵^{a} sgra̱^{w}s

01402 摷 落蕭 來蕭平四開 leu 宵^{e} g.re̱^{w}

朝 cháo

01403 廟 眉召 明宵去B開 mɨᴇu 宵^{e} mg^{r}e^{w}s

01404 朝 陟遥 知宵平三開 ʈiᴇu 宵^{e} kle^{w}

01405 朝[4] 直遥 澄宵平三開 ɖiᴇu 宵^{e} gle^{w}

01406 潮 直遥 澄宵平三開 ɖiᴇu 宵^{e} gle^{w}

01407 嘲[5] 陟交 知肴平二開 ʈ^{ɯ}æu 宵^{e} kle̱^{w}

鼂 cháo

01408 鼂 陟遥 知宵平三開 ʈiᴇu 宵^{e} te^{w}

01409 鼂 直遥 澄宵平三開 ɖiᴇu 宵^{e} de^{w}

車 chē

01410 車 尺遮 昌麻平三開 tɕ^{h}iæ 魚 k^{hj}a

01411 車 九魚 見魚平三開 kiʏ 魚 ka

01412 庫 苦故 溪模去一合 k^{h}u̯o 魚 k^{h}a̱s

屮 chè

01413 蒧 丑善 徹仙上三開 ʈ^{h}iᴇn 元^{a} k^{h}lanʔ

01414 韂 丑善 徹仙上三開 ʈ^{h}iᴇn 元^{a} k^{h}lanʔ

01415 屮 丑列 徹薛入三開 ʈ^{h}iᴇt 月^{a} k^{h}lad

聅 chè

01416 聅 丑列 徹薛入三開 ʈ^{h}iᴇt 月^{a} t^{h}ad

---

1 其词根为“羕”，主声符*laŋs和次声符*ɢ-合成“羕”*ɢlaŋs，《尔雅》：“長也。”可比较格曼僜语的“长”k^{h}ɹʌŋ55、义都语的loŋ33。独龙语的“长”为mɹaŋ，带冠音m-。佤语“长”有两个读音laŋ与glaŋ，正对应于汉语的“羕”*laŋs与“長”*glaŋ。“張”*klaŋ>中古ʈ-，即使之变长的意思，可比较藏文的gdaŋ<*glaŋ（张开）。

2 见定母和澄母“荼”字注。

3 郑张尚芳：反切上字“士”原误为“七”，依校本。

4 《左传·昭公十五年经》：“蔡朝吴奔鄭。”《公羊传》“朝吴”作“昭吴”。“昭”音*kl^{j}e^{w}，故“朝”当为*gle^{w}>中古ɖiᴇu。

5 见定母和澄母“荼”字注。

01417 聅 徒干 定寒平一開 dɑn 元ᵃ da̱n

徹 chè

01418 轍[1] 直列 澄薛入三開 ɖiɛt 月ᵉ led
01419 徹 直列 澄薛入三開 ɖiɛt 月ᵉ led
01420 撤 直列 澄薛入三開 ɖiɛt 月ᵉ led
01421 澈 直列 澄薛入三開 ɖiɛt 月ᵉ led
01422 勶 敕列 徹薛入三開 ʈʰiɛt 月ᵉ l̥ed
01423 撤 丑列 徹薛入三開 ʈʰiɛt 月ᵉ l̥ed
01424 徹 丑列 徹薛入三開 ʈʰiɛt 月ᵉ l̥ed

臣 chén

01425 趣 渠人 群真平A 開 gin 真ᵑ giŋ
01426 掔 去演 溪仙上A 開 kʰiɛn 真ᵑ kʰinʔ
01427 婜 頸忍 見真上A 開 kin 真ᵑ kiŋʔ
01428 緊 居忍 見真上A 開 kin 真ᵑ kiŋʔ
01429 菣 去刃 溪真去A 開 kʰin 真ᵑ kʰiŋs
01430 趣 去刃 溪真去A 開 kʰin 真ᵑ kʰiŋs
01431 臤 去刃 溪真去A 開 kʰin 真ᵑ kʰiŋs
01432 嚚 語巾 疑真平B 開 ŋɨin 真ᵑ ŋgʳiŋ
01433 趣 弃忍 溪真上B 開 kʰɨin 真ᵑ kʰʳiŋʔ
01434 茞 植鄰 禪真平三開 dʑin 真ᵑ gʲiŋ
01435 臣[2] 植鄰 禪真平三開 dʑin 真ᵑ gʲiŋ
01436 邸 植鄰 禪真平三開 dʑin 真ᵑ gʲiŋ
01437 礥 下珍 云真平三開 ɦⁱin 真ᵑ ɢʳiŋ
01438 腎 時忍 禪真上三開 dʑin 真ᵑ gʲiŋʔ
01439 頣 式忍 書真上三開 ɕin 真ᵑ qʰliŋʔ
01440 挋 章刃 章真去三開 tɕin 真ᵑ kʲiŋs
01441 邸 章刃 章真去三開 tɕin 真ᵑ kʲiŋs
01442 堅 古賢 見先平四開 ken 真ᵑ ki̲ŋ
01443 鑋 古賢 見先平四開 ken 真ᵑ ki̲ŋ
01444 鰹 古賢 見先平四開 ken 真ᵑ ki̲ŋ
01445 絚 經天 見先平四開 ken 真ᵑ ki̲ŋ
01446 掔 苦堅 溪先平四開 kʰen 真ᵑ kʰi̲ŋ
01447 賢 胡田 匣先平四開 ɦen 真ᵑ gi̲ŋ
01448 礥 胡田 匣先平四開 ɦen 真ᵑ gi̲ŋ
01449 臤 胡田 匣先平四開 ɦen 真ᵑ gi̲ŋ
01450 掔 口殄 溪先上四開 kʰen 真ᵑ kʰi̲ŋʔ
01451 蜸 牽繭 溪先上四開 kʰen 真ᵑ kʰi̲ŋʔ
01452 鋻 古電 見先去四開 ken 真ᵑ ki̲ŋs
01453 菣 苦甸 溪先去四開 kʰen 真ᵑ kʰi̲ŋs
01454 摼 口莖 溪耕平二開 kʰᵚɛŋ 真ᵑ kʰʳi̲ŋ
01455 臤 口耕 溪耕平二開 kʰᵚɛŋ 真ᵑ kʰʳi̲ŋ
01456 鏗 口莖 溪耕平二開 kʰᵚɛŋ 真ᵑ kʰʳi̲ŋ
01457 硻 口莖 溪耕平二開 kʰᵚɛŋ 真ᵑ kʰʳi̲ŋ
01458 掔 苦閑 溪山平二開 kʰᵚɛn 真ᵑ kʰʳi̲ŋ
01459 臤 苦閑 溪山平二開 kʰᵚɛn 真ᵑ kʰʳi̲ŋ
01460 婜 丘閑 溪山平二開 kʰᵚɛn 真ᵑ kʰʳi̲ŋ
01461 腎 胡簡 匣山上二開 ɦᵚɛn 真ᵑ gʳi̲ŋʔ
01462 掔 胡簡 匣山上二開 ɦᵚɛn 真ᵑ gʳi̲ŋʔ
01463 𦣝 職雉 章脂上三開 tɕi 脂 kʲiʔ
01464 掔 胡結 匣屑入四開 ɦet 質ᵍ gi̲g

辰 chén

01465 振 職鄰 章真平三開 tɕin 文ᵚ klʲɯn
01466 侲 職鄰 章真平三開 tɕin 文ᵚ klʲɯn
01467 桭 職鄰 章真平三開 tɕin 文ᵚ klʲɯn
01468 唇 職鄰 章真平三開 tɕin 文ᵚ klʲɯn
01469 帪 職鄰 章真平三開 tɕin 文ᵚ klʲɯn
01470 辴 敕辰 徹真平三開 ʈʰin 文ᵚ kʰlɯn
01471 陙 常倫 禪真平三合 dʑʷin 文ᵚ glʲɯn
01472 辰[3] 植鄰 禪真平三開 dʑin 文ᵚ glʲɯn
01473 晨 植鄰 禪真平三開 dʑin 文ᵚ glʲɯn
01474 宸 植鄰 禪真平三開 dʑin 文ᵚ glʲɯn
01475 鷐 植鄰 禪真平三開 dʑin 文ᵚ glʲɯn
01476 麎 植鄰 禪真平三開 dʑin 文ᵚ glʲɯn
01477 桭 植鄰 禪真平三開 dʑin 文ᵚ glʲɯn
01478 㫳 植鄰 禪真平三開 dʑin 文ᵚ glʲɯn
01479 娠 失人 書真平三開 ɕin 文ᵚ qʰlɯn
01480 脣[4] 食倫 船真平三合 ʑʷin 文ᵚ ɢlʲɯn
01481 漘 食倫 船真平三合 ʑʷin 文ᵚ ɢlʲɯn
01482 晨 食鄰 船真平三開 ʑin 文ᵚ ɢlʲɯn
01483 䢅 珍忍 知真上三開 ʈin 文ᵚ klɯnʔ
01484 賑 章忍 章真上三開 tɕin 文ᵚ klʲɯnʔ

---

1 《史记·孝文本纪》:"結軼於道。"《汉书·文帝纪》"軼"作"轍"。

2 可比较藏文 giŋ 仆人,故"臣"当为 *gʲiŋ>中古 dʑin。

3 《古字通假会典》文部第五:《易·困·初六》:"臀困于株木。"汉帛书本"臀"作"辰"。"臀"上古 *gl->*d-。

4 《古字通假会典》文部第五:《周礼·考工记》"其臀一寸",郑注:"故書'臀'作'脣',杜子春云:'當爲臀。'""臀"上古 *gl->d-。

01485 𦥈 丑忍 徹真上三開 ʈʰin 文ᵚ kʰlɯnʔ

01486 蜃 時忍 禪真上三開 dʑin 文ᵚ glʲɯnʔ

01487 脤[1] 時忍 禪真上三開 dʑin 文ᵚ glʲɯnʔ

01488 㰮 時忍 禪真上三開 dʑin 文ᵚ glʲɯnʔ

01489 踬 章刃 章真去三開 tɕin 文ᵚ klʲɯns

01490 震 章刃 章真去三開 tɕin 文ᵚ klʲɯns

01491 振 章刃 章真去三開 tɕin 文ᵚ klʲɯns

01492 賑 章刃 章真去三開 tɕin 文ᵚ klʲɯns

01493 娠 章刃 章真去三開 tɕin 文ᵚ klʲɯns

01494 侲 章刃 章真去三開 tɕin 文ᵚ klʲɯns

01495 蜃 時刃 禪真去三開 dʑin 文ᵚ glʲɯns

01496 蜄 時刃 禪真去三開 dʑin 文ᵚ glʲɯns

01497 眽 而振 日真去三開 ȵin 文ᵚ mglʲɯns

01498 𦥈 丑飢 徹脂平三開 ʈʰi 微ᵚ kʰlɯl

塵 chén

01499 塵[2] 直珍 澄真平三開 ɖin 文ᵚ dɯn

疢 chèn

01500 疢[3] 丑刃 徹真去三開 ʈʰin 文ᵚ tʰɯns

爯 chēng

01501 稱 處陵 昌蒸平三開 tɕʰɨŋ 蒸 tʰʲɯŋ

01502 爯 處陵 昌蒸平三開 tɕʰɨŋ 蒸 tʰʲɯŋ

01503 偁 處陵 昌蒸平三開 tɕʰɨŋ 蒸 tʰʲɯŋ

01504 稱 昌孕 昌蒸去三開 tɕʰɨŋ 蒸 tʰʲɯŋs

丞 chéng

01505 𢍰[4] 姜㥿 見真上B 開 kɨin 蒸 kʳɯŋʔ

01506 蒸[5] 煮仍 章蒸平三開 tɕɨŋ 蒸 klʲɯŋ

01507 烝 煮仍 章蒸平三開 tɕɨŋ 蒸 klʲɯŋ

01508 脀 煮仍 章蒸平三開 tɕɨŋ 蒸 klʲɯŋ

01509 承 署陵 禪蒸平三開 dʑɨŋ 蒸 gʲɯŋ

01510 丞 署陵 禪蒸平三開 dʑɨŋ 蒸 gʲɯŋ

01511 𢍏 署陵 禪蒸平三開 dʑɨŋ 蒸 gʲɯŋ

01512 拯 蒸上 章蒸上三開 tɕɨŋ 蒸 kʲɯŋʔ

01513 𢍏 蒸上 章蒸上三開 tɕɨŋ 蒸 kʲɯŋʔ

01514 氶 蒸上 章蒸上三開 tɕɨŋ 蒸 kʲɯŋʔ

01515 烝 諸應 章蒸去三開 tɕɨŋ 蒸 kʲɯŋs

01516 丞 常證 禪蒸去三開 dʑɨŋ 蒸 gʲɯŋs

01517 𢍰 居隱 見殷上三開 kɨn 文ᵚ kɯnʔ

01518 巹 居隱 見殷上三開 kɨn 文ᵚ kɯnʔ

呈 chéng

01519 脭 馳貞 澄清平三開 ɖiɛŋ 耕 gleŋ

01520 呈 直貞 澄清平三開 ɖiɛŋ 耕 gleŋ

01521 程 直貞 澄清平三開 ɖiɛŋ 耕 gleŋ

01522 酲 直貞 澄清平三開 ɖiɛŋ 耕 gleŋ

01523 珵 直貞 澄清平三開 ɖiɛŋ 耕 gleŋ

01524 裎 直貞 澄清平三開 ɖiɛŋ 耕 gleŋ

01525 逞 丑郢 徹清上三開 ʈʰiɛŋ 耕 kʰleŋʔ

01526 裎 丑郢 徹清上三開 ʈʰiɛŋ 耕 kʰleŋʔ

01527 徎 丈井 澄清上三開 ɖiɛŋ 耕 gleŋʔ

01528 郢 以整 以清上三開 jiɛŋ 耕 ɢleŋʔ

01529 浧 以整 以清上三開 jiɛŋ 耕 ɢleŋʔ

01530 呈 直正 澄清去三開 ɖiɛŋ 耕 gleŋs

01531 桯 户經 匣青平四開 ɦeŋ 耕 gˡe̱ŋ

01532 侱 他鼎 透青上四開 tʰeŋ 耕 kʰle̱ŋʔ

01533 𢧐 直一 澄質入三開 ɖit 質⁹ glig

01534 𧾷 直質 澄質入三開 ɖit 質⁹ glig

01535 鐵 他結 透屑入四開 tʰet 質⁹ kʰli̱g

01536 驖 他結 透屑入四開 tʰet 質⁹ kʰli̱g

01537 驖 徒結 定屑入四開 det 質⁹ gli̱g

01538 𢧐 徒結 定屑入四開 det 質⁹ gli̱g

乘 chéng

01539 乘[6] 食陵 船蒸平三開 ʑɨŋ 蒸 ɢlʲɯŋ

01540 騬 食陵 船蒸平三開 ʑɨŋ 蒸 ɢlʲɯŋ

01541 剩 實證 船蒸去三開 ʑɨŋ 蒸 ɢlʲɯŋs

01542 乘 實證 船蒸去三開 ʑɨŋ 蒸 ɢlʲɯŋs

---

1 《古字通假会典》文部第五:《易 · 夬 · 九四》:“臀無膚,其行次且。”汉帛书本“臀”作“脤”。“臀”上古 *gl->*d-。

2 “塦”通“塵”,《马王堆汉墓帛书(壹)》甲本《老子 · 德经》有“和其光,同其塦”。“塵”与“参”同声,当为文ᵚ 部 *-ɯn。

3 《广雅》:“疢,熱病也。”王念孙认为同“疹”。

4 见“敏”字注。

5 可比较藏文 gliŋ 灯炬,故“蒸”读 *klʲɯŋ > *tʲɯŋ >中古 tɕɨŋ。

6 “乘”通“縢” *glu̱m> *glɯ̱ŋ > *dəŋ。银雀山汉简《三十时》:“此陽虫(蟲)縢(乘)陰虫(蟲)之時也。”故“乘”音 *ɢlʲɯŋ>中古 ʑiɨŋ。

尺 chǐ

01543	蚇	昌石	昌昔入三開	tɕ^{h}iᴇk	鐸	k^{h}l^{j}ag
01544	尺[1]	昌石	昌昔入三開	tɕ^{h}iᴇk	鐸	k^{h}l^{j}ag

彳 chì

01545	彳	丑亦	徹昔入三開	ʈ^{h}iᴇk	錫	t^{h}eg

赤 chì

01546	赤	昌石	昌昔入三開	tɕ^{h}iᴇk	鐸	k^{h}l^{j}ag
01547	嚇	呼訝	曉麻去二開	h^{ɯ}æ	鐸	q^{hr}a̱gs
01548	萊	乞格	溪陌入二開	k^{hɯ}æk	鐸	k^{hr}a̱g
01549	捇[2]	呼麥	曉陌入二合	h^{wɯ}æk	鐸	q^{hr}a̱g
01550	赫	呼格	曉陌入二開	h^{ɯ}æk	鐸	q^{hr}a̱g
01551	嚇	呼格	曉陌入二開	h^{ɯ}æk	鐸	q^{hr}a̱g

憏 chì

01552	憏	尺制	昌祭去三開	tɕ^{h}iᴇi	月^{e}	t^{hj}eds

充 chōng

01553	充	昌終	昌東平三合	tɕ^{h}iuŋ	終	t^{hj}uŋ
01554	珫	昌終	昌東平三合	tɕ^{h}iuŋ	終	t^{hj}uŋ
01555	䘪	昌終	昌東平三合	tɕ^{h}iuŋ	終	t^{hj}uŋ
01556	銃	充仲	昌東去三合	tɕ^{h}iuŋ	終	t^{hj}uŋs
01557	統	他綜	透冬去一合	t^{h}u̯oŋ	終	t^{h}u̱ŋs

舂 chōng

01558	惷	丑凶	徹鍾平三合	ʈ^{h}iʊŋ	東	k^{h}loŋ
01559	舂	書容	書鍾平三合	ɕiʊŋ	東	q^{h}loŋ
01560	摏	書容	書鍾平三合	ɕiʊŋ	東	q^{h}loŋ
01561	惷	書容	書鍾平三合	ɕiʊŋ	東	q^{h}loŋ
01562	惷	丑用	徹鍾去三合	ʈ^{h}iʊŋ	東	k^{h}loŋs
01563	惷[3]	丑江	徹江平二開	ʈ^{hɯ}ɔŋ	東	k^{h}lo̱ŋ
01564	覩[4]	丑江	徹江平二開	ʈ^{hɯ}ɔŋ	東	k^{h}lo̱ŋ
01565	覩[5]	丑絳	徹江去二開	ʈ^{hɯ}ɔŋ	東	k^{h}lo̱ŋs

蟲 chóng

01566	蟲	直弓	澄東平三合	ɖiuŋ	終	gluŋ
01567	爞	直弓	澄東平三合	ɖiuŋ	終	gluŋ
01568	融	以戎	以東平三合	jiuŋ	終	ɢluŋ
01569	蟲	直衆	澄東去三合	ɖiuŋ	終	gluŋs
01570	鳭	徒冬	定冬平一合	du̯oŋ	終	glu̱ŋ
01571	㑝	徒冬	定冬平一合	du̯oŋ	終	glu̱ŋ
01572	爞	徒冬	定冬平一合	du̯oŋ	終	glu̱ŋ
01573	痋	徒冬	定冬平一合	du̯oŋ	終	glu̱ŋ
01574	鉵	徒冬	定冬平一合	du̯oŋ	終	glu̱ŋ
01575	𧉍	徒冬	定冬平一合	du̯oŋ	終	glu̱ŋ
01576	㚄[6]	户公	匣東平一合	ɦuŋ	終	g^{l}u̱ŋ
01577	㚄[7]	古送	見東去一合	kuŋ	終	k^{l}u̱ŋs

𠃬 chóu

01578	譸	張流	知尤平三合	ʈiu	幽	klu
01579	犨[8]	昌求	昌尤平三合	tɕ^{h}iu	幽	k^{h}l^{j}u
01580	鑄	陳留	澄尤平三合	ɖiu	幽	glu
01581	儔	直由	澄尤平三合	ɖiu	幽	glu
01582	檮	直由	澄尤平三合	ɖiu	幽	glu
01583	躊	直由	澄尤平三合	ɖiu	幽	glu
01584	幬	直由	澄尤平三合	ɖiu	幽	glu
01585	翿	直由	澄尤平三合	ɖiu	幽	glu
01586	疇	直由	澄尤平三合	ɖiu	幽	glu
01587	燽	直由	澄尤平三合	ɖiu	幽	glu
01588	薵	直由	澄尤平三合	ɖiu	幽	glu
01589	籌	直由	澄尤平三合	ɖiu	幽	glu
01590	懤	直由	澄尤平三合	ɖiu	幽	glu
01591	鄯	直由	澄尤平三合	ɖiu	幽	glu
01592	籌	直由	澄尤平三合	ɖiu	幽	glu
01593	㲒	市流	禪尤平三合	dʑiu	幽	gl^{j}u
01594	敼	市流	禪尤平三合	dʑiu	幽	gl^{j}u
01595	魗	市流	禪尤平三合	dʑiu	幽	gl^{j}u
01596	鄯	市流	禪尤平三合	dʑiu	幽	gl^{j}u

---

1 “尺”通“斥”“柝”* k^{h}lags。《银雀山汉墓竹简(壹)·六韬·田法》:“秃尺(斥)津□□。”《系辞》:“重門擊枳(柝)。”故“尺”当为* k^{h}l^{j}ags。

2 见“眽”字注。原为麦韵,但是根据谐声系统应该为陌韵,《切韵》音系二等有陌、麦的历史层次。

3 见定母和澄母“茶”字注。

4 见定母和澄母“茶”字注。

5 见定母和澄母“茶”字注。

6 终部读入东部。

7 终部读入东部。

8 原反切为“昌來切”,葛信益《广韵丛考》:“本‘求’字之訛。查該書(《廣韻》)豪韻‘土刀切’有‘犨’字,其注云又‘昌來切’之‘來’,元泰定本、《小學彙函》刻明本均作‘求’,可證。”

01597 醻 市流 禪尤平三合 dʑiu 幽 gl^{j}u
01598 醜 昌九 昌尤上三合 tɕ^{h}iu 幽 k^{h}l^{j}uʔ
01599 壽 殖酉 禪尤上三合 dʑiu 幽 gl^{j}uʔ
01600 鄯 殖酉 禪尤上三合 dʑiu 幽 gl^{j}uʔ
01601 璹 殖酉 禪尤上三合 dʑiu 幽 gl^{j}uʔ
01602 懤 直祐 澄尤去三合 ɖiu 幽 glus
01603 壽 承呪 禪尤去三合 dʑiu 幽 gl^{j}us
01604 醻 承咒 禪尤去三合 dʑiu 幽 gl^{j}us
01605 鑄[1] 之戍 章虞去三合 tɕiʊ 幽 kl^{j}us
01606 幬 土刀 透豪平一開 t^{h}ɑu 幽 k^{h}lu̱
01607 燾 徒刀 定豪平一開 dɑu 幽 glu̱
01608 濤 徒刀 定豪平一開 dɑu 幽 glu̱
01609 檮 徒刀 定豪平一開 dɑu 幽 glu̱
01610 翿 徒刀 定豪平一開 dɑu 幽 glu̱
01611 擣 都晧 端豪上一開 tɑu 幽 klu̱ʔ
01612 檮 都晧 端豪上一開 tɑu 幽 klu̱ʔ
01613 禱 都晧 端豪上一開 tɑu 幽 klu̱ʔ
01614 壔 都晧 端豪上一開 tɑu 幽 klu̱ʔ
01615 懤 都晧 端豪上一開 tɑu 幽 klu̱ʔ
01616 禱 都導 端豪去一開 tɑu 幽 klu̱s
01617 幬 徒到 定豪去一開 dɑu 幽 glu̱s
01618 醻 大到 定豪去一開 dɑu 幽 glu̱s
01619 翿 徒到 定豪去一開 dɑu 幽 glu̱s
01620 燾 徒到 定豪去一開 dɑu 幽 glu̱s
01621 儔 徒到 定豪去一開 dɑu 幽 glu̱s
01622 璹 殊六 禪屋入三合 dʑiuk 覺 gl^{j}ug

雔 chóu

01623 犨 赤周 昌尤平三合 tɕ^{h}iu 幽 k^{hj}u
01624 讎 市流 禪尤平三合 dʑiu 幽 g^{j}u
01625 雔 市流 禪尤平三合 dʑiu 幽 g^{j}u
01626 售 承呪 禪尤去三合 dʑiu 幽 g^{j}us

丑 chǒu

01627 羞 息流 心尤平三合 siu 幽 sm^{l}u
01628 鱃[2] 雌由 清尤平三合 ts^{h}iu 幽 sml̥u
01629 丑[3] 敕久 徹尤上三合 ʈ^{h}iu 幽 ml̥uʔ
01630 杻[4] 敕久 徹尤上三合 ʈ^{h}iu 幽 ml̥uʔ
01631 狃 女久 娘尤上三合 ɳiu 幽 mluʔ
01632 紐 女久 娘尤上三合 ɳiu 幽 mluʔ
01633 鈕 女久 娘尤上三合 ɳiu 幽 mluʔ
01634 杻 女久 娘尤上三合 ɳiu 幽 mluʔ
01635 莥 女久 娘尤上三合 ɳiu 幽 mluʔ
01636 肚 女久 娘尤上三合 ɳiu 幽 mluʔ
01637 邷 女久 娘尤上三合 ɳiu 幽 mluʔ
01638 沑 人九 日尤上三合 ȵiu 幽 ml^{j}uʔ
01639 粈 人九 日尤上三合 ȵiu 幽 ml^{j}uʔ
01640 鈕 女救 娘尤去三合 ɳiu 幽 mlus
01641 狃 女救 娘尤去三合 ɳiu 幽 mlus
01642 忸 女六 娘屋入三合 ɳiuk 覺 mlug
01643 衄 女六 娘屋入三合 ɳiuk 覺 mlug
01644 蚵 女六 娘屋入三合 ɳiuk 覺 mlug
01645 秈 女六 娘屋入三合 ɳiuk 覺 mlug
01646 沑 女六 娘屋入三合 ɳiuk 覺 mlug
01647 衄 如六 日屋入三合 ȵiuk 覺 ml^{j}ug

臭 chòu

01648 糗 去久 溪尤上三合 k^{h}iu 幽 k^{h}uʔ
01649 殠 許久 曉尤上三合 hiu 幽 q^{h}uʔ
01650 螑 輕幼 溪幽去三開 k^{h}ɨu 幽 k^{hr}us
01651 螑 火幼 曉幽去三開 hɨu 幽 q^{h}us
01652 臭[5] 尺救 昌尤去三合 tɕ^{h}iu 幽 k^{hj}us
01653 殠 尺救 昌尤去三合 tɕ^{h}iu 幽 k^{hj}us
01654 齅 許救 曉尤去三合 hiu 幽 q^{h}us
01655 嗅[6] 許救 曉尤去三合 hiu 幽 q^{h}us
01656 趠 香仲 曉東去三合 hiuŋ 終 q^{h}uŋs
01657 嗅 香仲 曉東去三合 hiuŋ 終 q^{h}uŋs

出 chū

01658 出 尺類 昌脂去三合 tɕ^{hw}i 物^{u} k^{h}l^{j}uds
01659 䞾 九勿 見物入三合 kiut 物^{u} kud
01660 緄 九勿 見物入三合 kiut 物^{u} kud

---

1 见“務”字注。“鑄”又作“鉒”，从“肘”省声，“肘”上古 *kruʔ，故“鑄”上古音当为 *kl^{j}us。

2 *sml̥u>*sl̥u>*st^{h}u>中古 ts^{h}iu，清母。

3 古文字象手指形。泰文 niu4 手指。缅文的“食指”叫 lak4 ŋ̊ɯ2，其中的 lak4 是“手”。可比较布依地支“丑”pjɛu3<m̥jɛu3。“丑”上古汉语 *ml̥uʔ>*l̥uʔ>*t^{h}uʔ>中古 ʈ^{h}iu。

4 见“丑”字注。

5 见“丑”字注。

6 《广韵》又同“齅”。

01661 屈 九勿 見物入三合 kiut 物ᵘ kud
01662 鶌 九勿 見物入三合 kiut 物ᵘ kud
01663 剧 九勿 見物入三合 kiut 物ᵘ kud
01664 踞 九勿 見物入三合 kiut 物ᵘ kud
01665 屈 區勿 溪物入三合 kʰiut 物ᵘ kʰud
01666 詘 區勿 溪物入三合 kʰiut 物ᵘ kʰud
01667 蝠 區勿 溪物入三合 kʰiut 物ᵘ kʰud
01668 掘 衢物 群物入三合 giut 物ᵘ gud
01669 倔 衢物 群物入三合 giut 物ᵘ gud
01670 踞 衢物 群物入三合 giut 物ᵘ gud
01671 崛 衢物 群物入三合 giut 物ᵘ gud
01672 裾 衢物 群物入三合 giut 物ᵘ gud
01673 堀 衢物 群物入三合 giut 物ᵘ gud
01674 崛 魚勿 疑物入三合 ŋiut 物ᵘ ŋgud
01675 茁 徵筆 知質入三合 ʈʷit 物ᵘ klud
01676 怡 竹律 知質入三合 ʈʷit 物ᵘ klud
01677 窋 竹律 知質入三合 ʈʷit 物ᵘ klud
01678 絀 竹律 知質入三合 ʈʷit 物ᵘ klud
01679 泏 竹律 知質入三合 ʈʷit 物ᵘ klud
01680 黜 丑律 徹質入三合 ʈʰʷit 物ᵘ kʰlud
01681 炪 丑律 徹質入三合 ʈʰʷit 物ᵘ kʰlud
01682 怡 丑律 徹質入三合 ʈʰʷit 物ᵘ kʰlud
01683 欪 丑律 徹質入三合 ʈʰʷit 物ᵘ kʰlud
01684 出 赤律 昌質入三合 tɕʰʷit 物ᵘ kʰlʲud
01685 貀 女律 娘質入三合 ɳʷit 物ᵘ ŋglud
01686 䟕 側律 莊櫛入三合 tʂʷiɪt 物ᵘ skrud
01687 齜 崱瑟 崇櫛入三合 dʐʷiɪt 物ᵘ sgrud
01688 淈 古忽 見没入一合 ku̯ot 物ᵘ ku̯d
01689 蓲 古忽 見没入一合 ku̯ot 物ᵘ ku̯d
01690 咄 當没 端没入一合 tu̯ot 物ᵘ klu̯d
01691 柮 當没 端没入一合 tu̯ot 物ᵘ klu̯d
01692 蚍 當没 端没入一合 tu̯ot 物ᵘ klu̯d
01693 貀 當没 端没入一合 tu̯ot 物ᵘ klu̯d
01694 窟 苦骨 溪没入一合 kʰu̯ot 物ᵘ kʰu̯d
01695 泏 苦骨 溪没入一合 kʰu̯ot 物ᵘ kʰu̯d
01696 堀 苦骨 溪没入一合 kʰu̯ot 物ᵘ kʰu̯d
01697 朏 苦骨 溪没入一合 kʰu̯ot 物ᵘ kʰu̯d
01698 淈 苦骨 溪没入一合 kʰu̯ot 物ᵘ kʰu̯d
01699 痀 五忽 疑没入一合 ŋu̯ot 物ᵘ ŋgu̯d
01700 聉[1] 丁滑 知黠入二合 ʈʷɯɛt 物ᵘ klu̯d
01701 茁[2] 鄒滑 莊黠入二合 tʂʷɯɛt 物ᵘ skru̯d
01702 貀 女滑 娘黠入二合 ɳʷɯɛt 物ᵘ ŋglu̯d
01703 齳 五滑 疑黠入二合 ŋʷɯɛt 物ᵘ ŋgˤu̯d
01704 聉 五滑 疑黠入二合 ŋʷɯɛt 物ᵘ ŋgˤu̯d
01705 劂 居衛 見祭去A 合 kʷiɛi 月ᵒ kods
01706 䂐 職悦 章薛入三合 tɕʷiɛt 月ᵒ klʲod
01707 拙 職悦 章薛入三合 tɕʷiɛt 月ᵒ klʲod
01708 炪 職悦 章薛入三合 tɕʷiɛt 月ᵒ klʲod
01709 頔 職悦 章薛入三合 tɕʷiɛt 月ᵒ klʲod
01710 蚍 職悦 章薛入三合 tɕʷiɛt 月ᵒ klʲod
01711 茁 側劣 莊薛入三合 tʂʷiɛt 月ᵒ skrod
01712 綴 去月 溪月入三合 kʰʷiɤt 月ᵒ kʰod
01713 掘 其月 群月入三合 gʷiɤt 月ᵒ god
01714 咄 丁括 端曷入一合 tʷɑt 月ᵒ klo̯d
01715 柮 藏活 從曷入一合 dzʷɑt 月ᵒ sgo̯d
01716 齜 仕叱 崇櫛入三開 dʐiɪt 物ᵚ sgrɯd
01717 淈[3] 下没 匣没入一開 ɦət 物ᵚ gɯ̯d
01718 聉 吐猥 透灰上一合 tʰu̯oi 微ᵘ kʰlu̯lʔ

初 chū

01719 初 楚居 初魚平三開 tʂʰiɤ 魚 sʰra

芻 chú

01720 齺 士角 崇覺入二開 dʐɯɔk 屋 zro̯g
01721 趨 七逾 清虞平三合 tsʰiʊ 侯 sʰo
01722 芻 測隅 初虞平三合 tʂʰiʊ 侯 sʰro
01723 犓 測隅 初虞平三合 tʂʰiʊ 侯 sʰro
01724 雛 仕于 崇虞平三合 dʐiʊ 侯 zro
01725 媰 仕于 崇虞平三合 dʐiʊ 侯 zro
01726 媰 芻注 初虞去三合 tʂʰiʊ 侯 sʰros
01727 縐 初爪 初肴上二開 tʂʰɯæu 侯 sʰro̯ʔ
01728 縐 初教 初肴去二開 tʂʰɯæu 侯 sʰro̯s
01729 鄒 側鳩 莊尤平三合 tʂiu 幽 sru
01730 騶 側鳩 莊尤平三合 tʂiu 幽 sru
01731 篘 楚鳩 初尤平三合 tʂʰiu 幽 sʰru
01732 縐 側救 莊尤去三合 tʂiu 幽 srus

---

1 见定母和澄母"荼"字注。

2 原为鎋韵，但是根据谐声系统应该为黠韵，《切韵》音系二等有黠、鎋的历史层次。

3 声符"屈"应该在物ᵘ部，"淈"《集韵》中有"下扢切"与"胡骨切"两读。

01733 腐 側救 莊尤去三合 tʂiu 幽 srus

亍 chù

01734 亍 中句 知虞去三合 ʈiʊ 屋 to̱gs

01735 亍 丑玉 徹燭入三合 ʈʰi̯ʊk 屋 tʰog

豖 chù

01736 瘃 陟玉 知燭入三合 ʈi̯ʊk 屋 tog

01737 豖 丑玉 徹燭入三合 ʈʰi̯ʊk 屋 tʰog

01738 啄 丁木 端屋入一合 tuk 屋 to̱g

01739 敎 丁木 端屋入一合 tuk 屋 to̱g

01740 涿[1] 竹角 知覺入二開 ʈᵚɔk 屋 to̱g

01741 諑[2] 竹角 知覺入二開 ʈᵚɔk 屋 to̱g

01742 椓[3] 竹角 知覺入二開 ʈᵚɔk 屋 to̱g

01743 琢[4] 竹角 知覺入二開 ʈᵚɔk 屋 to̱g

01744 啄[5] 竹角 知覺入二開 ʈᵚɔk 屋 to̱g

01745 冢 知隴 知鍾上三合 ʈiʊŋ 東 toŋʔ

01746 豵 都豆 端侯去一合 tu 侯 to̱s

畜 chù

01747 畜 丑救 徹尤去三合 ʈʰiu 覺 kʰlugs

01748 蓄 丑六 徹屋入三合 ʈʰiuk 覺 kʰlug

01749 滀 丑六 徹屋入三合 ʈʰiuk 覺 kʰlug

01750 鄐 丑六 徹屋入三合 ʈʰiuk 覺 kʰlug

01751 搐 敕六 徹屋入三合 ʈʰiuk 覺 kʰlug

01752 蓄 許竹 曉屋入三合 hiuk 覺 qʰug

01753 畜 許竹 曉屋入三合 hiuk 覺 qʰug

01754 嫱 許竹 曉屋入三合 hiuk 覺 qʰug

01755 鄐 許竹 曉屋入三合 hiuk 覺 qʰug

01756 慉 許竹 曉屋入三合 hiuk 覺 qʰug

矗 chù

01757 矗 丑六 徹屋入三合 ʈʰiuk 覺 kʰrug

01758 矗 初六 初屋入三合 tʂʰiuk 覺 skʰrug

川 chuān

01759 川 昌緣 昌仙平三合 tɕʰʷiᴇn 元ᵒ kʰlʲon

01760 紃 食倫 船真平三合 ʑʷin 文ᵘ ɢlʲun

01761 㖘 松倫 邪真平三合 zʷin 文ᵘ sɢˡun

01762 巡 詳遵 邪真平三合 zʷin 文ᵘ sɢˡun

01763 馴 詳遵 邪真平三合 zʷin 文ᵘ sɢˡun

01764 紃 詳遵 邪真平三合 zʷin 文ᵘ sɢˡun

01765 訓 許運 曉文去三合 hiun 文ᵘ qʰˡuns

01766 㖘 朱閏 章真去三合 tɕʷin 文ᵘ klʲuns

01767 順 食閏 船真去三合 ʑʷin 文ᵘ ɢlʲuns

穿 chuān

01768 穿 昌緣 昌仙平三合 tɕʰʷiᴇn 元ᵒ kʰlʲon

01769 穿 尺絹 昌仙去三合 tɕʰʷiᴇn 元ᵒ kʰlʲons

舛 chuǎn

01770 舛 昌兖 昌仙上三合 tɕʰʷiᴇn 元ᵒ l̥ʲonʔ

01771 荈 昌兖 昌仙上三合 tɕʰʷiᴇn 元ᵒ l̥ʲonʔ

串 chuàn

01772 漶 胡玩 匣寒去一合 ɦʷɑn 元ᵒ ɡo̱ns

01773 獂 户關 匣刪平二合 ɦʷᵚæn 元ᵒ ɡʳo̱n

01774 串 古患 見刪去二合 kʷᵚæn 元ᵒ kʳo̱ns

01775 患 胡慣 匣刪去二合 ɦʷᵚæn 元ᵒ ɡʳo̱ns

01776 獂 胡慣 匣刪去二合 ɦʷᵚæn 元ᵒ ɡʳo̱ns

刅 chuāng

01777 刅 初良 初陽平三開 tʂʰiaŋ 陽 skʰraŋ

01778 沏 式羊 書陽平三開 ɕiaŋ 陽 qʰlaŋ

01779 梁 吕張 來陽平三開 liaŋ 陽 ɡ.raŋ

01780 粱 吕張 來陽平三開 liaŋ 陽 ɡ.raŋ

闖 chuǎng

01781 闖 丑禁 徹侵去三開 ʈʰim 侵ᵚ tʰɯms

吹 chuī

01782 吹 昌垂 昌支平三合 tɕʰʷie 歌ᵒ kʰʲol

01783 炊 昌垂 昌支平三合 tɕʰʷie 歌ᵒ kʰʲol

01784 籥 昌垂 昌支平三合 tɕʰʷie 歌ᵒ kʰʲol

01785 籥 尺僞 昌支去三合 tɕʰʷie 歌ᵒ kʰʲols

---

1 见定母和澄母“荼”字注。

2 见定母和澄母“荼”字注。

3 见定母和澄母“荼”字注。

4 见定母和澄母“荼”字注。

5 见定母和澄母“荼”字注。

01786 吹 尺僞 昌支去三合 tɕʰʷie 歌ᵒ kʰʲols

垂 chuí

01787 腄 竹垂 知支平三合 ʈʷie 歌ᵒ klol
01788 箠 竹垂 知支平三合 ʈʷie 歌ᵒ klol
01789 騹 子垂 精支平三合 tsʷie 歌ᵒ sklol
01790 厜 姊規 精支平三合 tsʷie 歌ᵒ sklol
01791 錘 直垂 澄支平三合 ɖʷie 歌ᵒ ɡlol
01792 甀 直垂 澄支平三合 ɖʷie 歌ᵒ ɡlol
01793 陲 是爲 禪支平三合 dʑʷie 歌ᵒ ɡlʲol
01794 倕 是爲 禪支平三合 dʑʷie 歌ᵒ ɡlʲol
01795 甀 是爲 禪支平三合 dʑʷie 歌ᵒ ɡlʲol
01796 誰 是爲 禪支平三合 dʑʷie 歌ᵒ ɡlʲol
01797 垂 是爲 禪支平三合 dʑʷie 歌ᵒ ɡlʲol
01798 捶 之累 章支上三合 tɕʷie 歌ᵒ klʲolʔ
01799 箠 之累 章支上三合 tɕʷie 歌ᵒ klʲolʔ
01800 騹 之累 章支上三合 tɕʷie 歌ᵒ klʲolʔ
01801 菙 時髓 禪支上三合 dʑʷie 歌ᵒ ɡlʲolʔ
01802 娷 竹恚 知支去三合 ʈʷie 歌ᵒ klols
01803 諈 竹恚 知支去三合 ʈʷie 歌ᵒ klols
01804 錘 馳僞 澄支去三合 ɖʷie 歌ᵒ ɡlols
01805 腄 馳僞 澄支去三合 ɖʷie 歌ᵒ ɡlols
01806 甀 馳僞 澄支去三合 ɖʷie 歌ᵒ ɡlols
01807 硾 馳僞 澄支去三合 ɖʷie 歌ᵒ ɡlols
01808 睡 是僞 禪支去三合 dʑʷie 歌ᵒ ɡlʲols
01809 誰 是僞 禪支去三合 dʑʷie 歌ᵒ ɡlʲols
01810 涶 土禾 透歌平一合 tʰʷɑ 歌ᵒ kʰlo̯l
01811 埵 丁果 端歌上一合 tʷɑ 歌ᵒ klo̯lʔ
01812 棰 都果 端歌上一合 tʷɑ 歌ᵒ klo̯lʔ
01813 涶 湯臥 透歌去一合 tʰʷɑ 歌ᵒ kʰlo̯ls
01814 唾 湯臥 透歌去一合 tʰʷɑ 歌ᵒ kʰlo̯ls
01815 箠 之壘 章脂上三合 tɕʷi 微ᵘ klʲulʔ
01816 陲 落猥 來灰上一合 lu̯oi 微ᵘ ɡ.ru̯lʔ

辜 chún

01817 犉 如匀 日真平三合 ȵʷin 文ᵘ mlʲun
01818 諄 章倫 章真平三合 tɕʷin 文ᵘ tʲun
01819 惇 章倫 章真平三合 tɕʷin 文ᵘ tʲun
01820 啍 章倫 章真平三合 tɕʷin 文ᵘ tʲun
01821 鶉 常倫 禪真平三合 dʑʷin 文ᵘ dʲun
01822 辜 常倫 禪真平三合 dʑʷin 文ᵘ dʲun
01823 淳 常倫 禪真平三合 dʑʷin 文ᵘ dʲun
01824 焞 常倫 禪真平三合 dʑʷin 文ᵘ dʲun
01825 錞 常倫 禪真平三合 dʑʷin 文ᵘ dʲun
01826 醇 常倫 禪真平三合 dʑʷin 文ᵘ dʲun
01827 埻 之尹 章真上三合 tɕʷin 文ᵘ tʲunʔ
01828 綧 主尹 章真上三合 tɕʷin 文ᵘ tʲunʔ
01829 蜳 主尹 章真上三合 tɕʷin 文ᵘ tʲunʔ
01830 蜳 柱允 澄真上三合 ɖʷin 文ᵘ dunʔ
01831 諄 之閏 章真去三合 tɕʷin 文ᵘ tʲuns
01832 啍 之閏 章真去三合 tɕʷin 文ᵘ tʲuns
01833 敦 都昆 端魂平一合 tu̯on 文ᵘ tu̯n
01834 惇 都昆 端魂平一合 tu̯on 文ᵘ tu̯n
01835 弴 都昆 端魂平一合 tu̯on 文ᵘ tu̯n
01836 蜳 都昆 端魂平一合 tu̯on 文ᵘ tu̯n
01837 暾 他昆 透魂平一合 tʰu̯on 文ᵘ tʰu̯n
01838 燉 他昆 透魂平一合 tʰu̯on 文ᵘ tʰu̯n
01839 黗 他昆 透魂平一合 tʰu̯on 文ᵘ tʰu̯n
01840 蟞 他昆 透魂平一合 tʰu̯on 文ᵘ tʰu̯n
01841 燉 徒渾 定魂平一合 du̯on 文ᵘ du̯n
01842 啍 徒渾 定魂平一合 du̯on 文ᵘ du̯n
01843 敦 都困 端魂去一合 tu̯on 文ᵘ tu̯ns
01844 憞 徒困 定魂去一合 du̯on 文ᵘ du̯ns
01845 敦 都回 端灰平一合 tu̯oi 微ᵘ tu̯l
01846 谆 都罪 端灰上一合 tu̯oi 微ᵘ tu̯lʔ
01847 錞 徒猥 定灰上一合 du̯oi 微ᵘ du̯lʔ
01848 錞 徒對 定灰去一合 du̯oi 微ᵘ du̯ls
01849 憞 徒對 定灰去一合 du̯oi 微ᵘ du̯ls
01850 憝 徒對 定灰去一合 du̯oi 微ᵘ du̯ls
01851 鐓 徒對 定灰去一合 du̯oi 微ᵘ du̯ls
01852 蜳 敕轉 徹仙上三合 ʈʰʷiᴇn 元ᵒ tʰonʔ
01853 黗 他端 透寒平一合 tʰʷɑn 元ᵒ tʰo̯n
01854 敦 度官 定寒平一合 dʷɑn 元ᵒ do̯n
01855 鷻[1] 度官 定寒平一合 dʷɑn 元ᵒ do̯n
01856 弴 都聊 端蕭平四開 teu 幽ⁱ ti̯ʷ

辵 chuò

01857 辵 丑略 徹藥入三開 ʈʰiak 鐸 tʰag

1 《广韵》作"鷻"。

㲋 chuò

01858 㲋 丑略 徹藥入三開 ʈ^{h}iak 鐸 k^{h}lag
01859 臭 丑略 徹藥入三開 ʈ^{h}iak 鐸 k^{h}lag
01860 臬 闥各 透鐸入一開 t^{h}ɑk 鐸 k^{h}la̱g

辭 cí

01861 辭 似茲 邪之平三開 zɨ 之 sɢ^{l}ɯ

此 cǐ

01862 ⿱此手 奇寄 群支去B 開 gɨe 佳 g^{r}es
01863 貲 即移 精支平三開 tsie 佳 se
01864 頾 即移 精支平三開 tsie 佳 se
01865 ⿱此鳥 即移 精支平三開 tsie 佳 se
01866 ⿱此龜 即移 精支平三開 tsie 佳 se
01867 ⿱此羔 即移 精支平三開 tsie 佳 se
01868 訾 即移 精支平三開 tsie 佳 se
01869 ⿱此巾 即移 精支平三開 tsie 佳 se
01870 ⿰此欠 即移 精支平三開 tsie 佳 se
01871 ⿱此金 即移 精支平三開 tsie 佳 se
01872 姕 即移 精支平三開 tsie 佳 se
01873 ⿱此虫 即移 精支平三開 tsie 佳 se
01874 齜 側宜 莊支平三開 tʂie 佳 sre
01875 ⿱此宋[1] 遵爲 精支平三合 ts^{w}ie 佳 s^{w}e
01876 雌 此移 清支平三開 ts^{h}ie 佳 s^{h}e
01877 姕 此移 清支平三開 ts^{h}ie 佳 s^{h}e
01878 ⿱此金 此移 清支平三開 ts^{h}ie 佳 s^{h}e
01879 ⿱此羊 此移 清支平三開 ts^{h}ie 佳 s^{h}e
01880 ⿱此月 此移 清支平三開 ts^{h}ie 佳 s^{h}e
01881 疵 疾移 從支平三開 dzie 佳 ze
01882 骴 疾移 從支平三開 dzie 佳 ze
01883 玼 疾移 從支平三開 dzie 佳 ze
01884 茈 疾移 從支平三開 dzie 佳 ze
01885 ⿱此齒 疾移 從支平三開 dzie 佳 ze
01886 ⿱此食 疾移 從支平三開 dzie 佳 ze
01887 ⿱此鳥 疾移 從支平三開 dzie 佳 ze
01888 姕 疾移 從支平三開 dzie 佳 ze
01889 觜[2] 即委 精支上三合 ts^{w}ie 佳 skolʔ
01890 訾 將此 精支上三開 tsie 佳 seʔ
01891 紫 將此 精支上三開 tsie 佳 seʔ
01892 訿 將此 精支上三開 tsie 佳 seʔ
01893 呰 將此 精支上三開 tsie 佳 seʔ
01894 跐 將此 精支上三開 tsie 佳 seʔ
01895 茈 將此 精支上三開 tsie 佳 seʔ
01896 ⿱此日 將此 精支上三開 tsie 佳 seʔ
01897 ⿰扌此 將此 精支上三開 tsie 佳 seʔ
01898 跐 側氏 莊支上三開 tʂie 佳 sreʔ
01899 ⿰扌此 側氏 莊支上三開 tʂie 佳 sreʔ
01900 此 雌氏 清支上三開 ts^{h}ie 佳 s^{h}eʔ
01901 跐 雌氏 清支上三開 ts^{h}ie 佳 s^{h}eʔ
01902 佌 雌氏 清支上三開 ts^{h}ie 佳 s^{h}eʔ
01903 玼 雌氏 清支上三開 ts^{h}ie 佳 s^{h}eʔ
01904 泚 雌氏 清支上三開 ts^{h}ie 佳 s^{h}eʔ
01905 嵎 雌氏 清支上三開 ts^{h}ie 佳 s^{h}eʔ
01906 ⿺走此 雌氏 清支上三開 ts^{h}ie 佳 s^{h}eʔ
01907 嶋 淺氏 清支上三開 ts^{h}ie 佳 s^{h}eʔ
01908 ⿰此欠 子智 精支去三開 tsie 佳 ses
01909 庛 七賜 清支去三開 ts^{h}ie 佳 s^{h}es
01910 胔 疾智 從支去三開 dzie 佳 zes
01911 ⿱此手 疾智 從支去三開 dzie 佳 zes
01912 骴 疾智 從支去三開 dzie 佳 zes
01913 ⿱此齒 疾智 從支去三開 dzie 佳 zes
01914 呰 祖稽 精齊平四開 tsei 佳 se̱
01915 ⿰扌此 子禮 精齊上四開 tsei 佳 se̱ʔ
01916 泚 千禮 清齊上四開 ts^{h}ei 佳 s^{h}e̱ʔ
01917 玼 千禮 清齊上四開 ts^{h}ei 佳 s^{h}e̱ʔ
01918 呰 徂禮 從齊上四開 dzei 佳 ze̱ʔ
01919 些 蘇計 心齊去四開 sei 佳 s^{l}e̱s
01920 胔 在詣 從齊去四開 dzei 佳 ze̱s
01921 柴 士佳 崇佳平二開 dʐ^{ɯ}ɛ 佳 zre̱
01922 祡 士佳 崇佳平二開 dʐ^{ɯ}ɛ 佳 zre̱
01923 茈 士佳 崇佳平二開 dʐ^{ɯ}ɛ 佳 zre̱
01924 ⿱此手 士佳 崇佳平二開 dʐ^{ɯ}ɛ 佳 zre̱
01925 跐 阻買 莊佳上二開 tʂ^{ɯ}ɛ 佳 sre̱ʔ

1 《广韵》作“臭”。可比较“觜”字。
2 即“觜”字“姊規切”的小称。

01926 觜[1] 姊規 精支平三合 ts^{w}ie 歌^{o} skol
01927 柴[2] 姊規 精支平三合 ts^{w}ie 歌^{o} skol
01928 柴[3] 即委 精支上三合 ts^{w}ie 歌^{o} skolʔ
01929 寨[4] 犲夬 崇佳去二開 dʐ^{ɯ}ɛ 佳 zre̱s

朿 cì

01930 積 子智 精支去三開 tsie 錫 segs
01931 積 子智 精支去三開 tsie 錫 segs
01932 積 子智 精支去三開 tsie 錫 segs
01933 朿 七賜 清支去三開 ts^{h}ie 錫 s^{h}egs
01934 諫 七賜 清支去三開 ts^{h}ie 錫 s^{h}egs
01935 莿 七賜 清支去三開 ts^{h}ie 錫 s^{h}egs
01936 刺 七賜 清支去三開 ts^{h}ie 錫 s^{h}egs
01937 漬 疾智 從支去三開 dzie 錫 zegs
01938 積 疾智 從支去三開 dzie 錫 zegs
01939 遺 資昔 精昔入三開 tsiɛk 錫 seg
01940 螾 資昔 精昔入三開 tsiɛk 錫 seg
01941 跡 資昔 精昔入三開 tsiɛk 錫 seg
01942 積 資昔 精昔入三開 tsiɛk 錫 seg
01943 迹 資昔 精昔入三開 tsiɛk 錫 seg
01944 鰿 資昔 精昔入三開 tsiɛk 錫 seg
01945 蹟 資昔 精昔入三開 tsiɛk 錫 seg
01946 襀 資昔 精昔入三開 tsiɛk 錫 seg
01947 嫧 七迹 清昔入三開 ts^{h}iɛk 錫 s^{h}eg
01948 覩 七迹 清昔入三開 ts^{h}iɛk 錫 s^{h}eg
01949 磧 七迹 清昔入三開 ts^{h}iɛk 錫 s^{h}eg
01950 刺 七迹 清昔入三開 ts^{h}iɛk 錫 s^{h}eg
01951 趚 七迹 清昔入三開 ts^{h}iɛk 錫 s^{h}eg
01952 涑 七迹 清昔入三開 ts^{h}iɛk 錫 s^{h}eg
01953 績 則歷 精錫入四開 tsek 錫 se̱g
01954 債 側賣 莊佳去二開 tʂ^{ɯ}ɛ 錫 sre̱gs
01955 責 側革 莊麥入二開 tʂ^{ɯ}ɛk 錫 sre̱g
01956 簀 側革 莊麥入二開 tʂ^{ɯ}ɛk 錫 sre̱g
01957 幘 側革 莊麥入二開 tʂ^{ɯ}ɛk 錫 sre̱g
01958 嘖 側革 莊麥入二開 tʂ^{ɯ}ɛk 錫 sre̱g
01959 讀 側革 莊麥入二開 tʂ^{ɯ}ɛk 錫 sre̱g
01960 債 側革 莊麥入二開 tʂ^{ɯ}ɛk 錫 sre̱g
01961 蟦 側革 莊麥入二開 tʂ^{ɯ}ɛk 錫 sre̱g
01962 嫧 側革 莊麥入二開 tʂ^{ɯ}ɛk 錫 sre̱g
01963 蔌 色責 生麥入二開 ʂ^{ɯ}ɛk 錫 s^{r}e̱g
01964 梀 山責 生麥入二開 ʂ^{ɯ}ɛk 錫 s^{r}e̱g
01965 茦 測革 初麥入二開 tʂ^{hɯ}ɛk 錫 s^{h}re̱g
01966 蔌 測革 初麥入二開 tʂ^{hɯ}ɛk 錫 s^{h}re̱g
01967 揀 測革 初麥入二開 tʂ^{hɯ}ɛk 錫 s^{h}re̱g
01968 策 楚革 初麥入二開 tʂ^{hɯ}ɛk 錫 s^{h}re̱g
01969 嫧 楚革 初麥入二開 tʂ^{hɯ}ɛk 錫 s^{h}re̱g
01970 齰 楚革 初麥入二開 tʂ^{hɯ}ɛk 錫 s^{h}re̱g
01971 筴 楚革 初麥入二開 tʂ^{hɯ}ɛk 錫 s^{h}re̱g
01972 憡 楚革 初麥入二開 tʂ^{hɯ}ɛk 錫 s^{h}re̱g
01973 皟 楚革 初麥入二開 tʂ^{hɯ}ɛk 錫 s^{h}re̱g
01974 賾 士革 崇麥入二開 dʐ^{ɯ}ɛk 錫 zre̱g
01975 鰿 士革 崇麥入二開 dʐ^{ɯ}ɛk 錫 zre̱g
01976 債 士革 崇麥入二開 dʐ^{ɯ}ɛk 錫 zre̱g
01977 嘖 士革 崇麥入二開 dʐ^{ɯ}ɛk 錫 zre̱g

次 cì

01978 咨 即夷 精脂平三開 tsi 脂 sli
01979 資 即夷 精脂平三開 tsi 脂 sli
01980 粢 即夷 精脂平三開 tsi 脂 sli
01981 諮 即夷 精脂平三開 tsi 脂 sli
01982 姿 即夷 精脂平三開 tsi 脂 sli
01983 澬 即夷 精脂平三開 tsi 脂 sli

---

1 “嘴”是后起字，本字为“觜”。但是《说文》中的“觜”与古代的“嘴”并不同义，《说文》：“觜，鴟舊頭上角觜也。一曰觜觿也。从角此聲。”“觜”是鸱旧头上的角状物。“觜”还解释为“觿”，古代解绳结的角状工具。古代星宿名“觜觿”，有三个星，合在一起为角状。所以，“觜”就是古人通指角状物的词。“觜”有平、上二读，“即移切”为通常的角状义。上古上声通常用于小称变调，“觜”的“即委切”就是小角儿的意思。人的嘴巴有两个部分，牙齿后面进食的地方就是“口”字，是象形字，读 *k^{h}o̱ʔ。牙齿外面的主要部分为“唇”，撮唇为角状曰“觜”，小称读上声，即小觜，后写作“嘴”。

上古的 *sk-变作 *ts-，*ol 变作 *-^{w}el，合口介音 w 在前高元音前容易失落，变作-e。所以，《说文》时代 *skolʔ 变作 *sk^{w}el> *ts^{w}e，这就是“觜”在《说文》变作 *ts^{w}e 以后，从“此” *seʔ 得声的原因。

接下来，我们再来讨论“觜”为什么有 *skolʔ 的上古读音。古代有个星宿名称叫“觜觿”，是双声叠韵的联绵词。“觿”支韵晓母，上古音 *q^{h}ol。“觜”精母支韵，上古是 *skolʔ。

“嘴” *s^{h}olʔ 有以下的同族词，都有相近的上古读音：“喙” *q^{hl}ods、“咮” *kl^{j}o、“噣” *klo̱g、“啄” *klo̱g。我们还可比较藏缅语“嘴”的两类读音，一类如藏文的 k^{h}a，与汉语的“口” *k^{h}o̱ʔ对应。另一类可能对应于汉语的嘴 *skolʔ，如麻窝羌语ʂqu，Dimasa语k^{h}u，Lalung语 k^{h}uʔ。

2 可比较“觜”字。

3 可比较“觜”字。

4 切语下字为合口，但声符为开口。《韵镜》《七音略》等列入开口，且今音作开口，故依韵图。原为夬韵，但是根据谐声系统应该为佳韵，《切韵》音系二等有佳、夬的历史层次。

01984	趑	取私	清脂平三開	ts^{h}i	脂	s^{hl}i
01985	蠀	取私	清脂平三開	ts^{h}i	脂	s^{hl}i
01986	茨	疾資	從脂平三開	dzi	脂	z^{l}i
01987	餈	疾資	從脂平三開	dzi	脂	z^{l}i
01988	垐	疾資	從脂平三開	dzi	脂	z^{l}i
01989	稽	疾資	從脂平三開	dzi	脂	z^{l}i
01990	瓷	疾資	從脂平三開	dzi	脂	z^{l}i
01991	濱	疾資	從脂平三開	dzi	脂	z^{l}i
01992	恣	資四	精脂去三開	tsi	脂	slis
01993	欶	資四	精脂去三開	tsi	脂	slis
01994	粢	資四	精脂去三開	tsi	脂	slis
01995	次[1]	七四	清脂去三開	ts^{h}i	脂	snis
01996	欶	七四	清脂去三開	ts^{h}i	脂	s^{hl}is
01997	髮	七四	清脂去三開	ts^{h}i	脂	s^{hl}is
01998	鶿	七四	清脂去三開	ts^{h}i	脂	s^{hl}is
01999	佽	七四	清脂去三開	ts^{h}i	脂	s^{hl}is
02000	絘	七四	清脂去三開	ts^{h}i	脂	s^{hl}is
02001	軟	七四	清脂去三開	ts^{h}i	質[9]	s^{hl}i̱gs
02002	楷	子結	精屑入四開	tset	質[9]	si̱g
02003	扻[2]	子結	精屑入四開	tset	質[9]	si̱g
02004	粢	子結	精屑入四開	tset	質[9]	si̱g
02005	垐	秦力	從職入三開	dzɨk	職	z^{l}ɯg

悤 cōng

02006	幒	職勇	章鍾上三合	tɕiʊŋ	東	k^{j}oŋʔ
02007	鬆	子紅	精東平一合	tsuŋ	東	sko̱ŋ
02008	蔥	倉紅	清東平一合	ts^{h}uŋ	東	sk^{h}o̱ŋ
02009	轗	倉紅	清東平一合	ts^{h}uŋ	東	sk^{h}o̱ŋ
02010	聰	倉紅	清東平一合	ts^{h}uŋ	東	sk^{h}o̱ŋ
02011	璁	倉紅	清東平一合	ts^{h}uŋ	東	sk^{h}o̱ŋ
02012	驄	倉紅	清東平一合	ts^{h}uŋ	東	sk^{h}o̱ŋ
02013	蟌	倉紅	清東平一合	ts^{h}uŋ	東	sk^{h}o̱ŋ
02014	悤	倉紅	清東平一合	ts^{h}uŋ	東	sk^{h}o̱ŋ
02015	鏓	倉紅	清東平一合	ts^{h}uŋ	東	sk^{h}o̱ŋ
02016	熜	倉紅	清東平一合	ts^{h}uŋ	東	sk^{h}o̱ŋ
02017	廖	倉紅	清東平一合	ts^{h}uŋ	東	sk^{h}o̱ŋ
02018	摠	蘇叢	心東平一合	suŋ	東	sqo̱ŋ
02019	檧	蘇公	心東平一合	suŋ	東	sqo̱ŋ
02020	摠	祖動	精東上一合	tsuŋ	東	sko̱ŋʔ
02021	總	作孔	精東上一合	tsuŋ	東	sko̱ŋʔ
02022	鬆	作孔	精東上一合	tsuŋ	東	sko̱ŋʔ
02023	熜	作孔	精東上一合	tsuŋ	東	sko̱ŋʔ
02024	廖	作孔	精東上一合	tsuŋ	東	sko̱ŋʔ
02025	傯	作孔	精東上一合	tsuŋ	東	sko̱ŋʔ
02026	檧	先孔	心東上一合	suŋ	東	sqo̱ŋʔ
02027	傯	作弄	精東去一合	tsuŋ	東	sko̱ŋs
02028	謥	千弄	清東去一合	ts^{h}uŋ	東	sk^{h}o̱ŋs
02029	窻[3]	楚江	初江平二開	tʂ^{hɯ}ɔŋ	東	sk^{h}ro̱ŋ

从 cóng

02030	縱	即容	精鍾平三合	tsiʊŋ	東	skloŋ
02031	蹤	即容	精鍾平三合	tsiʊŋ	東	skloŋ
02032	樅	即容	精鍾平三合	tsiʊŋ	東	skloŋ
02033	豵	即容	精鍾平三合	tsiʊŋ	東	skloŋ
02034	縱	將容	精鍾平三合	tsiʊŋ	東	skloŋ
02035	蹤	即容	精鍾平三合	tsiʊŋ	東	skloŋ
02036	樅	七恭	清鍾平三合	ts^{h}iʊŋ	東	sk^{h}loŋ
02037	鏦	七恭	清鍾平三合	ts^{h}iʊŋ	東	sk^{h}loŋ
02038	從	七恭	清鍾平三合	ts^{h}iʊŋ	東	sk^{h}loŋ
02039	蹤	七恭	清鍾平三合	ts^{h}iʊŋ	東	sk^{h}loŋ
02040	摐	七恭	清鍾平三合	ts^{h}iʊŋ	東	sk^{h}loŋ
02041	鏦	七恭	清鍾平三合	ts^{h}iʊŋ	東	sk^{h}loŋ
02042	從[4]	疾容	從鍾平三合	dziʊŋ	東	sɡloŋ
02043	从	疾容	從鍾平三合	dziʊŋ	東	sɡloŋ
02044	鏦[5]	疾容	從鍾平三合	dziʊŋ	東	sɡloŋ
02045	嵷	筍勇	心鍾上三合	siʊŋ	東	sk^{l}oŋʔ
02046	慫	息拱	心鍾上三合	siʊŋ	東	sk^{l}oŋʔ
02047	聳	息拱	心鍾上三合	siʊŋ	東	sk^{l}oŋʔ
02048	傱	息拱	心鍾上三合	siʊŋ	東	sk^{l}oŋʔ
02049	縱	子用	精鍾去三合	tsiʊŋ	東	skloŋs

1　《说文》从“二”声，从甲金文看，字形并非“二”。但从《说文》的读音说明，“次”可构拟为 * snids> * sn̥ids>中古 ts^{h}i，也可比较“七” * snid> * sn̥id>中古 ts^{h}it。但是从“次”得声的许多字声母为精、从，很可能是后来从 * sn 变为 * sl： * s^{l}-> * s->ts-， * s^{hl}-> * s^{h}->ts^{h}-， * z^{l}-> * z->dz-。

2　王念孙《读书杂志・馀篇上・庄子》：“扻”当为“揿”的讹字。

3　《玉篇》“通孔也”，与“孔” * k^{h}o̱ŋʔ 共词根，故浙江一些方言仍读溪母：龙游 k^{h}aŋ3，东阳 k^{h}ɔ1（傅国通、郑张尚芳《浙江省语言志》，浙江人民出版社 2015 年）。古文字中“悤”声字或写作“兇”声，“兇”上古 * q^{h}oŋ。

4　《礼记・学记》“待其從容”，郑注：“從或爲松。”《礼记・檀弓上》“喪事欲其縱縱爾”，郑注：“縱讀如摠領之摠。”“松”上古 * sɡ^{l}oŋ，“摠”上古 * sko̱ŋʔ。可见，“從”上古含软腭音。

5　《广韵》作“鏦”。

02050 瘲 子用 精鍾去三合 tsiuŋ 東 sklo̱ŋs
02051 從 疾用 從鍾去三合 dziuŋ 東 sglo̱ŋs
02052 豵 子紅 精東平一合 tsuŋ 東 sklo̱ŋ
02053 蜙 子紅 精東平一合 tsuŋ 東 sklo̱ŋ
02054 嵸 子紅 精東平一合 tsuŋ 東 sklo̱ŋ
02055 嵸 作孔 精東上一合 tsuŋ 東 sklo̱ŋʔ
02056 蓯 作孔 精東上一合 tsuŋ 東 sklo̱ŋʔ
02057 摐 楚江 初江平二開 tʂ^{hɯ}ɔŋ 東 sk^{h}ro̱ŋ
02058 鏦 楚江 初江平二開 tʂ^{hɯ}ɔŋ 東 sk^{h}ro̱ŋ
02059 餸 士江 崇江平二開 dʐ^{ɯ}ɔŋ 東 sgro̱ŋ
02060 餸 藏宗 從冬平一合 dzu̯oŋ 終 sglu̱ŋ

麁 cū

02061 麁 倉胡 清模平一合 ts^{h}u̯o 魚 sk^{h}a̱

麤 cū

02062 麤 倉胡 清模平一合 ts^{h}u̯o 魚 sk^{h}a̱
02063 䴥 倉胡 清模平一合 ts^{h}u̯o 魚 s^{h}a̱
02064 䴥 采古 清模上一合 ts^{h}u̯o 魚 s^{h}a̱ʔ

竄 cuàn

02065 竄 七亂 清寒去一合 ts^{hw}ɑn 元^{o} s^{h}o̱ns

爨 cuàn

02066 欑 借官 精寒平一合 ts^{w}ɑn 元^{o} so̱n
02067 爨 七亂 清寒去一合 ts^{hw}ɑn 元^{o} s^{h}o̱ns

毳 cuì

02068 膬 充芮 昌祭去三合 tɕ^{hw}iɛi 月^{o} k^{hj}ods
02069 膬 此芮 清祭去三合 ts^{hw}iɛi 月^{o} sk^{h}ods
02070 毳 此芮 清祭去三合 ts^{hw}iɛi 月^{o} sk^{h}ods
02071 竁 此芮 清祭去三合 ts^{hw}iɛi 月^{o} sk^{h}ods
02072 橇 此芮 清祭去三合 ts^{hw}iɛi 月^{o} sk^{h}ods
02073 橇 初芮 初祭去三合 tʂ^{hw}iɛi 月^{o} sk^{h}rods
02074 竁 楚税 初祭去三合 tʂ^{hw}iɛi 月^{o} sk^{h}rods
02075 毳 楚税 初祭去三合 tʂ^{hw}iɛi 月^{o} sk^{h}rods
02076 膬 七絶 清薛入三合 ts^{hw}iɛt 月^{o} sk^{h}od
02077 竁 尺絹 昌仙去三合 tɕ^{hw}iɛn 元^{o} k^{hj}ons
02078 橇 千短 清寒上一合 ts^{hw}ɑn 元^{o} sk^{h}o̱nʔ
02079 橇 起蹻 溪宵平B 開 k^{h}ɨɛu 宵^{o} k^{hr}o^{w}
02080 毳 呼骨 曉没入一合 hu̯ot 物^{u} q^{h}u̱d

寸 cùn

02081 村 此尊 清魂平一合 ts^{h}u̯on 文^{u} s^{h}u̱n
02082 忖 倉本 清魂上一合 ts^{h}u̯on 文^{u} s^{h}u̱nʔ
02083 刌 倉本 清魂上一合 ts^{h}u̯on 文^{u} s^{h}u̱nʔ
02084 寸 倉困 清魂去一合 ts^{h}u̯on 文^{u} s^{h}u̱ns

羍 dá

02085 闥 他達 透曷入一開 t^{h}ɑt 月^{a} t^{h}a̱d
02086 㒓 他達 透曷入一開 t^{h}ɑt 月^{a} t^{h}a̱d
02087 撻 他達 透曷入一開 t^{h}ɑt 月^{a} t^{h}a̱d
02088 羍 他達 透曷入一開 t^{h}ɑt 月^{a} t^{h}a̱d
02089 達 他達 透曷入一開 t^{h}ɑt 月^{a} t^{h}a̱d
02090 達 唐割 定曷入一開 dɑt 月^{a} da̱d

龖 dá

02091 襲 似入 邪緝入三開 zip 緝^{ɯ} l^{j}ɯb
02092 龖 徒合 定合入一開 dəp 緝^{ɯ} lɯ̱b
02093 讋 之涉 章葉入三開 tɕiɛp 盍^{o} kl^{j}ob

大 dà

02094 忕 時制 禪祭去三開 dʑiɛi 月^{a} d^{j}ads
02095 泰 他蓋 透泰去一開 t^{h}ɑi 月^{a} t^{h}a̱ds
02096 忕 他蓋 透泰去一開 t^{h}ɑi 月^{a} t^{h}a̱ds
02097 太 他蓋 透泰去一開 t^{h}ɑi 月^{a} t^{h}a̱ds
02098 汰 他蓋 透泰去一開 t^{h}ɑi 月^{a} t^{h}a̱ds
02099 軑 徒蓋 定泰去一開 dɑi 月^{a} da̱ds
02100 鈦 徒蓋 定泰去一開 dɑi 月^{a} da̱ds
02101 馱 徒蓋 定泰去一開 dɑi 月^{a} da̱ds
02102 大 徒蓋 定泰去一開 dɑi 月^{a} da̱ds
02103 汏 徒蓋 定泰去一開 dɑi 月^{a} da̱ds
02104 忕 徒蓋 定泰去一開 dɑi 月^{a} da̱ds
02105 汏 他達 透曷入一開 t^{h}ɑt 月^{a} t^{h}a̱d
02106 戾 他計 透齊去四開 t^{h}ei 月^{e} t^{h}e̱ds
02107 达 他計 透齊去四開 t^{h}ei 月^{e} t^{h}e̱ds
02108 軑 特計 定齊去四開 dei 月^{e} de̱ds
02109 鈦 特計 定齊去四開 dei 月^{e} de̱ds
02110 杕 特計 定齊去四開 dei 月^{e} de̱ds
02111 馱 徒河 定歌平一開 dɑ 歌^{a} da̱l

02112 馱 唐佐 定歌去一開 dɑ 歌^{a} da̱ls
02113 大 唐佐 定歌去一開 dɑ 歌^{a} da̱ls

眔 dà

02114 洎[1] 几利 見脂去B 開 kɨi 緝^{u} k^{r}ubs
02115 洎[2] 具冀 群脂去B 開 gɨi 緝^{u} g^{r}ubs
02116 臮[3] 具冀 群脂去B 開 gɨi 緝^{u} g^{r}ubs
02117 垍[4] 具冀 群脂去B 開 gɨi 緝^{u} g^{r}ubs
02118 濞[5] 具冀 群脂去B 開 gɨi 緝^{u} g^{r}ubs
02119 詯 荒内 曉灰去一合 hu̯oi 緝^{u} q^{h}u̱bs
02120 詯 胡對 匣灰去一合 ɦu̯oi 緝^{u} ɢu̱bs
02121 嚃 他合 透合入一開 t^{h}əp 緝^{u} k^{h}lu̱b
02122 遝 徒合 定合入一開 dəp 緝^{u} glu̱b
02123 樑 徒合 定合入一開 dəp 緝^{u} glu̱b
02124 譅 徒合 定合入一開 dəp 緝^{u} glu̱b
02125 蓫 徒合 定合入一開 dəp 緝^{u} glu̱b
02126 眔 徒合 定合入一開 dəp 緝^{u} glu̱b
02127 郎[6] 胡雞 匣齊平四開 ɦei 緝^{u} g^{l}u̱bs
02128 眉 許介 曉皆去二開 h^{ɯ}ɛi 緝^{u} q^{hr}u̱bs
02129 鼏 古渾 見魂平一合 ku̯on 文^{u} ku̱n
02130 歡 古渾 見魂平一合 ku̯on 文^{u} ku̱n
02131 鰥 古頑 見山平二合 k^{wɯ}ɛn 文^{u} k^{r}u̱n
02132 鰥 古幻 見山去二合 k^{wɯ}ɛn 文^{u} k^{r}u̱ns
02133 瘝[7] 姑頑 見刪平二合 k^{wɯ}æn 元^{o} k^{r}o̱n

隶 dài

02134 逮[8] 力遂 來脂去三合 l^{w}i 物^{ɯ} g.rɯds
02135 逮 力至 來脂去三開 li 物^{ɯ} g.rɯds
02136 嚏 他代 透咍去一開 t^{h}əi 物^{ɯ} k^{h}lɯ̱ds
02137 逮 徒耐 定咍去一開 dəi 物^{ɯ} glɯ̱ds
02138 隶 徒耐 定咍去一開 dəi 物^{ɯ} glɯ̱ds
02139 悚[9] 他内 透灰去一合 t^{h}u̯oi 物^{ɯ} k^{h}lɯ̱ds
02140 悚[10] 他骨 透没入一合 t^{h}u̯ot 物^{ɯ} k^{h}lɯ̱d
02141 棣 特計 定齊去四開 dei 物^{ɯ} glɯ̱ds
02142 逮 特計 定齊去四開 dei 物^{ɯ} glɯ̱ds
02143 隸 莫八 明黠入二開 m^{ɯ}ɛt 物^{ɯ} mk^{hl}ɯ̱d
02144 隸 虚器 曉脂去A 開 hi 物^{ɯ} q^{hl}ɯds
02145 藆 息利 心脂去三開 si 物^{ɯ} q^{h}l^{j}ɯds
02146 殔 息利 心脂去三開 si 物^{ɯ} q^{h}l^{j}ɯds
02147 肆 息利 心脂去三開 si 物^{ɯ} q^{h}l^{j}ɯds
02148 殔 羊至 以脂去三開 ji 物^{ɯ} ɢlɯds
02149 隶 羊至 以脂去三開 ji 物^{ɯ} ɢlɯds

帶 dài

02150 癉 竹例 知祭去三開 ʈiᴇi 月^{a} tads
02151 蠆 征例 章祭去三開 tɕiᴇi 月^{e} t^{j}eds
02152 懘 丑例 徹祭去三開 ʈ^{h}iᴇi 月^{a} t^{h}ads
02153 懘 尺制 昌祭去三開 tɕ^{h}iᴇi 月^{a} t^{hj}ads
02154 滯 直例 澄祭去三開 ɖiᴇi 月^{a} dads
02155 蹛 直例 澄祭去三開 ɖiᴇi 月^{a} dads
02156 帶 當蓋 端泰去一開 tɑi 月^{a} ta̱ds
02157 癉 當蓋 端泰去一開 tɑi 月^{a} ta̱ds
02158 蹛 當蓋 端泰去一開 tɑi 月^{a} ta̱ds
02159 䗚 當蓋 端泰去一開 tɑi 月^{a} ta̱ds
02160 艜 當蓋 端泰去一開 tɑi 月^{a} ta̱ds
02161 樕 當蓋 端泰去一開 tɑi 月^{a} ta̱ds
02162 廗 當蓋 端泰去一開 tɑi 月^{a} ta̱ds
02163 蔕 都計 端齊去四開 tei 月^{e} te̱ds
02164 蔕 都計 端齊去四開 tei 月^{e} te̱ds
02165 螮 都計 端齊去四開 tei 月^{e} te̱ds
02166 摕 都計 端齊去四開 tei 月^{e} te̱ds
02167 懘 特計 定齊去四開 dei 月^{e} de̱ds
02168 墆 特計 定齊去四開 dei 月^{e} de̱ds
02169 遰 特計 定齊去四開 dei 月^{e} de̱ds
02170 摕 特計 定齊去四開 dei 月^{e} de̱ds
02171 諦 特計 定齊去四開 dei 月^{e} de̱ds
02172 嵽 徒結 定屑入四開 det 月^{e} de̱d

1　“眔”的目下之水就是泪，“洎”中的目和水就是“眔”之讹形，“臮”“濞”也都是同样的来源。“洎”的韵母有以下的变化：*-ubs>*-ibs>*-ids>-i，圆唇音 u 在圆唇 b 的异化下变成 i，b 在 s 的同化下变成 d。后来 ds 变成 i，与“蓋”有同样的变化：*ka̱bs>*ka̱ds>kɑi。

2　“眔”之讹形，非“自”声。*C^{r}ubs>*C^{rw}ibs>C^{w}i。

3　见“洎”字注。

4　见“洎”字注。

5　见“洎”字注。

6　u 在韵尾 b 的异化下非圆唇化：*g^{l}u̱bs>*g^{l}ɯ̱bs>gi>ɦei。应该是去声字，《说文》的“讀若奚”，只是声音相似，不一定是平声。

7　原为山韵，但是根据谐声系统应该为删韵，《切韵》音系二等有删、山的历史层次。

8　见“存”字注。

9　见“存”字注。

10　见“存”字注。

02173	墆	徒結	定屑入四開	det	月^{e}	de̱d
02174	揥	徒結	定屑入四開	det	月^{e}	de̱d
02175	蘴[1]	丑犗	徹夬去二開	ʈ^{hɯ}æi	月^{a}	t^{h}a̱ds
02176	灃	尺氏	昌支上三開	tɕ^{h}ie	歌^{a}	t^{hj}alʔ

戴 dài

02177	戴	都代	端咍去一開	təi	職	tɯ̱gs

丹 dān

02178	旃	諸延	章仙平三開	tɕiᴇn	元^{a}	t^{j}an
02179	旜	諸延	章仙平三開	tɕiᴇn	元^{a}	t^{j}an
02180	丹	都寒	端寒平一開	tɑn	元^{a}	ta̱n

單 dān

02181	燀	尺延	昌仙平三開	tɕ^{h}iᴇn	元^{a}	t^{hj}an
02182	單	市連	禪仙平三開	dʑiᴇn	元^{a}	d^{j}an
02183	蟬	市連	禪仙平三開	dʑiᴇn	元^{a}	d^{j}an
02184	撣	市連	禪仙平三開	dʑiᴇn	元^{a}	d^{j}an
02185	禪	市連	禪仙平三開	dʑiᴇn	元^{a}	d^{j}an
02186	嬋	市連	禪仙平三開	dʑiᴇn	元^{a}	d^{j}an
02187	僤	市連	禪仙平三開	dʑiᴇn	元^{a}	d^{j}an
02188	樿	旨善	章仙上三開	tɕiᴇn	元^{a}	t^{j}anʔ
02189	燀	旨善	章仙上三開	tɕiᴇn	元^{a}	t^{j}anʔ
02190	幝	昌善	昌仙上三開	tɕ^{h}iᴇn	元^{a}	t^{hj}anʔ
02191	繟	昌善	昌仙上三開	tɕ^{h}iᴇn	元^{a}	t^{hj}anʔ
02192	嘽	昌善	昌仙上三開	tɕ^{h}iᴇn	元^{a}	t^{hj}anʔ
02193	譂	齒善	昌仙上三開	tɕ^{h}iᴇn	元^{a}	t^{hj}anʔ
02194	闡	昌善	昌仙上三開	tɕ^{h}iᴇn	元^{a}	t^{hj}anʔ
02195	燀	昌善	昌仙上三開	tɕ^{h}iᴇn	元^{a}	t^{hj}anʔ
02196	繟	昌善	昌仙上三開	tɕ^{h}iᴇn	元^{a}	t^{hj}anʔ
02197	墠	常演	禪仙上三開	dʑiᴇn	元^{a}	d^{j}anʔ
02198	鱓	常演	禪仙上三開	dʑiᴇn	元^{a}	d^{j}anʔ
02199	單	常演	禪仙上三開	dʑiᴇn	元^{a}	d^{j}anʔ
02200	戰	之膳	章仙去三開	tɕiᴇn	元^{a}	t^{j}ans
02201	禪	時戰	禪仙去三開	dʑiᴇn	元^{a}	d^{j}ans
02202	單	時戰	禪仙去三開	dʑiᴇn	元^{a}	d^{j}ans
02203	鄲	都寒	端寒平一開	tɑn	元^{a}	ta̱n
02204	殫	都寒	端寒平一開	tɑn	元^{a}	ta̱n
02205	箪	都寒	端寒平一開	tɑn	元^{a}	ta̱n
02206	匰	都寒	端寒平一開	tɑn	元^{a}	ta̱n
02207	癉	都寒	端寒平一開	tɑn	元^{a}	ta̱n
02208	襌	都寒	端寒平一開	tɑn	元^{a}	ta̱n
02209	單	都寒	端寒平一開	tɑn	元^{a}	ta̱n
02210	嘽	他干	透寒平一開	t^{h}ɑn	元^{a}	t^{h}a̱n
02211	鷤	徒干	定寒平一開	dɑn	元^{a}	da̱n
02212	癉	徒干	定寒平一開	dɑn	元^{a}	da̱n
02213	撣	徒干	定寒平一開	dɑn	元^{a}	da̱n
02214	彈	徒干	定寒平一開	dɑn	元^{a}	da̱n
02215	驒	徒干	定寒平一開	dɑn	元^{a}	da̱n
02216	繟	徒干	定寒平一開	dɑn	元^{a}	da̱n
02217	貚	徒干	定寒平一開	dɑn	元^{a}	da̱n
02218	潬	徒旱	定寒上一開	dɑn	元^{a}	da̱nʔ
02219	僤	徒旱	定寒上一開	dɑn	元^{a}	da̱nʔ
02220	憚	徒案	定寒去一開	dɑn	元^{a}	da̱ns
02221	彈	徒案	定寒去一開	dɑn	元^{a}	da̱ns
02222	僤	徒案	定寒去一開	dɑn	元^{a}	da̱ns
02223	撣	徒案	定寒去一開	dɑn	元^{a}	da̱ns
02224	觶	章移	章支平三開	tɕie	歌^{a}	t^{j}al
02225	觶	支義	章支去三開	tɕie	歌^{a}	t^{j}als
02226	鼉	唐何	定歌平一開	dɑ	歌^{a}	da̱l
02227	鼉	徒河	定歌平一開	dɑ	歌^{a}	da̱l
02228	驒	徒河	定歌平一開	dɑ	歌^{a}	da̱l
02229	彈	丁可	端歌上一開	tɑ	歌^{a}	ta̱lʔ
02230	癉	丁可	端歌上一開	tɑ	歌^{a}	ta̱lʔ
02231	癉	丁佐	端歌去一開	tɑ	歌^{a}	ta̱ls
02232	磾	都奚	端齊平四開	tei	歌^{e}	te̱l
02233	鷤	杜奚	定齊平四開	dei	歌^{e}	de̱l
02234	驒	都年	端先平四開	ten	元^{e}	te̱n
02235	貚	徒年	定先平四開	den	元^{e}	de̱n
02236	蕇	多殄	端先上四開	ten	元^{e}	te̱nʔ
02237	鷤	特計	定齊去四開	dei	歌^{e}	de̱ls

亶 dàn

02238	羶	式連	書仙平三開	ɕiᴇn	元^{a}	l̥an
02239	邅	張連	知仙平三開	ʈiᴇn	元^{a}	tan
02240	邅	張連	知仙平三開	ʈiᴇn	元^{a}	tan
02241	驙	張連	知仙平三開	ʈiᴇn	元^{a}	tan
02242	鱣	張連	知仙平三開	ʈiᴇn	元^{a}	tan

1　见定母和澄母“荼”字注。

02243 旃 諸延 章仙平三開 tɕiᴇn 元^{a} t^{j}an
02244 鸇 諸延 章仙平三開 tɕiᴇn 元^{a} t^{j}an
02245 饘 諸延 章仙平三開 tɕiᴇn 元^{a} t^{j}an
02246 禮 澄延 澄仙平三開 ɖiᴇn 元^{a} dan
02247 邅 直連 澄仙平三開 ɖiᴇn 元^{a} dan
02248 澶 音纏 澄仙平三開 ɖiᴇn 元^{a} dan
02249 儃 市連 禪仙平三開 dʑiᴇn 元^{a} d^{j}an
02250 澶 市連 禪仙平三開 dʑiᴇn 元^{a} d^{j}an
02251 皽 知演 知仙上三開 ʈiᴇn 元^{a} tanʔ
02252 襢 知演 知仙上三開 ʈiᴇn 元^{a} tanʔ
02253 饘 旨善 章仙上三開 tɕiᴇn 元^{a} t^{j}anʔ
02254 皽 旨善 章仙上三開 tɕiᴇn 元^{a} t^{j}anʔ
02255 膻 旨善 章仙上三開 tɕiᴇn 元^{a} t^{j}anʔ
02256 鱣 旨善 章仙上三開 tɕiᴇn 元^{a} t^{j}anʔ
02257 邅 除善 澄仙上三開 ɖiᴇn 元^{a} danʔ
02258 蟺 常演 禪仙上三開 dʑiᴇn 元^{a} d^{j}anʔ
02259 襢 陟扇 知仙去三開 ʈiᴇn 元^{a} tans
02260 顫 之膳 章仙去三開 tɕiᴇn 元^{a} t^{j}ans
02261 邅 持碾 澄仙去三開 ɖiᴇn 元^{a} dans
02262 禪 時戰 禪仙去三開 dʑiᴇn 元^{a} d^{j}ans
02263 擅 時戰 禪仙去三開 dʑiᴇn 元^{a} d^{j}ans
02264 嬗 時戰 禪仙去三開 dʑiᴇn 元^{a} d^{j}ans
02265 勯 多寒 端寒平一開 tɑn 元^{a} ta̲n
02266 譠 他干 透寒平一開 t^{h}ɑn 元^{a} t^{h}a̲n
02267 嬗 他干 透寒平一開 t^{h}ɑn 元^{a} t^{h}a̲n
02268 壇 徒干 定寒平一開 dɑn 元^{a} da̲n
02269 檀 徒干 定寒平一開 dɑn 元^{a} da̲n
02270 驙 徒干 定寒平一開 dɑn 元^{a} da̲n
02271 但 徒干 定寒平一開 dɑn 元^{a} da̲n
02272 儃 徒干 定寒平一開 dɑn 元^{a} da̲n
02273 亶 多旱 端寒上一開 tɑn 元^{a} ta̲nʔ
02274 癉 多旱 端寒上一開 tɑn 元^{a} ta̲nʔ
02275 嬗 多旱 端寒上一開 tɑn 元^{a} ta̲nʔ
02276 笪 多旱 端寒上一開 tɑn 元^{a} ta̲nʔ
02277 疸 多旱 端寒上一開 tɑn 元^{a} ta̲nʔ
02278 觛 多旱 端寒上一開 tɑn 元^{a} ta̲nʔ
02279 狚 多旱 端寒上一開 tɑn 元^{a} ta̲nʔ
02280 担 多旱 端寒上一開 tɑn 元^{a} ta̲nʔ
02281 坦 他但 透寒上一開 t^{h}ɑn 元^{a} t^{h}a̲nʔ
02282 但 徒旱 定寒上一開 dɑn 元^{a} da̲nʔ
02283 袒 徒旱 定寒上一開 dɑn 元^{a} da̲nʔ
02284 襢 徒旱 定寒上一開 dɑn 元^{a} da̲nʔ
02285 繵 徒旱 定寒上一開 dɑn 元^{a} da̲nʔ
02286 膻 徒旱 定寒上一開 dɑn 元^{a} da̲nʔ
02287 觛 徒旱 定寒上一開 dɑn 元^{a} da̲nʔ
02288 旦 得按 端寒去一開 tɑn 元^{a} ta̲ns
02289 疸 得按 端寒去一開 tɑn 元^{a} ta̲ns
02290 鴠 得按 端寒去一開 tɑn 元^{a} ta̲ns
02291 觛 得按 端寒去一開 tɑn 元^{a} ta̲ns
02292 狚 得按 端寒去一開 tɑn 元^{a} ta̲ns
02293 笪 得按 端寒去一開 tɑn 元^{a} ta̲ns
02294 澶 徒案 定寒去一開 dɑn 元^{a} da̲ns
02295 但 徒案 定寒去一開 dɑn 元^{a} da̲ns
02296 譠[1] 陟山 知刪平二開 ʈ^{ɯ}æn 元^{a} ta̲n
02297 袒[2] 丈莧 澄刪去二開 ɖ^{ɯ}æn 元^{a} da̲ns
02298 組[3] 丈莧 澄刪去二開 ɖ^{ɯ}æn 元^{a} da̲ns
02299 靻 旨熱 章薛入三開 tɕiᴇt 月^{a} t^{j}ad
02300 怛 當割 端曷入一開 tɑt 月^{a} ta̲d
02301 妲 當割 端曷入一開 tɑt 月^{a} ta̲d
02302 炟 當割 端曷入一開 tɑt 月^{a} ta̲d
02303 靼 當割 端曷入一開 tɑt 月^{a} ta̲d
02304 狚 當割 端曷入一開 tɑt 月^{a} ta̲d
02305 笪 當割 端曷入一開 tɑt 月^{a} ta̲d
02306 靻 當割 端曷入一開 tɑt 月^{a} ta̲d
02307 皽 止遥 章宵平三開 tɕiᴇu 宵^{a} t^{j}a^{w}

刀 dāo

02308 昭 止遥 章宵平三開 tɕiᴇu 宵^{e} kl^{j}e^{w}
02309 鉊 止遥 章宵平三開 tɕiᴇu 宵^{e} kl^{j}e^{w}
02310 招[4] 止遥 章宵平三開 tɕiᴇu 宵^{e} kl^{j}e^{w}
02311 超 敕宵 徹宵平三開 ʈ^{h}iᴇu 宵^{e} k^{h}le^{w}
02312 怊 敕宵 徹宵平三開 ʈ^{h}iᴇu 宵^{e} k^{h}le^{w}
02313 袑 蚩招 昌宵平三開 tɕ^{h}iᴇu 宵^{e} k^{h}l^{j}e^{w}
02314 怊 尺招 昌宵平三開 tɕ^{h}iᴇu 宵^{e} k^{h}l^{j}e^{w}

1 见定母和澄母“茶”字注。原为山韵，但是根据谐声系统应该为删韵，《切韵》音系二等有删、山的历史层次。

2 见定母和澄母“茶”字注。原为山韵，但是根据谐声系统应该为删韵，《切韵》音系二等有删、山的历史层次。

3 见定母和澄母“茶”字注。原为山韵，但是根据谐声系统应该为删韵，《切韵》音系二等有删、山的历史层次。

4 《汉书·礼乐志》“諸族樂人兼《雲招》給祠南郊用六十七人”，颜师古注：“招，读翹同。”故“招”读*kl^{j}e^{w}>tɕiᴇu。

02315 弨 尺招 昌宵平三開 tɕ^{h}iᴇu 宵^{e} k^{h}l^{j}e^{w}

02316 韶 市昭 禪宵平三開 dʑiᴇu 宵^{e} gl^{j}e^{w}

02317 佋 市昭 禪宵平三開 dʑiᴇu 宵^{e} gl^{j}e^{w}

02318 卲 市昭 禪宵平三開 dʑiᴇu 宵^{e} gl^{j}e^{w}

02319 軺 市昭 禪宵平三開 dʑiᴇu 宵^{e} gl^{j}e^{w}

02320 柖 市昭 禪宵平三開 dʑiᴇu 宵^{e} gl^{j}e^{w}

02321 菬 昨焦 從宵平三開 dziᴇu 宵^{e} sgle^{w}

02322 軺 餘昭 以宵平三開 jiᴇu 宵^{e} ɢle^{w}

02323 沼[1] 之少 章宵上三開 tɕiᴇu 宵^{e} kl^{j}e^{w}ʔ

02324 菬 之少 章宵上三開 tɕiᴇu 宵^{e} kl^{j}e^{w}ʔ

02325 弨 尺沼 昌宵上三開 tɕ^{h}iᴇu 宵^{e} k^{h}l^{j}e^{w}ʔ

02326 紹 市沼 禪宵上三開 dʑiᴇu 宵^{e} gl^{j}e^{w}ʔ

02327 佋 市沼 禪宵上三開 dʑiᴇu 宵^{e} gl^{j}e^{w}ʔ

02328 袑 市沼 禪宵上三開 dʑiᴇu 宵^{e} gl^{j}e^{w}ʔ

02329 照 之少 章宵去三開 tɕiᴇu 宵^{e} kl^{j}e^{w}s

02330 詔 之少 章宵去三開 tɕiᴇu 宵^{e} kl^{j}e^{w}s

02331 陘 之少 章宵去三開 tɕiᴇu 宵^{e} kl^{j}e^{w}s

02332 卲 之少 章宵去三開 tɕiᴇu 宵^{e} kl^{j}e^{w}s

02333 召 直照 澄宵去三開 ɖiᴇu 宵^{e} gle^{w}s

02334 召 寔照 禪宵去三開 dʑiᴇu 宵^{e} gl^{j}e^{w}s

02335 邵 寔照 禪宵去三開 dʑiᴇu 宵^{e} gl^{j}e^{w}s

02336 劭 寔照 禪宵去三開 dʑiᴇu 宵^{e} gl^{j}e^{w}s

02337 卲 寔照 禪宵去三開 dʑiᴇu 宵^{e} gl^{j}e^{w}s

02338 卲 寔照 禪宵去三開 dʑiᴇu 宵^{e} gl^{j}e^{w}s

02339 齠 丁聊 端蕭平四開 teu 宵^{e} kle̱^{w}

02340 貂 都聊 端蕭平四開 teu 宵^{e} kle̱^{w}

02341 刁 都聊 端蕭平四開 teu 宵^{e} kle̱^{w}

02342 蛁 都聊 端蕭平四開 teu 宵^{e} kle̱^{w}

02343 艻 都聊 端蕭平四開 teu 宵^{e} kle̱^{w}

02344 齠 田聊 定蕭平四開 deu 宵^{e} gle̱^{w}

02345 祒 田聊 定蕭平四開 deu 宵^{e} gle̱^{w}

02346 迢 徒聊 定蕭平四開 deu 宵^{e} gle̱^{w}

02347 髫 徒聊 定蕭平四開 deu 宵^{e} gle̱^{w}

02348 苕 徒聊 定蕭平四開 deu 宵^{e} gle̱^{w}

02349 艻 徒聊 定蕭平四開 deu 宵^{e} gle̱^{w}

02350 岧 徒聊 定蕭平四開 deu 宵^{e} gle̱^{w}

02351 鴚[2] 陟交 知肴平二開 ʈ^{ɯ}æu 宵^{e} kle̱^{w}

02352 菿[3] 陟孝 知肴去二開 ʈ^{ɯ}æu 宵^{e} kle̱^{w}s

02353 袑 市沼 禪宵上三開 dʑiᴇu 宵^{a} gl^{j}a^{w}ʔ

02354 刀[4] 都牢 端豪平一開 tɑu 宵^{a} kla̱^{w}

02355 忉 都牢 端豪平一開 tɑu 宵^{a} kla̱^{w}

02356 叨 土刀 透豪平一開 t^{h}ɑu 宵^{a} k^{h}la̱^{w}

02357 鞀 徒刀 定豪平一開 dɑu 宵^{a} gla̱^{w}

02358 倒 都晧 端豪上一開 tɑu 宵^{a} kla̱^{w}ʔ

02359 到 都導 端豪去一開 tɑu 宵^{a} kla̱^{w}s

02360 倒 都導 端豪去一開 tɑu 宵^{a} kla̱^{w}s

02361 菿 都導 端豪去一開 tɑu 宵^{a} kla̱^{w}s

02362 炤 職略 章藥入三開 tɕiak 藥^{a} kl^{j}ag^{w}

02363 菿[5] 竹角 知覺入二開 ʈ^{ɯ}ɔk 藥^{a} kla̱g^{w}

盜 dào

02364 盜[6] 徒到 定豪去一開 dɑu 宵^{a} gla̱^{w}s

得 dé

02365 得 多則 端德入一開 tək 職 tɯ̱g

登 dēng

02366 澄 直陵 澄蒸平三開 ɖɨŋ 蒸 glɯŋ

02367 瞪 直陵 澄蒸平三開 ɖɨŋ 蒸 glɯŋ

02368 憕 直陵 澄蒸平三開 ɖɨŋ 蒸 glɯŋ

02369 證 諸應 章蒸去三開 tɕɨŋ 蒸 kl^{j}ɯŋs

02370 瞪 丈證 澄蒸去三開 ɖɨŋ 蒸 glɯŋs

02371 登 都滕 端登平一開 təŋ 蒸 klɯ̱ŋ

02372 璒 都滕 端登平一開 təŋ 蒸 klɯ̱ŋ

02373 燈 都滕 端登平一開 təŋ 蒸 klɯ̱ŋ

02374 簦 都滕 端登平一開 təŋ 蒸 klɯ̱ŋ

02375 毲 都滕 端登平一開 təŋ 蒸 klɯ̱ŋ

02376 登 都騰 端登平一開 təŋ 蒸 klɯ̱ŋ

02377 隥 都鄧 端登去一開 təŋ 蒸 klɯ̱ŋs

02378 鐙 都鄧 端登去一開 təŋ 蒸 klɯ̱ŋs

02379 橙 都鄧 端登去一開 təŋ 蒸 klɯ̱ŋs

02380 鄧 徒亘 定登去一開 dəŋ 蒸 glɯ̱ŋs

02381 蹬 徒亘 定登去一開 dəŋ 蒸 glɯ̱ŋs

---

1 老簋"大"后面一字"溥(虢)",陈剑(《〈容成氏〉补释三则》,《出土文献与古文字研究》第6辑,上海古籍出版社2015年)读为"大沼",故声符"刀"带软腭音。

2 见定母和澄母"荼"字注。

3 见定母和澄母"荼"字注。

4 邬可晶:战国货币文字"榦刀"读为"寒虢",故"刀"为复辅音*kl->t-。

5 见定母和澄母"荼"字注。

6 肖祎科:古文字中常以"兆"声字表示"盜"。

02382	憕[1]	宅耕	澄耕平二開	ɖ^{ɯ}ɛŋ	蒸	glɯ̱ŋ
02383	瞪[2]	宅耕	澄耕平二開	ɖ^{ɯ}ɛŋ	蒸	glɯ̱ŋ
02384	澄[3]	直耕	澄耕平二開	ɖ^{ɯ}ɛŋ	蒸	glɯ̱ŋ
02385	撜[4]	除庚	澄耕平二開	ɖ^{ɯ}ɛŋ	蒸	glɯ̱ŋ
02386	橙[5]	宅耕	澄耕平二開	ɖ^{ɯ}ɛŋ	蒸	glɯ̱ŋ

氐 dī

02387	胝	丁尼	知脂平三開	ʈi	脂	ti
02388	秖	丁尼	知脂平三開	ʈi	脂	ti
02389	氐[6]	丁尼	知脂平三開	ʈi	脂	ti
02390	祗	旨夷	章脂平三開	tɕi	脂	t^{j}i
02391	泜	旨夷	章脂平三開	tɕi	脂	t^{j}i
02392	砥	旨夷	章脂平三開	tɕi	脂	t^{j}i
02393	蚳	旨夷	章脂平三開	tɕi	脂	t^{j}i
02394	鴟	處脂	昌脂平三開	tɕ^{h}i	脂	t^{hj}i
02395	蚳	直尼	澄脂平三開	ɖi	脂	di
02396	阺	直尼	澄脂平三開	ɖi	脂	di
02397	貾	直尼	澄脂平三開	ɖi	脂	di
02398	泜	直尼	澄脂平三開	ɖi	脂	di
02399	坻	直尼	澄脂平三開	ɖi	脂	di
02400	厎	職雉	章脂上三開	tɕi	脂	t^{j}iʔ
02401	砥	職雉	章脂上三開	tɕi	脂	t^{j}iʔ
02402	茋	職雉	章脂上三開	tɕi	脂	t^{j}iʔ
02403	低	都奚	端齊平四開	tei	脂	ti̱
02404	氐	都奚	端齊平四開	tei	脂	ti̱
02405	袛	都奚	端齊平四開	tei	脂	ti̱
02406	羝	都奚	端齊平四開	tei	脂	ti̱
02407	眡	都奚	端齊平四開	tei	脂	ti̱
02408	奃	都奚	端齊平四開	tei	脂	ti̱
02409	趆	都奚	端齊平四開	tei	脂	ti̱
02410	柢	都奚	端齊平四開	tei	脂	ti̱
02411	紙	都奚	端齊平四開	tei	脂	ti̱
02412	詆	杜奚	定齊平四開	dei	脂	di̱
02413	菧	典禮	端齊上四開	tei	脂	ti̱ʔ
02414	迡	典禮	端齊上四開	tei	脂	ti̱ʔ
02415	邸	都禮	端齊上四開	tei	脂	ti̱ʔ
02416	底	都禮	端齊上四開	tei	脂	ti̱ʔ
02417	詆	都禮	端齊上四開	tei	脂	ti̱ʔ
02418	坻	都禮	端齊上四開	tei	脂	ti̱ʔ
02419	抵	都禮	端齊上四開	tei	脂	ti̱ʔ
02420	牴	都禮	端齊上四開	tei	脂	ti̱ʔ
02421	柢	都禮	端齊上四開	tei	脂	ti̱ʔ
02422	弤	都禮	端齊上四開	tei	脂	ti̱ʔ
02423	軧	都禮	端齊上四開	tei	脂	ti̱ʔ
02424	遞	丁計	端齊去四開	tei	脂	ti̱s
02425	怟	丁計	端齊去四開	tei	脂	ti̱s
02426	柢	都計	端齊去四開	tei	脂	ti̱s
02427	骶	都計	端齊去四開	tei	脂	ti̱s
02428	趆	都計	端齊去四開	tei	脂	ti̱s
02429	鴟	章移	章支平三開	tɕie	佳	k^{j}e
02430	疷	諸氏	章支上三開	tɕie	佳	k^{j}eʔ
02431	坻	諸氏	章支上三開	tɕie	佳	k^{j}eʔ
02432	厎	諸市	章之上三開	tɕɨ	之	k^{j}ɯʔ
02433	詆	他歷	透錫入四開	t^{h}ek	錫	t^{h}i̱g

狄 dí

02434	逖	他歷	透錫入四開	t^{h}ek	錫	t^{h}e̱g
02435	愁	他歷	透錫入四開	t^{h}ek	錫	t^{h}e̱g
02436	荻	徒歷	定錫入四開	dek	錫	de̱g
02437	狄	徒歷	定錫入四開	dek	錫	de̱g

翟 dí

02438	燿	弋照	以宵去三開	jiᴇu	藥^{e}	ɢleg^{w}s
02439	耀	弋照	以宵去三開	jiᴇu	藥^{e}	ɢleg^{w}s
02440	曜	弋照	以宵去三開	jiᴇu	藥^{e}	ɢleg^{w}s

---

1 见定母和澄母"茶"字注。

2 见定母和澄母"茶"字注。

3 见定母和澄母"茶"字注。原为庚韵，但是根据谐声系统应该为耕韵，《切韵》音系二等有耕、庚的历史层次。

4 见定母和澄母"茶"字注。原为庚韵，但是根据谐声系统应该为耕韵，《切韵》音系二等有耕、庚的历史层次。

5 见定母和澄母"茶"字注。

6 "阏氏"通"阏支"，"支"的上古读音为*k^{j}e（见日本地名"一支"的读音），所以"氏"上古很可能是*k^{j}e或者*kl^{j}e。但是"氐"与"氏"是同一个字，如果把"氐"的读音构拟作"氏"之类的复辅音*kli̱>*ti̱，我们会碰到很难解释的现象。上古韵母*i是一个很常见的韵母，t或d是很常见的声母，如果把从"氐"得声的字构拟成*kli或*gli之类的音，几乎不会出现ti、di之类的音节。于是，"氐"的情况有可能作这样的解释，"氏"可能有两个不同的读音，一个是佳韵*kl^{j}e，另一个是脂韵*kli。*kli中的i为最高的元音，收紧点窄，会形成一定的气流高压，其中的流音l会形成塞化*kli>*kti>ti。"氐"的字形出现得比较晚，说明"氏"的另一个读音*kli变成ti的时候，与"氏"的另一个读音*kl^{j}e相差太大，于是字形的下面加了一点成为"氐"。这个时候原来就读作*ti的语素，用"氐"作声符形成新的谐声字。

02441 躍[1] 以灼 以藥入三開 jiak 藥ᵉ ɢlegʷ
02442 糶 他弔 透蕭去四開 tʰeu 藥ᵉ kʰle̠gʷs
02443 藋 徒弔 定蕭去四開 deu 藥ᵉ gle̠gʷs
02444 嬥 徒弔 定蕭去四開 deu 藥ᵉ gle̠gʷs
02445 趯 他歷 透錫入四開 tʰek 藥ᵉ kʰle̠gʷ
02446 籊 他歷 透錫入四開 tʰek 藥ᵉ kʰle̠gʷ
02447 櫂 亭歷 定錫入四開 dek 藥ᵉ gle̠gʷ
02448 籊 徒歷 定錫入四開 dek 藥ᵉ gle̠gʷ
02449 翟 徒歷 定錫入四開 dek 藥ᵉ gle̠gʷ
02450 糴 徒歷 定錫入四開 dek 藥ᵉ gle̠gʷ
02451 糶 徒歷 定錫入四開 dek 藥ᵉ gle̠gʷ
02452 櫂 敕教 徹肴去二開 ʈʰᵚæu 藥ᵉ kʰle̠gʷs
02453 濯[2] 直教 澄肴去二開 ɖᵚæu 藥ᵉ gle̠gʷs
02454 櫂[3] 直教 澄肴去二開 ɖᵚæu 藥ᵉ gle̠gʷs
02455 擢[4] 直角 澄覺入二開 ɖᵚɔk 藥ᵉ gle̠gʷ
02456 濯[5] 直角 澄覺入二開 ɖᵚɔk 藥ᵉ gle̠gʷ
02457 嬥[6] 直角 澄覺入二開 ɖᵚɔk 藥ᵉ gle̠gʷ
02458 獾[7] 直角 澄覺入二開 ɖᵚɔk 藥ᵉ gle̠gʷ
02459 蠗[8] 直角 澄覺入二開 ɖᵚɔk 藥ᵉ gle̠gʷ
02460 鸐[9] 直角 澄覺入二開 ɖᵚɔk 藥ᵉ gle̠gʷ
02461 翟[10] 場伯 澄麥入二開 ɖᵚɛk 錫 gle̠g
02462 櫂[11] 直格 澄麥入二開 ɖᵚɛk 錫 gle̠g
02463 嬥 徒聊 定蕭平四開 deu 宵ᵉ gle̠ʷ
02464 嬥 徒了 定蕭上四開 deu 宵ᵉ gle̠ʷʔ

弟 dì

02465 梯 天黎 透齊平四開 tʰei 脂 kʰli̠
02466 梯 土雞 透齊平四開 tʰei 脂 kʰli̠
02467 睇 土雞 透齊平四開 tʰei 脂 kʰli̠
02468 綈 杜奚 定齊平四開 dei 脂 gli̠
02469 蕛 杜奚 定齊平四開 dei 脂 gli̠
02470 稊 杜奚 定齊平四開 dei 脂 gli̠
02471 鵜 杜奚 定齊平四開 dei 脂 gli̠
02472 銻 杜奚 定齊平四開 dei 脂 gli̠
02473 鮷 杜奚 定齊平四開 dei 脂 gli̠
02474 蟻 杜奚 定齊平四開 dei 脂 gli̠
02475 珶 田黎 定齊平四開 dei 脂 gli̠
02476 涕 他禮 透齊上四開 tʰei 脂 kʰli̠ʔ
02477 弟 徒禮 定齊上四開 dei 脂 gli̠ʔ
02478 娣 徒禮 定齊上四開 dei 脂 gli̠ʔ
02479 悌 徒禮 定齊上四開 dei 脂 gli̠ʔ
02480 剃 他計 透齊去四開 tʰei 脂 kʰli̠s
02481 涕 他計 透齊去四開 tʰei 脂 kʰli̠s
02482 娣 大計 定齊去四開 dei 脂 gli̠s
02483 珶 大計 定齊去四開 dei 脂 gli̠s
02484 第 特計 定齊去四開 dei 脂 gli̠s
02485 弟 特計 定齊去四開 dei 脂 gli̠s
02486 睇 特計 定齊去四開 dei 脂 gli̠s
02487 悌 特計 定齊去四開 dei 脂 gli̠s
02488 娣 特計 定齊去四開 dei 脂 gli̠s
02489 鴩 直一 澄質入三開 ɖit 質[9] glig

帝 dì

02490 啻 施智 書支去三開 ɕie 錫 l̥egs
02491 適 施隻 書昔入三開 ɕiᴇk 錫 l̥eg
02492 適 之石 章昔入三開 tɕiᴇk 錫 tʲeg
02493 蹢 直炙 澄昔入三開 ɖiᴇk 錫 deg
02494 擿 直炙 澄昔入三開 ɖiᴇk 錫 deg
02495 蹢 直炙 澄昔入三開 ɖiᴇk 錫 deg
02496 諦 都計 端齊去四開 tei 錫 te̠gs
02497 帝 都計 端齊去四開 tei 錫 te̠gs
02498 禘 他計 透齊去四開 tʰei 錫 tʰe̠gs
02499 締 特計 定齊去四開 dei 錫 de̠gs
02500 禘 特計 定齊去四開 dei 錫 de̠gs
02501 擿 丁歷 端錫入四開 tek 錫 te̠g
02502 適 都歷 端錫入四開 tek 錫 te̠g
02503 嫡 都歷 端錫入四開 tek 錫 te̠g
02504 甋 都歷 端錫入四開 tek 錫 te̠g
02505 鏑 都歷 端錫入四開 tek 錫 te̠g
02506 滴 都歷 端錫入四開 tek 錫 te̠g
02507 蹢 都歷 端錫入四開 tek 錫 te̠g

---

1 与"跳" *gle̠ʷ 同源，故"躍"带有冠音 *ɢlegʷ > *legʷ >jiak。
2 见定母和澄母"荼"字注。
3 见定母和澄母"荼"字注。
4 见定母和澄母"荼"字注。
5 见定母和澄母"荼"字注。
6 见定母和澄母"荼"字注。
7 见定母和澄母"荼"字注。
8 见定母和澄母"荼"字注。
9 见定母和澄母"荼"字注。
10 见定母和澄母"荼"字注。原为陌韵，但是根据谐声系统应该为麦韵，《切韵》音系二等有麦、陌的历史层次。
11 见定母和澄母"荼"字注。原为陌韵，但是根据谐声系统应该为麦韵，《切韵》音系二等有麦、陌的历史层次。

02508 樀 都歷 端錫入四開 tek 錫 te̱g
02509 鷊 都歷 端錫入四開 tek 錫 te̱g
02510 啇 都歷 端錫入四開 tek 錫 te̱g
02511 擿 他歷 透錫入四開 t^{h}ek 錫 t^{h}e̱g
02512 摘 他歷 透錫入四開 t^{h}ek 錫 t^{h}e̱g
02513 藡 亭歷 定錫入四開 dek 錫 de̱g
02514 敵 徒歷 定錫入四開 dek 錫 de̱g
02515 蹢 徒歷 定錫入四開 dek 錫 de̱g
02516 樀 徒歷 定錫入四開 dek 錫 de̱g
02517 摘[1] 陟革 知麥入二開 ʈ^{ɯ}ɛk 錫 te̱g
02518 讁[2] 陟革 知麥入二開 ʈ^{ɯ}ɛk 錫 te̱g
02519 鷊[3] 陟格 知麥入二開 ʈ^{ɯ}ɛk 錫 te̱g
02520 嫡[4] 陟格 知麥入二開 ʈ^{ɯ}ɛk 錫 te̱g
02521 讁[5] 丈厄 澄麥入二開 ɖ^{ɯ}ɛk 錫 de̱g
02522 揥 都奚 端齊平四開 tei 佳 te̱
02523 締 杜奚 定齊平四開 dei 佳 de̱
02524 鯑 杜奚 定齊平四開 dei 佳 de̱
02525 鶙 杜奚 定齊平四開 dei 佳 de̱

典 diǎn

02526 錪 多殄 端先上四開 ten 文^{ɯ} tɯ̱nʔ
02527 典 多殄 端先上四開 ten 文^{ɯ} tɯ̱nʔ
02528 敟 多殄 端先上四開 ten 文^{ɯ} tɯ̱nʔ
02529 腆 他典 透先上四開 t^{h}en 文^{ɯ} t^{h}ɯ̱nʔ
02530 淟 他典 透先上四開 t^{h}en 文^{ɯ} t^{h}ɯ̱nʔ
02531 錪 他典 透先上四開 t^{h}en 文^{ɯ} t^{h}ɯ̱nʔ
02532 倎 他典 透先上四開 t^{h}en 文^{ɯ} t^{h}ɯ̱nʔ
02533 琠 他典 透先上四開 t^{h}en 文^{ɯ} t^{h}ɯ̱nʔ

奠 diàn

02534 鄭 直正 澄清去三開 ɖiᴇŋ 耕 deŋs
02535 甑 直正 澄清去三開 ɖiᴇŋ 耕 deŋs
02536 㢄 都挺 端青上四開 teŋ 耕 te̱ŋʔ
02537 奠 丁定 端青去四開 teŋ 耕 te̱ŋs
02538 擲 直炙 澄昔入三開 ɖiᴇk 錫 deg
02539 躑 直炙 澄昔入三開 ɖiᴇk 錫 deg
02540 奠 堂練 定先去四開 den 真^{ŋ} di̱ŋs
02541 㢄 堂練 定先去四開 den 真^{ŋ} di̱ŋs

弔 diào

02542 弔 多嘯 端蕭去四開 teu 覺^{i} ti̱g^{w}s
02543 迅 多嘯 端蕭去四開 teu 覺^{i} ti̱g^{w}s
02544 弔 都歷 端錫入四開 tek 覺^{i} ti̱g^{w}
02545 迅 都歷 端錫入四開 tek 覺^{i} ti̱g^{w}
02546 祒 丁聊 端蕭平四開 teu 幽^{i} ti̱^{w}
02547 衺 都聊 端蕭平四開 teu 幽^{i} ti̱^{w}
02548 盄 止遥 章宵平三開 tɕiᴇu 宵^{e} t^{j}e^{w}

疊 dié

02549 疊 徒協 定帖入四開 dep 緝^{ɯ} lɯ̱b
02550 鸓 徒協 定帖入四開 dep 緝^{ɯ} lɯ̱b

聑 dié

02551 聑 丁愜 端帖入四開 tep 盍^{e} te̱b

丁 dīng

02552 虰 丑貞 徹清平三開 ʈ^{h}iᴇŋ 耕 t^{h}eŋ
02553 莡 時征 禪清平三開 dʑiᴇŋ 耕 d^{j}eŋ
02554 成[6] 是征 禪清平三開 dʑiᴇŋ 耕 gl^{j}eŋ
02555 城 是征 禪清平三開 dʑiᴇŋ 耕 gl^{j}eŋ
02556 誠 是征 禪清平三開 dʑiᴇŋ 耕 d^{j}eŋ
02557 宬 是征 禪清平三開 dʑiᴇŋ 耕 d^{j}eŋ
02558 郕 是征 禪清平三開 dʑiᴇŋ 耕 d^{j}eŋ
02559 盛[7] 是征 禪清平三開 dʑiᴇŋ 耕 gl^{j}eŋ
02560 盛 承正 禪清去三開 dʑiᴇŋ 耕 gl^{j}eŋs
02561 晟 承政 禪清去三開 dʑiᴇŋ 耕 d^{j}eŋs
02562 胑 時正 禪清去三開 dʑiᴇŋ 耕 d^{j}eŋs
02563 靪 當經 端青平四開 teŋ 耕 te̱ŋ
02564 虰 當經 端青平四開 teŋ 耕 te̱ŋ
02565 丁 當經 端青平四開 teŋ 耕 te̱ŋ
02566 釘 當經 端青平四開 teŋ 耕 te̱ŋ
02567 玎 當經 端青平四開 teŋ 耕 te̱ŋ
02568 阞 當經 端青平四開 teŋ 耕 te̱ŋ

1　见定母和澄母“荼”字注。

2　见定母和澄母“荼”字注。

3　见定母和澄母“荼”字注。原为陌韵，但是根据谐声系统应该为麦韵，《切韵》音系二等有麦、陌的历史层次。

4　见定母和澄母“荼”字注。原为陌韵，但是根据谐声系统应该为麦韵，《切韵》音系二等有麦、陌的历史层次。

5　见定母和澄母“荼”字注。

6　比较藏文ɦgeŋs完成，故此字当带软腭音，读*gl^{j}eŋ>*d^{j}eŋ>中古 dʑiᴇŋ。

7　比较藏文ɦgeŋs充满，故此字读*gl^{j}eŋ>*d^{j}eŋ>中古 dʑiᴇŋ。

02569	汀	他丁	透青平四開	t^{h}eŋ	耕	t^{h}e̱ŋ
02570	訂	他丁	透青平四開	t^{h}eŋ	耕	t^{h}e̱ŋ
02571	町	他丁	透青平四開	t^{h}eŋ	耕	t^{h}e̱ŋ
02572	艼	他丁	透青平四開	t^{h}eŋ	耕	t^{h}e̱ŋ
02573	楟	特丁	定青平四開	deŋ	耕	de̱ŋ
02574	停	特丁	定青平四開	deŋ	耕	de̱ŋ
02575	葶	特丁	定青平四開	deŋ	耕	de̱ŋ
02576	亭	特丁	定青平四開	deŋ	耕	de̱ŋ
02577	聤	特丁	定青平四開	deŋ	耕	de̱ŋ
02578	渟	特丁	定青平四開	deŋ	耕	de̱ŋ
02579	頂	都挺	端青上四開	teŋ	耕	te̱ŋʔ
02580	耵	都挺	端青上四開	teŋ	耕	te̱ŋʔ
02581	葶	都挺	端青上四開	teŋ	耕	te̱ŋʔ
02582	靪	都挺	端青上四開	teŋ	耕	te̱ŋʔ
02583	打	都挺	端青上四開	teŋ	耕	te̱ŋʔ
02584	訂	他頂	透青上四開	t^{h}eŋ	耕	t^{h}e̱ŋʔ
02585	町	他鼎	透青上四開	t^{h}eŋ	耕	t^{h}e̱ŋʔ
02586	艼	他鼎	透青上四開	t^{h}eŋ	耕	t^{h}e̱ŋʔ
02587	町	徒鼎	定青上四開	deŋ	耕	de̱ŋʔ
02588	訂	徒鼎	定青上四開	deŋ	耕	de̱ŋʔ
02589	釘	丁定	端青去四開	teŋ	耕	te̱ŋs
02590	訂	丁定	端青去四開	teŋ	耕	te̱ŋs
02591	汀	他定	透青去四開	t^{h}eŋ	耕	t^{h}e̱ŋs
02592	丁	中莖	知耕平二開	ʈ^{ɯ}ɛŋ	耕	te̱ŋ
02593	朾[1]	中莖	知耕平二開	ʈ^{ɯ}ɛŋ	耕	te̱ŋ
02594	玎[2]	中莖	知耕平二開	ʈ^{ɯ}ɛŋ	耕	te̱ŋ
02595	虰	宅耕	澄耕平二開	ɖ^{ɯ}ɛŋ	耕	de̱ŋ
02596	揨[3]	宅耕	澄耕平二開	ɖ^{ɯ}ɛŋ	耕	de̱ŋ
02597	朾[4]	宅耕	澄耕平二開	ɖ^{ɯ}ɛŋ	耕	de̱ŋ
02598	打[5]	德冷	端耕上二開	$t^{ɯ}$ɛŋ	耕	te̱ŋʔ
02599	町	他典	透先上四開	t^{h}en	元^{e}	t^{h}e̱nʔ

鼎 dǐng

02600	貞	陟盈	知清平三開	ʈiɛŋ	耕	teŋ
02601	楨	陟盈	知清平三開	ʈiɛŋ	耕	teŋ
02602	禎	陟盈	知清平三開	ʈiɛŋ	耕	teŋ
02603	郋	陟盈	知清平三開	ʈiɛŋ	耕	teŋ
02604	湞	陟盈	知清平三開	ʈiɛŋ	耕	teŋ
02605	隕	陟盈	知清平三開	ʈiɛŋ	耕	teŋ
02606	偵	丑貞	徹清平三開	ʈ^{h}iɛŋ	耕	t^{h}eŋ
02607	郋	直貞	澄清平三開	ɖiɛŋ	耕	deŋ
02608	偵	丑鄭	徹清去三開	ʈ^{h}iɛŋ	耕	t^{h}eŋs
02609	鼎	都挺	端青上四開	teŋ	耕	te̱ŋʔ
02610	薡	都挺	端青上四開	teŋ	耕	te̱ŋʔ
02611	濎	都挺	端青上四開	teŋ	耕	te̱ŋʔ
02612	湞[6]	宅耕	澄耕平二開	ɖ^{ɯ}ɛŋ	耕	de̱ŋ
02613	偵[7]	猪孟	知耕去二開	ʈ^{ɯ}ɛŋ	耕	te̱ŋs

冬 dōng

02614	汷	之戎	章東平三合	tɕiuŋ	終	t^{j}uŋ
02615	終	職戎	章東平三合	tɕiuŋ	終	t^{j}uŋ
02616	螽	職戎	章東平三合	tɕiuŋ	終	t^{j}uŋ
02617	鼨	職戎	章東平三合	tɕiuŋ	終	t^{j}uŋ
02618	蔠	職戎	章東平三合	tɕiuŋ	終	t^{j}uŋ
02619	[illegible]	職戎	章東平三合	tɕiuŋ	終	t^{j}uŋ
02620	冬	都宗	端冬平一合	tu̯oŋ	終	tu̯ŋ
02621	苳	都宗	端冬平一合	tu̯oŋ	終	tu̯ŋ
02622	疼	徒冬	定冬平一合	du̯oŋ	終	du̯ŋ
02623	佟	徒冬	定冬平一合	du̯oŋ	終	du̯ŋ
02624	[illegible]	徒冬	定冬平一合	du̯oŋ	終	du̯ŋ

東 dōng

02625	鍾	職容	章鍾平三合	tɕiʊŋ	東	t^{j}oŋ
02626	鐘	職容	章鍾平三合	tɕiʊŋ	東	t^{j}oŋ
02627	橦	職容	章鍾平三合	tɕiʊŋ	東	t^{j}oŋ
02628	籦	職容	章鍾平三合	tɕiʊŋ	東	t^{j}oŋ
02629	罿	尺容	昌鍾平三合	$tɕ^{h}$iʊŋ	東	t^{hj}oŋ
02630	憧	尺容	昌鍾平三合	$tɕ^{h}$iʊŋ	東	t^{hj}oŋ
02631	[illegible]	尺容	昌鍾平三合	$tɕ^{h}$iʊŋ	東	t^{hj}oŋ
02632	潼	尺容	昌鍾平三合	$tɕ^{h}$iʊŋ	東	t^{hj}oŋ
02633	[illegible]	尺容	昌鍾平三合	$tɕ^{h}$iʊŋ	東	t^{hj}oŋ
02634	[illegible]	昌容	昌鍾平三合	$tɕ^{h}$iʊŋ	東	t^{hj}oŋ
02635	衝	尺容	昌鍾平三合	$tɕ^{h}$iʊŋ	東	t^{hj}oŋ
02636	重	直容	澄鍾平三合	ɖiʊŋ	東	doŋ

---

1 见定母和澄母"荼"字注。

2 见定母和澄母"荼"字注。

3 见定母和澄母"荼"字注。

4 见定母和澄母"荼"字注。

5 原为庚韵，但是根据谐声系统应该为耕韵，《切韵》音系二等有耕、庚的历史层次。

6 见定母和澄母"荼"字注。

7 见定母和澄母"荼"字注。原为庚韵，但是根据谐声系统应该为耕韵，《切韵》音系二等有耕、庚的历史层次。

02637	橦	直容	澄鍾平三合	ɖiʊŋ	東	doŋ
02638	緟	直容	澄鍾平三合	ɖiʊŋ	東	doŋ
02639	褈	常容	禪鍾平三合	dʑiʊŋ	東	dʲoŋ
02640	瘇	時亢	禪鍾上三合	dʑiʊŋ	東	glʲoŋʔ
02641	尰	時亢	禪鍾上三合	dʑiʊŋ	東	glʲoŋʔ
02642	湩[1]	都鵃	知鍾上三合	ʈiʊŋ	東	toŋʔ
02643	腫	之隴	章鍾上三合	tɕiʊŋ	東	tʲoŋʔ
02644	種	之隴	章鍾上三合	tɕiʊŋ	東	tʲoŋʔ
02645	踵	之隴	章鍾上三合	tɕiʊŋ	東	tʲoŋʔ
02646	煄	之隴	章鍾上三合	tɕiʊŋ	東	tʲoŋʔ
02647	徸	之隴	章鍾上三合	tɕiʊŋ	東	tʲoŋʔ
02648	重	直隴	澄鍾上三合	ɖiʊŋ	東	doŋʔ
02649	憅	直隴	澄鍾上三合	ɖiʊŋ	東	doŋʔ
02650	湩	竹用	知鍾去三合	ʈiʊŋ	東	toŋs
02651	偅	之用	章鍾去三合	tɕiʊŋ	東	tʲoŋs
02652	種	之用	章鍾去三合	tɕiʊŋ	東	tʲoŋs
02653	重	柱用	澄鍾去三合	ɖiʊŋ	東	doŋs
02654	緟	柱用	澄鍾去三合	ɖiʊŋ	東	doŋs
02655	東	德紅	端東平一合	tuŋ	東	to̱ŋ
02656	辣	德紅	端東平一合	tuŋ	東	to̱ŋ
02657	倲	德紅	端東平一合	tuŋ	東	to̱ŋ
02658	涷	德紅	端東平一合	tuŋ	東	to̱ŋ
02659	蝀	德紅	端東平一合	tuŋ	東	to̱ŋ
02660	凍	德紅	端東平一合	tuŋ	東	to̱ŋ
02661	曈	他紅	透東平一合	tʰuŋ	東	tʰo̱ŋ
02662	瘇	徒東	定東平一合	duŋ	東	do̱ŋ
02663	童	徒紅	定東平一合	duŋ	東	do̱ŋ
02664	僮	徒紅	定東平一合	duŋ	東	do̱ŋ
02665	瞳	徒紅	定東平一合	duŋ	東	do̱ŋ
02666	罿	徒紅	定東平一合	duŋ	東	do̱ŋ
02667	犝	徒紅	定東平一合	duŋ	東	do̱ŋ
02668	潼	徒紅	定東平一合	duŋ	東	do̱ŋ
02669	疃	徒紅	定東平一合	duŋ	東	do̱ŋ
02670	橦	徒紅	定東平一合	duŋ	東	do̱ŋ
02671	蕫	徒紅	定東平一合	duŋ	東	do̱ŋ
02672	穜	徒紅	定東平一合	duŋ	東	do̱ŋ
02673	董	多動	端東上一合	tuŋ	東	to̱ŋʔ
02674	蝀	多動	端東上一合	tuŋ	東	to̱ŋʔ
02675	蕫	多動	端東上一合	tuŋ	東	to̱ŋʔ
02676	曈	他孔	透東上一合	tʰuŋ	東	tʰo̱ŋʔ
02677	動	徒揔	定東上一合	duŋ	東	do̱ŋʔ
02678	涷	多貢	端東去一合	tuŋ	東	to̱ŋs
02679	凍	多貢	端東去一合	tuŋ	東	to̱ŋs
02680	棟	多貢	端東去一合	tuŋ	東	to̱ŋs
02681	湩	多貢	端東去一合	tuŋ	東	to̱ŋs
02682	辣	多貢	端東去一合	tuŋ	東	to̱ŋs
02683	慟	徒弄	定東去一合	duŋ	東	do̱ŋs
02684	幢[2]	宅江	澄江平二開	ɖᶭɔŋ	東	do̱ŋ
02685	撞[3]	宅江	澄江平二開	ɖᶭɔŋ	東	do̱ŋ
02686	橦[4]	宅江	澄江平二開	ɖᶭɔŋ	東	do̱ŋ
02687	幢[5]	直絳	澄江去二開	ɖᶭɔŋ	東	do̱ŋs
02688	憧[6]	直絳	澄江去二開	ɖᶭɔŋ	東	do̱ŋs
02689	幢[7]	直絳	澄江去二開	ɖᶭɔŋ	東	do̱ŋs
02690	撞[8]	直絳	澄江去二開	ɖᶭɔŋ	東	do̱ŋs
02691	疃	吐緩	透寒上一合	tʰʷɑn	元^{o}	tʰo̱nʔ
02692	畽	他衮	透魂上一合	tʰu̯on	文^{u}	tʰu̱nʔ

兜 dōu

02693	兜	當侯	端侯平一合	tu	侯	to̱
02694	篼	當侯	端侯平一合	tu	侯	to̱

斗 dǒu

02695	枓	之庾	章虞上三合	tɕiʊ	侯	tʲoʔ
02696	斗	當口	端侯上一合	tu	侯	to̱ʔ
02697	枓	當口	端侯上一合	tu	侯	to̱ʔ
02698	蚪	當口	端侯上一合	tu	侯	to̱ʔ
02699	抖	當口	端侯上一合	tu	侯	to̱ʔ

1　“湩”从“重”得声，上古归东部，东部到中古不可能发展为冬韵，所以《切韵音系》把它归之于肿韵，甚是。但是《切韵音系》为“湩”和“鵃”“莫湩反”另立肿韵一等是错误的。一等反切上字“都”加上三等反切下字“隴”，切出三等字是符合反切规则的。不过这样一来，它与“知隴反”的“冢”小韵就要形成对立。“湩”在《王三》还有两个异读，一个是“多貢反”，注曰“又都綜、竹用二反”，另一个是“竹用反，又都貢反”，都没有提到肿韵的读音。《切三》肿韵也不收“湩”字。《汉书・匈奴传》“以視不如重酪之便美也”，颜师古注：“重，乳汁也。重音竹用反，字本作湩，其音則同。”“湩”也不读肿韵。所以此字肿韵一读很值得怀疑。

2　见定母和澄母“茶”字注。

3　见定母和澄母“茶”字注。

4　见定母和澄母“茶”字注。

5　见定母和澄母“茶”字注。

6　见定母和澄母“茶”字注。

7　见定母和澄母“茶”字注。

8　见定母和澄母“茶”字注。

02700 紏 他口 透侯上一合 tʰu 侯 tʰo̠ʔ

02701 鈄 天口 透侯上一合 tʰu 侯 tʰo̠ʔ

豆 dòu

02702 廚 直誅 澄虞平三合 ɖiʊ 侯 glo

02703 蹰 直誅 澄虞平三合 ɖiʊ 侯 glo

02704 豎 臣庾 禪虞上三合 dʑiʊ 侯 glʲoʔ

02705 樹 臣庾 禪虞上三合 dʑiʊ 侯 glʲoʔ

02706 裋 臣庾 禪虞上三合 dʑiʊ 侯 glʲoʔ

02707 逗 持遇 澄虞去三合 ɖiʊ 侯 glos

02708 尌 持遇 澄虞去三合 ɖiʊ 侯 glos

02709 樹 常句 禪虞去三合 dʑiʊ 侯 glʲos

02710 澍 常句 禪虞去三合 dʑiʊ 侯 glʲos

02711 尌 常句 禪虞去三合 dʑiʊ 侯 glʲos

02712 壴 中句 知虞去三合 ʈiʊ 侯 tos

02713 澍 之戍 章虞去三合 tɕiʊ 侯 tʲos

02714 侸 當侯 端侯平一合 tu 侯 klo̠

02715 郖 當侯 端侯平一合 tu 侯 klo̠

02716 頭 度侯 定侯平一合 du 侯 glo̠

02717 投 度侯 定侯平一合 du 侯 glo̠

02718 鋀 天口 透侯上一合 tʰu 侯 kʰlo̠ʔ

02719 豆 徒候 定侯去一合 du 侯 glo̠s

02720 逗 徒候 定侯去一合 du 侯 glo̠s

02721 荳 徒候 定侯去一合 du 侯 glo̠s

02722 脰 徒候 定侯去一合 du 侯 glo̠s

02723 郖 徒候 定侯去一合 du 侯 glo̠s

02724 梪 徒候 定侯去一合 du 侯 glo̠s

02725 浢 徒候 定侯去一合 du 侯 glo̠s

02726 鞓 徒候 定侯去一合 du 侯 glo̠s

02727 短 都管 端寒上一合 tʷɑn 元° klo̠nʔ

鬥 dòu

02728 鬥 都豆 端侯去一合 tu 侯 to̠s

斲 dòu

02729 覴 當侯 端侯平一合 tu 侯 to̠

02730 鋀 徒口 定侯上一合 du 侯 do̠ʔ

02731 斲 徒口 定侯上一合 du 侯 do̠ʔ

02732 鬭 都豆 端侯去一合 tu 侯 to̠s

02733 斀 丁木 端屋入一合 tuk 屋 to̠g

02734 斲[1] 竹角 知覺入二開 ʈᵚɔk 屋 to̠g

02735 斀[2] 竹角 知覺入二開 ʈᵚɔk 屋 to̠g

毒 dú

02736 碡 直六 澄屋入三合 ɖiuk 覺 dug

02737 禱 都導 端豪去一開 tɑu 覺 tu̠gs

02738 纛 徒到 定豪去一開 dɑu 覺 du̠gs

02739 毒[3] 徒沃 定沃入一合 du̯ok 覺 glu̠g

02740 纛 徒沃 定沃入一合 du̯ok 覺 du̠g

02741 碡 徒沃 定沃入一合 du̯ok 覺 du̠g

02742 蝳 徒沃 定沃入一合 du̯ok 覺 du̠g

02743 瑇 徒沃 定沃入一合 du̯ok 覺 du̠g

02744 薵 徒沃 定沃入一合 du̯ok 覺 du̠g

02745 瑇 徒耐 定咍去一開 dəi 職 dɯ̠gs

耑 duān

02746 顓 職緣 章仙平三合 tɕʷiᴇn 元° klʲon

02747 諯 職緣 章仙平三合 tɕʷiᴇn 元° klʲon

02748 湍 職緣 章仙平三合 tɕʷiᴇn 元° klʲon

02749 圌 市緣 禪仙平三合 dʑʷiᴇn 元° glʲon

02750 遄 市緣 禪仙平三合 dʑʷiᴇn 元° glʲon

02751 篅 市緣 禪仙平三合 dʑʷiᴇn 元° glʲon

02752 諯 市緣 禪仙平三合 dʑʷiᴇn 元° glʲon

02753 輲 市緣 禪仙平三合 dʑʷiᴇn 元° glʲon

02754 椯 市緣 禪仙平三合 dʑʷiᴇn 元° glʲon

02755 歂 市緣 禪仙平三合 dʑʷiᴇn 元° glʲon

02756 檲 市緣 禪仙平三合 dʑʷiᴇn 元° glʲon

02757 剬 旨兖 章仙上三合 tɕʷiᴇn 元° klʲonʔ

02758 腨 旨兖 章仙上三合 tɕʷiᴇn 元° klʲonʔ

02759 喘 昌兖 昌仙上三合 tɕʰʷiᴇn 元° kʰlʲonʔ

02760 腨 市兖 禪仙上三合 dʑʷiᴇn 元° glʲonʔ

02761 歂 市兖 禪仙上三合 dʑʷiᴇn 元° glʲonʔ

02762 踹 市兖 禪仙上三合 dʑʷiᴇn 元° glʲonʔ

02763 諯 尺絹 昌仙去三合 tɕʰʷiᴇn 元° kʰlʲons

02764 諯 七絹 清仙去三合 tsʰʷiᴇn 元° skʰons

02765 端 多官 端寒平一合 tʷɑn 元° klo̠n

---

1 见定母和澄母"荼"字注。

2 见定母和澄母"荼"字注。

3 《说文》"毒,厚也",为声训,故有复辅音来源 *glu̠g>du̠g。可比较标敏瑶语 klau<*klu(毒鱼)(赵秉璇、竺家宁《古汉语复声母论文集》,北京语言文化大学出版社 1998 年),藏语 gdug<*glug 毒。

02766	褍	多官	端寒平一合	t^{w}ɑn	元^{o}	klo̱n
02767	剬	多官	端寒平一合	t^{w}ɑn	元^{o}	klo̱n
02768	觽	多官	端寒平一合	t^{w}ɑn	元^{o}	klo̱n
02769	耑	多官	端寒平一合	t^{w}ɑn	元^{o}	klo̱n
02770	鍴	多官	端寒平一合	t^{w}ɑn	元^{o}	klo̱n
02771	稐	多官	端寒平一合	t^{w}ɑn	元^{o}	klo̱n
02772	湍	他端	透寒平一合	t^{hw}ɑn	元^{o}	k^{h}lo̱n
02773	貒	他端	透寒平一合	t^{hw}ɑn	元^{o}	k^{h}lo̱n
02774	黇	他端	透寒平一合	t^{hw}ɑn	元^{o}	k^{h}lo̱n
02775	煓	他端	透寒平一合	t^{hw}ɑn	元^{o}	k^{h}lo̱n
02776	踹	丁貫	端寒去一合	t^{w}ɑn	元^{o}	klo̱ns
02777	貒	通貫	透寒去一合	t^{hw}ɑn	元^{o}	k^{h}lo̱ns
02778	圌	是爲	禪支平三合	dʑ^{w}ie	歌^{o}	gl^{j}ol
02779	篅	是爲	禪支平三合	dʑ^{w}ie	歌^{o}	gl^{j}ol
02780	顓	之累	章支上三合	tɕ^{w}ie	歌^{o}	kl^{j}olʔ
02781	揣	初委	初支上三合	tʂ^{hw}ie	歌^{o}	sk^{h}rolʔ
02782	惴	之睡	章支去三合	tɕ^{w}ie	歌^{o}	kl^{j}ols
02783	瑞	是僞	禪支去三合	dʑ^{w}ie	歌^{o}	gl^{j}ols
02784	揣	丁果	端歌上一合	t^{w}ɑ	歌^{o}	klo̱lʔ
02785	稐	丁果	端歌上一合	t^{w}ɑ	歌^{o}	klo̱lʔ
02786	褍	丁果	端歌上一合	t^{w}ɑ	歌^{o}	klo̱lʔ

段 duàn

02787	毈	徒管	定寒上一合	d^{w}ɑn	元^{o}	do̱nʔ
02788	鍛	丁貫	端寒去一合	t^{w}ɑn	元^{o}	to̱ns
02789	腶	丁貫	端寒去一合	t^{w}ɑn	元^{o}	to̱ns
02790	碫	丁貫	端寒去一合	t^{w}ɑn	元^{o}	to̱ns
02791	段	徒玩	定寒去一合	d^{w}ɑn	元^{o}	do̱ns
02792	緞	徒玩	定寒去一合	d^{w}ɑn	元^{o}	do̱ns
02793	椴	徒玩	定寒去一合	d^{w}ɑn	元^{o}	do̱ns

斷 duàn

02794	䜣	職緣	章仙平三合	tɕ^{w}iᴇn	元^{o}	t^{j}on
02795	斷[1]	都管	端寒上一合	t^{w}ɑn	元^{o}	to̱nʔ
02796	躖	吐緩	透寒上一合	t^{hw}ɑn	元^{o}	t^{h}o̱nʔ
02797	斷	徒管	定寒上一合	d^{w}ɑn	元^{o}	do̱nʔ
02798	斷	丁貫	端寒去一合	t^{w}ɑn	元^{o}	to̱ns

𠂤 duī

02799	追	陟隹	知脂平三合	ʈ^{w}i	微^{u}	klul
02800	鎚	直追	澄脂平三合	ɖ^{w}i	微^{u}	glul
02801	槌	直追	澄脂平三合	ɖ^{w}i	微^{u}	glul
02802	鎚	直類	澄脂去三合	ɖ^{w}i	微^{u}	gluls
02803	鎚	都回	端灰平一合	tu̱oi	微^{u}	klu̱l
02804	搥	都回	端灰平一合	tu̱oi	微^{u}	klu̱l
02805	𠂤	都回	端灰平一合	tu̱oi	微^{u}	klu̱l
02806	塠	都回	端灰平一合	tu̱oi	微^{u}	klu̱l
02807	槌	馳僞	澄支去三合	ɖ^{w}ie	歌^{o}	glols
02808	縋	馳僞	澄支去三合	ɖ^{w}ie	歌^{o}	glols
02809	膇	馳僞	澄支去三合	ɖ^{w}ie	歌^{o}	glols

兑 duì

02810	帨	此芮	清祭去三合	ts^{hw}iᴇi	月^{o}	sk^{h}ods
02811	税	舒芮	書祭去三合	ɕ^{w}iᴇi	月^{o}	q^{h}lods
02812	説	舒芮	書祭去三合	ɕ^{w}iᴇi	月^{o}	q^{h}lods
02813	涚	舒芮	書祭去三合	ɕ^{w}iᴇi	月^{o}	q^{h}lods
02814	蜕	舒芮	書祭去三合	ɕ^{w}iᴇi	月^{o}	q^{h}lods
02815	帨	舒芮	書祭去三合	ɕ^{w}iᴇi	月^{o}	q^{h}lods
02816	涗	舒芮	書祭去三合	ɕ^{w}iᴇi	月^{o}	q^{h}lods
02817	鋭	舒芮	書祭去三合	ɕ^{w}iᴇi	月^{o}	q^{h}lods
02818	鋭	以芮	以祭去三合	j^{w}iᴇi	月^{o}	ɢlods
02819	棁	職悦	章薛入三合	tɕ^{w}iᴇt	月^{o}	kl^{j}od
02820	説	失爇	書薛入三合	ɕ^{w}iᴇt	月^{o}	q^{h}lod
02821	説	弋雪	以薛入三合	j^{w}iᴇt	月^{o}	ɢlod
02822	閲	弋雪	以薛入三合	j^{w}iᴇt	月^{o}	ɢlod
02823	蜕	弋雪	以薛入三合	j^{w}iᴇt	月^{o}	ɢlod
02824	娧	弋雪	以薛入三合	j^{w}iᴇt	月^{o}	ɢlod
02825	悦	欲雪	以薛入三合	j^{w}iᴇt	月^{o}	ɢlod
02826	鵵	欲雪	以薛入三合	j^{w}iᴇt	月^{o}	ɢlod
02827	蜕[2]	湯臥	透歌去一合	t^{hw}ɑ	月^{o}	k^{h}lo̱ds
02828	蜕	他外	透泰去一合	t^{hw}ɑi	月^{o}	k^{h}lo̱ds
02829	駾	他外	透泰去一合	t^{hw}ɑi	月^{o}	k^{h}lo̱ds
02830	涚	他外	透泰去一合	t^{hw}ɑi	月^{o}	k^{h}lo̱ds
02831	娧	他外	透泰去一合	t^{hw}ɑi	月^{o}	k^{h}lo̱ds
02832	兑	杜外	定泰去一合	d^{w}ɑi	月^{o}	glo̱ds
02833	鋭	杜外	定泰去一合	d^{w}ɑi	月^{o}	glo̱ds
02834	峣	杜外	定泰去一合	d^{w}ɑi	月^{o}	glo̱ds
02835	鋭	郎外	來泰去一合	l^{w}ɑi	月^{o}	g.ro̱ds

1 自动词*do̱nʔ,使动词*s.do̱nʔ>*to̱nʔ。

2 泰韵读入歌韵去声。

02836 侻 他括 透曷入一合 t^{hw}ɑt 月^{o} k^{h}lo̱d
02837 捝 他括 透曷入一合 t^{hw}ɑt 月^{o} k^{h}lo̱d
02838 脱 他括 透曷入一合 t^{hw}ɑt 月^{o} k^{h}lo̱d
02839 莌 他括 透曷入一合 t^{hw}ɑt 月^{o} k^{h}lo̱d
02840 棁 他括 透曷入一合 t^{hw}ɑt 月^{o} k^{h}lo̱d
02841 痥 徒活 定曷入一合 d^{w}ɑt 月^{o} ɡlo̱d
02842 敓 徒活 定曷入一合 d^{w}ɑt 月^{o} ɡlo̱d
02843 脱 徒活 定曷入一合 d^{w}ɑt 月^{o} ɡlo̱d
02844 捝 徒活 定曷入一合 d^{w}ɑt 月^{o} ɡlo̱d
02845 莌 徒活 定曷入一合 d^{w}ɑt 月^{o} ɡlo̱d
02846 鮵 徒活 定曷入一合 d^{w}ɑt 月^{o} ɡlo̱d
02847 棁 他骨 透没入一合 t^{h}u̱ot 物^{u} k^{h}lu̱d

對 duì

02848 轛 追萃 知脂去三合 ʈ^{w}i 緝^{u} klubs
02849 懟 直類 澄脂去三合 ɖ^{w}i 緝^{u} ɡlubs
02850 對 都隊 端灰去一合 tu̱oi 緝^{u} klu̱bs
02851 轛 都隊 端灰去一合 tu̱oi 緝^{u} klu̱bs
02852 儯 都隊 端灰去一合 tu̱oi 緝^{u} klu̱bs
02853 䨴 徒對 定灰去一合 du̱oi 緝^{u} ɡlu̱bs
02854 薱 徒對 定灰去一合 du̱oi 緝^{u} ɡlu̱bs
02855 瞓 徒對 定灰去一合 du̱oi 緝^{u} ɡlu̱bs

盾 dùn

02856 帾 陟綸 知真平三合 ʈ^{w}in 文^{u} klun
02857 楯 丑倫 徹真平三合 ʈ^{hw}in 文^{u} k^{h}lun
02858 輴 丑倫 徹真平三合 ʈ^{hw}in 文^{u} k^{h}lun
02859 鶞 丑倫 徹真平三合 ʈ^{hw}in 文^{u} k^{h}lun
02860 帾 直倫 澄真平三合 ɖ^{w}in 文^{u} ɡlun
02861 循 詳遵 邪真平三合 z^{w}in 文^{u} sɡ^{l}un
02862 揗 詳遵 邪真平三合 z^{w}in 文^{u} sɡ^{l}un
02863 𦁏 詳遵 邪真平三合 z^{w}in 文^{u} sɡ^{l}un
02864 楯 詳遵 邪真平三合 z^{w}in 文^{u} sɡ^{l}un
02865 盾 食尹 船真上三合 ʑ^{w}in 文^{u} ɢl^{j}unʔ
02866 揗 食尹 船真上三合 ʑ^{w}in 文^{u} ɢl^{j}unʔ
02867 楯 食尹 船真上三合 ʑ^{w}in 文^{u} ɢl^{j}unʔ
02868 揗 食閏 船真去三合 ʑ^{w}in 文^{u} ɢl^{j}uns
02869 盾 徒損 定魂上一合 du̱on 文^{u} ɡlu̱nʔ
02870 遁 徒損 定魂上一合 du̱on 文^{u} ɡlu̱nʔ
02871 帾 徒損 定魂上一合 du̱on 文^{u} ɡlu̱nʔ
02872 遁 徒困 定魂去一合 du̱on 文^{u} ɡlu̱ns
02873 𤟤 徒困 定魂去一合 du̱on 文^{u} ɡlu̱ns
02874 腯 陀骨 定没入一合 du̱ot 物^{u} ɡlu̱d

多 duō

02875 眵 章移 章支平三開 tɕie 歌^{a} kl^{j}al
02876 眵 叱支 昌支平三開 tɕ^{h}ie 歌^{a} k^{h}l^{j}al
02877 簃 直離 澄支平三開 ɖie 歌^{a} ɡlal
02878 誃 直離 澄支平三開 ɖie 歌^{a} ɡlal
02879 趍 直離 澄支平三開 ɖie 歌^{a} ɡlal
02880 姼 是支 禪支平三開 dʑie 歌^{a} ɡl^{j}al
02881 移 弋支 以支平三開 jie 歌^{a} ɢlal
02882 迻 弋支 以支平三開 jie 歌^{a} ɢlal
02883 鉹 弋支 以支平三開 jie 歌^{a} ɢlal
02884 袲 弋支 以支平三開 jie 歌^{a} ɢlal
02885 簃 弋支 以支平三開 jie 歌^{a} ɢlal
02886 䔟 弋支 以支平三開 jie 歌^{a} ɢlal
02887 㢋 弋支 以支平三開 jie 歌^{a} ɢlal
02888 㹈 弋支 以支平三開 jie 歌^{a} ɢlal
02889 栘 弋支 以支平三開 jie 歌^{a} ɢlal
02890 拸 弋支 以支平三開 jie 歌^{a} ɢlal
02891 謻 弋支 以支平三開 jie 歌^{a} ɢlal
02892 㝖 余支 以支平三開 jie 歌^{a} ɢlal
02893 哆 昌者 昌麻上三開 tɕ^{h}iæ 歌^{a} k^{h}l^{j}alʔ
02894 恀 諸氏 章支上三開 tɕie 歌^{a} kl^{j}alʔ
02895 侈 尺氏 昌支上三開 tɕ^{h}ie 歌^{a} k^{h}l^{j}alʔ
02896 姼 尺氏 昌支上三開 tɕ^{h}ie 歌^{a} k^{h}l^{j}alʔ
02897 鉹 尺氏 昌支上三開 tɕ^{h}ie 歌^{a} k^{h}l^{j}alʔ
02898 誃 尺氏 昌支上三開 tɕ^{h}ie 歌^{a} k^{h}l^{j}alʔ
02899 㢋 尺氏 昌支上三開 tɕ^{h}ie 歌^{a} k^{h}l^{j}alʔ
02900 垑 尺氏 昌支上三開 tɕ^{h}ie 歌^{a} k^{h}l^{j}alʔ
02901 烗 尺氏 昌支上三開 tɕ^{h}ie 歌^{a} k^{h}l^{j}alʔ
02902 袳 尺氏 昌支上三開 tɕ^{h}ie 歌^{a} k^{h}l^{j}alʔ
02903 恀 尺氏 昌支上三開 tɕ^{h}ie 歌^{a} k^{h}l^{j}alʔ
02904 哆 尺氏 昌支上三開 tɕ^{h}ie 歌^{a} k^{h}l^{j}alʔ
02905 袲 尺氏 昌支上三開 tɕ^{h}ie 歌^{a} k^{h}l^{j}alʔ
02906 陊 池爾 澄支上三開 ɖie 歌^{a} ɡlalʔ
02907 恀 承紙 禪支上三開 dʑie 歌^{a} ɡl^{j}alʔ
02908 姼 承紙 禪支上三開 dʑie 歌^{a} ɡl^{j}alʔ
02909 㓃 充豉 昌支去三開 tɕ^{h}ie 歌^{a} k^{h}l^{j}als

02910 翗 施智 書支去三開 ɕie 歌ᵃ qʰlals
02911 多[1] 得何 端歌平一開 tɑ 歌ᵃ kla̱l
02912 痑 託何 透歌平一開 tʰɑ 歌ᵃ kʰla̱l
02913 哆 丁可 端歌上一開 tɑ 歌ᵃ kla̱lʔ
02914 陊 徒可 定歌上一開 dɑ 歌ᵃ gla̱lʔ
02915 痑 丁佐 端歌去一開 tɑ 歌ᵃ kla̱ls
02916 哆 丁佐 端歌去一開 tɑ 歌ᵃ kla̱ls
02917 奓[2] 陟加 知麻平二開 ʈᵚæ 歌ᵃ kla̱l
02918 哆[3] 敕加 徹麻平二開 ʈʰᵚæ 歌ᵃ kʰla̱l
02919 [illegible][4] 敕加 徹麻平二開 ʈʰᵚæ 歌ᵃ kʰla̱l
02920 哆[5] 陟駕 知麻去二開 ʈᵚæ 歌ᵃ kla̱ls
02921 奓[6] 陟駕 知麻去二開 ʈᵚæ 歌ᵃ kla̱ls
02922 [illegible] 乃亞 娘麻去二開 ɳᵚæ 歌ᵃ ŋgla̱ls
02923 蛥 食列 船薛入三開 ʑiɛt 月ᵃ ɢlʲad
02924 痑 他干 透寒平一開 tʰɑn 元ᵃ kʰla̱n
02925 [illegible] 康禮 溪齊上四開 kʰei 歌ᵉ kʰe̱lʔ

奪 duó

02926 奪[7] 徒活 定曷入一合 dʷɑt 月ᵒ glo̱d

朵 duǒ

02927 朵 丁果 端歌上一合 tʷɑ 歌ᵒ to̱lʔ
02928 垜 徒果 定歌上一合 dʷɑ 歌ᵒ do̱lʔ
02929 [illegible] 徒果 定歌上一合 dʷɑ 歌ᵒ do̱lʔ
02930 [illegible] 陟瓜 知麻平二合 ʈʷᵚæ 歌ᵒ to̱l
02931 [illegible] 都唾 端歌去一合 tʷɑ 歌ᵒ to̱ls
02932 染[8] 而琰 日鹽上三開 ɲiɛm 談ᵒ nʲomʔ
02933 [illegible] 而琰 日鹽上三開 ɲiɛm 談ᵒ nʲomʔ
02934 染 而豔 日鹽去三開 ɲiɛm 談ᵒ nʲoms

歺 è

02935 歺 五割 疑曷入一開 ŋɑt 月ᵃ ŋa̱d

戹 è

02936 呝 烏界 影皆去二開 ʔᵚɛi 職 qˤɯ̱gs
02937 阸[9] 烏懈 影皆去二開 ʔᵚɛi 職 qˤɯ̱gs
02938 砨[10] 烏懈 影皆去二開 ʔᵚɛi 職 qˤɯ̱gs
02939 砨 乙革 影麥入二開 ʔᵚɛk 職 qˤɯ̱g
02940 戹 於革 影麥入二開 ʔᵚɛk 職 qˤɯ̱g
02941 軶 於革 影麥入二開 ʔᵚɛk 職 qˤɯ̱g
02942 阸 於革 影麥入二開 ʔᵚɛk 職 qˤɯ̱g
02943 豟 於革 影麥入二開 ʔᵚɛk 職 qˤɯ̱g
02944 呝 於革 影麥入二開 ʔᵚɛk 職 qˤɯ̱g
02945 蚅[11] 於革 影麥入二開 ʔᵚɛk 職 qˤɯ̱g
02946 [illegible] 於革 影麥入二開 ʔᵚɛk 職 qˤɯ̱g
02947 [illegible][12] 於革 影麥入二開 ʔᵚɛk 錫 qˤe̱g

噩 è

02948 噩 五各 疑鐸入一開 ŋɑk 鐸 ŋgˡa̱g

而 ér

02949 荋 人之 日之平三開 ɲɨ 之 nʲɯ
02950 檽 人之 日之平三開 ɲɨ 之 nʲɯ
02951 聏 人之 日之平三開 ɲɨ 之 nʲɯ
02952 而 如之 日之平三開 ɲɨ 之 nʲɯ
02953 栭 如之 日之平三開 ɲɨ 之 nʲɯ
02954 陑 如之 日之平三開 ɲɨ 之 nʲɯ
02955 髵 如之 日之平三開 ɲɨ 之 nʲɯ
02956 輀 如之 日之平三開 ɲɨ 之 nʲɯ
02957 胹 如之 日之平三開 ɲɨ 之 nʲɯ
02958 洏 如之 日之平三開 ɲɨ 之 nʲɯ
02959 鮞 如之 日之平三開 ɲɨ 之 nʲɯ
02960 耏 如之 日之平三開 ɲɨ 之 nʲɯ
02961 [illegible] 如之 日之平三開 ɲɨ 之 nʲɯ
02962 鴯 如之 日之平三開 ɲɨ 之 nʲɯ
02963 荋 汝來 日咍平一開 ɲəi 之 nʲɯ̱

---

1 可比较泰文汉借词 hlaajA1；壮语 la:i1 多；缅文 kaj2 饱满，过多；krwaj2 丰富，raj2（古）多数。所以“多”应该是一个复辅音 *kl->t-。

2 见定母和澄母“荼”字注。

3 见定母和澄母“荼”字注。

4 见定母和澄母“荼”字注。

5 见定母和澄母“荼”字注。

6 见定母和澄母“荼”字注。

7 为“敚”的异体字。

8 李豪：据学者研究，“染”本从水朵声，后世字形讹误。参看陶安、陈剑《〈奏谳书〉校读札记》，《出土文献与古文字研究》第 4 辑，上海古籍出版社 2011 年。

9 原为佳韵，但是根据谐声系统应该为皆韵，《切韵》音系二等有皆、佳的历史层次。

10 原为佳韵，但是根据谐声系统应该为皆韵，《切韵》音系二等有皆、佳的历史层次。

11 《广韵》又同“蚬”。

12 《广韵》又同“搤”。

02964 耐 奴代 泥咍去一開 nəi 之 nɯ̱s
02965 耏 奴代 泥咍去一開 nəi 之 nɯ̱s
02966 恧 女六 娘屋入三合 ɳiuk 覺 nug
02967 衄 如六 日屋入三合 ȵiuk 覺 n^{j}ug
02968 恧 女力 娘職入三開 ɳɨk 職 nɯg

兒 ér

02969 兒 汝移 日支平三開 ȵie 佳 ŋg^{j}e
02970 唲 汝移 日支平三開 ȵie 佳 ŋg^{j}e
02971 倪 五稽 疑齊平四開 ŋei 佳 ŋge̱
02972 蜺 五稽 疑齊平四開 ŋei 佳 ŋge̱
02973 霓 五稽 疑齊平四開 ŋei 佳 ŋge̱
02974 郳 五稽 疑齊平四開 ŋei 佳 ŋge̱
02975 齯 五稽 疑齊平四開 ŋei 佳 ŋge̱
02976 婗 五稽 疑齊平四開 ŋei 佳 ŋge̱
02977 輗 五稽 疑齊平四開 ŋei 佳 ŋge̱
02978 猊 五稽 疑齊平四開 ŋei 佳 ŋge̱
02979 鯢 五稽 疑齊平四開 ŋei 佳 ŋge̱
02980 兒 五稽 疑齊平四開 ŋei 佳 ŋge̱
02981 棿 五稽 疑齊平四開 ŋei 佳 ŋge̱
02982 麑 五稽 疑齊平四開 ŋei 佳 ŋge̱
02983 跷 五稽 疑齊平四開 ŋei 佳 ŋge̱
02984 鶂 研奚 疑齊平四開 ŋei 佳 ŋge̱
02985 麛[1] 五稽 疑齊平四開 ŋei 佳 ŋge̱
02986 堄 研啓 疑齊上四開 ŋei 佳 ŋge̱ʔ
02987 跷 研啓 疑齊上四開 ŋei 佳 ŋge̱ʔ
02988 掜 研啓 疑齊上四開 ŋei 佳 ŋge̱ʔ
02989 麑 研啓 疑齊上四開 ŋei 佳 ŋge̱ʔ
02990 棿 研啓 疑齊上四開 ŋei 佳 ŋge̱ʔ
02991 晲 研啓 疑齊上四開 ŋei 佳 ŋge̱ʔ
02992 睨 五計 疑齊去四開 ŋei 佳 ŋge̱s
02993 覞 五計 疑齊去四開 ŋei 佳 ŋge̱s
02994 堄 五計 疑齊去四開 ŋei 佳 ŋge̱s
02995 霓 五計 疑齊去四開 ŋei 佳 ŋge̱s
02996 掜 妳佳 娘佳平二開 ɳ^{ɯ}ɛ 佳 ŋre̱
02997 誽 妳佳 娘佳平二開 ɳ^{ɯ}ɛ 佳 ŋre̱
02998 唲[2] 於佳 影佳平二開 ʔ^{ɯ}ɛ 佳 q^{r}e̱
02999 鶂 五歷 疑錫入四開 ŋek 錫 ŋge̱g
03000 鬩 五歷 疑錫入四開 ŋek 錫 ŋge̱g
03001 鬩 許激 曉錫入四開 hek 錫 q^{h}e̱g
03002 潩 許激 曉錫入四開 hek 錫 q^{h}e̱g
03003 鶂 逆革 疑麥入二開 ŋ^{ɯ}ɛk 錫 ŋg^{r}e̱g
03004 霓 五結 疑屑入四開 ŋet 月^{e} ŋge̱d
03005 蜺 五結 疑屑入四開 ŋet 月^{e} ŋge̱d
03006 隉 五結 疑屑入四開 ŋet 月^{e} ŋge̱d
03007 棿 五結 疑屑入四開 ŋet 月^{e} ŋge̱d
03008 硯 五堅 疑先平四開 ŋen 元^{e} ŋge̱n

耳 ěr

03009 咡 如之 日之平三開 ȵɨ 之 ml^{j}ɯ
03010 恥[3] 敕里 徹之上三開 ʈ^{h}ɨ 之 ml̥ɯʔ
03011 耳 而止 日之上三開 ȵɨ 之 ml^{j}ɯʔ
03012 洱 而止 日之上三開 ȵɨ 之 ml^{j}ɯʔ
03013 駬 而止 日之上三開 ȵɨ 之 ml^{j}ɯʔ
03014 餌 仍吏 日之去三開 ȵɨ 之 ml^{j}ɯs
03015 珥 仍吏 日之去三開 ȵɨ 之 ml^{j}ɯs
03016 峏 仍吏 日之去三開 ȵɨ 之 ml^{j}ɯs
03017 毦 仍吏 日之去三開 ȵɨ 之 ml^{j}ɯs
03018 咡 仍吏 日之去三開 ȵɨ 之 ml^{j}ɯs
03019 刵 仍吏 日之去三開 ȵɨ 之 ml^{j}ɯs
03020 佴 仍吏 日之去三開 ȵɨ 之 ml^{j}ɯs
03021 洱 仍吏 日之去三開 ȵɨ 之 ml^{j}ɯs
03022 聏 仍吏 日之去三開 ȵɨ 之 ml^{j}ɯs
03023 娸 仍吏 日之去三開 ȵɨ 之 ml^{j}ɯs
03024 眲 仍吏 日之去三開 ȵɨ 之 ml^{j}ɯs
03025 佴 奴代 泥咍去一開 nəi 之 mlɯ̱s
03026 渳 綿婢 明支上A 開 mie 佳 meʔ
03027 弭 綿婢 明支上A 開 mie 佳 meʔ
03028 葞 綿婢 明支上A 開 mie 佳 meʔ
03029 惼 綿婢 明支上A 開 mie 佳 meʔ
03030 麛 莫兮 明齊平四開 mei 佳 me̱
03031 髶 而至 日脂去三開 ȵi 脂 ml^{j}is
03032 眲[4] 尼戹 娘麥入二開 ɳ^{ɯ}ɛk 職 mlɯ̱g

爾 ěr

03033 彌 武移 明支平A 開 mie 歌^{e} m^{l}el

---

1 《广韵》又同“猊”。

2 反切上字“於”属模韵^{u}o,带没有音位价值的前滑音 u,所以切出来的是开口字,也可能是合口字。

3 *m̥l->*p^{h}l->*t^{h}->中古 ʈ^{h}-,复辅音。

4 一等读成二等。

03034 鸍 武移 明支平A 開 mie 歌^{e} m^{l}el
03035 镾 武移 明支平A 開 mie 歌^{e} m^{l}el
03036 壐 武移 明支平A 開 mie 歌^{e} m^{l}el
03037 獼 武移 明支平A 開 mie 歌^{e} m^{l}el
03038 瀰 武移 明支平A 開 mie 歌^{e} m^{l}el
03039 濔 綿婢 明支上A 開 mie 歌^{e} m^{l}elʔ
03040 瀰 綿婢 明支上A 開 mie 歌^{e} m^{l}elʔ
03041 ⿵門爾 綿婢 明支上A 開 mie 歌^{e} m^{l}elʔ
03042 纚[1] 叱支 昌支平三開 tɕ^{h}ie 歌^{e} ml̥^{j}el
03043 纚[2] 式支 書支平三開 ɕie 歌^{e} ml̥el
03044 鸍[3] 式支 書支平三開 ɕie 歌^{e} ml̥el
03045 ⿱麗黽[4] 式支 書支平三開 ɕie 歌^{e} ml̥el
03046 纚 息移 心支平三開 sie 歌^{e} sm^{l}el
03047 爾[5] 兒氏 日支上三開 ȵie 歌^{e} ml^{j}elʔ
03048 邇 兒氏 日支上三開 ȵie 歌^{e} ml^{j}elʔ
03049 壐 斯氏 心支上三開 sie 歌^{e} sm^{l}elʔ
03050 嬭[6] 奴蟹 娘佳上二開 ɳ^{ɯ}ɛ 歌^{e} ml̥elʔ
03051 禰 奴禮 泥齊上四開 nei 脂^{l} mli̥lʔ
03052 嬭 奴禮 泥齊上四開 nei 脂^{l} mli̥lʔ
03053 ⿵門爾 奴禮 泥齊上四開 nei 脂^{l} mli̥lʔ
03054 濔 奴禮 泥齊上四開 nei 脂^{l} mli̥lʔ
03055 ⿱髟爾 奴禮 泥齊上四開 nei 脂^{l} mli̥lʔ
03056 薾 奴禮 泥齊上四開 nei 脂^{l} mli̥lʔ
03057 檷 奴禮 泥齊上四開 nei 脂^{l} mli̥lʔ
03058 籋 奴協 泥帖入四開 nep 盍^{e} mle̥b
03059 鑈 奴協 泥帖入四開 nep 盍^{e} mle̥b
03060 苶 奴協 泥帖入四開 nep 盍^{e} mle̥b
03061 苶 如列 日薛入三開 ȵiɛt 月^{e} ml^{j}ed
03062 苶 奴結 泥屑入四開 net 月^{e} mle̥d
03063 獮 息淺 心仙上三開 siɛn 元^{e} sm^{l}enʔ

二 èr

03064 樲 直利 澄脂去三開 ɖi 脂 lis
03065 膩 女利 娘脂去三開 ɳi 脂 nis
03066 二 而至 日脂去三開 ȵi 脂 n^{j}is
03067 貳 而至 日脂去三開 ȵi 脂 n^{j}is
03068 樲 而至 日脂去三開 ȵi 脂 n^{j}is

乏 fá

03069 砭 府廉 幫鹽平B 開 pɨɛm 談^{o} p^{r}om
03070 貶 方斂 幫鹽上B 開 pɨɛm 談^{o} p^{r}omʔ
03071 窆 方驗 幫鹽去B 開 pɨɛm 談^{o} p^{r}oms
03072 砭 方驗 幫鹽去B 開 pɨɛm 談^{o} p^{r}oms
03073 ⿱艹乏 匹凡 滂凡平三合 p^{h}iu̯am 談^{o} p^{h}om
03074 覂 方勇 幫鍾上三合 piʊŋ 談^{o} pomʔ
03075 ⿱艹乏 孚梵 滂凡去三合 p^{h}iu̯am 談^{o} p^{h}oms
03076 姂 孚梵 滂凡去三合 p^{h}iu̯am 談^{o} p^{h}oms
03077 泛 孚梵 滂凡去三合 p^{h}iu̯am 談^{o} p^{h}oms
03078 ⿰木乏 符咸 並咸平二開 b^{ɯ}ɛm 談^{o} b^{r}o̥m
03079 ⿱髟乏 其輒 群葉入B 開 gɨɛp 盍^{o} gb^{r}ob
03080 泛 房法 並乏入三合 biu̯ap 盍^{o} bob
03081 乏 房法 並乏入三合 biu̯ap 盍^{o} bob
03082 姂 房法 並乏入三合 biu̯ap 盍^{o} bob
03083 姂 起法 溪業入三開 k^{h}iap 盍^{o} kp^{hl}ob
03084 ⿱髟乏 居立 見緝入B 開 kɨip 緝^{u} kp^{r}ub
03085 ⿱髟乏 皮及 並緝入B 開 bɨip 緝^{u} b^{r}ub
03086 㞏 直立 澄緝入三開 ɖip 緝^{u} blub
03087 ⿰金乏 徒盍 定盍入一開 dɑp 盍^{a} blḁb

伐 fá

03088 茷 符廢 並廢去三合 b^{w}iai 月^{a} bads
03089 伐 房越 並月入三合 b^{w}iɤt 月^{a} bad
03090 筏 房越 並月入三合 b^{w}iɤt 月^{a} bad
03091 閥 房越 並月入三合 b^{w}iɤt 月^{a} bad
03092 茷 房越 並月入三合 b^{w}iɤt 月^{a} bad
03093 茷 博蓋 幫泰去一開 pɑi 月^{a} pḁds
03094 筏 北末 幫曷入一合 p^{w}ɑt 月^{a} pḁd

罰 fá

03095 罰 房越 並月入三合 b^{w}iɤt 月^{a} bad
03096 藅 房越 並月入三合 b^{w}iɤt 月^{a} bad

---

1 *ml̥>*l̥>ɕ，其中的*m是冠音，后来失落。

2 *ml̥>*l̥>ɕ，其中的*m是冠音，后来失落。

3 *ml̥>*l̥>ɕ，其中的*m是冠音，后来失落。

4 *ml̥>*l̥>ɕ，其中的*m是冠音，后来失落。

5 声符“爾”应为歌^{e}部字*-el。汉语指代词的强调式与普通式形态相关，是在普通式后面加上韵尾-l。第二人称“汝”为*n^{j}aʔ<*ml^{j}aʔ，强调式“爾”应为*n^{j}alʔ<*ml^{j}alʔ，声母章组在介音j的影响下主元音变为*a>*e，在谐声时代变为*n^{j}elʔ。

6 一等读成二等。

凡 fán

03097 風 方戎 幫東平三合 piuŋ 侵^{u} p^{l}um

03098 楓 方戎 幫東平三合 piuŋ 侵^{u} p^{l}um

03099 猦 方戎 幫東平三合 piuŋ 侵^{u} p^{l}um

03100 偑 方戎 幫東平三合 piuŋ 侵^{u} p^{l}um

03101 芃 房戎 並東平三合 biuŋ 侵^{u} b^{l}um

03102 渢 房戎 並東平三合 biuŋ 侵^{u} b^{l}um

03103 梵 房戎 並東平三合 biuŋ 侵^{u} b^{l}um

03104 汎 房戎 並東平三合 biuŋ 侵^{u} b^{l}um

03105 風 方鳳 幫東去三合 piuŋ 侵^{u} p^{l}ums

03106 諷 方鳳 幫東去三合 piuŋ 侵^{u} p^{l}ums

03107 鳳 馮貢 並東去三合 biuŋ 侵^{u} b^{l}ums

03108 嵐 盧含 來覃平一開 ləm 侵^{u} b.ru̱m

03109 葻 盧含 來覃平一開 ləm 侵^{u} b.ru̱m

03110 凡[1] 符芝 並凡平三合 biu̯am 談^{o} b^{l}om

03111 軓 防錽 並凡上三合 biu̯am 談^{o} b^{l}omʔ

03112 汎 孚梵 滂凡去三合 p^{h}iu̯am 談^{o} p^{hl}oms

03113 仉 孚梵 滂凡去三合 p^{h}iu̯am 談^{o} p^{hl}oms

03114 梵 扶泛 並凡去三合 biu̯am 談^{o} b^{l}oms

03115 帆 扶泛 並凡去三合 biu̯am 談^{o} b^{l}oms

03116 颿 扶泛 並凡去三合 biu̯am 談^{o} b^{l}oms

03117 芃 薄紅 並東平一合 buŋ 談^{o} b^{l}o̱m

03118 帆 符咸 並咸平二開 b^{ɯ}ɛm 談^{o} b^{r}o̱m

03119 仉 符咸 並咸平二開 b^{ɯ}ɛm 談^{o} b^{r}o̱m

03120 颿 符咸 並咸平二開 b^{ɯ}ɛm 談^{o} b^{r}o̱m

楙 fán

03121 樊 符袁 並元平三合 b^{w}iɤn 元^{a} ban

03122 樊 附袁 並元平三合 b^{w}iɤn 元^{a} ban

03123 蠜 附袁 並元平三合 b^{w}iɤn 元^{a} ban

03124 礬 附袁 並元平三合 b^{w}iɤn 元^{a} ban

03125 鐢 附袁 並元平三合 b^{w}iɤn 元^{a} ban

03126 楙 附袁 並元平三合 b^{w}iɤn 元^{a} ban

03127 覢 附袁 並元平三合 b^{w}iɤn 元^{a} ban

03128 楙 附袁 並元平三合 b^{w}iɤn 元^{a} ban

03129 攀 普班 滂刪平二開 p^{hɯ}æn 元^{a} p^{hr}a̱n

03130 蘩 符分 並文平三合 biun 文^{ɯ} bɯn

煩 fán

03131 煩 附袁 並元平三合 b^{w}iɤn 元^{a} ban

03132 蘋 附袁 並元平三合 b^{w}iɤn 元^{a} ban

緐 fán

03133 蘩 附袁 並元平三合 b^{w}iɤn 元^{a} ban

03134 緐 附袁 並元平三合 b^{w}iɤn 元^{a} ban

03135 緐 蒲波 並元平三合 b^{w}iɤn 元^{a} ban

03136 繁 附袁 並元平三合 b^{w}iɤn 元^{a} ban

03137 鱉 符万 並元去三合 b^{w}iɤn 元^{a} bans

03138 繁 薄官 並寒平一合 b^{w}ɑn 元^{a} ba̱n

03139 繁 薄波 並歌平一合 b^{w}ɑ 歌^{a} ba̱l

反 fǎn

03140 反 孚袁 滂元平三合 p^{hw}iɤn 元^{a} p^{h}an

03141 坂 府遠 幫元上三合 p^{w}iɤn 元^{a} panʔ

03142 岅 甫遠 幫元上三合 p^{w}iɤn 元^{a} panʔ

03143 反 府遠 幫元上三合 p^{w}iɤn 元^{a} panʔ

03144 皈 府遠 幫元上三合 p^{w}iɤn 元^{a} panʔ

03145 阪 府遠 幫元上三合 p^{w}iɤn 元^{a} panʔ

03146 返 府遠 幫元上三合 p^{w}iɤn 元^{a} panʔ

03147 飯 扶晚 並元上三合 b^{w}iɤn 元^{a} banʔ

03148 販 方願 幫元去三合 p^{w}iɤn 元^{a} pans

03149 疲 芳万 滂元去三合 p^{hw}iɤn 元^{a} p^{h}ans

03150 汳 芳万 滂元去三合 p^{hw}iɤn 元^{a} p^{h}ans

03151 飯 符万 並元去三合 b^{w}iɤn 元^{a} bans

03152 瓪 博管 幫寒上一合 p^{w}ɑn 元^{a} pa̱nʔ

03153 昄 博管 幫寒上一合 p^{w}ɑn 元^{a} pa̱nʔ

03154 扳 布還 幫刪平二開 p^{ɯ}æn 元^{a} p^{r}a̱n

03155 眅 普班 滂刪平二開 p^{hɯ}æn 元^{a} p^{hr}a̱n

03156 扳 普班 滂刪平二開 p^{hɯ}æn 元^{a} p^{hr}a̱n

03157 舨 補綰 幫刪上二開 p^{ɯ}æn 元^{a} p^{r}a̱nʔ

03158 版 布綰 幫刪上二開 p^{ɯ}æn 元^{a} p^{r}a̱nʔ

03159 瓪 布綰 幫刪上二開 p^{ɯ}æn 元^{a} p^{r}a̱nʔ

03160 昄 布綰 幫刪上二開 p^{ɯ}æn 元^{a} p^{r}a̱nʔ

03161 鈑 布綰 幫刪上二開 p^{ɯ}æn 元^{a} p^{r}a̱nʔ

---

1 严、凡两韵，基本上是互补的。凡韵是唇音，严韵为非唇音。但是会有个别地方出现对立，而且许多是僻字。严、凡在上古有共同的来源，在中古的时候变成-am。凡韵在唇音的影响下，产生类似于圆唇的前滑音-^{u}am。但是前滑音往往出现为自由变体，形成多向音变，在各本韵书中严、凡收有不同的字，说明在不同的发音人中有不同的自由变体。所以，本手册根据音变规则，唇音字定为凡韵，拟作-^{u}am，非唇音字定为严韵，拟作-am。

03162 板 布綰 幫刪上二開 p^{ɯ}æn 元^{a} p^{r}a̱n?

03163 眅 普板 滂刪上二開 p^{hɯ}æn 元^{a} p^{hr}a̱n?

03164 阪 扶板 並刪上二開 b^{ɯ}æn 元^{a} b^{r}a̱n?

03165 昄 扶板 並刪上二開 b^{ɯ}æn 元^{a} b^{r}a̱n?

氾 fàn

03166 范 防錽 並凡上三合 bii̯am 談^{o} bom?

03167 範 防錽 並凡上三合 bii̯am 談^{o} bom?

03168 笵 防錽 並凡上三合 bii̯am 談^{o} bom?

03169 犯 防錽 並凡上三合 bii̯am 談^{o} bom?

03170 温 孚梵 滂凡去三合 p^{h}ii̯am 談^{o} p^{h}oms

03171 氾 孚梵 滂凡去三合 p^{h}ii̯am 談^{o} p^{h}oms

03172 梵 符咸 並咸平二開 b^{ɯ}ɛm 談^{o} b^{r}o̱m

03173 氾 符咸 並咸平二開 b^{ɯ}ɛm 談^{o} b^{r}o̱m

匚 fāng

03174 匚 府良 幫陽平三合 p^{w}iaŋ 陽 paŋ

方 fāng

03175 蚄 府良 幫陽平三合 p^{w}iaŋ 陽 paŋ

03176 方 府良 幫陽平三合 p^{w}iaŋ 陽 paŋ

03177 汸 府良 幫陽平三合 p^{w}iaŋ 陽 paŋ

03178 坊 府良 幫陽平三合 p^{w}iaŋ 陽 paŋ

03179 肪 府良 幫陽平三合 p^{w}iaŋ 陽 paŋ

03180 邡 府良 幫陽平三合 p^{w}iaŋ 陽 paŋ

03181 枋 府良 幫陽平三合 p^{w}iaŋ 陽 paŋ

03182 鈁 府良 幫陽平三合 p^{w}iaŋ 陽 paŋ

03183 牥 府良 幫陽平三合 p^{w}iaŋ 陽 paŋ

03184 趽 府良 幫陽平三合 p^{w}iaŋ 陽 paŋ

03185 芳 敷方 滂陽平三合 p^{hw}iaŋ 陽 p^{h}aŋ

03186 妨 敷方 滂陽平三合 p^{hw}iaŋ 陽 p^{h}aŋ

03187 房 符方 並陽平三合 b^{w}iaŋ 陽 baŋ

03188 防 符方 並陽平三合 b^{w}iaŋ 陽 baŋ

03189 魴 符方 並陽平三合 b^{w}iaŋ 陽 baŋ

03190 方 符方 並陽平三合 b^{w}iaŋ 陽 baŋ

03191 肪 符方 並陽平三合 b^{w}iaŋ 陽 baŋ

03192 坊 符方 並陽平三合 b^{w}iaŋ 陽 baŋ

03193 放 分网 幫陽上三合 p^{w}iaŋ 陽 paŋ?

03194 昉 分网 幫陽上三合 p^{w}iaŋ 陽 paŋ?

03195 倣 分网 幫陽上三合 p^{w}iaŋ 陽 paŋ?

03196 瓬 分网 幫陽上三合 p^{w}iaŋ 陽 paŋ?

03197 髣 妃兩 滂陽上三合 p^{hw}iaŋ 陽 p^{h}aŋ?

03198 彷 妃兩 滂陽上三合 p^{hw}iaŋ 陽 p^{h}aŋ?

03199 仿 妃兩 滂陽上三合 p^{hw}iaŋ 陽 p^{h}aŋ?

03200 紡 妃兩 滂陽上三合 p^{hw}iaŋ 陽 p^{h}aŋ?

03201 鶭 妃兩 滂陽上三合 p^{hw}iaŋ 陽 p^{h}aŋ?

03202 放 甫妄 幫陽去三合 p^{w}iaŋ 陽 paŋs

03203 舫 甫妄 幫陽去三合 p^{w}iaŋ 陽 paŋs

03204 趽 甫妄 幫陽去三合 p^{w}iaŋ 陽 paŋs

03205 旊 甫妄 幫陽去三合 p^{w}iaŋ 陽 paŋs

03206 訪 敷亮 滂陽去三合 p^{hw}iaŋ 陽 p^{h}aŋs

03207 妨 敷亮 滂陽去三合 p^{hw}iaŋ 陽 p^{h}aŋs

03208 邡 敷亮 滂陽去三合 p^{hw}iaŋ 陽 p^{h}aŋs

03209 防 符況 並陽去三合 b^{w}iaŋ 陽 baŋs

03210 滂 普郎 滂唐平一開 p^{h}ɑŋ 陽 p^{h}a̱ŋ

03211 雱 普郎 滂唐平一開 p^{h}ɑŋ 陽 p^{h}a̱ŋ

03212 雱 普郎 滂唐平一開 p^{h}ɑŋ 陽 p^{h}a̱ŋ

03213 磅 普郎 滂唐平一開 p^{h}ɑŋ 陽 p^{h}a̱ŋ

03214 斜 普郎 滂唐平一開 p^{h}ɑŋ 陽 p^{h}a̱ŋ

03215 傍[1] 步光 並唐平一開 bɑŋ 陽 ba̱ŋ

03216 彷 步光 並唐平一開 bɑŋ 陽 ba̱ŋ

03217 膀[2] 步光 並唐平一開 bɑŋ 陽 ba̱ŋ

03218 蹣 步光 並唐平一開 bɑŋ 陽 ba̱ŋ

03219 趽 步光 並唐平一開 bɑŋ 陽 ba̱ŋ

03220 房[3] 步光 並唐平一開 bɑŋ 陽 ba̱ŋ

03221 旁 步光 並唐平一開 bɑŋ 陽 ba̱ŋ

03222 篣 步光 並唐平一開 bɑŋ 陽 ba̱ŋ

03223 鄗 步光 並唐平一開 bɑŋ 陽 ba̱ŋ

03224 榜 步光 並唐平一開 bɑŋ 陽 ba̱ŋ

03225 騯 步光 並唐平一開 bɑŋ 陽 ba̱ŋ

03226 髈 步光 並唐平一開 bɑŋ 陽 ba̱ŋ

03227 榜 北朗 幫唐上一開 pɑŋ 陽 pa̱ŋ?

03228 蒡 北朗 幫唐上一開 pɑŋ 陽 pa̱ŋ?

03229 髈 匹朗 滂唐上一開 p^{h}ɑŋ 陽 p^{h}a̱ŋ?

03230 搒 補曠 幫唐去一開 pɑŋ 陽 pa̱ŋs

03231 舫 補曠 幫唐去一開 pɑŋ 陽 pa̱ŋs

---

1 古汉越语 chang6（傍晚 chang6、vang6），ch-来自复辅音，故“傍”为 * b^{l}a̱ŋ。

2 可比较藏文 braŋ 胸。

3 可比较藏文 braŋ 住处，也可比较藏文 baŋ 仓库。

03232 謗 補曠 幫唐去一開 pɑŋ 陽 pa̱ŋs
03233 傍 蒲浪 並唐去一開 bɑŋ 陽 ba̱ŋs
03234 徬 蒲浪 並唐去一開 bɑŋ 陽 ba̱ŋs
03235 閍 甫盲 幫庚平二開 pᵚæŋ 陽 pʳa̱ŋ
03236 祊 甫盲 幫庚平二開 pᵚæŋ 陽 pʳa̱ŋ
03237 騯 甫盲 幫庚平二開 pᵚæŋ 陽 pʳa̱ŋ
03238 嗙 甫盲 幫庚平二開 pᵚæŋ 陽 pʳa̱ŋ
03239 磅 撫庚 滂庚平二開 pʰᵚæŋ 陽 pʰʳa̱ŋ
03240 榜 薄庚 並庚平二開 bᵚæŋ 陽 bʳa̱ŋ
03241 搒 薄庚 並庚平二開 bᵚæŋ 陽 bʳa̱ŋ
03242 蒡 薄庚 並庚平二開 bᵚæŋ 陽 bʳa̱ŋ
03243 篣 薄庚 並庚平二開 bᵚæŋ 陽 bʳa̱ŋ
03244 騯 薄庚 並庚平二開 bᵚæŋ 陽 bʳa̱ŋ
03245 [illegible] 薄庚 並庚平二開 bᵚæŋ 陽 bʳa̱ŋ
03246 榜 北孟 幫庚去二開 pᵚæŋ 陽 pʳa̱ŋs
03247 瓬 方矩 幫虞上三合 piʊ 魚 paʔ

妃 fēi

03248 圮 符鄙 並脂上B 開 bɤi 微ᵚ bʳɯlʔ
03249 妃 芳非 滂微平三合 pʰʷɤi 微ᵚ pʰɯl
03250 妃 滂佩 滂灰去一合 pʰu̯oi 微ᵚ pʰɯ̱ls

非 fēi

03251 悲 府眉 幫脂平B 開 pɨi 微ᵚ pʳɯl
03252 [illegible] 平祕 並脂去B 開 bɨi 微ᵚ bʳɯls
03253 扉 甫微 幫微平三合 pʷɤi 微ᵚ pɯl
03254 緋 甫微 幫微平三合 pʷɤi 微ᵚ pɯl
03255 非 甫微 幫微平三合 pʷɤi 微ᵚ pɯl
03256 騑 甫微 幫微平三合 pʷɤi 微ᵚ pɯl
03257 誹 甫微 幫微平三合 pʷɤi 微ᵚ pɯl
03258 餥 甫微 幫微平三合 pʷɤi 微ᵚ pɯl
03259 霏 芳非 滂微平三合 pʰʷɤi 微ᵚ pʰɯl
03260 菲 芳非 滂微平三合 pʰʷɤi 微ᵚ pʰɯl
03261 [illegible] 芳非 滂微平三合 pʰʷɤi 微ᵚ pʰɯl
03262 婓 芳非 滂微平三合 pʰʷɤi 微ᵚ pʰɯl
03263 騑 芳非 滂微平三合 pʰʷɤi 微ᵚ pʰɯl
03264 裶 芳非 滂微平三合 pʰʷɤi 微ᵚ pʰɯl
03265 [illegible] 芳非 滂微平三合 pʰʷɤi 微ᵚ pʰɯl
03266 腓 符非 並微平三合 bʷɤi 微ᵚ bɯl
03267 [illegible] 符非 並微平三合 bʷɤi 微ᵚ bɯl
03268 裴 符非 並微平三合 bʷɤi 微ᵚ bɯl
03269 厞 符非 並微平三合 bʷɤi 微ᵚ bɯl
03270 匪 府尾 幫微上三合 pʷɤi 微ᵚ pɯlʔ
03271 篚 府尾 幫微上三合 pʷɤi 微ᵚ pɯlʔ
03272 棐 府尾 幫微上三合 pʷɤi 微ᵚ pɯlʔ
03273 餥 府尾 幫微上三合 pʷɤi 微ᵚ pɯlʔ
03274 [illegible] 府尾 幫微上三合 pʷɤi 微ᵚ pɯlʔ
03275 蜚 府尾 幫微上三合 pʷɤi 微ᵚ pɯlʔ
03276 菲 敷尾 滂微上三合 pʰʷɤi 微ᵚ pʰɯlʔ
03277 斐 敷尾 滂微上三合 pʰʷɤi 微ᵚ pʰɯlʔ
03278 悱 敷尾 滂微上三合 pʰʷɤi 微ᵚ pʰɯlʔ
03279 [illegible] 敷尾 滂微上三合 pʰʷɤi 微ᵚ pʰɯlʔ
03280 陫 浮鬼 並微上三合 bʷɤi 微ᵚ bɯlʔ
03281 誹 方味 幫微去三合 pʷɤi 微ᵚ pɯls
03282 [illegible] 方味 幫微去三合 pʷɤi 微ᵚ pɯls
03283 腓[1] 扶沸 並微去三合 bʷɤi 微ᵚ bɯls
03284 菲[2] 扶沸 並微去三合 bʷɤi 微ᵚ bɯls
03285 屝[3] 扶沸 並微去三合 bʷɤi 微ᵚ bɯls
03286 蜚[4] 扶沸 並微去三合 bʷɤi 微ᵚ bɯls
03287 翡[5] 扶沸 並微去三合 bʷɤi 微ᵚ bɯls
03288 [illegible][6] 扶沸 並微去三合 bʷɤi 微ᵚ bɯls
03289 痱[7] 扶沸 並微去三合 bʷɤi 微ᵚ bɯls
03290 [illegible][8] 扶沸 並微去三合 bʷɤi 微ᵚ bɯls
03291 [illegible] 扶沸 並微去三合 bʷɤi 微ᵚ bɯls
03292 裴 薄回 並灰平一合 bu̯oi 微ᵚ bɯ̱l
03293 徘 薄回 並灰平一合 bu̯oi 微ᵚ bɯ̱l
03294 [illegible] 薄回 並灰平一合 bu̯oi 微ᵚ bɯ̱l
03295 輫 薄回 並灰平一合 bu̯oi 微ᵚ bɯ̱l
03296 琲 蒲罪 並灰上一合 bu̯oi 微ᵚ bɯ̱lʔ
03297 痱 蒲罪 並灰上一合 bu̯oi 微ᵚ bɯ̱lʔ
03298 輩 補妹 幫灰去一合 pu̯oi 微ᵚ pɯ̱ls
03299 排 步皆 並皆平二開 bᵚɛi 微ᵚ bʳɯ̱l
03300 俳 步皆 並皆平二開 bᵚɛi 微ᵚ bʳɯ̱l

---

1 见“非”字注。
2 郑张尚芳：反切下字“沸”由“涕”校改。
3 见“非”字注。
4 见“非”字注。
5 见“非”字注。
6 见“非”字注。
7 见“非”字注。
8 见“非”字注。

03301 䩳 步皆 並皆平二開 b^{ɯ}ɛi 微^{ɯ} b^{r}ɯ̱l
03302 邠 府巾 幫真平B 開 pɨin 文^{ɯ} p^{r}ɯn

飛 fēi

03303 飛 甫微 幫微平三合 p^{w}ɣi 微^{ɯ} pɯl
03304 騑 甫微 幫微平三合 p^{w}ɣi 微^{ɯ} pɯl

肥 féi

03305 㠎 匹鄙 滂脂上B 開 p^{h}ɨi 微^{ɯ} p^{hr}ɯlʔ
03306 肥[1] 符非 並微平三合 b^{w}ɣi 微^{ɯ} bɯl
03307 蜰 符非 並微平三合 b^{w}ɣi 微^{ɯ} bɯl
03308 蜰 府尾 幫微上三合 p^{w}ɣi 微^{ɯ} pɯlʔ
03309 俷 妃尾 滂微上三合 p^{hw}ɣi 微^{ɯ} p^{h}ɯlʔ
03310 俷 父尾 並微上三合 b^{w}ɣi 微^{ɯ} bɯlʔ
03311 萉[2] 扶沸 並微去三合 b^{w}ɣi 微^{ɯ} bɯls
03312 蜰[3] 扶沸 並微去三合 b^{w}ɣi 微^{ɯ} bɯls
03313 俷 父沸 並微去三合 b^{w}ɣi 微^{ɯ} bɯls

朏 fěi

03314 朏 敷尾 滂微上三合 p^{hw}ɣi 微^{ɯ} p^{h}ɯlʔ
03315 昢 滂佩 滂灰去一合 p^{h}u̯oi 微^{ɯ} p^{h}ɯ̱ls
03316 朏 普乃 滂咍上一開 p^{h}əi 微^{ɯ} p^{h}ɯ̱lʔ
03317 昢 普没 滂没入一合 p^{h}u̯ot 物^{ɯ} p^{h}ɯ̱d

吠 fèi

03318 吠[4] 符廢 並廢去三合 b^{w}iai 月^{a} bads

分 fēn

03319 份 府巾 幫真平B 開 pɨin 文^{ɯ} p^{r}ɯn
03320 玢 府巾 幫真平B 開 pɨin 文^{ɯ} p^{r}ɯn
03321 邠 府巾 幫真平B 開 pɨin 文^{ɯ} p^{r}ɯn
03322 攽 府巾 幫真平B 開 pɨin 文^{ɯ} p^{r}ɯn
03323 砏 府巾 幫真平B 開 pɨin 文^{ɯ} p^{r}ɯn
03324 砏 普巾 滂真平B 開 p^{h}ɨin 文^{ɯ} p^{hr}ɯn
03325 貧 符巾 並真平B 開 bɨin 文^{ɯ} b^{r}ɯn
03326 鳻 方文 幫文平三合 piun 文^{ɯ} pɯn
03327 盼 方文 幫文平三合 piun 文^{ɯ} pɯn
03328 分 府文 幫文平三合 piun 文^{ɯ} pɯn
03329 扮 府文 幫文平三合 piun 文^{ɯ} pɯn
03330 芬[5] 撫文 滂文平三合 p^{h}iun 文^{ɯ} p^{h}ɯn
03331 氛[6] 撫文 滂文平三合 p^{h}iun 文^{ɯ} p^{h}ɯn
03332 雰[7] 撫文 滂文平三合 p^{h}iun 文^{ɯ} p^{h}ɯn
03333 鳻 敷文 滂文平三合 p^{h}iun 文^{ɯ} p^{h}ɯn
03334 份 敷文 滂文平三合 p^{h}iun 文^{ɯ} p^{h}ɯn
03335 帉[8] 撫文 滂文平三合 p^{h}iun 文^{ɯ} p^{h}ɯn
03336 𧿳 敷文 滂文平三合 p^{h}iun 文^{ɯ} p^{h}ɯn
03337 芬[9] 撫文 滂文平三合 p^{h}iun 文^{ɯ} p^{h}ɯn
03338 紛[10] 撫文 滂文平三合 p^{h}iun 文^{ɯ} p^{h}ɯn
03339 衯[11] 撫文 滂文平三合 p^{h}iun 文^{ɯ} p^{h}ɯn
03340 砏[12] 撫文 滂文平三合 p^{h}iun 文^{ɯ} p^{h}ɯn
03341 棻[13] 撫文 滂文平三合 p^{h}iun 文^{ɯ} p^{h}ɯn
03342 汾 符分 並文平三合 biun 文^{ɯ} bɯn
03343 氛 符分 並文平三合 biun 文^{ɯ} bɯn
03344 羒 符分 並文平三合 biun 文^{ɯ} bɯn
03345 頒 符分 並文平三合 biun 文^{ɯ} bɯn
03346 枌 符分 並文平三合 biun 文^{ɯ} bɯn
03347 鳻 符分 並文平三合 biun 文^{ɯ} bɯn
03348 棼 符分 並文平三合 biun 文^{ɯ} bɯn
03349 葐 符分 並文平三合 biun 文^{ɯ} bɯn
03350 魵 符分 並文平三合 biun 文^{ɯ} bɯn
03351 妢 符分 並文平三合 biun 文^{ɯ} bɯn
03352 棻 符分 並文平三合 biun 文^{ɯ} bɯn
03353 朌 符分 並文平三合 biun 文^{ɯ} bɯn
03354 芬 符分 並文平三合 biun 文^{ɯ} bɯn
03355 鼢 符分 並文平三合 biun 文^{ɯ} bɯn
03356 鳻 符分 並文平三合 biun 文^{ɯ} bɯn
03357 蚠 符分 並文平三合 biun 文^{ɯ} bɯn
03358 蒶 符分 並文平三合 biun 文^{ɯ} bɯn

---

1 郑张尚芳：俞敏谓“妃”省声。
2 见“菲”字注。
3 见“菲”字注。
4 《文选》邹阳《狱中上书自明》“則桀之犬可使吠堯”，李善注：《战国策·齐策六》“刁勃謂田單曰，跖之狗或吠堯，非其主也。吠，音吠，並同”。“吠”音*bad。
5 见“芬”字注。
6 见“芬”字注。
7 见“芬”字注。
8 见“芬”字注。
9 郑张尚芳：反切上字“撫”原误“府”，依元泰定本校改。
10 见“芬”字注。
11 见“芬”字注。
12 见“芬”字注。
13 见“芬”字注。

03359 蚡 符分 並文平三合 biun 文^{ɯ} bɯn
03360 粉 方吻 幫文上三合 piun 文^{ɯ} pɯnʔ
03361 黺 方吻 幫文上三合 piun 文^{ɯ} pɯnʔ
03362 扮 方吻 幫文上三合 piun 文^{ɯ} pɯnʔ
03363 忿 敷粉 滂文上三合 p^{h}iun 文^{ɯ} p^{h}ɯnʔ
03364 魵 敷粉 滂文上三合 p^{h}iun 文^{ɯ} p^{h}ɯnʔ
03365 鼢 房吻 並文上三合 biun 文^{ɯ} bɯnʔ
03366 魵 房吻 並文上三合 biun 文^{ɯ} bɯnʔ
03367 弅 房吻 並文上三合 biun 文^{ɯ} bɯnʔ
03368 坋 房吻 並文上三合 biun 文^{ɯ} bɯnʔ
03369 蚡 房吻 並文上三合 biun 文^{ɯ} bɯnʔ
03370 扮 房吻 並文上三合 biun 文^{ɯ} bɯnʔ
03371 弅 方問 幫文去三合 piun 文^{ɯ} pɯns
03372 忿 匹問 滂文去三合 p^{h}iun 文^{ɯ} p^{h}ɯns
03373 魵 匹問 滂文去三合 p^{h}iun 文^{ɯ} p^{h}ɯns
03374 湓 匹問 滂文去三合 p^{h}iun 文^{ɯ} p^{h}ɯns
03375 分 扶問 並文去三合 biun 文^{ɯ} bɯns
03376 份 扶問 並文去三合 biun 文^{ɯ} bɯns
03377 坋 扶問 並文去三合 biun 文^{ɯ} bɯns
03378 葐 蒲奔 並魂平一合 bu̯on 文^{ɯ} bɯ̯n
03379 湓 蒲奔 並魂平一合 bu̯on 文^{ɯ} bɯ̯n
03380 盆 蒲奔 並魂平一合 bu̯on 文^{ɯ} bɯ̯n
03381 湓 普悶 滂魂去一合 p^{h}u̯on 文^{ɯ} p^{h}ɯ̯ns
03382 坌 蒲悶 並魂去一合 bu̯on 文^{ɯ} bɯ̯ns
03383 頒[1] 布還 幫山平二開 p^{ɯ}ɛn 文^{ɯ} p^{r}ɯ̯n
03384 鳻[2] 布還 幫山平二開 p^{ɯ}ɛn 文^{ɯ} p^{r}ɯ̯n
03385 肦[3] 布還 幫山平二開 p^{ɯ}ɛn 文^{ɯ} p^{r}ɯ̯n
03386 扮 晡幻 幫山去二開 p^{ɯ}ɛn 文^{ɯ} p^{r}ɯ̯ns
03387 盼 匹莧 滂山去二開 p^{hɯ}ɛn 文^{ɯ} p^{hr}ɯ̯ns

焚 fén

03388 焚[4] 符分 並文平三合 biun 文^{ɯ} bɯn

奮 fèn

03389 幩 房吻 並文上三合 biun 文^{ɯ} bɯnʔ
03390 奮 方問 幫文去三合 piun 文^{ɯ} pɯns
03391 幩 扶問 並文去三合 biun 文^{ɯ} bɯns

糞 fèn

03392 糞 方問 幫文去三合 piun 文^{u} puns
03393 瀵 方問 幫文去三合 piun 文^{u} puns
03394 瀵 匹問 滂文去三合 p^{h}iun 文^{u} p^{h}uns
03395 櫕 浮鬼 並微上三合 b^{w}ɣi 微^{ɯ} bɯlʔ
03396 櫕[5] 秦醉 從脂去三合 dz^{w}i 微^{ɯ} sbɯls
03397 櫕[6] 扶沸 並微去三合 b^{w}ɣi 微^{u} buls

丰 fēng

03398 封 府容 幫鍾平三合 piʊŋ 東 poŋ
03399 犎 府容 幫鍾平三合 piʊŋ 東 poŋ
03400 葑 府容 幫鍾平三合 piʊŋ 東 poŋ
03401 峰[7] 敷容 滂鍾平三合 p^{h}iʊŋ 東 p^{h}oŋ
03402 鋒 敷容 滂鍾平三合 p^{h}iʊŋ 東 p^{h}oŋ
03403 丰 敷容 滂鍾平三合 p^{h}iʊŋ 東 p^{h}oŋ
03404 夆 敷容 滂鍾平三合 p^{h}iʊŋ 東 p^{h}oŋ
03405 妦 敷容 滂鍾平三合 p^{h}iʊŋ 東 p^{h}oŋ
03406 蜂 敷容 滂鍾平三合 p^{h}iʊŋ 東 p^{h}oŋ
03407 烽 敷容 滂鍾平三合 p^{h}iʊŋ 東 p^{h}oŋ
03408 漨 符容 並鍾平三合 biʊŋ 東 boŋ
03409 夆 符容 並鍾平三合 biʊŋ 東 boŋ
03410 捀 符容 並鍾平三合 biʊŋ 東 boŋ
03411 逢 符容 並鍾平三合 biʊŋ 東 boŋ
03412 縫 符容 並鍾平三合 biʊŋ 東 boŋ
03413 捧 敷奉 滂鍾上三合 p^{h}iʊŋ 東 p^{h}oŋʔ
03414 奉 扶隴 並鍾上三合 biʊŋ 東 boŋʔ
03415 唪 扶隴 並鍾上三合 biʊŋ 東 boŋʔ
03416 葑 方用 幫鍾去三合 piʊŋ 東 poŋs
03417 封 方用 幫鍾去三合 piʊŋ 東 poŋs
03418 俸 扶用 並鍾去三合 biʊŋ 東 boŋs
03419 縫 扶用 並鍾去三合 biʊŋ 東 boŋs
03420 摓 扶用 並鍾去三合 biʊŋ 東 boŋs
03421 捀 符用 並鍾去三合 biʊŋ 東 boŋs
03422 蓬 薄紅 並東平一合 buŋ 東 bo̯ŋ

---

1 可比较藏文 dbu 头(敬),傈语 mbu3 头。原为删韵,但是根据谐声系统应该为山韵,《切韵》音系二等有山、删的历史层次。

2 原为删韵,但是根据谐声系统应该为山韵,《切韵》音系二等有山、删的历史层次。

3 原为删韵,但是根据谐声系统应该为山韵,《切韵》音系二等有山、删的历史层次。

4 可比较藏文 ɦbar 燃烧。

5 见"存"字注。

6 见"菲"字注。

7 《广韵》作"峯"。藏文 p^{h}uŋ 峰、山丘。

03423	篷	薄紅	並東平一合	buŋ	東	bo̱ŋ
03424	蜂	薄紅	並東平一合	buŋ	東	bo̱ŋ
03425	熢	蒲蒙	並東平一合	buŋ	東	bo̱ŋ
03426	琫	邊孔	幫東上一合	puŋ	東	po̱ŋʔ
03427	菶	邊孔	幫東上一合	puŋ	東	po̱ŋʔ
03428	俸	邊孔	幫東上一合	puŋ	東	po̱ŋʔ
03429	紺	補孔	幫東上一合	puŋ	東	po̱ŋʔ
03430	菶	蒲蠓	並東上一合	buŋ	東	bo̱ŋʔ
03431	唪	蒲蠓	並東上一合	buŋ	東	bo̱ŋʔ
03432	熢	蒲蠓	並東上一合	buŋ	東	bo̱ŋʔ
03433	邦	博江	幫江平二開	pᵚɔŋ	東	pʳo̱ŋ
03434	逄	薄江	並江平二開	bᵚɔŋ	東	bʳo̱ŋ
03435	逢[1]	薄江	並江平二開	bᵚɔŋ	東	bʳo̱ŋ
03436	紺	補講	幫江上二開	pᵚɔŋ	東	pʳo̱ŋʔ
03437	玤	步項	並江上二開	bᵚɔŋ	東	bʳo̱ŋʔ
03438	蚌	步項	並江上二開	bᵚɔŋ	東	bʳo̱ŋʔ
03439	蜯	步項	並江上二開	bᵚɔŋ	東	bʳo̱ŋʔ
03440	鮭	部項	並江上二開	bᵚɔŋ	東	bʳo̱ŋʔ

豐 fēng

03441	蘴	敷容	滂鍾平三合	pʰioŋ	東	pʰoŋ
03442	豐	敷隆	滂東平三合	pʰiuŋ	終	pʰuŋ
03443	酆	敷隆	滂東平三合	pʰiuŋ	終	pʰuŋ
03444	蘴	敷隆	滂東平三合	pʰiuŋ	終	pʰuŋ
03445	灃	敷隆	滂東平三合	pʰiuŋ	終	pʰuŋ
03446	寷	敷隆	滂東平三合	pʰiuŋ	終	pʰuŋ
03447	麷	敷隆	滂東平三合	pʰiuŋ	終	pʰuŋ
03448	麷	撫鳳	滂東去三合	pʰiuŋ	終	pʰuŋs

缶 fǒu

03449	嗀	甫鳩	幫尤平三合	piu	幽	pu
03450	缶	方久	幫尤上三合	piu	幽	puʔ
03451	缹	俯九	幫尤上三合	piu	幽	puʔ
03452	橐	普袍	滂豪平一開	pʰɑu	幽	pʰu̱
03453	寶	博抱	幫豪上一開	pɑu	幽	pu̱ʔ

夫 fū

03454	趺	甫無	幫虞平三合	piʊ	魚	pa
03455	邞	甫無	幫虞平三合	piʊ	魚	pa
03456	鈇	甫無	幫虞平三合	piʊ	魚	pa
03457	袂	甫無	幫虞平三合	piʊ	魚	pa
03458	玞	甫無	幫虞平三合	piʊ	魚	pa
03459	夫	甫無	幫虞平三合	piʊ	魚	pa
03460	鳺	甫無	幫虞平三合	piʊ	魚	pa
03461	扶	甫無	幫虞平三合	piʊ	魚	pa
03462	鈇	甫無	幫虞平三合	piʊ	魚	pa
03463	姇	甫無	幫虞平三合	piʊ	魚	pa
03464	麩	芳無	滂虞平三合	pʰiʊ	魚	pʰa
03465	扶	防無	並虞平三合	biʊ	魚	ba
03466	芙	防無	並虞平三合	biʊ	魚	ba
03467	蚨	防無	並虞平三合	biʊ	魚	ba
03468	夫	防無	並虞平三合	biʊ	魚	ba
03469	枎	防無	並虞平三合	biʊ	魚	ba

孚 fú

03470	裒[2]	薄侯	並侯平一合	bu	幽	bu
03471	捊[3]	薄侯	並侯平一合	bu	幽	bu
03472	垺[4]	蒲侯	並侯平一合	bu	幽	bu
03473	垺	方鳩	幫尤平三合	piu	幽	pu
03474	琈	縛謀	並尤平三合	biu	幽	bu
03475	粰	縛謀	並尤平三合	biu	幽	bu
03476	鵇	縛謀	並尤平三合	biu	幽	bu
03477	蜉	縛謀	並尤平三合	biu	幽	bu
03478	烰	縛謀	並尤平三合	biu	幽	bu
03479	浮	縛謀	並尤平三合	biu	幽	bu
03480	桴	縛謀	並尤平三合	biu	幽	bu
03481	罦	縛謀	並尤平三合	biu	幽	bu
03482	孚[5]	芳無	滂虞平三合	pʰiʊ	幽	pʰu
03483	郛[6]	芳無	滂虞平三合	pʰiʊ	幽	pʰu
03484	筟[7]	芳無	滂虞平三合	pʰiʊ	幽	pʰu
03485	俘[8]	芳無	滂虞平三合	pʰiʊ	幽	pʰu
03486	殍[9]	芳無	滂虞平三合	pʰiʊ	幽	pʰu

1　郑张尚芳:"逢"字讹变分化。

2　李豪:"裒"为"褒"字之讹形,或作"捊"。早期的"褒"字中部右半皆作"子",故应分析为"从衣孚声"。参看于森《汉代隶书异体字表与相关问题研究》,吉林大学博士学位论文,2015年。

3　见"衺"字注。

4　见"衺"字注。

5　见"務"字注。

6　见"務"字注。

7　见"務"字注。

8　见"務"字注。

9　见"務"字注。

03487 孵[1] 芳無 滂虞平三合 p^{h}iʊ 幽 p^{h}u
03488 罦[2] 芳無 滂虞平三合 p^{h}iʊ 幽 p^{h}u
03489 稃[3] 芳無 滂虞平三合 p^{h}iʊ 幽 p^{h}u
03490 桴[4] 芳無 滂虞平三合 p^{h}iʊ 幽 p^{h}u
03491 莩[5] 芳無 滂虞平三合 p^{h}iʊ 幽 p^{h}u
03492 褒[6] 博毛 幫豪平一開 pɑu 幽 pu̱
03493 脬 匹交 滂肴平二開 p^{hɯ}æu 幽 p^{hr}u̱
03494 抙 薄交 並肴平二開 b^{ɯ}æu 幽 b^{r}u̱
03495 莩 平表 並宵上B 開 bɨᴇu 幽^{i} b^{r}i^{w}ʔ

乀 fú

03496 乀 敷勿 滂物入三合 p^{h}iut 物^{ɯ} p^{h}ɯd

巿 fú

03497 柿 芳廢 滂廢去三合 p^{hw}iai 月^{o} p^{h}ods
03498 怖 芳廢 滂廢去三合 p^{hw}iai 月^{o} p^{h}ods
03499 肺[7] 芳廢 滂廢去三合 p^{hw}iai 月^{o} p^{hl}ods
03500 怖 拂伐 滂月入三合 p^{hw}iɤt 月^{o} p^{h}od
03501 沛 博蓋 幫泰去一開 pɑi 月^{o} po̱ds
03502 芾 博蓋 幫泰去一開 pɑi 月^{o} po̱ds
03503 犻 博蓋 幫泰去一開 pɑi 月^{o} po̱ds
03504 魳 博蓋 幫泰去一開 pɑi 月^{o} po̱ds
03505 邟 博蓋 幫泰去一開 pɑi 月^{o} po̱ds
03506 霈 普蓋 滂泰去一開 p^{h}ɑi 月^{o} p^{h}o̱ds
03507 沛 普蓋 滂泰去一開 p^{h}ɑi 月^{o} p^{h}o̱ds
03508 怖 普蓋 滂泰去一開 p^{h}ɑi 月^{o} p^{h}o̱ds
03509 邟 普蓋 滂泰去一開 p^{h}ɑi 月^{o} p^{h}o̱ds
03510 旆 蒲蓋 並泰去一開 bɑi 月^{o} bo̱ds
03511 迊 北末 幫曷入一合 p^{w}ɑt 月^{o} po̱d
03512 怖 北末 幫曷入一合 p^{w}ɑt 月^{o} po̱d
03513 抪 普活 滂曷入一合 p^{hw}ɑt 月^{o} p^{h}o̱d
03514 醅 普活 滂曷入一合 p^{hw}ɑt 月^{o} p^{h}o̱d
03515 芾 方味 幫微去三合 p^{w}ɤi 物^{u} puds
03516 芾 分勿 幫物入三合 piut 物^{u} pud
03517 巿 分勿 幫物入三合 piut 物^{u} pud
03518 犻 蒲昧 並灰去一合 bu̱oi 物^{u} bu̱ds
03519 犻 薄孛 並没入一合 bu̱ot 物^{u} bu̱d

𠬝 fú

03520 服 房六 並屋入三合 biuk 職 bɯg
03521 鵩 房六 並屋入三合 biuk 職 bɯg
03522 箙 房六 並屋入三合 biuk 職 bɯg
03523 菔 房六 並屋入三合 biuk 職 bɯg
03524 𠬝 房六 並屋入三合 biuk 職 bɯg
03525 菔 蒲北 並德入一開 bək 職 bɯ̱g

弗 fú

03526 穳[8] 匹寐 滂脂去A 開 p^{h}i 物^{ɯ} p^{h}ɯds
03527 鄪 兵媚 幫脂去B 開 pɨi 物^{ɯ} p^{r}ɯds
03528 費 兵媚 幫脂去B 開 pɨi 物^{ɯ} p^{r}ɯds
03529 奔 薄宓 並質入B 開 bɨit 物^{ɯ} b^{r}ɯd
03530 怫 房密 並質入B 開 bɨit 物^{ɯ} b^{r}ɯd
03531 胇 房密 並質入B 開 bɨit 物^{ɯ} b^{r}ɯd
03532 茀 方味 幫微去三合 p^{w}ɤi 物^{ɯ} pɯds
03533 疿 方味 幫微去三合 p^{w}ɤi 物^{ɯ} pɯds
03534 沸 方味 幫微去三合 p^{w}ɤi 物^{ɯ} pɯds
03535 費 芳未 滂微去三合 p^{hw}ɤi 物^{ɯ} p^{h}ɯds
03536 髴 芳未 滂微去三合 p^{hw}ɤi 物^{ɯ} p^{h}ɯds
03537 櫕 芳未 滂微去三合 p^{hw}ɤi 物^{ɯ} p^{h}ɯds
03538 昲 芳未 滂微去三合 p^{hw}ɤi 物^{ɯ} p^{h}ɯds
03539 攢 芳未 滂微去三合 p^{hw}ɤi 物^{ɯ} p^{h}ɯds
03540 紼 芳未 滂微去三合 p^{hw}ɤi 物^{ɯ} p^{h}ɯds
03541 潰[9] 扶沸 並微去三合 b^{w}ɤi 物^{ɯ} bɯds
03542 佛[10] 扶沸 並微去三合 b^{w}ɤi 物^{ɯ} bɯds
03543 費[11] 扶沸 並微去三合 b^{w}ɤi 物^{ɯ} bɯds
03544 曹[12] 扶沸 並微去三合 b^{w}ɤi 物^{ɯ} bɯds
03545 攢 父沸 並微去三合 b^{w}ɤi 物^{ɯ} bɯds
03546 狒 父沸 並微去三合 b^{w}ɤi 物^{ɯ} bɯds
03547 弗 分勿 幫物入三合 piut 物^{ɯ} pɯd

---

1 见“務”字注。
2 见“務”字注。
3 见“務”字注。
4 见“務”字注。
5 见“務”字注。
6 见“裒”字注。
7 郑张尚芳：反切上字“芳”由“方”校改。可参考罗香瑶语“肺”p^{h}lom33,说明上古汉语*p^{hl}ods<**p^{hl}obs,借用到瑶语以后音变为*p^{hl}obs->p^{h}lom。
8 “穳”物^{ɯ}部,应该是B类。
9 见“非”字注。
10 见“非”字注。
11 见“非”字注。
12 见“非”字注。

03548 柫 分勿 幫物入三合 piut 物^{ɯ} pɯd
03549 髴 分勿 幫物入三合 piut 物^{ɯ} pɯd
03550 箒 分勿 幫物入三合 piut 物^{ɯ} pɯd
03551 紼 分勿 幫物入三合 piut 物^{ɯ} pɯd
03552 岪 分物 幫物入三合 piut 物^{ɯ} pɯd
03553 拂 敷勿 滂物入三合 p^{h}iut 物^{ɯ} p^{h}ɯd
03554 茀 敷勿 滂物入三合 p^{h}iut 物^{ɯ} p^{h}ɯd
03555 艴 敷勿 滂物入三合 p^{h}iut 物^{ɯ} p^{h}ɯd
03556 刜 敷勿 滂物入三合 p^{h}iut 物^{ɯ} p^{h}ɯd
03557 髴 敷勿 滂物入三合 p^{h}iut 物^{ɯ} p^{h}ɯd
03558 佛 敷勿 滂物入三合 p^{h}iut 物^{ɯ} p^{h}ɯd
03559 跸 敷勿 滂物入三合 p^{h}iut 物^{ɯ} p^{h}ɯd
03560 岪 敷勿 滂物入三合 p^{h}iut 物^{ɯ} p^{h}ɯd
03561 𧼮 敷勿 滂物入三合 p^{h}iut 物^{ɯ} p^{h}ɯd
03562 𧼮 符勿 並物入三合 biut 物^{ɯ} bɯd
03563 咈 符弗 並物入三合 biut 物^{ɯ} bɯd
03564 刜 符弗 並物入三合 biut 物^{ɯ} bɯd
03565 炥 符弗 並物入三合 biut 物^{ɯ} bɯd
03566 佛 符弗 並物入三合 biut 物^{ɯ} bɯd
03567 怫 符弗 並物入三合 biut 物^{ɯ} bɯd
03568 坲 符弗 並物入三合 biut 物^{ɯ} bɯd
03569 岪 符勿 並物入三合 biut 物^{ɯ} bɯd
03570 艴 蒲没 並没入一合 bu̯ot 物^{ɯ} bɯ̯d
03571 攢 方問 幫文去三合 piun 文^{ɯ} pɯns

伏 fú

03572 絥 平祕 並脂去B開 bɨi 職 b^{r}ɯgs
03573 伏 扶富 並尤去三合 biu 職 bɯgs
03574 伏 房六 並屋入三合 biuk 職 bɯg
03575 茯 房六 並屋入三合 biuk 職 bɯg
03576 絥 房六 並屋入三合 biuk 職 bɯg
03577 垘 蒲北 並德入一開 bək 職 bɯ̯g

甶 fú

03578 甶 分勿 幫物入三合 piut 物^{ɯ} pɯd

畐 fú

03579 富 方副 幫尤去三合 piu 職 pɯgs
03580 輻 方副 幫尤去三合 piu 職 pɯgs
03581 葍 方副 幫尤去三合 piu 職 pɯgs
03582 副 敷救 滂尤去三合 p^{h}iu 職 p^{h}ɯgs
03583 福 敷救 滂尤去三合 p^{h}iu 職 p^{h}ɯgs
03584 福 方六 幫屋入三合 piuk 職 pɯg
03585 幅 方六 幫屋入三合 piuk 職 pɯg
03586 輻 方六 幫屋入三合 piuk 職 pɯg
03587 葍 方六 幫屋入三合 piuk 職 pɯg
03588 蝠 方六 幫屋入三合 piuk 職 pɯg
03589 鶝 方六 幫屋入三合 piuk 職 pɯg
03590 踾 方六 幫屋入三合 piuk 職 pɯg
03591 偪 方六 幫屋入三合 piuk 職 pɯg
03592 楅 方六 幫屋入三合 piuk 職 pɯg
03593 副 芳福 滂屋入三合 p^{h}iuk 職 p^{h}ɯg
03594 蕌 芳福 滂屋入三合 p^{h}iuk 職 p^{h}ɯg
03595 富 芳六 滂屋入三合 p^{h}iuk 職 p^{h}ɯg
03596 畐 房六 並屋入三合 biuk 職 bɯg
03597 匐 房六 並屋入三合 biuk 職 bɯg
03598 富 房六 並屋入三合 biuk 職 bɯg
03599 偪 彼側 幫職入三開 pɨk 職 p^{r}ɯg
03600 逼 彼側 幫職入三開 pɨk 職 p^{r}ɯg
03601 幅 彼側 幫職入三開 pɨk 職 p^{r}ɯg
03602 楅 彼側 幫職入三開 pɨk 職 p^{r}ɯg
03603 湢 彼側 幫職入三開 pɨk 職 p^{r}ɯg
03604 愊 芳逼 滂職入三開 p^{h}ɨk 職 p^{hr}ɯg
03605 揊 芳逼 滂職入三開 p^{h}ɨk 職 p^{hr}ɯg
03606 副 芳逼 滂職入三開 p^{h}ɨk 職 p^{hr}ɯg
03607 畐 芳逼 滂職入三開 p^{h}ɨk 職 p^{hr}ɯg
03608 䮠 芳逼 滂職入三開 p^{h}ɨk 職 p^{hr}ɯg
03609 堛 芳逼 滂職入三開 p^{h}ɨk 職 p^{hr}ɯg
03610 愊 芳逼 滂職入三開 p^{h}ɨk 職 p^{hr}ɯg
03611 踾 芳逼 滂職入三開 p^{h}ɨk 職 p^{hr}ɯg
03612 糒 弼力 並職入三開 bɨk 職 b^{r}ɯg
03613 腷 符逼 並職入三開 bɨk 職 b^{r}ɯg
03614 煏 符逼 並職入三開 bɨk 職 b^{r}ɯg
03615 愊 符逼 並職入三開 bɨk 職 b^{r}ɯg
03616 踾 符逼 並職入三開 bɨk 職 b^{r}ɯg
03617 鶝 符逼 並職入三開 bɨk 職 b^{r}ɯg
03618 煏 鼻墨 並德入一開 bək 職 bɯ̯g
03619 匐 蒲北 並德入一開 bək 職 bɯ̯g
03620 䙤 蒲北 並德入一開 bək 職 bɯ̯g
03621 簠 蒲角 並覺入二開 b^{ɯ}ɔk 覺 b^{r}ɯ̯g

鳬 fú

03622 [illegible] 馮無 並虞平三合 biʊ 魚 ba
03623 鳬[1] 防無 並虞平三合 biʊ 魚 ba

[illegible] fú

03624 [illegible] 房六 並屋入三合 biuk 職 bɯg

甫 fǔ

03625 簠 甫無 幫虞平三合 piʊ 魚 pa
03626 痡 芳無 滂虞平三合 pʰiʊ 魚 pʰa
03627 豧 芳無 滂虞平三合 pʰiʊ 魚 pʰa
03628 尃 芳無 滂虞平三合 pʰiʊ 魚 pʰa
03629 郙 芳無 滂虞平三合 pʰiʊ 魚 pʰa
03630 [illegible] 芳無 滂虞平三合 pʰiʊ 魚 pʰa
03631 敷 芳無 滂虞平三合 pʰiʊ 魚 pʰa
03632 禣 芳無 滂虞平三合 pʰiʊ 魚 pʰa
03633 懯 芳無 滂虞平三合 pʰiʊ 魚 pʰa
03634 鋪 芳無 滂虞平三合 pʰiʊ 魚 pʰa
03635 榑 防無 並虞平三合 biʊ 魚 ba
03636 甫 方矩 幫虞上三合 piʊ 魚 paʔ
03637 脯 方矩 幫虞上三合 piʊ 魚 paʔ
03638 簠 方矩 幫虞上三合 piʊ 魚 paʔ
03639 黼 方矩 幫虞上三合 piʊ 魚 paʔ
03640 莆 方矩 幫虞上三合 piʊ 魚 paʔ
03641 俌 方矩 幫虞上三合 piʊ 魚 paʔ
03642 郙 方矩 幫虞上三合 piʊ 魚 paʔ
03643 俌 芳武 滂虞上三合 pʰiʊ 魚 pʰaʔ
03644 輔 扶雨 並虞上三合 biʊ 魚 baʔ
03645 酺 扶雨 並虞上三合 biʊ 魚 baʔ
03646 豧 芳遇 滂虞去三合 pʰiʊ 魚 pʰas
03647 簠 芳遇 滂虞去三合 pʰiʊ 魚 pʰas
03648 逋 博孤 幫模平一合 pu̯o 魚 pa̱
03649 餔 博孤 幫模平一合 pu̯o 魚 pa̱
03650 晡 博孤 幫模平一合 pu̯o 魚 pa̱
03651 誧 博孤 幫模平一合 pu̯o 魚 pa̱
03652 鋪 普胡 滂模平一合 pʰu̯o 魚 pʰa̱
03653 痡 普胡 滂模平一合 pʰu̯o 魚 pʰa̱
03654 誧 普胡 滂模平一合 pʰu̯o 魚 pʰa̱
03655 酺 薄胡 並模平一合 bu̯o 魚 ba̱
03656 匍 薄胡 並模平一合 bu̯o 魚 ba̱
03657 蒲 薄胡 並模平一合 bu̯o 魚 ba̱
03658 蒱 薄胡 並模平一合 bu̯o 魚 ba̱
03659 補 博古 幫模上一合 pu̯o 魚 pa̱ʔ
03660 圃[2] 博古 幫模上一合 pu̯o 魚 pa̱ʔ
03661 溥 滂古 滂模上一合 pʰu̯o 魚 pʰa̱ʔ
03662 誧 滂古 滂模上一合 pʰu̯o 魚 pʰa̱ʔ
03663 浦 滂古 滂模上一合 pʰu̯o 魚 pʰa̱ʔ
03664 簿 裴古 並模上一合 bu̯o 魚 ba̱ʔ
03665 圃 博故 幫模去一合 pu̯o 魚 pa̱s
03666 鋪 普故 滂模去一合 pʰu̯o 魚 pʰa̱s
03667 誧 普故 滂模去一合 pʰu̯o 魚 pʰa̱s
03668 捕 薄故 並模去一合 bu̯o 魚 ba̱s
03669 哺 薄故 並模去一合 bu̯o 魚 ba̱s
03670 餔 薄故 並模去一合 bu̯o 魚 ba̱s
03671 傅 方遇 幫虞去三合 piʊ 鐸 pags
03672 搏 方遇 幫虞去三合 piʊ 鐸 pags
03673 賻 符遇 並虞去三合 biʊ 鐸 bags
03674 縛 符遇 並虞去三合 biʊ 鐸 bags
03675 榑 弼戟 並陌入三開 biæk 鐸 pʳag
03676 禣 弼戟 並陌入三開 biæk 鐸 bʳag
03677 [illegible] 方縛 幫藥入三合 pʷiak 鐸 pag
03678 縛 符钁 並藥入三合 bʷiak 鐸 bag
03679 縛[3] 符臥 並歌去一合 bʷɑ 鐸 ba̱gs
03680 [illegible] 伯各 幫鐸入一開 pɑk 鐸 pa̱g
03681 博 補各 幫鐸入一開 pɑk 鐸 pa̱g
03682 髆 補各 幫鐸入一開 pɑk 鐸 pa̱g
03683 搏 補各 幫鐸入一開 pɑk 鐸 pa̱g
03684 鎛 補各 幫鐸入一開 pɑk 鐸 pa̱g
03685 [illegible] 補各 幫鐸入一開 pɑk 鐸 pa̱g
03686 鑮 補各 幫鐸入一開 pɑk 鐸 pa̱g
03687 簙 補各 幫鐸入一開 pɑk 鐸 pa̱g
03688 猼 補各 幫鐸入一開 pɑk 鐸 pa̱g
03689 䍸 補各 幫鐸入一開 pɑk 鐸 pa̱g
03690 榑 補各 幫鐸入一開 pɑk 鐸 pa̱g
03691 [illegible] 補各 幫鐸入一開 pɑk 鐸 pa̱g
03692 溥 補各 幫鐸入一開 pɑk 鐸 pa̱g

---

1 《清华大学藏战国竹简(壹)·尹至》:"汤往征弗鳬(附)……"故"鳬"在侯部。

2 郑张尚芳:《诗经》仅去声。

3 铎部变成鱼部 a 以后发生滞后音变,与歌部合流。

03693 襮 補各 幫鐸入一開 pɑk 鐸 pa̱g

03694 膊 匹各 滂鐸入一開 p^{h}ɑk 鐸 p^{h}a̱g

03695 髆 匹各 滂鐸入一開 p^{h}ɑk 鐸 p^{h}a̱g

03696 搏 匹各 滂鐸入一開 p^{h}ɑk 鐸 p^{h}a̱g

03697 尃 匹各 滂鐸入一開 p^{h}ɑk 鐸 p^{h}a̱g

03698 韝 匹各 滂鐸入一開 p^{h}ɑk 鐸 p^{h}a̱g

03699 薄 傍各 並鐸入一開 bɑk 鐸 ba̱g

03700 礴 傍各 並鐸入一開 bɑk 鐸 ba̱g

03701 簙 傍各 並鐸入一開 bɑk 鐸 ba̱g

03702 鞲 傍各 並鐸入一開 bɑk 鐸 ba̱g

03703 鑮 傍各 並鐸入一開 bɑk 鐸 ba̱g

03704 欂[1] 蒲革 並陌入二開 b^{ɯ}æk 鐸 b^{r}a̱g

03705 䋠 匹候 滂侯去一合 p^{h}u 侯 p^{h}o̱s

父 fù

03706 斧 方矩 幫虞上三合 piʊ 魚 paʔ

03707 㕮 方矩 幫虞上三合 piʊ 魚 paʔ

03708 父 方矩 幫虞上三合 piʊ 魚 paʔ

03709 蚥 方矩 幫虞上三合 piʊ 魚 paʔ

03710 㕮 扶雨 並虞上三合 biʊ 魚 baʔ

03711 蚥 扶雨 並虞上三合 biʊ 魚 baʔ

03712 釜 扶雨 並虞上三合 biʊ 魚 baʔ

03713 父 扶雨 並虞上三合 biʊ 魚 baʔ

03714 滏 扶雨 並虞上三合 biʊ 魚 baʔ

03715 抪 博孤 幫模平一合 pu̯o 魚 pa̱

03716 布 博故 幫模去一合 pu̯o 魚 pa̱s

03717 佈 博故 幫模去一合 pu̯o 魚 pa̱s

03718 抪 博故 幫模去一合 pu̯o 魚 pa̱s

03719 怖 普故 滂模去一合 p^{h}u̯o 魚 p^{h}a̱s

付 fù

03720 跗 甫無 幫虞平三合 piʊ 侯 po

03721 鴏 甫無 幫虞平三合 piʊ 侯 po

03722 柎 甫無 幫虞平三合 piʊ 侯 po

03723 髥 甫無 幫虞平三合 piʊ 侯 po

03724 怤 芳無 滂虞平三合 p^{h}iʊ 侯 p^{h}o

03725 泭 芳無 滂虞平三合 p^{h}iʊ 侯 p^{h}o

03726 艀 芳無 滂虞平三合 p^{h}iʊ 侯 p^{h}o

03727 紨 芳無 滂虞平三合 p^{h}iʊ 侯 p^{h}o

03728 符 防無 並虞平三合 biʊ 侯 bo

03729 苻 防無 並虞平三合 biʊ 侯 bo

03730 坿 防無 並虞平三合 biʊ 侯 bo

03731 泭 防無 並虞平三合 biʊ 侯 bo

03732 鳺 馮無 並虞平三合 biʊ 侯 bo

03733 俯 方矩 幫虞上三合 piʊ 侯 poʔ

03734 府 方矩 幫虞上三合 piʊ 侯 poʔ

03735 腑 方矩 幫虞上三合 piʊ 侯 poʔ

03736 捬 匪父 幫虞上三合 piʊ 侯 poʔ

03737 弣 芳武 滂虞上三合 p^{h}iʊ 侯 p^{h}oʔ

03738 拊 芳武 滂虞上三合 p^{h}iʊ 侯 p^{h}oʔ

03739 鳺 斐父 滂虞上三合 p^{h}iʊ 侯 p^{h}oʔ

03740 腐 扶雨 並虞上三合 biʊ 侯 boʔ

03741 胕 扶雨 並虞上三合 biʊ 侯 boʔ

03742 付 方遇 幫虞去三合 piʊ 侯 pos

03743 髥 方遇 幫虞去三合 piʊ 侯 pos

03744 胕 符遇 並虞去三合 biʊ 侯 bos

03745 附 符遇 並虞去三合 biʊ 侯 bos

03746 坿 符遇 並虞去三合 biʊ 侯 bos

03747 祔 符遇 並虞去三合 biʊ 侯 bos

03748 駙 符遇 並虞去三合 biʊ 侯 bos

03749 鮒 符遇 並虞去三合 biʊ 侯 bos

03750 袝 符遇 並虞去三合 biʊ 侯 bos

03751 蚹 符遇 並虞去三合 biʊ 侯 bos

03752 跗 符遇 並虞去三合 biʊ 侯 bos

03753 艀 薄故 並模去一合 bu̯o 魚 ba̱s

阜 fù

03754 蝜 房久 並尤上三合 biu 幽 buʔ

03755 阜 房久 並尤上三合 biu 幽 buʔ

03756 騲 房久 並尤上三合 biu 幽 buʔ

03757 餢 扶富 並尤去三合 biu 幽 bus

复 fù

03758 鍑 方副 幫尤去三合 piu 覺 pugs

03759 覆 敷救 滂尤去三合 p^{h}iu 覺 p^{h}ugs

03760 復 扶富 並尤去三合 biu 覺 bugs

03761 椱 扶富 並尤去三合 biu 覺 bugs

03762 覆 扶富 並尤去三合 biu 覺 bugs

03763 複 扶富 並尤去三合 biu 覺 bugs

---

1 原为麦韵，但是根据谐声系统应该为陌韵，《切韵》音系二等有陌、麦的历史层次。

03764 腹 方六 幫屋入三合 piuk 覺 pug

03765 複 方六 幫屋入三合 piuk 覺 pug

03766 鍑 方六 幫屋入三合 piuk 覺 pug

03767 輹 方六 幫屋入三合 piuk 覺 pug

03768 蝮 芳福 滂屋入三合 pʰiuk 覺 pʰug

03769 覆 芳福 滂屋入三合 pʰiuk 覺 pʰug

03770 蕧 芳福 滂屋入三合 pʰiuk 覺 pʰug

03771 寱 芳福 滂屋入三合 pʰiuk 覺 pʰug

03772 復 房六 並屋入三合 biuk 覺 bug

03773 馥 房六 並屋入三合 biuk 覺 bug

03774 複 房六 並屋入三合 biuk 覺 bug

03775 輹 房六 並屋入三合 biuk 覺 bug

03776 澓 房六 並屋入三合 biuk 覺 bug

03777 椱 房六 並屋入三合 biuk 覺 bug

03778 鶝 房六 並屋入三合 biuk 覺 bug

03779 寱 房六 並屋入三合 biuk 覺 bug

03780 复 房六 並屋入三合 biuk 覺 bug

03781 鰒 房六 並屋入三合 biuk 覺 bug

03782 瘓 房六 並屋入三合 biuk 覺 bug

03783 愎 符逼 並職入三開 bɨk 職 bʳɯg

03784 馥 符逼 並職入三開 bɨk 職 bʳɯg

03785 覆 匹北 滂德入一開 pʰək 職 pʰɯ̠g

03786 復 匹北 滂德入一開 pʰək 職 pʰɯ̠g

負 fù

03787 負 房久 並尤上三合 biu 之 bɯʔ

03788 萯 房久 並尤上三合 biu 之 bɯʔ

03789 偩 房久 並尤上三合 biu 之 bɯʔ

鱻 fù

03790 鱻[1] 芳遇 滂虞去三合 pʰiʊ 覺 pʰugs

03791 鱻 普伯 滂陌入二開 pʰᵚæk 鐸 pʰʳa̠g

㡭 gài

03792 㡭 古代 見咍去一開 kəi 物ᵚ kɯ̠ds

03793 瀣 胡槩 匣咍去一開 ɦəi 物ᵚ gɯ̠ds

03794 䪥[2] 胡介 匣皆去二開 ɦᵚɛi 物ᵚ gʳɯ̠ds

03795 瀣 胡介 匣皆去二開 ɦᵚɛi 物ᵚ gʳɯ̠ds

03796 㡭[3] 何犗 匣皆去二開 ɦᵚɛi 物ᵚ gʳɯ̠ds

03797 䯐 苦骨 溪没入一合 kʰu̠ot 物ᵘ kʰu̠d

03798 䯐 胡瞎 匣鎋入二開 ɦᵚæt 月ᵃ gʳa̠d

甘 gān

03799 箝 巨淹 群鹽平A 開 giᴇm 談ᵃ gam

03800 黚 巨淹 群鹽平A 開 giᴇm 談ᵃ gam

03801 拑 巨淹 群鹽平A 開 giᴇm 談ᵃ gam

03802 鉗 巨淹 群鹽平A 開 giᴇm 談ᵃ gam

03803 鉗 其嚴 群嚴平三開 giam 談ᵃ gam

03804 邯[4] 胡安 匣寒平一開 ɦɑn 談ᵃ ga̠m

03805 苷 古三 見談平一開 kɑm 談ᵃ ka̠m

03806 泔 古三 見談平一開 kɑm 談ᵃ ka̠m

03807 弇 古三 見談平一開 kɑm 談ᵃ ka̠m

03808 疳 沽三 見談平一開 kɑm 談ᵃ ka̠m

03809 岵 沽三 見談平一開 kɑm 談ᵃ ka̠m

03810 甘 古三 見談平一開 kɑm 談ᵃ ka̠m

03811 柑 古三 見談平一開 kɑm 談ᵃ ka̠m

03812 酣 胡甘 匣談平一開 ɦɑm 談ᵃ ga̠m

03813 甝 胡甘 匣談平一開 ɦɑm 談ᵃ ga̠m

03814 弇 胡甘 匣談平一開 ɦɑm 談ᵃ ga̠m

03815 泔 胡甘 匣談平一開 ɦɑm 談ᵃ ga̠m

03816 鉗 五甘 疑談平一開 ŋɑm 談ᵃ ŋga̠m

03817 嵌 才敢 從談上一開 dzɑm 談ᵃ sga̠mʔ

03818 嵌 口銜 溪銜平二開 kʰᵚæm 談ᵃ kʰʳa̠m

03819 黚 巨金 群侵平A 開 gim 侵ᵚ gɯm

03820 詌 古暗 見覃去一開 kəm 侵ᵚ kɯ̠ms

03821 紺 古暗 見覃去一開 kəm 侵ᵚ kɯ̠ms

干 gān

03822 嫣 語蹇 疑仙上B 開 ŋɨᴇn 元ᵃ ŋgʳanʔ

03823 嫣 魚戰 疑仙去B 開 ŋɨᴇn 元ᵃ ŋgʳans

03824 靬 居言 見元平三開 kiɤn 元ᵃ kan

03825 赶 巨言 群元平三開 giɤn 元ᵃ gan

03826 軒 虚言 曉元平三開 hiɤn 元ᵃ qʰan

---

1 “鱻”有两读:“芳遇切”。《说文》段注:“今作赴。”应为幽部字,变为侯部,见“務”字注。另读“普伯切”,不知出处。

2 《尔雅》:“䪥,鸿荟。”《说文通训定声》以为合音字。《山海经·北山经》:“丹薰之山,其艸多韭䪥。”“韭䪥”当为联绵词,实为韭之一种。声符“㡭”,《说文》读若“概”,应该在物ᵚ部。

3 原为夬韵,但是根据谐声系统应该为皆韵,《切韵》音系二等有皆、夬的历史层次。

4 中古变寒韵是受“鄲”的同化。

03827	奸	古寒	見寒平一開	kɑn	元^a	ka̱n
03828	鳱	古寒	見寒平一開	kɑn	元^a	ka̱n
03829	玕	古寒	見寒平一開	kɑn	元^a	ka̱n
03830	邗	古寒	見寒平一開	kɑn	元^a	ka̱n
03831	汗	古寒	見寒平一開	kɑn	元^a	ka̱n
03832	迀	古寒	見寒平一開	kɑn	元^a	ka̱n
03833	竿	古寒	見寒平一開	kɑn	元^a	ka̱n
03834	肝	古寒	見寒平一開	kɑn	元^a	ka̱n
03835	干	古寒	見寒平一開	kɑn	元^a	ka̱n
03836	戰	古寒	見寒平一開	kɑn	元^a	ka̱n
03837	忓	古寒	見寒平一開	kɑn	元^a	ka̱n
03838	釬	居寒	見寒平一開	kɑn	元^a	ka̱n
03839	芉	居寒	見寒平一開	kɑn	元^a	ka̱n
03840	靬	苦寒	溪寒平一開	k^hɑn	元^a	k^ha̱n
03841	刊	苦寒	溪寒平一開	k^hɑn	元^a	k^ha̱n
03842	邗	胡安	匣寒平一開	ɦɑn	元^a	ga̱n
03843	虷	胡安	匣寒平一開	ɦɑn	元^a	ga̱n
03844	汗	胡安	匣寒平一開	ɦɑn	元^a	ga̱n
03845	犴	俄寒	疑寒平一開	ŋɑn	元^a	ŋga̱n
03846	豻	俄寒	疑寒平一開	ŋɑn	元^a	ŋga̱n
03847	鼾	許干	曉寒平一開	hɑn	元^a	q^ha̱n
03848	秆	古旱	見寒上一開	kɑn	元^a	ka̱nʔ
03849	皯	古旱	見寒上一開	kɑn	元^a	ka̱nʔ
03850	稈	古旱	見寒上一開	kɑn	元^a	ka̱nʔ
03851	矸	古旱	見寒上一開	kɑn	元^a	ka̱nʔ
03852	衦	古旱	見寒上一開	kɑn	元^a	ka̱nʔ
03853	芉	古旱	見寒上一開	kɑn	元^a	ka̱nʔ
03854	衎	空旱	溪寒上一開	k^hɑn	元^a	k^ha̱nʔ
03855	旱	胡笴	匣寒上一開	ɦɑn	元^a	ga̱nʔ
03856	罕	呼旱	曉寒上一開	hɑn	元^a	q^ha̱nʔ
03857	皯	工旦	見寒去一開	kɑn	元^a	ka̱ns
03858	旰	古案	見寒去一開	kɑn	元^a	ka̱ns
03859	杆	古案	見寒去一開	kɑn	元^a	ka̱ns
03860	盰	古案	見寒去一開	kɑn	元^a	ka̱ns
03861	骭	古案	見寒去一開	kɑn	元^a	ka̱ns
03862	澗	古案	見寒去一開	kɑn	元^a	ka̱ns
03863	矸	古案	見寒去一開	kɑn	元^a	ka̱ns
03864	衦	古案	見寒去一開	kɑn	元^a	ka̱ns
03865	靬	苦旰	溪寒去一開	k^hɑn	元^a	k^ha̱ns
03866	衎	苦旰	溪寒去一開	k^hɑn	元^a	k^ha̱ns
03867	鳱	苦旰	溪寒去一開	k^hɑn	元^a	k^ha̱ns
03868	炭	他旦	透寒去一開	t^hɑn	元^a	k^hla̱ns
03869	扞	侯旰	匣寒去一開	ɦɑn	元^a	ga̱ns
03870	捍	侯旰	匣寒去一開	ɦɑn	元^a	ga̱ns
03871	鼾	侯旰	匣寒去一開	ɦɑn	元^a	ga̱ns
03872	垾	侯旰	匣寒去一開	ɦɑn	元^a	ga̱ns
03873	豻	侯旰	匣寒去一開	ɦɑn	元^a	ga̱ns
03874	釬	侯旰	匣寒去一開	ɦɑn	元^a	ga̱ns
03875	汗	侯旰	匣寒去一開	ɦɑn	元^a	ga̱ns
03876	悍	侯旰	匣寒去一開	ɦɑn	元^a	ga̱ns
03877	閈	侯旰	匣寒去一開	ɦɑn	元^a	ga̱ns
03878	駻	侯旰	匣寒去一開	ɦɑn	元^a	ga̱ns
03879	馯	侯旰	匣寒去一開	ɦɑn	元^a	ga̱ns
03880	忓	侯旰	匣寒去一開	ɦɑn	元^a	ga̱ns
03881	矸	侯旰	匣寒去一開	ɦɑn	元^a	ga̱ns
03882	皯	侯旰	匣寒去一開	ɦɑn	元^a	ga̱ns
03883	秆	侯旰	匣寒去一開	ɦɑn	元^a	ga̱ns
03884	靬	下幝	匣寒去一開	ɦɑn	元^a	ga̱ns
03885	岸	五旰	疑寒去一開	ŋɑn	元^a	ŋga̱ns
03886	犴	五旰	疑寒去一開	ŋɑn	元^a	ŋga̱ns
03887	豻	五旰	疑寒去一開	ŋɑn	元^a	ŋga̱ns
03888	䮗	五旰	疑寒去一開	ŋɑn	元^a	ŋga̱ns
03889	㟁	魚旰	疑寒去一開	ŋɑn	元^a	ŋga̱ns
03890	罕	呼旰	曉寒去一開	hɑn	元^a	q^ha̱ns
03891	罕[1]	虚旰	曉寒去一開	hɑn	元^a	q^ha̱ns
03892	靬[2]	古閑	見刪平二開	$k^ɯ$æn	元^a	k^ra̱n
03893	豻	可顔	溪刪平二開	$k^{hɯ}$æn	元^a	k^{hr}a̱n
03894	馯	丘姦	溪刪平二開	$k^{hɯ}$æn	元^a	k^{hr}a̱n
03895	捍	下赧	匣刪上二開	$ɦ^ɯ$æn	元^a	g^ra̱nʔ
03896	睅	户板	匣刪上二合	$ɦ^{wɯ}$æn	元^a	g^{wr}a̱nʔ
03897	齗	五板	疑刪上二開	$ŋ^ɯ$æn	元^a	$ŋg^r$a̱nʔ
03898	骭	下晏	匣刪去二開	$ɦ^ɯ$æn	元^a	g^ra̱ns
03899	訐	居例	見祭去A開	kiɛi	月^a	kads
03900	訐	居列	見薛入A開	kiɛt	月^a	kad
03901	訐	居竭	見月入三開	kiɤt	月^a	kad
03902	赶[3]	其月	群月入三合	g^wiɤt	月^a	gad
03903	鳱	苦蓋	溪泰去一開	k^hɑi	月^a	k^hads

1 《广韵》作"罕"。

2 原为山韵，但是根据谐声系统应该为删韵，《切韵》音系二等有删、山的历史层次。

3 读入开口。

03904	鳱	苦曷	溪曷入一開	kʰɑt	月ᵃ	kʰa̱d
03905	馯	虛我	曉歌上一開	hɑ	歌ᵃ	qʰa̱lʔ

敢 gǎn

03906	玁	虛檢	曉鹽上B 開	hɨᴇm	談ᵃ	qʰʳamʔ
03907	壛	丘嚴	溪嚴平三開	kʰiam	談ᵃ	kʰam
03908	嚴	語驗	疑嚴平三開	ŋiam	談ᵃ	ŋɡˡam
03909	䉷	語驗	疑嚴平三開	ŋiam	談ᵃ	ŋɡˡam
03910	讝	之廉	章鹽平三開	tɕiᴇm	談ᵃ	klʲam
03911	曮[1]	魚埯	疑嚴上三開	ŋiam	談ᵃ	ŋɡˡamʔ
03912	儼[2]	魚埯	疑嚴上三開	ŋiam	談ᵃ	ŋɡˡamʔ
03913	礹[3]	魚埯	疑嚴上三開	ŋiam	談ᵃ	ŋɡˡamʔ
03914	敢	古覽	見談上一開	kɑm	談ᵃ	ka̱mʔ
03915	澉	古覽	見談上一開	kɑm	談ᵃ	ka̱mʔ
03916	厰	口敢	溪談上一開	kʰɑm	談ᵃ	kʰa̱mʔ
03917	厰	吐敢	透談上一開	tʰɑm	談ᵃ	kʰla̱mʔ
03918	噉	徒敢	定談上一開	dɑm	談ᵃ	ɡla̱mʔ
03919	瞰	苦濫	溪談去一開	kʰɑm	談ᵃ	kʰa̱ms
03920	闞	苦濫	溪談去一開	kʰɑm	談ᵃ	kʰa̱ms
03921	澉[4]	吐濫	透談去一開	tʰɑm	談ᵃ	kʰla̱ms
03922	㺂	下瞰	匣談去一開	ɦɑm	談ᵃ	ɡa̱ms
03923	譀	下瞰	匣談去一開	ɦɑm	談ᵃ	ɡˡa̱ms
03924	巖	五銜	疑銜平二開	ŋᵚæm	談ᵃ	ŋɡʳa̱m
03925	壛	魚銜	疑銜平二開	ŋᵚæm	談ᵃ	ŋɡʳa̱m
03926	礹	五銜	疑銜平二開	ŋᵚæm	談ᵃ	ŋɡʳa̱m
03927	黬	於檻	影銜上二開	ʔᵚæm	談ᵃ	qʳa̱mʔ
03928	㺂	荒檻	曉銜上二開	hᵚæm	談ᵃ	qʰʳa̱mʔ
03929	㺂	楚鑒	初銜去二開	tʂʰᵚæm	談ᵃ	skʰra̱ms
03930	譀	許鑑	曉銜去二開	hᵚæm	談ᵃ	qʰʳa̱ms
03931	厰	魚金	疑侵平B 開	ŋɨim	侵ᵚ	ŋɡʳɯm
03932	譀	呼甲	曉狎入二開	hᵚæp	盍ᵃ	qʰʳa̱b

乹 gàn

03933	乾	渠焉	群仙平B 開	ɡɨᴇn	元ᵃ	ɡʳan
03934	乾	古寒	見寒平一開	kɑn	元ᵃ	ka̱n
03935	鄿	古寒	見寒平一開	kɑn	元ᵃ	ka̱n
03936	漧	古寒	見寒平一開	kɑn	元ᵃ	ka̱n
03937	看	苦寒	溪寒平一開	kʰɑn	元ᵃ	kʰa̱n
03938	漧	丘寒	溪寒平一開	kʰɑn	元ᵃ	kʰa̱n
03939	鶾	胡安	匣寒平一開	ɦɑn	元ᵃ	ɡa̱n
03940	韓	胡安	匣寒平一開	ɦɑn	元ᵃ	ɡa̱n
03941	翰	胡安	匣寒平一開	ɦɑn	元ᵃ	ɡa̱n
03942	鶾	胡安	匣寒平一開	ɦɑn	元ᵃ	ɡa̱n
03943	簳	古旱	見寒上一開	kɑn	元ᵃ	ka̱nʔ
03944	𦰩	古旱	見寒上一開	kɑn	元ᵃ	ka̱nʔ
03945	澣[5]	胡管	匣寒上一合	ɦʷɑn	元ᵃ	ɢa̱nʔ
03946	榦	古案	見寒去一開	kɑn	元ᵃ	ka̱ns
03947	乹	古案	見寒去一開	kɑn	元ᵃ	ka̱ns
03948	幹	古案	見寒去一開	kɑn	元ᵃ	ka̱ns
03949	𩛩	古案	見寒去一開	kɑn	元ᵃ	ka̱ns
03950	𦰩	居案	見寒去一開	kɑn	元ᵃ	ka̱ns
03951	𣄽	居案	見寒去一開	kɑn	元ᵃ	ka̱ns
03952	簳	居案	見寒去一開	kɑn	元ᵃ	ka̱ns
03953	看	苦旰	溪寒去一開	kʰɑn	元ᵃ	kʰa̱ns
03954	鶾	侯旰	匣寒去一開	ɦɑn	元ᵃ	ɡa̱ns
03955	乾	侯旰	匣寒去一開	ɦɑn	元ᵃ	ɡa̱ns
03956	鶾	侯旰	匣寒去一開	ɦɑn	元ᵃ	ɡa̱ns
03957	翰	侯旰	匣寒去一開	ɦɑn	元ᵃ	ɡa̱ns
03958	𩞬	侯旰	匣寒去一開	ɦɑn	元ᵃ	ɡa̱ns
03959	瀚	侯旰	匣寒去一開	ɦɑn	元ᵃ	ɡa̱ns
03960	雗	侯旰	匣寒去一開	ɦɑn	元ᵃ	ɡa̱ns
03961	斡[6]	烏括	影曷入一合	ʔʷɑt	月ᵃ	qa̱d

皋 gāo

03962	皋	古勞	見豪平一開	kɑu	幽	ku̱
03963	鷎	古勞	見豪平一開	kɑu	幽	ku̱
03964	槔	古勞	見豪平一開	kɑu	幽	ku̱
03965	橥	古勞	見豪平一開	kɑu	幽	ku̱
03966	獋	居勞	見豪平一開	kɑu	幽	ku̱
03967	獋	乎刀	匣豪平一開	ɦɑu	幽	ɡu̱
03968	嗥	胡刀	匣豪平一開	ɦɑu	幽	ɡu̱
03969	翱	五勞	疑豪平一開	ŋɑu	幽	ŋɡu̱
03970	臭	古老	見豪上一開	kɑu	幽	ku̱ʔ
03971	皞[7]	胡老	匣豪上一開	ɦɑu	幽	ɡu̱ʔ

1 见“广”字注。
2 见“广”字注。
3 见“广”字注。
4 见定母和澄母“荼”字注。
5 见“旰”字注。
6 见“旰”字注。
7 《广韵》作“暤”。

高 gāo

03972	歊	許嬌	曉宵平B 開	hɨɛu	宵^{o}	q^{hr}o^{w}
03973	蔙	許嬌	曉宵平B 開	hɨɛu	宵^{o}	q^{hr}o^{w}
03974	高	古勞	見豪平一開	kɑu	宵^{o}	ko̱^{w}
03975	膏	古勞	見豪平一開	kɑu	宵^{o}	ko̱^{w}
03976	篙	古勞	見豪平一開	kɑu	宵^{o}	ko̱^{w}
03977	稿	居勞	見豪平一開	kɑu	宵^{o}	ko̱^{w}
03978	毫	胡刀	匣豪平一開	ɦɑu	宵^{o}	go̱^{w}
03979	隞	乎刀	匣豪平一開	ɦɑu	宵^{o}	go̱^{w}
03980	豪	胡刀	匣豪平一開	ɦɑu	宵^{o}	go̱^{w}
03981	壕	胡刀	匣豪平一開	ɦɑu	宵^{o}	go̱^{w}
03982	濠	胡刀	匣豪平一開	ɦɑu	宵^{o}	go̱^{w}
03983	蒿	呼毛	曉豪平一開	hɑu	宵^{o}	q^{h}o̱^{w}
03984	藃	呼毛	曉豪平一開	hɑu	宵^{o}	q^{h}o̱^{w}
03985	縞	呼毛	曉豪平一開	hɑu	宵^{o}	q^{h}o̱^{w}
03986	暠	古老	見豪上一開	kɑu	宵^{o}	ko̱^{w}ʔ
03987	稾	古老	見豪上一開	kɑu	宵^{o}	ko̱^{w}ʔ
03988	縞	古老	見豪上一開	kɑu	宵^{o}	ko̱^{w}ʔ
03989	稾	古老	見豪上一開	kɑu	宵^{o}	ko̱^{w}ʔ
03990	槁	苦浩	溪豪上一開	k^{h}ɑu	宵^{o}	k^{h}o̱^{w}ʔ
03991	藃	苦浩	溪豪上一開	k^{h}ɑu	宵^{o}	k^{h}o̱^{w}ʔ
03992	薃	胡老	匣豪上一開	ɦɑu	宵^{o}	go̱^{w}ʔ
03993	鄗	胡老	匣豪上一開	ɦɑu	宵^{o}	go̱^{w}ʔ
03994	滈	胡老	匣豪上一開	ɦɑu	宵^{o}	go̱^{w}ʔ
03995	鎬	胡老	匣豪上一開	ɦɑu	宵^{o}	go̱^{w}ʔ
03996	鰝	胡老	匣豪上一開	ɦɑu	宵^{o}	go̱^{w}ʔ
03997	縞	古到	見豪去一開	kɑu	宵^{o}	ko̱^{w}s
03998	膏	古到	見豪去一開	kɑu	宵^{o}	ko̱^{w}s
03999	髜	口到	溪豪去一開	k^{h}ɑu	宵^{o}	k^{h}o̱^{w}s
04000	犒	苦到	溪豪去一開	k^{h}ɑu	宵^{o}	k^{h}o̱^{w}s
04001	稾	苦到	溪豪去一開	k^{h}ɑu	宵^{o}	k^{h}o̱^{w}s
04002	譹	後到	匣豪去一開	ɦɑu	宵^{o}	go̱^{w}s
04003	蔙	呼到	曉豪去一開	hɑu	宵^{o}	q^{h}o̱^{w}s
04004	敲	口交	溪肴平二開	k^{hɯ}æu	宵^{o}	k^{hr}o̱^{w}
04005	鄗	口交	溪肴平二開	k^{hɯ}æu	宵^{o}	k^{hr}o̱^{w}
04006	蔙	許交	曉肴平二開	h^{ɯ}æu	宵^{o}	q^{hr}o̱^{w}
04007	嗃	許交	曉肴平二開	h^{ɯ}æu	宵^{o}	q^{hr}o̱^{w}
04008	敲	苦教	溪肴去二開	k^{hɯ}æu	宵^{o}	k^{hr}o̱^{w}s
04009	嗃	呼教	曉肴去二開	h^{ɯ}æu	宵^{o}	q^{hr}o̱^{w}s
04010	嗃	呵各	曉鐸入一開	hɑk	藥^{o}	q^{h}o̱g^{w}
04011	熇	呵各	曉鐸入一開	hɑk	藥^{o}	q^{h}o̱g^{w}
04012	鄗	呵各	曉鐸入一開	hɑk	藥^{o}	q^{h}o̱g^{w}
04013	謞	呵各	曉鐸入一開	hɑk	藥^{o}	q^{h}o̱g^{w}
04014	鰝	呵各	曉鐸入一開	hɑk	藥^{o}	q^{h}o̱g^{w}
04015	翯	胡沃	匣沃入一合	ɦu̯ok	藥^{o}	go̱g^{w}
04016	熇	火酷	曉沃入一合	hu̯ok	藥^{o}	q^{h}o̱g^{w}
04017	歊	火酷	曉沃入一合	hu̯ok	藥^{o}	q^{h}o̱g^{w}
04018	毃	苦角	溪覺入二開	k^{hɯ}ɔk	藥^{o}	k^{hr}o̱g^{w}
04019	塙	苦角	溪覺入二開	k^{hɯ}ɔk	藥^{o}	k^{hr}o̱g^{w}
04020	翯	胡覺	匣覺入二開	ɦ^{ɯ}ɔk	藥^{o}	g^{r}o̱g^{w}
04021	翯	許角	曉覺入二開	h^{ɯ}ɔk	藥^{o}	q^{hr}o̱g^{w}
04022	謞	許角	曉覺入二開	h^{ɯ}ɔk	藥^{o}	q^{hr}o̱g^{w}
04023	滈	許角	曉覺入二開	h^{ɯ}ɔk	藥^{o}	q^{hr}o̱g^{w}
04024	熇	呼木	曉屋入一合	huk	屋	q^{h}o̱g
04025	譑	丘召	溪宵去A 開	k^{h}iɛu	宵^{o}	k^{h}o^{w}s
04026	鷮	舉喬	見宵平B 開	kɨɛu	宵^{o}	k^{r}o^{w}
04027	蕎	舉喬	見宵平B 開	kɨɛu	宵^{o}	k^{r}o^{w}
04028	喬	舉喬	見宵平B 開	kɨɛu	宵^{o}	k^{r}o^{w}
04029	簥	舉喬	見宵平B 開	kɨɛu	宵^{o}	k^{r}o^{w}
04030	撟	舉喬	見宵平B 開	kɨɛu	宵^{o}	k^{r}o^{w}
04031	驕	舉喬	見宵平B 開	kɨɛu	宵^{o}	k^{r}o^{w}
04032	嬌	舉喬	見宵平B 開	kɨɛu	宵^{o}	k^{r}o^{w}
04033	憍	舉喬	見宵平B 開	kɨɛu	宵^{o}	k^{r}o^{w}
04034	蹻	去遥	溪宵平B 開	k^{h}ɨɛu	宵^{o}	k^{hr}o^{w}
04035	繑[1]	去遥	溪宵平B 開	k^{h}ɨɛu	宵^{o}	k^{hr}o^{w}
04036	趫	起賿	溪宵平B 開	k^{h}ɨɛu	宵^{o}	k^{hr}o^{w}
04037	喬	巨嬌	群宵平B 開	gɨɛu	宵^{o}	g^{r}o^{w}
04038	橋	巨嬌	群宵平B 開	gɨɛu	宵^{o}	g^{r}o^{w}
04039	趫	巨嬌	群宵平B 開	gɨɛu	宵^{o}	g^{r}o^{w}
04040	僑	巨嬌	群宵平B 開	gɨɛu	宵^{o}	g^{r}o^{w}
04041	鐈	巨嬌	群宵平B 開	gɨɛu	宵^{o}	g^{r}o^{w}
04042	鷮	巨嬌	群宵平B 開	gɨɛu	宵^{o}	g^{r}o^{w}
04043	嶠	巨嬌	群宵平B 開	gɨɛu	宵^{o}	g^{r}o^{w}
04044	簥	巨嬌	群宵平B 開	gɨɛu	宵^{o}	g^{r}o^{w}
04045	轎	巨嬌	群宵平B 開	gɨɛu	宵^{o}	g^{r}o^{w}
04046	嬌	巨嬌	群宵平B 開	gɨɛu	宵^{o}	g^{r}o^{w}

1　李荣《切韵音系》还无法确定是 A 类还是 B 类。因为本手册"喬"声属于上古宵^{o} 部，宵^{o} 韵部的主元音是央后元音，不太可能是 A 类。

04047	蕎	巨嬌	群宵平B開	gɨɛu	宵^{o}	gʳoʷ
04048	蟜	巨嬌	群宵平B開	gɨɛu	宵^{o}	gʳoʷ
04049	蹻	巨嬌	群宵平B開	gɨɛu	宵^{o}	gʳoʷ
04050	翹	巨嬌	群宵平B開	gɨɛu	宵^{o}	gʳoʷ
04051	⿱喬皿	巨嬌	群宵平B開	gɨɛu	宵^{o}	gʳoʷ
04052	⿱喬香	許嬌	曉宵平B開	hɨɛu	宵^{o}	qʰʳoʷ
04053	獢	許嬌	曉宵平B開	hɨɛu	宵^{o}	qʰʳoʷ
04054	矯	居夭	見宵上B開	kɨɛu	宵^{o}	kʳoʷʔ
04055	⿰角喬	居夭	見宵上B開	kɨɛu	宵^{o}	kʳoʷʔ
04056	敿	居夭	見宵上B開	kɨɛu	宵^{o}	kʳoʷʔ
04057	撟	居夭	見宵上B開	kɨɛu	宵^{o}	kʳoʷʔ
04058	嬌	居夭	見宵上B開	kɨɛu	宵^{o}	kʳoʷʔ
04059	蟜	居夭	見宵上B開	kɨɛu	宵^{o}	kʳoʷʔ
04060	譑	居夭	見宵上B開	kɨɛu	宵^{o}	kʳoʷʔ
04061	蹻	居夭	見宵上B開	kɨɛu	宵^{o}	kʳoʷʔ
04062	嶠	渠廟	群宵去B開	gɨɛu	宵^{o}	gʳoʷs
04063	轎	渠廟	群宵去B開	gɨɛu	宵^{o}	gʳoʷs
04064	蹻	居勺	見藥入三開	kiak	藥^{o}	kogʷ
04065	屩	居勺	見藥入三開	kiak	藥^{o}	kogʷ
04066	蹻	其虐	群藥入三開	giak	藥^{o}	gogʷ
04067	墧	克角	溪覺入二開	kʰᵚɔk	藥^{o}	kʰʳo̯gʷ
04068	翹	渠遥	群宵平A開	giɛu	宵^{e}	geʷ

羔 gāo

04069	⿰羔頁	去遥	溪宵平B開	kʰɨɛu	幽^{i}	kʰʳiʷ
04070	窯	餘昭	以宵平三開	jiɛu	幽^{i}	ɢiʷ
04071	溔	以沼	以宵上三開	jiɛu	幽^{i}	ɢiʷʔ
04072	禚[1]	之若	章藥入三開	tɕiak	覺^{i}	kʲigʷ
04073	⿰禾羔	之若	章藥入三開	tɕiak	覺^{i}	kʲigʷ
04074	羔[2]	古勞	見豪平一開	kɑu	幽	ku̯
04075	餻	古勞	見豪平一開	kɑu	幽	ku̯
04076	⿰禾羔	古沃	見沃入一合	ku̯ok	覺	ku̯g
04077	⿰羔頁	許幺	曉蕭平四開	heu	幽^{i}	qʰi̯ʷ

杲 gǎo

04078	杲	古老	見豪上一開	kɑu	幽	ku̯ʔ
04079	菒	古老	見豪上一開	kɑu	幽	ku̯ʔ

臭 gào

04080	臭	昌石	昌昔入三開	tɕʰiɛk	鐸	kʰlʲag

告 gào

04081	簉	初救	初尤去三合	tʂʰiu	覺	skʰrugs
04082	⿱艹造	初救	初尤去三合	tʂʰiu	覺	skʰrugs
04083	誥	古到	見豪去一開	kɑu	覺	ku̯gs
04084	郜	古到	見豪去一開	kɑu	覺	ku̯gs
04085	告[3]	古到	見豪去一開	kɑu	覺	kˡu̯gs
04086	靠	苦到	溪豪去一開	kʰɑu	覺	kʰu̯gs
04087	造	七到	清豪去一開	tsʰɑu	覺	skʰu̯gs
04088	慥	七到	清豪去一開	tsʰɑu	覺	skʰu̯gs
04089	艁	七到	清豪去一開	tsʰɑu	覺	skʰlu̯gs
04090	梏	古沃	見沃入一合	ku̯ok	覺	ku̯g
04091	牿	古沃	見沃入一合	ku̯ok	覺	ku̯g
04092	郜	古沃	見沃入一合	ku̯ok	覺	ku̯g
04093	祰	古沃	見沃入一合	ku̯ok	覺	ku̯g
04094	⿰阝告	古沃	見沃入一合	ku̯ok	覺	ku̯g
04095	告	古沃	見沃入一合	ku̯ok	覺	kˡu̯g
04096	俈	枯沃	溪沃入一合	kʰu̯ok	覺	kʰu̯g
04097	酷	苦沃	溪沃入一合	kʰu̯ok	覺	kʰu̯g
04098	焅	苦沃	溪沃入一合	kʰu̯ok	覺	kʰu̯g
04099	硞	苦沃	溪沃入一合	kʰu̯ok	覺	kʰu̯g
04100	⿱山告	苦沃	溪沃入一合	kʰu̯ok	覺	kʰu̯g
04101	鵠	胡沃	匣沃入一合	ɦu̯ok	覺	gu̯g
04102	頶	胡沃	匣沃入一合	ɦu̯ok	覺	gu̯g
04103	⿰阝告[4]	空谷	溪屋入一合	kʰuk	覺	kʰu̯g
04104	窖	古孝	見肴去二開	kᵚæu	覺	kʳu̯gs
04105	梏	古岳	見覺入二開	kᵚɔk	覺	kʳu̯g
04106	硞	苦角	溪覺入二開	kʰᵚɔk	覺	kʰʳu̯g
04107	皓	古老	見豪上一開	kɑu	幽	ku̯ʔ
04108	⿰虫造	子晧	精豪上一開	tsɑu	幽	sku̯ʔ
04109	祰	苦浩	溪豪上一開	kʰɑu	幽	kʰu̯ʔ
04110	浩	胡老	匣豪上一開	ɦɑu	幽	gu̯ʔ
04111	皓	下老	匣豪上一開	ɦɑu	幽	gu̯ʔ
04112	晧	胡老	匣豪上一開	ɦɑu	幽	gˡu̯ʔ

---

1 《左传·庄二年经》:"冬,夫人姜氏會齊侯於禚。"《论衡·书虚》作"會齊侯于郜"。故"羔"音近于"告"。

2 《礼记·檀弓上》"高子皋",《论语·先进》作"子羔"。《说文》以为"照"省声,误。

3 藏文 gtugs 控诉,告状。泰文 klaawh<kluh 说,说话,当是"告"的借词。可见"告"的上古音为复杂辅音*kˡu̯gs>kɑu。

4 屋部与觉部旁转。

04113	皓	昨早	從豪上一開	dzɑu	幽	sgu̱ʔ
04114	造	昨早	從豪上一開	dzɑu	幽	sgu̱ʔ

戈 gē

04115	鳶[1]	與專	以仙平三合	jʷiᴇn	元ᵒ	ɢon
04116	戊	户關	匣删平二合	ɦʷᵚæn	元ᵒ	gʳo̱n
04117	戈	古禾	見歌平一合	kʷɑ	歌ᵒ	ko̱l
04118	婐	胡瓦	匣麻上二合	ɦʷᵚæ	歌ᵒ	gʳo̱lʔ

革 gé

04119	挴	各核	見麥入二開	kᵚɛk	職	kʳɯ̱g
04120	革	古核	見麥入二開	kᵚɛk	職	kʳɯ̱g
04121	諽	古核	見麥入二開	kᵚɛk	職	kʳɯ̱g
04122	霸	古核	見麥入二開	kᵚɛk	職	kʳɯ̱g
04123	鞆	古核	見麥入二開	kᵚɛk	職	kʳɯ̱g
04124	諽	楷革	溪麥入二開	kʰᵚɛk	職	kʰʳɯ̱g
04125	鞂	古黠	見黠入二開	kᵚɛt	質ᵍ	kʳi̱g

霸 gé

04126	霸	必駕	幫麻去二開	pᵚæ	鐸	pʳa̱gs
04127	灞	必駕	幫麻去二開	pᵚæ	鐸	pʳa̱gs

个 gè

04128	个	古賀	見歌去一開	kɑ	歌ᵃ	ka̱ls

各 gè

04129	略	離灼	來藥入三開	liak	鐸	g.rag
04130	挈	離灼	來藥入三開	liak	鐸	g.rag
04131	畧	離灼	來藥入三開	liak	鐸	g.rag
04132	蕗	魯故	來模去一合	lu̯o	鐸	g.ra̱gs
04133	路	洛故	來模去一合	lu̯o	鐸	g.ra̱gs
04134	露	洛故	來模去一合	lu̯o	鐸	g.ra̱gs
04135	潞	洛故	來模去一合	lu̯o	鐸	g.ra̱gs
04136	輅	洛故	來模去一合	lu̯o	鐸	g.ra̱gs
04137	鷺	洛故	來模去一合	lu̯o	鐸	g.ra̱gs
04138	璐	洛故	來模去一合	lu̯o	鐸	g.ra̱gs
04139	賂	洛故	來模去一合	lu̯o	鐸	g.ra̱gs
04140	簬	洛故	來模去一合	lu̯o	鐸	g.ra̱gs
04141	陌	剛鶴	見鐸入一開	kɑk	鐸	kˡa̱g
04142	各	古落	見鐸入一開	kɑk	鐸	kˡa̱g
04143	閣	古落	見鐸入一開	kɑk	鐸	kˡa̱g
04144	格	古落	見鐸入一開	kɑk	鐸	kˡa̱g
04145	胳	古落	見鐸入一開	kɑk	鐸	kˡa̱g
04146	袼	古落	見鐸入一開	kɑk	鐸	kˡa̱g
04147	恪	苦各	溪鐸入一開	kʰɑk	鐸	kʰˡa̱g
04148	貉	下各	匣鐸入一開	ɦɑk	鐸	gˡa̱g
04149	鵅	下各	匣鐸入一開	ɦɑk	鐸	gˡa̱g
04150	洛	下各	匣鐸入一開	ɦɑk	鐸	gˡa̱g
04151	鵅	盧各	來鐸入一開	lɑk	鐸	g.ra̱g
04152	挌	盧各	來鐸入一開	lɑk	鐸	g.ra̱g
04153	袼	盧各	來鐸入一開	lɑk	鐸	g.ra̱g
04154	咯	盧各	來鐸入一開	lɑk	鐸	g.ra̱g
04155	雒	盧各	來鐸入一開	lɑk	鐸	g.ra̱g
04156	鵅	盧各	來鐸入一開	lɑk	鐸	g.ra̱g
04157	珞	盧各	來鐸入一開	lɑk	鐸	g.ra̱g
04158	酪	盧各	來鐸入一開	lɑk	鐸	g.ra̱g
04159	零	盧各	來鐸入一開	lɑk	鐸	g.ra̱g
04160	箈	盧各	來鐸入一開	lɑk	鐸	g.ra̱g
04161	硌	盧各	來鐸入一開	lɑk	鐸	g.ra̱g
04162	駱	盧各	來鐸入一開	lɑk	鐸	g.ra̱g
04163	鞈	盧各	來鐸入一開	lɑk	鐸	g.ra̱g
04164	銘	盧各	來鐸入一開	lɑk	鐸	g.ra̱g
04165	觡	盧各	來鐸入一開	lɑk	鐸	g.ra̱g
04166	落	盧各	來鐸入一開	lɑk	鐸	g.ra̱g
04167	絡	盧各	來鐸入一開	lɑk	鐸	g.ra̱g
04168	烙	盧各	來鐸入一開	lɑk	鐸	g.ra̱g
04169	洛	盧各	來鐸入一開	lɑk	鐸	g.ra̱g
04170	髂	枯駕	溪麻去二開	kʰᵚæ	鐸	kʰʳa̱gs
04171	愘	丘駕	溪麻去二開	kʰᵚæ	鐸	kʰʳa̱gs
04172	挌	各額	見陌入二開	kᵚæk	鐸	kʳa̱g
04173	垎	各額	見陌入二開	kᵚæk	鐸	kʳa̱g
04174	格	古伯	見陌入二開	kᵚæk	鐸	kʳa̱g
04175	佫	古伯	見陌入二開	kᵚæk	鐸	kʳa̱g
04176	茖	古伯	見陌入二開	kᵚæk	鐸	kʳa̱g
04177	骼	古伯	見陌入二開	kᵚæk	鐸	kʳa̱g
04178	觡	古伯	見陌入二開	kᵚæk	鐸	kʳa̱g
04179	鵅	古伯	見陌入二開	kᵚæk	鐸	kʳa̱g

1 “鳶”字于省吾《甲骨文字释林》认为从“戈”，长沙楚帛书丙篇 94 从“戈”；字又作“戴”（《睡虎地秦简·日书甲》51 背贰）。可见“鳶”字上古 *ɢon>*lon，当从“戈”*ko̱l 得声。

04180	挌	古伯	見陌入二開	k^{ɯ}æk	鐸	k^{r}a̱g
04181	峈	古伯	見陌入二開	k^{ɯ}æk	鐸	k^{r}a̱g
04182	鉻	古伯	見陌入二開	k^{ɯ}æk	鐸	k^{r}a̱g
04183	客	苦格	溪陌入二開	k^{hɯ}æk	鐸	k^{hr}a̱g
04184	喀	苦格	溪陌入二開	k^{hɯ}æk	鐸	k^{hr}a̱g
04185	垎	胡格	匣陌入二開	ɦ^{ɯ}æk	鐸	g^{r}a̱g
04186	貉[1]	莫白	明陌入二開	m^{ɯ}æk	鐸	mg^{r}a̱g
04187	鮥	五格	疑陌入二開	ŋ^{ɯ}æk	鐸	ŋg^{r}a̱g
04188	額	五陌	疑陌入二開	ŋ^{ɯ}æk	鐸	ŋg^{r}a̱g
04189	峉	五陌	疑陌入二開	ŋ^{ɯ}æk	鐸	ŋg^{r}a̱g
04190	詻	五陌	疑陌入二開	ŋ^{ɯ}æk	鐸	ŋg^{r}a̱g

艮 gèn

04191	狠	魚巾	疑真平B 開	ŋɨin	文^{ɯ}	ŋg^{r}ɯn
04192	銀	語巾	疑真平B 開	ŋɨin	文^{ɯ}	ŋg^{r}ɯn
04193	琅	語巾	疑真平B 開	ŋɨin	文^{ɯ}	ŋg^{r}ɯn
04194	垠	語巾	疑真平B 開	ŋɨin	文^{ɯ}	ŋg^{r}ɯn
04195	泿	語巾	疑真平B 開	ŋɨin	文^{ɯ}	ŋg^{r}ɯn
04196	狠	魚斤	疑殷平三開	ŋɨn	文^{ɯ}	ŋgɯn
04197	垠	語斤	疑殷平三開	ŋɨn	文^{ɯ}	ŋgɯn
04198	齦	語斤	疑殷平三開	ŋɨn	文^{ɯ}	ŋgɯn
04199	根	古痕	見痕平一開	kən	文^{ɯ}	kɯ̱n
04200	跟	古痕	見痕平一開	kən	文^{ɯ}	kɯ̱n
04201	珢	古痕	見痕平一開	kən	文^{ɯ}	kɯ̱n
04202	痕	户恩	匣痕平一開	ɦən	文^{ɯ}	gɯ̱n
04203	鞎	户恩	匣痕平一開	ɦən	文^{ɯ}	gɯ̱n
04204	垠	五根	疑痕平一開	ŋən	文^{ɯ}	ŋgɯ̱n
04205	泿	五根	疑痕平一開	ŋən	文^{ɯ}	ŋgɯ̱n
04206	豤[2]	苦昆	溪魂平一合	k^{h}u̯on	文^{ɯ}	k^{h}ɯ̱n
04207	頣	古很	見痕上一開	kən	文^{ɯ}	kɯ̱nʔ
04208	詪	古很	見痕上一開	kən	文^{ɯ}	kɯ̱nʔ
04209	墾	康很	溪痕上一開	k^{h}ən	文^{ɯ}	k^{h}ɯ̱nʔ
04210	懇	康很	溪痕上一開	k^{h}ən	文^{ɯ}	k^{h}ɯ̱nʔ
04211	齦	康很	溪痕上一開	k^{h}ən	文^{ɯ}	k^{h}ɯ̱nʔ
04212	豤	康很	溪痕上一開	k^{h}ən	文^{ɯ}	k^{h}ɯ̱nʔ
04213	蒗	胡墾	匣痕上一開	ɦən	文^{ɯ}	gɯ̱nʔ
04214	很	胡墾	匣痕上一開	ɦən	文^{ɯ}	gɯ̱nʔ
04215	㫬[3]	魚懇	疑魂上一合	ŋu̯on	文^{ɯ}	ŋgɯ̱nʔ
04216	艮	古恨	見痕去一開	kən	文^{ɯ}	kɯ̱ns
04217	珢	古恨	見痕去一開	kən	文^{ɯ}	kɯ̱ns
04218	詪	古恨	見痕去一開	kən	文^{ɯ}	kɯ̱ns
04219	恨	胡艮	匣痕去一開	ɦən	文^{ɯ}	gɯ̱ns
04220	皚	五恨	疑痕去一開	ŋən	文^{ɯ}	ŋgɯ̱ns
04221	顒	多殄	端先上四開	ten	文^{ɯ}	klɯ̱nʔ
04222	豤	牽繭	溪先上四開	k^{h}en	文^{ɯ}	k^{h}ɯ̱nʔ
04223	詪	胡典	匣先上四開	ɦen	文^{ɯ}	gɯ̱nʔ
04224	艱	古閑	見山平二開	k^{ɯ}ɛn	文^{ɯ}	k^{r}ɯ̱n
04225	蛝	户閒	匣山平二開	ɦ^{ɯ}ɛn	文^{ɯ}	g^{r}ɯ̱n
04226	齦	起限	溪山上二開	k^{hɯ}ɛn	文^{ɯ}	k^{hr}ɯ̱nʔ
04227	限	胡簡	匣山上二開	ɦ^{ɯ}ɛn	文^{ɯ}	g^{r}ɯ̱nʔ
04228	硍	胡簡	匣山上二開	ɦ^{ɯ}ɛn	文^{ɯ}	g^{r}ɯ̱nʔ
04229	眼	五限	疑山上二開	ŋ^{ɯ}ɛn	文^{ɯ}	ŋg^{r}ɯ̱nʔ
04230	蒗	户皆	匣皆平二開	ɦ^{ɯ}ɛi	微^{ɯ}	g^{r}ɯ̱l

亙 gèn

04231	緪	古恒	見登平一開	kəŋ	蒸	kɯ̱ŋ
04232	揯	古恒	見登平一開	kəŋ	蒸	kɯ̱ŋ
04233	恆	胡登	匣登平一開	ɦəŋ	蒸	gɯ̱ŋ
04234	峘	胡登	匣登平一開	ɦəŋ	蒸	gɯ̱ŋ
04235	姮	胡登	匣登平一開	ɦəŋ	蒸	gɯ̱ŋ
04236	緪	古鄧	見登去一開	kəŋ	蒸	kɯ̱ŋs
04237	䱍	古鄧	見登去一開	kəŋ	蒸	kɯ̱ŋs
04238	栖	居鄧	見登去一開	kəŋ	蒸	kɯ̱ŋs
04239	堩	古鄧	見登去一開	kəŋ	蒸	kɯ̱ŋs
04240	揯	古鄧	見登去一開	kəŋ	蒸	kɯ̱ŋs
04241	亙	古鄧	見登去一開	kəŋ	蒸	kɯ̱ŋs

庚 gēng

04242	康	苦岡	溪唐平一開	k^{h}ɑŋ	陽	k^{h}a̱ŋ
04243	穅	苦岡	溪唐平一開	k^{h}ɑŋ	陽	k^{h}a̱ŋ
04244	歑	苦岡	溪唐平一開	k^{h}ɑŋ	陽	k^{h}a̱ŋ
04245	㝩	苦岡	溪唐平一開	k^{h}ɑŋ	陽	k^{h}a̱ŋ
04246	槺	苦岡	溪唐平一開	k^{h}ɑŋ	陽	k^{h}a̱ŋ
04247	漮	苦岡	溪唐平一開	k^{h}ɑŋ	陽	k^{h}a̱ŋ
04248	唐	徒郎	定唐平一開	dɑŋ	陽	gla̱ŋ
04249	糖	徒郎	定唐平一開	dɑŋ	陽	gla̱ŋ
04250	搪	徒郎	定唐平一開	dɑŋ	陽	gla̱ŋ

1 “貉”有两个异读：下各切 * g^{l}a̱g，莫白切 * mg^{r}a̱g>m^{r}a̱g。
2 见“存”字注。
3 见“存”字注。

04251 篖 徒郎 定唐平一開 dɑŋ 陽 gla̱ŋ
04252 螗 徒郎 定唐平一開 dɑŋ 陽 gla̱ŋ
04253 塘[1] 徒郎 定唐平一開 dɑŋ 陽 gla̱ŋ
04254 鶶 徒郎 定唐平一開 dɑŋ 陽 gla̱ŋ
04255 磄 徒郎 定唐平一開 dɑŋ 陽 gla̱ŋ
04256 溏 徒郎 定唐平一開 dɑŋ 陽 gla̱ŋ
04257 鎕 徒郎 定唐平一開 dɑŋ 陽 gla̱ŋ
04258 榶 徒郎 定唐平一開 dɑŋ 陽 gla̱ŋ
04259 慷 苦朗 溪唐上一開 kʰɑŋ 陽 kʰa̱ŋʔ
04260 慷 苦朗 溪唐上一開 kʰɑŋ 陽 kʰa̱ŋʔ
04261 螗 徒朗 定唐上一開 dɑŋ 陽 gla̱ŋʔ
04262 螗 徒浪 定唐去一開 dɑŋ 陽 gla̱ŋs
04263 庚 古行 見庚平二開 kᵚæŋ 陽 kʳa̱ŋ
04264 鶊 古行 見庚平二開 kᵚæŋ 陽 kʳa̱ŋ
04265 賡 古行 見庚平二開 kᵚæŋ 陽 kʳa̱ŋ

羹 gēng

04266 羹 古行 見庚平二開 kᵚæŋ 陽 kʳa̱ŋ

耿 gěng

04267 褧 口迥 溪青上四合 kʰʷeŋ 耕 kʷʰe̱ŋʔ
04268 耿[2] 古幸 見耕上二開 kᵚɛŋ 耕 kʷʳe̱ŋʔ

工 gōng

04269 銎 曲恭 溪鍾平三合 kʰiʊŋ 東 kʰoŋ
04270 篕 曲恭 溪鍾平三合 kʰiʊŋ 東 kʰoŋ
04271 蛩 渠容 群鍾平三合 giʊŋ 東 goŋ
04272 邛 渠容 群鍾平三合 giʊŋ 東 goŋ
04273 篕 渠容 群鍾平三合 giʊŋ 東 goŋ
04274 碧 渠容 群鍾平三合 giʊŋ 東 goŋ
04275 傑 渠容 群鍾平三合 giʊŋ 東 goŋ
04276 桏 渠容 群鍾平三合 giʊŋ 東 goŋ
04277 槑 渠容 群鍾平三合 giʊŋ 東 goŋ
04278 銎 許容 曉鍾平三合 hiʊŋ 東 qʰoŋ
04279 碧 居悚 見鍾上三合 kiʊŋ 東 koŋʔ
04280 鞏 居悚 見鍾上三合 kiʊŋ 東 koŋʔ
04281 拲 居悚 見鍾上三合 kiʊŋ 東 koŋʔ
04282 巩 居悚 見鍾上三合 kiʊŋ 東 koŋʔ
04283 恐 丘隴 溪鍾上三合 kʰiʊŋ 東 kʰoŋʔ
04284 恐 區用 溪鍾去三合 kʰiʊŋ 東 kʰoŋs
04285 功 古紅 見東平一合 kuŋ 東 ko̱ŋ
04286 工 古紅 見東平一合 kuŋ 東 ko̱ŋ
04287 玒 古紅 見東平一合 kuŋ 東 ko̱ŋ
04288 釭 古紅 見東平一合 kuŋ 東 ko̱ŋ
04289 攻 古紅 見東平一合 kuŋ 東 ko̱ŋ
04290 鞏 枯公 溪東平一合 kʰuŋ 東 kʰo̱ŋ
04291 箜 苦紅 溪東平一合 kʰuŋ 東 kʰo̱ŋ
04292 崆 苦紅 溪東平一合 kʰuŋ 東 kʰo̱ŋ
04293 椌 苦紅 溪東平一合 kʰuŋ 東 kʰo̱ŋ
04294 悾 苦紅 溪東平一合 kʰuŋ 東 kʰo̱ŋ
04295 倥 苦紅 溪東平一合 kʰuŋ 東 kʰo̱ŋ
04296 涳 苦紅 溪東平一合 kʰuŋ 東 kʰo̱ŋ
04297 空[3] 苦紅 溪東平一合 kʰuŋ 東 kʰˡo̱ŋ
04298 瓨 胡公 匣東平一合 ɦuŋ 東 go̱ŋ
04299 訌 户公 匣東平一合 ɦuŋ 東 go̱ŋ
04300 紅 户公 匣東平一合 ɦuŋ 東 go̱ŋ
04301 虹 户公 匣東平一合 ɦuŋ 東 go̱ŋ
04302 仜 户公 匣東平一合 ɦuŋ 東 go̱ŋ
04303 粠 户公 匣東平一合 ɦuŋ 東 go̱ŋ
04304 谼 户公 匣東平一合 ɦuŋ 東 go̱ŋ
04305 鴻[4] 户公 匣東平一合 ɦuŋ 東 gˡo̱ŋ
04306 谾 呼東 曉東平一合 huŋ 東 qʰo̱ŋ
04307 倥 康董 溪東上一合 kʰuŋ 東 kʰo̱ŋʔ
04308 澒 胡孔 匣東上一合 ɦuŋ 東 go̱ŋʔ
04309 鴻 胡孔 匣東上一合 ɦuŋ 東 go̱ŋʔ
04310 汞 胡孔 匣東上一合 ɦuŋ 東 go̱ŋʔ
04311 貢 古送 見東去一合 kuŋ 東 ko̱ŋs
04312 虹 古送 見東去一合 kuŋ 東 ko̱ŋs
04313 玒 古送 見東去一合 kuŋ 東 ko̱ŋs
04314 控 苦貢 溪東去一合 kʰuŋ 東 kʰo̱ŋs
04315 倥 苦貢 溪東去一合 kʰuŋ 東 kʰo̱ŋs
04316 悾 苦貢 溪東去一合 kʰuŋ 東 kʰo̱ŋs
04317 鞚 苦貢 溪東去一合 kʰuŋ 東 kʰo̱ŋs
04318 空 苦貢 溪東去一合 kʰuŋ 東 kʰˡo̱ŋs

---

1 可比较长坪勉语 glaːŋ、全州勉语 glaŋ、塔石勉语 dʑaŋ、乳源勉语 ɟaŋ、板考布依语 gɑŋ、隆安壮语 hlaŋ、靖西壮语 raŋ、扶绥壮语 laŋ、上南岸仫佬语 ɣaŋ、下南毛南语 zaŋ。

2 见“街”字注。

3 可比较藏文同源语素 kjoŋ 中空，stoŋ< * skloŋ 空虚；全州瑶语 kɬɔŋ（空），故“空”声母带复杂辅音 * kʰˡo̱ŋ。

4 藏文 kruŋ 雁。“鴻”当为复杂辅音 * gˡo̱ŋ。

04319 江 古雙 見江平二開 kᵚɔŋ 東 kʳo̱ŋ
04320 扛 古雙 見江平二開 kᵚɔŋ 東 kʳo̱ŋ
04321 杠 古雙 見江平二開 kᵚɔŋ 東 kʳo̱ŋ
04322 茳 古雙 見江平二開 kᵚɔŋ 東 kʳo̱ŋ
04323 釭 古雙 見江平二開 kᵚɔŋ 東 kʳo̱ŋ
04324 矼 古雙 見江平二開 kᵚɔŋ 東 kʳo̱ŋ
04325 肛 古雙 見江平二開 kᵚɔŋ 東 kʳo̱ŋ
04326 玒 古雙 見江平二開 kᵚɔŋ 東 kʳo̱ŋ
04327 椌 苦江 溪江平二開 kʰᵚɔŋ 東 kʰʳo̱ŋ
04328 控 苦江 溪江平二開 kʰᵚɔŋ 東 kʰʳo̱ŋ
04329 悾 苦江 溪江平二開 kʰᵚɔŋ 東 kʰʳo̱ŋ
04330 跫 苦江 溪江平二開 kʰᵚɔŋ 東 kʰʳo̱ŋ
04331 涳 苦江 溪江平二開 kʰᵚɔŋ 東 kʰʳo̱ŋ
04332 崆 苦江 溪江平二開 kʰᵚɔŋ 東 kʰʳo̱ŋ
04333 啌 枯江 溪江平二開 kʰᵚɔŋ 東 kʰʳo̱ŋ
04334 瓨 下江 匣江平二開 ɦᵚɔŋ 東 gʳo̱ŋ
04335 缸 下江 匣江平二開 ɦᵚɔŋ 東 gʳo̱ŋ
04336 舡 許江 曉江平二開 hᵚɔŋ 東 qʰʳo̱ŋ
04337 肛[1] 許江 曉江平二開 hᵚɔŋ 東 qʰʳo̱ŋ
04338 啌 許江 曉江平二開 hᵚɔŋ 東 qʰʳo̱ŋ
04339 谾 許江 曉江平二開 hᵚɔŋ 東 qʰʳo̱ŋ
04340 項 胡講 匣江上二開 ɦᵚɔŋ 東 gʳo̱ŋʔ
04341 虹 古巷 見江去二開 kᵚɔŋ 東 kʳo̱ŋs
04342 篢 去宫 溪東平三合 kʰiuŋ 終 kʰuŋ
04343 攻 古冬 見冬平一合 ku̯oŋ 終 ku̱ŋ
04344 釭 古冬 見冬平一合 ku̯oŋ 終 ku̱ŋ

弓 gōng

04345 弓 居戎 見東平三合 kiuŋ 蒸 kʷɯŋ
04346 穹 去宫 溪東平三合 kʰiuŋ 蒸 kʷʰɯŋ
04347 芎 去宫 溪東平三合 kʰiuŋ 蒸 kʷʰɯŋ
04348 弘 胡肱 匣登平一合 ɦʷəŋ 蒸 gʷɯ̱ŋ
04349 鞃 胡肱 匣登平一合 ɦʷəŋ 蒸 gʷɯ̱ŋ
04350 泓 烏宏 影耕平二合 ʔʷᵚɛŋ 蒸 qʷʳɯ̱ŋ
04351 弦 烏宏 影耕平二合 ʔʷᵚɛŋ 蒸 qʷʳɯ̱ŋ
04352 弦 户萌 匣耕平二合 ɦʷᵚɛŋ 蒸 gʷʳɯ̱ŋ

厷 gōng

04353 雄 羽弓 云東平三合 ɦᶤiuŋ 蒸 ɢʷɯŋ
04354 肱 古弘 見登平一合 kʷəŋ 蒸 kʷɯ̱ŋ
04355 厷 乎萌 匣耕平二合 ɦʷᵚɛŋ 蒸 gʷʳɯ̱ŋ
04356 宏 户萌 匣耕平二合 ɦʷᵚɛŋ 蒸 gʷʳɯ̱ŋ
04357 紘 户萌 匣耕平二合 ɦʷᵚɛŋ 蒸 gʷʳɯ̱ŋ
04358 閎 户萌 匣耕平二合 ɦʷᵚɛŋ 蒸 gʷʳɯ̱ŋ
04359 峵 户萌 匣耕平二合 ɦʷᵚɛŋ 蒸 gʷʳɯ̱ŋ
04360 耾 户萌 匣耕平二合 ɦʷᵚɛŋ 蒸 gʷʳɯ̱ŋ
04361 竑 户萌 匣耕平二合 ɦʷᵚɛŋ 蒸 gʷʳɯ̱ŋ
04362 吰 户萌 匣耕平二合 ɦʷᵚɛŋ 蒸 gʷʳɯ̱ŋ

公 gōng

04363 蚣 職容 章鍾平三合 tɕioŋ 東 klʲoŋ
04364 衳 職容 章鍾平三合 tɕioŋ 東 klʲoŋ
04365 伀 職容 章鍾平三合 tɕioŋ 東 klʲoŋ
04366 妐 職容 章鍾平三合 tɕioŋ 東 klʲoŋ
04367 忪 職容 章鍾平三合 tɕioŋ 東 klʲoŋ
04368 彸 職容 章鍾平三合 tɕioŋ 東 klʲoŋ
04369 鈆 職容 章鍾平三合 tɕioŋ 東 klʲoŋ
04370 艂 諸容 章鍾平三合 tɕioŋ 東 klʲoŋ
04371 蜙 息恭 心鍾平三合 sioŋ 東 skˡoŋ
04372 倯 息恭 心鍾平三合 sioŋ 東 skˡoŋ
04373 松 祥容 邪鍾平三合 zioŋ 東 sgˡoŋ
04374 訟 祥容 邪鍾平三合 zioŋ 東 sgˡoŋ
04375 容[2] 餘封 以鍾平三合 jioŋ 東 ɢloŋ
04376 溶 餘封 以鍾平三合 jioŋ 東 ɢloŋ
04377 鎔 餘封 以鍾平三合 jioŋ 東 ɢloŋ
04378 瓻 餘封 以鍾平三合 jioŋ 東 ɢloŋ
04379 蓉 餘封 以鍾平三合 jioŋ 東 ɢloŋ
04380 傛 餘封 以鍾平三合 jioŋ 東 ɢloŋ
04381 褣 餘封 以鍾平三合 jioŋ 東 ɢloŋ
04382 搈 餘封 以鍾平三合 jioŋ 東 ɢloŋ
04383 峪 餘封 以鍾平三合 jioŋ 東 ɢloŋ
04384 頌 餘封 以鍾平三合 jioŋ 東 ɢloŋ
04385 鰫 餘封 以鍾平三合 jioŋ 東 ɢloŋ
04386 鰫 尹竦 以鍾上三合 jioŋ 東 ɢloŋʔ
04387 溶 余隴 以鍾上三合 jioŋ 東 ɢloŋʔ
04388 傛 余隴 以鍾上三合 jioŋ 東 ɢloŋʔ
04389 頌 似用 邪鍾去三合 zioŋ 東 sgˡoŋs
04390 訟 似用 邪鍾去三合 zioŋ 東 sgˡoŋs

---

1 可比较藏文 gʑoŋ<*gljoŋ 肛门。

2 藏文同源语素 ɕoŋ<*l̥joŋ 容纳，还可比较藏文 loŋ 空闲。

04391 公 古紅 見東平一合 kuŋ 東 k^{l}o̱ŋ

04392 蚣 古紅 見東平一合 kuŋ 東 k^{l}o̱ŋ

04393 匼 徂聰 從東平一合 dzuŋ 東 sglo̱ŋ

04394 嗡 烏公 影東平一合 ʔuŋ 東 qo̱ŋ

04395 翁 烏紅 影東平一合 ʔuŋ 東 qo̱ŋ

04396 螉 烏紅 影東平一合 ʔuŋ 東 qo̱ŋ

04397 鰪 烏紅 影東平一合 ʔuŋ 東 qo̱ŋ

04398 蓊 烏紅 影東平一合 ʔuŋ 東 qo̱ŋ

04399 篛 烏紅 影東平一合 ʔuŋ 東 qo̱ŋ

04400 蓊 烏孔 影東上一合 ʔuŋ 東 qo̱ŋʔ

04401 滃 烏孔 影東上一合 ʔuŋ 東 qo̱ŋʔ

04402 篛 烏孔 影東上一合 ʔuŋ 東 qo̱ŋʔ

04403 塕 烏孔 影東上一合 ʔuŋ 東 qo̱ŋʔ

04404 嗡 鄔孔 影東上一合 ʔuŋ 東 qo̱ŋʔ

04405 瓮 烏貢 影東去一合 ʔuŋ 東 qo̱ŋs

04406 舩 古雙 見江平二開 k^{ɯ}ɔŋ 東 k^{r}o̱ŋ

04407 崧 息弓 心東平三合 siuŋ 終 sk^{l}uŋ

宮 gōng

04408 宮 居戎 見東平三合 kiuŋ 終 kuŋ

04409 躬 居戎 見東平三合 kiuŋ 終 kuŋ

04410 匑[1] 居戎 見東平三合 kiuŋ 終 kuŋ

04411 涫 居戎 見東平三合 kiuŋ 終 kuŋ

04412 营 居雄 見東平三合 kiuŋ 終 kuŋ

04413 营 去宮 溪東平三合 k^{h}iuŋ 終 k^{h}uŋ

04414 悺 去宮 溪東平三合 k^{h}iuŋ 終 k^{h}uŋ

04415 匑[2] 去宮 溪東平三合 k^{h}iuŋ 終 k^{h}uŋ

04416 窮 渠弓 群東平三合 giuŋ 終 guŋ

04417 藭 渠弓 群東平三合 giuŋ 終 guŋ

04418 竆 渠弓 群東平三合 giuŋ 終 guŋ

04419 㲃 火宮 曉東平三合 hiuŋ 終 q^{h}uŋ

04420 㲃 徒冬 定冬平一合 du̯oŋ 終 glu̯ŋ

04421 㲃 呼公 曉東平一合 huŋ 東 q^{h}o̱ŋ

廾 gǒng

04422 廾 九容 見鍾平三合 kiʊŋ 東 koŋ

04423 廾 居悚 見鍾上三合 kiʊŋ 東 koŋʔ

04424 鞶 居玉 見燭入三合 ki̯ʊk 屋 kog

共 gòng

04425 恭 九容 見鍾平三合 kiʊŋ 東 koŋ

04426 供 九容 見鍾平三合 kiʊŋ 東 koŋ

04427 共 九容 見鍾平三合 kiʊŋ 東 koŋ

04428 舼 渠容 群鍾平三合 giʊŋ 東 goŋ

04429 輂 渠容 群鍾平三合 giʊŋ 東 goŋ

04430 蛬 渠容 群鍾平三合 giʊŋ 東 goŋ

04431 拱 居悚 見鍾上三合 kiʊŋ 東 koŋʔ

04432 拲 居悚 見鍾上三合 kiʊŋ 東 koŋʔ

04433 蛬 居悚 見鍾上三合 kiʊŋ 東 koŋʔ

04434 栱 居悚 見鍾上三合 kiʊŋ 東 koŋʔ

04435 栱 居悚 見鍾上三合 kiʊŋ 東 koŋʔ

04436 輂 居悚 見鍾上三合 kiʊŋ 東 koŋʔ

04437 供 居用 見鍾去三合 kiʊŋ 東 koŋs

04438 共 渠用 群鍾去三合 giʊŋ 東 goŋs

04439 烘 户工 匣東平一合 ɦuŋ 東 go̱ŋ

04440 洪 户公 匣東平一合 ɦuŋ 東 go̱ŋ

04441 烘 户公 匣東平一合 ɦuŋ 東 go̱ŋ

04442 烘 呼東 曉東平一合 huŋ 東 q^{h}o̱ŋ

04443 烘 胡貢 匣東去一合 ɦuŋ 東 go̱ŋs

04444 港 胡貢 匣東去一合 ɦuŋ 東 go̱ŋs

04445 閧 胡貢 匣東去一合 ɦuŋ 東 go̱ŋs

04446 閧 胡貢 匣東去一合 ɦuŋ 東 go̱ŋs

04447 烘 呼貢 曉東去一合 huŋ 東 q^{h}o̱ŋs

04448 港 古項 見江上二開 k^{ɯ}ɔŋ 東 k^{r}o̱ŋʔ

04449 巷 胡絳 匣江去二開 ɦ^{ɯ}ɔŋ 東 g^{r}o̱ŋs

04450 閧 胡絳 匣江去二開 ɦ^{ɯ}ɔŋ 東 g^{r}o̱ŋs

04451 檋 拘玉 見燭入三合 ki̯ʊk 屋 kog

04452 輂 居玉 見燭入三合 ki̯ʊk 屋 kog

04453 拲 居玉 見燭入三合 ki̯ʊk 屋 kog

冓 gòu

04454 溝 古侯 見侯平一合 ku 侯 ko̱

04455 褠 古侯 見侯平一合 ku 侯 ko̱

04456 韝 古侯 見侯平一合 ku 侯 ko̱

04457 篝 古侯 見侯平一合 ku 侯 ko̱

04458 冓 古侯 見侯平一合 ku 侯 ko̱

04459 韝 恪侯 溪侯平一合 k^{h}u 侯 k^{h}o̱

04460 遘 古候 見侯去一合 ku 侯 ko̱s

04461 構 古候 見侯去一合 ku 侯 ko̱s

1 《广韵》作“匔”。

2 《广韵》作“匔”。

04462 媾 古候 見侯去一合 ku 侯 ko̱s
04463 覯 古候 見侯去一合 ku 侯 ko̱s
04464 購 古候 見侯去一合 ku 侯 ko̱s
04465 搆 古候 見侯去一合 ku 侯 ko̱s
04466 冓 古候 見侯去一合 ku 侯 ko̱s
04467 講 古項 見江上二開 k^{ɯ}ɔŋ 東 k^{r}o̱ŋʔ
04468 傋 古項 見江上二開 k^{ɯ}ɔŋ 東 k^{r}o̱ŋʔ
04469 傋 虛慃 曉江上二開 h^{ɯ}ɔŋ 東 q^{hr}o̱ŋʔ
04470 斠 古岳 見覺入二開 k^{ɯ}ɔk 屋 k^{r}o̱g

夃 gǔ

04471 股 公户 見模上一合 ku̯o 魚 ka̱ʔ
04472 羖 公户 見模上一合 ku̯o 魚 ka̱ʔ
04473 夃 公户 見模上一合 ku̯o 魚 ka̱ʔ

古 gǔ

04474 裾 九魚 見魚平三開 kiɤ 魚 ka
04475 琚 九魚 見魚平三開 kiɤ 魚 ka
04476 鶋 九魚 見魚平三開 kiɤ 魚 ka
04477 崌 九魚 見魚平三開 kiɤ 魚 ka
04478 椐 九魚 見魚平三開 kiɤ 魚 ka
04479 涺 九魚 見魚平三開 kiɤ 魚 ka
04480 腒 九魚 見魚平三開 kiɤ 魚 ka
04481 居 九魚 見魚平三開 kiɤ 魚 ka
04482 据 九魚 見魚平三開 kiɤ 魚 ka
04483 椐 去魚 溪魚平三開 k^{h}iɤ 魚 k^{h}a
04484 腒 强魚 群魚平三開 giɤ 魚 ga
04485 鋸 居御 見魚去三開 kiɤ 魚 kas
04486 倨 居御 見魚去三開 kiɤ 魚 kas
04487 踞 居御 見魚去三開 kiɤ 魚 kas
04488 椐 居御 見魚去三開 kiɤ 魚 kas
04489 菇 攻乎 見模平一合 ku̯o 魚 ka̱
04490 姑 古胡 見模平一合 ku̯o 魚 ka̱
04491 辜 古胡 見模平一合 ku̯o 魚 ka̱
04492 酤 古胡 見模平一合 ku̯o 魚 ka̱
04493 蛄 古胡 見模平一合 ku̯o 魚 ka̱
04494 鴣 古胡 見模平一合 ku̯o 魚 ka̱
04495 橭 古胡 見模平一合 ku̯o 魚 ka̱
04496 沽 古胡 見模平一合 ku̯o 魚 ka̱
04497 鹽 古胡 見模平一合 ku̯o 魚 ka̱
04498 嫴 古胡 見模平一合 ku̯o 魚 ka̱
04499 骷 空胡 溪模平一合 k^{h}u̯o 魚 k^{h}a̱
04500 枯 苦胡 溪模平一合 k^{h}u̯o 魚 k^{h}a̱
04501 軲 苦胡 溪模平一合 k^{h}u̯o 魚 k^{h}a̱
04502 殆 苦胡 溪模平一合 k^{h}u̯o 魚 k^{h}a̱
04503 橭 苦胡 溪模平一合 k^{h}u̯o 魚 k^{h}a̱
04504 嘲 洪孤 匣模平一合 ɦu̯o 魚 ga̱
04505 鶦 洪孤 匣模平一合 ɦu̯o 魚 ga̱
04506 啙 洪孤 匣模平一合 ɦu̯o 魚 ga̱
04507 胡 户吴 匣模平一合 ɦu̯o 魚 ga̱
04508 餬 户吴 匣模平一合 ɦu̯o 魚 ga̱
04509 瑚 户吴 匣模平一合 ɦu̯o 魚 ga̱
04510 湖 户吴 匣模平一合 ɦu̯o 魚 ga̱
04511 鶘 户吴 匣模平一合 ɦu̯o 魚 ga̱
04512 猢 户吴 匣模平一合 ɦu̯o 魚 ga̱
04513 黏 户吴 匣模平一合 ɦu̯o 魚 ga̱
04514 鬍 户吴 匣模平一合 ɦu̯o 魚 ga̱
04515 葫 户吴 匣模平一合 ɦu̯o 魚 ga̱
04516 糊[1] 户吴 匣模平一合 ɦu̯o 魚 ga̱
04517 鶦 洪孤 匣模平一合 ɦu̯o 魚 ga̱
04518 葫 荒烏 曉模平一合 hu̯o 魚 q^{h}a̱
04519 古 公户 見模上一合 ku̯o 魚 ka̱ʔ
04520 罟 公户 見模上一合 ku̯o 魚 ka̱ʔ
04521 估 公户 見模上一合 ku̯o 魚 ka̱ʔ
04522 鹽 公户 見模上一合 ku̯o 魚 ka̱ʔ
04523 詁 公户 見模上一合 ku̯o 魚 ka̱ʔ
04524 沽 公户 見模上一合 ku̯o 魚 ka̱ʔ
04525 盬 果五 見模上一合 ku̯o 魚 ka̱ʔ
04526 居 當古 端模上一合 tu̯o 魚 kla̱ʔ
04527 苦 康杜 溪模上一合 k^{h}u̯o 魚 k^{hl}a̱ʔ
04528 楛 侯古 匣模上一合 ɦu̯o 魚 ga̱ʔ
04529 怙 侯古 匣模上一合 ɦu̯o 魚 ga̱ʔ
04530 祜 侯古 匣模上一合 ɦu̯o 魚 ga̱ʔ
04531 岵 侯古 匣模上一合 ɦu̯o 魚 ga̱ʔ
04532 婟 侯古 匣模上一合 ɦu̯o 魚 ga̱ʔ
04533 居 侯古 匣模上一合 ɦu̯o 魚 ga̱ʔ
04534 酤 侯古 匣模上一合 ɦu̯o 魚 ga̱ʔ
04535 箇[2] 古賀 見歌去一開 kɑ 魚 ka̱s

1 《广韵》又同"粘"。
2 鱼部 a 的滞后音变，与歌部合流。

04536 個[1] 古賀 見歌去一開 kɑ 魚 ka̱s
04537 菌 古慕 見模去一合 ku̯o 魚 ka̱s
04538 稒 古暮 見模去一合 ku̯o 魚 ka̱s
04539 故 古暮 見模去一合 ku̯o 魚 ka̱s
04540 酤 古暮 見模去一合 ku̯o 魚 ka̱s
04541 痼 古暮 見模去一合 ku̯o 魚 ka̱s
04542 固 古暮 見模去一合 ku̯o 魚 ka̱s
04543 錮 古暮 見模去一合 ku̯o 魚 ka̱s
04544 痁 古暮 見模去一合 ku̯o 魚 ka̱s
04545 棝 古暮 見模去一合 ku̯o 魚 ka̱s
04546 沽 古暮 見模去一合 ku̯o 魚 ka̱s
04547 蓝 苦故 溪模去一合 k^{h}u̯o 魚 k^{h}a̱s
04548 苦 苦故 溪模去一合 k^{h}u̯o 魚 k^{h}a̱s
04549 婟 胡誤 匣模去一合 ɦu̯o 魚 ga̱s
04550 居 居之 見之平三開 kɨ 之 kɯ
04551 涸 下各 匣鐸入一開 ɦɑk 鐸 ga̱g

𠔏 gǔ

04552 𠔏 公户 見模上一合 ku̯o 魚 k^{w}a̱ʔ

谷 gǔ

04553 裕 羊戍 以虞去三合 jiʊ 屋 ɢlogs
04554 俗 似足 邪燭入三合 zi̯ʊk 屋 sg^{l}og
04555 猃 余蜀 以燭入三合 ji̯ʊk 屋 ɢlog
04556 谷 余蜀 以燭入三合 ji̯ʊk 屋 ɢlog
04557 鵒 余蜀 以燭入三合 ji̯ʊk 屋 ɢlog
04558 鋊 余蜀 以燭入三合 ji̯ʊk 屋 ɢlog
04559 欲 余蜀 以燭入三合 ji̯ʊk 屋 ɢlog
04560 浴 余蜀 以燭入三合 ji̯ʊk 屋 ɢlog
04561 慾 余蜀 以燭入三合 ji̯ʊk 屋 ɢlog
04562 谷[2] 古禄 見屋入一合 kuk 屋 k^{l}o̱g
04563 猃 古禄 見屋入一合 kuk 屋 k^{l}o̱g
04564 谷 盧谷 來屋入一合 luk 屋 g.ro̱g
04565 螸 羊朱 以虞平三合 jiʊ 侯 ɢlo

骨 gǔ

04566 骨 古忽 見没入一合 ku̯ot 物^{u} ku̱d
04567 縎 古忽 見没入一合 ku̯ot 物^{u} ku̱d
04568 鶻 古忽 見没入一合 ku̯ot 物^{u} ku̱d
04569 滑 古忽 見没入一合 ku̯ot 物^{u} ku̱d
04570 愲 古忽 見没入一合 ku̯ot 物^{u} ku̱d
04571 蓇 古忽 見没入一合 ku̯ot 物^{u} ku̱d
04572 榾 古忽 見没入一合 ku̯ot 物^{u} ku̱d
04573 顝 苦骨 溪没入一合 k^{h}u̯ot 物^{u} k^{h}u̱d
04574 搰 户骨 匣没入一合 ɦu̯ot 物^{u} gu̱d
04575 鶻 户骨 匣没入一合 ɦu̯ot 物^{u} gu̱d
04576 榾 户骨 匣没入一合 ɦu̯ot 物^{u} gu̱d
04577 滑 户骨 匣没入一合 ɦu̯ot 物^{u} gu̱d
04578 歆 烏没 影没入一合 ʔu̯ot 物^{u} qu̱d
04579 滑 户八 匣黠入二合 ɦ^{wɯ}ɛt 物^{u} g^{r}u̱d
04580 猾 户八 匣黠入二合 ɦ^{wɯ}ɛt 物^{u} g^{r}u̱d
04581 鰖 户八 匣黠入二合 ɦ^{wɯ}ɛt 物^{u} g^{r}u̱d
04582 螖 户八 匣黠入二合 ɦ^{wɯ}ɛt 物^{u} g^{r}u̱d
04583 鶻 户八 匣黠入二合 ɦ^{wɯ}ɛt 物^{u} g^{r}u̱d
04584 齃 户八 匣黠入二合 ɦ^{wɯ}ɛt 物^{u} g^{r}u̱d
04585 齃 下八 匣黠入二合 ɦ^{wɯ}ɛt 物^{u} g^{r}u̱d
04586 歆 烏八 影黠入二合 ʔ^{wɯ}ɛt 物^{u} q^{r}u̱d
04587 顝 苦回 溪灰平一合 k^{h}u̯oi 微^{u} k^{h}u̱l
04588 顝 口猥 溪灰上一合 k^{h}u̯oi 微^{u} k^{h}u̱lʔ
04589 顝 口瓦 溪麻上二合 k^{hwɯ}æ 歌^{o} k^{hr}o̱lʔ

鼓 gǔ

04590 鼓 公户 見模上一合 ku̯o 魚 k^{w}a̱ʔ
04591 瞽 公户 見模上一合 ku̯o 魚 k^{w}a̱ʔ

蠱 gǔ

04592 蠱 公户 見模上一合 ku̯o 魚 ka̱ʔ

瓜 guā

04593 孤[3] 古胡 見模平一合 ku̯o 魚 k^{w}a̱
04594 苽 古胡 見模平一合 ku̯o 魚 k^{w}a̱
04595 柧 古胡 見模平一合 ku̯o 魚 k^{w}a̱
04596 呱 古胡 見模平一合 ku̯o 魚 k^{w}a̱
04597 泒 古胡 見模平一合 ku̯o 魚 k^{w}a̱
04598 觚 古胡 見模平一合 ku̯o 魚 k^{w}a̱

---

1 鱼部 a 的滞后音变,与歌部合流。

2 段玉裁:“容,谷聲。”“谷”虽为入声 * -og,肯定有阳声异读 * -oŋ。可比较藏文的同源词 gçoŋs< * g̥ljoŋ 深谷,grog 急流的深谷,luŋ 山谷,roŋ 山谷。故“谷”的上古读音为 * k^{l}o̱g>kuk、* g.ro̱g>luk。

3 比较武鸣壮语(李方桂《武鸣僮语》,中国科学院 1953 年)kla51,故上古带复杂辅音 * k^{wl}->k^{w}-。

04599 箛 古胡 見模平一合 ku̱o 魚 k^{w}a̱
04600 柧 古胡 見模平一合 ku̱o 魚 k^{w}a̱
04601 罛 古胡 見模平一合 ku̱o 魚 k^{w}a̱
04602 軱 古胡 見模平一合 ku̱o 魚 k^{w}a̱
04603 菰 古胡 見模平一合 ku̱o 魚 k^{w}a̱
04604 苽 攻乎 見模平一合 ku̱o 魚 k^{w}a̱
04605 狐 户吴 匣模平一合 ɦu̱o 魚 g^{w}a̱
04606 弧 户吴 匣模平一合 ɦu̱o 魚 g^{w}a̱
04607 瓜 古華 見麻平二合 k^{wɯ}æ 魚 k^{wr}a̱
04608 抓 古華 見麻平二合 k^{wɯ}æ 魚 k^{wr}a̱
04609 呱 苦瓜 溪麻平二合 k^{hwɯ}æ 魚 k^{whr}a̱
04610 窊 烏瓜 影麻平二合 ʔ^{wɯ}æ 魚 q^{wr}a̱
04611 窊 烏吴 影麻去二合 ʔ^{wɯ}æ 魚 q^{wr}a̱s

𠯑 guā

04612 頢 古活 見曷入一合 k^{w}ɑt 月^{o} ko̱d
04613 适 古活 見曷入一合 k^{w}ɑt 月^{o} ko̱d
04614 銽 古活 見曷入一合 k^{w}ɑt 月^{o} ko̱d
04615 佸 古活 見曷入一合 k^{w}ɑt 月^{o} ko̱d
04616 括 古活 見曷入一合 k^{w}ɑt 月^{o} ko̱d
04617 活 古活 見曷入一合 k^{w}ɑt 月^{o} ko̱d
04618 髺 古活 見曷入一合 k^{w}ɑt 月^{o} ko̱d
04619 聒 古活 見曷入一合 k^{w}ɑt 月^{o} ko̱d
04620 ⿱艹𠯑 古活 見曷入一合 k^{w}ɑt 月^{o} ko̱d
04621 鴰 古活 見曷入一合 k^{w}ɑt 月^{o} ko̱d
04622 萿 古活 見曷入一合 k^{w}ɑt 月^{o} ko̱d
04623 葀 古活 見曷入一合 k^{w}ɑt 月^{o} ko̱d
04624 ⿰骨𠯑 古活 見曷入一合 k^{w}ɑt 月^{o} ko̱d
04625 ⿺麥𠯑 古活 見曷入一合 k^{w}ɑt 月^{o} ko̱d
04626 筈 古活 見曷入一合 k^{w}ɑt 月^{o} ko̱d
04627 𠯑 古活 見曷入一合 k^{w}ɑt 月^{o} ko̱d
04628 ⿰齒𠯑 古活 見曷入一合 k^{w}ɑt 月^{o} ko̱d
04629 闊 苦栝 溪曷入一合 k^{hw}ɑt 月^{o} k^{h}o̱d
04630 蛞 苦栝 溪曷入一合 k^{hw}ɑt 月^{o} k^{h}o̱d
04631 筈 苦栝 溪曷入一合 k^{hw}ɑt 月^{o} k^{h}o̱d
04632 适 苦栝 溪曷入一合 k^{hw}ɑt 月^{o} k^{h}o̱d
04633 活 户括 匣曷入一合 ɦ^{w}ɑt 月^{o} go̱d
04634 祮 户括 匣曷入一合 ɦ^{w}ɑt 月^{o} go̱d
04635 佸 户括 匣曷入一合 ɦ^{w}ɑt 月^{o} go̱d
04636 秳 户括 匣曷入一合 ɦ^{w}ɑt 月^{o} go̱d
04637 姡 户括 匣曷入一合 ɦ^{w}ɑt 月^{o} go̱d
04638 話 下快 匣夬去二合 ɦ^{wɯ}æi 月^{o} g^{r}o̱ds
04639 咶 火夬 曉夬去二合 h^{wɯ}æi 月^{o} q^{hr}o̱ds
04640 祮[1] 古頒 見鎋入二合 k^{wɯ}æt 月^{o} k^{r}o̱d
04641 趏 古頒 見鎋入二合 k^{wɯ}æt 月^{o} k^{r}o̱d
04642 錉 古刹 見鎋入二合 k^{wɯ}æt 月^{o} k^{r}o̱d
04643 刮[2] 古頒 見鎋入二合 k^{wɯ}æt 月^{o} k^{r}o̱d
04644 鴰 古頒 見鎋入二合 k^{wɯ}æt 月^{o} k^{r}o̱d
04645 趏[3] 枯鎋 溪鎋入二開 k^{hɯ}æt 月^{o} k^{hr}o̱d
04646 ⿰齒𠯑 乎刮 匣鎋入二合 ɦ^{wɯ}æt 月^{o} g^{r}o̱d
04647 𠯑 乎刮 匣鎋入二合 ɦ^{wɯ}æt 月^{o} g^{r}o̱d
04648 頢 下刮 匣鎋入二合 ɦ^{wɯ}æt 月^{o} g^{r}o̱d
04649 舌 下刮 匣鎋入二合 ɦ^{wɯ}æt 月^{o} g^{r}o̱d
04650 姡 下刮 匣鎋入二合 ɦ^{wɯ}æt 月^{o} g^{r}o̱d
04651 咶 下刮 匣鎋入二合 ɦ^{wɯ}æt 月^{o} g^{r}o̱d

冎 guǎ

04652 ⿺尢咼 於詭 影支上B 合 ʔ^{w}ɨe 歌^{o} q^{r}olʔ
04653 ⿺尢咼 許委 曉支上B 合 h^{w}ɨe 歌^{o} q^{hr}olʔ
04654 過 古禾 見歌平一合 k^{w}ɑ 歌^{o} ko̱l
04655 渦 古禾 見歌平一合 k^{w}ɑ 歌^{o} ko̱l
04656 鍋 古禾 見歌平一合 k^{w}ɑ 歌^{o} ko̱l
04657 楇 古禾 見歌平一合 k^{w}ɑ 歌^{o} ko̱l
04658 瘑 古禾 見歌平一合 k^{w}ɑ 歌^{o} ko̱l
04659 緺 古禾 見歌平一合 k^{w}ɑ 歌^{o} ko̱l
04660 薖 苦禾 溪歌平一合 k^{hw}ɑ 歌^{o} k^{h}o̱l
04661 簻 苦禾 溪歌平一合 k^{hw}ɑ 歌^{o} k^{h}o̱l
04662 濄 烏禾 影歌平一合 ʔ^{w}ɑ 歌^{o} qo̱l
04663 渦 烏禾 影歌平一合 ʔ^{w}ɑ 歌^{o} qo̱l
04664 鐹 古火 見歌上一合 k^{w}ɑ 歌^{o} ko̱lʔ
04665 禍 胡果 匣歌上一合 ɦ^{w}ɑ 歌^{o} go̱lʔ
04666 碢 胡果 匣歌上一合 ɦ^{w}ɑ 歌^{o} go̱lʔ
04667 過 胡果 匣歌上一合 ɦ^{w}ɑ 歌^{o} go̱lʔ
04668 過 古臥 見歌去一合 k^{w}ɑ 歌^{o} ko̱ls
04669 鐹 古臥 見歌去一合 k^{w}ɑ 歌^{o} ko̱ls
04670 檛[4] 陟瓜 知麻平二合 ʈ^{wɯ}æ 歌^{o} klo̱l

---

1 原为黠韵，但是根据谐声系统应该为鎋韵，《切韵》音系二等有鎋、黠的历史层次。

2 比较泰文 k^{h}uud 刮、削。

3 见“街”字注。

4 见定母和澄母“荼”字注。

04671 簻 陟瓜 知麻平二合 ʈ^{wɯ}æ 歌^{o} klo̱l

04672 撾[1] 張瓜 知麻平二合 ʈ^{wɯ}æ 歌^{o} klo̱l

04673 騧 古華 見麻平二合 k^{wɯ}æ 歌^{o} k^{r}o̱l

04674 緺 古華 見麻平二合 k^{wɯ}æ 歌^{o} k^{r}o̱l

04675 蝸[2] 古華 見麻平二合 k^{wɯ}æ 歌^{o} k^{r}o̱l

04676 媧 古華 見麻平二合 k^{wɯ}æ 歌^{o} k^{r}o̱l

04677 咼[3] 苦緺 溪麻平二合 k^{hwɯ}æ 歌^{o} k^{hr}o̱l

04678 冎 古瓦 見麻上二合 k^{wɯ}æ 歌^{o} k^{r}o̱lʔ

04679 諣 呼霸 曉麻去二合 h^{wɯ}æ 歌^{o} q^{hr}o̱ls

寡 guǎ

04680 寡 古瓦 見麻上二合 k^{wɯ}æ 魚 k^{wr}a̱ʔ

乖 guāi

04681 𠦬 古懷 見皆平二合 k^{wɯ}ɛi 脂^{1} k^{wr}i̱l

04682 𦫵 公懷 見皆平二合 k^{wɯ}ɛi 脂^{1} k^{wr}i̱l

04683 乖[4] 古懷 見皆平二合 k^{wɯ}ɛi 脂^{1} k^{wr}i̱l

04684 𦬒[5] 空媧 溪皆平二合 k^{hwɯ}ɛi 脂^{1} k^{whr}i̱l

04685 𦫵[6] 古買 見皆上二合 k^{wɯ}ɛi 脂^{1} k^{wr}i̱lʔ

夬 guài

04686 袂 彌獘 明祭去A 開 miᴇi 月^{e} mk^{wl}eds

04687 觖 窺瑞 溪支去A 合 k^{hw}ie 月^{e} k^{wh}eds

04688 缺 傾雪 溪薛入A 合 k^{hw}iᴇt 月^{e} k^{wh}ed

04689 蒛 傾雪 溪薛入A 合 k^{hw}iᴇt 月^{e} k^{wh}ed

04690 䦤 傾雪 溪薛入A 合 k^{hw}iᴇt 月^{e} k^{wh}ed

04691 妜 於悅 影薛入A 合 ʔ^{w}iᴇt 月^{e} q^{w}ed

04692 颫 翾劣 曉薛入A 合 h^{w}iᴇt 月^{e} q^{wh}ed

04693 炔 翾劣 曉薛入A 合 h^{w}iᴇt 月^{e} q^{wh}ed

04694 吷 許劣 曉薛入B 合 h^{w}ɨᴇt 月^{e} q^{whr}ed

04695 炔 涓惠 見齊去四合 k^{w}ei 月^{e} k^{w}e̱ds

04696 玦 古穴 見屑入四合 k^{w}et 月^{e} k^{w}e̱d

04697 眏 古穴 見屑入四合 k^{w}et 月^{e} k^{w}e̱d

04698 訣 古穴 見屑入四合 k^{w}et 月^{e} k^{w}e̱d

04699 駃 古穴 見屑入四合 k^{w}et 月^{e} k^{w}e̱d

04700 芵 古穴 見屑入四合 k^{w}et 月^{e} k^{w}e̱d

04701 赽 古穴 見屑入四合 k^{w}et 月^{e} k^{w}e̱d

04702 鴃 古穴 見屑入四合 k^{w}et 月^{e} k^{w}e̱d

04703 鈌 古穴 見屑入四合 k^{w}et 月^{e} k^{w}e̱d

04704 臭 古穴 見屑入四合 k^{w}et 月^{e} k^{w}e̱d

04705 決 古穴 見屑入四合 k^{w}et 月^{e} k^{w}e̱d

04706 觖 古穴 見屑入四合 k^{w}et 月^{e} k^{w}e̱d

04707 柍 古穴 見屑入四合 k^{w}et 月^{e} k^{w}e̱d

04708 疦 古穴 見屑入四合 k^{w}et 月^{e} k^{w}e̱d

04709 蚗 古穴 見屑入四合 k^{w}et 月^{e} k^{w}e̱d

04710 趹 古穴 見屑入四合 k^{w}et 月^{e} k^{w}e̱d

04711 肤 古穴 見屑入四合 k^{w}et 月^{e} k^{w}e̱d

04712 抉 古穴 見屑入四合 k^{w}et 月^{e} k^{w}e̱d

04713 駃 古穴 見屑入四合 k^{w}et 月^{e} k^{w}e̱d

04714 鴂 古穴 見屑入四合 k^{w}et 月^{e} k^{w}e̱d

04715 缺 苦穴 溪屑入四合 k^{hw}et 月^{e} k^{wh}e̱d

04716 鴂 一決 影屑入四合 ʔ^{w}et 月^{e} q^{w}e̱d

04717 䦤 一決 影屑入四合 ʔ^{w}et 月^{e} q^{w}e̱d

04718 鈌 乙穴 影屑入四合 ʔ^{w}et 月^{e} q^{w}e̱d

04719 抉 於決 影屑入四合 ʔ^{w}et 月^{e} q^{w}e̱d

04720 宊 於決 影屑入四合 ʔ^{w}et 月^{e} q^{w}e̱d

04721 妜 於決 影屑入四合 ʔ^{w}et 月^{e} q^{w}e̱d

04722 窫 於決 影屑入四合 ʔ^{w}et 月^{e} q^{w}e̱d

04723 鴂 呼決 曉屑入四合 h^{w}et 月^{e} q^{wh}e̱d

04724 颫 呼決 曉屑入四合 h^{w}et 月^{e} q^{wh}e̱d

04725 疦 呼決 曉屑入四合 h^{w}et 月^{e} q^{wh}e̱d

04726 決 呼決 曉屑入四合 h^{w}et 月^{e} q^{wh}e̱d

04727 夬 古邁 見夬去二合 k^{wɯ}æi 月^{a} k^{wr}a̱ds

04728 快 苦夬 溪夬去二合 k^{hwɯ}æi 月^{a} k^{whr}a̱ds

04729 駃 苦夬 溪夬去二合 k^{hwɯ}æi 月^{a} k^{whr}a̱ds

官 guān

04730 官[7] 古丸 見寒平一合 k^{w}ɑn 元^{o} ko̱n

04731 涫 古丸 見寒平一合 k^{w}ɑn 元^{o} ko̱n

04732 棺 古丸 見寒平一合 k^{w}ɑn 元^{o} ko̱n

---

1 见定母和澄母"荼"字注。

2 原为佳韵，但是根据谐声系统应该为麻韵，《切韵》音系二等有麻、佳的历史层次。

3 原为佳韵，但是根据谐声系统应该为麻韵，《切韵》音系二等有麻、佳的历史层次。

4 "乖"通"淮"，《银雀山汉墓竹简（贰）·论政论兵之类·将失》："十九曰，軍淮（乖），眾不能吏，可敗也。""淮"*ɢ^{r}u̱l > *ɢ^{wr}i̱l，后来成为脂^{1}部。

5 原为佳韵，但是根据谐声系统应该为皆韵，《切韵》音系二等有皆、佳的历史层次。

6 原为佳韵，但是根据谐声系统应该为皆韵，《切韵》音系二等有皆、佳的历史层次。

7 可比较藏文 kol 仆人。

04733 涫 古丸 見寒平一合 k^{w}ɑn 元^{o} ko̱n

04734 倌 古丸 見寒平一合 k^{w}ɑn 元^{o} ko̱n

04735 婠 一丸 影寒平一合 ʔ^{w}ɑn 元^{o} qo̱n

04736 管 古滿 見寒上一合 k^{w}ɑn 元^{o} ko̱nʔ

04737 輨 古滿 見寒上一合 k^{w}ɑn 元^{o} ko̱nʔ

04738 琯 古滿 見寒上一合 k^{w}ɑn 元^{o} ko̱nʔ

04739 痯 古滿 見寒上一合 k^{w}ɑn 元^{o} ko̱nʔ

04740 悹 古滿 見寒上一合 k^{w}ɑn 元^{o} ko̱nʔ

04741 䩪 古滿 見寒上一合 k^{w}ɑn 元^{o} ko̱nʔ

04742 錧 古滿 見寒上一合 k^{w}ɑn 元^{o} ko̱nʔ

04743 館 古玩 見寒去一合 k^{w}ɑn 元^{o} ko̱ns

04744 錧 古玩 見寒去一合 k^{w}ɑn 元^{o} ko̱ns

04745 涫 古玩 見寒去一合 k^{w}ɑn 元^{o} ko̱ns

04746 悹 古玩 見寒去一合 k^{w}ɑn 元^{o} ko̱ns

04747 棺 古玩 見寒去一合 k^{w}ɑn 元^{o} ko̱ns

04748 婠 古玩 見寒去一合 k^{w}ɑn 元^{o} ko̱ns

04749 痯 古玩 見寒去一合 k^{w}ɑn 元^{o} ko̱ns

04750 悺 古玩 見寒去一合 k^{w}ɑn 元^{o} ko̱ns

04751 逭 胡玩 匣寒去一合 ɦ^{w}ɑn 元^{o} ɡo̱ns

04752 菅[1] 古顔 見删平二開 k^{ɯ}æn 元^{o} k^{r}o̱n

04753 綰 烏板 影删上二合 ʔ^{wɯ}æn 元^{o} q^{r}o̱nʔ

04754 悺[2] 鄔版 影删上二開 ʔ^{ɯ}æn 元^{o} q^{r}o̱nʔ

04755 倌 古患 見删去二合 k^{wɯ}æn 元^{o} k^{r}o̱ns

04756 綰 烏患 影删去二合 ʔ^{wɯ}æn 元^{o} q^{r}o̱ns

04757 捾 烏括 影曷入一合 ʔ^{w}ɑt 月^{o} qo̱d

04758 婠[3] 烏八 影鎋入二合 ʔ^{wɯ}æt 月^{o} q^{r}o̱d

04759 琯 古困 見魂去一合 ku̯on 文^{u} ku̱ns

毌 guàn

04760 貫 古丸 見寒平一合 k^{w}ɑn 元^{o} ko̱n

04761 毌 古丸 見寒平一合 k^{w}ɑn 元^{o} ko̱n

04762 貫 古玩 見寒去一合 k^{w}ɑn 元^{o} ko̱ns

04763 遦 古玩 見寒去一合 k^{w}ɑn 元^{o} ko̱ns

04764 毌 古玩 見寒去一合 k^{w}ɑn 元^{o} ko̱ns

04765 慣 古患 見删去二合 k^{wɯ}æn 元^{o} k^{r}o̱ns

04766 摜 古患 見删去二合 k^{wɯ}æn 元^{o} k^{r}o̱ns

丱 guàn

04767 丱[4] 古患 見删去二合 k^{wɯ}æn 元^{o} k^{r}o̱ns

04768 卵 盧管 來寒上一合 l^{w}ɑn 元^{o} ɡ.ro̱nʔ

04769 關[5] 古還 見删平二合 k^{wɯ}æn 元^{o} k^{r}o̱n

04770 絆 古還 見删平二合 k^{wɯ}æn 元^{o} k^{r}o̱n

04771 卵[6] 郎果 來歌上一合 l^{w}ɑ 歌^{o} ɡ.ro̱lʔ

盥 guàn

04772 盥 古滿 見寒上一合 k^{w}ɑn 元^{o} ko̱nʔ

04773 盥 古玩 見寒去一合 k^{w}ɑn 元^{o} ko̱ns

雚 guàn

04774 權 巨員 群仙平B 合 ɡ^{w}ɨɛn 元^{o} ɡ^{r}on

04775 顴 巨員 群仙平B 合 ɡ^{w}ɨɛn 元^{o} ɡ^{r}on

04776 蠸 巨員 群仙平B 合 ɡ^{w}ɨɛn 元^{o} ɡ^{r}on

04777 彏 巨員 群仙平B 合 ɡ^{w}ɨɛn 元^{o} ɡ^{r}on

04778 趯 巨員 群仙平B 合 ɡ^{w}ɨɛn 元^{o} ɡ^{r}on

04779 臛 巨員 群仙平B 合 ɡ^{w}ɨɛn 元^{o} ɡ^{r}on

04780 讙 況袁 曉元平三合 h^{w}iɤn 元^{o} q^{h}on

04781 觼 況袁 曉元平三合 h^{w}iɤn 元^{o} q^{h}on

04782 蘿 去阮 溪元上三合 k^{hw}iɤn 元^{o} k^{h}onʔ

04783 勸 去願 溪元去三合 k^{hw}iɤn 元^{o} k^{h}ons

04784 蘿 去願 溪元去三合 k^{hw}iɤn 元^{o} k^{h}ons

04785 觀 古丸 見寒平一合 k^{w}ɑn 元^{o} ko̱n

04786 鸛 胡官 匣寒平一合 ɦ^{w}ɑn 元^{o} ɡo̱n

04787 讙 呼官 曉寒平一合 h^{w}ɑn 元^{o} q^{h}o̱n

04788 嚾 呼官 曉寒平一合 h^{w}ɑn 元^{o} q^{h}o̱n

04789 懽 呼官 曉寒平一合 h^{w}ɑn 元^{o} q^{h}o̱n

04790 歡 呼官 曉寒平一合 h^{w}ɑn 元^{o} q^{h}o̱n

04791 驩 呼官 曉寒平一合 h^{w}ɑn 元^{o} q^{h}o̱n

04792 貛 呼官 曉寒平一合 h^{w}ɑn 元^{o} q^{h}o̱n

04793 鱹 呼官 曉寒平一合 h^{w}ɑn 元^{o} q^{h}o̱n

04794 酄 呼官 曉寒平一合 h^{w}ɑn 元^{o} q^{h}o̱n

04795 獾 呼官 曉寒平一合 h^{w}ɑn 元^{o} q^{h}o̱n

04796 雚 呼官 曉寒平一合 h^{w}ɑn 元^{o} q^{h}o̱n

---

1 见“街”字注。

2 见“街”字注。

3 原为黠韵，但是根据谐声系统应该为鎋韵，《切韵》音系二等有鎋、黠的历史层次。

4 “丱”字又作“卝”，“卝”乎瞀切，同矿。又《集韵》古患切，同丱。古文字“卵”作“卝”。

5 可比较泰文 krɔɔn 门闩。

6 《礼记·内则》“濡魚，卵醬實蓼”，郑玄注：“卵，讀爲鯤。”故“卵”带冠音 *ɡ.ro̱nʔ> *ro̱nʔ。

04797	雚	古玩	見寒去一合	kʷɑn	元°	ko̱ns
04798	懽	古玩	見寒去一合	kʷɑn	元°	ko̱ns
04799	爟	古玩	見寒去一合	kʷɑn	元°	ko̱ns
04800	觀	古玩	見寒去一合	kʷɑn	元°	ko̱ns
04801	鸛	古玩	見寒去一合	kʷɑn	元°	ko̱ns
04802	矔	古玩	見寒去一合	kʷɑn	元°	ko̱ns
04803	瓘	古玩	見寒去一合	kʷɑn	元°	ko̱ns
04804	灌	古玩	見寒去一合	kʷɑn	元°	ko̱ns
04805	嚾	吐玩	透寒去一合	tʰʷɑn	元°	kʰlo̱ns
04806	嚾	火貫	曉寒去一合	hʷɑn	元°	qʰo̱ns
04807	矔	古患	見删去二合	kʷᵚæn	元°	kʳo̱ns

光 guāng

04808	光	古黃	見唐平一合	kʷɑŋ	陽	kʷa̱ŋ
04809	洸	古黃	見唐平一合	kʷɑŋ	陽	kʷa̱ŋ
04810	桄	古黃	見唐平一合	kʷɑŋ	陽	kʷa̱ŋ
04811	胱	古黃	見唐平一合	kʷɑŋ	陽	kʷa̱ŋ
04812	恍	古黃	見唐平一合	kʷɑŋ	陽	kʷa̱ŋ
04813	茪	古黃	見唐平一合	kʷɑŋ	陽	kʷa̱ŋ
04814	侊	古黃	見唐平一合	kʷɑŋ	陽	kʷa̱ŋ
04815	洸	烏光	影唐平一合	ʔʷɑŋ	陽	qʷa̱ŋ
04816	晄	古晃	見唐上一合	kʷɑŋ	陽	kʷa̱ŋʔ
04817	晃	胡廣	匣唐上一合	ɦʷɑŋ	陽	ɡʷa̱ŋʔ
04818	幌	胡廣	匣唐上一合	ɦʷɑŋ	陽	ɡʷa̱ŋʔ
04819	桄	古曠	見唐去一合	kʷɑŋ	陽	kʷa̱ŋs
04820	光	古曠	見唐去一合	kʷɑŋ	陽	kʷa̱ŋs
04821	觥	古橫	見庚平二合	kʷᵚæŋ	陽	kʷʳa̱ŋ
04822	侊	古橫	見庚平二合	kʷᵚæŋ	陽	kʷʳa̱ŋ
04823	駫	古螢	見青平四合	kʷeŋ	耕	kʷe̱ŋ

臦 guàng

04824	臩	俱永	見庚上三合	kʷiæŋ	陽	kʷʳaŋʔ
04825	臩	俱往	見陽上三合	kʷiaŋ	陽	kʷaŋʔ
04826	臦	居況	見陽去三合	kʷiaŋ	陽	kʷaŋs

圭 guī

04827	珪	均窺	見支平A 合	kʷie	佳	kʷe
04828	眭	許規	曉支平A 合	hʷie	佳	qʷʰe
04829	蘳	許規	曉支平A 合	hʷie	佳	qʷʰe
04830	跬[1]	丘弭	溪支上A 合	kʰʷie	佳	kʷʰeʔ
04831	⿰⻊奎[2]	丘弭	溪支上A 合	kʰʷie	佳	kʷʰeʔ
04832	恚	於避	影支去A 合	ʔʷie	佳	qʷes
04833	⿰女恚	於避	影支去A 合	ʔʷie	佳	qʷes
04834	涯[3]	魚羈	疑支平B 開	ŋɨe	佳	ŋʷʳe
04835	崖[4]	魚羈	疑支平B 開	ŋɨe	佳	ŋʷʳe
04836	眭	息爲	心支去三合	sʷie	佳	skʷˡes
04837	挂	涓畦	見齊平四合	kʷei	佳	kʷe̱
04838	茥	古攜	見齊平四合	kʷei	佳	kʷe̱
04839	⿸鹿圭	古攜	見齊平四合	kʷei	佳	kʷe̱
04840	洼	古攜	見齊平四合	kʷei	佳	kʷe̱
04841	⿰耒圭	古攜	見齊平四合	kʷei	佳	kʷe̱
04842	邽	古攜	見齊平四合	kʷei	佳	kʷe̱
04843	閨	古攜	見齊平四合	kʷei	佳	kʷe̱
04844	袿	古攜	見齊平四合	kʷei	佳	kʷe̱
04845	窐	古攜	見齊平四合	kʷei	佳	kʷe̱
04846	觟	古攜	見齊平四合	kʷei	佳	kʷe̱
04847	珪	古攜	見齊平四合	kʷei	佳	kʷe̱
04848	圭	古攜	見齊平四合	kʷei	佳	kʷe̱
04849	奎	苦圭	溪齊平四合	kʰʷei	佳	kʷʰe̱
04850	刲	苦圭	溪齊平四合	kʰʷei	佳	kʷʰe̱
04851	茥	苦圭	溪齊平四合	kʰʷei	佳	kʷʰe̱
04852	觟	苦圭	溪齊平四合	kʰʷei	佳	kʷʰe̱
04853	⿱圭皿	苦圭	溪齊平四合	kʰʷei	佳	kʷʰe̱
04854	⿸广圭	苦圭	溪齊平四合	kʰʷei	佳	kʷʰe̱
04855	窐	户圭	匣齊平四合	ɦʷei	佳	ɡʷe̱
04856	畦	户圭	匣齊平四合	ɦʷei	佳	ɡʷe̱
04857	⿱覀圭	户圭	匣齊平四合	ɦʷei	佳	ɡʷe̱
04858	鼃	户圭	匣齊平四合	ɦʷei	佳	ɡʷe̱
04859	眭	户圭	匣齊平四合	ɦʷei	佳	ɡʷe̱
04860	烓	烏攜	影齊平四合	ʔʷei	佳	qʷe̱
04861	睳	呼攜	曉齊平四合	hʷei	佳	qʷʰe̱
04862	桂	古惠	見齊去四合	kʷei	佳	kʷe̱s
04863	筀	古惠	見齊去四合	kʷei	佳	kʷe̱s
04864	罣	古惠	見齊去四合	kʷei	佳	kʷe̱s
04865	⿰圭鳥	古惠	見齊去四合	kʷei	佳	kʷe̱s

---

1 郑张尚芳：切语原混同开口“企”字反切，《切韵》作“去弭反”，《集韵》为“犬橤切”。《说文》本从“走”。

2 见“跬”字注。

3 B 类介音影响合口成分失落：*ŋʷʳ->ŋʷᵚ->ŋᵚi->ŋɨ-。

4 B 类介音影响合口成分失落：*ŋʷʳ->ŋʷᵚ->ŋᵚi->ŋɨ-。

04866 街[1]古膎 見佳平二開 k^{ɯ}ɛ 佳 k^{wr}e̱
04867 佳[2]古膎 見佳平二開 k^{ɯ}ɛ 佳 k^{wr}e̱
04868 絓 苦緺 溪佳平二合 k^{hwɯ}ɛ 佳 k^{whr}e̱
04869 鼃[3]户媧 匣佳平二合 ɦ^{wɯ}ɛ 佳 g^{wr}e̱
04870 鮭[4]户佳 匣佳平二開 ɦ^{ɯ}ɛ 佳 g^{wr}e̱
04871 鞋[5]户皆 匣佳平二開 ɦ^{ɯ}ɛ 佳 g^{wr}e̱
04872 崖[6]五佳 疑佳平二開 ŋ^{ɯ}ɛ 佳 ŋ^{wr}e̱
04873 涯[7]五佳 疑佳平二開 ŋ^{ɯ}ɛ 佳 ŋ^{wr}e̱
04874 厓[8]五佳 疑佳平二開 ŋ^{ɯ}ɛ 佳 ŋ^{wr}e̱
04875 睚[9]五佳 疑佳平二開 ŋ^{ɯ}ɛ 佳 ŋ^{wr}e̱
04876 啀[10]宜佳 疑佳平二開 ŋ^{ɯ}ɛ 佳 ŋ^{wr}e̱
04877 捱[11]宜佳 疑佳平二開 ŋ^{ɯ}ɛ 佳 ŋ^{wr}e̱
04878 鼃 烏媧 影佳平二合 ʔ^{wɯ}ɛ 佳 q^{wr}e̱
04879 漥[12]烏瓜 影佳平二合 ʔ^{wɯ}ɛ 佳 q^{wr}e̱
04880 窪[13]烏瓜 影佳平二合 ʔ^{wɯ}ɛ 佳 q^{wr}e̱
04881 蛙[14]烏媧 影佳平二合 ʔ^{wɯ}ɛ 佳 q^{wr}e̱
04882 娃 於佳 影佳平二合 ʔ^{wɯ}ɛ 佳 q^{wr}e̱
04883 洼 於佳 影佳平二合 ʔ^{wɯ}ɛ 佳 q^{wr}e̱
04884 哇 於佳 影佳平二合 ʔ^{wɯ}ɛ 佳 q^{wr}e̱
04885 掛 古買 見佳上二合 k^{wɯ}ɛ 佳 k^{wr}e̱ʔ
04886 罫 古買 見佳上二合 k^{wɯ}ɛ 佳 k^{wr}e̱ʔ
04887 罣 乖買 見佳上二合 k^{wɯ}ɛ 佳 k^{wr}e̱ʔ
04888 鞋[15]胡瓦 匣佳上二合 ɦ^{wɯ}ɛ 佳 g^{r}e̱ʔ
04889 蘳[16]胡瓦 匣佳上二合 ɦ^{wɯ}ɛ 佳 g^{wr}e̱ʔ
04890 卦 古賣 見佳去二合 k^{wɯ}ɛ 佳 k^{wr}e̱s
04891 挂 古賣 見佳去二合 k^{wɯ}ɛ 佳 k^{wr}e̱s
04892 詿 古賣 見佳去二合 k^{wɯ}ɛ 佳 k^{wr}e̱s
04893 罣 古賣 見佳去二合 k^{wɯ}ɛ 佳 k^{wr}e̱s
04894 罜 古賣 見佳去二合 k^{wɯ}ɛ 佳 k^{wr}e̱s
04895 掛 古賣 見佳去二合 k^{wɯ}ɛ 佳 k^{wr}e̱s
04896 罣 胡卦 匣佳去二合 ɦ^{wɯ}ɛ 佳 g^{r}e̱s
04897 絓 胡卦 匣佳去二合 ɦ^{wɯ}ɛ 佳 g^{wr}e̱s
04898 鞋 胡卦 匣佳去二合 ɦ^{wɯ}ɛ 佳 g^{wr}e̱s
04899 觟[17]胡瓦 匣佳去二合 ɦ^{wɯ}ɛ 佳 g^{wr}e̱s
04900 詿 胡卦 匣佳去二合 ɦ^{wɯ}ɛ 佳 g^{wr}e̱s
04901 睚[18]五懈 疑佳去二開 ŋ^{ɯ}ɛ 佳 ŋ^{wr}e̱s
04902 睳 呼惠 曉齊去四合 h^{w}ei 錫 q^{wh}e̱gs
04903 砉 呼昊 曉錫入四合 h^{w}ek 錫 q^{wh}e̱g
04904 睳 莫獲 明麥入二開 m^{ɯ}ɛk 錫 mk^{r}e̱g
04905 砉[19]虎伯 曉麥入二合 h^{wɯ}ɛk 錫 q^{whr}e̱g
04906 睳[20]霍虢 曉麥入二合 h^{wɯ}ɛk 錫 q^{whr}e̱g
04907 眭 許維 曉脂平A 合 h^{w}i 脂 q^{wh}i
04908 烓 口迥 溪青上四合 k^{hw}eŋ 耕 k^{wh}e̱ŋʔ
04909 奊[21]胡結 匣屑入四開 ɦet 質[9] g^{w}i̱g

規 guī

04910 規[22]居隋 見支平A 合 k^{w}ie 歌^{e} k^{w}el
04911 槼[23]居隋 見支平A 合 k^{w}ie 歌^{e} k^{w}el
04912 摫 居隋 見支平A 合 k^{w}ie 歌^{e} k^{w}el
04913 窺 去隨 溪支平A 合 k^{hw}ie 歌^{e} k^{wh}el
04914 瞡 規恚 見支去A 合 k^{w}ie 歌^{e} k^{w}els
04915 嫢 姊規 精支平三合 ts^{w}ie 歌^{e} sk^{w}el
04916 嫢 求癸 群脂上A 合 g^{w}i 脂^{l} g^{w}ilʔ
04917 瞡 居悸 見脂去A 合 k^{w}i 脂^{l} k^{w}ils
04918 嫢 聚惟 從脂平三合 dz^{w}i 脂^{l} sg^{w}il

---

1 二等介音影响合口成分失落：*C^{wr}->C^{wɯ}->C^{ɯ}-。

2 见"街"字注。

3 原为麻韵，但是根据谐声系统应该为佳韵，《切韵》音系二等有佳、麻的历史层次。

4 见"街"字注。

5 见"街"字注。原为皆韵，但是根据谐声系统应该为佳韵，《切韵》音系二等有佳、皆的历史层次。

6 见"街"字注。

7 见"街"字注。

8 见"街"字注。

9 见"街"字注。

10 见"街"字注。

11 见"街"字注。

12 原为麻韵，但是根据谐声系统应该为佳韵，《切韵》音系二等有佳、麻的历史层次。

13 原为麻韵，但是根据谐声系统应该为佳韵，《切韵》音系二等有佳、麻的历史层次。

14 原为麻韵，但是根据谐声系统应该为佳韵，《切韵》音系二等有佳、麻的历史层次。

15 原为麻韵，但是根据谐声系统应该为佳韵，《切韵》音系二等有佳、麻的历史层次。

16 原为麻韵，但是根据谐声系统应该为佳韵，《切韵》音系二等有佳、麻的历史层次。

17 原为麻韵，但是根据谐声系统应该为佳韵，《切韵》音系二等有佳、麻的历史层次。

18 见"街"字注。

19 原为陌韵，但是根据谐声系统应该为麦韵，《切韵》音系二等有麦、陌的历史层次。

20 原为陌韵，但是根据谐声系统应该为麦韵，《切韵》音系二等有麦、陌的历史层次。

21 见"絃"字注。

22 通"巂"，杜鹃啼声为*ɢu̱l>ɢ^{w}i̱l。因为"巂"的音变，"子巂"后来借用为"子規"*k^{w}el。"規"声与歌^{e}部字通假，如《马王堆汉墓帛书(壹)》乙本《老子·德经》"不規"即"不窺"。

23 《说文》："槼讀若嫣。"

04919 嫛[1] 胡典 匣先上四開 ɦen 元ᵉ ɢʷe̱nʔ

龜 guī

04920 龜 居追 見脂平B 合 kʷɨi 之 kʷʳɯ

04921 鬮[2] 居求 見尤平三合 kiu 之 kʷɯ

04922 龜[3] 居求 見尤平三合 kiu 之 kʷɯ

巂 guī

04923 觿 許規 曉支平A 合 hʷie 歌ᵒ qʰol

04924 鑴 許規 曉支平A 合 hʷie 歌ᵒ qʰol

04925 孈 呼恚 曉支去A 合 hʷie 歌ᵒ qʰols

04926 纗 姊規 精支平三合 tsʷie 歌ᵒ skol

04927 鞿 山垂 生支平三合 ʂʷie 歌ᵒ skʳol

04928 䥴 山垂 生支平三合 ʂʷie 歌ᵒ skʳol

04929 蠵 悦吹 以支平三合 jʷie 歌ᵒ ɢol

04930 巂 息委 心支上三合 sʷie 歌ᵒ sqolʔ

04931 瓗 羊捶 以支上三合 jʷie 歌ᵒ ɢolʔ

04932 孈[4] 移爾 以支上三開 jie 歌ᵒ ɢolʔ

04933 纗 以睡 以支去三合 jʷie 歌ᵒ ɢols

04934 繣[5] 胡卦 匣麻去二合 ɦʷɯæ 歌ᵒ ɢʳo̱ls

04935 孈[6] 胡卦 匣麻去二合 ɦʷɯæ 歌ᵒ ɢʳo̱ls

04936 讗[7] 胡麥 匣麻去二合 ɦʷɯæ 歌ᵒ ɢʳo̱ls

04937 孈 以水 以脂上三合 jʷi 微ᵘ ɢulʔ

04938 韉 素回 心灰平一合 su̱oi 微ᵘ squ̱l

04939 巂[8] 户圭 匣齊平四合 ɦʷei 歌ᵒ ɢo̱l

04940 攜 户圭 匣齊平四合 ɦʷei 微ᵘ ɢu̱l

04941 蠵 户圭 匣齊平四合 ɦʷei 微ᵘ ɢu̱l

04942 鑴 户圭 匣齊平四合 ɦʷei 微ᵘ ɢu̱l

04943 驨 户圭 匣齊平四合 ɦʷei 微ᵘ ɢu̱l

04944 酅 户圭 匣齊平四合 ɦʷei 微ᵘ ɢu̱l

04945 㩗 户圭 匣齊平四合 ɦʷei 微ᵘ ɢu̱l

04946 纗 户圭 匣齊平四合 ɦʷei 微ᵘ ɢu̱l

04947 讗 户圭 匣齊平四合 ɦʷei 微ᵘ ɢu̱l

04948 㩗 户圭 匣齊平四合 ɦʷei 微ᵘ ɢu̱l

04949 觿 户圭 匣齊平四合 ɦʷei 微ᵘ ɢu̱l

歸 guī

04950 巋 丘追 溪脂平B 合 kʰʷɨi 微ᵘ kʰʳul

04951 蘬 丘追 溪脂平B 合 kʰʷɨi 微ᵘ kʰʳul

04952 㱱 渠追 群脂平B 合 gʷɨi 微ᵘ gʳul

04953 巋 渠追 群脂平B 合 gʷɨi 微ᵘ gʳul

04954 巋 丘軌 溪脂上B 合 kʰʷɨi 微ᵘ kʰʳulʔ

04955 蘬 丘軌 溪脂上B 合 kʰʷɨi 微ᵘ kʰʳulʔ

04956 歸 舉韋 見微平三合 kʷɣi 微ᵘ kul

04957 蘬 丘韋 溪微平三合 kʰʷɣi 微ᵘ kʰul

04958 巋 丘韋 溪微平三合 kʰʷɣi 微ᵘ kʰul

04959 㱱 居胃 見微去三合 kʷɣi 微ᵘ kuls

鬼 guǐ

04960 魄 居追 見脂平B 合 kʷɨi 微ᵘ kʳul

04961 騩 居追 見脂平B 合 kʷɨi 微ᵘ kʳul

04962 愧 基位 見脂去B 合 kʷɨi 微ᵘ kʳuls

---

1 见“紘”字注。

2 见“又”字注。

3 见“又”字注。

4 郑张尚芳：此据《王一》“尤尔反”、《集韵》“羽委切”，余廼永校改合口“韋委切”。反切上字“移”来自于小舌音，符合音变规则。

5 见“讗”字注。

6 见“讗”字注。

7 “讗”《切韵》“古獲反”，应是后起音，《说文》“读若畫”。《玉篇》“畫，胡麥反”，也可能来自《说文》“畫”的读若。《说文》的读若只能是一种比较相近的读音，不一定是同音字。“畫”中古匣母佳韵去声合口，匣母上古来自 * g-或 * ɢ-，佳韵去声合口应该是 * -ʷʳe̱s。看起来它可能是上古佳部字，但是，上古的歌部与佳部到汉代以后二、三、四等合流了。我们在“巂”的讨论中，它的演变是：上古 * ɢo̱l>汉代 ɢʷe>中古 ɦʷei，“讗”也是有同样的演变过程：上古 * ɢʳo̱l>汉代 ɢʷʳe̱>中古 ɦʷɯɛ，正是“畫”在汉以后的读音。

8 “巂”《说文》“子巂”，后来叫作“子規”，就是杜鹃鸟。“規”上古读音是 * kʷel，那是汉以后的变化，因为“巂”来自“規”，可以顺藤摸瓜得到“巂”的上古来源。“巂”中古匣母齐韵平声。匣母上古来自 * g-或 * ɢ-，动物叫声通常读小舌音（潘悟云 2014）。我们先来讨论它的上古韵部。“巂”在《说文通训定声》解部第十一，包括部分歌部和佳部字，它们的三等到中古变成支韵，四等变成了齐韵。传统的歌部分为歌ᵃ、歌ᵉ、歌ᵒ 三个韵部，它们的三四等开合口有下表的演变规则：

	三等		四等	
	开口	合口	开口	合口
歌	ᵃ * al>e>中古 ie	* ʷal>ʷe>中古 ʷie	* a̱l>e̱>中古 ei	* ʷa̱l>ʷe̱>中古 ʷei
歌	ᵉ * el>e>中古 ie	* ʷel>ʷe>中古 ʷie	* e̱l>e̱>中古 ei	* ʷe̱l>ʷe̱>中古 ʷei
歌ᵒ	* ol>ue>中古 ʷie	* ʷol>ue>中古 ʷie	* o̱l>ue̱>中古 ʷei	* ʷo̱l>ue̱>中古 ʷei
佳	* e>e>中古 ie	* ʷe>ʷe>中古 ʷie	* e̱>e̱>中古 ei	* ʷe̱>ʷe̱>中古 ʷei

上表每个单元格的第一个音是上古音，第二个是汉代音，第三个音是中古音。

“規”字上古读 * kʷel，汉代已经变成 kʷe。杜鹃的叫声像是 ɢu、ɢo，不可能叫作 kʷe 之类的音，当时的杜鹃叫声应该像“巂”的读音。所以，“巂”字的读音应该带一个圆唇元音，从上面几个韵部的汉代音比较，它应该是歌ᵒ 字：上古 * ɢo̱l>汉代 ɢʷe>中古 ɦʷei。

04963	瑰	基位	見脂去B 合	k^{w}ɨi	微^{u}	k^{r}uls
04964	餽	基位	見脂去B 合	k^{w}ɨi	微^{u}	k^{r}uls
04965	媿	俱位	見脂去B 合	k^{w}ɨi	微^{u}	k^{r}uls
04966	騩	俱位	見脂去B 合	k^{w}ɨi	微^{u}	k^{r}uls
04967	餽	求位	群脂去B 合	g^{w}ɨi	微^{u}	g^{r}uls
04968	騩	舉韋	見微平三合	k^{w}ɤi	微^{u}	kul
04969	巍	語韋	疑微平三合	ŋ^{w}ɤi	微^{u}	ŋgul
04970	犩	語韋	疑微平三合	ŋ^{w}ɤi	微^{u}	ŋgul
04971	鬼	居偉	見微上三合	k^{w}ɤi	微^{u}	kulʔ
04972	磈	於鬼	影微上三合	ʔ^{w}ɤi	微^{u}	qulʔ
04973	犩	魚貴	疑微去三合	ŋ^{w}ɤi	微^{u}	ŋguls
04974	魏	魚貴	疑微去三合	ŋ^{w}ɤi	微^{u}	ŋguls
04975	傀	公回	見灰平一合	ku̯oi	微^{u}	ku̠l
04976	瑰	公回	見灰平一合	ku̯oi	微^{u}	ku̠l
04977	魁	苦回	溪灰平一合	k^{h}u̯oi	微^{u}	k^{h}u̠l
04978	䫥	胡隈	匣灰平一合	ɦu̯oi	微^{u}	gu̠l
04979	蘹	胡隈	匣灰平一合	ɦu̯oi	微^{u}	gu̠l
04980	槐	户恢	匣灰平一合	ɦu̯oi	微^{u}	gu̠l
04981	瑰	户恢	匣灰平一合	ɦu̯oi	微^{u}	gu̠l
04982	嵬	五灰	疑灰平一合	ŋu̯oi	微^{u}	ŋgu̠l
04983	䫥	沽罪	見灰上一合	ku̯oi	微^{u}	ku̠lʔ
04984	䫥	都罪	端灰上一合	tu̯oi	微^{u}	klu̠lʔ
04985	魌	口猥	溪灰上一合	k^{h}u̯oi	微^{u}	k^{h}u̠lʔ
04986	傀	口猥	溪灰上一合	k^{h}u̯oi	微^{u}	k^{h}u̠lʔ
04987	磈	口猥	溪灰上一合	k^{h}u̯oi	微^{u}	k^{h}u̠lʔ
04988	瘣	胡罪	匣灰上一合	ɦu̯oi	微^{u}	gu̠lʔ
04989	廆	胡罪	匣灰上一合	ɦu̯oi	微^{u}	gu̠lʔ
04990	隗	五罪	疑灰上一合	ŋu̯oi	微^{u}	ŋgu̠lʔ
04991	嵬	五罪	疑灰上一合	ŋu̯oi	微^{u}	ŋgu̠lʔ
04992	魌	五罪	疑灰上一合	ŋu̯oi	微^{u}	ŋgu̠lʔ
04993	䫥	虎猥	曉灰上一合	hu̯oi	微^{u}	q^{h}u̠lʔ
04994	塊	苦對	溪灰去一合	k^{h}u̯oi	微^{u}	k^{h}u̠ls
04995	螝	胡對	匣灰去一合	ɦu̯oi	微^{u}	gu̠ls
04996	槐	户乖	匣皆平二合	ɦ^{wɯ}ɛi	微^{u}	g^{r}u̠l
04997	褢	户乖	匣皆平二合	ɦ^{wɯ}ɛi	微^{u}	g^{r}u̠l
04998	蒐	所鳩	生尤平三合	ʂiu	幽	sk^{r}u

癸 guǐ

04999	朕[1]	渠隹	群脂平A 合	g^{w}i	脂^{l}	g^{w}il
05000	鶟[2]	渠隹	群脂平A 合	g^{w}i	脂^{l}	g^{w}il
05001	葵[3]	渠隹	群脂平A 合	g^{w}i	脂^{l}	g^{w}il
05002	郯[4]	渠隹	群脂平A 合	g^{w}i	脂^{l}	g^{w}il
05003	楑[5]	渠隹	群脂平A 合	g^{w}i	脂^{l}	g^{w}il
05004	悞[6]	渠隹	群脂平A 合	g^{w}i	脂^{l}	g^{w}il
05005	癸	居誄	見脂上A 合	k^{w}i	脂^{l}	k^{w}ilʔ
05006	湀	居誄	見脂上A 合	k^{w}i	脂^{l}	k^{w}ilʔ
05007	揆	求癸	群脂上A 合	g^{w}i	脂^{l}	g^{w}ilʔ
05008	楑	求癸	群脂上A 合	g^{w}i	脂^{l}	g^{w}ilʔ
05009	悞	求癸	群脂上A 合	g^{w}i	脂^{l}	g^{w}ilʔ
05010	湀	求癸	群脂上A 合	g^{w}i	脂^{l}	g^{w}ilʔ
05011	偠	其季	群脂去A 合	g^{w}i	脂^{l}	g^{w}ils
05012	騤	渠追	群脂平B 合	g^{w}ɨi	脂^{l}	g^{wr}il
05013	朕	渠追	群脂平B 合	g^{w}ɨi	脂^{l}	g^{wr}il
05014	偠	渠追	群脂平B 合	g^{w}ɨi	脂^{l}	g^{wr}il
05015	戣	渠追	群脂平B 合	g^{w}ɨi	脂^{l}	g^{wr}il
05016	湀	古攜	見齊平四合	k^{w}ei	脂^{l}	k^{w}i̠l
05017	睽	苦圭	溪齊平四合	k^{hw}ei	脂^{l}	k^{wh}i̠l
05018	湀	苦圭	溪齊平四合	k^{hw}ei	脂^{l}	k^{wh}i̠l
05019	聧	苦圭	溪齊平四合	k^{hw}ei	脂^{l}	k^{wh}i̠l
05020	藈	苦圭	溪齊平四合	k^{hw}ei	脂^{l}	k^{wh}i̠l
05021	騤	古穴	見屑入四合	k^{w}et	質^{d}	k^{w}i̠d
05022	闋	苦穴	溪屑入四合	k^{hw}et	質^{d}	k^{wh}i̠d
05023	湀	苦穴	溪屑入四合	k^{hw}et	質^{d}	k^{wh}i̠d
05024	矙	五滑	疑黠入二合	ŋ^{wɯ}ɛt	質^{d}	ŋg^{wr}i̠d

貴 guì

05025	樻	丘愧	溪脂去B 合	k^{hw}ɨi	物^{u}	k^{hr}uds
05026	髖	丘愧	溪脂去B 合	k^{hw}ɨi	物^{u}	k^{hr}uds
05027	鬒	丘愧	溪脂去B 合	k^{hw}ɨi	物^{u}	k^{hr}uds
05028	禬	丘愧	溪脂去B 合	k^{hw}ɨi	物^{u}	k^{hr}uds
05029	嘳	丘愧	溪脂去B 合	k^{hw}ɨi	物^{u}	k^{hr}uds
05030	饋	求位	群脂去B 合	g^{w}ɨi	物^{u}	g^{r}uds
05031	櫃	求位	群脂去B 合	g^{w}ɨi	物^{u}	g^{r}uds

---

1 见“葵”字注。

2 见“葵”字注。

3 “渠隹切”原作“渠追切”，与“逵”小韵“渠追切”同，《王二》及《王三》切语下字用“隹”字，今据改。“逵”与“葵”为重纽，《韵镜》“逵”列三等而“葵”列四等。

4 见“葵”字注。

5 见“葵”字注。

6 见“葵”字注。

05032 櫃 求位 群脂去B 合 g^{w}ɨi 物^{u} g^{r}uds
05033 鞼 求位 群脂去B 合 g^{w}ɨi 物^{u} g^{r}uds
05034 簣 求位 群脂去B 合 g^{w}ɨi 物^{u} g^{r}uds
05035 匱 求位 群脂去B 合 g^{w}ɨi 物^{u} g^{r}uds
05036 蕢 求位 群脂去B 合 g^{w}ɨi 物^{u} g^{r}uds
05037 貴 居胃 見微去三合 k^{w}ɣi 物^{u} k^{l}uds
05038 瞶 居胃 見微去三合 k^{w}ɣi 物^{u} k^{l}uds
05039 襀 丘畏 溪微去三合 k^{hw}ɣi 物^{u} k^{h}uds
05040 憒 古對 見灰去一合 ku̯oi 物^{u} k^{l}u̱ds
05041 潰 胡對 匣灰去一合 ɦu̯oi 物^{u} g^{l}u̱ds
05042 繢 胡對 匣灰去一合 ɦu̯oi 物^{u} g^{l}u̱ds
05043 嬇 胡對 匣灰去一合 ɦu̯oi 物^{u} g^{l}u̱ds
05044 殨 胡對 匣灰去一合 ɦu̯oi 物^{u} g^{l}u̱ds
05045 闠 胡對 匣灰去一合 ɦu̯oi 物^{u} g^{l}u̱ds
05046 儨 胡對 匣灰去一合 ɦu̯oi 物^{u} g^{l}u̱ds
05047 讉 胡對 匣灰去一合 ɦu̯oi 物^{u} g^{l}u̱ds
05048 嬇 苦怪 溪皆去二合 k^{hwɯ}ɛi 物^{u} k^{hr}u̱ds
05049 簣 苦怪 溪皆去二合 k^{hwɯ}ɛi 物^{u} k^{hr}u̱ds
05050 嘳 苦怪 溪皆去二合 k^{hwɯ}ɛi 物^{u} k^{hr}u̱ds
05051 蕢 苦怪 溪皆去二合 k^{hwɯ}ɛi 物^{u} k^{hr}u̱ds
05052 聵 五怪 疑皆去二合 ŋ^{wɯ}ɛi 物^{u} ŋg^{r}u̱ds
05053 讉 胡罪 匣灰上一合 ɦu̯oi 微^{u} g^{l}u̱lʔ

鯀 gǔn

05054 鯀 古本 見魂上一合 ku̯on 文^{u} ku̱nʔ
05055 鰥 胡本 匣魂上一合 ɦu̯on 文^{u} gu̱nʔ

丨 gǔn

05056 丨 古本 見魂上一合 ku̯on 文^{u} ku̱nʔ

咼 guō

05057 咼 古禾 見歌平一合 k^{w}ɑ 歌^{a} k^{w}a̱l
05058 嗵 火媧 曉麻平二合 h^{wɯ}æ 歌^{a} q^{whr}a̱l

𩫖 guō

05059 𩫖 古博 見鐸入一合 k^{w}ɑk 鐸 k^{w}a̱g
05060 郭 古博 見鐸入一合 k^{w}ɑk 鐸 k^{w}a̱g
05061 崞 古博 見鐸入一合 k^{w}ɑk 鐸 k^{w}a̱g
05062 椁 古博 見鐸入一合 k^{w}ɑk 鐸 k^{w}a̱g
05063 埻 古博 見鐸入一合 k^{w}ɑk 鐸 k^{w}a̱g
05064 廓 苦郭 溪鐸入一合 k^{hw}ɑk 鐸 k^{wh}a̱g
05065 鞹 苦郭 溪鐸入一合 k^{hw}ɑk 鐸 k^{wh}a̱g
05066 漷 苦郭 溪鐸入一合 k^{hw}ɑk 鐸 k^{wh}a̱g
05067 霩 虛郭 曉鐸入一合 h^{w}ɑk 鐸 q^{wh}a̱g
05068 廓 虛郭 曉鐸入一合 h^{w}ɑk 鐸 q^{wh}a̱g
05069 埻[1] 古獲 見陌入二合 k^{wɯ}æk 鐸 k^{wr}a̱g
05070 漷 虎伯 曉陌入二合 h^{wɯ}æk 鐸 q^{whr}a̱g

虢 guó

05071 虢 古伯 見陌入二合 k^{wɯ}æk 鐸 k^{wr}a̱g
05072 漷 古伯 見陌入二合 k^{wɯ}æk 鐸 k^{wr}a̱g

果 guǒ

05073 窠 苦禾 溪歌平一合 k^{hw}ɑ 歌^{o} k^{h}o̱l
05074 稞 苦禾 溪歌平一合 k^{hw}ɑ 歌^{o} k^{h}o̱l
05075 課 苦禾 溪歌平一合 k^{hw}ɑ 歌^{o} k^{h}o̱l
05076 髁 苦禾 溪歌平一合 k^{hw}ɑ 歌^{o} k^{h}o̱l
05077 果 古火 見歌上一合 k^{w}ɑ 歌^{o} ko̱lʔ
05078 菓 古火 見歌上一合 k^{w}ɑ 歌^{o} ko̱lʔ
05079 輠 古火 見歌上一合 k^{w}ɑ 歌^{o} ko̱lʔ
05080 裹 古火 見歌上一合 k^{w}ɑ 歌^{o} ko̱lʔ
05081 蜾 古火 見歌上一合 k^{w}ɑ 歌^{o} ko̱lʔ
05082 粿 古火 見歌上一合 k^{w}ɑ 歌^{o} ko̱lʔ
05083 淉 古火 見歌上一合 k^{w}ɑ 歌^{o} ko̱lʔ
05084 顆 苦果 溪歌上一合 k^{hw}ɑ 歌^{o} k^{h}o̱lʔ
05085 堁 苦果 溪歌上一合 k^{hw}ɑ 歌^{o} k^{h}o̱lʔ
05086 敤 苦果 溪歌上一合 k^{hw}ɑ 歌^{o} k^{h}o̱lʔ
05087 夥 胡果 匣歌上一合 ɦ^{w}ɑ 歌^{o} go̱lʔ
05088 輠 胡果 匣歌上一合 ɦ^{w}ɑ 歌^{o} go̱lʔ
05089 婐 烏果 影歌上一合 ʔ^{w}ɑ 歌^{o} qo̱lʔ
05090 裸 郎果 來歌上一合 l^{w}ɑ 歌^{o} g.ro̱lʔ
05091 倮 魯果 來歌上一合 l^{w}ɑ 歌^{o} g.ro̱lʔ
05092 躶 魯果 來歌上一合 l^{w}ɑ 歌^{o} g.ro̱lʔ
05093 裹 古臥 見歌去一合 k^{w}ɑ 歌^{o} ko̱ls
05094 腂 古卧 見歌去一合 k^{w}ɑ 歌^{o} ko̱ls
05095 課 苦臥 溪歌去一合 k^{hw}ɑ 歌^{o} k^{h}o̱ls
05096 堁 苦臥 溪歌去一合 k^{hw}ɑ 歌^{o} k^{h}o̱ls
05097 敤 苦臥 溪歌去一合 k^{hw}ɑ 歌^{o} k^{h}o̱ls

---

1 原为麦韵，但是根据谐声系统应该为陌韵，《切韵》音系二等有陌、麦的历史层次。

05098 髁 苦臥 溪歌去一合 kʰʷɑ 歌ᵒ kʰo̱ls
05099 堁 於臥 影歌去一合 ʔʷɑ 歌ᵒ qo̱ls
05100 婐 古華 見麻平二合 kʷᵚæ 歌ᵒ kʳo̱l
05101 髁 苦瓦 溪麻上二合 kʰʷᵚæ 歌ᵒ kʰʳo̱lʔ
05102 夥[1] 懷𠆤 匣麻上二合 ɦʷᵚæ 歌ᵒ gʳo̱lʔ
05103 腂 户瓦 匣麻上二合 ɦʷᵚæ 歌ᵒ gʳo̱lʔ
05104 踝 胡瓦 匣麻上二合 ɦʷᵚæ 歌ᵒ gʳo̱lʔ
05105 稞 胡瓦 匣麻上二合 ɦʷᵚæ 歌ᵒ gʳo̱lʔ
05106 鱳 胡瓦 匣麻上二合 ɦʷᵚæ 歌ᵒ gʳo̱lʔ
05107 輠 胡瓦 匣麻上二合 ɦʷᵚæ 歌ᵒ gʳo̱lʔ
05108 縲 胡瓦 匣麻上二合 ɦʷᵚæ 歌ᵒ gʳo̱lʔ
05109 倮 户瓦 匣麻上二合 ɦʷᵚæ 歌ᵒ gʳo̱lʔ
05110 輠 胡罪 匣灰上一合 ɦu̯oi 微ᵘ gu̱lʔ
05111 煤 呼罪 曉灰上一合 hu̯oi 微ᵘ qʰu̱lʔ
05112 堁 苦對 溪灰去一合 kʰu̯oi 微ᵘ kʰu̱ls
05113 裸 古玩 見寒去一合 kʷɑn 元ᵒ ko̱ns
05114 煤 古玩 見寒去一合 kʷɑn 元ᵒ ko̱ns

亥 hài

05115 該 古哀 見咍平一開 kəi 之 kɯ̱
05116 豥 古哀 見咍平一開 kəi 之 kɯ̱
05117 垓 古哀 見咍平一開 kəi 之 kɯ̱
05118 荄 古哀 見咍平一開 kəi 之 kɯ̱
05119 郂 古哀 見咍平一開 kəi 之 kɯ̱
05120 陔 古哀 見咍平一開 kəi 之 kɯ̱
05121 姟 古哀 見咍平一開 kəi 之 kɯ̱
05122 絯 古哀 見咍平一開 kəi 之 kɯ̱
05123 晐 古哀 見咍平一開 kəi 之 kɯ̱
05124 峐 古哀 見咍平一開 kəi 之 kɯ̱
05125 侅 古哀 見咍平一開 kəi 之 kɯ̱
05126 賅 古哀 見咍平一開 kəi 之 kɯ̱
05127 胲 古哀 見咍平一開 kəi 之 kɯ̱
05128 餩 古哀 見咍平一開 kəi 之 kɯ̱
05129 敎 苦哀 溪咍平一開 kʰəi 之 kʰɯ̱
05130 侅 苦哀 溪咍平一開 kʰəi 之 kʰɯ̱
05131 孩 户來 匣咍平一開 ɦəi 之 gɯ̱
05132 咳 户來 匣咍平一開 ɦəi 之 gɯ̱
05133 頦 户來 匣咍平一開 ɦəi 之 gɯ̱
05134 豥 户來 匣咍平一開 ɦəi 之 gɯ̱
05135 頦 古亥 見咍上一開 kəi 之 kɯ̱ʔ
05136 輆 苦亥 溪咍上一開 kʰəi 之 kʰɯ̱ʔ
05137 亥 胡改 匣咍上一開 ɦəi 之 gɯ̱ʔ
05138 侅 胡改 匣咍上一開 ɦəi 之 gɯ̱ʔ
05139 荄 古諧 見皆平二開 kᵚɛi 之 kʳɯ̱
05140 痎 古諧 見皆平二開 kᵚɛi 之 kʳɯ̱
05141 骸 户皆 匣皆平二開 ɦᵚɛi 之 gʳɯ̱
05142 駭 侯楷 匣皆上二開 ɦᵚɛi 之 gʳɯ̱ʔ
05143 絯 侯楷 匣皆上二開 ɦᵚɛi 之 gʳɯ̱ʔ
05144 侅 侯楷 匣皆上二開 ɦᵚɛi 之 gʳɯ̱ʔ
05145 欬 苦摡 溪咍去一開 kʰəi 職 kʰɯ̱gs
05146 恀 胡槩 匣咍去一開 ɦəi 職 gɯ̱gs
05147 劾 胡槩 匣咍去一開 ɦəi 職 gɯ̱gs
05148 閡 五溉 疑咍去一開 ŋəi 職 ŋgɯ̱gs
05149 刻[2] 苦得 溪德入一開 kʰək 職 kʰˡɯ̱g
05150 劾 胡得 匣德入一開 ɦək 職 gɯ̱g
05151 劾 苦戒 溪皆去二開 kʰᵚɛi 職 kʰʳɯ̱gs
05152 餩[3] 於犗 影皆去二開 ʔᵚɛi 職 qʳɯ̱gs
05153 欬[4] 於犗 影皆去二開 ʔᵚɛi 職 qʳɯ̱gs
05154 核 下革 匣麥入二開 ɦᵚɛk 職 gʳɯ̱g

害 hài

05155 轄 苦蓋 溪泰去一開 kʰɑi 月ᵃ kʰa̱ds
05156 瘩 苦蓋 溪泰去一開 kʰɑi 月ᵃ kʰa̱ds
05157 害 胡蓋 匣泰去一開 ɦɑi 月ᵃ ga̱ds
05158 割 古達 見曷入一開 kɑt 月ᵃ ka̱d
05159 螛 何葛 匣曷入一開 ɦɑt 月ᵃ ga̱d
05160 豁 呼括 曉曷入一合 hʷɑt 月ᵃ qʷʰa̱d
05161 犗 古喝 見夬去二開 kᵚæi 月ᵃ kʳa̱ds
05162 磍[5] 古黠 見鎋入二開 kᵚæt 月ᵃ kʳa̱d
05163 磍 枯鎋 溪鎋入二開 kʰᵚæt 月ᵃ kʰʳa̱d
05164 搳 丘瞎 溪鎋入二開 kʰᵚæt 月ᵃ kʰʳa̱d
05165 鎋 胡瞎 匣鎋入二開 ɦᵚæt 月ᵃ gʳa̱d
05166 轄 胡瞎 匣鎋入二開 ɦᵚæt 月ᵃ gʳa̱d
05167 蓋 胡瞎 匣鎋入二開 ɦᵚæt 月ᵃ gʳa̱d

---

1 原为佳韵，但是根据谐声系统应该为麻韵，《切韵》音系二等有麻、佳的历史层次。

2 雕刻，景颇语 krok，佤语 glok，"刻"当为复杂辅音 *kʰˡɯ̱g。

3 反切下字为夬韵，但是根据谐声系统应该为皆韵，《切韵》音系二等有皆、夬的历史层次。

4 反切下字为夬韵，但是根据谐声系统应该为皆韵，《切韵》音系二等有皆、夬的历史层次。

5 原为黠韵，但是根据谐声系统应该为鎋韵，《切韵》音系二等有鎋、黠的历史层次。

05168 搳 下瞎 匣鎋入二開 ɦ^{ɯ}æt 月^{a} g^{r}a̱d

05169 螛 下瞎 匣鎋入二開 ɦ^{ɯ}æt 月^{a} g^{r}a̱d

05170 瞎 許鎋 曉鎋入二開 h^{ɯ}æt 月^{a} q^{hr}a̱d

05171 藼 許元 曉元平三合 h^{w}iɤn 元^{a} q^{wh}an

05172 㦥 虛偃 曉元上三開 hiɤn 元^{a} q^{h}anʔ

05173 憲 許建 曉元去三開 hiɤn 元^{a} q^{h}ans

05174 𧾊 許建 曉元去三開 hiɤn 元^{a} q^{h}ans

05175 瀗 許建 曉元去三開 hiɤn 元^{a} q^{h}ans

函 hán

05176 𧍝 古南 見覃平一開 kəm 侵^{u} ku̱m

05177 顄 胡男 匣覃平一開 ɦəm 侵^{u} gu̱m

05178 𧍝 胡男 匣覃平一開 ɦəm 侵^{u} gu̱m

05179 涵 胡男 匣覃平一開 ɦəm 侵^{u} gu̱m

05180 函[1] 胡男 匣覃平一開 ɦəm 侵^{u} gu̱m

05181 䨡 胡男 匣覃平一開 ɦəm 侵^{u} gu̱m

05182 涵 胡男 匣覃平一開 ɦəm 侵^{u} gu̱m

05183 𠹆 胡南 匣覃平一開 ɦəm 侵^{u} gu̱m

05184 菡 胡感 匣覃上一開 ɦəm 侵^{u} gu̱mʔ

05185 涵 胡感 匣覃上一開 ɦəm 侵^{u} gu̱mʔ

05186 顄 胡感 匣覃上一開 ɦəm 侵^{u} gu̱mʔ

05187 函 胡讒 匣咸平二開 ɦ^{ɯ}ɛm 侵^{u} g^{r}u̱m

寒 hán

05188 𧞆 去乾 溪仙平B 開 k^{h}ɨɛn 元^{a} k^{hr}an

05189 攐 去乾 溪仙平B 開 k^{h}ɨɛn 元^{a} k^{hr}an

05190 褰 去乾 溪仙平B 開 k^{h}ɨɛn 元^{a} k^{hr}an

05191 騫 去乾 溪仙平B 開 k^{h}ɨɛn 元^{a} k^{hr}an

05192 寋 九件 見仙上B 開 kɨɛn 元^{a} k^{r}anʔ

05193 蹇 九輦 見仙上B 開 kɨɛn 元^{a} k^{r}anʔ

05194 謇 九輦 見仙上B 開 kɨɛn 元^{a} k^{r}anʔ

05195 搴 九輦 見仙上B 開 kɨɛn 元^{a} k^{r}anʔ

05196 攓 九輦 見仙上B 開 kɨɛn 元^{a} k^{r}anʔ

05197 𧞆 九輦 見仙上B 開 kɨɛn 元^{a} k^{r}anʔ

05198 𨇨 丘言 溪元平三開 k^{h}iɤn 元^{a} k^{h}an

05199 鶱 虛言 曉元平三開 hiɤn 元^{a} q^{h}an

05200 𨇨 虛言 曉元平三開 hiɤn 元^{a} q^{h}an

05201 寋 紀偃 見元上三開 kiɤn 元^{a} kanʔ

05202 蹇 居偃 見元上三開 kiɤn 元^{a} kanʔ

05203 寋 其偃 群元上三開 giɤn 元^{a} ganʔ

05204 寒 胡安 匣寒平一開 ɦɑn 元^{a} ga̱n

厂 hǎn

05205 齴 魚蹇 疑仙上B 開 ŋɨɛn 元^{a} ŋ^{r}anʔ

05206 遃 魚蹇 疑仙上B 開 ŋɨɛn 元^{a} ŋ^{r}anʔ

05207 嵃 魚蹇 疑仙上B 開 ŋɨɛn 元^{a} ŋ^{r}anʔ

05208 喭 魚變 疑仙去B 開 ŋɨɛn 元^{a} ŋ^{r}ans

05209 諺 魚變 疑仙去B 開 ŋɨɛn 元^{a} ŋ^{r}ans

05210 彥 魚變 疑仙去B 開 ŋɨɛn 元^{a} ŋ^{r}ans

05211 諺 魚戰 疑仙去B 開 ŋɨɛn 元^{a} ŋ^{r}ans

05212 屵 語偃 疑元上三開 ŋiɤn 元^{a} ŋanʔ

05213 厂 呼旱 曉寒上一開 hɑn 元^{a} ŋ̊^{h}a̱nʔ

05214 𠪚 五旰 疑寒去一開 ŋɑn 元^{a} ŋa̱ns

05215 喭 五旰 疑寒去一開 ŋɑn 元^{a} ŋa̱ns

05216 諺 魚旰 疑寒去一開 ŋɑn 元^{a} ŋa̱ns

05217 厂 呼旰 曉寒去一開 hɑn 元^{a} ŋ̊^{h}a̱ns

05218 𡅭 牛姦 疑刪平二開 ŋ^{ɯ}æn 元^{a} ŋ^{r}a̱n

05219 顏 五姦 疑刪平二開 ŋ^{ɯ}æn 元^{a} ŋ^{r}a̱n

05220 產 所簡 生刪上二開 ʂ^{ɯ}æn 元^{a} sŋ^{r}a̱nʔ

05221 𤛓 所簡 生刪上二開 ʂ^{ɯ}æn 元^{a} sŋ^{r}a̱nʔ

05222 嵼 所簡 生刪上二開 ʂ^{ɯ}æn 元^{a} sŋ^{r}a̱nʔ

05223 滻 所簡 生刪上二開 ʂ^{ɯ}æn 元^{a} sŋ^{r}a̱nʔ

05224 鏟[2] 初限 初刪上二開 tʂ^{hɯ}æn 元^{a} sŋ̊ra̱nʔ

05225 鴈 五晏 疑刪去二開 ŋ^{ɯ}æn 元^{a} ŋ^{r}a̱ns

05226 雁 五晏 疑刪去二開 ŋ^{ɯ}æn 元^{a} ŋ^{r}a̱ns

05227 鏟 初鴈 初刪去二開 tʂ^{hɯ}æn 元^{a} sŋ̊ra̱ns

05228 屵 五割 疑曷入一開 ŋɑt 月^{a} ŋa̱d

马 hàn

05229 马 胡男 匣覃平一開 ɦəm 侵^{u} gu̱m

05230 马 胡感 匣覃上一開 ɦəm 侵^{u} gu̱mʔ

05231 東 户感 匣覃上一開 ɦəm 侵^{u} gu̱mʔ

堇 hàn

05232 䕼 如延 日仙平三開 ȵiɛn 元^{a} ŋgl^{j}an

05233 戁 人善 日仙上三開 ȵiɛn 元^{a} ŋgl^{j}anʔ

---

1 《周礼·春官·大司乐》"歌函鐘"，郑玄注："函鐘，一名林鐘。""函"与"林"通假，"林"音 *g.rum。

2 原为山韵，但是根据谐声系统应该为删韵，《切韵》音系二等有删、山的历史层次。

05234	熯	人善	日仙上三開	ȵiᴇn	元^{a}	ŋgl^{j}anʔ
05235	難[1]	那干	泥寒平一開	nɑn	元^{a}	ŋgla̱n
05236	灘	他干	透寒平一開	t^{h}ɑn	元^{a}	q^{hl}a̱n
05237	嘆	他干	透寒平一開	t^{h}ɑn	元^{a}	q^{hl}a̱n
05238	暵	呼旱	曉寒上一開	hɑn	元^{a}	q^{hl}a̱nʔ
05239	熯	呼旱	曉寒上一開	hɑn	元^{a}	q^{hl}a̱nʔ
05240	灘	呼旱	曉寒上一開	hɑn	元^{a}	q^{hl}a̱nʔ
05241	灘	奴案	泥寒去一開	nɑn	元^{a}	ŋgla̱ns
05242	難	奴案	泥寒去一開	nɑn	元^{a}	ŋgla̱ns
05243	戁	奴案	泥寒去一開	nɑn	元^{a}	ŋgla̱ns
05244	嘆	他旦	透寒去一開	t^{h}ɑn	元^{a}	q^{hl}a̱ns
05245	漢	呼旰	曉寒去一開	hɑn	元^{a}	q^{hl}a̱ns
05246	暵	呼旰	曉寒去一開	hɑn	元^{a}	q^{hl}a̱ns
05247	熯	呼旰	曉寒去一開	hɑn	元^{a}	q^{hl}a̱ns
05248	灘	呼旰	曉寒去一開	hɑn	元^{a}	q^{hl}a̱ns
05249	蘫	呼旰	曉寒去一開	hɑn	元^{a}	q^{hl}a̱ns
05250	戁[2]	女閑	娘刪平二開	ɳ^{ɯ}æn	元^{a}	ŋgla̱n
05251	戁	奴板	娘刪上二開	ɳ^{ɯ}æn	元^{a}	ŋgla̱nʔ
05252	難	諾何	泥歌平一開	nɑ	歌^{a}	ŋgla̱l
05253	儺	諾何	泥歌平一開	nɑ	歌^{a}	ŋgla̱l
05254	魋	諾何	泥歌平一開	nɑ	歌^{a}	ŋgla̱l
05255	䕇	諾何	泥歌平一開	nɑ	歌^{a}	ŋgla̱l
05256	䕇	奴低	泥齊平四開	nei	歌^{e}	ŋgle̱l

行 háng

05257	昕	寒剛	匣唐平一開	ɦɑŋ	陽	ga̱ŋ
05258	筕	胡郎	匣唐平一開	ɦɑŋ	陽	ga̱ŋ
05259	桁	胡郎	匣唐平一開	ɦɑŋ	陽	ga̱ŋ
05260	行	胡郎	匣唐平一開	ɦɑŋ	陽	ga̱ŋ
05261	胻	胡郎	匣唐平一開	ɦɑŋ	陽	ga̱ŋ
05262	行	下浪	匣唐去一開	ɦɑŋ	陽	ga̱ŋs
05263	胻	户庚	匣庚平二開	ɦ^{ɯ}æŋ	陽	g^{r}a̱ŋ
05264	洐	户庚	匣庚平二開	ɦ^{ɯ}æŋ	陽	g^{r}a̱ŋ
05265	筕	户庚	匣庚平二開	ɦ^{ɯ}æŋ	陽	g^{r}a̱ŋ
05266	珩	户庚	匣庚平二開	ɦ^{ɯ}æŋ	陽	g^{r}a̱ŋ
05267	衡	户庚	匣庚平二開	ɦ^{ɯ}æŋ	陽	g^{r}a̱ŋ
05268	行	户庚	匣庚平二開	ɦ^{ɯ}æŋ	陽	g^{r}a̱ŋ
05269	桁	户庚	匣庚平二開	ɦ^{ɯ}æŋ	陽	g^{r}a̱ŋ
05270	蘅	户庚	匣庚平二開	ɦ^{ɯ}æŋ	陽	g^{r}a̱ŋ
05271	荇	何梗	匣庚上二開	ɦ^{ɯ}æŋ	陽	g^{r}a̱ŋʔ
05272	行	下更	匣庚去二開	ɦ^{ɯ}æŋ	陽	g^{r}a̱ŋs
05273	胻	下更	匣庚去二開	ɦ^{ɯ}æŋ	陽	g^{r}a̱ŋs

好 hǎo

05274	薅	呼毛	曉豪平一開	hɑu	幽	q^{h}u̱
05275	好	呼晧	曉豪上一開	hɑu	幽	q^{h}u̱ʔ
05276	好	呼到	曉豪去一開	hɑu	幽	q^{h}u̱s

号 hào

05277	饕	土刀	透豪平一開	t^{h}ɑu	幽	k^{h}lu̱
05278	鄂	胡刀	匣豪平一開	ɦɑu	幽	ɢu̱
05279	號	胡刀	匣豪平一開	ɦɑu	幽	ɢu̱
05280	䝞	胡刀	匣豪平一開	ɦɑu	幽	ɢu̱
05281	虠	胡老	匣豪上一開	ɦɑu	幽	ɢu̱ʔ
05282	號	胡到	匣豪去一開	ɦɑu	幽	ɢu̱s
05283	琥	胡到	匣豪去一開	ɦɑu	幽	ɢu̱s
05284	号	胡到	匣豪去一開	ɦɑu	幽	ɢu̱s
05285	枵	許嬌	曉宵平B 開	hɨᴇu	幽^{i}	q^{hr}i^{w}
05286	呺	許嬌	曉宵平B 開	hɨᴇu	幽^{i}	q^{hr}i^{w}
05287	鴞	于嬌	云宵平三開	ɦ^{ɨ}iᴇu	幽^{i}	ɢ^{r}i^{w}
05288	鄂	于嬌	云宵平三開	ɦ^{ɨ}iᴇu	幽^{i}	ɢ^{r}i^{w}
05289	鹘	以沼	以宵上三開	jiᴇu	幽^{i}	ɢi^{w}ʔ

昊 hào

05290	昊	胡老	匣豪上一開	ɦɑu	幽	gu̱ʔ

---

1 《说文》“難”从“堇”得声，“堇”是“英”之讹，这个字我们姑且写作“堇”字。孙俊、赵鹏的《“艱”字补释》认为“堇”释作“艱”，说服力很强。“艱”字上古是文^{ɯ}部，“難”是元^{a}部，文^{ɯ}部和元^{a}部是能够谐声的。这两部分字好像分为两个不同的韵部，实际不然，六年汉中守戈(《集成》17・11367)，“堇”即可读作“漢中”的“漢”。这两部分字的声母也非常接近。两者都带软腭音和小舌音，“難”的上古音是 ŋgla̱n>ŋla̱n>中古 nɑn，三辅音的第二辅音失落。“難”与下面一些字组成词族：艱 *k^{r}ɯn、蹇 *k^{r}anʔ、謇 *k^{r}anʔ、苦 *k^{h}a̱ʔ。《周易正义》：“蹇，難也。”《离骚》“謇吾法夫前修兮”，王逸注：“謇，難也。”“熯” *q^{hl}a̱ns，可比较乾 *ka̱n，旱 *ga̱nʔ，蔫 *q^{r}an，渴 *k^{h}a̱d，枯 *k^{h}a̱，涸 *ga̱g，炕 *q^{h}a̱ŋ。“灘”《说文》：“水濡而乾。”有三个读音：他干切 *k^{h}la̱n>t^{h}a̱n，呼旱切 *q^{hl}a̱nʔ，奴案切 *ŋglans>*ŋla̱ns>na̱ns。

一个语素通过语音和语义的分化，变成几个语素变体，最后分化为对立的不同语素。同一个字位所包含的不同语素的对立分化，最后形成对立的不同字位。在早期的古文字中，“堇”有加“火”和不加“火”的两个不对立的变体，很可能读文部和元部的两个读音，两个读音不对立。到楚简文字中，加“火”的是元部，不加“火”的是文部，这说明在这个阶段已经形成两个对立的字位。“堇”的这个字位暂定作不同的读音。

2 原为山韵，但是根据谐声系统应该为删韵，《切韵》音系二等有删、山的历史层次。

顥 hào

05291 顥 胡老 匣豪上一開 ɦɑu 幽 gu̱ʔ
05292 灝 胡老 匣豪上一開 ɦɑu 幽 gu̱ʔ
05293 灝 古禫 見覃上一開 kəm 侵^{u} ku̱mʔ

㔽 hē

05294 㔽 虎何 曉歌平一開 hɑ 歌^{a} q^{h}a̱l

禾 hé

05295 蝌 苦禾 溪歌平一合 k^{hw}ɑ 歌^{o} k^{h}o̱l
05296 科 苦禾 溪歌平一合 k^{hw}ɑ 歌^{o} k^{h}o̱l
05297 苿 户戈 匣歌平一合 ɦ^{w}ɑ 歌^{o} go̱l
05298 盉 户戈 匣歌平一合 ɦ^{w}ɑ 歌^{o} go̱l
05299 和 户戈 匣歌平一合 ɦ^{w}ɑ 歌^{o} go̱l
05300 禾 户戈 匣歌平一合 ɦ^{w}ɑ 歌^{o} go̱l
05301 穌 户戈 匣歌平一合 ɦ^{w}ɑ 歌^{o} go̱l
05302 科 苦臥 溪歌去一合 k^{hw}ɑ 歌^{o} k^{h}o̱ls
05303 和 胡臥 匣歌去一合 ɦ^{w}ɑ 歌^{o} go̱ls
05304 盉 胡臥 匣歌去一合 ɦ^{w}ɑ 歌^{o} go̱ls

合 hé

05305 柗 其輒 群葉入B 開 gɨᴇp 盍^{o} g^{r}ob
05306 歙 書涉 書葉入三開 ɕiᴇp 盍^{o} q^{h}lob
05307 跲 居怯 見業入三開 kiap 盍^{o} kob
05308 袷 居怯 見業入三開 kiap 盍^{o} kob
05309 跲 巨業 群業入三開 giap 盍^{o} gob
05310 柗 巨業 群業入三開 giap 盍^{o} gob
05311 頜 古沓 見合入一開 kəp 盍^{o} ko̱b
05312 佮 古沓 見合入一開 kəp 盍^{o} ko̱b
05313 柗 古沓 見合入一開 kəp 盍^{o} ko̱b
05314 韐 古沓 見合入一開 kəp 盍^{o} ko̱b
05315 韐 古沓 見合入一開 kəp 盍^{o} ko̱b
05316 郃 古沓 見合入一開 kəp 盍^{o} ko̱b
05317 匌 古沓 見合入一開 kəp 盍^{o} ko̱b
05318 龕 葛合 見合入一開 kəp 盍^{o} ko̱b
05319 閤 古沓 見合入一開 kəp 盍^{o} ko̱b
05320 鴿 古沓 見合入一開 kəp 盍^{o} ko̱b
05321 合 古沓 見合入一開 kəp 盍^{o} ko̱b
05322 敆 古沓 見合入一開 kəp 盍^{o} ko̱b
05323 鉿 古沓 見合入一開 kəp 盍^{o} ko̱b
05324 魿 古沓 見合入一開 kəp 盍^{o} ko̱b
05325 蛤 古沓 見合入一開 kəp 盍^{o} ko̱b
05326 路 德合 端合入一開 təp 盍^{o} klo̱b
05327 答 都合 端合入一開 təp 盍^{o} klo̱b
05328 畣 都合 端合入一開 təp 盍^{o} klo̱b
05329 荅 都合 端合入一開 təp 盍^{o} klo̱b
05330 嗒 都合 端合入一開 təp 盍^{o} klo̱b
05331 榙 都合 端合入一開 təp 盍^{o} klo̱b
05332 峇 渴合 溪合入一開 k^{h}əp 盍^{o} k^{h}o̱b
05333 匌 口荅 溪合入一開 k^{h}əp 盍^{o} k^{h}o̱b
05334 磬 他合 透合入一開 t^{h}əp 盍^{o} k^{h}lo̱b
05335 佮 他合 透合入一開 t^{h}əp 盍^{o} k^{h}lo̱b
05336 踏 託合 透合入一開 t^{h}əp 盍^{o} k^{h}lo̱b
05337 合 侯閤 匣合入一開 ɦəp 盍^{o} go̱b
05338 郃 侯閤 匣合入一開 ɦəp 盍^{o} go̱b
05339 榙 侯閤 匣合入一開 ɦəp 盍^{o} go̱b
05340 迨 侯閤 匣合入一開 ɦəp 盍^{o} go̱b
05341 柗 侯閤 匣合入一開 ɦəp 盍^{o} go̱b
05342 詥 侯閤 匣合入一開 ɦəp 盍^{o} go̱b
05343 踏 達合 定合入一開 dəp 盍^{o} glo̱b
05344 哈 五合 疑合入一開 ŋəp 盍^{o} ŋgo̱b
05345 佮 烏合 影合入一開 ʔəp 盍^{o} qo̱b
05346 姶 烏合 影合入一開 ʔəp 盍^{o} qo̱b
05347 媕 烏合 影合入一開 ʔəp 盍^{o} qo̱b
05348 韐 烏合 影合入一開 ʔəp 盍^{o} qo̱b
05349 欱 呼合 曉合入一開 həp 盍^{o} q^{h}o̱b
05350 擒[1] 都榼 端盍入一開 tɑp 盍^{o} klo̱b
05351 韐 古洽 見洽入二開 k^{ɯ}ɛp 盍^{o} k^{r}o̱b
05352 跲 古洽 見洽入二開 k^{ɯ}ɛp 盍^{o} k^{r}o̱b
05353 袷 古洽 見洽入二開 k^{ɯ}ɛp 盍^{o} k^{r}o̱b
05354 韐 古洽 見洽入二開 k^{ɯ}ɛp 盍^{o} k^{r}o̱b
05355 帢 訖洽 見洽入二開 k^{ɯ}ɛp 盍^{o} k^{r}o̱b
05356 恰 乞洽 溪洽入二開 k^{hɯ}ɛp 盍^{o} k^{hr}o̱b
05357 洽 侯夾 匣洽入二開 ɦ^{ɯ}ɛp 盍^{o} g^{r}o̱b
05358 袷 侯夾 匣洽入二開 ɦ^{ɯ}ɛp 盍^{o} g^{r}o̱b
05359 欱 呼洽 曉洽入二開 h^{ɯ}ɛp 盍^{o} q^{hr}o̱b
05360 給 居立 見緝入B 開 kɨip 緝^{u} k^{r}ub
05361 歙 許及 曉緝入B 開 hɨip 緝^{u} q^{hr}ub

---

1 合部读入盍部。

05362 諗 許及 曉緝入B 開 hɨip 緝^{u} q^{hr}ub
05363 潝 許及 曉緝入B 開 hɨip 緝^{u} q^{hr}ub
05364 熻 許及 曉緝入B 開 hɨip 緝^{u} q^{hr}ub
05365 翕 許及 曉緝入B 開 hɨip 緝^{u} q^{hr}ub
05366 郤 許及 曉緝入B 開 hɨip 緝^{u} q^{hr}ub
05367 闟 許及 曉緝入B 開 hɨip 緝^{u} q^{hr}ub
05368 撿 迄及 曉緝入B 開 hɨip 緝^{u} q^{hr}ub
05369 噏 許及 曉緝入B 開 hɨip 緝^{u} q^{hr}ub
05370 怠 迄及 曉緝入B 開 hɨip 緝^{u} q^{hr}ub
05371 湁 丑入 徹緝入三開 ʈ^{h}ip 緝^{u} k^{h}lub
05372 拾 是執 禪緝入三開 dʑip 緝^{u} gl^{j}ub
05373 揜 衣儉 影鹽上B 開 ʔɨᴇm 談^{o} q^{r}omʔ
05374 渰 衣儉 影鹽上B 開 ʔɨᴇm 談^{o} q^{r}omʔ
05375 弇 衣儉 影鹽上B 開 ʔɨᴇm 談^{o} q^{r}omʔ
05376 媕 衣儉 影鹽上B 開 ʔɨᴇm 談^{o} q^{r}omʔ
05377 弇 古南 見覃平一開 kəm 談^{o} ko̱m
05378 喑 吾含 疑覃平一開 ŋəm 談^{o} ŋgo̱m
05379 媕 烏含 影覃平一開 ʔəm 談^{o} qo̱m
05380 頷 胡感 匣覃上一開 ɦəm 談^{o} go̱mʔ
05381 黭 烏感 影覃上一開 ʔəm 談^{o} qo̱mʔ
05382 揜[1] 烏敢 影談上一開 ʔɑm 談^{o} qo̱mʔ
05383 礚 苦盍 溪盍入一開 k^{h}ɑp 盍^{a} k^{h}a̱b
05384 榼 吐盍 透盍入一開 t^{h}ɑp 盍^{a} k^{h}la̱b
05385 嗒 吐盍 透盍入一開 t^{h}ɑp 盍^{a} k^{h}la̱b
05386 榼 敵盍 定盍入一開 dɑp 盍^{a} gla̱b
05387 獪[2] 古外 見泰去一合 k^{w}ɑi 盍^{o} ko̱bs
05388 嶮[3] 古外 見泰去一合 k^{w}ɑi 盍^{o} ko̱bs
05389 儈[4] 古外 見泰去一合 k^{w}ɑi 盍^{o} ko̱bs
05390 膾[5] 古外 見泰去一合 k^{w}ɑi 盍^{o} ko̱bs
05391 禬[6] 古外 見泰去一合 k^{w}ɑi 盍^{o} ko̱bs
05392 襘[7] 古外 見泰去一合 k^{w}ɑi 盍^{o} ko̱bs
05393 檜[8] 古外 見泰去一合 k^{w}ɑi 盍^{o} ko̱bs
05394 旝[9] 古外 見泰去一合 k^{w}ɑi 盍^{o} ko̱bs
05395 澮[10] 古外 見泰去一合 k^{w}ɑi 盍^{o} ko̱bs
05396 鄶[11] 古外 見泰去一合 k^{w}ɑi 盍^{o} ko̱bs
05397 廥[12] 古外 見泰去一合 k^{w}ɑi 盍^{o} ko̱bs
05398 髻[13] 古外 見泰去一合 k^{w}ɑi 盍^{o} ko̱bs
05399 劊[14] 古外 見泰去一合 k^{w}ɑi 盍^{o} ko̱bs
05400 會[15] 古外 見泰去一合 k^{w}ɑi 盍^{o} ko̱bs
05401 禬[16] 苦會 溪泰去一合 k^{hw}ɑi 盍^{o} k^{h}o̱bs
05402 會[17] 黃外 匣泰去一合 ɦ^{w}ɑi 盍^{o} go̱bs
05403 襘[18] 黃外 匣泰去一合 ɦ^{w}ɑi 盍^{o} go̱bs
05404 繪[19] 黃外 匣泰去一合 ɦ^{w}ɑi 盍^{o} go̱bs
05405 嶮[20] 黃外 匣泰去一合 ɦ^{w}ɑi 盍^{o} go̱bs
05406 薈[21] 烏外 影泰去一合 ʔ^{w}ɑi 盍^{o} qo̱bs
05407 媾[22] 烏外 影泰去一合 ʔ^{w}ɑi 盍^{o} qo̱bs
05408 黵[23] 烏外 影泰去一合 ʔ^{w}ɑi 盍^{o} qo̱bs
05409 檜[24] 古活 見曷入一合 k^{w}ɑt 盍^{o} ko̱b
05410 劊[25] 古活 見曷入一合 k^{w}ɑt 盍^{o} ko̱b
05411 髻[26] 户括 匣曷入一合 ɦ^{w}ɑt 盍^{o} go̱b
05412 媾[27] 烏括 影曷入一合 ʔ^{w}ɑt 盍^{o} qo̱b
05413 獪[28] 古邁 見夬去二合 k^{wɯ}æi 盍^{o} k^{r}o̱bs
05414 噲[29] 苦夬 溪夬去二合 k^{hwɯ}æi 盍^{o} k^{hr}o̱bs
05415 禬[30] 苦夬 溪夬去二合 k^{hwɯ}æi 盍^{o} k^{hr}o̱bs
05416 黵[31] 烏快 影夬去二合 ʔ^{wɯ}æi 盍^{o} q^{r}o̱bs

曷 hé

05417 揭 去例 溪祭去B 開 k^{h}ɨᴇi 月^{a} k^{hr}ads

---

1 《五经文字》"揜""掩"二字同"於冉反",《经典释文》不见谈韵的读音,可见"揜"是谈^{o}部*-om。
2 在圆唇元音的影响下圆唇韵尾-bs异化为-ds>-i。
3 见"獪"字注。
4 见"獪"字注。
5 见"獪"字注。
6 见"獪"字注。
7 见"獪"字注。
8 见"獪"字注。
9 见"獪"字注。
10 见"獪"字注。
11 见"獪"字注。
12 见"獪"字注。
13 见"獪"字注。
14 见"獪"字注。
15 见"獪"字注。
16 见"獪"字注。
17 见"獪"字注。
18 见"獪"字注。
19 见"獪"字注。
20 见"獪"字注。
21 见"獪"字注。
22 见"獪"字注。
23 见"獪"字注。
24 见"獪"字注。
25 见"獪"字注。
26 见"獪"字注。
27 见"獪"字注。
28 见"獪"字注。
29 见"獪"字注。
30 见"獪"字注。
31 见"獪"字注。

05418 愒 去例 溪祭去B 開 kʰɨɛi 月ᵃ kʰʳads
05419 偈 其憩 群祭去B 開 gɨɛi 月ᵃ gʳads
05420 餲 於罽 影祭去B 開 ʔɨɛi 月ᵃ qʳads
05421 ⿰月曷 於罽 影祭去B 開 ʔɨɛi 月ᵃ qʳads
05422 ⿱艹渴 於罽 影祭去B 開 ʔɨɛi 月ᵃ qʳads
05423 竭 於例 影祭去B 開 ʔɨɛi 月ᵃ qʳads
05424 ⿰禾曷 居列 見薛入B 開 kɨɛt 月ᵃ kʳad
05425 揭 居列 見薛入B 開 kɨɛt 月ᵃ kʳad
05426 ⿺走曷 丘竭 溪薛入B 開 kʰɨɛt 月ᵃ kʰʳad
05427 揭 丘竭 溪薛入B 開 kʰɨɛt 月ᵃ kʰʳad
05428 藒 丘竭 溪薛入B 開 kʰɨɛt 月ᵃ kʰʳad
05429 愒 丘竭 溪薛入B 開 kʰɨɛt 月ᵃ kʰʳad
05430 竭 渠列 群薛入B 開 gɨɛt 月ᵃ gʳad
05431 楬 渠列 群薛入B 開 gɨɛt 月ᵃ gʳad
05432 揭 渠列 群薛入B 開 gɨɛt 月ᵃ gʳad
05433 渴 渠列 群薛入B 開 gɨɛt 月ᵃ gʳad
05434 偈 渠列 群薛入B 開 gɨɛt 月ᵃ gʳad
05435 碣 渠列 群薛入B 開 gɨɛt 月ᵃ gʳad
05436 鞨 食列 船薛入三開 ʑiɛt 月ᵃ ɢlʲad
05437 ⿺走曷 居竭 見月入三開 kiɤt 月ᵃ kad
05438 羯 居竭 見月入三開 kiɤt 月ᵃ kad
05439 揭 居竭 見月入三開 kiɤt 月ᵃ kad
05440 竭 其謁 群月入三開 giɤt 月ᵃ gad
05441 碣 其謁 群月入三開 giɤt 月ᵃ gad
05442 楬 其謁 群月入三開 giɤt 月ᵃ gad
05443 揭 其謁 群月入三開 giɤt 月ᵃ gad
05444 謁 於歇 影月入三開 ʔiɤt 月ᵃ qad
05445 暍 於歇 影月入三開 ʔiɤt 月ᵃ qad
05446 ⿸广曷 於歇 影月入三開 ʔiɤt 月ᵃ qad
05447 歇 許竭 曉月入三開 hiɤt 月ᵃ qʰad
05448 猲 許竭 曉月入三開 hiɤt 月ᵃ qʰad
05449 丐 古太 見泰去一開 kɑi 月ᵃ ka̱ds
05450 匃 古太 見泰去一開 kɑi 月ᵃ ka̱ds
05451 愒 苦蓋 溪泰去一開 kʰɑi 月ᵃ kʰa̱ds
05452 藹 於蓋 影泰去一開 ʔɑi 月ᵃ qa̱ds
05453 靄 於蓋 影泰去一開 ʔɑi 月ᵃ qa̱ds
05454 ⿱艹渴 於蓋 影泰去一開 ʔɑi 月ᵃ qa̱ds
05455 葛 古達 見曷入一開 kɑt 月ᵃ ka̱d
05456 獦 古達 見曷入一開 kɑt 月ᵃ ka̱d
05457 ⿰馬匃 古達 見曷入一開 kɑt 月ᵃ ka̱d
05458 匃 古達 見曷入一開 kɑt 月ᵃ ka̱d
05459 ⿰車曷 古達 見曷入一開 kɑt 月ᵃ ka̱d
05460 ⿰葛阝 古達 見曷入一開 kɑt 月ᵃ ka̱d
05461 轕 居曷 見曷入一開 kɑt 月ᵃ ka̱d
05462 渴 苦曷 溪曷入一開 kʰɑt 月ᵃ kʰa̱d
05463 嵑 苦曷 溪曷入一開 kʰɑt 月ᵃ kʰa̱d
05464 ⿰禾曷 苦曷 溪曷入一開 kʰɑt 月ᵃ kʰa̱d
05465 ⿰渴欠 苦曷 溪曷入一開 kʰɑt 月ᵃ kʰa̱d
05466 嶱 丘葛 溪曷入一開 kʰɑt 月ᵃ kʰa̱d
05467 曷 胡葛 匣曷入一開 ɦɑt 月ᵃ ga̱d
05468 褐 胡葛 匣曷入一開 ɦɑt 月ᵃ ga̱d
05469 ⿱髟曷 胡葛 匣曷入一開 ɦɑt 月ᵃ ga̱d
05470 鶡 胡葛 匣曷入一開 ɦɑt 月ᵃ ga̱d
05471 蝎 胡葛 匣曷入一開 ɦɑt 月ᵃ ga̱d
05472 餲 胡葛 匣曷入一開 ɦɑt 月ᵃ ga̱d
05473 藒 何葛 匣曷入一開 ɦɑt 月ᵃ ga̱d
05474 鞨 胡葛 匣曷入一開 ɦɑt 月ᵃ ga̱d
05475 ⿰骨曷 胡葛 匣曷入一開 ɦɑt 月ᵃ ga̱d
05476 嶱 牙葛 疑曷入一開 ŋɑt 月ᵃ ŋga̱d
05477 遏 烏葛 影曷入一開 ʔɑt 月ᵃ qa̱d
05478 ⿰鳥曷 烏葛 影曷入一開 ʔɑt 月ᵃ qa̱d
05479 堨 烏葛 影曷入一開 ʔɑt 月ᵃ qa̱d
05480 餲 烏葛 影曷入一開 ʔɑt 月ᵃ qa̱d
05481 靄 烏葛 影曷入一開 ʔɑt 月ᵃ qa̱d
05482 ⿸广曷 烏葛 影曷入一開 ʔɑt 月ᵃ qa̱d
05483 猲 許葛 曉曷入一開 hɑt 月ᵃ qʰa̱d
05484 暍 許葛 曉曷入一開 hɑt 月ᵃ qʰa̱d
05485 喝 許葛 曉曷入一開 hɑt 月ᵃ qʰa̱d
05486 喝 於犗 影夬去二開 ʔᵚæi 月ᵃ qʳa̱ds
05487 餲 於犗 影夬去二開 ʔᵚæi 月ᵃ qʳa̱ds
05488 擖 古鎋 見鎋入二開 kᵚæt 月ᵃ kʳa̱d
05489 轕 居轄 見鎋入二開 kᵚæt 月ᵃ kʳa̱d
05490 楬 枯鎋 溪鎋入二開 kʰᵚæt 月ᵃ kʰʳa̱d
05491 擖[1] 恪八 溪鎋入二開 kʰᵚæt 月ᵃ kʰʳa̱d
05492 ⿵門曷 乙鎋 影鎋入二開 ʔᵚæt 月ᵃ qʳa̱d

盇 hé

05493 法 方乏 幫乏入三合 piu̯ap 盇ᵃ pkˡab
05494 饁 筠輒 云葉入三開 ɦᶤiɛp 盇ᵃ ɢʳab

1 原为黠韵，但是根据谐声系统应该为鎋韵，《切韵》音系二等有鎋、黠的历史层次。

05495	蓋[1]	古太	見泰去一開	kɑi	盍^{a}	ka̱bs
05496	磕	苦蓋	溪泰去一開	k^{h}ɑi	盍^{a}	k^{h}a̱bs
05497	溘	苦蓋	溪泰去一開	k^{h}ɑi	盍^{a}	k^{h}a̱bs
05498	郤	苦蓋	溪泰去一開	k^{h}ɑi	盍^{a}	k^{h}a̱bs
05499	壒	於蓋	影泰去一開	ʔɑi	盍^{a}	qa̱bs
05500	藹	於蓋	影泰去一開	ʔɑi	盍^{a}	qa̱bs
05501	郤	古盍	見盍入一開	kɑp	盍^{a}	ka̱b
05502	嗑	古盍	見盍入一開	kɑp	盍^{a}	ka̱b
05503	蓋	古盍	見盍入一開	kɑp	盍^{a}	ka̱b
05504	藹	克盍	溪盍入一開	k^{h}ɑp	盍^{a}	k^{h}a̱b
05505	榼	苦盍	溪盍入一開	k^{h}ɑp	盍^{a}	k^{h}a̱b
05506	磕	苦盍	溪盍入一開	k^{h}ɑp	盍^{a}	k^{h}a̱b
05507	匼	苦盍	溪盍入一開	k^{h}ɑp	盍^{a}	k^{h}a̱b
05508	輵	苦盍	溪盍入一開	k^{h}ɑp	盍^{a}	k^{h}a̱b
05509	盍	胡臘	匣盍入一開	ɦɑp	盍^{a}	ɡa̱b
05510	闔	胡臘	匣盍入一開	ɦɑp	盍^{a}	ɡa̱b
05511	嗑	胡臘	匣盍入一開	ɦɑp	盍^{a}	ɡa̱b
05512	蓋	胡臘	匣盍入一開	ɦɑp	盍^{a}	ɡa̱b
05513	篕	胡臘	匣盍入一開	ɦɑp	盍^{a}	ɡa̱b
05514	郤	胡臘	匣盍入一開	ɦɑp	盍^{a}	ɡa̱b
05515	㾑	胡臘	匣盍入一開	ɦɑp	盍^{a}	ɡa̱b
05516	盦	安盍	影盍入一開	ʔɑp	盍^{a}	qa̱b
05517	㿃	安盍	影盍入一開	ʔɑp	盍^{a}	qa̱b
05518	劫	居怯	見業入三開	kiap	盍^{o}	kob
05519	鉣	居怯	見業入三開	kiap	盍^{o}	kob
05520	胠	去劫	溪業入三開	k^{h}iap	盍^{o}	k^{h}ob
05521	㕁	去劫	溪業入三開	k^{h}iap	盍^{o}	k^{h}ob
05522	怯	去劫	溪業入三開	k^{h}iap	盍^{o}	k^{h}ob
05523	抾	去劫	溪業入三開	k^{h}iap	盍^{o}	k^{h}ob
05524	呿	去劫	溪業入三開	k^{h}iap	盍^{o}	k^{h}ob
05525	㾑	古沓	見合入一開	kəp	盍^{o}	ko̱b
05526	溘	口荅	溪合入一開	k^{h}əp	盍^{o}	k^{h}o̱b
05527	㾑	口荅	溪合入一開	k^{h}əp	盍^{o}	k^{h}o̱b
05528	㿃	烏合	影合入一開	ʔəp	盍^{o}	qo̱b
05529	圔[2]	烏洽	影狎入二開	ʔ^{ɯ}æp	盍^{o}	q^{r}a̱b
05530	豔	以贍	以豔去三開	jiᴇm	談^{a}	ɢlams
05531	㹞	口敢	溪談上一開	k^{h}ɑm	談^{a}	k^{h}a̱mʔ
05532	㹞	呼濫	曉銜上二開	h^{ɯ}æm	談^{a}	q^{hr}a̱mʔ
05533	磕	苦曷	溪曷入一開	k^{h}ɑt	月^{a}	k^{h}a̱d
05534	轄	丘葛	溪曷入一開	k^{h}ɑt	月^{a}	k^{h}a̱d

壑 hè

05535	壑	呵各	曉鐸入一開	hɑk	鐸	q^{h}a̱g

黑 hēi

05536	嚜	明祕	明脂去B 開	mɨi	職	m^{r}ɯ̱gs
05537	嘿	莫六	明屋入三合	miuk	職	mɯ̱g
05538	墨	莫北	明德入一開	mək	職	mɯ̱g
05539	默	莫北	明德入一開	mək	職	mɯ̱g
05540	蟔	莫北	明德入一開	mək	職	mɯ̱g
05541	纆	莫北	明德入一開	mək	職	mɯ̱g
05542	嘿	迄得	曉德入一開	hək	職	m̥^{h}ɯ̱g
05543	黑	呼北	曉德入一開	hək	職	m̥^{h}ɯ̱g

轟 hōng

05544	轟	呼宏	曉耕平二合	h^{wɯ}ɛŋ	耕	q^{whr}e̱ŋ
05545	轟	呼迸	曉耕去二合	h^{wɯ}ɛŋ	耕	q^{whr}e̱ŋs

侯 hóu

05546	緱	古侯	見侯平一合	ku	侯	ko̱
05547	鍭	胡溝	匣侯平一合	ɦu	侯	ɡo̱
05548	鄇	胡溝	匣侯平一合	ɦu	侯	ɡo̱
05549	侯	户鉤	匣侯平一合	ɦu	侯	ɡo̱
05550	鄇	户鉤	匣侯平一合	ɦu	侯	ɡo̱
05551	鍭	户鉤	匣侯平一合	ɦu	侯	ɡo̱
05552	猴	户鉤	匣侯平一合	ɦu	侯	ɡo̱
05553	糇	户鉤	匣侯平一合	ɦu	侯	ɡo̱
05554	猴	户鉤	匣侯平一合	ɦu	侯	ɡo̱
05555	餱	户鉤	匣侯平一合	ɦu	侯	ɡo̱
05556	喉	户鉤	匣侯平一合	ɦu	侯	ɡo̱
05557	篌	户鉤	匣侯平一合	ɦu	侯	ɡo̱
05558	鯸	户鉤	匣侯平一合	ɦu	侯	ɡo̱
05559	蝂	户鉤	匣侯平一合	ɦu	侯	ɡo̱
05560	睺	户鉤	匣侯平一合	ɦu	侯	ɡo̱
05561	鄇	胡遘	匣侯去一合	ɦu	侯	ɡo̱s
05562	睺	胡遘	匣侯去一合	ɦu	侯	ɡo̱s

1　自动词 ɡa̱b，使动词蓋 s.ɡa̱bs>ka̱bs，s-为使动前缀，-s 为指向性后缀。

2　原为洽韵，但是根据谐声系统应该为狎韵，《切韵》音系二等有狎、洽的历史层次。

05563 堠 胡遘 匣侯去一合 ɦu 侯 ɡo̱s
05564 鍭 胡遘 匣侯去一合 ɦu 侯 ɡo̱s
05565 鄇 下遘 匣侯去一合 ɦu 侯 ɡo̱s
05566 候 胡遘 匣侯去一合 ɦu 侯 ɡo̱s

后 hòu

05567 垢 古厚 見侯上一合 ku 侯 ko̱ʔ
05568 詬 古厚 見侯上一合 ku 侯 ko̱ʔ
05569 茩 古厚 見侯上一合 ku 侯 ko̱ʔ
05570 后 胡口 匣侯上一合 ɦu 侯 ɡo̱ʔ
05571 郈 胡口 匣侯上一合 ɦu 侯 ɡo̱ʔ
05572 ⿰口后 胡口 匣侯上一合 ɦu 侯 ɡo̱ʔ
05573 ⿰口后 呼后 曉侯上一合 hu 侯 q^{h}o̱ʔ
05574 姤 古候 見侯去一合 ku 侯 ko̱s
05575 詬 苦候 溪侯去一合 k^{h}u 侯 k^{h}o̱s
05576 逅 胡遘 匣侯去一合 ɦu 侯 ɡo̱s
05577 后 胡遘 匣侯去一合 ɦu 侯 ɡo̱s
05578 詬 呼漏 曉侯去一合 hu 侯 q^{h}o̱s
05579 ⿰口后 呼漏 曉侯去一合 hu 侯 q^{h}o̱s
05580 ⿰目后 許候 曉侯去一合 hu 侯 q^{h}o̱s
05581 銗 胡講 匣江上二開 ɦ^{ɯ}ɔŋ 東 ɡ^{r}o̱ŋʔ

厚 hòu

05582 厚 胡口 匣侯上一合 ɦu 侯 ɡo̱ʔ
05583 厚 胡遘 匣侯去一合 ɦu 侯 ɡo̱s

後 hòu

05584 後[1] 胡口 匣侯上一合 ɦu 侯 ɢo̱ʔ
05585 後 胡遘 匣侯去一合 ɦu 侯 ɢo̱s
05586 ⿱彑豩 空谷 溪屋入一合 k^{h}uk 屋 k^{h}o̱g

乎 hū

05587 乎 户吴 匣模平一合 ɦu̯o 魚 ɡa̱
05588 垀 荒胡 曉模平一合 hu̯o 魚 q^{h}a̱
05589 呼 荒烏 曉模平一合 hu̯o 魚 q^{h}a̱
05590 評 荒烏 曉模平一合 hu̯o 魚 q^{h}a̱
05591 軤 荒烏 曉模平一合 hu̯o 魚 q^{h}a̱
05592 ⿰木乎 落胡 來模平一合 lu̯o 魚 ɡ.ra̱
05593 ⿰木乎[2] 郎古 來模上一合 lu̯o 魚 ɡ.ra̱ʔ

𠦪 hū

05594 𠦪 訏貴 曉微去三合 h^{w}ɣi 微^{u} m̥^{h}uls
05595 𠦪 許勿 曉物入三合 hiut 物^{u} m̥^{h}ud

⿱穴骨 hū

05596 ⿱穴骨 呼骨 曉没入一合 hu̯ot 物^{ɯ} q^{wh}ɯ̱d

虍 hū

05597 虧[3] 去爲 溪支平B 合 k^{hw}ɨe 魚 k^{whr}a
05598 巇 許羈 曉支平B 開 hɨe 魚 q^{hr}a
05599 戲 許羈 曉支平B 開 hɨe 魚 q^{hr}a
05600 虗 許羈 曉支平B 開 hɨe 魚 q^{hr}a
05601 ⿰木戲 虛宜 曉支平B 開 hɨe 魚 q^{hr}a
05602 戲 香義 曉支去B 開 hɨe 魚 q^{hr}as
05603 虚 去魚 溪魚平三開 k^{h}iɣ 魚 k^{h}a
05604 攄 丑居 徹魚平三開 ʈ^{h}iɣ 魚 k^{h}la
05605 樗 丑居 徹魚平三開 ʈ^{h}iɣ 魚 k^{h}la
05606 籧 强魚 群魚平三開 ɡiɣ 魚 ɡa
05607 簴 强魚 群魚平三開 ɡiɣ 魚 ɡa
05608 醵 强魚 群魚平三開 ɡiɣ 魚 ɡa
05609 豦 强魚 群魚平三開 ɡiɣ 魚 ɡa
05610 蘧 强魚 群魚平三開 ɡiɣ 魚 ɡa
05611 鐻 强魚 群魚平三開 ɡiɣ 魚 ɡa
05612 ⿰木豦 强魚 群魚平三開 ɡiɣ 魚 ɡa
05613 ⿱艹豦 强魚 群魚平三開 ɡiɣ 魚 ɡa
05614 璩 强魚 群魚平三開 ɡiɣ 魚 ɡa
05615 虛 朽居 曉魚平三開 hiɣ 魚 q^{h}a
05616 驉 朽居 曉魚平三開 hiɣ 魚 q^{h}a
05617 歔 朽居 曉魚平三開 hiɣ 魚 q^{h}a
05618 嘘 朽居 曉魚平三開 hiɣ 魚 q^{h}a
05619 魖 朽居 曉魚平三開 hiɣ 魚 q^{h}a
05620 臚 力居 來魚平三開 liɣ 魚 ɡ.ra
05621 鑪 力居 來魚平三開 liɣ 魚 ɡ.ra
05622 廬 力居 來魚平三開 liɣ 魚 ɡ.ra
05623 蘆 力居 來魚平三開 liɣ 魚 ɡ.ra
05624 驢 力居 來魚平三開 liɣ 魚 ɡ.ra
05625 藘 力居 來魚平三開 liɣ 魚 ɡ.ra

1　匣母有*ɢ和*ɡ的来源，比较藏文同源词ɦoɡ下、下面，说明"後"的上古音为*ɢo̱ʔ。

2　原作"⿰木寽"，据《王三》、元泰定本改。

3　《说文》从"虐"声，当为是双声符字。"虍"*q^{h}a̱次声符，"于"*ɢ^{rw}a主声符，q^{h}+ɢ^{rw}a>*q^{whr}a。

05626	櫖	力居	來魚平三開	liɤ	魚	ɡ.ra
05627	膚[1]	甫無	幫虞平三合	piʊ	魚	pq^{l}a
05628	蘧	其俱	群虞平三合	ɡiʊ	魚	ɡa
05629	虖	況于	曉虞平三合	hiʊ	魚	q^{wh}a
05630	篆	居許	見魚上三開	kiɤ	魚	kaʔ
05631	處	昌與	昌魚上三開	tɕ^{h}iɤ	魚	k^{h}l^{j}aʔ
05632	鐻	其吕	群魚上三開	ɡiɤ	魚	ɡaʔ
05633	虡	其吕	群魚上三開	ɡiɤ	魚	ɡaʔ
05634	蒙	其吕	群魚上三開	ɡiɤ	魚	ɡaʔ
05635	儢	力舉	來魚上三開	liɤ	魚	ɡ.raʔ
05636	據	居御	見魚去三開	kiɤ	魚	kas
05637	鐻	居御	見魚去三開	kiɤ	魚	kas
05638	豦	居御	見魚去三開	kiɤ	魚	kas
05639	處	昌據	昌魚去三開	tɕ^{h}iɤ	魚	k^{h}l^{j}as
05640	遽	其據	群魚去三開	ɡiɤ	魚	ɡas
05641	勮	其據	群魚去三開	ɡiɤ	魚	ɡas
05642	醵	其據	群魚去三開	ɡiɤ	魚	ɡas
05643	嘘	許御	曉魚去三開	hiɤ	魚	q^{h}as
05644	慮	良倨	來魚去三開	liɤ	魚	ɡ.ras
05645	勴	良倨	來魚去三開	liɤ	魚	ɡ.ras
05646	勴	良倨	來魚去三開	liɤ	魚	ɡ.ras
05647	鑢	良倨	來魚去三開	liɤ	魚	ɡ.ras
05648	櫖	良倨	來魚去三開	liɤ	魚	ɡ.ras
05649	虖	户吴	匣模平一合	ɦu̯o	魚	ɡa̱
05650	嘑	荒烏	曉模平一合	hu̯o	魚	q^{h}a̱
05651	虖	荒烏	曉模平一合	hu̯o	魚	q^{h}a̱
05652	歑	荒烏	曉模平一合	hu̯o	魚	q^{h}a̱
05653	戲	荒烏	曉模平一合	hu̯o	魚	q^{h}a̱
05654	謼	荒烏	曉模平一合	hu̯o	魚	q^{h}a̱
05655	虍	荒烏	曉模平一合	hu̯o	魚	q^{h}a̱
05656	虗	荒烏	曉模平一合	hu̯o	魚	q^{h}a̱
05657	虝	荒烏	曉模平一合	hu̯o	魚	q^{h}a̱
05658	滹	荒烏	曉模平一合	hu̯o	魚	q^{h}a̱
05659	蘆	落胡	來模平一合	lu̯o	魚	ɡ.ra̱
05660	顱	落胡	來模平一合	lu̯o	魚	ɡ.ra̱
05661	攎	落胡	來模平一合	lu̯o	魚	ɡ.ra̱
05662	櫨	落胡	來模平一合	lu̯o	魚	ɡ.ra̱
05663	轤	落胡	來模平一合	lu̯o	魚	ɡ.ra̱
05664	鸕	落胡	來模平一合	lu̯o	魚	ɡ.ra̱
05665	獹	落胡	來模平一合	lu̯o	魚	ɡ.ra̱
05666	鸕	落胡	來模平一合	lu̯o	魚	ɡ.ra̱
05667	艫	落胡	來模平一合	lu̯o	魚	ɡ.ra̱
05668	纑	落胡	來模平一合	lu̯o	魚	ɡ.ra̱
05669	瀘	落胡	來模平一合	lu̯o	魚	ɡ.ra̱
05670	爐	落胡	來模平一合	lu̯o	魚	ɡ.ra̱
05671	廬	落胡	來模平一合	lu̯o	魚	ɡ.ra̱
05672	矑	落胡	來模平一合	lu̯o	魚	ɡ.ra̱
05673	鑪	落胡	來模平一合	lu̯o	魚	ɡ.ra̱
05674	盧	落胡	來模平一合	lu̯o	魚	ɡ.ra̱
05675	蠦	落胡	來模平一合	lu̯o	魚	ɡ.ra̱
05676	鑪	落胡	來模平一合	lu̯o	魚	ɡ.ra̱
05677	壚	落胡	來模平一合	lu̯o	魚	ɡ.ra̱
05678	籚	落胡	來模平一合	lu̯o	魚	ɡ.ra̱
05679	鱸	龍都	來模平一合	lu̯o	魚	ɡ.ra̱
05680	盧	落胡	來模平一合	lu̯o	魚	ɡ.ra̱
05681	虎[2]	呼古	曉模上一合	hu̯o	魚	q^{h}a̱ʔ
05682	琥	呼古	曉模上一合	hu̯o	魚	q^{h}a̱ʔ
05683	鄜[3]	呼古	曉模上一合	hu̯o	魚	q^{h}a̱ʔ
05684	篪	火五	曉模上一合	hu̯o	魚	q^{h}a̱ʔ
05685	虜	郎古	來模上一合	lu̯o	魚	ɡ.ra̱ʔ
05686	擄	郎古	來模上一合	lu̯o	魚	ɡ.ra̱ʔ
05687	虜	郎古	來模上一合	lu̯o	魚	ɡ.ra̱ʔ
05688	鏀	郎古	來模上一合	lu̯o	魚	ɡ.ra̱ʔ
05689	鰗	郎古	來模上一合	lu̯o	魚	ɡ.ra̱ʔ
05690	嫭	胡誤	匣模去一合	ɦu̯o	魚	ɡa̱s
05691	謼	荒故	曉模去一合	hu̯o	魚	q^{h}a̱s
05692	唬	呼訝	曉麻去二開	h^{ɯ}æ	魚	q^{hr}a̱s
05693	墲	呼訝	曉麻去二開	h^{ɯ}æ	魚	q^{hr}a̱s
05694	謔	虛訝	曉麻去二開	h^{ɯ}æ	魚	q^{hr}a̱s
05695	罅	呼訝	曉麻去二開	h^{ɯ}æ	魚	q^{hr}a̱s
05696	蹻	居御	見魚去三開	kiɤ	鐸	kaɡs
05697	蹻	訖逆	見陌入三開	kiæk	鐸	k^{r}aɡ
05698	覤	乞逆	溪陌入三開	k^{h}iæk	鐸	k^{hr}aɡ

1　"膚"的主声符是"虍"* q^{hl}a̱,加前缀冠音 p-,按规则三辅音中的第二辅音失落,* pq^{l}a>* p^{l}a>* pa。侗语中的"皮肤"就是汉语"肤"的词根借用,如石洞侗语读 ka,中寨侗语读 la。这说明汉语"膚"的词根为* q^{hl}a̱。

2　藏文 staɡ 老虎<*sklaɡ。可比较泰文k^{h}laa虎。缅文 kja<* kla3,土瓦 klɑ44,塞芒kəla(Benedict1972),墨脱门巴k^{h}aila,绿春哈尼xa31la31,怒苏怒la35,拉祜q^{h}ɑ53。楚语"於菟",读音为qala,其中的qa 实际上就是前冠音* q.la̱>* qala̱。

3　《广韵》作"鄜"。

05699 劇 奇逆 群陌入三開 giæk 鐸 gʳag

05700 噱 其虐 群藥入三開 giak 鐸 gag

05701 醵 其虐 群藥入三開 giak 鐸 gag

05702 臄 極虐 群藥入三開 giak 鐸 gˡag

05703 唬 古伯 見陌入二開 kᵚæk 鐸 kʳa̱g

隺 hú

05704 鶴 下各 匣鐸入一開 ɦɑk 藥ᵒ go̱gʷ

05705 ⿰馬隺 下各 匣鐸入一開 ɦɑk 藥ᵒ go̱gʷ

05706 ⿰月隺 呵各 曉鐸入一開 hɑk 藥ᵒ qʰo̱gʷ

05707 皬 胡沃 匣沃入一合 ɦu̯ok 藥ᵒ go̱gʷ

05708 隺 胡沃 匣沃入一合 ɦu̯ok 藥ᵒ go̱gʷ

05709 ⿰火隺 胡沃 匣沃入一合 ɦu̯ok 藥ᵒ go̱gʷ

05710 ⿰氵隺 胡沃 匣沃入一合 ɦu̯ok 藥ᵒ go̱gʷ

05711 榷 古岳 見覺入二開 kᵚɔk 藥ᵒ kʳo̱gʷ

05712 搉 古岳 見覺入二開 kᵚɔk 藥ᵒ kʳo̱gʷ

05713 傕 古岳 見覺入二開 kᵚɔk 藥ᵒ kʳo̱gʷ

05714 ⿰馬隺 古岳 見覺入二開 kᵚɔk 藥ᵒ kʳo̱gʷ

05715 ⿰氵隺 訖岳 見覺入二開 kᵚɔk 藥ᵒ kʳo̱gʷ

05716 篧 側角 莊覺入二開 tʂᵚɔk 藥ᵒ skro̱gʷ

05717 ⿰氵隺 克角 溪覺入二開 kʰᵚɔk 藥ᵒ kʰʳo̱gʷ

05718 搉 苦角 溪覺入二開 kʰᵚɔk 藥ᵒ kʰʳo̱gʷ

05719 確 苦角 溪覺入二開 kʰᵚɔk 藥ᵒ kʰʳo̱gʷ

05720 隺 苦角 溪覺入二開 kʰᵚɔk 藥ᵒ kʰʳo̱gʷ

05721 皬 胡覺 匣覺入二開 ɦᵚɔk 藥ᵒ gʳo̱gʷ

05722 ⿰牛隺 五角 疑覺入二開 ŋᵚɔk 藥ᵒ ŋgʳo̱gʷ

05723 篧 士角 崇覺入二開 dʐᵚɔk 藥ᵒ sgro̱gʷ

05724 蒮 余六 以屋入三合 jiuk 覺 ɢlug

05725 ⿰月隺 呼木 曉屋入一合 huk 屋 qʰo̱g

壺 hú

05726 壺 户吴 匣模平一合 ɦu̯o 魚 gʷa̱

互 hù

05727 沍 洪孤 匣模平一合 ɦu̯o 魚 ga̱

05728 ⿰魚互 户吴 匣模平一合 ɦu̯o 魚 ga̱

05729 沍 胡故 匣模去一合 ɦu̯o 魚 ga̱s

05730 互 胡誤 匣模去一合 ɦu̯o 魚 ga̱s

05731 笠 胡誤 匣模去一合 ɦu̯o 魚 ga̱s

05732 沍 胡誤 匣模去一合 ɦu̯o 魚 ga̱s

05733 枑 胡誤 匣模去一合 ɦu̯o 魚 ga̱s

05734 罟 胡誤 匣模去一合 ɦu̯o 魚 ga̱s

05735 沍 轄格 匣陌入二開 ɦᵚæk 鐸 gʳa̱g

户 hù

05736 所 踈舉 生魚上三開 ʂiɤ 魚 skʳaʔ

05737 齭 踈舉 生魚上三開 ʂiɤ 魚 skʳaʔ

05738 齭 創舉 初魚上三開 tʂʰiɤ 魚 skʰraʔ

05739 户[1] 侯古 匣模上一合 ɦu̯o 魚 gʷa̱ʔ

05740 扈 侯古 匣模上一合 ɦu̯o 魚 gʷa̱ʔ

05741 帍 侯古 匣模上一合 ɦu̯o 魚 gʷa̱ʔ

05742 ⿰目户 侯古 匣模上一合 ɦu̯o 魚 gʷa̱ʔ

05743 雇 侯古 匣模上一合 ɦu̯o 魚 gʷa̱ʔ

05744 扈 後五 匣模上一合 ɦu̯o 魚 gʷa̱ʔ

05745 顧 古暮 見模去一合 ku̯o 魚 kʷa̱s

05746 雇 古暮 見模去一合 ku̯o 魚 kʷa̱s

05747 家[2] 牀史 崇之上三開 dʐɨ 之 sgrɯʔ

化 huà

05748 訛 五禾 疑歌平一合 ŋʷɑ 歌ᵃ ŋʷa̱l

05749 鈋 五禾 疑歌平一合 ŋʷɑ 歌ᵃ ŋʷa̱l

05750 囮 五禾 疑歌平一合 ŋʷɑ 歌ᵃ ŋʷa̱l

05751 吪 吾禾 疑歌平一合 ŋʷɑ 歌ᵃ ŋʷa̱l

05752 貨 呼臥 曉歌去一合 hʷɑ 歌ᵃ ŋ̊ʷʰa̱ls

05753 吪 呼瓜 曉麻平二合 hʷᵚæ 歌ᵃ ŋ̊ʷʰa̱l

05754 化[3] 呼霸 曉麻去二合 hʷᵚæ 歌ᵃ ŋ̊ʷʰʳa̱ls

05755 匕 呼霸 曉麻去二合 hʷᵚæ 歌ᵃ ŋ̊ʷʰʳa̱ls

05756 傀 呼霸 曉麻去二合 hʷᵚæ 歌ᵃ ŋ̊ʷʰʳa̱ls

05757 魤 呼霸 曉麻去二合 hʷᵚæ 歌ᵃ ŋ̊ʷʰʳa̱ls

吴 huà

05758 吴 胡化 匣麻去二合 ɦʷᵚæ 魚 gʷʳa̱s

畫 huà

05759 畫 胡卦 匣佳去二合 ɦʷᵚɛ 錫 gʷʳe̱gs

05760 澅 胡卦 匣佳去二合 ɦʷᵚɛ 錫 gʷʳe̱gs

---

1 藏文 sgo 门、入口，按藏语的音变来自 *sgwa。泰文 grwa 家庭、家户、厨房。可见“户”上古带合口介音 *gʷa̱ʔ>中古 ɦʷo。

2 鱼部与之部旁转。

3 郑张尚芳：古多读平声。

05761 繣 胡卦 匣佳去二合 ɦ^{wɯ}ɛ 錫 g^{wr}e̱gs
05762 畫 胡麥 匣麥入二合 ɦ^{wɯ}ɛk 錫 g^{wr}e̱g
05763 嫿 胡麥 匣麥入二合 ɦ^{wɯ}ɛk 錫 g^{wr}e̱g
05764 劃 胡麥 匣麥入二合 ɦ^{wɯ}ɛk 錫 g^{wr}e̱g
05765 嚍 胡麥 匣麥入二合 ɦ^{wɯ}ɛk 錫 g^{wr}e̱g
05766 繣 呼麥 曉麥入二合 h^{wɯ}ɛk 錫 q^{whr}e̱g
05767 憘 呼麥 曉麥入二合 h^{wɯ}ɛk 錫 q^{whr}e̱g
05768 劃 呼麥 曉麥入二合 h^{wɯ}ɛk 錫 q^{whr}e̱g

褢 huái

05769 櫰 公回 見灰平一合 ku̯oi 微^{u} ku̱l
05770 瓌 公回 見灰平一合 ku̯oi 微^{u} ku̱l
05771 𥗼 姑回 見灰平一合 ku̯oi 微^{u} ku̱l
05772 𥗼 胡隈 匣灰平一合 ɦu̯oi 微^{u} gu̱l
05773 𥗼 乎乖 匣皆平二合 ɦ^{wɯ}ɛi 微^{u} g^{r}u̱l
05774 懷 户乖 匣皆平二合 ɦ^{wɯ}ɛi 微^{u} g^{r}u̱l
05775 褢 户乖 匣皆平二合 ɦ^{wɯ}ɛi 微^{u} g^{r}u̱l
05776 櫰 户乖 匣皆平二合 ɦ^{wɯ}ɛi 微^{u} g^{r}u̱l
05777 瀤 户乖 匣皆平二合 ɦ^{wɯ}ɛi 微^{u} g^{r}u̱l
05778 𥗼 古壞 見皆去二合 k^{wɯ}ɛi 微^{u} k^{r}u̱ls
05779 壞[1] 古壞 見皆去二合 k^{wɯ}ɛi 微^{u} s.g^{r}uls
05780 壞 胡怪 匣皆去二合 ɦ^{wɯ}ɛi 微^{u} g^{r}u̱ls
05781 蘾 胡怪 匣皆去二合 ɦ^{wɯ}ɛi 微^{u} g^{r}u̱ls

馬 huán

05782 馬[2] 胡田 匣先平四開 ɦen 元^{e} g^{w}e̱n
05783 馬 胡畎 匣先上四合 ɦ^{w}en 元^{e} g^{w}e̱nʔ
05784 馬[3] 户關 匣山平二合 ɦ^{wɯ}ɛn 元^{e} g^{wr}e̱n

萈 huán

05785 寬[4] 苦官 溪寒平一合 k^{hw}ɑn 元^{o} k^{hl}o̱n
05786 髖 苦官 溪寒平一合 k^{hw}ɑn 元^{o} k^{hl}o̱n
05787 萈 胡官 匣寒平一合 ɦ^{w}ɑn 元^{o} go̱n
05788 囂[5] 火貫 曉寒去一合 h^{w}ɑn 元^{o} q^{h}o̱ns
05789 臗[6] 苦昆 溪魂平一合 k^{h}u̯on 文^{u} k^{hl}u̱n
05790 髖 苦昆 溪魂平一合 k^{h}u̯on 文^{u} k^{hl}u̱n

雈 huán

05791 雈 胡官 匣寒平一合 ɦ^{w}ɑn 元^{o} go̱n
05792 雈[7] 胡官 匣寒平一合 ɦ^{w}ɑn 元^{o} go̱n
05793 鑵 古玩 見寒去一合 k^{w}ɑn 元^{o} ko̱ns

幻 huàn

05794 㡉[8] 古賢 見先平四開 ken 真^{n} k^{w}i̱n
05795 誸[9] 胡千 匣先平四開 ɦen 真^{n} g^{w}i̱n
05796 弦[10] 胡田 匣先平四開 ɦen 真^{n} g^{w}i̱n
05797 舷[11] 胡田 匣先平四開 ɦen 真^{n} g^{w}i̱n
05798 胘[12] 胡田 匣先平四開 ɦen 真^{n} g^{w}i̱n
05799 𢘵[13] 胡田 匣先平四開 ɦen 真^{n} g^{w}i̱n
05800 伭[14] 胡田 匣先平四開 ɦen 真^{n} g^{w}i̱n
05801 𦯷[15] 胡田 匣先平四開 ɦen 真^{n} g^{w}i̱n
05802 赺[16] 胡田 匣先平四開 ɦen 真^{n} g^{w}i̱n
05803 痃[17] 胡田 匣先平四開 ɦen 真^{n} g^{w}i̱n
05804 誸 胡涓 匣先平四合 ɦ^{w}en 真^{n} g^{w}i̱n
05805 妶[18] 胡千 匣先平四開 ɦen 真^{n} g^{w}i̱n
05806 絃[19] 胡田 匣先平四開 ɦen 真^{n} g^{w}i̱n
05807 絃 許縣 曉先去四合 h^{w}en 真^{n} q^{wh}i̱ns
05808 幻 胡辦 匣山去二合 ɦ^{wɯ}ɛn 真^{n} g^{wr}i̱ns

奐 huàn

05809 奐 胡官 匣寒平一合 ɦ^{w}ɑn 元^{o} ɢo̱n
05810 换 胡玩 匣寒去一合 ɦ^{w}ɑn 元^{o} ɢo̱ns
05811 唤 呼玩 曉寒去一合 h^{w}ɑn 元^{o} q^{h}o̱ns

---

1 自动词 g^{r}u̱ls，使动词 s.g^{r}uls>k^{r}uls。
2 见"絃"字注。
3 《广韵》又同"睘"。原为删韵，但是根据《广韵》又同"睘"，据谐声系统应该为山韵，《切韵》音系二等有山、删的历史层次。
4 可比较泰文 glɔɔn 松懈、松动。
5 《广韵》作"䜮"。
6 与"臀"*glu̱n 同根。
7 可比较藏文 ɦol<*ɢol 鹰、鹞。
8 见"弦"字注。
9 见"弦"字注。
10 "幻"为"弦"之初文，可见"弦"原来该是合口，前高元音与前鼻韵尾使合口介音失落。
11 见"弦"字注。
12 见"弦"字注。
13 见"弦"字注。
14 见"弦"字注。
15 见"弦"字注。
16 见"弦"字注。
17 见"弦"字注。
18 见"弦"字注。
19 见"弦"字注。

05812 唤 火貫 曉寒去一合 hʷɑn 元° qʰo̱ns
05813 焕 火貫 曉寒去一合 hʷɑn 元° qʰo̱ns
05814 奂 火貫 曉寒去一合 hʷɑn 元° qʰo̱ns
05815 涣 火貫 曉寒去一合 hʷɑn 元° qʰo̱ns
05816 涣 呼會 曉泰去一合 hʷɑi 月° qʰo̱ds

宦 huàn

05817 宦 胡慣 匣删去二合 ɦʷᵚæn 元° gˤo̱ns

㞷 huáng

05818 匡 去王 溪陽平三合 kʰʷiaŋ 陽 kʷʰaŋ
05819 邼 去王 溪陽平三合 kʰʷiaŋ 陽 kʷʰaŋ
05820 筐 去王 溪陽平三合 kʰʷiaŋ 陽 kʷʰaŋ
05821 恇 去王 溪陽平三合 kʰʷiaŋ 陽 kʷʰaŋ
05822 洭 去王 溪陽平三合 kʰʷiaŋ 陽 kʷʰaŋ
05823 軭 去王 溪陽平三合 kʰʷiaŋ 陽 kʷʰaŋ
05824 眶 去王 溪陽平三合 kʰʷiaŋ 陽 kʷʰaŋ
05825 茞 去王 溪陽平三合 kʰʷiaŋ 陽 kʷʰaŋ
05826 狂 巨王 群陽平三合 gʷiaŋ 陽 gʷaŋ
05827 軖 巨王 群陽平三合 gʷiaŋ 陽 gʷaŋ
05828 軭 巨王 群陽平三合 gʷiaŋ 陽 gʷaŋ
05829 㞷 巨王 群陽平三合 gʷiaŋ 陽 gʷaŋ
05830 俇 求往 群陽上三合 gʷiaŋ 陽 gʷaŋʔ
05831 枉 紆往 影陽上三合 ʔʷiaŋ 陽 qʷaŋʔ
05832 尪 紆往 影陽上三合 ʔʷiaŋ 陽 qʷaŋʔ
05833 汪 紆往 影陽上三合 ʔʷiaŋ 陽 qʷaŋʔ
05834 往 于兩 云陽上三合 ɦⁱʷiaŋ 陽 ɢʷaŋʔ
05835 暀 于兩 云陽上三合 ɦⁱʷiaŋ 陽 ɢʷaŋʔ
05836 迋 居況 見陽去三合 kʷiaŋ 陽 kʷaŋs
05837 俇 居況 見陽去三合 kʷiaŋ 陽 kʷaŋs
05838 誑 居況 見陽去三合 kʷiaŋ 陽 kʷaŋs
05839 狂 渠放 群陽去三合 gʷiaŋ 陽 gʷaŋs
05840 誆 渠放 群陽去三合 gʷiaŋ 陽 gʷaŋs
05841 迋 于放 云陽去三合 ɦⁱʷiaŋ 陽 ɢʷaŋs
05842 恇 于放 云陽去三合 ɦⁱʷiaŋ 陽 ɢʷaŋs
05843 暀 于放 云陽去三合 ɦⁱʷiaŋ 陽 ɢʷaŋs
05844 䊗 胡光 匣唐平一合 ɦʷɑŋ 陽 gʷa̱ŋ
05845 汪 烏光 影唐平一合 ʔʷɑŋ 陽 qʷa̱ŋ
05846 暀 乎曠 匣唐去一合 ɦʷɑŋ 陽 gʷa̱ŋs
05847 汪 烏浪 影唐去一合 ʔʷɑŋ 陽 qʷa̱ŋs

皇 huáng

05848 揘 永兵 云庚平三合 ɦⁱʷiæŋ 陽 ɢʷʳaŋ
05849 諻 胡光 匣唐平一合 ɦʷɑŋ 陽 gʷa̱ŋ
05850 鄓 胡光 匣唐平一合 ɦʷɑŋ 陽 gʷa̱ŋ
05851 程 胡光 匣唐平一合 ɦʷɑŋ 陽 gʷa̱ŋ
05852 葟 胡光 匣唐平一合 ɦʷɑŋ 陽 gʷa̱ŋ
05853 湟 胡光 匣唐平一合 ɦʷɑŋ 陽 gʷa̱ŋ
05854 徨 胡光 匣唐平一合 ɦʷɑŋ 陽 gʷa̱ŋ
05855 篁 胡光 匣唐平一合 ɦʷɑŋ 陽 gʷa̱ŋ
05856 蝗 胡光 匣唐平一合 ɦʷɑŋ 陽 gʷa̱ŋ
05857 隍 胡光 匣唐平一合 ɦʷɑŋ 陽 gʷa̱ŋ
05858 皇[1] 胡光 匣唐平一合 ɦʷɑŋ 陽 gʷa̱ŋ
05859 惶 胡光 匣唐平一合 ɦʷɑŋ 陽 gʷa̱ŋ
05860 遑 胡光 匣唐平一合 ɦʷɑŋ 陽 gʷa̱ŋ
05861 煌 胡光 匣唐平一合 ɦʷɑŋ 陽 gʷa̱ŋ
05862 餭 胡光 匣唐平一合 ɦʷɑŋ 陽 gʷa̱ŋ
05863 騜 胡光 匣唐平一合 ɦʷɑŋ 陽 gʷa̱ŋ
05864 凰 胡光 匣唐平一合 ɦʷɑŋ 陽 gʷa̱ŋ
05865 偟 胡光 匣唐平一合 ɦʷɑŋ 陽 gʷa̱ŋ
05866 媓 胡光 匣唐平一合 ɦʷɑŋ 陽 gʷa̱ŋ
05867 蝗 户盲 匣庚平二合 ɦʷᵚæŋ 陽 gʷʳa̱ŋ
05868 瑝 户盲 匣庚平二合 ɦʷᵚæŋ 陽 gʷʳa̱ŋ
05869 喤 户盲 匣庚平二合 ɦʷᵚæŋ 陽 gʷʳa̱ŋ
05870 鍠 户盲 匣庚平二合 ɦʷᵚæŋ 陽 gʷʳa̱ŋ
05871 諻 户盲 匣庚平二合 ɦʷᵚæŋ 陽 gʷʳa̱ŋ
05872 諻 虎横 曉庚平二合 hʷᵚæŋ 陽 qʷʰa̱ŋ
05873 喤 虎横 曉庚平二合 hʷᵚæŋ 陽 qʷʰa̱ŋ
05874 蝗 户孟 匣庚去二合 ɦʷᵚæŋ 陽 gʷʳa̱ŋs

黄 huáng

05875 獷 居往 見陽上三合 kʷiaŋ 陽 kʷaŋʔ
05876 横 古黄 見唐平一合 kʷɑŋ 陽 kʷa̱ŋ
05877 蟥 胡光 匣唐平一合 ɦʷɑŋ 陽 gʷa̱ŋ
05878 趪 胡光 匣唐平一合 ɦʷɑŋ 陽 gʷa̱ŋ
05879 磺 胡光 匣唐平一合 ɦʷɑŋ 陽 gʷa̱ŋ
05880 璜 胡光 匣唐平一合 ɦʷɑŋ 陽 gʷa̱ŋ

---

1 郑张尚芳：《礼记·王制》郑注“冕属”。金文象羽冠，王声（参汪荣宝）；或云象日射辉，则为“暀”“晃”初文。“皇”匣母，匣母有*g-、*ɢ-两种来源，与云母谐声的匣母来自*ɢ-。

05881	潢	胡光	匣唐平一合	ɦ^{w}ɑŋ	陽	g^{w}a̱ŋ
05882	篁	胡光	匣唐平一合	ɦ^{w}ɑŋ	陽	g^{w}a̱ŋ
05883	黄	胡光	匣唐平一合	ɦ^{w}ɑŋ	陽	g^{wl}a̱ŋ
05884	廣	古晃	見唐上一合	k^{w}ɑŋ	陽	k^{w}a̱ŋʔ
05885	廣	苦朗	溪唐上一開	k^{h}ɑŋ	陽	k^{h}a̱ŋʔ
05886	懭	苦晃	溪唐上一合	k^{hw}ɑŋ	陽	k^{wh}a̱ŋʔ
05887	廣	丘晃	溪唐上一合	k^{hw}ɑŋ	陽	k^{wh}a̱ŋʔ
05888	爌	丘晃	溪唐上一合	k^{hw}ɑŋ	陽	k^{wh}a̱ŋʔ
05889	櫎	胡廣	匣唐上一合	ɦ^{w}ɑŋ	陽	g^{w}a̱ŋʔ
05890	瀇	烏晃	影唐上一合	ʔ^{w}ɑŋ	陽	q^{w}a̱ŋʔ
05891	爌	呼晃	曉唐上一合	h^{w}ɑŋ	陽	q^{wh}a̱ŋʔ
05892	擴	古曠	見唐去一合	k^{w}ɑŋ	陽	k^{w}a̱ŋs
05893	曠	苦謗	溪唐去一合	k^{hw}ɑŋ	陽	k^{wh}a̱ŋs
05894	壙	苦謗	溪唐去一合	k^{hw}ɑŋ	陽	k^{wh}a̱ŋs
05895	纊	苦謗	溪唐去一合	k^{hw}ɑŋ	陽	k^{wh}a̱ŋs
05896	懭	苦謗	溪唐去一合	k^{hw}ɑŋ	陽	k^{wh}a̱ŋs
05897	爌	苦謗	溪唐去一合	k^{hw}ɑŋ	陽	k^{wh}a̱ŋs
05898	潢	乎曠	匣唐去一合	ɦ^{w}ɑŋ	陽	g^{w}a̱ŋs
05899	擴	乎曠	匣唐去一合	ɦ^{w}ɑŋ	陽	g^{wl}a̱ŋs
05900	横	户盲	匣庚平二合	ɦ^{wɯ}æŋ	陽	g^{wr}a̱ŋ
05901	黌	户盲	匣庚平二合	ɦ^{wɯ}æŋ	陽	g^{wr}a̱ŋ
05902	鐄	户盲	匣庚平二合	ɦ^{wɯ}æŋ	陽	g^{wr}a̱ŋ
05903	潢	户盲	匣庚平二合	ɦ^{wɯ}æŋ	陽	g^{wr}a̱ŋ
05904	噴	虎横	曉庚平二合	h^{wɯ}æŋ	陽	q^{whr}a̱ŋ
05905	穬	古猛	見庚上二合	k^{wɯ}æŋ	陽	k^{wr}a̱ŋʔ
05906	懭	古猛	見庚上二合	k^{wɯ}æŋ	陽	k^{wr}a̱ŋʔ
05907	礦	古猛	見庚上二合	k^{wɯ}æŋ	陽	k^{wr}a̱ŋʔ
05908	麥廣	古猛	見庚上二合	k^{wɯ}æŋ	陽	k^{wr}a̱ŋʔ
05909	獷	古猛	見庚上二合	k^{wɯ}æŋ	陽	k^{wr}a̱ŋʔ
05910	潢	户孟	匣庚去二合	ɦ^{wɯ}æŋ	陽	g^{wr}a̱ŋs
05911	横	户孟	匣庚去二合	ɦ^{wɯ}æŋ	陽	g^{wr}a̱ŋs
05912	彍	古博	見鐸入一合	k^{w}ɑk	鐸	k^{w}a̱g
05913	擴	光鑊	見鐸入一合	k^{w}ɑk	鐸	k^{w}a̱g
05914	廓	苦郭	溪鐸入一合	k^{hw}ɑk	鐸	k^{wh}a̱g
05915	擴	闊鑊	溪鐸入一合	k^{hw}ɑk	鐸	k^{wh}a̱g
05916	擴	忽郭	曉鐸入一合	h^{w}ɑk	鐸	q^{wh}a̱g
05917	彍	虛郭	曉鐸入一合	h^{w}ɑk	鐸	q^{wh}a̱g
05918	擴	古獲	見陌入二合	k^{wɯ}æk	鐸	k^{wr}a̱g
05919	廓	丘擭	溪陌入二合	k^{hwɯ}æk	鐸	k^{whr}a̱g

隓 huī

05920	墮	許規	曉支平A合	h^{w}ie	歌^{o}	q^{hl}ol
05921	鬌	直垂	澄支平三合	ɖ^{w}ie	歌^{o}	glol
05922	隋	旬爲	邪支平三合	z^{w}ie	歌^{o}	sg^{l}ol
05923	隨	旬爲	邪支平三合	z^{w}ie	歌^{o}	sg^{l}ol
05924	隓	旬爲	邪支平三合	z^{w}ie	歌^{o}	sg^{l}ol
05925	蓨	悦吹	以支平三合	j^{w}ie	歌^{o}	ɢlol
05926	鬌	悦吹	以支平三合	j^{w}ie	歌^{o}	ɢlol
05927	猗	悦吹	以支平三合	j^{w}ie	歌^{o}	ɢlol
05928	髓	息委	心支上三合	s^{w}ie	歌^{o}	sk^{l}olʔ
05929	饋	息委	心支上三合	s^{w}ie	歌^{o}	sk^{l}olʔ
05930	蓨	羊捶	以支上三合	j^{w}ie	歌^{o}	ɢlolʔ
05931	擶	羊捶	以支上三合	j^{w}ie	歌^{o}	ɢlolʔ
05932	猗	羊捶	以支上三合	j^{w}ie	歌^{o}	ɢlolʔ
05933	瀡	思累	心支去三合	s^{w}ie	歌^{o}	sk^{l}ols
05934	讉	土禾	透歌平一合	t^{hw}ɑ	歌^{o}	k^{h}lo̱l
05935	鬌	丁果	端歌上一合	t^{w}ɑ	歌^{o}	klo̱lʔ
05936	鏅	都果	端歌上一合	t^{w}ɑ	歌^{o}	klo̱lʔ
05937	媠	他果	透歌上一合	t^{hw}ɑ	歌^{o}	k^{h}lo̱lʔ
05938	隋	他果	透歌上一合	t^{hw}ɑ	歌^{o}	k^{h}lo̱lʔ
05939	鰖	他果	透歌上一合	t^{hw}ɑ	歌^{o}	k^{h}lo̱lʔ
05940	墮	他果	透歌上一合	t^{hw}ɑ	歌^{o}	k^{h}lo̱lʔ
05941	橢	他果	透歌上一合	t^{hw}ɑ	歌^{o}	k^{h}lo̱lʔ
05942	惰	徒果	定歌上一合	d^{w}ɑ	歌^{o}	glo̱lʔ
05943	墮	徒果	定歌上一合	d^{w}ɑ	歌^{o}	glo̱lʔ
05944	嫷	徒果	定歌上一合	d^{w}ɑ	歌^{o}	glo̱lʔ
05945	鬌	徒果	定歌上一合	d^{w}ɑ	歌^{o}	glo̱lʔ
05946	鰖	徒果	定歌上一合	d^{w}ɑ	歌^{o}	glo̱lʔ
05947	隋	徒果	定歌上一合	d^{w}ɑ	歌^{o}	glo̱lʔ
05948	隓	杜果	定歌上一合	d^{w}ɑ	歌^{o}	glo̱lʔ
05949	毻	湯臥	透歌去一合	t^{hw}ɑ	歌^{o}	k^{h}lo̱ls
05950	嫷	湯臥	透歌去一合	t^{hw}ɑ	歌^{o}	k^{h}lo̱ls
05951	惰	徒臥	定歌去一合	d^{w}ɑ	歌^{o}	glo̱ls
05952	媠	徒臥	定歌去一合	d^{w}ɑ	歌^{o}	glo̱ls
05953	褶	徒臥	定歌去一合	d^{w}ɑ	歌^{o}	glo̱ls
05954	陊	許規	曉支平A合	h^{w}ie	歌^{o}	q^{hl}ol
05955	鰖	以水	以脂上三合	j^{w}i	微^{u}	ɢlulʔ
05956	鏅	杜罪	定灰上一合	du̯oi	微^{u}	glu̱lʔ
05957	毻	他外	透泰去一合	t^{hw}ɑi	月^{o}	k^{h}lo̱ds

回 huí

05958	佪	胡隈	匣灰平一合	ɦu̯oi	微^{u}	ɢu̱l

05959 回 户恢 匣灰平一合 ɦu̯oi 微^{u} ɢu̯l
05960 洄 户恢 匣灰平一合 ɦu̯oi 微^{u} ɢu̯l
05961 迴 户恢 匣灰平一合 ɦu̯oi 微^{u} ɢu̯l
05962 徊 户恢 匣灰平一合 ɦu̯oi 微^{u} ɢu̯l
05963 佪 户恢 匣灰平一合 ɦu̯oi 微^{u} ɢu̯l
05964 迴 胡對 匣灰去一合 ɦu̯oi 微^{u} ɢu̯ls

毁 huǐ

05965 㜇 許委 曉支上B 合 h^{w}ɨe 歌^{e} m̥^{hr}elʔ
05966 毇 許委 曉支上B 合 h^{w}ɨe 歌^{e} m̥^{hr}elʔ
05967 㩓 許委 曉支上B 合 h^{w}ɨe 歌^{e} m̥^{hr}elʔ
05968 檓 許委 曉支上B 合 h^{w}ɨe 歌^{e} m̥^{hr}elʔ
05969 毁 許委 曉支上B 合 h^{w}ɨe 歌^{e} m̥^{hr}elʔ
05970 燬 許委 曉支上B 合 h^{w}ɨe 歌^{e} m̥^{hr}elʔ
05971 毁 况僞 曉支去B 合 h^{w}ɨe 歌^{e} m̥^{hr}els

卉 huì

05972 卉 許偉 曉微上三合 h^{w}ɤi 微^{u} m̥^{h}ulʔ
05973 卉 許貴 曉微去三合 h^{w}ɤi 微^{u} m̥^{h}uls

彗 huì

05974 繐 相鋭 心祭去三合 s^{w}iᴇi 月^{e} sq^{w}eds
05975 蔧 于歲 云祭去三合 ɦ^{ɨw}iᴇi 月^{e} ɢ^{wr}eds
05976 彗 于歲 云祭去三合 ɦ^{ɨw}iᴇi 月^{e} ɢ^{wr}eds
05977 轊 于歲 云祭去三合 ɦ^{ɨw}iᴇi 月^{e} ɢ^{wr}eds
05978 槥 于歲 云祭去三合 ɦ^{ɨw}iᴇi 月^{e} ɢ^{wr}eds
05979 篲 祥歲 邪祭去三合 z^{w}iᴇi 月^{e} sɢ^{w}eds
05980 鏏 祥歲 邪祭去三合 z^{w}iᴇi 月^{e} sɢ^{w}eds
05981 彗 祥歲 邪祭去三合 z^{w}iᴇi 月^{e} sɢ^{w}eds
05982 䨮 祥歲 邪祭去三合 z^{w}iᴇi 月^{e} sɢ^{w}eds
05983 槥 祥歲 邪祭去三合 z^{w}iᴇi 月^{e} sɢ^{w}eds
05984 轊 祥歲 邪祭去三合 z^{w}iᴇi 月^{e} sɢ^{w}eds
05985 雪 相絶 心薛入三合 s^{w}iᴇt 月^{e} sq^{w}ed
05986 慧 胡桂 匣齊去四合 ɦ^{w}ei 月^{e} g^{w}e̠ds
05987 嘒 呼惠 曉齊去四合 h^{w}ei 月^{e} q^{wh}e̠ds
05988 彗 徐醉 邪脂去三合 z^{w}i 質^{d} sɢ^{w}ids
05989 蔧 徐醉 邪脂去三合 z^{w}i 質^{d} sɢ^{w}ids
05990 蔧 王伐 云月入三合 ɦ^{iw}iɤt 月^{a} ɢ^{w}ad

惠 huì

05991 繐[1] 相鋭 心祭去三合 s^{w}iᴇi 質^{d} sq^{wh}eds
05992 穗 徐醉 邪脂去三合 z^{w}i 質^{d} sɢ^{w}ids
05993 惠 胡桂 匣齊去四合 ɦ^{w}ei 質^{d} g^{w}i̠ds
05994 蟪 胡桂 匣齊去四合 ɦ^{w}ei 質^{d} g^{w}i̠ds
05995 蕙 胡桂 匣齊去四合 ɦ^{w}ei 質^{d} g^{w}i̠ds
05996 橞 胡桂 匣齊去四合 ɦ^{w}ei 質^{d} g^{w}i̠ds
05997 繐 胡桂 匣齊去四合 ɦ^{w}ei 質^{d} g^{w}i̠ds
05998 譓 胡桂 匣齊去四合 ɦ^{w}ei 質^{d} g^{w}i̠ds
05999 獩 胡桂 匣齊去四合 ɦ^{w}ei 質^{d} g^{w}i̠ds
06000 憓 胡桂 匣齊去四合 ɦ^{w}ei 質^{d} g^{w}i̠ds
06001 潓 胡桂 匣齊去四合 ɦ^{w}ei 質^{d} g^{w}i̠ds
06002 韢 此芮 清祭去三合 ts^{hw}iᴇi 月^{e} sk^{wh}eds

昏 hūn

06003 錉 眉貧 明真平B 開 mɨin 文^{u} m^{r}un
06004 湣 眉貧 明真平B 開 mɨin 文^{u} m^{r}un
06005 睯 眉貧 明真平B 開 mɨin 文^{u} m^{r}un
06006 岷[2] 武巾 明真平B 開 mɨin 文^{u} m^{r}un
06007 緍 武巾 明真平B 開 mɨin 文^{u} m^{r}un
06008 捪 武巾 明真平B 開 mɨin 文^{u} m^{r}un
06009 鍲 武巾 明真平B 開 mɨin 文^{u} m^{r}un
06010 琘 眉貧 明真平B 開 mɨin 文^{u} m^{r}un
06011 䫒 眉貧 明真平B 開 mɨin 文^{u} m^{r}un
06012 暋 眉殞 明真上B 開 mɨin 文^{u} m^{r}unʔ
06013 敯 美隕 明真上B 開 mɨin 文^{u} m^{r}unʔ
06014 捪 美隕 明真上B 開 mɨin 文^{u} m^{r}unʔ
06015 㫗 美隕 明真上B 開 mɨin 文^{u} m^{r}unʔ
06016 䳟 無分 明文平三合 miun 文^{u} mun
06017 䫒 莫奔 明魂平一合 mu̯on 文^{u} mu̯n
06018 惛[3] 莫奔 明魂平一合 mu̯on 文^{u} mu̯n
06019 昏 呼昆 曉魂平一合 hu̯on 文^{u} m̥^{h}u̯n
06020 惛 呼昆 曉魂平一合 hu̯on 文^{u} m̥^{h}u̯n
06021 婚 呼昆 曉魂平一合 hu̯on 文^{u} m̥^{h}u̯n
06022 閽 呼昆 曉魂平一合 hu̯on 文^{u} m̥^{h}u̯n
06023 殙 呼昆 曉魂平一合 hu̯on 文^{u} m̥^{h}u̯n
06024 㖧 呼昆 曉魂平一合 hu̯on 文^{u} m̥^{h}u̯n
06025 㑮 呼昆 曉魂平一合 hu̯on 文^{u} m̥^{h}u̯n

---

1 质^{d} 部与月^{e} 部旁转。

2 李豪：据《说文》“岷”本作“𡸣”，“緍”本作“緡”，皆从“昏”声，后或变为“昏”。这些字都属于三等 B 类，声符定为“昏”。

3 当为“惛”。

06026 惛 虚本 曉魂上一合 hu̯on 文^{u} m̥^{h}u̯nʔ

06027 㥣 呼困 曉魂去一合 hu̯on 文^{u} m̥^{h}u̯ns

06028 湣 呼困 曉魂去一合 hu̯on 文^{u} m̥^{h}u̯ns

06029 惛 呼悶 曉魂去一合 hu̯on 文^{u} m̥^{h}u̯ns

06030 痻 武巾 明真平B 開 mɨin 真^{n} m^{r}in

06031 鶻 武巾 明真平B 開 mɨin 真^{n} m^{r}in

圂 hùn

06032 梱 户昆 匣魂平一合 ɦu̯on 文^{u} gu̯n

06033 捆 户昆 匣魂平一合 ɦu̯on 文^{u} gu̯n

06034 橐 古本 見魂上一合 ku̯on 文^{u} ku̯nʔ

06035 棞 胡本 匣魂上一合 ɦu̯on 文^{u} gu̯nʔ

06036 慁 胡困 匣魂去一合 ɦu̯on 文^{u} gu̯ns

06037 溷 胡困 匣魂去一合 ɦu̯on 文^{u} gu̯ns

06038 圂 胡困 匣魂去一合 ɦu̯on 文^{u} gu̯ns

06039 搰 户骨 匣没入一合 ɦu̯ot 物^{u} gu̯d

火 huǒ

06040 火 呼果 曉歌上一合 h^{w}ɑ 歌^{o} q^{h}o̯lʔ

06041 灬 呼果 曉歌上一合 h^{w}ɑ 歌^{o} q^{h}o̯lʔ

或 huò

06042 彧 於六 影屋入三合 ʔiuk 職 q^{w}ɯg

06043 惐 乙六 影屋入三合 ʔiuk 職 q^{w}ɯg

06044 黬 於六 影屋入三合 ʔiuk 職 q^{w}ɯg

06045 欰 於六 影屋入三合 ʔiuk 職 q^{w}ɯg

06046 黬 況逼 曉職入三合 h^{w}ɨk 職 q^{whr}ɯg

06047 窢 忽域 曉職入三合 h^{w}ɨk 職 q^{whr}ɯg

06048 惐 忽域 曉職入三合 h^{w}ɨk 職 q^{whr}ɯg

06049 閾 況逼 曉職入三合 h^{w}ɨk 職 q^{whr}ɯg

06050 欰 況逼 曉職入三合 h^{w}ɨk 職 q^{whr}ɯg

06051 㩽 況逼 曉職入三合 h^{w}ɨk 職 q^{whr}ɯg

06052 緎 況逼 曉職入三合 h^{w}ɨk 職 q^{whr}ɯg

06053 淢 況逼 曉職入三合 h^{w}ɨk 職 q^{whr}ɯg

06054 域 雨逼 云職入三合 ɦ^{iw}ɨk 職 ɢ^{wr}ɯg

06055 蜮 雨逼 云職入三合 ɦ^{iw}ɨk 職 ɢ^{wr}ɯg

06056 罭 雨逼 云職入三合 ɦ^{iw}ɨk 職 ɢ^{wr}ɯg

06057 棫 雨逼 云職入三合 ɦ^{iw}ɨk 職 ɢ^{wr}ɯg

06058 䳈 雨逼 云職入三合 ɦ^{iw}ɨk 職 ɢ^{wr}ɯg

06059 緎 雨逼 云職入三合 ɦ^{iw}ɨk 職 ɢ^{wr}ɯg

06060 緎 雨逼 云職入三合 ɦ^{iw}ɨk 職 ɢ^{wr}ɯg

06061 淢 雨逼 云職入三合 ɦ^{iw}ɨk 職 ɢ^{wr}ɯg

06062 惐 越逼 云職入三合 ɦ^{iw}ɨk 職 ɢ^{wr}ɯg

06063 黬 雨逼 云職入三合 ɦ^{iw}ɨk 職 ɢ^{wr}ɯg

06064 簂 古對 見灰去一合 ku̯oi 職 k^{w}ɯ̯gs

06065 槶 古對 見灰去一合 ku̯oi 職 k^{w}ɯ̯gs

06066 國 古或 見德入一合 k^{w}ək 職 k^{w}ɯ̯g

06067 或 胡國 匣德入一合 ɦ^{w}ək 職 g^{w}ɯ̯g

06068 惑 胡國 匣德入一合 ɦ^{w}ək 職 g^{w}ɯ̯g

06069 蜮 胡國 匣德入一合 ɦ^{w}ək 職 g^{w}ɯ̯g

06070 戫 胡國 匣德入一合 ɦ^{w}ək 職 g^{w}ɯ̯g

06071 蟈 古獲 見麥入二合 k^{wɯ}ɛk 職 k^{wr}ɯ̯g

06072 馘 古獲 見麥入二合 k^{wɯ}ɛk 職 k^{wr}ɯ̯g

06073 膕 古獲 見麥入二合 k^{wɯ}ɛk 職 k^{wr}ɯ̯g

06074 聝 古獲 見麥入二合 k^{wɯ}ɛk 職 k^{wr}ɯ̯g

06075 喐 呼麥 曉麥入二合 h^{wɯ}ɛk 職 q^{whr}ɯ̯g

06076 㩽 呼麥 曉麥入二合 h^{wɯ}ɛk 職 q^{whr}ɯ̯g

06077 窢 忽麥 曉麥入二合 h^{wɯ}ɛk 職 q^{whr}ɯ̯g

06078 掝 呼麥 曉麥入二合 h^{wɯ}ɛk 職 q^{whr}ɯ̯g

蒦 huò

06079 蒦 厥縛 見藥入三合 k^{w}iak 鐸 k^{w}ag

06080 蠖 憂縛 影藥入三合 ʔ^{w}iak 鐸 q^{w}ag

06081 臒 憂縛 影藥入三合 ʔ^{w}iak 鐸 q^{w}ag

06082 篗 䨼縛 影藥入三合 ʔ^{w}iak 鐸 q^{w}ag

06083 矆 䨼縛 影藥入三合 ʔ^{w}iak 鐸 q^{w}ag

06084 嚄 䨼縛 影藥入三合 ʔ^{w}iak 鐸 q^{w}ag

06085 矆 許縛 曉藥入三合 h^{w}iak 鐸 q^{wh}ag

06086 篗[1] 王縛 云藥入三合 ɦ^{iw}iak 鐸 ɢ^{w}ag

06087 護 胡誤 匣模去一合 ɦu̯o 鐸 g^{w}a̯gs

06088 頀 胡誤 匣模去一合 ɦu̯o 鐸 g^{w}a̯gs

06089 濩 胡誤 匣模去一合 ɦu̯o 鐸 g^{w}a̯gs

06090 蔰 胡誤 匣模去一合 ɦu̯o 鐸 g^{w}a̯gs

06091 韄 胡誤 匣模去一合 ɦu̯o 鐸 g^{w}a̯gs

06092 鱯 胡誤 匣模去一合 ɦu̯o 鐸 g^{w}a̯gs

06093 擭 胡誤 匣模去一合 ɦu̯o 鐸 g^{w}a̯gs

06094 穫 胡郭 匣鐸入一合 ɦ^{w}ɑk 鐸 g^{w}a̯g

06095 鑊 胡郭 匣鐸入一合 ɦ^{w}ɑk 鐸 g^{w}a̯g

---

1 《广韵》作"篗"。

06096 檴 胡郭 匣鐸入一合 ɦ^{w}ɑk 鐸 g^{w}a̱g
06097 濩 胡郭 匣鐸入一合 ɦ^{w}ɑk 鐸 g^{w}a̱g
06098 擭 胡郭 匣鐸入一合 ɦ^{w}ɑk 鐸 g^{w}a̱g
06099 瓁 五郭 疑鐸入一合 ŋ^{w}ɑk 鐸 ŋg^{w}a̱g
06100 艧 烏郭 影鐸入一合 ʔ^{w}ɑk 鐸 q^{w}a̱g
06101 蠖 烏郭 影鐸入一合 ʔ^{w}ɑk 鐸 q^{w}a̱g
06102 臒 烏郭 影鐸入一合 ʔ^{w}ɑk 鐸 q^{w}a̱g
06103 鱯 胡化 匣麻去二合 ɦ^{wɯ}æ 鐸 g^{wr}a̱gs
06104 檴 胡化 匣麻去二合 ɦ^{wɯ}æ 鐸 g^{wr}a̱gs
06105 嚄 胡伯 匣陌入二合 ɦ^{wɯ}æk 鐸 g^{wr}a̱g
06106 獲[1] 胡麥 匣陌入二合 ɦ^{wɯ}æk 鐸 g^{wr}a̱g
06107 鱯[2] 胡麥 匣陌入二合 ɦ^{wɯ}æk 鐸 g^{wr}a̱g
06108 韄[3] 胡麥 匣陌入二合 ɦ^{wɯ}æk 鐸 g^{wr}a̱g
06109 韄 一虢 影陌入二合 ʔ^{wɯ}æk 鐸 q^{wr}a̱g
06110 矆 屋虢 影陌入二合 ʔ^{wɯ}æk 鐸 q^{wr}a̱g
06111 擭 一虢 影陌入二合 ʔ^{wɯ}æk 鐸 q^{wr}a̱g
06112 濩 一虢 影陌入二合 ʔ^{wɯ}æk 鐸 q^{wr}a̱g

霍 huò

06113 籗 苦郭 溪鐸入一合 k^{hw}ɑk 藥° k^{wh}o̱g^{w}
06114 矐 呵各 曉鐸入一開 hɑk 藥° q^{h}o̱g^{w}
06115 霍 虛郭 曉鐸入一合 h^{w}ɑk 藥° q^{wh}o̱g^{w}
06116 靃 虛郭 曉鐸入一合 h^{w}ɑk 藥° q^{wh}o̱g^{w}
06117 藿 虛郭 曉鐸入一合 h^{w}ɑk 藥° q^{wh}o̱g^{w}
06118 矐 虛郭 曉鐸入一合 h^{w}ɑk 藥° q^{wh}o̱g^{w}
06119 攉 虛郭 曉鐸入一合 h^{w}ɑk 藥° q^{wh}o̱g^{w}
06120 瀖 虛郭 曉鐸入一合 h^{w}ɑk 藥° q^{wh}o̱g^{w}
06121 臛 火酷 曉沃入一合 hu̯ok 藥° q^{h}o̱g^{w}

卟 jī

06122 卟 古奚 見齊平四開 kei 脂 ki̱
06123 卟 康禮 溪齊上四開 k^{h}ei 脂 k^{h}i̱ʔ

禾 jī

06124 禾 五溉 疑咍去一開 ŋəi 之 ŋgɯ̱s
06125 禾 古奚 見齊平四開 kei 脂 ki̱

毄 jī

06126 繫[4] 古詣 見齊去四開 kei 錫 s.ge̱gs
06127 檕 古詣 見齊去四開 kei 錫 ke̱gs
06128 蘻 古詣 見齊去四開 kei 錫 ke̱gs
06129 轚 古詣 見齊去四開 kei 錫 ke̱gs
06130 罊 苦計 溪齊去四開 k^{h}ei 錫 k^{h}e̱gs
06131 ⿱毄皿 苦計 溪齊去四開 k^{h}ei 錫 k^{h}e̱gs
06132 ⿱毄心 苦計 溪齊去四開 k^{h}ei 錫 k^{h}e̱gs
06133 ⿱毄女 苦計 溪齊去四開 k^{h}ei 錫 k^{h}e̱gs
06134 ⿰毄欠 他計 透齊去四開 t^{h}ei 錫 k^{h}le̱gs
06135 繫 胡計 匣齊去四開 ɦei 錫 ge̱gs
06136 擊 古歷 見錫入四開 kek 錫 ke̱g
06137 墼 古歷 見錫入四開 kek 錫 ke̱g
06138 轚 古歷 見錫入四開 kek 錫 ke̱g
06139 蘻 古歷 見錫入四開 kek 錫 ke̱g
06140 毄 吉歷 見錫入四開 kek 錫 ke̱g
06141 毄 詰歷 溪錫入四開 k^{h}ek 錫 k^{h}e̱g
06142 毃 苦擊 溪錫入四開 k^{h}ek 錫 k^{h}e̱g
06143 ⿱毄心 苦擊 溪錫入四開 k^{h}ek 錫 k^{h}e̱g
06144 ⿰王毄 郎擊 來錫入四開 lek 錫 g.re̱g
06145 ⿱毄女 苦賣 溪佳去二開 k^{hɯ}ɛ 錫 k^{hr}e̱gs
06146 ⿰鬲毄 古核 見麥入二開 k^{ɯ}ɛk 錫 k^{r}e̱g
06147 ⿱毄石 楷革 溪麥入二開 k^{hɯ}ɛk 錫 k^{hr}e̱g
06148 罊 楷革 溪麥入二開 k^{hɯ}ɛk 錫 k^{hr}e̱g
06149 ⿱毄石[5] 呼麥 曉麥入二合 h^{wɯ}ɛk 錫 q^{hr}e̱g
06150 繫 口奚 溪齊平四開 k^{h}ei 佳 k^{h}e̱
06151 檕 苦奚 溪齊平四開 k^{h}ei 佳 k^{h}e̱
06152 ⿱毄女 苦蟹 溪佳上二開 k^{hɯ}ɛ 佳 k^{hr}e̱ʔ
06153 ⿱毄皿 詰利 溪脂去A 開 k^{h}i 質[g] k^{h}i̱gs
06154 毄 吉詣 見齊去四開 kei 質[g] ki̱gs

几 jī

06155 飢 居夷 見脂平B 開 kɨi 脂[l] k^{r}il
06156 机 居夷 見脂平B 開 kɨi 脂[l] k^{r}il
06157 肌 居夷 見脂平B 開 kɨi 脂[l] k^{r}il
06158 阢 渠伊 群脂平B 開 gɨi 脂[l] g^{r}il
06159 屼 居履 見脂上B 開 kɨi 脂[l] k^{r}ilʔ

---

1 原为麦韵，但是根据谐声系统应该为陌韵，《切韵》音系二等有陌、麦的历史层次。

2 原为麦韵，但是根据谐声系统应该为陌韵，《切韵》音系二等有陌、麦的历史层次。

3 原为麦韵，但是根据谐声系统应该为陌韵，《切韵》音系二等有陌、麦的历史层次。

4 自动词 *ge̱gs，使动词 *s.ge̱gs＞*ke̱gs。

5 见"盰"字注。

06160 邔 居履 見脂上B 開 kɨi 脂^{l} k^{r}ilʔ

06161 ⿰犭几 居履 見脂上B 開 kɨi 脂^{l} k^{r}ilʔ

06162 几 居履 見脂上B 開 kɨi 脂^{l} k^{r}ilʔ

06163 麂 居履 見脂上B 開 kɨi 脂^{l} k^{r}ilʔ

06164 机 居履 見脂上B 開 kɨi 脂^{l} k^{r}ilʔ

皀 jí

06165 皀 居立 見緝入B 開 kɨip 緝^{ɯ} k^{r}ɯb

06166 鵖 彼及 幫緝入B 開 pɨip 緝^{ɯ} pk^{r}ɯb

06167 皀 彼及 幫緝入B 開 pɨip 緝^{ɯ} pk^{r}ɯb

06168 鵖 居輒 見葉入B 開 kɨɛp 盍^{e} k^{r}eb

06169 皀 彼側 幫職入三開 pɨk 職 pk^{r}ɯg

亼 jí

06170 亼 子入 精緝入三開 tsip 緝^{u} skub

06171 亼[1] 秦入 從緝入三開 dzip 緝^{u} sgub

及 jí

06172 急 居立 見緝入B 開 kɨip 緝^{ɯ} k^{r}ɯb

06173 汲 居立 見緝入B 開 kɨip 緝^{ɯ} k^{r}ɯb

06174 伋 居立 見緝入B 開 kɨip 緝^{ɯ} k^{r}ɯb

06175 級 居立 見緝入B 開 kɨip 緝^{ɯ} k^{r}ɯb

06176 芨 居立 見緝入B 開 kɨip 緝^{ɯ} k^{r}ɯb

06177 ⿸疒及 居立 見緝入B 開 kɨip 緝^{ɯ} k^{r}ɯb

06178 彶 居立 見緝入B 開 kɨip 緝^{ɯ} k^{r}ɯb

06179 及 其立 群緝入B 開 ɡɨip 緝^{ɯ} g^{r}ɯb

06180 笈 其立 群緝入B 開 ɡɨip 緝^{ɯ} g^{r}ɯb

06181 圾 逆及 疑緝入B 開 ŋɨip 緝^{ɯ} ŋg^{r}ɯb

06182 岌 魚及 疑緝入B 開 ŋɨip 緝^{ɯ} ŋg^{r}ɯb

06183 吸 許及 曉緝入B 開 hɨip 緝^{ɯ} q^{hr}ɯb

06184 鈒 色立 生緝入三開 ʂip 緝^{ɯ} sk^{r}ɯb

06185 ⿰氵急 域及 云緝入三開 ɦɨip 緝^{ɯ} ɢ^{r}ɯb

06186 ⿰巾及 古沓 見合入一開 kəp 緝^{ɯ} kɯ̱b

06187 圾 鄂合 疑合入一開 ŋəp 緝^{ɯ} ŋɡɯ̱b

06188 岋 鄂合 疑合入一開 ŋəp 緝^{ɯ} ŋɡɯ̱b

06189 趿 蘇合 心合入一開 səp 緝^{ɯ} sqɯ̱b

06190 靸 蘇合 心合入一開 səp 緝^{ɯ} sqɯ̱b

06191 馺 蘇合 心合入一開 səp 緝^{ɯ} sqɯ̱b

06192 鈒 蘇合 心合入一開 səp 緝^{ɯ} sqɯ̱b

06193 ⿸疒及 呼合 曉合入一開 həp 緝^{ɯ} q^{h}ɯ̱b

06194 扱 楚洽 初洽入二開 tʂ^{hɯ}ɛp 緝^{ɯ} sk^{h}rɯ̱b

06195 笈 楚洽 初洽入二開 tʂ^{hɯ}ɛp 緝^{ɯ} sk^{h}rɯ̱b

06196 衱 其輒 群葉入B 開 ɡɨɛp 盍^{a} g^{r}ab

06197 极 其輒 群葉入B 開 ɡɨɛp 盍^{a} g^{r}ab

06198 笈 其輒 群葉入B 開 ɡɨɛp 盍^{a} g^{r}ab

06199 衱 居怯 見業入三開 kiap 盍^{a} kab

06200 极 巨業 群業入三開 ɡiap 盍^{a} gab

06201 笈 巨業 群業入三開 ɡiap 盍^{a} gab

06202 靸[2] 私盍 心盍入一開 sɑp 盍^{a} sqa̱b

06203 ⿸疒及 呼盍 曉盍入一開 hɑp 盍^{a} q^{h}a̱b

吉 jí

06204 吉 居質 見質入A 開 kit 質^{d} kid

06205 趌 居質 見質入A 開 kit 質^{d} kid

06206 拮 居質 見質入A 開 kit 質^{d} kid

06207 趌 去吉 溪質入A 開 k^{h}it 質^{d} k^{h}id

06208 詰 去吉 溪質入A 開 k^{h}it 質^{d} k^{h}id

06209 蛣 去吉 溪質入A 開 k^{h}it 質^{d} k^{h}id

06210 佶 巨乙 群質入A 開 ɡit 質^{d} gid

06211 姞 巨乙 群質入A 開 ɡit 質^{d} gid

06212 鮚 巨乙 群質入A 開 ɡit 質^{d} gid

06213 趌 巨乙 群質入A 開 ɡit 質^{d} gid

06214 欯 許吉 曉質入A 開 hit 質^{d} q^{h}id

06215 髻 古詣 見齊去四開 kei 質^{d} ki̱ds

06216 結 古屑 見屑入四開 ket 質^{d} ki̱d

06217 桔 古屑 見屑入四開 ket 質^{d} ki̱d

06218 袺 古屑 見屑入四開 ket 質^{d} ki̱d

06219 拮 古屑 見屑入四開 ket 質^{d} ki̱d

06220 奊 古屑 見屑入四開 ket 質^{d} ki̱d

06221 奊 苦結 溪屑入四開 k^{h}et 質^{d} k^{h}i̱d

06222 擷 胡結 匣屑入四開 ɦet 質^{d} gi̱d

06223 頡 胡結 匣屑入四開 ɦet 質^{d} gi̱d

06224 襭 胡結 匣屑入四開 ɦet 質^{d} gi̱d

06225 ⿰犭頡 奚結 匣屑入四開 ɦet 質^{d} gi̱d

06226 擷 虎結 曉屑入四開 het 質^{d} q^{h}i̱d

06227 鴶 古黠 見黠入二開 k^{ɯ}ɛt 質^{d} k^{r}i̱d

06228 秸 古黠 見黠入二開 k^{ɯ}ɛt 質^{d} k^{r}i̱d

---

1 "亼"当从"合""今"得声,故声母 *sg->dz-。

2 后起音,从合韵读入盍韵。

06229 袺 古黠 見黠入二開 k^{ɯ}ɛt 質^{d} k^{r}i̱d

06230 頡 古黠 見黠入二開 k^{ɯ}ɛt 質^{d} k^{r}i̱d

06231 劼 恪八 溪黠入二開 k^{hɯ}ɛt 質^{d} k^{hr}i̱d

06232 硈 恪八 溪黠入二開 k^{hɯ}ɛt 質^{d} k^{hr}i̱d

06233 黠 胡八 匣黠入二開 ɦ^{ɯ}ɛt 質^{d} g^{r}i̱d

06234 鮚[1] 胡瞎 匣黠入二開 ɦ^{ɯ}ɛt 質^{d} g^{r}i̱d

06235 鮚[2] 許鎋 曉黠入二開 h^{ɯ}ɛt 質^{d} q^{hr}i̱d

06236 趌 居列 見薛入B 開 kɨᴇt 月^{e} k^{r}ed

即 jí

06237 即 子力 精職入三開 tsɨk 質^{g} sig

06238 蝍 子力 精職入三開 tsɨk 質^{g} sig

06239 堲 子力 精職入三開 tsɨk 質^{g} sig

06240 唧 子力 精職入三開 tsɨk 質^{g} sig

06241 揤 子力 精職入三開 tsɨk 質^{g} sig

06242 鯽 子力 精職入三開 tsɨk 質^{g} sig

06243 鴚 子力 精職入三開 tsɨk 質^{g} sig

06244 鯽 子力 精職入三開 tsiᴇk 質^{g} sig

06245 鴚 子力 精職入三開 tsiᴇk 質^{g} sig

06246 堲 秦力 從職入三開 dzɨk 質^{g} zig

06247 蝍 資悉 精質入三開 tsit 質^{g} sig

06248 楖 資悉 精質入三開 tsit 質^{g} sig

06249 堲 資悉 精質入三開 tsit 質^{g} sig

06250 唧 資悉 精質入三開 tsit 質^{g} sig

06251 揤 秦悉 從質入三開 dzit 質^{g} zig

06252 楖 阻瑟 莊櫛入三開 tʂiɪt 質^{g} srig

06253 櫛 阻瑟 莊櫛入三開 tʂiɪt 質^{g} srig

06254 瀄 阻瑟 莊櫛入三開 tʂiɪt 質^{g} srig

06255 喞 阻瑟 莊櫛入三開 tʂiɪt 質^{g} srig

06256 節[3] 子結 精屑入四開 tset 質^{g} si̱g

06257 蝍 子結 精屑入四開 tset 質^{g} si̱g

06258 卩[4] 子結 精屑入四開 tset 質^{g} si̱g

亟 jí

06259 亟 去吏 溪之去三開 k^{h}ɨ 職 k^{h}ɯgs

06260 殛 紀力 見職入三開 kɨk 職 kɯg

06261 悈 紀力 見職入三開 kɨk 職 kɯg

06262 亟 紀力 見職入三開 kɨk 職 kɯg

06263 茍 紀力 見職入三開 kɨk 職 kɯg

06264 鞕 丘力 溪職入三開 k^{h}ɨk 職 k^{hr}ɯg

06265 極 渠力 群職入三開 gɨk 職 gɯg

疾 jí

06266 嫉 疾二 從脂去三開 dzi 質^{d} zids

06267 疾 秦悉 從質入三開 dzit 質^{d} zid

06268 嫉 秦悉 從質入三開 dzit 質^{d} zid

06269 蒺 秦悉 從質入三開 dzit 質^{d} zid

06270 㑵 秦悉 從質入三開 dzit 質^{d} zid

06271 槉 秦悉 從質入三開 dzit 質^{d} zid

棘 jí

06272 棘 紀力 見職入三開 kɨk 職 k^{r}ɯg

06273 蕀 紀力 見職入三開 kɨk 職 k^{r}ɯg

06274 襋 紀力 見職入三開 kɨk 職 k^{r}ɯg

06275 僰 蒲北 並德入一開 bək 職 bɯ̱g

咠 jí

06276 咠 阻立 莊緝入三開 tʂip 緝^{u} skrub

集 jí

06277 嗅 子入 精緝入三開 tsip 緝^{u} skub

06278 潗 子入 精緝入三開 tsip 緝^{u} skub

06279 緝 子入 精緝入三開 tsip 緝^{u} skub

06280 嵲 籍入 從緝入三開 dzip 緝^{u} sgub

06281 集[5] 秦入 從緝入三開 dzip 緝^{u} sgub

06282 鏶 秦入 從緝入三開 dzip 緝^{u} sgub

06283 雜 徂合 從合入一開 dzəp 緝^{u} sgu̱b

06284 磼 徂合 從合入一開 dzəp 緝^{u} sgu̱b

06285 鏶 七接 清葉入三開 ts^{h}iᴇp 盍^{o} sk^{h}ob

06286 緝 疾葉 從葉入三開 dziᴇp 盍^{o} sgob

06287 嵲 疾葉 從葉入三開 dziᴇp 盍^{o} sgob

脊 jí

06288 脊 資昔 精昔入三開 tsiᴇk 錫 seg

---

1 原为鎋韵，但是根据谐声系统应该为黠韵，《切韵》音系二等有黠、鎋的历史层次。

2 原为鎋韵，但是根据谐声系统应该为黠韵，《切韵》音系二等有黠、鎋的历史层次。

3 *-ig>*-id，可比较藏文 ts^{h}igs 关节、时节。

4 《广韵》作“弓”。

5 《说文》与“亼”音同。

06289 蹐 資昔 精昔入三開 tsiɛk 錫 seg
06290 鰿 資昔 精昔入三開 tsiɛk 錫 seg
06291 鶺 資昔 精昔入三開 tsiɛk 錫 seg
06292 塉 秦昔 從昔入三開 dziɛk 錫 zeg
06293 瘠 秦昔 從昔入三開 dziɛk 錫 zeg
06294 膌 秦昔 從昔入三開 dziɛk 錫 zeg

己 jǐ

06295 跽 暨几 見脂上B 開 kɨi 之 k^{wr}ɯʔ
06296 紀 居理 見之上三開 kɨ 之 kɯʔ
06297 己 居理 見之上三開 kɨ 之 kɯʔ
06298 改 居理 見之上三開 kɨ 之 kɯʔ
06299 邔 墟里 溪之上三開 k^{h}ɨ 之 k^{h}ɯʔ
06300 杞 墟里 溪之上三開 k^{h}ɨ 之 k^{h}ɯʔ
06301 屺 墟里 溪之上三開 k^{h}ɨ 之 k^{h}ɯʔ
06302 玘 墟里 溪之上三開 k^{h}ɨ 之 k^{h}ɯʔ
06303 芑 墟里 溪之上三開 k^{h}ɨ 之 k^{h}ɯʔ
06304 記 居吏 見之去三開 kɨ 之 kɯs
06305 忌 渠記 群之去三開 gɨ 之 gɯs
06306 邔 渠記 群之去三開 gɨ 之 gɯs
06307 鵋 渠記 群之去三開 gɨ 之 gɯs
06308 諅 渠記 群之去三開 gɨ 之 gɯs
06309 惎 渠記 群之去三開 gɨ 之 gɯs

丮 jǐ

06310 丮 几劇 見陌入三開 kiæk 鐸 k^{r}ag

戟 jǐ

06311 戟 几劇 見陌入三開 kiæk 鐸 k^{r}ag
06312 撠 几劇 見陌入三開 kiæk 鐸 k^{r}ag

幾 jǐ

06313 ⿱幾食 居希 見微平三開 kɤi 微^{ɯ} kɯl
06314 機 居依 見微平三開 kɤi 微^{ɯ} kɯl
06315 譏 居依 見微平三開 kɤi 微^{ɯ} kɯl
06316 嘰 居依 見微平三開 kɤi 微^{ɯ} kɯl
06317 磯 居依 見微平三開 kɤi 微^{ɯ} kɯl
06318 鞿 居依 見微平三開 kɤi 微^{ɯ} kɯl
06319 饑 居依 見微平三開 kɤi 微^{ɯ} kɯl
06320 禨 居依 見微平三開 kɤi 微^{ɯ} kɯl
06321 幾 居依 見微平三開 kɤi 微^{ɯ} kɯl
06322 ⿺走幾 居依 見微平三開 kɤi 微^{ɯ} kɯl
06323 鐖 居依 見微平三開 kɤi 微^{ɯ} kɯl
06324 僟 居依 見微平三開 kɤi 微^{ɯ} kɯl
06325 璣 居依 見微平三開 kɤi 微^{ɯ} kɯl
06326 ⿰月幾 渠希 群微平三開 gɤi 微^{ɯ} gɯl
06327 幾 渠希 群微平三開 gɤi 微^{ɯ} gɯl
06328 蟣 渠希 群微平三開 gɤi 微^{ɯ} gɯl
06329 ⿱幾食 渠希 群微平三開 gɤi 微^{ɯ} gɯl
06330 ⿱幾皿 渠稀 群微平三開 gɤi 微^{ɯ} gɯl
06331 畿 渠希 群微平三開 gɤi 微^{ɯ} gɯl
06332 ⿰足幾 渠希 群微平三開 gɤi 微^{ɯ} gɯl
06333 幾 居狶 見微上三開 kɤi 微^{ɯ} kɯlʔ
06334 穖 居狶 見微上三開 kɤi 微^{ɯ} kɯlʔ
06335 ⿱幾食 舉豈 見微上三開 kɤi 微^{ɯ} kɯlʔ
06336 蟣 居狶 見微上三開 kɤi 微^{ɯ} kɯlʔ
06337 禨 居豙 見微去三開 kɤi 微^{ɯ} kɯls
06338 幾 其既 群微去三開 gɤi 微^{ɯ} gɯls
06339 ⿰足幾 公哀 見咍平一開 kəi 微^{ɯ} kɯl

彑 jì

06340 彑 居例 見祭去B 開 kɨɛi 月^{a} k^{r}ads

旡 jì

06341 穊 几利 見脂去B 開 kɨi 物^{ɯ} k^{r}ɯds
06342 ⿰土既 巨至 群脂去B 開 gɨi 物^{ɯ} g^{r}ɯds
06343 暨 具冀 群脂去B 開 gɨi 物^{ɯ} g^{r}ɯds
06344 鱀 具冀 群脂去B 開 gɨi 物^{ɯ} g^{r}ɯds
06345 塈 具冀 群脂去B 開 gɨi 物^{ɯ} g^{r}ɯds
06346 暨 居乙 見質入B 開 kɨit 物^{ɯ} k^{r}ɯd
06347 既 居豙 見微去三開 kɤi 物^{ɯ} kɯds
06348 暨 居豙 見微去三開 kɤi 物^{ɯ} kɯds
06349 溉 居豙 見微去三開 kɤi 物^{ɯ} kɯds
06350 旡 居豙 見微去三開 kɤi 物^{ɯ} kɯds
06351 蔇 居豙 見微去三開 kɤi 物^{ɯ} kɯds
06352 塈 許既 曉微去三開 hɤi 物^{ɯ} q^{h}ɯds
06353 摡 許既 曉微去三開 hɤi 物^{ɯ} q^{h}ɯds
06354 ⿱既皿 許既 曉微去三開 hɤi 物^{ɯ} q^{h}ɯds
06355 暨 居乞 見迄入三開 kɨt 物^{ɯ} kɯd
06356 槩 古代 見咍去一開 kəi 物^{ɯ} kɯ̱ds

06357	摡	古代	見咍去一開	kəi	物^{ɯ}	kɯ̱ds
06358	溉	古代	見咍去一開	kəi	物^{ɯ}	kɯ̱ds
06359	慨	苦溉	溪咍去一開	k^{h}əi	物^{ɯ}	k^{h}ɯ̱ds
06360	嘅	苦溉	溪咍去一開	k^{h}əi	物^{ɯ}	k^{h}ɯ̱ds
06361	僾	烏代	影咍去一開	ʔəi	物^{ɯ}	qɯ̱ds
06362	薆	烏代	影咍去一開	ʔəi	物^{ɯ}	qɯ̱ds
06363	愛	烏代	影咍去一開	ʔəi	物^{ɯ}	qɯ̱ds
06364	炁	烏代	影咍去一開	ʔəi	物^{ɯ}	qɯ̱ds
06365	曖	烏代	影咍去一開	ʔəi	物^{ɯ}	qɯ̱ds
06366	薆	烏代	影咍去一開	ʔəi	物^{ɯ}	qɯ̱ds
06367	僾	於豈	影微上三開	ʔɤi	微^{ɯ}	qɯlʔ
06368	曁	去既	溪微去三開	k^{h}ɤi	微^{ɯ}	k^{h}ɯls
06369	曁	去吏	溪之去三開	k^{h}ɨ	職	k^{h}ɯgs
06370	鱀	渠記	群之去三開	gɨ	職	gɯgs
06371	曖	於蓋	影泰去一開	ʔɑi	月^{a}	qa̱ds

季 jì

06372	季[1]	居悸	見脂去A 合	k^{w}i	質^{d}	k^{w}ids
06373	痵	其季	群脂去A 合	g^{w}i	質^{d}	g^{w}ids
06374	悸	其季	群脂去A 合	g^{w}i	質^{d}	g^{w}ids

祭 jì

06375	祭	子例	精祭去三開	tsiɛi	月^{e}	skleds
06376	際	子例	精祭去三開	tsiɛi	月^{e}	skleds
06377	穄	子例	精祭去三開	tsiɛi	月^{e}	skleds
06378	傺	丑例	徹祭去三開	ʈ^{h}iɛi	月^{e}	k^{h}leds
06379	瘵	丑例	徹祭去三開	ʈ^{h}iɛi	月^{e}	k^{h}leds
06380	嵥	私列	心薛入三開	siɛt	月^{e}	sk^{l}ed
06381	睩	七計	清齊去四開	ts^{h}ei	月^{e}	sk^{h}le̱ds
06382	詧	千結	清屑入四開	ts^{h}et	月^{e}	sk^{h}le̱d
06383	察[2]	初八	初黠入二開	tʂ^{hɯ}ɛt	月^{e}	sk^{h}re̱d
06384	瞭	初八	初黠入二開	tʂ^{hɯ}ɛt	月^{e}	sk^{h}re̱d
06385	詧	初八	初黠入二開	tʂ^{hɯ}ɛt	月^{e}	sk^{h}re̱d
06386	嵥	所例	生祭去三開	ʂiɛi	月^{a}	sk^{r}ads
06387	蔡	倉大	清泰去一開	ts^{h}ɑi	月^{a}	sk^{h}la̱ds
06388	瘵[3]	側界	莊夬去二開	tʂ^{ɯ}æi	月^{a}	skra̱ds
06389	祭[4]	側界	莊夬去二開	tʂ^{ɯ}æi	月^{a}	skra̱ds
06390	郲[5]	側界	莊夬去二開	tʂ^{ɯ}æi	月^{a}	skra̱ds
06391	縩	倉代	清咍去一開	ts^{h}əi	職	sk^{h}ɯ̱gs

冀 jì

06392	冀	几利	見脂去B 開	kɨi	微^{ɯ}	k^{r}ɯls
06393	驥	几利	見脂去B 開	kɨi	微^{ɯ}	k^{r}ɯls
06394	懻	几利	見脂去B 開	kɨi	微^{ɯ}	k^{r}ɯls

罽 jì

06395	瀱	居例	見祭去B 開	kɨɛi	月^{a}	k^{r}ads
06396	罽[6]	居例	見祭去B 開	kɨɛi	月^{a}	k^{r}ads
06397	瀱	居例	見祭去B 開	kɨɛi	月^{a}	k^{r}ads
06398	蘮	居例	見祭去B 開	kɨɛi	月^{a}	k^{r}ads
06399	蒯	居例	見祭去B 開	kɨɛi	月^{a}	k^{r}ads

繼 jì

06400	繼	古詣	見齊去四開	kei	錫	ke̱gs
06401	檵	古詣	見齊去四開	kei	錫	ke̱gs

加 jiā

06402	袈	古俄	見歌平一開	kɑ	歌^{a}	ka̱l
06403	妿	烏何	影歌平一開	ʔɑ	歌^{a}	qa̱l
06404	賀[7]	胡箇	匣歌去一開	ɦɑ	歌^{a}	ga̱ls
06405	笳	古牙	見麻平二開	k^{ɯ}æ	歌^{a}	k^{r}a̱l
06406	痂	古牙	見麻平二開	k^{ɯ}æ	歌^{a}	k^{r}a̱l
06407	駕	古牙	見麻平二開	k^{ɯ}æ	歌^{a}	k^{r}a̱l
06408	枷	古牙	見麻平二開	k^{ɯ}æ	歌^{a}	k^{r}a̱l
06409	迦	古牙	見麻平二開	k^{ɯ}æ	歌^{a}	k^{r}a̱l

1　李豪：邬可晶说，“季”本从子，从“穗”的初文为声，后类化为“禾”。

2　“察”通“竊”* sk^{h}led，《马王堆汉墓帛书（壹）· 国次》：“毋陽竊（察），毋陰竊（察）。”故“祭”的声母带有软腭音。

3　原为皆韵，但是根据谐声系统应该为夬韵，《切韵》音系二等有夬、皆的历史层次。

4　原为皆韵，但是根据谐声系统应该为夬韵，《切韵》音系二等有夬、皆的历史层次。

5　原为皆韵，但是根据谐声系统应该为夬韵，《切韵》音系二等有夬、皆的历史层次。

6　李豪认为：从早期文字看，从“罽”声的字实际都从“剡”，而不是“罽”。《说文》以“罽”为籀文“鋭”，很可能是同义换读。古文字中从“罽”的字与“烈”“厲”语音相通，这与“罽”声系字谐声情况相同。

7　鱼部一等-a̱ 出现文白分化。文读：先秦* -a̱>汉代-ɔ>中古-^{u}o。有些字，特别是高频词，会出现滞后现象，成了白读：先秦-a̱>中古-ɑ，与中古的歌韵-ɑ 合流，如“吾”文读中古是模韵 ŋ^{u}o，白读是 ŋɑ，与歌韵字“我”合流。

06410 嘉[1] 古牙 見麻平二開 k^{ɯ}æ 歌^{a} k^{r}a̱l
06411 加[2] 古牙 見麻平二開 k^{ɯ}æ 歌^{a} k^{r}a̱l
06412 茄 古牙 見麻平二開 k^{ɯ}æ 歌^{a} k^{r}a̱l
06413 迦 古牙 見麻平二開 k^{ɯ}æ 歌^{a} k^{r}a̱l
06414 珈 古牙 見麻平二開 k^{ɯ}æ 歌^{a} k^{r}a̱l
06415 駕[3] 古訝 見麻去二開 k^{ɯ}æ 歌^{a} k^{r}a̱ls
06416 架 古訝 見麻去二開 k^{ɯ}æ 歌^{a} k^{r}a̱ls

家 jiā

06417 家 古牙 見麻平二開 k^{ɯ}æ 魚 k^{r}a̱
06418 幏 古牙 見麻平二開 k^{ɯ}æ 魚 k^{r}a̱
06419 稼 古訝 見麻去二開 k^{ɯ}æ 魚 k^{r}a̱s
06420 嫁 古訝 見麻去二開 k^{ɯ}æ 魚 k^{r}a̱s
06421 幏 古訝 見麻去二開 k^{ɯ}æ 魚 k^{r}a̱s

夾 jiā

06422 瘞 於罽 影祭去B 開 ʔɨɛi 盍^{e} q^{r}ebs
06423 㛍 棄葉 溪葉入B 開 k^{h}ɨɛp 盍^{e} k^{hr}eb
06424 䀹 即葉 精葉入三開 tsiɛp 盍^{e} skeb
06425 䀹 失涉 書葉入三開 ɕiɛp 盍^{e} q^{h}leb
06426 瘱 壹計 影齊去四開 ʔei 盍^{e} qe̱bs
06427 頰 古協 見帖入四開 kep 盍^{e} ke̱b
06428 鋏 古協 見帖入四開 kep 盍^{e} ke̱b
06429 筴 古協 見帖入四開 kep 盍^{e} ke̱b
06430 莢 古協 見帖入四開 kep 盍^{e} ke̱b
06431 蛺 古協 見帖入四開 kep 盍^{e} ke̱b
06432 唊 古協 見帖入四開 kep 盍^{e} ke̱b
06433 梜 古協 見帖入四開 kep 盍^{e} ke̱b
06434 浹 子協 精帖入四開 tsep 盍^{e} ske̱b
06435 㥦 苦協 溪帖入四開 k^{h}ep 盍^{e} k^{h}e̱b
06436 愜 苦協 溪帖入四開 k^{h}ep 盍^{e} k^{h}e̱b
06437 㾜 苦協 溪帖入四開 k^{h}ep 盍^{e} k^{h}e̱b
06438 匧 苦協 溪帖入四開 k^{h}ep 盍^{e} k^{h}e̱b
06439 篋 苦協 溪帖入四開 k^{h}ep 盍^{e} k^{h}e̱b
06440 㥦 苦協 溪帖入四開 k^{h}ep 盍^{e} k^{h}e̱b
06441 㛍 苦協 溪帖入四開 k^{h}ep 盍^{e} k^{h}e̱b
06442 綊 胡頰 匣帖入四開 ɦep 盍^{e} ge̱b
06443 挾 胡頰 匣帖入四開 ɦep 盍^{e} ge̱b
06444 俠 胡頰 匣帖入四開 ɦep 盍^{e} ge̱b
06445 裌 檄頰 匣帖入四開 ɦep 盍^{e} ge̱b
06446 㛍 呼牒 曉帖入四開 hep 盍^{e} q^{h}e̱b
06447 䀹 力協 來帖入四開 lep 盍^{e} g.re̱b
06448 裌 古洽 見洽入二開 k^{ɯ}ɛp 盍^{e} k^{r}e̱b
06449 夾 古洽 見洽入二開 k^{ɯ}ɛp 盍^{e} k^{r}e̱b
06450 郟 古洽 見洽入二開 k^{ɯ}ɛp 盍^{e} k^{r}e̱b
06451 筴 古洽 見洽入二開 k^{ɯ}ɛp 盍^{e} k^{r}e̱b
06452 鵊 古洽 見洽入二開 k^{ɯ}ɛp 盍^{e} k^{r}e̱b
06453 𩋙 古洽 見洽入二開 k^{ɯ}ɛp 盍^{e} k^{r}e̱b
06454 䀹 訖洽 見洽入二開 k^{ɯ}ɛp 盍^{e} k^{r}e̱b
06455 陜 訖洽 見洽入二開 k^{ɯ}ɛp 盍^{e} k^{r}e̱b
06456 梜[4] 古狎 見洽入二開 k^{ɯ}ɛp 盍^{e} k^{r}e̱b
06457 𠩐[5] 古狎 見洽入二開 k^{ɯ}ɛp 盍^{e} k^{r}e̱b
06458 䀹 側洽 莊洽入二開 tʂ^{ɯ}ɛp 盍^{e} skre̱b
06459 翜[6] 所甲 生洽入二開 ʂ^{ɯ}ɛp 盍^{e} sk^{r}e̱b
06460 狹 侯夾 匣洽入二開 ɦ^{ɯ}ɛp 盍^{e} g^{r}e̱b
06461 峽 侯夾 匣洽入二開 ɦ^{ɯ}ɛp 盍^{e} g^{r}e̱b
06462 硤 侯夾 匣洽入二開 ɦ^{ɯ}ɛp 盍^{e} g^{r}e̱b
06463 陿 轄夾 匣洽入二開 ɦ^{ɯ}ɛp 盍^{e} g^{r}e̱b
06464 䀹 五洽 疑洽入二開 ŋ^{ɯ}ɛp 盍^{e} ŋg^{r}e̱b
06465 㛍 虚檢 曉鹽上B 開 hɨɛm 談^{e} q^{hr}emʔ
06466 𦶘 許兼 曉添平四開 hem 談^{e} q^{h}e̱m
06467 翜 色立 生緝入三開 ʂip 緝^{i} sk^{r}ib

戛 jiá

06468 戛 古黠 見黠入二開 k^{ɯ}ɛt 質^{9} k^{r}i̱g

甲 jiǎ

06469 閘 古盍 見盍入一開 kɑp 盍^{a} ka̱b
06470 鉀 古盍 見盍入一開 kɑp 盍^{a} ka̱b
06471 甲 古狎 見狎入二開 k^{ɯ}æp 盍^{a} k^{r}a̱b

---

1 “加”声字在《诗经》中悉为歌部。《左传・襄公二十六年》：“晋侯賦《嘉樂》。”《诗・大雅》作《假樂》。“假樂”二字的读音为 k^{r}a̱ʔ g.ro̱g^{w}。“樂”的声母带冠音，二字组的词中，冠音会失落，“樂”读作 ro̱g。“假”的读音 k^{r}a̱ʔ 与“樂”字的声母 r-连读一起可以读作类似于歌部的读音 k^{r}a̱r，这是“假”通假为歌部字“嘉”的原因。

2 战国到汉代，歌部二等因为韵尾-l 与介音^{r} 产生异化而失落，与鱼部合流C^{r}a̱l>C^{r}a̱。

3 战国到汉代，歌部二等因为韵尾-l 与介音^{r} 产生异化而失落，与鱼部合流C^{r}a̱l>C^{r}a̱。

4 原为狎韵，但是根据谐声系统应该为洽韵，《切韵》音系二等有洽、狎的历史层次。

5 原为狎韵，但是根据谐声系统应该为洽韵，《切韵》音系二等有洽、狎的历史层次。

6 原为狎韵，但是根据谐声系统应该为洽韵，《切韵》音系二等有洽、狎的历史层次。

06472 胛 古狎 見狎入二開 k^{ɯ}æp 盍^{a} k^{r}a̱b

06473 押 古狎 見狎入二開 k^{ɯ}æp 盍^{a} k^{r}a̱b

06474 鉀 古狎 見狎入二開 k^{ɯ}æp 盍^{a} k^{r}a̱b

06475 岬 古狎 見狎入二開 k^{ɯ}æp 盍^{a} k^{r}a̱b

06476 狎 胡甲 匣狎入二開 ɦ^{ɯ}æp 盍^{a} g^{r}a̱b

06477 柙 胡甲 匣狎入二開 ɦ^{ɯ}æp 盍^{a} g^{r}a̱b

06478 匣 胡甲 匣狎入二開 ɦ^{ɯ}æp 盍^{a} g^{r}a̱b

06479 鴨 烏甲 影狎入二開 ʔ^{ɯ}æp 盍^{a} q^{r}a̱b

06480 窅 烏甲 影狎入二開 ʔ^{ɯ}æp 盍^{a} q^{r}a̱b

06481 閘 烏甲 影狎入二開 ʔ^{ɯ}æp 盍^{a} q^{r}a̱b

06482 押 烏甲 影狎入二開 ʔ^{ɯ}æp 盍^{a} q^{r}a̱b

06483 呷 呼甲 曉狎入二開 h^{ɯ}æp 盍^{a} q^{hr}a̱b

叚 jiǎ

06484 葭 古牙 見麻平二開 k^{ɯ}æ 魚 k^{r}a̱

06485 麚 古牙 見麻平二開 k^{ɯ}æ 魚 k^{r}a̱

06486 豭 古牙 見麻平二開 k^{ɯ}æ 魚 k^{r}a̱

06487 瘕 古牙 見麻平二開 k^{ɯ}æ 魚 k^{r}a̱

06488 猳 古牙 見麻平二開 k^{ɯ}æ 魚 k^{r}a̱

06489 蝦 胡加 匣麻平二開 ɦ^{ɯ}æ 魚 g^{r}a̱

06490 碬 胡加 匣麻平二開 ɦ^{ɯ}æ 魚 g^{r}a̱

06491 騢 胡加 匣麻平二開 ɦ^{ɯ}æ 魚 g^{r}a̱

06492 椵 胡加 匣麻平二開 ɦ^{ɯ}æ 魚 g^{r}a̱

06493 遐 胡加 匣麻平二開 ɦ^{ɯ}æ 魚 g^{r}a̱

06494 鰕 胡加 匣麻平二開 ɦ^{ɯ}æ 魚 g^{r}a̱

06495 嘏 何加 匣麻平二開 ɦ^{ɯ}æ 魚 g^{r}a̱

06496 遐 胡加 匣麻平二開 ɦ^{ɯ}æ 魚 g^{r}a̱

06497 蝦 胡加 匣麻平二開 ɦ^{ɯ}æ 魚 g^{r}a̱

06498 鍜 胡加 匣麻平二開 ɦ^{ɯ}æ 魚 g^{r}a̱

06499 霞 胡加 匣麻平二開 ɦ^{ɯ}æ 魚 g^{r}a̱

06500 瑕 胡加 匣麻平二開 ɦ^{ɯ}æ 魚 g^{r}a̱

06501 騢 胡加 匣麻平二開 ɦ^{ɯ}æ 魚 g^{r}a̱

06502 煆 許加 曉麻平二開 h^{ɯ}æ 魚 q^{hr}a̱

06503 嘏 虚加 曉麻平二開 h^{ɯ}æ 魚 q^{hr}a̱

06504 椵 古疋 見麻上二開 k^{ɯ}æ 魚 k^{r}a̱ʔ

06505 假 舉下 見麻上二開 k^{ɯ}æ 魚 k^{r}a̱ʔ

06506 嘏 古疋 見麻上二開 k^{ɯ}æ 魚 k^{r}a̱ʔ

06507 假 古疋 見麻上二開 k^{ɯ}æ 魚 k^{r}a̱ʔ

06508 叚 古疋 見麻上二開 k^{ɯ}æ 魚 k^{r}a̱ʔ

06509 瘕 古疋 見麻上二開 k^{ɯ}æ 魚 k^{r}a̱ʔ

06510 瘕 古訝 見麻去二開 k^{ɯ}æ 魚 k^{r}a̱s

06511 假 古訝 見麻去二開 k^{ɯ}æ 魚 k^{r}a̱s

06512 假 居迓 見麻去二開 k^{ɯ}æ 魚 k^{r}a̱s

06513 暇 胡駕 匣麻去二開 ɦ^{ɯ}æ 魚 g^{r}a̱s

06514 煆 呼訝 曉麻去二開 h^{ɯ}æ 魚 q^{hr}a̱s

斝 jiǎ

06515 斝 古疋 見麻上二開 k^{ɯ}æ 魚 k^{r}a̱ʔ

幵 jiān

06516 鳽 古賢 見先平四開 ken 元^{e} ke̱n

06517 豜 古賢 見先平四開 ken 元^{e} ke̱n

06518 幵 古賢 見先平四開 ken 元^{e} ke̱n

06519 龔 古賢 見先平四開 ken 元^{e} ke̱n

06520 麉 古賢 見先平四開 ken 元^{e} ke̱n

06521 汧 苦堅 溪先平四開 k^{h}en 元^{e} k^{h}e̱n

06522 蚈 苦堅 溪先平四開 k^{h}en 元^{e} k^{h}e̱n

06523 龔 苦堅 溪先平四開 k^{h}en 元^{e} k^{h}e̱n

06524 岍 苦堅 溪先平四開 k^{h}en 元^{e} k^{h}e̱n

06525 雃 苦堅 溪先平四開 k^{h}en 元^{e} k^{h}e̱n

06526 幵 又音牽 溪先平四開 k^{h}en 元^{e} k^{h}e̱n

06527 訮 他前 透先平四開 t^{h}en 元^{e} k^{h}le̱n

06528 訮 他前 透先平四開 t^{h}en 元^{e} k^{h}le̱n

06529 妍 五堅 疑先平四開 ŋen 元^{e} ŋge̱n

06530 鳽 五堅 疑先平四開 ŋen 元^{e} ŋge̱n

06531 研 五堅 疑先平四開 ŋen 元^{e} ŋge̱n

06532 揅 五堅 疑先平四開 ŋen 元^{e} ŋge̱n

06533 趼 五堅 疑先平四開 ŋen 元^{e} ŋge̱n

06534 訮 呼煙 曉先平四開 hen 元^{e} q^{h}e̱n

06535 訮 呼煙 曉先平四開 hen 元^{e} q^{h}e̱n

06536 趼 古典 見先上四開 ken 元^{e} ke̱nʔ

06537 菺 古典 見先上四開 ken 元^{e} ke̱nʔ

06538 蕈 胡典 匣先上四開 ɦen 元^{e} ge̱nʔ

06539 汧 苦甸 溪先去四開 k^{h}en 元^{e} k^{h}e̱ns

06540 研 吾甸 疑先去四開 ŋen 元^{e} ŋge̱ns

06541 豜 吾甸 疑先去四開 ŋen 元^{e} ŋge̱ns

06542 豣 吾甸 疑先去四開 ŋen 元^{e} ŋge̱ns

06543 趼 吾甸 疑先去四開 ŋen 元^{e} ŋge̱ns

06544 訮 五閑 疑山平二開 ŋ^{ɯ}ɛn 元^{e} ŋg^{r}e̱n

06545 訮 五閑 疑山平二開 ŋ^{ɯ}ɛn 元^{e} ŋg^{r}e̱n

06546	豣	古莧	見山去二開	kᵚɛn	元ᵉ	kʳe̱ns
06547	豣[1]	五晏	疑山去二開	ŋᵚɛn	元ᵉ	ŋgʳe̱ns
06548	枅	古奚	見齊平四開	kei	佳	ke̱
06549	笄	古奚	見齊平四開	kei	佳	ke̱
06550	睷[2]	户圭	匣齊平四合	ɦʷei	佳	ɢe̱
06551	茾	五計	疑齊去四開	ŋei	佳	ŋge̱s
06552	羿	五計	疑齊去四開	ŋei	佳	ŋge̱s
06553	鈃	户經	匣青平四開	ɦeŋ	耕	ge̱ŋ
06554	鞞	苦定	溪青去四開	kʰeŋ	耕	kʰe̱ŋs
06555	鳽	口莖	溪耕平二開	kʰᵚɛŋ	耕	kʰʳe̱ŋ
06556	栞	苦寒	溪寒平一開	kʰɑn	元ᵃ	kʰa̱n
06557	雃	俄寒	疑寒平一開	ŋɑn	元ᵃ	ŋga̱n
06558	蘢	魚列	疑薛入B 開	ŋɨɛt	月ᵉ	ŋgʳed
06559	開[3]	苦哀	溪咍平一開	kʰəi	微ᵚ	kʰɯ̱l
06560	蘢	丁篋	端帖入四開	tep	盍ᵉ	kle̱b
06561	鳽	五革	疑麥入二開	ŋᵚɛk	錫	ŋgʳe̱g

尖 jiān

06562	尖	子廉	精鹽平三開	tsiᴇm	談ᵉ	skem

戔 jiān

06563	錢	昨仙	從仙平三開	dziᴇn	元ᵉ	sglen
06564	錢	即淺	精仙上三開	tsiᴇn	元ᵉ	sklenʔ
06565	俴	即淺	精仙上三開	tsiᴇn	元ᵉ	sklenʔ
06566	帴	即淺	精仙上三開	tsiᴇn	元ᵉ	sklenʔ
06567	籛	即淺	精仙上三開	tsiᴇn	元ᵉ	sklenʔ
06568	淺	七演	清仙上三開	tsʰiᴇn	元ᵉ	skˡenʔ
06569	踐	慈演	從仙上三開	dziᴇn	元ᵉ	sglenʔ
06570	諓	慈演	從仙上三開	dziᴇn	元ᵉ	sglenʔ
06571	餞	慈演	從仙上三開	dziᴇn	元ᵉ	sglenʔ
06572	俴	慈演	從仙上三開	dziᴇn	元ᵉ	sglenʔ
06573	衡	慈演	從仙上三開	dziᴇn	元ᵉ	sglenʔ
06574	後[4]	慈演	從仙上三開	dziᴇn	元ᵉ	sglenʔ
06575	陖	在演	從仙上三開	dziᴇn	元ᵉ	sglenʔ
06576	棧[5]	士免	崇仙上三開	dʐ̨iᴇn	元ᵉ	sgrenʔ
06577	籛	子賤	精仙去三開	tsiᴇn	元ᵉ	sklens
06578	濺	子賤	精仙去三開	tsiᴇn	元ᵉ	sklens
06579	綫	私箭	心仙去三開	siᴇn	元ᵉ	skˡens
06580	餞	才線	從仙去三開	dziᴇn	元ᵉ	sglens
06581	賤	才線	從仙去三開	dziᴇn	元ᵉ	sglens
06582	諓	才線	從仙去三開	dziᴇn	元ᵉ	sglens
06583	牋[6]	則前	精先平四開	tsen	元ᵉ	skle̱n
06584	淺	則前	精先平四開	tsen	元ᵉ	skle̱n
06585	箋	則前	精先平四開	tsen	元ᵉ	skle̱n
06586	帴	則前	精先平四開	tsen	元ᵉ	skle̱n
06587	濺	則前	精先平四開	tsen	元ᵉ	skle̱n
06588	籛	則前	精先平四開	tsen	元ᵉ	skle̱n
06589	濺	作甸	精先去四開	tsen	元ᵉ	skle̱ns
06590	虥[7]	昨閑	崇山平二開	dʐ̨ᵚɛn	元ᵉ	sgre̱n
06591	虥	士山	崇山平二開	dʐ̨ᵚɛn	元ᵉ	sgre̱n
06592	醆	阻限	莊山上二開	tʂ̨ᵚɛn	元ᵉ	skre̱nʔ
06593	琖	阻限	莊山上二開	tʂ̨ᵚɛn	元ᵉ	skre̱nʔ
06594	琖[8]	側板	莊山上二開	tʂ̨ᵚɛn	元ᵉ	skre̱nʔ
06595	盞[9]	阻限	莊山上二開	tʂ̨ᵚɛn	元ᵉ	skre̱nʔ
06596	殘[10]	初板	初山上二開	tʂ̨ʰᵚɛn	元ᵉ	skʰre̱nʔ
06597	剗	初限	初山上二開	tʂ̨ʰᵚɛn	元ᵉ	skʰre̱nʔ
06598	蝬[11]	士板	崇山上二開	dʐ̨ᵚɛn	元ᵉ	sgre̱nʔ
06599	棧	士限	崇山上二開	dʐ̨ᵚɛn	元ᵉ	sgre̱nʔ
06600	嶘	士限	崇山上二開	dʐ̨ᵚɛn	元ᵉ	sgre̱nʔ
06601	轏	士限	崇山上二開	dʐ̨ᵚɛn	元ᵉ	sgre̱nʔ
06602	虥	士限	崇山上二開	dʐ̨ᵚɛn	元ᵉ	sgre̱nʔ

1　原为删韵，但是根据谐声系统应该为山韵，《切韵》音系二等有山、删的历史层次。

2　上古原为开口字，小舌音舌位很后，第二共振峰下降，容易发生圆唇化。

3　李豪：据《说文》，“開”从門开声。《广韵》有“篇”字，“篇觧，户籍也。去演切”。似为叠韵联绵词。可证“開”古有元部的读音。《广韵》音“苦哀切”，则应归微部，微部与元部是韵尾 *-l 与 *-n 交替。

4　马王堆《老子》甲：“其幾（微）也，易後也。”按，今本“後”作“散”。“散”上古读 *sqa̱ns，故“戔”声应带有软腭音。

5　在《切韵》系统中，唇音没有开合对立，同样的唇音上字可能切为开口，也可能切为合口，这会造成开合的混乱。所以从声符看，“棧”当为开口字。

6　《广韵》又同“箋”。

7　反切上字“昨”从母，这与二等不相配。《经典释文·尔雅音义》：“虦字又作虥，謝七（士）版反，或士簡反，施士嬾反，沈才班反，郭昨閑反，《字林》士山反。”“虥”字反切抄自郭璞的注音，在郭璞的方言中从、崇不分，所以在《切韵》框架中此字当为崇母。

8　原为删韵，但是根据谐声系统应该为山韵，《切韵》音系二等有山、删的历史层次。

9　《广韵》又同“琖”。

10　原为删韵，但是根据谐声系统应该为山韵，《切韵》音系二等有山、删的历史层次。

11　原为删韵，但是根据谐声系统应该为山韵，《切韵》音系二等有山、删的历史层次。

06603 輚[1] 士諫 崇山去二開 dʐ^{ɯ}ɛn 元^{e} sgre̱ns
06604 棧[2] 士諫 崇山去二開 dʐ^{ɯ}ɛn 元^{e} sgre̱ns
06605 虥[3] 士諫 崇山去二開 dʐ^{ɯ}ɛn 元^{e} sgre̱ns
06606 蝬[4] 士諫 崇山去二開 dʐ^{ɯ}ɛn 元^{e} sgre̱ns
06607 戔[5] 昨干 從寒平一開 dzɑn 元^{a} sgla̱n
06608 盞[6] 昨干 從寒平一開 dzɑn 元^{a} sgla̱n
06609 帴[7] 昨干 從寒平一開 dzɑn 元^{a} sgla̱n
06610 殘[8] 昨干 從寒平一開 dzɑn 元^{a} sgla̱n
06611 𦚧[9] 昨干 從寒平一開 dzɑn 元^{a} sgla̱n
06612 帴 蘇旰 心寒去一開 sɑn 元^{a} sk^{l}a̱ns
06613 𦚧 徂贊 從寒去一開 dzɑn 元^{a} sgla̱ns
06614 帴 所八 生黠入二開 ʂ^{ɯ}ɛt 月^{e} sk^{r}e̱d

𢦏 jiān

06615 殲 子廉 精鹽平三開 tsiᴇm 談^{e} sem
06616 瀸 子廉 精鹽平三開 tsiᴇm 談^{e} sem
06617 𢅥 子廉 精鹽平三開 tsiᴇm 談^{e} sem
06618 虃 子廉 精鹽平三開 tsiᴇm 談^{e} sem
06619 𢦏 子廉 精鹽平三開 tsiᴇm 談^{e} sem
06620 鑯 子廉 精鹽平三開 tsiᴇm 談^{e} sem
06621 𩂣 子廉 精鹽平三開 tsiᴇm 談^{e} sem
06622 𤢄 思廉 心鹽平三開 siᴇm 談^{e} s^{l}em
06623 𨮱 息廉 心鹽平三開 siᴇm 談^{e} s^{l}em
06624 襳 息廉 心鹽平三開 siᴇm 談^{e} s^{l}em
06625 纖 息廉 心鹽平三開 siᴇm 談^{e} s^{l}em
06626 孅 息廉 心鹽平三開 siᴇm 談^{e} s^{l}em
06627 襳 史炎 生鹽平三開 ʂiᴇm 談^{e} s^{r}em
06628 籤 七廉 清鹽平三開 ts^{h}iᴇm 談^{e} s^{h}em
06629 𢅥 七廉 清鹽平三開 ts^{h}iᴇm 談^{e} s^{h}em
06630 𨣨 七漸 清鹽上三開 ts^{h}iᴇm 談^{e} s^{h}emʔ
06631 攕 所咸 生咸平二開 ʂ^{ɯ}ɛm 談^{e} s^{r}e̱m
06632 櫼 所咸 生咸平二開 ʂ^{ɯ}ɛm 談^{e} s^{r}e̱m
06633 𩂣 所咸 生咸平二開 ʂ^{ɯ}ɛm 談^{e} s^{r}e̱m
06634 𨣨 初減 初咸上二開 tʂ^{hɯ}ɛm 談^{e} s^{h}re̱mʔ
06635 懺[10] 楚鑒 初咸去二開 tʂ^{hɯ}ɛm 談^{e} s^{h}re̱ms
06636 襳 所今 生侵平三開 ʂim 侵^{i} s^{r}im
06637 讖 楚譖 初侵去三開 tʂ^{h}im 侵^{i} s^{h}rims

肩 jiān

06638 肩[11] 古賢 見先平四開 ken 元^{e} ke̱n
06639 𦳣 古賢 見先平四開 ken 元^{e} ke̱n
06640 𤞟 古賢 見先平四開 ken 元^{e} ke̱n
06641 𧢞 苦閑 溪山平二開 k^{hɯ}ɛn 元^{e} k^{hr}e̱n
06642 顅 苦閑 溪山平二開 k^{hɯ}ɛn 元^{e} k^{hr}e̱n

姦 jiān

06643 姦 古顔 見删平二開 k^{ɯ}æn 元^{a} k^{r}a̱n
06644 𦵕 古顔 見删平二開 k^{ɯ}æn 元^{a} k^{r}a̱n

兼 jiān

06645 𪘙 語廉 疑鹽平B 開 ŋɨᴇm 談^{e} ŋg^{r}em
06646 隒 魚檢 疑鹽上B 開 ŋɨᴇm 談^{e} ŋg^{r}emʔ
06647 𢅚 離鹽 來鹽平三開 liᴇm 談^{e} ɡ.rem
06648 磏 離鹽 來鹽平三開 liᴇm 談^{e} ɡ.rem
06649 蠊 離鹽 來鹽平三開 liᴇm 談^{e} ɡ.rem
06650 臁 離鹽 來鹽平三開 liᴇm 談^{e} ɡ.rem
06651 廉 力鹽 來鹽平三開 liᴇm 談^{e} ɡ.rem
06652 鐮 力鹽 來鹽平三開 liᴇm 談^{e} ɡ.rem
06653 𩅰 力鹽 來鹽平三開 liᴇm 談^{e} ɡ.rem
06654 𢅚 力鹽 來鹽平三開 liᴇm 談^{e} ɡ.rem
06655 簾 力鹽 來鹽平三開 liᴇm 談^{e} ɡ.rem
06656 薕 力鹽 來鹽平三開 liᴇm 談^{e} ɡ.rem
06657 鬑 力鹽 來鹽平三開 liᴇm 談^{e} ɡ.rem
06658 溓 良冉 來鹽上三開 liᴇm 談^{e} ɡ.remʔ
06659 鎌 良冉 來鹽上三開 liᴇm 談^{e} ɡ.remʔ
06660 𪘙 魚欠 疑嚴去三開 ŋiam 談^{e} ŋgems
06661 兼 古甜 見添平四開 kem 談^{e} ke̱m

---

1 原为删韵，但是根据谐声系统应该为山韵，《切韵》音系二等有山、删的历史层次。

2 原为删韵，但是根据谐声系统应该为山韵，《切韵》音系二等有山、删的历史层次。

3 原为删韵，但是根据谐声系统应该为山韵，《切韵》音系二等有山、删的历史层次。

4 原为删韵，但是根据谐声系统应该为山韵，《切韵》音系二等有山、删的历史层次。

5 见“殘”字注。

6 见“殘”字注。

7 见“殘”字注。

8 郑张尚芳：反切上字“徂”由“祖”校改，“歹”原从“月”。

9 见“殘”字注。

10 原为衔韵，但是根据谐声系统应该为咸韵，《切韵》音系二等有咸、衔的历史层次。

11 可比较泰文 k^{h}ɛɛn 手臂、手。

06662	縑	古甜	見添平四開	kem	談ᵉ	ke̱m
06663	鶼	古甜	見添平四開	kem	談ᵉ	ke̱m
06664	蒹	古甜	見添平四開	kem	談ᵉ	ke̱m
06665	鰜	古甜	見添平四開	kem	談ᵉ	ke̱m
06666	謙	苦兼	溪添平四開	kʰem	談ᵉ	kʰe̱m
06667	嫌	户兼	匣添平四開	ɦem	談ᵉ	ge̱m
06668	稴	户兼	匣添平四開	ɦem	談ᵉ	ge̱m
06669	鬑	勒兼	來添平四開	lem	談ᵉ	g.re̱m
06670	薕	勒兼	來添平四開	lem	談ᵉ	g.re̱m
06671	熑	勒兼	來添平四開	lem	談ᵉ	g.re̱m
06672	溓	勒兼	來添平四開	lem	談ᵉ	g.re̱m
06673	磏	勒兼	來添平四開	lem	談ᵉ	g.re̱m
06674	稴	力兼	來添平四開	lem	談ᵉ	g.re̱m
06675	嗛	苦簟	溪添上四開	kʰem	談ᵉ	kʰe̱mʔ
06676	歉	苦簟	溪添上四開	kʰem	談ᵉ	kʰe̱mʔ
06677	慊	苦簟	溪添上四開	kʰem	談ᵉ	kʰe̱mʔ
06678	膁	苦簟	溪添上四開	kʰem	談ᵉ	kʰe̱mʔ
06679	鼸	胡忝	匣添上四開	ɦem	談ᵉ	ge̱mʔ
06680	⿰犭兼	胡忝	匣添上四開	ɦem	談ᵉ	ge̱mʔ
06681	稴	力忝	來添上四開	lem	談ᵉ	g.re̱mʔ
06682	溓	力忝	來添上四開	lem	談ᵉ	g.re̱mʔ
06683	兼	古念	見添去四開	kem	談ᵉ	ke̱ms
06684	傔	苦念	溪添去四開	kʰem	談ᵉ	kʰe̱ms
06685	稴	力店	來添去四開	lem	談ᵉ	g.re̱ms
06686	⿺走兼	古咸	見咸平二開	kᵚɛm	談ᵉ	kʳe̱m
06687	歉	口咸	溪咸平二開	kʰᵚɛm	談ᵉ	kʰʳe̱m
06688	螊	胡讒	匣咸平二開	ɦᵚɛm	談ᵉ	gʳe̱m
06689	鰜	胡讒	匣咸平二開	ɦᵚɛm	談ᵉ	gʳe̱m
06690	稴	胡讒	匣咸平二開	ɦᵚɛm	談ᵉ	gʳe̱m
06691	⿰兼頁	五咸	疑咸平二開	ŋᵚɛm	談ᵉ	ŋgʳe̱m
06692	螊	虚咸	曉咸平二開	hᵚɛm	談ᵉ	qʰʳe̱m
06693	歉	苦減	溪咸上二開	kʰᵚɛm	談ᵉ	kʰʳe̱mʔ
06694	⿰兼頁	苦減	溪咸上二開	kʰᵚɛm	談ᵉ	kʰʳe̱mʔ
06695	槏	苦減	溪咸上二開	kʰᵚɛm	談ᵉ	kʰʳe̱mʔ
06696	⿰兼頁[1]	丘檻	溪咸上二開	kʰᵚɛm	談ᵉ	kʰʳe̱mʔ
06697	⿰犭兼	下斬	匣咸上二開	ɦᵚɛm	談ᵉ	gʳe̱mʔ
06698	⿰兼頁	公陷	見咸去二開	kᵚɛm	談ᵉ	kʳe̱ms
06699	歉	口陷	溪咸去二開	kʰᵚɛm	談ᵉ	kʰʳe̱ms
06700	⿰兼頁	口陷	溪咸去二開	kʰᵚɛm	談ᵉ	kʰʳe̱ms

監 jiān

06701	鹽	余廉	以鹽平三開	jiᴇm	談ᵃ	ɢlam
06702	鹽	以贍	以鹽去三開	jiᴇm	談ᵃ	ɢlams
06703	爁	力驗	來鹽去三開	liᴇm	談ᵃ	g.rams
06704	⿰巾監	盧甘	來談平一開	lɑm	談ᵃ	g.ra̱m
06705	襤	魯甘	來談平一開	lɑm	談ᵃ	g.ra̱m
06706	藍[2]	魯甘	來談平一開	lɑm	談ᵃ	g.ra̱m
06707	⿱髟監	魯甘	來談平一開	lɑm	談ᵃ	g.ra̱m
06708	⿰扌監	魯甘	來談平一開	lɑm	談ᵃ	g.ra̱m
06709	籃	魯甘	來談平一開	lɑm	談ᵃ	g.ra̱m
06710	⿱艹濫	魯甘	來談平一開	lɑm	談ᵃ	g.ra̱m
06711	嚂	工覽	見談上一開	kɑm	談ᵃ	ka̱mʔ
06712	嚂	呼覽	曉談上一開	hɑm	談ᵃ	qʰa̱mʔ
06713	⿱監木	呼覽	曉談上一開	hɑm	談ᵃ	qʰa̱mʔ
06714	覽	盧敢	來談上一開	lɑm	談ᵃ	g.ra̱mʔ
06715	爁	盧敢	來談上一開	lɑm	談ᵃ	g.ra̱mʔ
06716	攬	盧敢	來談上一開	lɑm	談ᵃ	g.ra̱mʔ
06717	嚂	苦濫	溪談去一開	kʰɑm	談ᵃ	kʰams
06718	鑒	胡暫	匣談去一開	ɦɑm	談ᵃ	ga̱ms
06719	濫[3]	盧瞰	來談去一開	lɑm	談ᵃ	g.ra̱ms
06720	⿰酉監	盧瞰	來談去一開	lɑm	談ᵃ	g.ra̱ms
06721	纜	盧瞰	來談去一開	lɑm	談ᵃ	g.ra̱ms
06722	爁	盧瞰	來談去一開	lɑm	談ᵃ	g.ra̱ms
06723	⿰女監	盧瞰	來談去一開	lɑm	談ᵃ	g.ra̱ms
06724	嚂	盧瞰	來談去一開	lɑm	談ᵃ	g.ra̱ms
06725	監	古銜	見銜平二開	kᵚæm	談ᵃ	kʳa̱m
06726	礛	古銜	見銜平二開	kᵚæm	談ᵃ	kʳa̱m
06727	⿰目監	古銜	見銜平二開	kᵚæm	談ᵃ	kʳa̱m
06728	鑑	古銜	見銜平二開	kᵚæm	談ᵃ	kʳa̱m
06729	鑒	居銜	見銜平二開	kᵚæm	談ᵃ	kʳa̱m
06730	壏	胡黤	匣銜上二開	ɦᵚæm	談ᵃ	gʳa̱mʔ
06731	檻	胡黤	匣銜上二開	ɦᵚæm	談ᵃ	gʳa̱mʔ
06732	艦	胡黤	匣銜上二開	ɦᵚæm	談ᵃ	gʳa̱mʔ
06733	轞	胡黤	匣銜上二開	ɦᵚæm	談ᵃ	gʳa̱mʔ
06734	⿱監木[4]	下斬	匣銜上二開	ɦᵚæm	談ᵃ	gʳa̱mʔ
06735	濫	胡黤	匣銜上二開	ɦᵚæm	談ᵃ	gʳa̱mʔ

1 原为銜韵，但是根据谐声系统应该为咸韵，《切韵》音系二等有咸、銜的历史层次。

2 泰文借词 graam，故“藍”带冠音 * g.ra̱m。

3 比较藏文同源词 glam 潮湿。温州话中的潮湿读来母谈韵 da< * gla< * glam。

4 原为咸韵，但是根据谐声系统应该为銜韵，《切韵》音系二等有銜、咸的历史层次。

06736	灆	呼濫	曉銜上二開	h^{ɯ}æm	談^{a}	q^{hr}a̱mʔ
06737	鑑	格懺	見銜去二開	k^{ɯ}æm	談^{a}	k^{r}a̱ms
06738	監	格懺	見銜去二開	k^{ɯ}æm	談^{a}	k^{r}a̱ms
06739	瞷	格懺	見銜去二開	k^{ɯ}æm	談^{a}	k^{r}a̱ms
06740	鑒	格懺	見銜去二開	k^{ɯ}æm	談^{a}	k^{r}a̱ms
06741	檻	胡懺	匣銜去二開	ɦ^{ɯ}æm	談^{a}	g^{r}a̱ms
06742	鑒	胡懺	匣銜去二開	ɦ^{ɯ}æm	談^{a}	g^{r}a̱ms

柬 jiǎn

06743	灡	郎干	來寒平一開	lɑn	元^{a}	g.ra̱n
06744	蘭	落干	來寒平一開	lɑn	元^{a}	g.ra̱n
06745	瀾	落干	來寒平一開	lɑn	元^{a}	g.ra̱n
06746	闌	落干	來寒平一開	lɑn	元^{a}	g.ra̱n
06747	讕	落干	來寒平一開	lɑn	元^{a}	g.ra̱n
06748	籣	落干	來寒平一開	lɑn	元^{a}	g.ra̱n
06749	欄	落干	來寒平一開	lɑn	元^{a}	g.ra̱n
06750	囒	落干	來寒平一開	lɑn	元^{a}	g.ra̱n
06751	灡	魯旱	來寒上一開	lɑn	元^{a}	g.ra̱nʔ
06752	讕	落旱	來寒上一開	lɑn	元^{a}	g.ra̱nʔ
06753	糷	郎旰	來寒去一開	lɑn	元^{a}	g.ra̱ns
06754	讕	郎旰	來寒去一開	lɑn	元^{a}	g.ra̱ns
06755	爛	郎旰	來寒去一開	lɑn	元^{a}	g.ra̱ns
06756	瀾	郎旰	來寒去一開	lɑn	元^{a}	g.ra̱ns
06757	煉	郎旰	來寒去一開	lɑn	元^{a}	g.ra̱ns
06758	灡	郎旰	來寒去一開	lɑn	元^{a}	g.ra̱ns
06759	礷	郎旰	來寒去一開	lɑn	元^{a}	g.ra̱ns
06760	諫	古晏	見删去二開	k^{ɯ}æn	元^{a}	k^{r}a̱ns
06761	揀	郎甸	來先去四開	len	元^{e}	g.re̱ns
06762	楝	郎甸	來先去四開	len	元^{e}	g.re̱ns
06763	萰	郎甸	來先去四開	len	元^{e}	g.re̱ns
06764	湅	郎甸	來先去四開	len	元^{e}	g.re̱ns
06765	漱	郎甸	來先去四開	len	元^{e}	g.re̱ns
06766	煉[1]	郎甸	來先去四開	len	元^{e}	g.re̱ns
06767	練	郎甸	來先去四開	len	元^{e}	g.re̱ns
06768	鍊	郎甸	來先去四開	len	元^{e}	g.re̱ns
06769	柬	古限	見山上二開	k^{ɯ}ɛn	元^{e}	k^{r}e̱nʔ
06770	揀	古限	見山上二開	k^{ɯ}ɛn	元^{e}	k^{r}e̱nʔ

繭 jiǎn

06771	繭	古典	見先上四開	ken	元^{e}	ke̱nʔ
06772	襺	古典	見先上四開	ken	元^{e}	ke̱nʔ

件 jiàn

06773	件	其輦	群仙上B 開	gɨᴇn	元^{a}	g^{r}anʔ

見 jiàn

06774	垷	古典	見先上四開	ken	元^{e}	ke̱nʔ
06775	哯	胡典	匣先上四開	ɦen	元^{e}	ge̱nʔ
06776	睍	胡典	匣先上四開	ɦen	元^{e}	ge̱nʔ
06777	垷	胡典	匣先上四開	ɦen	元^{e}	ge̱nʔ
06778	蜆	胡典	匣先上四開	ɦen	元^{e}	ge̱nʔ
06779	俔	胡典	匣先上四開	ɦen	元^{e}	ge̱nʔ
06780	晛	胡典	匣先上四開	ɦen	元^{e}	ge̱nʔ
06781	現	胡典	匣先上四開	ɦen	元^{e}	ge̱nʔ
06782	蜆	呼典	曉先上四開	hen	元^{e}	q^{h}e̱nʔ
06783	見	古電	見先去四開	ken	元^{e}	ke̱ns
06784	俔	苦甸	溪先去四開	k^{h}en	元^{e}	k^{h}e̱ns
06785	蜆	苦甸	溪先去四開	k^{h}en	元^{e}	k^{h}e̱ns
06786	涀	苦甸	溪先去四開	k^{h}en	元^{e}	k^{h}e̱ns
06787	見	胡甸	匣先去四開	ɦen	元^{e}	ge̱ns
06788	涀	胡甸	匣先去四開	ɦen	元^{e}	ge̱ns
06789	硯	吾甸	疑先去四開	ŋen	元^{e}	ŋge̱ns
06790	晛	奴甸	泥先去四開	nen	元^{e}	ŋgle̱ns
06791	莧	侯襉	匣山去二開	ɦ^{ɯ}ɛn	元^{e}	g^{r}e̱ns
06792	涀	胡禮	匣齊上四開	ɦei	歌^{e}	ge̱lʔ
06793	靦	虎結	曉屑入四開	het	月^{e}	q^{h}e̱d

建 jiàn

06794	揵	渠焉	群仙平B 開	gɨᴇn	元^{a}	g^{r}an
06795	犍	渠焉	群仙平B 開	gɨᴇn	元^{a}	g^{r}an
06796	騝	渠焉	群仙平B 開	gɨᴇn	元^{a}	g^{r}an
06797	鍵	渠焉	群仙平B 開	gɨᴇn	元^{a}	g^{r}an
06798	鍵	其輦	群仙上B 開	gɨᴇn	元^{a}	g^{r}anʔ
06799	鞬	居言	見元平三開	kiɤn	元^{a}	kan
06800	犍	居言	見元平三開	kiɤn	元^{a}	kan
06801	腱	居言	見元平三開	kiɤn	元^{a}	kan
06802	騝	居言	見元平三開	kiɤn	元^{a}	kan
06803	揵	居偃	見元上三開	kiɤn	元^{a}	kanʔ

1 《广韵》作“鍊”。

06804 楗 其偃 群元上三開 giɤn 元^{a} gan?

06805 鍵 其偃 群元上三開 giɤn 元^{a} gan?

06806 建 居万 見元去三開 kiɤn 元^{a} kans

06807 健 渠建 群元去三開 giɤn 元^{a} gans

06808 腱 渠建 群元去三開 giɤn 元^{a} gans

薦 jiàn

06809 鏩[1] 倉困 清魂去一合 ts^{h}u̱on 文^{ɯ} sk^{h}lɯ̱ns

06810 瀳[2] 則前 精先平四開 tsen 文^{ɯ} sklɯ̱n

06811 薦[3] 作甸 精先去四開 tsen 文^{ɯ} sklɯ̱ns

06812 鏩[4] 倉甸 清先去四開 ts^{h}en 文^{ɯ} sk^{h}lɯ̱ns

06813 瀳[5] 在甸 從先去四開 dzen 文^{ɯ} sglɯ̱ns

畺 jiāng

06814 薑 居良 見陽平三開 kiaŋ 陽 kaŋ

06815 畺 居良 見陽平三開 kiaŋ 陽 kaŋ

06816 畕 居良 見陽平三開 kiaŋ 陽 kaŋ

06817 橿 居良 見陽平三開 kiaŋ 陽 kaŋ

06818 繮 居良 見陽平三開 kiaŋ 陽 kaŋ

06819 殭 居良 見陽平三開 kiaŋ 陽 kaŋ

06820 橿 居良 見陽平三開 kiaŋ 陽 kaŋ

06821 僵 居良 見陽平三開 kiaŋ 陽 kaŋ

06822 疆 居良 見陽平三開 kiaŋ 陽 kaŋ

06823 擅 渠良 群陽平三開 giaŋ 陽 gaŋ

06824 彊 巨良 群陽平三開 giaŋ 陽 gaŋ

06825 鱷 巨良 群陽平三開 giaŋ 陽 g^{l}aŋ

06826 疆 巨兩 群陽上三開 giaŋ 陽 gaŋ?

06827 彊 其兩 群陽上三開 giaŋ 陽 gaŋ?

06828 彊 居亮 見陽去三開 kiaŋ 陽 kaŋs

06829 鱷 渠京 群庚平三開 giæŋ 陽 g^{r}aŋ

弜 jiàng

06830 弜 其兩 群陽上三開 giaŋ 陽 gaŋ?

06831 弜 渠羈 群支平B 開 giɛ 魚 g^{r}a

匠 jiàng

06832 匠 疾亮 從陽去三開 dziaŋ 陽 sbaŋs

06833 趥 疾亮 從陽去三開 dziaŋ 陽 sbaŋs

06834 鴎 疾亮 從陽去三開 dziaŋ 陽 sbaŋs

夅 jiàng

06835 隆 力中 來東平三合 liuŋ 終 g.ruŋ

06836 癃 力中 來東平三合 liuŋ 終 g.ruŋ

06837 籠 力中 來東平三合 liuŋ 終 g.ruŋ

06838 窿 力中 來東平三合 liuŋ 終 g.ruŋ

06839 洚 户冬 匣冬平一合 ɦu̱oŋ 終 gu̱ŋ

06840 洚 下江 匣江平二開 ɦ^{ɯ}ɔŋ 終 g^{r}u̱ŋ

06841 夅 下江 匣江平二開 ɦ^{ɯ}ɔŋ 終 g^{r}u̱ŋ

06842 栙 下江 匣江平二開 ɦ^{ɯ}ɔŋ 終 g^{r}u̱ŋ

06843 降 下江 匣江平二開 ɦ^{ɯ}ɔŋ 終 g^{r}u̱ŋ

06844 跭 下江 匣江平二開 ɦ^{ɯ}ɔŋ 終 g^{r}u̱ŋ

06845 降 古巷 見江去二開 k^{ɯ}ɔŋ 終 k^{r}u̱ŋs

06846 洚 古巷 見江去二開 k^{ɯ}ɔŋ 終 k^{r}u̱ŋs

06847 袶 古巷 見江去二開 k^{ɯ}ɔŋ 終 k^{r}u̱ŋs

06848 絳 古巷 見江去二開 k^{ɯ}ɔŋ 終 k^{r}u̱ŋs

06849 洚 户公 匣東平一合 ɦuŋ 東 go̱ŋ

06850 筝 古送 見東去一合 kuŋ 東 ko̱ŋs

交 jiāo

06851 佼 古了 見蕭上四開 keu 宵^{e} ke̱^{w}?

06852 皎 古了 見蕭上四開 keu 宵^{e} ke̱^{w}?

06853 校 古了 見蕭上四開 keu 宵^{e} ke̱^{w}?

06854 窔 伊鳥 影蕭上四開 ?eu 宵^{e} qe̱^{w}?

06855 窔 烏叫 影蕭去四開 ?eu 宵^{e} qe̱^{w}s

06856 交 古肴 見肴平二開 k^{ɯ}æu 宵^{e} k^{r}e̱^{w}

06857 蛟 古肴 見肴平二開 k^{ɯ}æu 宵^{e} k^{r}e̱^{w}

06858 茭 古肴 見肴平二開 k^{ɯ}æu 宵^{e} k^{r}e̱^{w}

06859 鵁 古肴 見肴平二開 k^{ɯ}æu 宵^{e} k^{r}e̱^{w}

06860 鮫 古肴 見肴平二開 k^{ɯ}æu 宵^{e} k^{r}e̱^{w}

06861 郊 古肴 見肴平二開 k^{ɯ}æu 宵^{e} k^{r}e̱^{w}

06862 这 古肴 見肴平二開 k^{ɯ}æu 宵^{e} k^{r}e̱^{w}

06863 鉸 古肴 見肴平二開 k^{ɯ}æu 宵^{e} k^{r}e̱^{w}

06864 佼 古肴 見肴平二開 k^{ɯ}æu 宵^{e} k^{r}e̱^{w}

06865 詨 古肴 見肴平二開 k^{ɯ}æu 宵^{e} k^{r}e̱^{w}

06866 駮 居肴 見肴平二開 k^{ɯ}æu 宵^{e} k^{r}e̱^{w}

06867 挍 居肴 見肴平二開 k^{ɯ}æu 宵^{e} k^{r}e̱^{w}

06868 骹 居肴 見肴平二開 k^{ɯ}æu 宵^{e} k^{r}e̱^{w}

06869 骹 口交 溪肴平二開 k^{hɯ}æu 宵^{e} k^{hr}e̱^{w}

---

1 见“存”字注。

2 见“臸”字注

3 “薦”通“臸”“晉”，见“臸”字注。

4 见“臸”字注

5 见“臸”字注

06870 洨 胡茅 匣肴平二開 ɦ^{ɯ}æu 宵^{e} g^{r}e̱^{w}
06871 筊 胡茅 匣肴平二開 ɦ^{ɯ}æu 宵^{e} g^{r}e̱^{w}
06872 姣 胡茅 匣肴平二開 ɦ^{ɯ}æu 宵^{e} g^{r}e̱^{w}
06873 骹 虛交 曉肴平二開 h^{ɯ}æu 宵^{e} q^{hr}e̱^{w}
06874 烄 古巧 見肴上二開 k^{ɯ}æu 宵^{e} k^{r}e̱^{w}ʔ
06875 挍 吉巧 見肴上二開 k^{ɯ}æu 宵^{e} k^{r}e̱^{w}ʔ
06876 筊 古巧 見肴上二開 k^{ɯ}æu 宵^{e} k^{r}e̱^{w}ʔ
06877 鉸 古巧 見肴上二開 k^{ɯ}æu 宵^{e} k^{r}e̱^{w}ʔ
06878 姣 古巧 見肴上二開 k^{ɯ}æu 宵^{e} k^{r}e̱^{w}ʔ
06879 絞 古巧 見肴上二開 k^{ɯ}æu 宵^{e} k^{r}e̱^{w}ʔ
06880 狡 古巧 見肴上二開 k^{ɯ}æu 宵^{e} k^{r}e̱^{w}ʔ
06881 佼 古巧 見肴上二開 k^{ɯ}æu 宵^{e} k^{r}e̱^{w}ʔ
06882 佼 下巧 匣肴上二開 ɦ^{ɯ}æu 宵^{e} g^{r}e̱^{w}ʔ
06883 骹 下巧 匣肴上二開 ɦ^{ɯ}æu 宵^{e} g^{r}e̱^{w}ʔ
06884 齩 五巧 疑肴上二開 ŋ^{ɯ}æu 宵^{e} ŋg^{r}e̱^{w}ʔ
06885 校 古孝 見肴去二開 k^{ɯ}æu 宵^{e} k^{r}e̱^{w}s
06886 鉸 古孝 見肴去二開 k^{ɯ}æu 宵^{e} k^{r}e̱^{w}s
06887 挍 居效 見肴去二開 k^{ɯ}æu 宵^{e} k^{r}e̱^{w}s
06888 骹 口教 溪肴去二開 k^{hɯ}æu 宵^{e} k^{hr}e̱^{w}s
06889 骹 後教 匣肴去二開 ɦ^{ɯ}æu 宵^{e} g^{r}e̱^{w}s
06890 效 胡教 匣肴去二開 ɦ^{ɯ}æu 宵^{e} g^{r}e̱^{w}s
06891 校 胡教 匣肴去二開 ɦ^{ɯ}æu 宵^{e} g^{r}e̱^{w}s
06892 傚 胡教 匣肴去二開 ɦ^{ɯ}æu 宵^{e} g^{r}e̱^{w}s
06893 詨 胡教 匣肴去二開 ɦ^{ɯ}æu 宵^{e} g^{r}e̱^{w}s
06894 効 胡教 匣肴去二開 ɦ^{ɯ}æu 宵^{e} g^{r}e̱^{w}s
06895 詨 呼教 曉肴去二開 h^{ɯ}æu 宵^{e} q^{hr}e̱^{w}s
06896 駮 北角 幫覺入二開 p^{ɯ}ɔk 藥^{e} pk^{r}e̱g^{w}
06897 㼎 蒲角 並覺入二開 b^{ɯ}ɔk 藥^{e} bg^{r}e̱g^{w}
06898 烄 古到 見豪去一開 kɑu 宵^{a} ka̱^{w}s

県 jiāo

06899 県 古堯 見蕭平四開 keu 幽^{i} ki̱^{w}

焦 jiāo

06900 𩏧 兹消 精宵平三開 tsiᴇu 宵^{e} ske^{w}
06901 嫶 兹消 精宵平三開 tsiᴇu 宵^{e} ske^{w}
06902 焦 即消 精宵平三開 tsiᴇu 宵^{e} ske^{w}
06903 蕉 即消 精宵平三開 tsiᴇu 宵^{e} ske^{w}
06904 膲 即消 精宵平三開 tsiᴇu 宵^{e} ske^{w}
06905 鷦 即消 精宵平三開 tsiᴇu 宵^{e} ske^{w}
06906 噍 即消 精宵平三開 tsiᴇu 宵^{e} ske^{w}
06907 鐎 即消 精宵平三開 tsiᴇu 宵^{e} ske^{w}
06908 蟭 即消 精宵平三開 tsiᴇu 宵^{e} ske^{w}
06909 醮 即消 精宵平三開 tsiᴇu 宵^{e} ske^{w}
06910 爑 即消 精宵平三開 tsiᴇu 宵^{e} ske^{w}
06911 僬 即消 精宵平三開 tsiᴇu 宵^{e} ske^{w}
06912 燋 即消 精宵平三開 tsiᴇu 宵^{e} ske^{w}
06913 鷦 兹消 精宵平三開 tsiᴇu 宵^{e} ske^{w}
06914 樵 昨焦 從宵平三開 dziᴇu 宵^{e} sge^{w}
06915 憔 昨焦 從宵平三開 dziᴇu 宵^{e} sge^{w}
06916 譙 昨焦 從宵平三開 dziᴇu 宵^{e} sge^{w}
06917 嶕 昨焦 從宵平三開 dziᴇu 宵^{e} sge^{w}
06918 鐎 昨焦 從宵平三開 dziᴇu 宵^{e} sge^{w}
06919 僬 昨焦 從宵平三開 dziᴇu 宵^{e} sge^{w}
06920 醮 昨焦 從宵平三開 dziᴇu 宵^{e} sge^{w}
06921 顦 昨焦 從宵平三開 dziᴇu 宵^{e} sge^{w}
06922 潐 子小 精宵上三開 tsiᴇu 宵^{e} ske^{w}ʔ
06923 醮 子肖 精宵去三開 tsiᴇu 宵^{e} ske^{w}s
06924 潐 子肖 精宵去三開 tsiᴇu 宵^{e} ske^{w}s
06925 醮 子肖 精宵去三開 tsiᴇu 宵^{e} ske^{w}s
06926 僬 子肖 精宵去三開 tsiᴇu 宵^{e} ske^{w}s
06927 趭 子肖 精宵去三開 tsiᴇu 宵^{e} ske^{w}s
06928 [illegible] 子肖 精宵去三開 tsiᴇu 宵^{e} ske^{w}s
06929 𩏧 子肖 精宵去三開 tsiᴇu 宵^{e} ske^{w}s
06930 噍 才笑 從宵去三開 dziᴇu 宵^{e} sge^{w}s
06931 趭 才笑 從宵去三開 dziᴇu 宵^{e} sge^{w}s
06932 趭 弋照 以宵去三開 jiᴇu 宵^{e} ɢe^{w}s
06933 噍 子幺 精蕭平四開 tseu 宵^{e} ske̱^{w}
06934 癄 側教 莊肴去二開 tʂ^{ɯ}æu 宵^{e} skre̱^{w}s
06935 燋 即略 精藥入三開 tsiak 藥^{e} skeg^{w}
06936 穛 側角 莊覺入二開 tʂ^{ɯ}ɔk 藥^{e} skre̱g^{w}
06937 [illegible] 將由 精尤平三合 tsiu 幽^{i} ski^{w}

茮 jiāo

06938 寂 前歷 從錫入四開 dzek 覺^{i} sgi̱g^{w}
06939 [illegible] 前歷 從錫入四開 dzek 覺^{i} sgi̱g^{w}
06940 宋 前歷 從錫入四開 dzek 覺^{i} sgi̱g^{w}
06941 漃 前歷 從錫入四開 dzek 覺^{i} sgi̱g^{w}
06942 椒 即消 精宵平三開 tsiᴇu 幽^{i} ski^{w}
06943 茮 即消 精宵平三開 tsiᴇu 幽^{i} ski^{w}

角 jiǎo

06944	⿰牜角	尺玉	昌燭入三合	tɕ^{h}i̯ʊk	屋	k^{h}l^{j}og
06945	斛	胡谷	匣屋入一合	ɦuk	屋	go̱g
06946	角	盧谷	來屋入一合	luk	屋	g.ro̱g
06947	角	古岳	見覺入二開	k^{ɯ}ɔk	屋	k^{r}o̱g
06948	桷	古岳	見覺入二開	k^{ɯ}ɔk	屋	k^{r}o̱g
06949	捔	古岳	見覺入二開	k^{ɯ}ɔk	屋	k^{r}o̱g
06950	埆	苦角	溪覺入二開	k^{hɯ}ɔk	屋	k^{hr}o̱g
06951	确	胡覺	匣覺入二開	ɦ^{ɯ}ɔk	屋	g^{r}o̱g
06952	捔	士角	崇覺入二開	dʐ^{ɯ}ɔk	屋	sgro̱g
06953	⿰角号	乙角	影覺入二開	ʔ^{ɯ}ɔk	屋	q^{r}o̱g

敫 jiǎo

06954	繳	之若	章藥入三開	tɕiak	藥^{e}	k^{j}eg^{w}
06955	敫	以灼	以藥入三開	jiak	藥^{e}	ɢeg^{w}
06956	徼	古弔	見蕭去四開	keu	藥^{e}	ke̱g^{w}s
06957	譥	古弔	見蕭去四開	keu	藥^{e}	ke̱g^{w}s
06958	激	古弔	見蕭去四開	keu	藥^{e}	ke̱g^{w}s
06959	噭	古弔	見蕭去四開	keu	藥^{e}	ke̱g^{w}s
06960	獥	古弔	見蕭去四開	keu	藥^{e}	ke̱g^{w}s
06961	⿱敫鳥	古弔	見蕭去四開	keu	藥^{e}	ke̱g^{w}s
06962	嬓	古弔	見蕭去四開	keu	藥^{e}	ke̱g^{w}s
06963	敫	古弔	見蕭去四開	keu	藥^{e}	ke̱g^{w}s
06964	躈	詰弔	溪蕭去四開	k^{h}eu	藥^{e}	k^{h}e̱g^{w}s
06965	⿱穴敫	苦弔	溪蕭去四開	k^{h}eu	藥^{e}	k^{h}e̱g^{w}s
06966	⿱敫手	苦弔	溪蕭去四開	k^{h}eu	藥^{e}	k^{h}e̱g^{w}s
06967	激	古歷	見錫入四開	kek	藥^{e}	ke̱g^{w}
06968	獥	古歷	見錫入四開	kek	藥^{e}	ke̱g^{w}
06969	⿱穴敫	古歷	見錫入四開	kek	藥^{e}	ke̱g^{w}
06970	⿱敫鳥	古歷	見錫入四開	kek	藥^{e}	ke̱g^{w}
06971	⿱敫手	苦擊	溪錫入四開	k^{h}ek	藥^{e}	k^{h}e̱g^{w}
06972	檄	胡狄	匣錫入四開	ɦek	藥^{e}	ge̱g^{w}
06973	薂	胡狄	匣錫入四開	ɦek	藥^{e}	ge̱g^{w}
06974	⿱敫鳥	胡狄	匣錫入四開	ɦek	藥^{e}	ge̱g^{w}
06975	獥	胡狄	匣錫入四開	ɦek	藥^{e}	ge̱g^{w}
06976	⿱敫角	胡狄	匣錫入四開	ɦek	藥^{e}	ge̱g^{w}
06977	礉	口交	溪肴平二開	k^{hɯ}æu	藥^{e}	k^{hr}e̱g^{w}
06978	撽	口教	溪肴去二開	k^{hɯ}æu	藥^{e}	k^{hr}e̱g^{w}s
06979	礉	苦教	溪肴去二開	k^{hɯ}æu	藥^{e}	k^{hr}e̱g^{w}s
06980	⿱敫角	古岳	見覺入二開	k^{ɯ}ɔk	藥^{e}	k^{r}e̱g^{w}
06981	邀	於霄	影宵平A 開	ʔiᴇu	宵^{e}	qe^{w}
06982	憿	古堯	見蕭平四開	keu	宵^{e}	ke̱^{w}
06983	邀	古堯	見蕭平四開	keu	宵^{e}	ke̱^{w}
06984	徼	古堯	見蕭平四開	keu	宵^{e}	ke̱^{w}
06985	墽	苦幺	溪蕭平四開	k^{h}eu	宵^{e}	k^{h}e̱^{w}
06986	曒	古了	見蕭上四開	keu	宵^{e}	ke̱^{w}ʔ
06987	璬	古了	見蕭上四開	keu	宵^{e}	ke̱^{w}ʔ
06988	繳	古了	見蕭上四開	keu	宵^{e}	ke̱^{w}ʔ
06989	儌	古了	見蕭上四開	keu	宵^{e}	ke̱^{w}ʔ
06990	曒	吉了	見蕭上四開	keu	宵^{e}	ke̱^{w}ʔ
06991	覈	下革	匣麥入二開	ɦ^{ɯ}ɛk	錫	g^{r}e̱g
06992	繳	下革	匣麥入二開	ɦ^{ɯ}ɛk	錫	g^{r}e̱g
06993	覈	胡結	匣屑入四開	ɦet	月^{e}	ge̱d

皆 jiē

06994	皆	古諧	見皆平二開	k^{ɯ}ɛi	脂^{l}	k^{r}i̱l
06995	鍇	古諧	見皆平二開	k^{ɯ}ɛi	脂^{l}	k^{r}i̱l
06996	稭	古諧	見皆平二開	k^{ɯ}ɛi	脂^{l}	k^{r}i̱l
06997	偕	古諧	見皆平二開	k^{ɯ}ɛi	脂^{l}	k^{r}i̱l
06998	喈	古諧	見皆平二開	k^{ɯ}ɛi	脂^{l}	k^{r}i̱l
06999	腊	古諧	見皆平二開	k^{ɯ}ɛi	脂^{l}	k^{r}i̱l
07000	階	古諧	見皆平二開	k^{ɯ}ɛi	脂^{l}	k^{r}i̱l
07001	楷	古諧	見皆平二開	k^{ɯ}ɛi	脂^{l}	k^{r}i̱l
07002	鶛	古諧	見皆平二開	k^{ɯ}ɛi	脂^{l}	k^{r}i̱l
07003	湝	古諧	見皆平二開	k^{ɯ}ɛi	脂^{l}	k^{r}i̱l
07004	揩	口皆	溪皆平二開	k^{hɯ}ɛi	脂^{l}	k^{hr}i̱l
07005	緒	口皆	溪皆平二開	k^{hɯ}ɛi	脂^{l}	k^{hr}i̱l
07006	諧	户皆	匣皆平二開	ɦ^{ɯ}ɛi	脂^{l}	g^{r}i̱l
07007	龤	户皆	匣皆平二開	ɦ^{ɯ}ɛi	脂^{l}	g^{r}i̱l
07008	瑎	户皆	匣皆平二開	ɦ^{ɯ}ɛi	脂^{l}	g^{r}i̱l
07009	湝	户皆	匣皆平二開	ɦ^{ɯ}ɛi	脂^{l}	g^{r}i̱l
07010	鞜	户皆	匣皆平二開	ɦ^{ɯ}ɛi	脂^{l}	g^{r}i̱l
07011	腊[1]	苦蟹	溪皆上二開	k^{hɯ}ɛi	脂^{l}	k^{hr}i̱lʔ
07012	楷	苦駭	溪皆上二開	k^{hɯ}ɛi	脂^{l}	k^{hr}i̱lʔ
07013	鍇	苦駭	溪皆上二開	k^{hɯ}ɛi	脂^{l}	k^{hr}i̱lʔ
07014	揩	苦戒	溪皆去二開	k^{hɯ}ɛi	脂^{l}	k^{hr}i̱ls
07015	稭	古黠	見黠入二開	k^{ɯ}ɛt	質^{d}	k^{r}i̱d

---

1 原为佳韵，但是根据谐声系统应该为皆韵，《切韵》音系二等有皆、佳的历史层次。

孑 jié

07016 釨 居列 見薛入B開 kɨᴇt 月^{e} k^{r}ed
07017 孑 居列 見薛入B開 kɨᴇt 月^{e} k^{r}ed
07018 釨 居列 見薛入B開 kɨᴇt 月^{e} k^{r}ed

尐 jié

07019 尐 姊列 精薛入三開 tsiᴇt 月^{e} sed

杰 jié

07020 杰 巨列 群薛入B開 ɡɨᴇt 月^{a} ɡ^{r}ad

疌 jié

07021 睫[1] 即葉 精葉入三開 tsiᴇp 盍^{e} skeb
07022 婕 即葉 精葉入三開 tsiᴇp 盍^{e} skeb
07023 㨗 即葉 精葉入三開 tsiᴇp 盍^{e} skeb
07024 萐 山輒 生葉入三開 ʂiᴇp 盍^{e} sk^{r}eb
07025 箑 山輒 生葉入三開 ʂiᴇp 盍^{e} sk^{r}eb
07026 緁 七接 清葉入三開 ts^{h}iᴇp 盍^{e} sk^{h}eb
07027 齰 碜歃 初葉入三開 tʂ^{h}iᴇp 盍^{e} sk^{h}reb
07028 𨓍 尼輒 娘葉入三開 ɳiᴇp 盍^{e} ŋɡleb
07029 捷 疾葉 從葉入三開 dziᴇp 盍^{e} sɡeb
07030 疌[2] 疾葉 從葉入三開 dziᴇp 盍^{e} sɡeb
07031 寁 疾葉 從葉入三開 dziᴇp 盍^{e} sɡeb
07032 倢 疾葉 從葉入三開 dziᴇp 盍^{e} sɡeb
07033 崨 疾葉 從葉入三開 dziᴇp 盍^{e} sɡeb
07034 踕 疾葉 從葉入三開 dziᴇp 盍^{e} sɡeb
07035 啑 都計 端齊去四開 tei 盍^{e} kle̱bs
07036 蜨 蘇協 心帖入四開 sep 盍^{e} sk^{l}e̱b
07037 齰 千結 清屑入四開 ts^{h}et 盍^{e} sk^{h}e̱b
07038 箑 山洽 生洽入二開 ʂ^{ɯ}ɛp 盍^{e} sk^{r}e̱b
07039 萐 山洽 生洽入二開 ʂ^{ɯ}ɛp 盍^{e} sk^{r}e̱b
07040 啑[3] 所甲 生洽入二開 ʂ^{ɯ}ɛp 盍^{e} sk^{r}e̱b
07041 齰 楚洽 初洽入二開 tʂ^{hɯ}ɛp 盍^{e} sk^{h}re̱b
07042 箑[4] 士洽 崇洽入二開 dʐ^{ɯ}ɛp 盍^{e} sɡre̱b
07043 𧚔 子入 精緝入三開 tsip 緝^{i} skib
07044 𧚔 七入 清緝入三開 ts^{h}ip 緝^{i} sk^{h}ib
07045 寁 子感 精覃上一開 tsəm 侵^{u} sku̱mʔ

桀 jié

07046 傑 渠列 群薛入B開 ɡɨᴇt 月^{a} ɡ^{r}ad
07047 桀 渠列 群薛入B開 ɡɨᴇt 月^{a} ɡ^{r}ad
07048 榤 渠列 群薛入B開 ɡɨᴇt 月^{a} ɡ^{r}ad
07049 謋[5] 虎伯 曉陌入二合 h^{wɯ}æk 鐸 q^{hr}a̱ɡ

魝 jié

07050 薊 古詣 見齊去四開 kei 月^{e} ke̱ds
07051 蘮 古屑 見屑入四開 ket 月^{e} ke̱d
07052 魝 古屑 見屑入四開 ket 月^{e} ke̱d

截 jié

07053 𩯨 子例 精祭去三開 tsiᴇi 月^{e} seds
07054 䲙 姊列 精薛入三開 tsiᴇt 月^{e} sed
07055 𪆵 姊列 精薛入三開 tsiᴇt 月^{e} sed
07056 𩯨 姊列 精薛入三開 tsiᴇt 月^{e} sed
07057 𩯨 子計 精齊去四開 tsei 月^{e} se̱ds
07058 𩯨 子結 精屑入四開 tset 月^{e} se̱d
07059 截 昨結 從屑入四開 dzet 月^{e} ze̱d
07060 巀 昨結 從屑入四開 dzet 月^{e} ze̱d
07061 巀 才割 從曷入一開 dzɑt 月^{a} za̱d

解 jiě

07062 薢[6] 古諧 見佳平二開 k^{ɯ}ɛ 佳 k^{r}e̱
07063 解 佳買 見佳上二開 k^{ɯ}ɛ 佳 k^{r}e̱ʔ
07064 薢 佳買 見佳上二開 k^{ɯ}ɛ 佳 k^{r}e̱ʔ
07065 蟹 胡買 匣佳上二開 ɦ^{ɯ}ɛ 佳 ɡ^{r}e̱ʔ
07066 獬 胡買 匣佳上二開 ɦ^{ɯ}ɛ 佳 ɡ^{r}e̱ʔ
07067 澥 胡買 匣佳上二開 ɦ^{ɯ}ɛ 佳 ɡ^{r}e̱ʔ
07068 嶰 胡買 匣佳上二開 ɦ^{ɯ}ɛ 佳 ɡ^{r}e̱ʔ
07069 𨻶 胡買 匣佳上二開 ɦ^{ɯ}ɛ 佳 ɡ^{r}e̱ʔ
07070 解 胡買 匣佳上二開 ɦ^{ɯ}ɛ 佳 ɡ^{r}e̱ʔ

---

1 《史记·扁鹊仓公列传》"忽忽承睞",《索隐》:"睞即睫也。"

2 "疌"声通"夾"。李豪:清华简《越公其事》"疌弳秉橐",整理者注:读为"挟弳秉枹"。《国语·吴语》作"挟經秉枹",韦昭注:"在掖曰挟。"疌,与陈剑所释曾侯乙墓竹简"疌"字相近。"疌"通"挟" *ɡ^{l}e̱b,故"疌"声上古为 *sɡeb>dzeb。

3 原为狎韵,但是根据谐声系统应该为洽韵,《切韵》音系二等有洽、狎的历史层次。

4 见"渫"字注。

5 见"盰"字注。

6 原为皆韵,但是根据谐声系统应该为佳韵,《切韵》音系二等有佳、皆的历史层次。

07071 薢 古隘 見佳去二開 kᵚɛ 佳 kʳe̱s
07072 懈 古隘 見佳去二開 kᵚɛ 佳 kʳe̱s
07073 解 古隘 見佳去二開 kᵚɛ 佳 kʳe̱s
07074 繲 古隘 見佳去二開 kᵚɛ 佳 kʳe̱s
07075 廨 古隘 見佳去二開 kᵚɛ 佳 kʳe̱s
07076 邂 胡懈 匣佳去二開 ɦᵚɛ 佳 gʳe̱s
07077 解 胡懈 匣佳去二開 ɦᵚɛ 佳 gʳe̱s

丯 jiè

07078 瘈 吉曳 見祭去A 開 kiɛi 月ᵉ keds
07079 瘈 居例 見祭去B 開 kɨɛi 月ᵉ kʳeds
07080 瘛 尺制 昌祭去三開 tɕʰiɛi 月ᵉ kʰʲeds
07081 ⿸疒挈 尺制 昌祭去三開 tɕʰiɛi 月ᵉ kʰʲeds
07082 ⿺走恝 丑例 徹祭去三開 ʈʰiɛi 月ᵉ kʰleds
07083 ⿱㓞羽 時制 禪祭去三開 dʑiɛi 月ᵉ gʲeds
07084 瘛 昌列 昌薛入三開 tɕʰiɛt 月ᵉ kʰʲed
07085 ⿰㓞阝 古詣 見齊去四開 kei 月ᵉ ke̱ds
07086 瘈 吉詣 見齊去四開 kei 月ᵉ ke̱ds
07087 契 苦計 溪齊去四開 kʰei 月ᵉ kʰe̱ds
07088 栔 苦計 溪齊去四開 kʰei 月ᵉ kʰe̱ds
07089 ⿰契頁 苦計 溪齊去四開 kʰei 月ᵉ kʰe̱ds
07090 瘈 胡計 匣齊去四開 ɦei 月ᵉ ge̱ds
07091 褉 胡計 匣齊去四開 ɦei 月ᵉ ge̱ds
07092 瘛 胡計 匣齊去四開 ɦei 月ᵉ ge̱ds
07093 窫 於計 影齊去四開 ʔei 月ᵉ qe̱ds
07094 絜 古屑 見屑入四開 ket 月ᵉ ke̱d
07095 潔 古屑 見屑入四開 ket 月ᵉ ke̱d
07096 鍥 古屑 見屑入四開 ket 月ᵉ ke̱d
07097 ⿰契鳥 古屑 見屑入四開 ket 月ᵉ ke̱d
07098 ⿸广絜 吉屑 見屑入四開 ket 月ᵉ ke̱d
07099 楔 先結 心屑入四開 set 月ᵉ skˡe̱d
07100 揳 先結 心屑入四開 set 月ᵉ skˡe̱d
07101 偰 先結 心屑入四開 set 月ᵉ skˡe̱d
07102 猰 苦結 溪屑入四開 kʰet 月ᵉ kʰe̱d
07103 ⿰契頁 苦結 溪屑入四開 kʰet 月ᵉ kʰe̱d
07104 挈 苦結 溪屑入四開 kʰet 月ᵉ kʰe̱d
07105 契 苦結 溪屑入四開 kʰet 月ᵉ kʰe̱d
07106 栔 苦結 溪屑入四開 kʰet 月ᵉ kʰe̱d
07107 鍥 苦結 溪屑入四開 kʰet 月ᵉ kʰe̱d
07108 ⿱㓞血 苦結 溪屑入四開 kʰet 月ᵉ kʰe̱d
07109 絜 胡結 匣屑入四開 ɦet 月ᵉ ge̱d
07110 ⿸广絜 奚結 匣屑入四開 ɦet 月ᵉ ge̱d
07111 齧 五結 疑屑入四開 ŋet 月ᵉ ŋge̱d
07112 ⿰山齧 五結 疑屑入四開 ŋet 月ᵉ ŋge̱d
07113 窫 烏結 影屑入四開 ʔet 月ᵉ qe̱d
07114 丯 古拜 見皆去二開 kᵚɛi 月ᵉ kʳe̱ds
07115 恝 居拜 見皆去二開 kᵚɛi 月ᵉ kʳe̱ds
07116 楔 古黠 見黠入二開 kᵚɛt 月ᵉ kʳe̱d
07117 契 古黠 見黠入二開 kᵚɛt 月ᵉ kʳe̱d
07118 ⿰契鳥 古黠 見黠入二開 kᵚɛt 月ᵉ kʳe̱d
07119 恝 訖黠 見黠入二開 kᵚɛt 月ᵉ kʳe̱d
07120 猰[1] 古鎋 見黠入二開 kᵚɛt 月ᵉ kʳe̱d
07121 㓞 恪八 溪黠入二開 kʰᵚɛt 月ᵉ kʰʳe̱d
07122 ⿰山齧[2] 五鎋 疑黠入二開 ŋᵚɛt 月ᵉ ŋgʳe̱d
07123 ⿰豸契 烏黠 影黠入二開 ʔᵚɛt 月ᵉ qʳe̱d
07124 窫 烏黠 影黠入二開 ʔᵚɛt 月ᵉ qʳe̱d
07125 契 去訖 溪迄入三開 kʰɨt 物ᵚ kʰɯd
07126 夆 胡蓋 匣泰去一開 ɦɑi 月ᵃ ga̱ds
07127 喫 苦擊 溪錫入四開 kʰek 錫 kʰe̱g

介 jiè

07128 妎 胡計 匣齊去四開 ɦei 月ᵉ ge̱ds
07129 ⿵門介 胡計 匣齊去四開 ɦei 月ᵉ ge̱ds
07130 界 古拜 見皆去二開 kᵚɛi 月ᵉ kʳe̱ds
07131 介 古拜 見皆去二開 kᵚɛi 月ᵉ kʳe̱ds
07132 疥 古拜 見皆去二開 kᵚɛi 月ᵉ kʳe̱ds
07133 玠 古拜 見皆去二開 kᵚɛi 月ᵉ kʳe̱ds
07134 尬 古拜 見皆去二開 kᵚɛi 月ᵉ kʳe̱ds
07135 价 古拜 見皆去二開 kᵚɛi 月ᵉ kʳe̱ds
07136 ⿱髟介 古拜 見皆去二開 kᵚɛi 月ᵉ kʳe̱ds
07137 ⿰介鳥 古拜 見皆去二開 kᵚɛi 月ᵉ kʳe̱ds
07138 芥 古拜 見皆去二開 kᵚɛi 月ᵉ kʳe̱ds
07139 衸 古拜 見皆去二開 kᵚɛi 月ᵉ kʳe̱ds
07140 ⿰馬介 古拜 見皆去二開 kᵚɛi 月ᵉ kʳe̱ds
07141 齐 居拜 見皆去二開 kᵚɛi 月ᵉ kʳe̱ds
07142 ⿰目介 居拜 見皆去二開 kᵚɛi 月ᵉ kʳe̱ds

1 原为鎋韵，但是根据谐声系统应该为黠韵，《切韵》音系二等有黠、鎋的历史层次。

2 原为鎋韵，但是根据谐声系统应该为黠韵，《切韵》音系二等有黠、鎋的历史层次。

07143	吤	居拜	見皆去二開	k^{ɯ}ɛi	月^{e}	k^{r}e̱ds
07144	紒	居拜	見皆去二開	k^{ɯ}ɛi	月^{e}	k^{r}e̱ds
07145	齘	胡介	匣皆去二開	ɦ^{ɯ}ɛi	月^{e}	g^{r}e̱ds
07146	阶	胡介	匣皆去二開	ɦ^{ɯ}ɛi	月^{e}	g^{r}e̱ds
07147	衸	胡介	匣皆去二開	ɦ^{ɯ}ɛi	月^{e}	g^{r}e̱ds
07148	⿱介心	許介	曉皆去二開	h^{ɯ}ɛi	月^{e}	q^{hr}e̱ds
07149	扴	古黠	見黠入二開	k^{ɯ}ɛt	月^{e}	k^{r}e̱d
07150	忦	古黠	見黠入二開	k^{ɯ}ɛt	月^{e}	k^{r}e̱d
07151	妎	胡蓋	匣泰去一開	ɦɑi	月^{a}	ga̱ds

戒 jiè

07152	悈	紀力	見職入三開	kɨk	職	kɯg
07153	誡	古拜	見皆去二開	k^{ɯ}ɛi	職	k^{r}ɯ̱gs
07154	戒	古拜	見皆去二開	k^{ɯ}ɛi	職	k^{r}ɯ̱gs
07155	悈	古拜	見皆去二開	k^{ɯ}ɛi	職	k^{r}ɯ̱gs
07156	械	胡介	匣皆去二開	ɦ^{ɯ}ɛi	職	g^{r}ɯ̱gs
07157	祴	古哀	見咍平一開	kəi	之	kɯ̱
07158	駴	侯楷	匣皆上二開	ɦ^{ɯ}ɛi	之	g^{r}ɯ̱ʔ

屆 jiè

07159	艐	古拜	見皆去二開	k^{ɯ}ɛi	物^{ɯ}	k^{r}ɯ̱ds
07160	䁢	古拜	見皆去二開	k^{ɯ}ɛi	物^{ɯ}	k^{r}ɯ̱ds
07161	艐[1]	口箇	溪歌去一開	k^{h}ɑ	歌^{a}	k^{h}a̱ls

巾 jīn

07162	巾	居銀	見真平B 開	kɨin	文^{ɯ}	k^{r}ɯn

斤 jīn

07163	⿰犭斤	語巾	疑真平B 開	ŋɨin	文^{ɯ}	ŋg^{r}ɯn
07164	⿱艹⿰犭斤	語巾	疑真平B 開	ŋɨin	文^{ɯ}	ŋg^{r}ɯn
07165	釿	宜引	疑真上B 開	ŋɨin	文^{ɯ}	ŋg^{r}ɯnʔ
07166	齗	宜引	疑真上B 開	ŋɨin	文^{ɯ}	ŋg^{r}ɯnʔ
07167	听	宜引	疑真上B 開	ŋɨin	文^{ɯ}	ŋg^{r}ɯnʔ
07168	垽	魚覲	疑真去B 開	ŋɨin	文^{ɯ}	ŋg^{r}ɯns
07169	斤	舉欣	見殷平三開	kɨn	文^{ɯ}	kɯn
07170	釿	舉欣	見殷平三開	kɨn	文^{ɯ}	kɯn
07171	芹	巨斤	群殷平三開	gɨn	文^{ɯ}	gɯn
07172	蘄	巨斤	群殷平三開	gɨn	文^{ɯ}	gɯn
07173	⿰虎斤	語斤	疑殷平三開	ŋɨn	文^{ɯ}	ŋgɯn
07174	圻	語斤	疑殷平三開	ŋɨn	文^{ɯ}	ŋgɯn
07175	齗	語斤	疑殷平三開	ŋɨn	文^{ɯ}	ŋgɯn
07176	斦	語斤	疑殷平三開	ŋɨn	文^{ɯ}	ŋgɯn
07177	⿱艹⿰犭斤	語斤	疑殷平三開	ŋɨn	文^{ɯ}	ŋgɯn
07178	欣	許斤	曉殷平三開	hɨn	文^{ɯ}	q^{h}ɯn
07179	昕	許斤	曉殷平三開	hɨn	文^{ɯ}	q^{h}ɯn
07180	訢	許斤	曉殷平三開	hɨn	文^{ɯ}	q^{h}ɯn
07181	炘	許斤	曉殷平三開	hɨn	文^{ɯ}	q^{h}ɯn
07182	忻	許斤	曉殷平三開	hɨn	文^{ɯ}	q^{h}ɯn
07183	菦	居隱	見殷上三開	kɨn	文^{ɯ}	kɯnʔ
07184	赾	丘謹	溪殷上三開	k^{h}ɨn	文^{ɯ}	k^{h}ɯnʔ
07185	近	其謹	群殷上三開	gɨn	文^{ɯ}	gɯnʔ
07186	听	牛謹	疑殷上三開	ŋɨn	文^{ɯ}	ŋgɯnʔ
07187	靳	居焮	見殷去三開	kɨn	文^{ɯ}	kɯns
07188	斤	居焮	見殷去三開	kɨn	文^{ɯ}	kɯns
07189	肵	居焮	見殷去三開	kɨn	文^{ɯ}	kɯns
07190	近	巨靳	群殷去三開	gɨn	文^{ɯ}	gɯns
07191	垽	吾靳	疑殷去三開	ŋɨn	文^{ɯ}	ŋgɯns
07192	炘	香靳	曉殷去三開	hɨn	文^{ɯ}	q^{h}ɯns
07193	焮	香靳	曉殷去三開	hɨn	文^{ɯ}	q^{h}ɯns
07194	圻	五根	疑痕平一開	ŋən	文^{ɯ}	ŋgɯ̱n
07195	蘄	居依	見微平三開	kɤi	微^{ɯ}	kɯl
07196	圻	渠希	群微平三開	gɤi	微^{ɯ}	gɯl
07197	蘄	巨希	群微平三開	gɤi	微^{ɯ}	gɯl
07198	祈	渠希	群微平三開	gɤi	微^{ɯ}	gɯl
07199	頎	渠希	群微平三開	gɤi	微^{ɯ}	gɯl
07200	旂	渠希	群微平三開	gɤi	微^{ɯ}	gɯl
07201	蚚	渠希	群微平三開	gɤi	微^{ɯ}	gɯl
07202	岓	渠希	群微平三開	gɤi	微^{ɯ}	gɯl
07203	玂	渠希	群微平三開	gɤi	微^{ɯ}	gɯl
07204	肵	渠希	群微平三開	gɤi	微^{ɯ}	gɯl
07205	䰢	渠希	群微平三開	gɤi	微^{ɯ}	gɯl
07206	沂	魚衣	疑微平三開	ŋɤi	微^{ɯ}	ŋgɯl
07207	蚚[2]	胡輩	匣灰去一合	ɦu̯oi	微^{ɯ}	gɯ̱ls
07208	掀	虛言	曉元平三開	hiɤn	元^{a}	q^{h}an
07209	蘄	渠之	群之平三開	gɨ	之	gɯ

今 jīn

07210	衿	居吟	見侵平B 開	kɨim	侵^{ɯ}	k^{r}ɯm

---

1 郑张尚芳:“舟斂足”会意“擱浅”,“㚇”非声。

2 《玉篇》《说文》《尔雅》都只微韵一读。见“昰”字注。

07211 黔 居吟 見侵平B 開 kɨim 侵ᵚ kʳɯm
07212 今 居吟 見侵平B 開 kɨim 侵ᵚ kʳɯm
07213 黅 居吟 見侵平B 開 kɨim 侵ᵚ kʳɯm
07214 金 居吟 見侵平B 開 kɨim 侵ᵚ kʳɯm
07215 鈙 去金 溪侵平B 開 kʰɨim 侵ᵚ kʰʳɯm
07216 欽 去金 溪侵平B 開 kʰɨim 侵ᵚ kʰʳɯm
07217 荃 去金 溪侵平B 開 kʰɨim 侵ᵚ kʰʳɯm
07218 衾 去金 溪侵平B 開 kʰɨim 侵ᵚ kʰʳɯm
07219 嶔 去金 溪侵平B 開 kʰɨim 侵ᵚ kʰʳɯm
07220 琴 巨金 群侵平B 開 gɨim 侵ᵚ gʳɯm
07221 黚 巨金 群侵平B 開 gɨim 侵ᵚ gʳɯm
07222 禽 巨金 群侵平B 開 gɨim 侵ᵚ gʳɯm
07223 芩 巨金 群侵平B 開 gɨim 侵ᵚ gʳɯm
07224 檎 巨金 群侵平B 開 gɨim 侵ᵚ gʳɯm
07225 庈 巨金 群侵平B 開 gɨim 侵ᵚ gʳɯm
07226 庈 巨金 群侵平B 開 gɨim 侵ᵚ gʳɯm
07227 雂 巨金 群侵平B 開 gɨim 侵ᵚ gʳɯm
07228 聆 巨金 群侵平B 開 gɨim 侵ᵚ gʳɯm
07229 靲 巨金 群侵平B 開 gɨim 侵ᵚ gʳɯm
07230 衿 其禁 群侵平B 開 gɨim 侵ᵚ gʳɯm
07231 捦 巨金 群侵平B 開 gɨim 侵ᵚ gʳɯm
07232 擒 渠金 群侵平B 開 gɨim 侵ᵚ gʳɯm
07233 軡 渠金 群侵平B 開 gɨim 侵ᵚ gʳɯm
07234 吟 魚金 疑侵平B 開 ŋɨim 侵ᵚ ŋgʳɯm
07235 唫 魚金 疑侵平B 開 ŋɨim 侵ᵚ ŋgʳɯm
07236 崟 魚金 疑侵平B 開 ŋɨim 侵ᵚ ŋgʳɯm
07237 玪 魚音 疑侵平B 開 ŋɨim 侵ᵚ ŋgʳɯm
07238 陰[1] 於金 影侵平B 開 ʔɨim 侵ᵚ qʳɯm
07239 霒 於金 影侵平B 開 ʔɨim 侵ᵚ qʳɯm
07240 舎 於林 影侵平B 開 ʔɨim 侵ᵚ qʳɯm
07241 廞 許金 曉侵平B 開 hɨim 侵ᵚ qʰʳɯm
07242 蚙[2] 渠巾 群真平B 開 gɨin 侵ᵚ gʳɯm
07243 錦 居飲 見侵上B 開 kɨim 侵ᵚ kʳɯmʔ
07244 顉 欽錦 溪侵上B 開 kʰɨim 侵ᵚ kʰʳɯmʔ
07245 坅 丘甚 溪侵上B 開 kʰɨim 侵ᵚ kʰʳɯmʔ
07246 唫 渠飲 群侵上B 開 gɨim 侵ᵚ gʳɯmʔ
07247 趛 牛錦 疑侵上B 開 ŋɨim 侵ᵚ ŋgʳɯmʔ
07248 飲[3] 於錦 影侵上B 開 ʔɨim 侵ᵚ qʳɯmʔ
07249 歚 於錦 影侵上B 開 ʔɨim 侵ᵚ qʳɯmʔ
07250 廞 許錦 曉侵上B 開 hɨim 侵ᵚ qʰʳɯmʔ
07251 紟 巨禁 群侵去B 開 gɨim 侵ᵚ gʳɯms
07252 鈙 巨禁 群侵去B 開 gɨim 侵ᵚ gʳɯms
07253 牸 巨禁 群侵去B 開 gɨim 侵ᵚ gʳɯms
07254 擒 巨禁 群侵去B 開 gɨim 侵ᵚ gʳɯms
07255 吟 宜禁 疑侵去B 開 ŋɨim 侵ᵚ ŋgʳɯms
07256 蔭 於禁 影侵去B 開 ʔɨim 侵ᵚ qʳɯms
07257 廕 於禁 影侵去B 開 ʔɨim 侵ᵚ qʳɯms
07258 飲 於禁 影侵去B 開 ʔɨim 侵ᵚ qʳɯms
07259 梣 子心 精侵平三開 tsim 侵ᵚ sklɯm
07260 梣 昨淫 從侵平三開 dzim 侵ᵚ sglɯm
07261 魿 昨淫 從侵平三開 dzim 侵ᵚ sglɯm
07262 汵 鋤簪 崇侵平三開 dʐim 侵ᵚ sgrɯm
07263 岑 鋤針 崇侵平三開 dʐim 侵ᵚ sgrɯm
07264 涔 鋤針 崇侵平三開 dʐim 侵ᵚ sgrɯm
07265 冘 鋤針 崇侵平三開 dʐim 侵ᵚ sgrɯm
07266 梣 鋤針 崇侵平三開 dʐim 侵ᵚ sgrɯm
07267 飪 如甚 日侵上三開 ɳim 侵ᵚ mklʲɯmʔ
07268 稔 如甚 日侵上三開 ɳim 侵ᵚ mklʲɯmʔ
07269 棯 如甚 日侵上三開 ɳim 侵ᵚ mklʲɯmʔ
07270 腍 如甚 日侵上三開 ɳim 侵ᵚ mklʲɯmʔ
07271 跉 楚錦 初侵上三開 tʂʰim 侵ᵚ skʰrɯmʔ
07272 諗[4] 式荏 書侵上三開 ɕim 侵ᵚ qʰlɯmʔ
07273 魿[5] 式荏 書侵上三開 ɕim 侵ᵚ qʰlɯmʔ
07274 淰[6] 式荏 書侵上三開 ɕim 侵ᵚ qʰlɯmʔ
07275 黔 古南 見覃平一開 kəm 侵ᵚ kˡɯ̱m
07276 淦 古南 見覃平一開 kəm 侵ᵚ kˡɯ̱m
07277 龕[7] 口含 溪覃平一開 kʰəm 侵ᵚ kʰɯ̱m
07278 戡 口含 溪覃平一開 kʰəm 侵ᵚ kʰɯ̱m
07279 貪 他含 透覃平一開 tʰəm 侵ᵚ kʰlɯ̱m
07280 瓴 胡南 匣覃平一開 ɦəm 侵ᵚ gˡɯ̱m
07281 含 胡男 匣覃平一開 ɦəm 侵ᵚ gˡɯ̱m
07282 頷 胡男 匣覃平一開 ɦəm 侵ᵚ gˡɯ̱m
07283 鋡 胡男 匣覃平一開 ɦəm 侵ᵚ gˡɯ̱m
07284 黔 胡男 匣覃平一開 ɦəm 侵ᵚ gˡɯ̱m

---

1 藏文 rum 背阴处，泰文 glum1 阴暗、阴晦的。"陰"的上古当为*qʳɯm>ʔᵚim。

2 应为侵韵。韵尾-m 在主元音影响下前化为-n。

3 厦门白读 lim1，上古重纽 B 类读*qʳɯmʔ，古厦门话变作带冠音的读音*q.ɯmʔ>rɯmʔ。

4 见"審"字注。

5 见"審"字注。

6 见"審"字注。

7 又从"今"得声。

07285 肸 胡男 匣覃平一開 ɦəm 侵^{ɯ} g^{l}ɯ̱m

07286 鴿 烏含 影覃平一開 ʔəm 侵^{ɯ} q^{l}ɯ̱m

07287 韽 烏含 影覃平一開 ʔəm 侵^{ɯ} q^{l}ɯ̱m

07288 盦 烏含 影覃平一開 ʔəm 侵^{ɯ} q^{l}ɯ̱m

07289 谽 火含 曉覃平一開 həm 侵^{ɯ} q^{hl}ɯ̱m

07290 唅 火含 曉覃平一開 həm 侵^{ɯ} q^{hl}ɯ̱m

07291 嗿 他感 透覃上一開 t^{h}əm 侵^{ɯ} k^{h}lɯ̱mʔ

07292 頷 胡感 匣覃上一開 ɦəm 侵^{ɯ} g^{l}ɯ̱mʔ

07293 嬆 胡感 匣覃上一開 ɦəm 侵^{ɯ} g^{l}ɯ̱mʔ

07294 肸 胡感 匣覃上一開 ɦəm 侵^{ɯ} g^{l}ɯ̱mʔ

07295 鎮 五感 疑覃上一開 ŋəm 侵^{ɯ} ŋgɯ̱mʔ

07296 嬆 五感 疑覃上一開 ŋəm 侵^{ɯ} ŋgɯ̱mʔ

07297 鈐 徂感 從覃上一開 dzəm 侵^{ɯ} sglɯ̱mʔ

07298 淦 古暗 見覃去一開 kəm 侵^{ɯ} k^{l}ɯ̱ms

07299 琀 胡紺 匣覃去一開 ɦəm 侵^{ɯ} g^{l}ɯ̱ms

07300 唅 胡紺 匣覃去一開 ɦəm 侵^{ɯ} g^{l}ɯ̱ms

07301 欦 許兼 曉添平四開 hem 侵^{ɯ} q^{hl}ɯ̱m

07302 妗 許兼 曉添平四開 hem 侵^{ɯ} q^{hl}ɯ̱m

07303 淰 乃玷 泥添上四開 nem 侵^{ɯ} mklɯ̱mʔ

07304 唸 都念 端添去四開 tem 侵^{ɯ} klɯ̱ms

07305 埝 都念 端添去四開 tem 侵^{ɯ} klɯ̱ms

07306 念[1] 奴店 泥添去四開 nem 侵^{ɯ} mklɯ̱ms

07307 黔 於念 影添去四開 ʔem 侵^{ɯ} q^{l}ɯ̱ms

07308 玪 古咸 見咸平二開 k^{ɯ}ɛm 侵^{ɯ} k^{r}ɯ̱m

07309 妗 許咸 曉咸平二開 h^{ɯ}ɛm 侵^{ɯ} q^{hr}ɯ̱m

07310 谽 許咸 曉咸平二開 h^{ɯ}ɛm 侵^{ɯ} q^{hr}ɯ̱m

07311 淰 女減 娘咸上二開 ɳ^{ɯ}ɛm 侵^{ɯ} mklɯ̱mʔ

07312 欦 火斬 曉咸上二開 h^{ɯ}ɛm 侵^{ɯ} q^{hr}ɯ̱mʔ

07313 韽 於陷 影咸去二開 ʔ^{ɯ}ɛm 侵^{ɯ} q^{r}ɯ̱ms

07314 嬆[2] 一鹽 影鹽平A 開 ʔiᴇm 談^{a} q^{l}am

07315 黔[3] 於琰 影鹽上A 開 ʔiᴇm 談^{a} q^{l}amʔ

07316 玪 其淹 群鹽平B 開 gɨᴇm 談^{a} g^{r}am

07317 雂 巨淹 群鹽平B 開 gɨᴇm 談^{a} g^{r}am

07318 黔 巨淹 群鹽平B 開 gɨᴇm 談^{a} g^{r}am

07319 鈐 巨淹 群鹽平B 開 gɨᴇm 談^{a} g^{r}am

07320 拑 其淹 群鹽平B 開 gɨᴇm 談^{a} g^{r}am

07321 岒 其淹 群鹽平B 開 gɨᴇm 談^{a} g^{r}am

07322 蚙 其淹 群鹽平B 開 gɨᴇm 談^{a} g^{r}am

07323 軡 其淹 群鹽平B 開 gɨᴇm 談^{a} g^{r}am

07324 嬆 魚檢 疑鹽上B 開 ŋɨᴇm 談^{a} ŋg^{r}amʔ

07325 妗 處占 昌鹽平三開 tɕ^{h}iᴇm 談^{a} k^{h}l^{j}am

07326 硷 丘釅 溪嚴去三開 k^{h}iam 談^{a} k^{h}ams

07327 銜 户監 匣銜平二開 ɦ^{ɯ}æm 談^{a} g^{r}a̱m

07328 埝 奴協 泥帖入四開 nep 緝^{ɯ} mklɯ̱b

07329 捻 奴協 泥帖入四開 nep 緝^{ɯ} mklɯ̱b

07330 敜 奴協 泥帖入四開 nep 緝^{ɯ} mklɯ̱b

07331 諗 奴協 泥帖入四開 nep 緝^{ɯ} mklɯ̱b

07332 盦 安盍 影盍入一開 ʔɑp 盍^{a} q^{l}a̱b

07333 唸 都甸 端先去四開 ten 文^{ɯ} klɯ̱ns

殜 jīn

07334 殜 子心 精侵平三開 tsim 侵^{u} skum

07335 鰭 子心 精侵平三開 tsim 侵^{u} skum

07336 簪 側吟 莊侵平三開 tʂim 侵^{u} skrum

07337 瑨 側吟 莊侵平三開 tʂim 侵^{u} skrum

07338 鬵 昨淫 從侵平三開 dzim 侵^{u} sgum

07339 甆 昨淫 從侵平三開 dzim 侵^{u} sgum

07340 灊 昨淫 從侵平三開 dzim 侵^{u} sgum

07341 灊 徐林 邪侵平三開 zim 侵^{u} sg^{l}um

07342 鬵 徐林 邪侵平三開 zim 侵^{u} sg^{l}um

07343 鰭 鋤針 崇侵平三開 dʐim 侵^{u} sgrum

07344 醑 子朕 精侵上三開 tsim 侵^{u} skumʔ

07345 醑 七稔 清侵上三開 ts^{h}im 侵^{u} sk^{h}umʔ

07346 譖 莊蔭 莊侵去三開 tʂim 侵^{u} skrums

07347 簪 作含 精覃平一開 tsəm 侵^{u} sku̱m

07348 鐕 作含 精覃平一開 tsəm 侵^{u} sku̱m

07349 蠶 昨含 從覃平一開 dzəm 侵^{u} sgu̱m

07350 憯 七感 清覃上一開 ts^{h}əm 侵^{u} sk^{h}u̱mʔ

07351 瞀 七感 清覃上一開 ts^{h}əm 侵^{u} sk^{h}u̱mʔ

07352 噆 七感 清覃上一開 ts^{h}əm 侵^{u} sk^{h}u̱mʔ

07353 熸 子廉 精鹽平三開 tsiᴇm 談^{o} skom

---

1 "念"通"貪" * k^{h}lɯ̱m>t^{h}ɯ̱m,郭店楚墓竹简《语丛二》:"贪(貪)生於忿(欲)。""念"的词根形式就是 * klɯ̱m,所以能够通"貪",后来词根形式失去了,后人就无法懂得"念"读泥母的原因。《诗经·文王》"王之藎臣,無念爾祖",《毛传》:"無念,念也。"陈奂《疏》:"無,發聲;無念爾祖,念爾祖也。"俞敏认为这里的"無"上古音 * ma,没有词汇意义。吐鲁番古藏文写本中,mk^{h}jen 写作 ma k^{h}jen,所以藏文中的前置辅音 m,可以作 ma。"無念"并不是读两个音节 ma nen。"念"是鼻冠音 m 后带了词根 * klɯ̱m。根据上古汉语的音变规则,带三辅音的声母中,第二个辅音时长很短失去,鼻冠音与第三个辅音 l 合成复辅音,以后变成了单辅音: * mklɯ̱ms > * mlɯ̱ms> * nɯ̱m>中古 nen。

2 从上古音系看,当为重纽 B 类。

3 从上古音系看,当为重纽 B 类。

07354 潛 昨鹽 從鹽平三開 dziᴇm 談ᵒ sgom

07355 朁 昨鹽 從鹽平三開 dziᴇm 談ᵒ sgom

07356 鬵 昨鹽 從鹽平三開 dziᴇm 談ᵒ sgom

07357 灊 昨鹽 從鹽平三開 dziᴇm 談ᵒ sgom

07358 瞥 昨鹽 從鹽平三開 dziᴇm 談ᵒ sgom

07359 潛 慈豔 從鹽去三開 dziᴇm 談ᵒ sgoms

07360 憯 青忝 清添上四開 tsʰem 侵ᵚ skʰɯ̱mʔ

07361 僭 子念 精添去四開 tsem 侵ᵚ skɯ̱ms

07362 瞥 漸念 從添去四開 dzem 侵ᵚ sgɯ̱ms

07363 噆 子荅 精合入一開 tsəp 緝ᵘ skṵb

聿 jīn

07364 津 將鄰 精真平三開 tsin 文ᵚ sklin

07365 濜 將鄰 精真平三開 tsin 文ᵚ sklin

07366 聿[1] 將鄰 精真平三開 tsin 文ᵚ sklin

07367 盡 資辛 精真平三開 tsin 文ᵚ sklin

07368 榼 即忍 精真上三開 tsin 文ᵚ sklinʔ

07369 盡[2] 即忍 精真上三開 tsin 文ᵚ sklinʔ

07370 盡 慈忍 從真上三開 dzin 文ᵚ sglinʔ

07371 濜 慈忍 從真上三開 dzin 文ᵚ sglinʔ

07372 濜 鉏紖 崇臻上三開 dẓɪɪn 文ᵚ sgrinʔ

07373 嚍 即刃 精真去三開 tsin 文ᵚ sklins

07374 賮 徐刃 邪真去三開 zin 文ᵚ sgˡins

07375 燼 徐刃 邪真去三開 zin 文ᵚ sgˡins

07376 藎 徐刃 邪真去三開 zin 文ᵚ sgˡins

07377 濜 徐刃 邪真去三開 zin 文ᵚ sgˡins

07378 璶 徐刃 邪真去三開 zin 文ᵚ sgˡins

07379 津 子仙 精仙平三開 tsiᴇn 元ᵃ sklen

筋 jīn

07380 筋 舉欣 見殷平三開 kɨn 文ᵚ kɯn

堇 jǐn

07381 墐 巨巾 群真平B 開 gɨin 文ᵚ gˤɯn

07382 堇 巨巾 群真平B 開 gɨin 文ᵚ gˤɯn

07383 撞 巨巾 群真平B 開 gɨin 文ᵚ gˤɯn

07384 鄞 語巾 疑真平B 開 ŋɨin 文ᵚ ŋgˤɯn

07385 螼 弃忍 溪真上B 開 kʰɨin 文ᵚ kʰʳɯnʔ

07386 堇 居覲 見真去B 開 kɨin 文ᵚ kʳɯns

07387 螼 羌印 溪真去B 開 kʰɨin 文ᵚ kʰʳɯns

07388 僅 渠遴 群真去B 開 gɨin 文ᵚ gˤɯns

07389 覲 渠遴 群真去B 開 gɨin 文ᵚ gˤɯns

07390 殣 渠遴 群真去B 開 gɨin 文ᵚ gˤɯns

07391 瑾 渠遴 群真去B 開 gɨin 文ᵚ gˤɯns

07392 饉 渠遴 群真去B 開 gɨin 文ᵚ gˤɯns

07393 廑 渠遴 群真去B 開 gɨin 文ᵚ gˤɯns

07394 瘽 渠遴 群真去B 開 gɨin 文ᵚ gˤɯns

07395 墐 渠遴 群真去B 開 gɨin 文ᵚ gˤɯns

07396 箽 舉欣 見殷平三開 kɨn 文ᵚ kɯn

07397 勤 巨斤 群殷平三開 gɨn 文ᵚ gɯn

07398 懃 巨斤 群殷平三開 gɨn 文ᵚ gɯn

07399 慬 巨斤 群殷平三開 gɨn 文ᵚ gɯn

07400 瘽 巨斤 群殷平三開 gɨn 文ᵚ gɯn

07401 堇 渠巾 群殷平三開 gɨn 文ᵚ gɯn

07402 鄞 語斤 疑殷平三開 ŋɨn 文ᵚ ŋgɯn

07403 槿 居隱 見殷上三開 kɨn 文ᵚ kɯnʔ

07404 堇 居隱 見殷上三開 kɨn 文ᵚ kɯnʔ

07405 慬 居隱 見殷上三開 kɨn 文ᵚ kɯnʔ

07406 箽 几隱 見殷上三開 kɨn 文ᵚ kɯnʔ

07407 謹 居隱 見殷上三開 kɨn 文ᵚ kɯnʔ

07408 堇 几隱 見殷上三開 kɨn 文ᵚ kɯnʔ

07409 瘽 其謹 群殷上三開 gɨn 文ᵚ gɯnʔ

07410 搢 居焮 見殷去三開 kɨn 文ᵚ kɯns

07411 堇 居焮 見殷去三開 kɨn 文ᵚ kɯns

進 jìn

07412 璡 將鄰 精真平三開 tsin 真ᵑ skliŋ

07413 璡 即刃 精真去三開 tsin 真ᵑ skliŋs

07414 進[3] 即刃 精真去三開 tsin 真ᵑ skliŋs

巠 jīng

07415 葝 渠京 群庚平三開 giæŋ 耕 geŋ

07416 輕 去盈 溪清平三開 kʰiᴇŋ 耕 kʰeŋ

07417 蛵 去盈 溪清平三開 kʰiᴇŋ 耕 kʰeŋ

07418 鑋 去盈 溪清平三開 kʰiᴇŋ 耕 kʰeŋ

07419 桱 丑貞 徹清平三開 ʈʰiᴇŋ 耕 kʰleŋ

---

1 "進"又作"聿","進"上古作*skliŋs。

2 使动词*s.glinʔ>*sklinʔ。

3 《说文》"閵省声"。"薦"通"進",《礼记・祭义》:"嘗而薦之。"《大戴礼・曾子大孝》"薦"作"進"。见"巠"字注。

07420 頸 巨成 群清平三開 ɡiɛŋ 耕 ɡeŋ

07421 痙 巨成 群清平三開 ɡiɛŋ 耕 ɡeŋ

07422 葝 巨成 群清平三開 ɡiɛŋ 耕 ɡeŋ

07423 頸 居郢 見清上三開 kiɛŋ 耕 keŋʔ

07424 痙 巨郢 群清上三開 ɡiɛŋ 耕 ɡeŋʔ

07425 勁 居正 見清去三開 kiɛŋ 耕 keŋs

07426 輕 墟正 溪清去三開 kʰiɛŋ 耕 kʰeŋs

07427 經 古靈 見青平四開 keŋ 耕 ke̱ŋ

07428 涇 古靈 見青平四開 keŋ 耕 ke̱ŋ

07429 鵛 古靈 見青平四開 keŋ 耕 ke̱ŋ

07430 巠 古靈 見青平四開 keŋ 耕 ke̱ŋ

07431 陘 户經 匣青平四開 ɦeŋ 耕 ɡe̱ŋ

07432 娙 户經 匣青平四開 ɦeŋ 耕 ɡe̱ŋ

07433 鋞 户經 匣青平四開 ɦeŋ 耕 ɡe̱ŋ

07434 蛵 呼刑 曉青平四開 heŋ 耕 qʰe̱ŋ

07435 剄 古挺 見青上四開 keŋ 耕 ke̱ŋʔ

07436 脛 胡頂 匣青上四開 ɦeŋ 耕 ɡe̱ŋʔ

07437 鋞 胡頂 匣青上四開 ɦeŋ 耕 ɡe̱ŋʔ

07438 脛 胡頂 匣青上四開 ɦeŋ 耕 ɡe̱ŋʔ

07439 悻 胡頂 匣青上四開 ɦeŋ 耕 ɡe̱ŋʔ

07440 徑 古定 見青去四開 keŋ 耕 ke̱ŋs

07441 經 古定 見青去四開 keŋ 耕 ke̱ŋs

07442 逕 古定 見青去四開 keŋ 耕 ke̱ŋs

07443 俓 古定 見青去四開 keŋ 耕 ke̱ŋs

07444 桱 古定 見青去四開 keŋ 耕 ke̱ŋs

07445 窒 苦定 溪青去四開 kʰeŋ 耕 kʰe̱ŋs

07446 罄 苦定 溪青去四開 kʰeŋ 耕 kʰe̱ŋs

07447 鑋 苦定 溪青去四開 kʰeŋ 耕 kʰe̱ŋs

07448 脛 胡定 匣青去四開 ɦeŋ 耕 ɡe̱ŋs

07449 誙 口莖 溪耕平二開 kʰᵚɛŋ 耕 kʰʳe̱ŋ

07450 牼 口莖 溪耕平二開 kʰᵚɛŋ 耕 kʰʳe̱ŋ

07451 硜 口莖 溪耕平二開 kʰᵚɛŋ 耕 kʰʳe̱ŋ

07452 硜 口莖 溪耕平二開 kʰᵚɛŋ 耕 kʰʳe̱ŋ

07453 挳 口莖 溪耕平二開 kʰᵚɛŋ 耕 kʰʳe̱ŋ

07454 莖 户耕 匣耕平二開 ɦᵚɛŋ 耕 ɡʳe̱ŋ

07455 牼 户耕 匣耕平二開 ɦᵚɛŋ 耕 ɡʳe̱ŋ

07456 娙 五莖 疑耕平二開 ŋᵚɛŋ 耕 ŋɡʳe̱ŋ

07457 俓 五莖 疑耕平二開 ŋᵚɛŋ 耕 ŋɡʳe̱ŋ

07458 莖 烏莖 影耕平二開 ʔᵚɛŋ 耕 qʳe̱ŋ

07459 俓 五堅 疑先平四開 ŋen 元ᵉ ŋɡe̱n

07460 挳 苦閑 溪山平二開 kʰᵚɛn 元ᵉ kʰʳe̱n

京 jīng

07461 京 舉卿 見庚平三開 kiæŋ 陽 kʳaŋ

07462 麠 舉卿 見庚平三開 kiæŋ 陽 kʳaŋ

07463 勍 渠京 群庚平三開 ɡiæŋ 陽 ɡʳaŋ

07464 黥 渠京 群庚平三開 ɡiæŋ 陽 ɡʳaŋ

07465 鯨 渠京 群庚平三開 ɡiæŋ 陽 ɡʳaŋ

07466 涼 吕張 來陽平三開 liaŋ 陽 ɡ.raŋ

07467 颼 吕張 來陽平三開 liaŋ 陽 ɡ.raŋ

07468 椋 吕張 來陽平三開 liaŋ 陽 ɡ.raŋ

07469 瘬 吕張 來陽平三開 liaŋ 陽 ɡ.raŋ

07470 悢 吕張 來陽平三開 liaŋ 陽 ɡ.raŋ

07471 醇 吕張 來陽平三開 liaŋ 陽 ɡ.raŋ

07472 輬 吕張 來陽平三開 liaŋ 陽 ɡ.raŋ

07473 憬[1] 俱永 見庚上三合 kʷiæŋ 陽 kʳaŋʔ

07474 景 居影 見庚上三開 kiæŋ 陽 kʳaŋʔ

07475 影 於丙 影庚上三開 ʔiæŋ 陽 qʳaŋʔ

07476 倞 渠敬 群庚去三開 ɡiæŋ 陽 ɡʳaŋs

07477 亮[2] 力讓 來陽去三開 liaŋ 陽 ɡ.raŋs

07478 諒 力讓 來陽去三開 liaŋ 陽 ɡ.raŋs

07479 掠 力讓 來陽去三開 liaŋ 陽 ɡ.raŋs

07480 悢 力讓 來陽去三開 liaŋ 陽 ɡ.raŋs

07481 兢 力讓 來陽去三開 liaŋ 陽 ɡ.raŋs

07482 颼 力讓 來陽去三開 liaŋ 陽 ɡ.raŋs

07483 涼 力讓 來陽去三開 liaŋ 陽 ɡ.raŋs

07484 瘬 力尚 來陽去三開 liaŋ 陽 ɡ.raŋs

07485 掠 離灼 來藥入三開 liak 鐸 ɡ.raɡ

晶 jīng

07486 晶 子盈 精清平三開 tsiɛŋ 耕 skleŋ

競 jīng

07487 兢 居陵 見蒸平三開 kɨŋ 蒸 kʳɯŋ

井 jǐng

07488 荆 舉卿 見庚平三開 kiæŋ 耕 kʳeŋ

---

1 声符开口，个别二等字读入合口，卷舌音会圆唇化：*Cʳ-> Cʷᵚ-。

2 《诗·大雅·大明》“涼彼武王”，《经典释文》：“涼，《韓詩》作亮。”“涼”音*ɡ.raŋ。古汉越语 sang5 亮。故“亮”来自复辅音。“亮”的同根词“光”k-。由此可见“亮”当包含软腭音。

07489 邢 子郢 精清上三開 tsiɛŋ 耕 skeŋʔ
07490 井 子郢 精清上三開 tsiɛŋ 耕 skeŋʔ
07491 穽 疾郢 從清上三開 dziɛŋ 耕 sgeŋʔ
07492 姘 疾郢 從清上三開 dziɛŋ 耕 sgeŋʔ
07493 阱 疾郢 從清上三開 dziɛŋ 耕 sgeŋʔ
07494 穽 疾正 從清去三開 dziɛŋ 耕 sgeŋs
07495 穽 疾政 從清去三開 dziɛŋ 耕 sgeŋs
07496 硎 户經 匣青平四開 ɦeŋ 耕 ge̲ŋ
07497 荆 户經 匣青平四開 ɦeŋ 耕 ge̲ŋ
07498 刑 户經 匣青平四開 ɦeŋ 耕 ge̲ŋ
07499 形 户經 匣青平四開 ɦeŋ 耕 ge̲ŋ
07500 邢 户經 匣青平四開 ɦeŋ 耕 ge̲ŋ
07501 鈃 户經 匣青平四開 ɦeŋ 耕 ge̲ŋ
07502 型 户經 匣青平四開 ɦeŋ 耕 ge̲ŋ
07503 侀 户經 匣青平四開 ɦeŋ 耕 ge̲ŋ
07504 耕 古莖 見耕平二開 kᵚɛŋ 耕 kʳe̲ŋ
07505 硎 客庚 溪耕平二開 kʰᵚɛŋ 耕 kʰʳe̲ŋ
07506 邢 苦堅 溪先平四開 kʰen 真ᵑ kʰi̲ŋ

竟 jìng

07507 境 居影 見庚上三開 kiæŋ 陽 kʳaŋʔ
07508 饙 於丙 影庚上三開 ʔiæŋ 陽 qʳaŋʔ
07509 撓 於丙 影庚上三開 ʔiæŋ 陽 qʳaŋʔ
07510 滰 其兩 群陽上三開 giaŋ 陽 gaŋʔ
07511 竟 居慶 見庚去三開 kiæŋ 陽 kʳaŋs
07512 鏡 居慶 見庚去三開 kiæŋ 陽 kʳaŋs

敬 jìng

07513 驚 舉卿 見庚平三開 kiæŋ 耕 kʳeŋ
07514 蟼 舉卿 見庚平三開 kiæŋ 耕 kʳeŋ
07515 檠 渠京 群庚平三開 giæŋ 耕 gʳeŋ
07516 擎 渠京 群庚平三開 giæŋ 耕 gʳeŋ
07517 儆 居影 見庚上三開 kiæŋ 耕 kʳeŋʔ
07518 璥 居影 見庚上三開 kiæŋ 耕 kʳeŋʔ
07519 警 居影 見庚上三開 kiæŋ 耕 kʳeŋʔ
07520 蟼 居影 見庚上三開 kiæŋ 耕 kʳeŋʔ
07521 橄 居影 見庚上三開 kiæŋ 耕 kʳeŋʔ
07522 憼 居影 見庚上三開 kiæŋ 耕 kʳeŋʔ
07523 敬 居慶 見庚去三開 kiæŋ 耕 kʳeŋs
07524 檠 渠敬 群庚去三開 giæŋ 耕 gʳeŋs
07525 儆 渠敬 群庚去三開 giæŋ 耕 gʳeŋs
07526 憼 居兩 見陽上三開 kiaŋ 陽 kaŋʔ
07527 蟼[1] 古牙 見佳平二開 kᵚɛ 佳 kʳe̲

競 jìng

07528 誩 其兩 群陽上三開 giaŋ 陽 gaŋʔ
07529 競 渠敬 群庚去三開 giæŋ 陽 gʳaŋs
07530 誩 渠敬 群庚去三開 giæŋ 陽 gʳaŋs

冋 jiōng

07531 高 傾敻 溪清去三合 kʰʷiɛŋ 耕 kʷʰeŋs
07532 詗 休正 曉清去三合 hʷiɛŋ 耕 qʷʰeŋs
07533 扃 古螢 見青平四合 kʷeŋ 耕 kʷe̲ŋ
07534 駉 古螢 見青平四合 kʷeŋ 耕 kʷe̲ŋ
07535 坰 古螢 見青平四合 kʷeŋ 耕 kʷe̲ŋ
07536 絅 古螢 見青平四合 kʷeŋ 耕 kʷe̲ŋ
07537 冋 古螢 見青平四合 kʷeŋ 耕 kʷe̲ŋ
07538 炯 古迥 見青上四合 kʷeŋ 耕 kʷe̲ŋʔ
07539 絅 口迥 溪青上四合 kʰʷeŋ 耕 kʷʰe̲ŋʔ
07540 迥 户頂 匣青上四合 ɦʷeŋ 耕 gʷe̲ŋʔ
07541 冋 户頂 匣青上四合 ɦʷeŋ 耕 gʷe̲ŋʔ
07542 炯 户頂 匣青上四合 ɦʷeŋ 耕 gʷe̲ŋʔ
07543 泂 户頂 匣青上四合 ɦʷeŋ 耕 gʷe̲ŋʔ
07544 詗 火迥 曉青上四合 hʷeŋ 耕 qʷʰe̲ŋʔ

囧 jiǒng

07545 明[2] 武兵 明庚平三開 miæŋ 陽 mkʷʳaŋ
07546 盟[3] 武兵 明庚平三開 miæŋ 陽 mkʷʳaŋ
07547 鵬[4] 武兵 明庚平三開 miæŋ 陽 mkʷʳaŋ
07548 囧[5] 俱永 見庚上三合 kʷiæŋ 陽 kʷʳaŋʔ
07549 盟[6] 武永 明庚上三開 miæŋ 陽 mkʷʳaŋʔ
07550 莔 武庚 明庚平二開 mᵚæŋ 陽 mkʷʳa̲ŋ
07551 萌[7] 莫耕 明庚平二開 mᵚæŋ 陽 mkʷʳa̲ŋ

---

1 原为麻韵，但是根据谐声系统应该为佳韵，《切韵》音系二等有佳、麻的历史层次。

2 “明”的声符“囧”＊kʷʳaŋʔ，且“明”与“光”＊kʷʳa̲ŋ 义同。

3 可与“明”的读音相比较。

4 可与“明”的读音相比较。

5 郑张尚芳：读若獷，与“朙”同声符。

6 异体字“盟”。可与“明”的读音相比较。

7 可与“明”的读音相比较。原为耕韵，但是根据谐声系统应该为庚韵，《切韵》音系二等有庚、耕的历史层次。

07552	盟[1]	莫更	明庚去二開	mᵚæŋ	陽	mkʷʳa̠ŋs

炅 jiǒng

07553	炅	古迥	見青上四合	kʷeŋ	耕	kʷe̠ŋʔ

丩 jiū

07554	虯	居幽	見幽平三開	kɨu	幽	kʳu
07555	朻	居虯	見幽平三開	kɨu	幽	kʳu
07556	疝	居虯	見幽平三開	kɨu	幽	kʳu
07557	虯	渠幽	群幽平三開	ɡɨu	幽	ɡʳu
07558	觓	渠幽	群幽平三開	ɡɨu	幽	ɡʳu
07559	艽	居求	見尤平三合	kiu	幽	ku
07560	朻	居求	見尤平三合	kiu	幽	ku
07561	疝	居求	見尤平三合	kiu	幽	ku
07562	丩	居求	見尤平三合	kiu	幽	ku
07563	收	式州	書尤平三合	ɕiu	幽	qʰlu
07564	糾	居黝	見幽上三開	kɨu	幽	kʳuʔ
07565	赳	居黝	見幽上三開	kɨu	幽	kʳuʔ
07566	朻	居黝	見幽上三開	kɨu	幽	kʳuʔ
07567	玔	祁幼	群幽去三開	ɡɨu	幽	ɡʳus
07568	收	舒救	書尤去三開	ɕiu	幽	qʰlus
07569	艽	匹交	滂肴平二開	pʰᵚæu	幽	kʰʳu̠
07570	疝	古巧	見肴上二開	kᵚæu	幽	kʳu̠ʔ
07571	叫	古弔	見蕭去四開	keu	幽ⁱ	ki̠ʷs
07572	訆	古弔	見蕭去四開	keu	幽ⁱ	ki̠ʷs
07573	嘂	古弔	見蕭去四開	keu	幽ⁱ	ki̠ʷs
07574	窌	古弔	見蕭去四開	keu	幽ⁱ	ki̠ʷs
07575	莍	渠遥	群宵平A開	ɡiɛu	幽ⁱ	ɡiʷ

九 jiǔ

07576	馗[2]	渠追	群脂平B合	ɡʷɨi	幽ᵚ	ɡʷʳɯʷ
07577	艽	渠追	群脂平B合	ɡʷɨi	幽ᵚ	ɡʷʳɯʷ
07578	頄	渠追	群脂平B合	ɡʷɨi	幽ᵚ	ɡʷʳɯʷ
07579	甂	居洧	見脂上B合	kʷɨi	幽ᵚ	kʷʳɯʷʔ
07580	杭	居洧	見脂上B合	kʷɨi	幽ᵚ	kʷʳɯʷʔ
07581	軌	居洧	見脂上B合	kʷɨi	幽ᵚ	kʷʳɯʷʔ
07582	宄[3]	居洧	見脂上B合	kʷɨi	幽ᵚ	kʷʳɯʷʔ
07583	氿	居洧	見脂上B合	kʷɨi	幽ᵚ	kʷʳɯʷʔ
07584	鳩	居求	見尤平三合	kiu	幽	ku
07585	勼	居求	見尤平三合	kiu	幽	ku
07586	馗	去鳩	溪尤平三合	kʰiu	幽	kʰu
07587	仇	巨鳩	群尤平三合	ɡiu	幽	ɡu
07588	厹	巨鳩	群尤平三合	ɡiu	幽	ɡu
07589	頄	巨鳩	群尤平三合	ɡiu	幽	ɡu
07590	艽	巨鳩	群尤平三合	ɡiu	幽	ɡu
07591	鼽	巨鳩	群尤平三合	ɡiu	幽	ɡu
07592	杭	巨鳩	群尤平三合	ɡiu	幽	ɡu
07593	馗	巨鳩	群尤平三合	ɡiu	幽	ɡu
07594	犰	巨鳩	群尤平三合	ɡiu	幽	ɡu
07595	訅	巨鳩	群尤平三合	ɡiu	幽	ɡu
07596	肍	巨鳩	群尤平三合	ɡiu	幽	ɡu
07597	馗	巨鳩	群尤平三合	ɡiu	幽	ɡu
07598	九	舉有	見尤上三合	kiu	幽	kuʔ
07599	究	居祐	見尤去三合	kiu	幽	kus
07600	尻	苦刀	溪豪平一開	kʰɑu	幽	kʰu̠
07601	馗	苦刀	溪豪平一開	kʰɑu	幽	kʰu̠
07602	艽	古肴	見肴平二開	kᵚæu	幽	kʳu̠
07603	猇	胡茅	匣肴平二開	ɦᵚæu	幽	ɡʳu̠
07604	猇	許交	曉肴平二開	hᵚæu	幽	qʰʳu̠
07605	虓	許交	曉肴平二開	hᵚæu	幽	qʰʳu̠
07606	阬	居六	見屋入三合	kiuk	覺	kuɡ
07607	梳	居六	見屋入三合	kiuk	覺	kuɡ
07608	旭	許玉	曉燭入三合	hi̯ʊk	屋	qʰoɡ

久 jiǔ

07609	久[4]	舉有	見尤上三合	kiu	之	kʷˡɯʔ
07610	玖[5]	舉有	見尤上三合	kiu	之	kʷˡɯʔ
07611	灸[6]	舉有	見尤上三合	kiu	之	kʷˡɯʔ
07612	攵[7]	舉有	見尤上三合	kiu	之	kʷˡɯʔ
07613	羑[8]	與久	以尤上三合	jiu	之	ɢʷlɯʔ
07614	宊[9]	與久	以尤上三合	jiu	之	ɢʷlɯʔ

1　可与“明”的读音相比较。

2　在合口介音的异化下，韵尾消失，并入之部，可参考之部合口钝音演变为中古脂韵的规则：*Cʷʳɯʷ>*Cʷʳɯ>Cʷⁱi。

3　郑张尚芳：藏文 rku 盗。

4　见“又”字注。

5　见“又”字注。

6　见“又”字注。

7　见“又”字注。

8　见“又”字注。

9　见“又”字注。

07615 灸[1]居祐 見尤去三合 kiu 之 k^{wl}ɯs
07616 宊[2]居祐 見尤去三合 kiu 之 k^{wl}ɯs
07617 疚[3]居祐 見尤去三合 kiu 之 k^{wl}ɯs
07618 柩[4]巨救 群尤去三合 giu 之 g^{wl}ɯs

韭 jiǔ

07619 韭 舉有 見尤上三開 kiu 幽 kuʔ

𣪘 jiù

07620 簋 居洧 見脂上B 合 k^{w}ɨi 之 k^{wr}ɯʔ
07621 𣪘[5]去秋 溪尤平三合 k^{h}iu 之 k^{wh}ɯ
07622 𡤓[6]居黝 見尤上三合 kiu 之 k^{w}ɯʔ
07623 廄[7]居祐 見尤去三合 kiu 之 k^{w}ɯs
07624 𣪘[8]居祐 見尤去三合 kiu 之 k^{w}ɯs
07625 𨗋[9]居祐 見尤去三合 kiu 之 k^{w}ɯs
07626 𣪘[10]居佑 見尤去三合 kiu 之 k^{w}ɯs
07627 𩜰 居祐 見尤去三合 kiu 職 k^{w}ɯgs
07628 𡤓 古得 見德入一開 kək 職 kɯ̱g

臼 jiù

07629 舅 其九 群尤上三合 giu 幽 guʔ
07630 臼 其九 群尤上三合 giu 幽 guʔ
07631 齨 其九 群尤上三合 giu 幽 guʔ
07632 臬[11]其九 群尤上三合 giu 幽 guʔ
07633 舊 巨救 群尤去三合 giu 幽 g^{w}us

咎 jiù

07634 鮥 巨九 群尤上三合 giu 幽 guʔ
07635 倃 其九 群尤上三合 giu 幽 guʔ
07636 麔 其九 群尤上三合 giu 幽 guʔ
07637 咎 其九 群尤上三合 giu 幽 guʔ
07638 怨 其九 群尤上三合 giu 幽 guʔ
07639 綹 力久 來尤上三合 liu 幽 g.ruʔ
07640 鮥 巨救 群尤去三合 giu 幽 gus
07641 櫜 古勞 見豪平一開 kɑu 幽 kṳ
07642 咎 古勞 見豪平一開 kɑu 幽 kṳ
07643 鼛 古勞 見豪平一開 kɑu 幽 kṳ
07644 棓 古勞 見豪平一開 kɑu 幽 kṳ
07645 倃 古勞 見豪平一開 kɑu 幽 kṳ
07646 荅 古勞 見豪平一開 kɑu 幽 kṳ
07647 棓 古老 見豪上一開 kɑu 幽 kṳʔ
07648 𩰫 胡老 匣豪上一開 ɦɑu 幽 gṳʔ
07649 晷 居洧 見脂上B 合 k^{w}ɨi 之 k^{wr}ɯʔ
07650 厬 居洧 見脂上B 合 k^{w}ɨi 之 k^{wr}ɯʔ
07651 怨 巨鳩 群尤平三合 giu 之 g^{w}ɯ
07652 鮥 倚亥 影咍上一開 ʔəi 之 qɯ̱ʔ

就 jiù

07653 僦 即就 精尤去三合 tsiu 覺 skugs
07654 就[12]疾僦 從尤去三合 dziu 覺 sgugs
07655 鷲 疾僦 從尤去三合 dziu 覺 sgugs
07656 鷲 疾僦 從尤去三合 dziu 覺 sgugs
07657 蹴 子六 精屋入三合 tsiuk 覺 skug
07658 噈 子六 精屋入三合 tsiuk 覺 skug
07659 蹴 子六 精屋入三合 tsiuk 覺 skug
07660 蹴 七宿 清屋入三合 ts^{h}iuk 覺 sk^{h}ug

凥 jū

07661 凥 斤於 見魚平三開 kiɤ 魚 ka

䀠 jū

07662 䀠 舉朱 見虞平三合 kiʊ 魚 k^{w}a
07663 䀠 舉朱 見虞平三合 kiʊ 魚 k^{w}a
07664 奭 舉朱 見虞平三合 kiʊ 魚 k^{w}a
07665 蠷 其俱 群虞平三合 giʊ 魚 g^{w}a
07666 瞿 其俱 群虞平三合 giʊ 魚 g^{w}a
07667 欋 其俱 群虞平三合 giʊ 魚 g^{w}a
07668 趯 其俱 群虞平三合 giʊ 魚 g^{w}a
07669 鸜 權俱 群虞平三合 giʊ 魚 g^{w}a

---

1 见"又"字注。

2 见"又"字注。

3 见"又"字注。

4 见"又"字注。

5 见"又"字注。

6 《广韵》"居夭切",宵韵,之部不出现于上古宵部。但是《玉篇》"居夭切,又居黝切",《篆隶万象名义》仅"居黝反",可见"居夭切"后见。见"又"字注。

7 见"又"字注。

8 见"又"字注。

9 见"又"字注。

10 见"又"字注。

11 为"糗" *k^{h}uʔ 的同根词。

12 "就"通"造" *sgṳʔ,《银雀山汉墓竹简(贰)·其他·唐勒》:"人謂就(造)父登車嗛(攬)蓛(轡)。"故"就"上古读 *sgugs。

07670 曜 權俱 群虞平三合 giʊ 魚 g^{w}a
07671 擢 權俱 群虞平三合 giʊ 魚 g^{w}a
07672 忂 其俱 群虞平三合 giʊ 魚 g^{w}a
07673 氍 其俱 群虞平三合 giʊ 魚 g^{w}a
07674 衢 其俱 群虞平三合 giʊ 魚 g^{w}a
07675 臞 其俱 群虞平三合 giʊ 魚 g^{w}a
07676 鸜 其俱 群虞平三合 giʊ 魚 g^{w}a
07677 灈 其俱 群虞平三合 giʊ 魚 g^{w}a
07678 躣 其俱 群虞平三合 giʊ 魚 g^{w}a
07679 栗 況于 曉虞平三合 hiʊ 魚 q^{wh}a
07680 鑺 果羽 見虞上三合 kiʊ 魚 k^{w}aʔ
07681 䀠 九遇 見虞去三合 kiʊ 魚 k^{w}as
07682 忂 俱遇 見虞去三合 kiʊ 魚 k^{w}as
07683 鑺 俱遇 見虞去三合 kiʊ 魚 k^{w}as
07684 瞿 九遇 見虞去三合 kiʊ 魚 k^{w}as
07685 界 九遇 見虞去三合 kiʊ 魚 k^{w}as
07686 懼 其遇 群虞去三合 giʊ 魚 g^{w}as
07687 臞 其遇 群虞去三合 giʊ 魚 g^{w}as
07688 課 古罵 見麻去二合 k^{wɯ}æ 魚 k^{wr}a̠s
07689 趯 具籰 群藥入三合 g^{w}iak 鐸 g^{w}ag
07690 楔[1] 色角 生覺入二開 ʂ^{ɯ}ɔk 鐸 sk^{wr}a̠g
07691 界 苦礦 溪庚上二合 k^{hwɯ}æŋ 陽 k^{hr}a̠ŋʔ

匊 jú

07692 窾 居六 見屋入三合 kiuk 覺 kug
07693 鵴 居六 見屋入三合 kiuk 覺 kug
07694 䱡 居六 見屋入三合 kiuk 覺 kug
07695 椈 居六 見屋入三合 kiuk 覺 kug
07696 踘 居六 見屋入三合 kiuk 覺 kug
07697 趜 居六 見屋入三合 kiuk 覺 kug
07698 蘜 居六 見屋入三合 kiuk 覺 kug
07699 菊 居六 見屋入三合 kiuk 覺 kug
07700 鞠[2] 居六 見屋入三合 kiuk 覺 kug
07701 蘜 居六 見屋入三合 kiuk 覺 kug
07702 掬 居六 見屋入三合 kiuk 覺 kug
07703 匊 居六 見屋入三合 kiuk 覺 kug
07704 鞫 居六 見屋入三合 kiuk 覺 kug
07705 蘜 丘六 溪屋入三合 k^{h}iuk 覺 k^{h}ug
07706 麴 驅匊 溪屋入三合 k^{h}iuk 覺 k^{h}ug
07707 鞠 驅匊 溪屋入三合 k^{h}iuk 覺 k^{h}ug
07708 匔 驅匊 溪屋入三合 k^{h}iuk 覺 k^{h}ug
07709 驧 渠竹 群屋入三合 giuk 覺 gug
07710 趜 渠竹 群屋入三合 giuk 覺 gug
07711 䱡 渠竹 群屋入三合 giuk 覺 gug
07712 鵴 渠竹 群屋入三合 giuk 覺 gug
07713 鞠 渠竹 群屋入三合 giuk 覺 gug
07714 蛐 渠竹 群屋入三合 giuk 覺 gug
07715 踘 渠竹 群屋入三合 giuk 覺 gug
07716 匔 渠竹 群屋入三合 giuk 覺 gug
07717 䱡 丘玉 溪燭入三合 k^{h}i̯ʊk 屋 k^{h}og

𡰪 jú

07718 𡰪 古禄 見屋入一合 kuk 屋 ko̠g

臼 jú

07719 臼 居六 見屋入三合 kiuk 覺 kug
07720 舄 居六 見屋入三合 kiuk 覺 kug
07721 臼 居玉 見燭入三合 ki̯ʊk 屋 kog

狊 jú

07722 郹 古闃 見錫入四合 k^{w}ek 錫 k^{w}e̠g
07723 狊 古闃 見錫入四合 k^{w}ek 錫 k^{w}e̠g
07724 鶪 古闃 見錫入四合 k^{w}ek 錫 k^{w}e̠g
07725 湨 古闃 見錫入四合 k^{w}ek 錫 k^{w}e̠g
07726 椇 古闃 見錫入四合 k^{w}ek 錫 k^{w}e̠g
07727 䴗 古闃 見錫入四合 k^{w}ek 錫 k^{w}e̠g
07728 闃 苦鶪 溪錫入四合 k^{hw}ek 錫 k^{wh}e̠g
07729 䴗[3] 胡狄 匣錫入四開 ɦek 錫 ge̠g
07730 狊 呼狊 曉錫入四合 h^{w}ek 錫 q^{wh}e̠g

巨 jù

07731 渠 强魚 群魚平三開 giɤ 魚 ga
07732 蕖 强魚 群魚平三開 giɤ 魚 ga
07733 鰸 强魚 群魚平三開 giɤ 魚 ga
07734 璖 强魚 群魚平三開 giɤ 魚 ga
07735 鶋 求於 群魚平三開 giɤ 魚 ga

---

1 见“朔”字注。

2 李豪：据赵平安研究，“鞠”声字声符本作“𠦃”，象人在枷中之形，本为“梏”之表意初文，在隶楷文字中左侧讹变为“革”，《说文》遂分析为“从革匊声”，后来造的形声字也都以“匊”为声符。今将情况说明，声符仍定为“匊”。

3 此字原作“䴗”，误，段玉裁改作“䴗”。

07736 岠 求於 群魚平三開 ɡiɤ 魚 ɡa
07737 柜 居許 見魚上三開 kiɤ 魚 kaʔ
07738 岠 臼許 群魚上三開 ɡiɤ 魚 ɡaʔ
07739 巨 其吕 群魚上三開 ɡiɤ 魚 ɡaʔ
07740 拒 其吕 群魚上三開 ɡiɤ 魚 ɡaʔ
07741 秬 其吕 群魚上三開 ɡiɤ 魚 ɡaʔ
07742 距 其吕 群魚上三開 ɡiɤ 魚 ɡaʔ
07743 炬 其吕 群魚上三開 ɡiɤ 魚 ɡaʔ
07744 粔 其吕 群魚上三開 ɡiɤ 魚 ɡaʔ
07745 鉅 其吕 群魚上三開 ɡiɤ 魚 ɡaʔ
07746 苣 其吕 群魚上三開 ɡiɤ 魚 ɡaʔ
07747 駏 其吕 群魚上三開 ɡiɤ 魚 ɡaʔ
07748 詎 其吕 群魚上三開 ɡiɤ 魚 ɡaʔ
07749 岠 其吕 群魚上三開 ɡiɤ 魚 ɡaʔ
07750 齟 其吕 群魚上三開 ɡiɤ 魚 ɡaʔ
07751 岠 其吕 群魚上三開 ɡiɤ 魚 ɡaʔ
07752 矩[1] 俱雨 見虞上三合 kiʊ 魚 kʷaʔ
07753 詎 其據 群魚去三開 ɡiɤ 魚 ɡas

具 jù

07754 暴 居玉 見燭入三合 ki̯ʊk 屋 koɡ
07755 㬥 居玉 見燭入三合 ki̯ʊk 屋 koɡ
07756 㬥 居玉 見燭入三合 ki̯ʊk 屋 koɡ
07757 俱 舉朱 見虞平三合 kiʊ 侯 ko
07758 椇 俱雨 見虞上三合 kiʊ 侯 koʔ
07759 具 其遇 群虞去三合 ɡiʊ 侯 ɡos

卷 juǎn

07760 勬 拘員 見仙平B 合 kʷɨᴇn 元° kʳon
07761 弮 丘圓 溪仙平B 合 kʰʷɨᴇn 元° kʰʳon
07762 棬 丘圓 溪仙平B 合 kʰʷɨᴇn 元° kʰʳon
07763 鬈 丘圓 溪仙平B 合 kʰʷɨᴇn 元° kʰʳon
07764 錈 驅圓 溪仙平B 合 kʰʷɨᴇn 元° kʰʳon
07765 觠 巨員 群仙平B 合 ɡʷɨᴇn 元° ɡʳon
07766 拳 巨員 群仙平B 合 ɡʷɨᴇn 元° ɡʳon
07767 惓 逵員 群仙平B 合 ɡʷɨᴇn 元° ɡʳon
07768 踡 巨員 群仙平B 合 ɡʷɨᴇn 元° ɡʳon
07769 婘 巨員 群仙平B 合 ɡʷɨᴇn 元° ɡʳon
07770 犈 巨員 群仙平B 合 ɡʷɨᴇn 元° ɡʳon
07771 蠸 巨員 群仙平B 合 ɡʷɨᴇn 元° ɡʳon
07772 卷 巨員 群仙平B 合 ɡʷɨᴇn 元° ɡʳon
07773 埢 巨員 群仙平B 合 ɡʷɨᴇn 元° ɡʳon
07774 鬈 巨員 群仙平B 合 ɡʷɨᴇn 元° ɡʳon
07775 蜷 巨員 群仙平B 合 ɡʷɨᴇn 元° ɡʳon
07776 捲 巨員 群仙平B 合 ɡʷɨᴇn 元° ɡʳon
07777 捲 居轉 見仙上B 合 kʷɨᴇn 元° s.ɡʳonʔ
07778 埢 居轉 見仙上B 合 kʷɨᴇn 元° kʳonʔ
07779 卷[2] 居轉 見仙上B 合 kʷɨᴇn 元° s.ɡʳonʔ
07780 菤 居轉 見仙上B 合 kʷɨᴇn 元° kʳonʔ
07781 錈 居轉 見仙上B 合 kʷɨᴇn 元° kʳonʔ
07782 陞 居轉 見仙上B 合 kʷɨᴇn 元° kʳonʔ
07783 圈 渠篆 群仙上B 合 ɡʷɨᴇn 元° ɡʳonʔ
07784 蔨 渠篆 群仙上B 合 ɡʷɨᴇn 元° ɡʳonʔ
07785 捲 居倦 見仙去B 合 kʷɨᴇn 元° kʳons
07786 弮 居倦 見仙去B 合 kʷɨᴇn 元° kʳons
07787 桊 居倦 見仙去B 合 kʷɨᴇn 元° kʳons
07788 帣 居倦 見仙去B 合 kʷɨᴇn 元° kʳons
07789 絭 居倦 見仙去B 合 kʷɨᴇn 元° kʳons
07790 犈 居倦 見仙去B 合 kʷɨᴇn 元° kʳons
07791 觠 居倦 見仙去B 合 kʷɨᴇn 元° kʳons
07792 鲞 居倦 見仙去B 合 kʷɨᴇn 元° kʳons
07793 养 居倦 見仙去B 合 kʷɨᴇn 元° kʳons
07794 埢 居倦 見仙去B 合 kʷɨᴇn 元° kʳons
07795 弆 居倦 見仙去B 合 kʷɨᴇn 元° kʳons
07796 卷 居倦 見仙去B 合 kʷɨᴇn 元° kʳons
07797 眷 居倦 見仙去B 合 kʷɨᴇn 元° kʳons
07798 豢 區倦 溪仙去B 合 kʰʷɨᴇn 元° kʰʳons
07799 韏 渠卷 群仙去B 合 ɡʷɨᴇn 元° ɡʳons
07800 倦 逵眷 群仙去B 合 ɡʷɨᴇn 元° ɡʳons
07801 倦 渠卷 群仙去B 合 ɡʷɨᴇn 元° ɡʳons
07802 褑 於袁 影元平三合 ʔʷiɤn 元° qon
07803 綣 去阮 溪元上三合 kʰʷiɤn 元° kʰonʔ
07804 棬 去阮 溪元上三合 kʰʷiɤn 元° kʰonʔ
07805 䅌 去阮 溪元上三合 kʰʷiɤn 元° kʰonʔ
07806 錈 窘遠 群元上三合 ɡʷiɤn 元° ɡonʔ
07807 豢 求晚 群元上三合 ɡʷiɤn 元° ɡonʔ
07808 圈 求晚 群元上三合 ɡʷiɤn 元° ɡonʔ

1 声符“巨”开口，可能受“规矩”一词的连读影响，“矩”变成合口。

2 自动词“巨員切”，使动词“居轉切”*s.ɡʳonʔ>*kʳonʔ。

07809 卷 求晚 群元上三合 g^{w}iɤn 元^{o} gonʔ
07810 桊 居願 見元去三合 k^{w}iɤn 元^{o} kons
07811 券 去願 溪元去三合 k^{hw}iɤn 元^{o} k^{h}ons
07812 絭 去願 溪元去三合 k^{hw}iɤn 元^{o} k^{h}ons
07813 綣 去願 溪元去三合 k^{hw}iɤn 元^{o} k^{h}ons
07814 韏 去願 溪元去三合 k^{hw}iɤn 元^{o} k^{h}ons
07815 圈 臼万 群元去三合 g^{w}iɤn 元^{o} gons
07816 豢 胡慣 匣删去二合 ɦ^{wɯ}æn 元^{o} g^{r}o̱ns
07817 蔨 渠殞 群真上B合 g^{w}ɨin 文^{u} g^{r}unʔ
07818 腃 丘愧 溪脂去B合 k^{hw}ɨi 微^{u} k^{hr}uls
07819 桊 居玉 見燭入三合 ki̯ʊk 屋 kog

雋 juàn

07820 鐫 子泉 精仙平三合 ts^{w}iᴇn 元^{o} skon
07821 臇 子兖 精仙上三合 ts^{w}iᴇn 元^{o} skonʔ
07822 蠵 子兖 精仙上三合 ts^{w}iᴇn 元^{o} skonʔ
07823 蠵 粗兖 從仙上三合 dz^{w}iᴇn 元^{o} sgonʔ
07824 雋 徂兖 從仙上三合 dz^{w}iᴇn 元^{o} sgonʔ
07825 檇 醉綏 精脂平三合 ts^{w}i 微^{u} skul
07826 檇 將遂 精脂去三合 ts^{w}i 微^{u} skuls
07827 檇 昨回 從灰平一合 dzu̯oi 微^{u} sgu̱l
07828 臇 遵爲 精支平三合 ts^{w}ie 歌^{o} skol

罥 juàn

07829 嬛 縈緣 影仙平A合 ʔ^{w}iᴇn 元^{e} q^{w}en
07830 嬛 於緣 影仙平A合 ʔ^{w}iᴇn 元^{e} q^{w}en
07831 嬛 於權 影仙平B合 ʔ^{w}ɨᴇn 元^{e} q^{wr}en
07832 睘[1] 於建 影元去三合 ʔ^{w}iɤn 元^{e} q^{w}ens
07833 嬛 縈玄 影先平四合 ʔ^{w}en 元^{e} q^{w}e̱n
07834 嬛 逶鰥 影山平二合 ʔ^{wɯ}ɛn 元^{e} q^{wr}e̱n
07835 嬛 委鰥 影山平二合 ʔ^{wɯ}ɛn 元^{e} q^{wr}e̱n
07836 嬛 紆權 影仙平B合 ʔ^{w}ɨᴇn 元^{a} q^{wr}an
07837 願 魚怨 疑元去三合 ŋ^{w}iɤn 元^{a} ŋg^{w}ans
07838 罥 古倦 見仙去B合 k^{w}ɨᴇn 元^{o} k^{r}ons

衏 juàn

07839 衏 古縣 見先去四合 k^{w}en 元^{e} k^{w}e̱ns

亅 jué

07840 亅 其月 群月入三合 g^{w}iɤt 月^{o} god

𠄌 jué

07841 𠄌 居月 見月入三合 k^{w}iɤt 月^{o} kod

孓 jué

07842 孓 居月 見月入三合 k^{w}iɤt 月^{o} kod
07843 孓 九勿 見物入三合 kiut 物^{u} kud

氒 jué

07844 氒 居月 見月入三合 k^{w}iɤt 月^{o} kod

谷 jué

07845 谻 几劇 見陌入三開 kiæk 鐸 k^{r}ag
07846 㤿 几劇 見陌入三開 kiæk 鐸 k^{r}ag
07847 郤 綺戟 溪陌入三開 k^{h}iæk 鐸 k^{hr}ag
07848 綌 綺戟 溪陌入三開 k^{h}iæk 鐸 k^{hr}ag
07849 㣣 綺戟 溪陌入三開 k^{h}iæk 鐸 k^{hr}ag
07850 谻 奇逆 群陌入三開 giæk 鐸 gag
07851 㤿 奇逆 群陌入三開 giæk 鐸 gag
07852 腳 居勺 見藥入三開 kiak 鐸 kag
07853 卻 居勺 見藥入三開 kiak 鐸 kag
07854 卻 去約 溪藥入三開 k^{h}iak 鐸 k^{h}ag
07855 㣣 其虐 群藥入三開 giak 鐸 gag
07856 蝌 其虐 群藥入三開 giak 鐸 gag
07857 谷 其虐 群藥入三開 giak 鐸 gag
07858 蝌[2] 丘擭 溪陌入二合 k^{hwɯ}æk 鐸 k^{hr}a̱g
07859 㭕[3] 下革 匣陌入二開 ɦ^{ɯ}æk 鐸 g^{r}a̱g

欮 jué

07860 橛 姑衛 見祭去B合 k^{w}ɨᴇi 月^{o} k^{r}ods
07861 嶡 姑衛 見祭去B合 k^{w}ɨᴇi 月^{o} k^{r}ods
07862 鱖 居衛 見祭去B合 k^{w}ɨᴇi 月^{o} k^{r}ods
07863 蹶 居衛 見祭去B合 k^{w}ɨᴇi 月^{o} k^{r}ods
07864 蹶 紀劣 見薛入B合 k^{w}ɨᴇt 月^{o} k^{r}od

---

1 "睘"《说文》"拳勇字","拳"当为声训,合口。从"睘"得声的字都为合口。《说文》"睘"又"讀若傿","傿"开口,应为误读。"睘"《广韵》"於建切",反切上字"於"属于模韵,反切上字"於"合口,反切下字"建"开口,有可能切为合口字。

2 声符口开,个别二等字读入合口:*C^{r}->C^{ɯ}->C^{w}-。

3 原为麦韵,但是根据谐声系统应该为陌韵,《切韵》音系二等有陌、麦的历史层次。

07865 劂 居月 見月入三合 k^{w}iɤt 月^{o} kod
07866 厥 居月 見月入三合 k^{w}iɤt 月^{o} kod
07867 蹶 居月 見月入三合 k^{w}iɤt 月^{o} kod
07868 𧾵 居月 見月入三合 k^{w}iɤt 月^{o} kod
07869 瘚 居月 見月入三合 k^{w}iɤt 月^{o} kod
07870 𠩺 居月 見月入三合 k^{w}iɤt 月^{o} kod
07871 蕨 居月 見月入三合 k^{w}iɤt 月^{o} kod
07872 欮 居月 見月入三合 k^{w}iɤt 月^{o} kod
07873 蹷 居月 見月入三合 k^{w}iɤt 月^{o} kod
07874 橜 居月 見月入三合 k^{w}iɤt 月^{o} kod
07875 撅 居月 見月入三合 k^{w}iɤt 月^{o} kod
07876 鱖 居月 見月入三合 k^{w}iɤt 月^{o} kod
07877 𩪄 居月 見月入三合 k^{w}iɤt 月^{o} kod
07878 嶡 居月 見月入三合 k^{w}iɤt 月^{o} kod
07879 闕 去月 溪月入三合 k^{hw}iɤt 月^{o} k^{h}od
07880 鱖 其月 群月入三合 g^{w}iɤt 月^{o} god
07881 鷢 其月 群月入三合 g^{w}iɤt 月^{o} god
07882 橜 其月 群月入三合 g^{w}iɤt 月^{o} god
07883 撅 其月 群月入三合 g^{w}iɤt 月^{o} god
07884 厥 九勿 見物入三合 kiut 物^{u} kud

絶 jué

07885 蕝 子芮 精祭去三合 ts^{w}iᴇi 月^{o} sods
07886 脃 此芮 清祭去三合 ts^{hw}iᴇi 月^{o} s^{h}ods
07887 蕝 子悦 精薛入三合 ts^{w}iᴇt 月^{o} sod
07888 絶 情雪 從薛入三合 dz^{w}iᴇt 月^{o} zod

爵 jué

07889 釂 子肖 精宵去三開 tsiᴇu 藥^{e} skeg^{w}s
07890 𥌋 子肖 精宵去三開 tsiᴇu 藥^{e} skeg^{w}s
07891 爝 子肖 精宵去三開 tsiᴇu 藥^{e} skeg^{w}s
07892 爵 即略 精藥入三開 tsiak 藥^{e} skeg^{w}
07893 爝 即略 精藥入三開 tsiak 藥^{e} skeg^{w}
07894 𥌋 在爵 從藥入三開 dziak 藥^{e} sgeg^{w}
07895 嚼 在爵 從藥入三開 dziak 藥^{e} sgeg^{w}
07896 爝 在爵 從藥入三開 dziak 藥^{e} sgeg^{w}
07897 穱 側角 莊覺入二開 tʂ^{ɯ}ɔk 藥^{e} skre̱g^{w}
07898 灂 士角 崇覺入二開 dʐ^{ɯ}ɔk 藥^{e} sgre̱g^{w}

𢇍 jué

07899 蠿[1] 陟劣 知薛入三合 ʈ^{w}iᴇt 月^{o} klod
07900 𢇍 情雪 從薛入三合 dz^{w}iᴇt 月^{o} zod

矍 jué

07901 玃 居縛 見藥入三合 k^{w}iak 鐸 k^{w}ag
07902 𧾍 居縛 見藥入三合 k^{w}iak 鐸 k^{w}ag
07903 钁 居縛 見藥入三合 k^{w}iak 鐸 k^{w}ag
07904 攫 居縛 見藥入三合 k^{w}iak 鐸 k^{w}ag
07905 矍 居縛 見藥入三合 k^{w}iak 鐸 k^{w}ag
07906 彏 居縛 見藥入三合 k^{w}iak 鐸 k^{w}ag
07907 躩 居縛 見藥入三合 k^{w}iak 鐸 k^{w}ag
07908 躩 丘縛 溪藥入三合 k^{hw}iak 鐸 k^{wh}ag
07909 戄 具籰 群藥入三合 g^{w}iak 鐸 g^{w}ag
07910 貜 具籰 群藥入三合 g^{w}iak 鐸 g^{w}ag
07911 彏 許縛 曉藥入三合 h^{w}iak 鐸 q^{wh}ag
07912 戄 許縛 曉藥入三合 h^{w}iak 鐸 q^{wh}ag

君 jūn

07913 頵 居筠 見真平B合 k^{w}ɨin 文^{u} k^{r}un
07914 莙 居筠 見真平B合 k^{w}ɨin 文^{u} k^{r}un
07915 輑 去倫 溪真平B合 k^{hw}ɨin 文^{u} k^{hr}un
07916 峮 去倫 溪真平B合 k^{hw}ɨin 文^{u} k^{hr}un
07917 頵 於倫 影真平B合 ʔ^{w}ɨin 文^{u} q^{r}un
07918 僒 苦磒 溪真上B合 k^{hw}ɨin 文^{u} k^{hr}unʔ
07919 僒 渠殞 群真上B合 g^{w}ɨin 文^{u} g^{r}unʔ
07920 窘 渠殞 群真上B合 g^{w}ɨin 文^{u} g^{r}unʔ
07921 莙 渠殞 群真上B合 g^{w}ɨin 文^{u} g^{r}unʔ
07922 君 舉云 見文平三合 kiun 文^{u} kun
07923 莙 舉云 見文平三合 kiun 文^{u} kun
07924 宭 舉云 見文平三合 kiun 文^{u} kun
07925 群[2] 渠云 群文平三合 giun 文^{u} gun
07926 帬 渠云 群文平三合 giun 文^{u} gun
07927 裙 渠云 群文平三合 giun 文^{u} gun
07928 宭 渠云 群文平三合 giun 文^{u} gun
07929 𤸱 渠云 群文平三合 giun 文^{u} gun
07930 攟 衢云 群文平三合 giun 文^{u} gun
07931 焄 許云 曉文平三合 hiun 文^{u} q^{h}un
07932 捃 居運 見文去三合 kiun 文^{u} kuns
07933 郡 渠運 群文去三合 giun 文^{u} guns

1 此字《广韵》作“蠿”。
2 《广韵》又同“羣”。武鸣壮语(李方桂 1953)kloŋ55。

07934 涒 他昆 透魂平一合 t^{h}u̯on 文^{u} k^{h}lu̯n
07935 ⿸疒君[1] 五還 疑山平二合 ŋ^{wɯ}ɛn 文^{u} ŋg^{r}u̯n
07936 僒 拘員 見仙平B合 k^{w}ɨᴇn 元^{o} k^{r}on
07937 僒 逵員 群仙平B合 g^{w}ɨᴇn 元^{o} g^{r}on
07938 僒 苦會 溪灰去一合 k^{h}u̯oi 微^{u} k^{h}u̯ls

軍 jūn

07939 軍 舉云 見文平三合 kiun 文^{u} kun
07940 皸 舉云 見文平三合 kiun 文^{u} kun
07941 葷 許云 曉文平三合 hiun 文^{u} q^{h}un
07942 齳 魚吻 疑文上三合 ŋiun 文^{u} ŋgunʔ
07943 喗 魚吻 疑文上三合 ŋiun 文^{u} ŋgunʔ
07944 惲 於粉 影文上三合 ʔiun 文^{u} qunʔ
07945 皸 居運 見文去三合 kiun 文^{u} kuns
07946 運 王問 云文去三合 ɦ^{i}iun 文^{u} ɢ^{r}uns
07947 暈 王問 云文去三合 ɦ^{i}iun 文^{u} ɢ^{r}uns
07948 餫 王問 云文去三合 ɦ^{i}iun 文^{u} ɢ^{r}uns
07949 韗 王問 云文去三合 ɦ^{i}iun 文^{u} ɢ^{r}uns
07950 鄆 王問 云文去三合 ɦ^{i}iun 文^{u} ɢ^{r}uns
07951 鶤 王問 云文去三合 ɦ^{i}iun 文^{u} ɢ^{r}uns
07952 緷 王問 云文去三合 ɦ^{i}iun 文^{u} ɢ^{r}uns
07953 褌 古渾 見魂平一合 ku̯on 文^{u} ku̯n
07954 ⿰巾軍 古渾 見魂平一合 ku̯on 文^{u} ku̯n
07955 鶤 古渾 見魂平一合 ku̯on 文^{u} ku̯n
07956 ⿱韋軍 户昆 匣魂平一合 ɦu̯on 文^{u} gu̯n
07957 煇 户昆 匣魂平一合 ɦu̯on 文^{u} gu̯n
07958 ⿰馬軍 户昆 匣魂平一合 ɦu̯on 文^{u} gu̯n
07959 ⿰犭軍 户昆 匣魂平一合 ɦu̯on 文^{u} gu̯n
07960 鼲 户昆 匣魂平一合 ɦu̯on 文^{u} gu̯n
07961 楎 户昆 匣魂平一合 ɦu̯on 文^{u} gu̯n
07962 渾 户昆 匣魂平一合 ɦu̯on 文^{u} gu̯n
07963 ⿰亻軍 户昆 匣魂平一合 ɦu̯on 文^{u} gu̯n
07964 ⿰車軍 户昆 匣魂平一合 ɦu̯on 文^{u} gu̯n
07965 餫 户昆 匣魂平一合 ɦu̯on 文^{u} gu̯n
07966 ⿰亻軍 牛昆 疑魂平一合 ŋu̯on 文^{u} ŋgu̯n
07967 緷 古本 見魂上一合 ku̯on 文^{u} ku̯nʔ
07968 渾 胡本 匣魂上一合 ɦu̯on 文^{u} gu̯nʔ
07969 緷 胡本 匣魂上一合 ɦu̯on 文^{u} gu̯nʔ
07970 睴 胡本 匣魂上一合 ɦu̯on 文^{u} gu̯nʔ
07971 煇 胡本 匣魂上一合 ɦu̯on 文^{u} gu̯nʔ
07972 睴 古困 見魂去一合 ku̯on 文^{u} ku̯ns
07973 揮 許歸 曉微平三合 h^{w}ɤi 微^{u} q^{h}ul
07974 輝 許歸 曉微平三合 h^{w}ɤi 微^{u} q^{h}ul
07975 暉 許歸 曉微平三合 h^{w}ɤi 微^{u} q^{h}ul
07976 翬 許歸 曉微平三合 h^{w}ɤi 微^{u} q^{h}ul
07977 楎 許歸 曉微平三合 h^{w}ɤi 微^{u} q^{h}ul
07978 ⿰犭軍 許歸 曉微平三合 h^{w}ɤi 微^{u} q^{h}ul
07979 煇 許歸 曉微平三合 h^{w}ɤi 微^{u} q^{h}ul
07980 ⿰車軍[2] 虚言 曉元平三合 h^{w}iɤn 元^{o} q^{h}on
07981 韗 虚願 曉元去三合 h^{w}iɤn 元^{o} q^{h}ons
07982 ⿱韋軍 户關 匣刪平二合 ɦ^{wɯ}æn 元^{o} g^{r}o̯n

竷 kǎn

07983 ⿱贛音 古禫 見覃上一開 kəm 談^{o} ko̯mʔ
07984 贛 古禫 見覃上一開 kəm 談^{o} ko̯mʔ
07985 ⿷匚贛 古禫 見覃上一開 kəm 談^{o} ko̯mʔ
07986 ⿱艹贛 古禫 見覃上一開 kəm 談^{o} ko̯mʔ
07987 竷 苦感 溪覃上一開 k^{h}əm 談^{o} k^{h}o̯mʔ
07988 ⿱艹贛 古暗 見覃去一開 kəm 談^{o} ko̯ms
07989 贛 古暗 見覃去一開 kəm 談^{o} ko̯ms
07990 竷 苦紺 溪覃去一開 k^{h}əm 談^{o} k^{h}o̯ms
07991 贛 古送 見東去一合 kuŋ 東 ko̯ŋs
07992 ⿷匚贛 古送 見東去一合 kuŋ 東 ko̯ŋs
07993 ⿱艹贛 古送 見東去一合 kuŋ 東 ko̯ŋs
07994 戇 呼貢 曉東去一合 huŋ 東 q^{h}o̯ŋs
07995 戇[3] 陟降 知江去二開 ʈ^{ɯ}ɔŋ 終 klu̯ŋs

亢 kàng

07996 笐 古郎 見唐平一開 kɑŋ 陽 ka̯ŋ
07997 航 古郎 見唐平一開 kɑŋ 陽 ka̯ŋ
07998 迒 古郎 見唐平一開 kɑŋ 陽 ka̯ŋ
07999 亢 古郎 見唐平一開 kɑŋ 陽 ka̯ŋ
08000 苀 古郎 見唐平一開 kɑŋ 陽 ka̯ŋ
08001 䀭 居郎 見唐平一開 kɑŋ 陽 ka̯ŋ
08002 邟 苦岡 溪唐平一開 k^{h}ɑŋ 陽 k^{h}a̯ŋ

---

1 原为删韵，但是根据谐声系统应该为山韵，《切韵》音系二等有山、删的历史层次。

2 从“軍”的谐声系列中，主元音都带圆唇元音，“⿰車軍”胡昆切上古是*gu̯n。“⿰車軍”虚言切一读，反切下字开口，但是“虚”是鱼韵字，常切作合口。故“⿰車軍”中古当是元韵合口，上古是*q^{h}on。

3 见定母和澄母“荼”字注。

08003	航	胡郎	匣唐平一開	ɦɑŋ	陽	ga̱ŋ
08004	迒	胡郎	匣唐平一開	ɦɑŋ	陽	ga̱ŋ
08005	頏	胡郎	匣唐平一開	ɦɑŋ	陽	ga̱ŋ
08006	魧	胡郎	匣唐平一開	ɦɑŋ	陽	ga̱ŋ
08007	邟	胡郎	匣唐平一開	ɦɑŋ	陽	ga̱ŋ
08008	杭	胡郎	匣唐平一開	ɦɑŋ	陽	ga̱ŋ
08009	沆	胡郎	匣唐平一開	ɦɑŋ	陽	ga̱ŋ
08010	蚢	胡郎	匣唐平一開	ɦɑŋ	陽	ga̱ŋ
08011	肮	胡郎	匣唐平一開	ɦɑŋ	陽	ga̱ŋ
08012	苀	胡郎	匣唐平一開	ɦɑŋ	陽	ga̱ŋ
08013	抗	胡郎	匣唐平一開	ɦɑŋ	陽	ga̱ŋ
08014	吭	胡郎	匣唐平一開	ɦɑŋ	陽	ga̱ŋ
08015	斻	寒剛	匣唐平一開	ɦɑŋ	陽	ga̱ŋ
08016	炕	呼郎	曉唐平一開	hɑŋ	陽	q^{h}a̱ŋ
08017	忼	呼郎	曉唐平一開	hɑŋ	陽	q^{h}a̱ŋ
08018	㫰	岡朗	見唐上一開	kɑŋ	陽	ka̱ŋʔ
08019	𣅝	舉朗	見唐上一開	kɑŋ	陽	ka̱ŋʔ
08020	瓬	舉朗	見唐上一開	kɑŋ	陽	ka̱ŋʔ
08021	忼	苦朗	溪唐上一開	k^{h}ɑŋ	陽	k^{h}a̱ŋʔ
08022	骯	苦朗	溪唐上一開	k^{h}ɑŋ	陽	k^{h}a̱ŋʔ
08023	炕	苦朗	溪唐上一開	k^{h}ɑŋ	陽	k^{h}a̱ŋʔ
08024	沆	胡朗	匣唐上一開	ɦɑŋ	陽	ga̱ŋʔ
08025	骯	胡朗	匣唐上一開	ɦɑŋ	陽	ga̱ŋʔ
08026	鈧	胡朗	匣唐上一開	ɦɑŋ	陽	ga̱ŋʔ
08027	蚢	胡朗	匣唐上一開	ɦɑŋ	陽	ga̱ŋʔ
08028	吭	胡朗	匣唐上一開	ɦɑŋ	陽	ga̱ŋʔ
08029	𣅝	居浪	見唐去一開	kɑŋ	陽	ka̱ŋs
08030	抗	苦浪	溪唐去一開	k^{h}ɑŋ	陽	k^{h}a̱ŋs
08031	閌	苦浪	溪唐去一開	k^{h}ɑŋ	陽	k^{h}a̱ŋs
08032	炕	苦浪	溪唐去一開	k^{h}ɑŋ	陽	k^{h}a̱ŋs
08033	犺	苦浪	溪唐去一開	k^{h}ɑŋ	陽	k^{h}a̱ŋs
08034	伉	苦浪	溪唐去一開	k^{h}ɑŋ	陽	k^{h}a̱ŋs
08035	亢	苦浪	溪唐去一開	k^{h}ɑŋ	陽	k^{h}a̱ŋs
08036	蚢	苦浪	溪唐去一開	k^{h}ɑŋ	陽	k^{h}a̱ŋs
08037	砊	苦浪	溪唐去一開	k^{h}ɑŋ	陽	k^{h}a̱ŋs
08038	邟	苦浪	溪唐去一開	k^{h}ɑŋ	陽	k^{h}a̱ŋs
08039	阬	苦浪	溪唐去一開	k^{h}ɑŋ	陽	k^{h}a̱ŋs
08040	頏	苦浪	溪唐去一開	k^{h}ɑŋ	陽	k^{h}a̱ŋs
08041	吭	下浪	匣唐去一開	ɦɑŋ	陽	ga̱ŋs
08042	笐	下浪	匣唐去一開	ɦɑŋ	陽	ga̱ŋs
08043	秔	古行	見庚平二開	$k^{ɯ}$æŋ	陽	k^{r}a̱ŋ
08044	阬	客庚	溪庚平二開	$k^{hɯ}$æŋ	陽	k^{hr}a̱ŋ
08045	砊	客庚	溪庚平二開	$k^{hɯ}$æŋ	陽	k^{hr}a̱ŋ

丂 kǎo

08046	朽	許久	曉尤上三合	hiu	幽	q^{h}uʔ
08047	㽱	許久	曉尤上三合	hiu	幽	q^{h}uʔ
08048	考	苦浩	溪豪上一開	k^{h}ɑu	幽	k^{h}u̱ʔ
08049	栲	苦浩	溪豪上一開	k^{h}ɑu	幽	k^{h}u̱ʔ
08050	丂	苦浩	溪豪上一開	k^{h}ɑu	幽	k^{h}u̱ʔ
08051	攷	苦浩	溪豪上一開	k^{h}ɑu	幽	k^{h}u̱ʔ
08052	拷	苦浩	溪豪上一開	k^{h}ɑu	幽	k^{h}u̱ʔ
08053	巧	苦絞	溪肴上二開	$k^{hɯ}$æu	幽	k^{hr}u̱ʔ
08054	巧	苦教	溪肴去二開	$k^{hɯ}$æu	幽	k^{hr}u̱s

可 kě

08055	畸	居宜	見支平B 開	kɨe	歌^{a}	kal
08056	羈	居宜	見支平B 開	kɨe	歌^{a}	kal
08057	掎	居宜	見支平B 開	kɨe	歌^{a}	kal
08058	攲	居宜	見支平B 開	kɨe	歌^{a}	kal
08059	奇	居宜	見支平B 開	kɨe	歌^{a}	kal
08060	㱦	居宜	見支平B 開	kɨe	歌^{a}	kal
08061	椅	居宜	見支平B 開	kɨe	歌^{a}	kal
08062	觭	去奇	溪支平B 開	k^{h}ɨe	歌^{a}	k^{h}al
08063	踦	去奇	溪支平B 開	k^{h}ɨe	歌^{a}	k^{h}al
08064	㱦	去奇	溪支平B 開	k^{h}ɨe	歌^{a}	k^{h}al
08065	崎	去奇	溪支平B 開	k^{h}ɨe	歌^{a}	k^{h}al
08066	碕	去奇	溪支平B 開	k^{h}ɨe	歌^{a}	k^{h}al
08067	猗	去奇	溪支平B 開	k^{h}ɨe	歌^{a}	k^{h}al
08068	攲	去奇	溪支平B 開	k^{h}ɨe	歌^{a}	k^{h}al
08069	錡	渠羈	群支平B 開	gɨe	歌^{a}	gal
08070	奇	渠羈	群支平B 開	gɨe	歌^{a}	gal
08071	琦	渠羈	群支平B 開	gɨe	歌^{a}	gal
08072	騎	渠羈	群支平B 開	gɨe	歌^{a}	gal
08073	鵸	渠羈	群支平B 開	gɨe	歌^{a}	gal
08074	碕	渠羈	群支平B 開	gɨe	歌^{a}	gal
08075	漪	於離	影支平B 開	ʔɨe	歌^{a}	qal
08076	猗	於離	影支平B 開	ʔɨe	歌^{a}	qal
08077	椅	於離	影支平B 開	ʔɨe	歌^{a}	qal
08078	旖	於離	影支平B 開	ʔɨe	歌^{a}	qal
08079	陭	於離	影支平B 開	ʔɨe	歌^{a}	qal

08080 欹 於離 影支平B 開 ʔɨe 歌^{a} qal
08081 犄 於離 影支平B 開 ʔɨe 歌^{a} qal
08082 檹 於離 影支平B 開 ʔɨe 歌^{a} qal
08083 剞 居綺 見支上B 開 kɨe 歌^{a} kalʔ
08084 踦 居綺 見支上B 開 kɨe 歌^{a} kalʔ
08085 𣧑 居綺 見支上B 開 kɨe 歌^{a} kalʔ
08086 攲 居綺 見支上B 開 kɨe 歌^{a} kalʔ
08087 掎 居綺 見支上B 開 kɨe 歌^{a} kalʔ
08088 綺 墟彼 溪支上B 開 k^{h}ɨe 歌^{a} k^{h}alʔ
08089 碕[1] 墟彼 溪支上B 開 k^{h}ɨe 歌^{a} k^{h}alʔ
08090 觭 墟彼 溪支上B 開 k^{h}ɨe 歌^{a} k^{h}alʔ
08091 徛 渠綺 群支上B 開 ɡɨe 歌^{a} ɡalʔ
08092 錡 渠綺 群支上B 開 ɡɨe 歌^{a} ɡalʔ
08093 錡 魚倚 疑支上B 開 ŋɨe 歌^{a} ŋgalʔ
08094 齮 魚倚 疑支上B 開 ŋɨe 歌^{a} ŋgalʔ
08095 倚 於綺 影支上B 開 ʔɨe 歌^{a} qalʔ
08096 猗 於綺 影支上B 開 ʔɨe 歌^{a} qalʔ
08097 椅 於綺 影支上B 開 ʔɨe 歌^{a} qalʔ
08098 旖 於綺 影支上B 開 ʔɨe 歌^{a} qalʔ
08099 輢 於綺 影支上B 開 ʔɨe 歌^{a} qalʔ
08100 寄 居義 見支去B 開 kɨe 歌^{a} kals
08101 徛 居義 見支去B 開 kɨe 歌^{a} kals
08102 掎 卿義 溪支去B 開 k^{h}ɨe 歌^{a} k^{h}als
08103 騎 奇寄 群支去B 開 ɡɨe 歌^{a} ɡals
08104 輢 奇寄 群支去B 開 ɡɨe 歌^{a} ɡals
08105 倚 於義 影支去B 開 ʔɨe 歌^{a} qals
08106 輢 於義 影支去B 開 ʔɨe 歌^{a} qals
08107 陭 於義 影支去B 開 ʔɨe 歌^{a} qals
08108 牁 古俄 見歌平一開 kɑ 歌^{a} ka̱l
08109 歌 古俄 見歌平一開 kɑ 歌^{a} ka̱l
08110 柯 古俄 見歌平一開 kɑ 歌^{a} ka̱l
08111 菏 古俄 見歌平一開 kɑ 歌^{a} ka̱l
08112 [氵哥] 古俄 見歌平一開 kɑ 歌^{a} ka̱l
08113 哥 古俄 見歌平一開 kɑ 歌^{a} ka̱l
08114 䮫 古俄 見歌平一開 kɑ 歌^{a} ka̱l
08115 珂 苦何 溪歌平一開 k^{h}ɑ 歌^{a} k^{h}a̱l
08116 軻 苦何 溪歌平一開 k^{h}ɑ 歌^{a} k^{h}a̱l
08117 河 胡歌 匣歌平一開 ɦɑ 歌^{a} ɡa̱l
08118 荷 胡歌 匣歌平一開 ɦɑ 歌^{a} ɡa̱l
08119 菏 胡歌 匣歌平一開 ɦɑ 歌^{a} ɡa̱l
08120 苛 胡歌 匣歌平一開 ɦɑ 歌^{a} ɡa̱l
08121 何 胡歌 匣歌平一開 ɦɑ 歌^{a} ɡa̱l
08122 阿 烏何 影歌平一開 ʔɑ 歌^{a} qa̱l
08123 娿 烏何 影歌平一開 ʔɑ 歌^{a} qa̱l
08124 痾 烏何 影歌平一開 ʔɑ 歌^{a} qa̱l
08125 妸 烏何 影歌平一開 ʔɑ 歌^{a} qa̱l
08126 訶 虎何 曉歌平一開 hɑ 歌^{a} q^{h}a̱l
08127 抲 虎何 曉歌平一開 hɑ 歌^{a} q^{h}a̱l
08128 哿 古我 見歌上一開 kɑ 歌^{a} ka̱lʔ
08129 舸 古我 見歌上一開 kɑ 歌^{a} ka̱lʔ
08130 笴 古我 見歌上一開 kɑ 歌^{a} ka̱lʔ
08131 可[2] 枯我 溪歌上一開 k^{h}ɑ 歌^{a} k^{h}a̱lʔ
08132 岢 枯我 溪歌上一開 k^{h}ɑ 歌^{a} k^{h}a̱lʔ
08133 軻 枯我 溪歌上一開 k^{h}ɑ 歌^{a} k^{h}a̱lʔ
08134 坷 枯我 溪歌上一開 k^{h}ɑ 歌^{a} k^{h}a̱lʔ
08135 何 胡可 匣歌上一開 ɦɑ 歌^{a} ɡa̱lʔ
08136 荷 胡可 匣歌上一開 ɦɑ 歌^{a} ɡa̱lʔ
08137 閜 烏可 影歌上一開 ʔɑ 歌^{a} qa̱lʔ
08138 妸 烏可 影歌上一開 ʔɑ 歌^{a} qa̱lʔ
08139 娿 烏可 影歌上一開 ʔɑ 歌^{a} qa̱lʔ
08140 砢 來可 來歌上一開 lɑ 歌^{a} ɡ.ra̱lʔ
08141 坷 口箇 溪歌去一開 k^{h}ɑ 歌^{a} k^{h}a̱ls
08142 軻 口箇 溪歌去一開 k^{h}ɑ 歌^{a} k^{h}a̱ls
08143 呵[3] 呼箇 曉歌去一開 hɑ 歌^{a} q^{h}a̱ls
08144 [口閜] 許下 曉麻上二開 h^{ɯ}æ 歌^{a} q^{h}a̱lʔ
08145 閜 許下 曉麻上二開 h^{ɯ}æ 歌^{a} q^{h}a̱lʔ

---

1 上古歌^{a}的支韵字中，出现A类的只“碕”一个字，而且与B类的异读都有相同的语义“曲岸也”，所以它很可能就是A类的误读。

2 上古主元音不带e的歌、月、元钝音中，三等只出现于B类，没有A类字（除几个小舌音带*ol>^{*w}el的字外）。B类来自上古的C^{r}-，这几个韵部都不出现无标记的C-，这是不可能的，这只能说明部分B类是后起的。举“可”得声的谐声系列为例，它们只有B类与一等字，仅有几个二等字，如呵、诃、猗、歌为叹声、嘘气、呵斥、咏言，最有可能是简单辅音。除此以外，“皮”“我”得声的字也有可能带简单声母。汉语三等介音是后起的，刚产生的时候是ɯ之类的音，以后向前舌位的方向变化：ɯ>ɨ>i。其中的i是无标记类。带前高元音的韵部中，C^{r}-会变成B类，简单声母中C-则变成A类。上述的几个韵部都带央后元音，在三等介音的音变中不会变成无标记的A类i，剩下无标记类的B类。不过，这些韵部的B类字，哪些是带介音^{r}，还不能一个个加以确定。

3 重纽B类与二等谐声，因为它们都带有C^{r}-的声母类型。上古歌^{a}、月^{a}、元^{a}几个韵部中，三等只出现于B类，没有A类字，这说明部分B类是后起的。以“可”得声的字中，三等字只有B类，不见于二等字，可见B类是后来产生。“呵”“诃”“猗”“歌”为叹声、嘘气、呵斥、咏言，不太可能以复辅音作为声母。

08146	疴	枯駕	溪麻去二開	k^{hɯ}æ	歌^{a}	k^{h}a̱ls
08147	⿰口閜	呼訝	曉麻去二開	h^{ɯ}æ	歌^{a}	q^{hr}a̱ls
08148	碕	渠希	群微平三開	gɤi	微^{ɯ}	gɯl
08149	崎	渠希	群微平三開	gɤi	微^{ɯ}	gɯl
08150	笴	古旱	見寒上一開	kɑn	元^{a}	ka̱nʔ

克 kè

08151	克	苦得	溪德入一開	k^{h}ək	職	k^{h}ɯ̱g
08152	剋	苦得	溪德入一開	k^{h}ək	職	k^{h}ɯ̱g

肯 kěn

08153	肯	苦等	溪登上一開	k^{h}əŋ	蒸	k^{h}ɯ̱ŋʔ

孔 kǒng

08154	芤	墟侯	溪侯平一合	k^{h}u	侯	k^{h}o̱
08155	吼	呼后	曉侯上一合	hu	侯	q^{h}o̱ʔ
08156	吼	呼漏	曉侯去一合	hu	侯	q^{h}o̱s
08157	孔	康董	溪東上一合	k^{h}uŋ	東	k^{h}o̱ŋʔ

口 kǒu

08158	袧	恭于	見虞平三合	kiʊ	侯	ko
08159	拘	舉朱	見虞平三合	kiʊ	侯	ko
08160	駒	舉朱	見虞平三合	kiʊ	侯	ko
08161	跔	舉朱	見虞平三合	kiʊ	侯	ko
08162	鮈	舉朱	見虞平三合	kiʊ	侯	ko
08163	痀	舉朱	見虞平三合	kiʊ	侯	ko
08164	劬	其俱	群虞平三合	giʊ	侯	go
08165	軥	其俱	群虞平三合	giʊ	侯	go
08166	朐	其俱	群虞平三合	giʊ	侯	go
08167	鴝	其俱	群虞平三合	giʊ	侯	go
08168	鼩	其俱	群虞平三合	giʊ	侯	go
08169	斪	其俱	群虞平三合	giʊ	侯	go
08170	句	其俱	群虞平三合	giʊ	侯	go
08171	葋	其俱	群虞平三合	giʊ	侯	go
08172	⿰黽句	其俱	群虞平三合	giʊ	侯	go
08173	絇	其俱	群虞平三合	giʊ	侯	go
08174	姁	其俱	群虞平三合	giʊ	侯	go
08175	蚼	其俱	群虞平三合	giʊ	侯	go
08176	狗	其俱	群虞平三合	giʊ	侯	go
08177	欨	況于	曉虞平三合	hiʊ	侯	q^{h}o
08178	姁	況于	曉虞平三合	hiʊ	侯	q^{h}o
08179	枸	俱雨	見虞上三合	kiʊ	侯	koʔ
08180	⿰禾匊	俱雨	見虞上三合	kiʊ	侯	koʔ
08181	狗	俱雨	見虞上三合	kiʊ	侯	koʔ
08182	蒟	俱雨	見虞上三合	kiʊ	侯	koʔ
08183	竘	驅雨	溪虞上三合	k^{h}iʊ	侯	k^{h}oʔ
08184	姁	況羽	曉虞上三合	hiʊ	侯	q^{h}oʔ
08185	欨	況羽	曉虞上三合	hiʊ	侯	q^{h}oʔ
08186	煦	況羽	曉虞上三合	hiʊ	侯	q^{h}oʔ
08187	煦	況羽	曉虞上三合	hiʊ	侯	q^{h}oʔ
08188	句	九遇	見虞去三合	kiʊ	侯	kos
08189	蒟	九遇	見虞去三合	kiʊ	侯	kos
08190	絇	九遇	見虞去三合	kiʊ	侯	kos
08191	怐	九遇	見虞去三合	kiʊ	侯	kos
08192	邭	九遇	見虞去三合	kiʊ	侯	kos
08193	泃	俱遇	見虞去三合	kiʊ	侯	kos
08194	昫	香句	曉虞去三合	hiʊ	侯	q^{h}os
08195	呴	香句	曉虞去三合	hiʊ	侯	q^{h}os
08196	姁	香句	曉虞去三合	hiʊ	侯	q^{h}os
08197	煦	香句	曉虞去三合	hiʊ	侯	q^{h}os
08198	鉤	古侯	見侯平一合	ku	侯	ko̱
08199	⿰句刂	古侯	見侯平一合	ku	侯	ko̱
08200	枸	古侯	見侯平一合	ku	侯	ko̱
08201	句	古侯	見侯平一合	ku	侯	ko̱
08202	軥	古侯	見侯平一合	ku	侯	ko̱
08203	鴝	古侯	見侯平一合	ku	侯	ko̱
08204	袧	居侯	見侯平一合	ku	侯	ko̱
08205	泃	居侯	見侯平一合	ku	侯	ko̱
08206	齁	呼侯	曉侯平一合	hu	侯	q^{h}o̱
08207	茍	古厚	見侯上一合	ku	侯	ko̱ʔ
08208	玽	古厚	見侯上一合	ku	侯	ko̱ʔ
08209	笱	古厚	見侯上一合	ku	侯	ko̱ʔ
08210	耇	古厚	見侯上一合	ku	侯	ko̱ʔ
08211	枸	古厚	見侯上一合	ku	侯	ko̱ʔ
08212	敂	舉后	見侯上一合	ku	侯	ko̱ʔ
08213	狗[1]	古厚	見侯上一合	ku	侯	k^{l}o̱ʔ
08214	口	苦后	溪侯上一合	k^{h}u	侯	k^{h}o̱ʔ
08215	扣	苦后	溪侯上一合	k^{h}u	侯	k^{h}o̱ʔ

1 古汉越语 cho5，ch 来自复辅音。全州瑶语 klu（狗）。所以“狗”上古是 *k^{l}o̱ʔ。

08216 釦 苦后 溪侯上一合 k^{h}u 侯 k^{h}o̱ʔ

08217 叩 苦后 溪侯上一合 k^{h}u 侯 k^{h}o̱ʔ

08218 訆 苦后 溪侯上一合 k^{h}u 侯 k^{h}o̱ʔ

08219 邛 苦后 溪侯上一合 k^{h}u 侯 k^{h}o̱ʔ

08220 竘 苦后 溪侯上一合 k^{h}u 侯 k^{h}o̱ʔ

08221 呴 呼后 曉侯上一合 hu 侯 q^{h}o̱ʔ

08222 蚼 呼后 曉侯上一合 hu 侯 q^{h}o̱ʔ

08223 雊 古候 見侯去一合 ku 侯 ko̱s

08224 句 古候 見侯去一合 ku 侯 ko̱s

08225 軥 古候 見侯去一合 ku 侯 ko̱s

08226 怐 古候 見侯去一合 ku 侯 ko̱s

08227 袧 居候 見侯去一合 ku 侯 ko̱s

08228 怐 苦候 溪侯去一合 k^{h}u 侯 k^{h}o̱s

08229 扣 苦候 溪侯去一合 k^{h}u 侯 k^{h}o̱s

08230 敂 丘堠 溪侯去一合 k^{h}u 侯 k^{h}o̱s

08231 袧 丘堠 溪侯去一合 k^{h}u 侯 k^{h}o̱s

08232 訽 胡遘 匣侯去一合 ɦu 侯 go̱s

08233 訽 呼漏 曉侯去一合 hu 侯 q^{h}o̱s

08234 怐 呼漏 曉侯去一合 hu 侯 q^{h}o̱s

08235 佝 呼漏 曉侯去一合 hu 侯 q^{h}o̱s

08236 挶 居玉 見燭入三合 ki̯ʊk 屋 kog

08237 梮 居玉 見燭入三合 ki̯ʊk 屋 kog

08238 局 渠玉 群燭入三合 gi̯ʊk 屋 gog

08239 跼 渠玉 群燭入三合 gi̯ʊk 屋 gog

08240 駶 渠玉 群燭入三合 gi̯ʊk 屋 gog

寇 kòu

08241 滱 恪侯 溪侯平一合 k^{h}u 侯 k^{h}o̱

08242 寇 丘堠 溪侯去一合 k^{h}u 侯 k^{h}o̱s

圣 kū

08243 圣 苦骨 溪没入一合 k^{h}u̯ot 物^{u} k^{h}u̱d

08244 怪 古壞 見皆去二合 k^{wɯ}ɛi 物^{u} k^{r}u̱ds

08245 経 古壞 見皆去二合 k^{wɯ}ɛi 物^{u} k^{r}u̱ds

哭 kū

08246 哭[1] 空谷 溪屋入一合 k^{h}uk 屋 ŋ̊o̱g

卄 kuà

08247 卄[2] 苦瓦 溪佳上二合 k^{hwɯ}ɛ 佳 k^{whr}e̱ʔ

08248 卄[3] 苦化 溪佳去二合 k^{hwɯ}ɛ 佳 k^{whr}e̱s

甴 kuài

08249 甴[4] 苦對 溪灰去一合 k^{h}u̯oi 物^{ɯ} k^{h}ɯ̱ds

08250 屆 古拜 見皆去二開 k^{ɯ}ɛi 物^{ɯ} k^{r}ɯ̱ds

蒯 kuài

08251 蔽 古壞 見皆去二合 k^{wɯ}ɛi 物^{u} k^{r}u̱ds

08252 蒯[5] 苦怪 溪皆去二合 k^{hwɯ}ɛi 物^{u} k^{hr}u̱ds

08253 蒯 苦怪 溪皆去二合 k^{hwɯ}ɛi 物^{u} k^{hr}u̱ds

08254 郙[6] 苦賣 溪皆去二合 k^{hwɯ}ɛi 物^{u} k^{hr}u̱ds

款 kuǎn

08255 款 苦管 溪寒上一合 k^{hw}ɑn 元^{o} k^{h}o̱nʔ

08256 窾 苦管 溪寒上一合 k^{hw}ɑn 元^{o} k^{h}o̱nʔ

夔 kuí

08257 踦 居追 見脂平B 合 k^{w}ɨi 之 k^{wr}ɯ

08258 夔 渠追 群脂平B 合 g^{w}ɨi 之 g^{wr}ɯ

08259 踦 渠追 群脂平B 合 g^{w}ɨi 之 g^{wr}ɯ

08260 頯 渠追 群脂平B 合 g^{w}ɨi 之 g^{wr}ɯ

08261 頯 居洧 見脂上B 合 k^{w}ɨi 之 k^{wr}ɯʔ

夔 kuí

08262 夔 渠追 群脂平B 合 g^{w}ɨi 微^{u} g^{r}ul

08263 躨 渠追 群脂平B 合 g^{w}ɨi 微^{u} g^{r}ul

坤 kūn

08264 坤 苦昆 溪魂平一合 k^{h}u̯on 文^{u} k^{h}u̱n

昆 kūn

08265 箟 去倫 溪真平B 合 k^{hw}ɨin 文^{u} k^{hr}un

---

1 藏文同源词 ŋu 哭。

2 原为麻韵，但是根据谐声系统应该为佳韵，《切韵》音系二等有佳、麻的历史层次。

3 原为麻韵，但是根据谐声系统应该为佳韵，《切韵》音系二等有佳、麻的历史层次。

4 见“存”字注。

5 通“塊”，故为物^{u}部。

6 原为佳韵，但是根据谐声系统应该为皆韵，《切韵》音系二等有皆、佳的历史层次。《玉篇》“苦怪切”作皆韵去声。

08266 蜫 古渾 見魂平一合 ku̯on 文ᵘ ku̱n

08267 昆 古渾 見魂平一合 ku̯on 文ᵘ ku̱n

08268 崑 古渾 見魂平一合 ku̯on 文ᵘ ku̱n

08269 琨 古渾 見魂平一合 ku̯on 文ᵘ ku̱n

08270 鵾 古渾 見魂平一合 ku̯on 文ᵘ ku̱n

08271 鯤 古渾 見魂平一合 ku̯on 文ᵘ ku̱n

08272 惃 古渾 見魂平一合 ku̯on 文ᵘ ku̱n

08273 錕 古渾 見魂平一合 ku̯on 文ᵘ ku̱n

08274 猑 古渾 見魂平一合 ku̯on 文ᵘ ku̱n

08275 騉 古渾 見魂平一合 ku̯on 文ᵘ ku̱n

08276 蜫 胡昆 匣魂平一合 ɦu̯on 文ᵘ ɡu̱n

08277 餛 户昆 匣魂平一合 ɦu̯on 文ᵘ ɡu̱n

08278 緄 古本 見魂上一合 ku̯on 文ᵘ ku̱nʔ

08279 輥 古本 見魂上一合 ku̯on 文ᵘ ku̱nʔ

08280 惃 古本 見魂上一合 ku̯on 文ᵘ ku̱nʔ

08281 硍 古本 見魂上一合 ku̯on 文ᵘ ku̱nʔ

08282 錕 古本 見魂上一合 ku̯on 文ᵘ ku̱nʔ

08283 混 胡本 匣魂上一合 ɦu̯on 文ᵘ ɡu̱nʔ

08284 焜 胡本 匣魂上一合 ɦu̯on 文ᵘ ɡu̱nʔ

08285 棍 胡本 匣魂上一合 ɦu̯on 文ᵘ ɡu̱nʔ

08286 掍 胡本 匣魂上一合 ɦu̯on 文ᵘ ɡu̱nʔ

蚰 kūn

08287 蚰 古渾 見魂平一合 ku̯on 文ᵘ ku̱n

壼 kǔn

08288 壼[1] 去倫 溪真平B合 kʰʷɨin 文ᵘ kʰʳun

08289 壼 苦本 溪魂上一合 kʰu̯on 文ᵘ kʰu̱nʔ

困 kùn

08290 頵 苦昆 溪魂平一合 kʰu̯on 文ᵘ kʰu̱n

08291 梱 牛昆 疑魂平一合 ŋu̯on 文ᵘ ŋɡu̱n

08292 閫 苦本 溪魂上一合 kʰu̯on 文ᵘ kʰu̱nʔ

08293 悃 苦本 溪魂上一合 kʰu̯on 文ᵘ kʰu̱nʔ

08294 梱 苦本 溪魂上一合 kʰu̯on 文ᵘ kʰu̱nʔ

08295 齫 苦本 溪魂上一合 kʰu̯on 文ᵘ kʰu̱nʔ

08296 硱 苦本 溪魂上一合 kʰu̯on 文ᵘ kʰu̱nʔ

08297 捆 苦本 溪魂上一合 kʰu̯on 文ᵘ kʰu̱nʔ

08298 綑 苦本 溪魂上一合 kʰu̯on 文ᵘ kʰu̱nʔ

08299 困 苦悶 溪魂去一合 kʰu̯on 文ᵘ kʰu̱ns

08300 頵 苦悶 溪魂去一合 kʰu̯on 文ᵘ kʰu̱ns

剌 là

08301 賴 落蓋 來泰去一開 lɑi 月ᵃ ɡ.ra̱ds

08302 籟 落蓋 來泰去一開 lɑi 月ᵃ ɡ.ra̱ds

08303 癩 落蓋 來泰去一開 lɑi 月ᵃ ɡ.ra̱ds

08304 瀨 落蓋 來泰去一開 lɑi 月ᵃ ɡ.ra̱ds

08305 藾 落蓋 來泰去一開 lɑi 月ᵃ ɡ.ra̱ds

08306 鰊 落蓋 來泰去一開 lɑi 月ᵃ ɡ.ra̱ds

08307 瀨 落蓋 來泰去一開 lɑi 月ᵃ ɡ.ra̱ds

08308 鰊 他達 透曷入一開 tʰɑt 月ᵃ kʰla̱d

08309 蝲 他達 透曷入一開 tʰɑt 月ᵃ kʰla̱d

08310 獺 他達 透曷入一開 tʰɑt 月ᵃ kʰla̱d

08311 剌[2] 盧達 來曷入一開 lɑt 月ᵃ ɡ.ra̱d

08312 瘌 盧達 來曷入一開 lɑt 月ᵃ ɡ.ra̱d

08313 攋 盧達 來曷入一開 lɑt 月ᵃ ɡ.ra̱d

08314 癩 盧達 來曷入一開 lɑt 月ᵃ ɡ.ra̱d

08315 揦 盧達 來曷入一開 lɑt 月ᵃ ɡ.ra̱d

08316 瑓 盧達 來曷入一開 lɑt 月ᵃ ɡ.ra̱d

08317 梀 盧達 來曷入一開 lɑt 月ᵃ ɡ.ra̱d

08318 獺 他鎋 徹鎋入二開 ʈʰᵚæt 月ᵃ kʰla̱d

08319 懶[3] 落旱 來寒上一開 lɑn 元ᵃ ɡ.ra̱nʔ

來 lái

08320 倈 里之 來之平三開 lɨ 之 ɡ.rɯ

08321 𪏭 里之 來之平三開 lɨ 之 ɡ.rɯ

08322 誺 丑吏 徹之去三開 ʈʰɨ 之 kʰrɯs

08323 𪏭 落哀 來咍平一開 ləi 之 ɡ.rɯ̱

08324 峚 落哀 來咍平一開 ləi 之 ɡ.rɯ̱

08325 來 落哀 來咍平一開 ləi 之 ɡ.rɯ̱

08326 萊 落哀 來咍平一開 ləi 之 ɡ.rɯ̱

08327 郲 落哀 來咍平一開 ləi 之 ɡ.rɯ̱

08328 騋 落哀 來咍平一開 ləi 之 ɡ.rɯ̱

08329 峽 落哀 來咍平一開 ləi 之 ɡ.rɯ̱

08330 猍 落哀 來咍平一開 ləi 之 ɡ.rɯ̱

08331 淶 落哀 來咍平一開 ləi 之 ɡ.rɯ̱

1 《广韵》作"壼"。

2 《上海博物馆藏战国楚竹书(壹)・孔子诗论》,"剌文"通"烈文","烈" *ɡ.red 通"剌" *ɡ.ra̱d,故为带前冠音的声母。

3 泰文 graan,懒惰的。故"懒"带有冠音的声母 *ɡ.r-。

08332	鯠	落哀	來咍平一開	ləi	之	g.rɯ̠
08333	鶆	落哀	來咍平一開	ləi	之	g.rɯ̠
08334	䅘	落哀	來咍平一開	ləi	之	g.rɯ̠
08335	庲	落哀	來咍平一開	ləi	之	g.rɯ̠
08336	逨	落哀	來咍平一開	ləi	之	g.rɯ̠
08337	徠	落哀	來咍平一開	ləi	之	g.rɯ̠
08338	賚	洛代	來咍去一開	ləi	之	g.rɯ̠s
08339	萊	洛代	來咍去一開	ləi	之	g.rɯ̠s
08340	睞	洛代	來咍去一開	ləi	之	g.rɯ̠s
08341	徠	洛代	來咍去一開	ləi	之	g.rɯ̠s
08342	誺	洛代	來咍去一開	ləi	之	g.rɯ̠s
08343	覙	洛代	來咍去一開	ləi	之	g.rɯ̠s
08344	逨	洛代	來咍去一開	ləi	之	g.rɯ̠s
08345	勑	洛代	來咍去一開	ləi	之	g.rɯ̠s
08346	憖[1]	魚覲	疑真去B開	ŋɨin	蒸	ŋg^{r}ɯŋs
08347	猌[2]	魚覲	疑真去B開	ŋɨin	蒸	ŋg^{r}ɯŋs
08348	[illegible]	力珍	來真平三開	lin	文^{ɯ}	g.rɯn
08349	郲[3]	落猥	來灰上一合	lu̯oi	之	g.ru̠ʔ
08350	麥	莫獲	明麥入二開	m^{ɯ}ɛk	職	mg^{r}ɯ̠g

牢 láo

08351	浶	郎刀	來豪平一開	lɑu	幽	g.ru̠
08352	牢	魯刀	來豪平一開	lɑu	幽	g.ru̠
08353	哰	魯刀	來豪平一開	lɑu	幽	g.ru̠

勞 láo

08354	蟧	魯刀	來豪平一開	lɑu	宵^{a}	g.ra̠^{w}
08355	撈	魯刀	來豪平一開	lɑu	宵^{a}	g.ra̠^{w}
08356	勞	魯刀	來豪平一開	lɑu	宵^{a}	g.ra̠^{w}
08357	澇	魯刀	來豪平一開	lɑu	宵^{a}	g.ra̠^{w}
08358	澇	盧皓	來豪上一開	lɑu	宵^{a}	g.ra̠^{w}ʔ
08359	澇	郎到	來豪去一開	lɑu	宵^{a}	g.ra̠^{w}s
08360	勞	郎到	來豪去一開	lɑu	宵^{a}	g.ra̠^{w}s
08361	癆	郎到	來豪去一開	lɑu	宵^{a}	g.ra̠^{w}s
08362	[illegible]	郎到	來豪去一開	lɑu	宵^{a}	g.ra̠^{w}s
08363	嘮[4]	敕交	徹肴平二開	ʈ^{hɯ}æu	宵^{a}	k^{h}la̠^{w}
08364	膋	落蕭	來蕭平四開	leu	宵^{e}	g.re̠^{w}
08365	蟧	落蕭	來蕭平四開	leu	宵^{e}	g.re̠^{w}
08366	犖	吕角	來覺入二開	l^{ɯ}ɔk	藥^{a}	g.ra̠g^{w}

老 lǎo

08367	老	盧皓	來豪上一開	lɑu	幽	g.ru̠ʔ
08368	恅	盧皓	來豪上一開	lɑu	幽	g.ru̠ʔ

樂 lè

08369	爍	書藥	書藥入三開	ɕiak	藥^{o}	q^{h}log^{w}
08370	鑠	書藥	書藥入三開	ɕiak	藥^{o}	q^{h}log^{w}
08371	[illegible]	書藥	書藥入三開	ɕiak	藥^{o}	q^{h}log^{w}
08372	[illegible]	書藥	書藥入三開	ɕiak	藥^{o}	q^{h}log^{w}
08373	藥	以灼	以藥入三開	jiak	藥^{o}	ɢlog^{w}
08374	濼	以灼	以藥入三開	jiak	藥^{o}	ɢlog^{w}
08375	[illegible]	以灼	以藥入三開	jiak	藥^{o}	ɢlog^{w}
08376	[illegible]	以灼	以藥入三開	jiak	藥^{o}	ɢlog^{w}
08377	濼	匹各	滂鐸入一開	p^{h}ɑk	藥^{o}	pq^{hl}o̠g^{w}
08378	鱳	歷各	來鐸入一開	lɑk	藥^{o}	g.ro̠g^{w}
08379	樂	盧各	來鐸入一開	lɑk	藥^{o}	g.ro̠g^{w}
08380	[illegible]	盧各	來鐸入一開	lɑk	藥^{o}	g.ro̠g^{w}
08381	鸈	盧各	來鐸入一開	lɑk	藥^{o}	g.ro̠g^{w}
08382	濼	盧各	來鐸入一開	lɑk	藥^{o}	g.ro̠g^{w}
08383	嚛	火酷	曉沃入一合	hu̯ok	藥^{o}	q^{h}o̠g^{w}
08384	濼	盧毒	來沃入一合	lu̯ok	藥^{o}	g.ro̠g^{w}
08385	樂	五教	疑肴去二開	ŋ^{ɯ}æu	藥^{o}	ŋg^{r}o̠g^{w}s
08386	樂	五角	疑覺入二開	ŋ^{ɯ}ɔk	藥^{o}	ŋg^{r}o̠g^{w}
08387	[illegible]	力照	來宵去三開	liɛu	藥^{e}	g.reg^{w}s
08388	礫	郎擊	來錫入四開	lek	藥^{e}	g.re̠g^{w}
08389	瓅	郎擊	來錫入四開	lek	藥^{e}	g.re̠g^{w}
08390	櫟	郎擊	來錫入四開	lek	藥^{e}	g.re̠g^{w}
08391	[illegible]	郎擊	來錫入四開	lek	藥^{e}	g.re̠g^{w}
08392	躒	郎擊	來錫入四開	lek	藥^{e}	g.re̠g^{w}
08393	觻	郎擊	來錫入四開	lek	藥^{e}	g.re̠g^{w}
08394	擽	郎擊	來錫入四開	lek	藥^{e}	g.re̠g^{w}
08395	濼	郎擊	來錫入四開	lek	藥^{e}	g.re̠g^{w}
08396	鱳	狼狄	來錫入四開	lek	藥^{e}	g.re̠g^{w}
08397	[illegible]	郎擊	來錫入四開	lek	藥^{e}	g.re̠g^{w}
08398	櫟	以灼	以藥入三開	jiak	藥^{a}	ɢlag^{w}
08399	濼	又音藥	以藥入三開	jiak	藥^{a}	ɢlag^{w}
08400	擽	離灼	來藥入三開	liak	藥^{a}	g.rag^{w}
08401	轢	盧各	來鐸入一開	lɑk	藥^{a}	g.ra̠g^{w}

1 见“敏”字注。

2 见“敏”字注。

3 此字与08327“郲”为同一个字，后在某方言产生音变。

4 见定母和澄母“荼”字注。

08402 躒 盧各 來鐸入一開 lɑk 藥^{a} ɡ.raɡ^{w}
08403 嚛 呼木 曉屋入一合 huk 屋 q^{h}o̯ɡ
08404 濼 普木 滂屋入一合 p^{h}uk 屋 pq^{hl}o̯ɡ
08405 皪 盧谷 來屋入一合 luk 屋 ɡ.ro̯ɡ
08406 濼 盧谷 來屋入一合 luk 屋 ɡ.ro̯ɡ
08407 鱳 盧谷 來屋入一合 luk 屋 ɡ.ro̯ɡ

畾 léi

08408 虆 力追 來脂平三合 l^{w}i 微^{u} rul
08409 欙 力追 來脂平三合 l^{w}i 微^{u} rul
08410 縲[1] 倫追 來脂平三合 l^{w}i 微^{u} rul
08411 灅 力追 來脂平三合 l^{w}i 微^{u} rul
08412 纍 力追 來脂平三合 l^{w}i 微^{u} rul
08413 罍 倫追 來脂平三合 l^{w}i 微^{u} rul
08414 嫘[2] 力追 來脂平三合 l^{w}i 微^{u} rul
08415 瓃 力追 來脂平三合 l^{w}i 微^{u} rul
08416 鸓 力追 來脂平三合 l^{w}i 微^{u} rul
08417 儽 力追 來脂平三合 l^{w}i 微^{u} rul
08418 纝 力追 來脂平三合 l^{w}i 微^{u} rul
08419 樏[3] 力追 來脂平三合 l^{w}i 微^{u} rul
08420 鼺 倫追 來脂平三合 l^{w}i 微^{u} rul
08421 蠝 力軌 來脂上三合 l^{w}i 微^{u} rulʔ
08422 鸓 力軌 來脂上三合 l^{w}i 微^{u} rulʔ
08423 藟 力軌 來脂上三合 l^{w}i 微^{u} rulʔ
08424 讄 力軌 來脂上三合 l^{w}i 微^{u} rulʔ
08425 礨 魯水 來脂上三合 l^{w}i 微^{u} rulʔ
08426 傫 魯水 來脂上三合 l^{w}i 微^{u} rulʔ
08427 壨 力軌 來脂上三合 l^{w}i 微^{u} rulʔ
08428 壘 力軌 來脂上三合 l^{w}i 微^{u} rulʔ
08429 櫐 力軌 來脂上三合 l^{w}i 微^{u} rulʔ
08430 灅 力軌 來脂上三合 l^{w}i 微^{u} rulʔ
08431 瓃 力遂 來脂去三合 l^{w}i 微^{u} ruls
08432 纍 力遂 來脂去三合 l^{w}i 微^{u} ruls
08433 罍 魯回 來灰平一合 lu̯oi 微^{u} ru̯l
08434 雷 魯回 來灰平一合 lu̯oi 微^{u} ru̯l
08435 儡 魯回 來灰平一合 lu̯oi 微^{u} ru̯l
08436 勴 魯回 來灰平一合 lu̯oi 微^{u} ru̯l
08437 瓃 魯回 來灰平一合 lu̯oi 微^{u} ru̯l
08438 檑 魯回 來灰平一合 lu̯oi 微^{u} ru̯l
08439 畾 魯回 來灰平一合 lu̯oi 微^{u} ru̯l
08440 輼 魯回 來灰平一合 lu̯oi 微^{u} ru̯l
08441 櫑 落猥 來灰上一合 lu̯oi 微^{u} ru̯lʔ
08442 儽 力罪 來灰上一合 lu̯oi 微^{u} ru̯lʔ
08443 鑸 魯猥 來灰上一合 lu̯oi 微^{u} ru̯lʔ
08444 灅 魯猥 來灰上一合 lu̯oi 微^{u} ru̯lʔ
08445 礨 路罪 來灰上一合 lu̯oi 微^{u} ru̯lʔ
08446 磥 落猥 來灰上一合 lu̯oi 微^{u} ru̯lʔ
08447 嵔 落猥 來灰上一合 lu̯oi 微^{u} ru̯lʔ
08448 礧 落猥 來灰上一合 lu̯oi 微^{u} ru̯lʔ
08449 儡 落猥 來灰上一合 lu̯oi 微^{u} ru̯lʔ
08450 儽 盧對 來灰去一合 lu̯oi 微^{u} ru̯ls
08451 勴 盧對 來灰去一合 lu̯oi 微^{u} ru̯ls
08452 礧 盧對 來灰去一合 lu̯oi 微^{u} ru̯ls
08453 礨 盧對 來灰去一合 lu̯oi 微^{u} ru̯ls
08454 累 力委 來支上三合 l^{w}ie 歌^{o} rolʔ
08455 樏 力委 來支上三合 l^{w}ie 歌^{o} rolʔ
08456 累 良僞 來支去三合 l^{w}ie 歌^{o} rols
08457 騾 落戈 來歌平一合 l^{w}ɑ 歌^{o} ro̯l
08458 纍 落戈 來歌平一合 l^{w}ɑ 歌^{o} ro̯l
08459 螺 落戈 來歌平一合 l^{w}ɑ 歌^{o} ro̯l
08460 瘰 郎果 來歌上一合 l^{w}ɑ 歌^{o} ro̯lʔ

耒 lěi

08461 誄 力軌 來脂上三合 l^{w}i 微^{u} rulʔ
08462 耒 力軌 來脂上三合 l^{w}i 微^{u} rulʔ
08463 邦 落猥 來灰上一合 lu̯oi 微^{u} ru̯lʔ
08464 頛 落猥 來灰上一合 lu̯oi 微^{u} ru̯lʔ
08465 耒 盧對 來灰去一合 lu̯oi 微^{u} ru̯ls
08466 莱 盧對 來灰去一合 lu̯oi 微^{u} ru̯ls
08467 邦 盧對 來灰去一合 lu̯oi 微^{u} ru̯ls

厽 lěi

08468 垒 力委 來支上三合 l^{w}ie 歌^{o} rolʔ
08469 絫 力委 來支上三合 l^{w}ie 歌^{o} rolʔ
08470 厽 力委 來支上三合 l^{w}ie 歌^{o} rolʔ
08471 樏 倫追 來脂平三合 l^{w}i 微^{u} rul
08472 垒 力遂 來脂去三合 l^{w}i 微^{u} ruls

1 《广韵》作“纝”。
2 《广韵》作“嫘”。
3 《广韵》又同“欙”。

08473 㵉 落猥 來灰上一合 lu̯oi 微^{u} ru̱lʔ

磊 lěi

08474 磊[1] 落猥 來灰上一合 lu̯oi 微^{u} ru̱lʔ

纇 lèi

08475 類 力遂 來脂去三合 l^{w}i 物^{u} ruds
08476 蘱 力遂 來脂去三合 l^{w}i 物^{u} ruds
08477 禷 力遂 來脂去三合 l^{w}i 物^{u} ruds
08478 纇 盧對 來灰去一合 lu̯oi 微^{u} ru̱ls
08479 蘱 盧對 來灰去一合 lu̯oi 微^{u} ru̱ls
08480 纇 郎外 來泰去一合 l^{w}ɑi 月^{o} ro̱ds

离 lí

08481 瞝 抽知 徹支平三開 $ʈ^{h}$ie 歌^{e} k^{h}rel
08482 摛 丑知 徹支平三開 $ʈ^{h}$ie 歌^{e} k^{h}rel
08483 螭 丑知 徹支平三開 $ʈ^{h}$ie 歌^{e} k^{h}rel
08484 魑 丑知 徹支平三開 $ʈ^{h}$ie 歌^{e} k^{h}rel
08485 离 丑知 徹支平三開 $ʈ^{h}$ie 歌^{e} k^{h}rel
08486 儷 鄰知 來支平三開 lie 歌^{e} ɡ.rel
08487 醨 吕支 來支平三開 lie 歌^{e} ɡ.rel
08488 璃 吕支 來支平三開 lie 歌^{e} ɡ.rel
08489 樆 吕支 來支平三開 lie 歌^{e} ɡ.rel
08490 縭 吕支 來支平三開 lie 歌^{e} ɡ.rel
08491 褵 吕支 來支平三開 lie 歌^{e} ɡ.rel
08492 蘺 吕支 來支平三開 lie 歌^{e} ɡ.rel
08493 离 吕支 來支平三開 lie 歌^{e} ɡ.rel
08494 離 吕支 來支平三開 lie 歌^{e} ɡ.rel
08495 籬 吕支 來支平三開 lie 歌^{e} ɡ.rel
08496 欐 吕支 來支平三開 lie 歌^{e} ɡ.rel
08497 漓 吕支 來支平三開 lie 歌^{e} ɡ.rel
08498 灕 吕支 來支平三開 lie 歌^{e} ɡ.rel
08499 攡 吕支 來支平三開 lie 歌^{e} ɡ.rel
08500 謧 吕支 來支平三開 lie 歌^{e} ɡ.rel
08501 離 力智 來支去三開 lie 歌^{e} ɡ.rels
08502 謧 郎奚 來齊平四開 lei 歌^{e} ɡ.re̱l
08503 離 郎計 來齊去四開 lei 歌^{e} ɡ.re̱ls

黎 lí

08504 蔾 力脂 來脂平三開 li 脂^{1} ɡ.ril
08505 犁 力脂 來脂平三開 li 脂^{1} ɡ.ril
08506 棃 力脂 來脂平三開 li 脂^{1} ɡ.ril
08507 黧 力脂 來脂平三開 li 脂^{1} ɡ.ril
08508 鏫 力脂 來脂平三開 li 脂^{1} ɡ.ril
08509 鵹 良脂 來脂平三開 li 脂^{1} ɡ.ril
08510 菞 良脂 來脂平三開 li 脂^{1} ɡ.ril
08511 梨[2] 力脂 來脂平三開 li 脂^{1} ɡ.ril
08512 蜊 力脂 來脂平三開 li 脂^{1} ɡ.ril
08513 黎[3] 郎奚 來齊平四開 lei 脂^{1} ɡ.ri̱l
08514 犁[4] 郎奚 來齊平四開 lei 脂^{1} ɡ.ri̱l
08515 黧 郎奚 來齊平四開 lei 脂^{1} ɡ.ri̱l
08516 藜 郎奚 來齊平四開 lei 脂^{1} ɡ.ri̱l
08517 鵹 郎奚 來齊平四開 lei 脂^{1} ɡ.ri̱l
08518 邌 郎奚 來齊平四開 lei 脂^{1} ɡ.ri̱l
08519 蟸 郎奚 來齊平四開 lei 脂^{1} ɡ.ri̱l
08520 蔾 郎奚 來齊平四開 lei 脂^{1} ɡ.ri̱l
08521 驪[5] 郎奚 來齊平四開 lei 脂^{1} ɡ.ri̱l
08522 鵹 憐題 來齊平四開 lei 脂^{1} ɡ.ri̱l
08523 䔧 憐題 來齊平四開 lei 脂^{1} ɡ.ri̱l

里 lǐ

08524 貍 里之 來之平三開 lɨ 之 ɡ.rɯ
08525 梩 里之 來之平三開 lɨ 之 ɡ.rɯ
08526 瘇 里之 來之平三開 lɨ 之 ɡ.rɯ
08527 蕹 陵之 來之平三開 lɨ 之 ɡ.rɯ
08528 浬 陵之 來之平三開 lɨ 之 ɡ.rɯ
08529 里 良士 來之上三開 lɨ 之 ɡ.rɯʔ
08530 裏 良士 來之上三開 lɨ 之 ɡ.rɯʔ
08531 鯉 良士 來之上三開 lɨ 之 ɡ.rɯʔ
08532 悝 良士 來之上三開 lɨ 之 ɡ.rɯʔ
08533 瘇 良士 來之上三開 lɨ 之 ɡ.rɯʔ
08534 理 良士 來之上三開 lɨ 之 ɡ.rɯʔ
08535 娌 良士 來之上三開 lɨ 之 ɡ.rɯʔ

---

1 《广韵》又同“磦”。

2 通“黎”。长坪勉语借词 ɡei，故“梨”带冠音 *ɡ.ril> *ril。

3 《尚书·西伯戡黎》，《尚书大传》作“西伯戡耆”。“耆”音 *$ɡ^{r}$i，可见“黎”的上古音为 *ɡ.ril，也可能是 *ɡ.ri，后来才变成 *ri>li。

4 李豪：据古文字，“犁”“梨”等字本从“黎”省声，后乃省从“利”。北大汉简《仓颉篇》以“黎”表“梨”（简 35：啜哈黎樝）。“利”只与去声字押韵，“黎”声字则多为平声，可见二者有别。本手册将“犁”“梨”等字声符定为“黎”。

5 《广韵》又同“驪”。

08536 俚 良士 來之上三開 lɨ 之 ɡ.rɯʔ
08537 郹 良士 來之上三開 lɨ 之 ɡ.rɯʔ
08538 趩 户來 匣咍平一開 ɦəi 之 ɡˡɯ̱
08539 悝 苦回 溪灰平一合 kʰu̯oi 之 kʷʰɯ̱
08540 薶 莫皆 明皆平二開 mᵚɛi 之 mkʳɯ̱
08541 埋 莫皆 明皆平二開 mᵚɛi 之 mkʳɯ̱
08542 霾 莫皆 明皆平二開 mᵚɛi 之 mkʳɯ̱
08543 貍 莫皆 明皆平二開 mᵚɛi 之 mkʳɯ̱
08544 薶 暮拜 明皆去二開 mᵚɛi 之 mkʳɯ̱s
08545 堇 許竹 曉屋入三合 hiuk 職 qʷʰɯɡ
08546 堇 恥力 徹職入三開 ʈʰɨk 職 kʰrɯɡ
08547 堇 丑六 徹屋入三合 ʈʰiuk 覺 kʰruɡ

㸚 lǐ

08548 㸚 力紙 來支上三開 lie 歌ᵉ relʔ
08549 㸚 郎計 來齊去四開 lei 歌ᵉ re̱ls

豊 lǐ

08550 禮 盧啓 來齊上四開 lei 脂 ri̱ʔ
08551 澧 盧啓 來齊上四開 lei 脂 ri̱ʔ
08552 醴 盧啓 來齊上四開 lei 脂 ri̱ʔ
08553 鱧 盧啓 來齊上四開 lei 脂 ri̱ʔ
08554 豊 盧啓 來齊上四開 lei 脂 ri̱ʔ
08555 體 他禮 透齊上四開 tʰei 脂 r̥i̱ʔ

鬲 lì

08556 鷊 倪歷 疑錫入四開 ŋek 錫 ŋɡe̱ɡ
08557 鷊 五歷 疑錫入四開 ŋek 錫 ŋɡe̱ɡ
08558 篙 許激 曉錫入四開 hek 錫 qʰe̱ɡ
08559 鬲 郎擊 來錫入四開 lek 錫 ɡ.re̱ɡ
08560 蒚 郎擊 來錫入四開 lek 錫 ɡ.re̱ɡ
08561 䣄 郎擊 來錫入四開 lek 錫 ɡ.re̱ɡ
08562 隔 古核 見麥入二開 kᵚɛk 錫 kʳe̱ɡ
08563 膈 古核 見麥入二開 kᵚɛk 錫 kʳe̱ɡ
08564 搹 古核 見麥入二開 kᵚɛk 錫 kʳe̱ɡ
08565 鬲 古核 見麥入二開 kᵚɛk 錫 kʳe̱ɡ
08566 槅 古核 見麥入二開 kᵚɛk 錫 kʳe̱ɡ
08567 嗝 古核 見麥入二開 kᵚɛk 錫 kʳe̱ɡ
08568 䰙 楷革 溪麥入二開 kʰᵚɛk 錫 kʰʳe̱ɡ
08569 䰙 克革 溪麥入二開 kʰᵚɛk 錫 kʰʳe̱ɡ
08570 碥 下革 匣麥入二開 ɦᵚɛk 錫 ɡʳe̱ɡ
08571 翮 下革 匣麥入二開 ɦᵚɛk 錫 ɡʳe̱ɡ
08572 蒚 下革 匣麥入二開 ɦᵚɛk 錫 ɡʳe̱ɡ
08573 鷊 五革 疑麥入二開 ŋᵚɛk 錫 ŋɡʳe̱ɡ

力 lì

08574 力[1] 林直 來職入三開 lɨk 職 ɡ.rɯɡ
08575 朸[2] 林直 來職入三開 lɨk 職 ɡ.rɯɡ
08576 竻 林直 來職入三開 lɨk 職 ɡ.rɯɡ
08577 仂 林直 來職入三開 lɨk 職 ɡ.rɯɡ
08578 泐 林直 來職入三開 lɨk 職 ɡ.rɯɡ
08579 朸 盧則 來德入一開 lək 職 ɡ.rɯ̱ɡ
08580 泐 盧則 來德入一開 lək 職 ɡ.rɯ̱ɡ
08581 阞 盧則 來德入一開 lək 職 ɡ.rɯ̱ɡ
08582 防 盧則 來德入一開 lək 職 ɡ.rɯ̱ɡ
08583 玏[3] 歷德 來德入一開 lək 職 ɡ.rɯ̱ɡ
08584 勒 盧則 來德入一開 lək 職 ɡ.rɯ̱ɡ
08585 肋 盧則 來德入一開 lək 職 ɡ.rɯ̱ɡ
08586 扐 盧則 來德入一開 lək 職 ɡ.rɯ̱ɡ
08587 仂 盧則 來德入一開 lək 職 ɡ.rɯ̱ɡ
08588 艻 盧則 來德入一開 lək 職 ɡ.rɯ̱ɡ
08589 敕[4] 恥力 徹職入三開 ʈʰɨk 職 kʰrɯɡ
08590 遫 恥力 徹職入三開 ʈʰɨk 職 kʰrɯɡ

立 lì

08591 泣 去急 溪緝入B 開 kʰɨip 緝ᵚ kʰʳɯb
08592 鴗 極入 群緝入B 開 ɡɨip 緝ᵚ ɡʳɯb
08593 苙 其立 群緝入B 開 ɡɨip 緝ᵚ ɡʳɯb
08594 位[5] 于愧 云脂去三合 ɦⁱʷi 緝ᵚ ɢʳɯbs
08595 莅 力至 來脂去三開 li 緝ᵚ ɡ.rɯbs

---

1 古汉越语 su'c5 力量，越南语的 s-来自复辅音，故"力"带冠音 *ɡ.rɯɡ> *rɯɡ。

2 《马王堆汉墓帛书(壹)》甲本《老子·道经》："楚朸（棘）生之。""朸"通见母字"棘" *kʳɯɡ，故"朸"带冠音 *ɡ.rɯɡ> *rɯɡ。

3 《广韵》又同"玏"。

4 张富海："敕"通"力"，通"飭"，如清华简《越公其事》简 3 读"力"为"飭"。冯胜君《郭店简与上博简对比研究》读"敊"为"飭"。《广韵》所收"敕"字异体"勅"，也是从"力"得声。"敕"通"來"，李家浩：《十九年邦大夫史贾戈铭文考释》"來"通"飭"。"來"上古读 *ɡ.rɯ̱，"來"通"麥"，应该还有一个入声的异读 *ɡ.rɯ̱ɡ。

5 *ɢʳɯbs> *ɢʳubs> *ɢʳʷibs>ɦʷi。见"眪"字注。

08596	湆	力至	來脂去三開	li	緝^{ɯ}	g.rɯbs
08597	煜	爲立	云緝入三開	ɦ^{i}ip	緝^{ɯ}	ɢ^{r}ɯb
08598	立	力入	來緝入三開	lip	緝^{ɯ}	g.rɯb
08599	粒	力入	來緝入三開	lip	緝^{ɯ}	g.rɯb
08600	笠	力入	來緝入三開	lip	緝^{ɯ}	g.rɯb
08601	鴗	力入	來緝入三開	lip	緝^{ɯ}	g.rɯb
08602	苙	力入	來緝入三開	lip	緝^{ɯ}	g.rɯb
08603	竦	力入	來緝入三開	lip	緝^{ɯ}	g.rɯb
08604	鴗	力入	來緝入三開	lip	緝^{ɯ}	g.rɯb
08605	颯	蘇合	心合入一開	səp	緝^{ɯ}	sq^{l}ɯ̱b
08606	拉	盧合	來合入一開	ləp	緝^{ɯ}	g.rɯ̱b
08607	菈	盧合	來合入一開	ləp	緝^{ɯ}	g.rɯ̱b
08608	应	盧合	來合入一開	ləp	緝^{ɯ}	g.rɯ̱b
08609	柆	落合	來合入一開	ləp	緝^{ɯ}	g.rɯ̱b
08610	搚	落合	來合入一開	ləp	緝^{ɯ}	g.rɯ̱b
08611	应	落合	來合入一開	ləp	緝^{ɯ}	g.rɯ̱b
08612	湆	郎計	來齊去四開	lei	緝^{ɯ}	g.rɯ̱bs
08613	昱[1]	余六	以屋入三合	jiuk	職	ɢlɯg
08614	喅[2]	余六	以屋入三合	jiuk	職	ɢlɯg
08615	翊	與職	以職入三開	jɨk	職	ɢlɯg
08616	翌	與職	以職入三開	jɨk	職	ɢlɯg
08617	煜	余六	以屋入三合	jiuk	覺	ɢlug

利 lì

08618	利	力至	來脂去三開	li	質^{d}	g.rids
08619	颲	力至	來脂去三開	li	質^{d}	g.rids
08620	痢	力至	來脂去三開	li	質^{d}	g.rids
08621	颲	力質	來質入三開	lit	質^{d}	g.rid
08622	浰	郎甸	來先去四開	len	真^{n}	g.ri̱ns

戾 lì

08623	淚[3]	力遂	來脂去三合	l^{w}i	物^{ɯ}	rɯds
08624	蜧	郎計	來齊去四開	lei	物^{ɯ}	rɯ̱ds
08625	莀	郎計	來齊去四開	lei	物^{ɯ}	rɯ̱ds
08626	捩	郎計	來齊去四開	lei	物^{ɯ}	rɯ̱ds
08627	悷	郎計	來齊去四開	lei	物^{ɯ}	rɯ̱ds
08628	戾	郎計	來齊去四開	lei	物^{ɯ}	rɯ̱ds
08629	綟	郎計	來齊去四開	lei	物^{ɯ}	rɯ̱ds
08630	唳	郎計	來齊去四開	lei	物^{ɯ}	rɯ̱ds
08631	戾	練結	來屑入四開	let	物^{ɯ}	rɯ̱d
08632	捩	練結	來屑入四開	let	物^{ɯ}	rɯ̱d
08633	綟	練結	來屑入四開	let	物^{ɯ}	rɯ̱d
08634	唳	練結	來屑入四開	let	物^{ɯ}	rɯ̱d

荔 lì

08635	荔	力智	來支去三開	lie	歌^{e}	g.rels
08636	珕	力智	來支去三開	lie	歌^{e}	g.rels
08637	荔[4]	郎計	來齊去四開	lei	歌^{e}	g.re̱ls
08638	珕	郎計	來齊去四開	lei	歌^{e}	g.re̱ls

砅 lì

08639	砅	力制	來祭去三開	liᴇi	月^{e}	reds

栗 lì

08640	栗	力質	來質入三開	lit	質^{g}	b.rig
08641	慄	力質	來質入三開	lit	質^{g}	b.rig
08642	凓	力質	來質入三開	lit	質^{g}	b.rig
08643	鷅	力質	來質入三開	lit	質^{g}	b.rig
08644	溧	力質	來質入三開	lit	質^{g}	b.rig
08645	麜	力質	來質入三開	lit	質^{g}	b.rig
08646	瑮	力質	來質入三開	lit	質^{g}	b.rig

秝 lì

08647	靂	郎擊	來錫入四開	lek	錫	g.re̱g
08648	癧	郎擊	來錫入四開	lek	錫	g.re̱g
08649	秝	郎擊	來錫入四開	lek	錫	g.re̱g
08650	櫪	郎擊	來錫入四開	lek	錫	g.re̱g
08651	歷	郎擊	來錫入四開	lek	錫	g.re̱g
08652	曆	郎擊	來錫入四開	lek	錫	g.re̱g
08653	瀝	郎擊	來錫入四開	lek	錫	g.re̱g
08654	磿	郎擊	來錫入四開	lek	錫	g.re̱g
08655	厤	郎擊	來錫入四開	lek	錫	g.re̱g
08656	厯	郎擊	來錫入四開	lek	錫	g.re̱g

1　“昱”*ɢlɯg 为小舌音，第二共振峰变大，向 u 的方向发展 *ɯg > *ug。

2　见“昱”字注。

3　见“存”字注。

4　司马相如《上林赋》中“荔枝”写作“离支”。

08657 鏫 郎擊 來錫入四開 lek 錫 g.re̠g

08658 秝 狼狄 來錫入四開 lek 錫 g.re̠g

詈 lì

08659 詈 力智 來支去三開 lie 歌^{e} rels

08660 㦒 郎奚 來齊平四開 lei 歌^{e} re̠l

麗 lì

08661 釃 所宜 生支平三開 ʂie 歌^{e} sk^{r}el

08662 欐 所宜 生支平三開 ʂie 歌^{e} sk^{r}el

08663 襹 所宜 生支平三開 ʂie 歌^{e} sk^{r}el

08664 蠟 所宜 生支平三開 ʂie 歌^{e} sk^{r}el

08665 簏 所宜 生支平三開 ʂie 歌^{e} sk^{r}el

08666 曬 丑離 徹支平三開 ʈ^{h}ie 歌^{e} k^{h}rel

08667 彲 丑知 徹支平三開 ʈ^{h}ie 歌^{e} k^{h}rel

08668 鱺 鄰知 來支平三開 lie 歌^{e} g.rel

08669 酈 吕支 來支平三開 lie 歌^{e} g.rel

08670 鬷 吕支 來支平三開 lie 歌^{e} g.rel

08671 驪 吕支 來支平三開 lie 歌^{e} g.rel

08672 鸝 吕支 來支平三開 lie 歌^{e} g.rel

08673 蘼 吕支 來支平三開 lie 歌^{e} g.rel

08674 麗 吕支 來支平三開 lie 歌^{e} g.rel

08675 孋 吕支 來支平三開 lie 歌^{e} g.rel

08676 蠟 吕支 來支平三開 lie 歌^{e} g.rel

08677 曬 吕支 來支平三開 lie 歌^{e} g.rel

08678 躧 所綺 生支上三開 ʂie 歌^{e} sk^{r}elʔ

08679 灑 所綺 生支上三開 ʂie 歌^{e} sk^{r}elʔ

08680 纚 所綺 生支上三開 ʂie 歌^{e} sk^{r}elʔ

08681 釃 所綺 生支上三開 ʂie 歌^{e} sk^{r}elʔ

08682 曬 所綺 生支上三開 ʂie 歌^{e} sk^{r}elʔ

08683 攦 所綺 生支上三開 ʂie 歌^{e} sk^{r}elʔ

08684 邐 力紙 來支上三開 lie 歌^{e} g.relʔ

08685 攦 輦尒 來支上三開 lie 歌^{e} g.relʔ

08686 曬 所寄 生支去三開 ʂie 歌^{e} sk^{r}els

08687 襹 所寄 生支去三開 ʂie 歌^{e} sk^{r}els

08688 灑 所寄 生支去三開 ʂie 歌^{e} sk^{r}els

08689 癘 力智 來支去三開 lie 歌^{e} g.rels

08690 驪 郎奚 來齊平四開 lei 歌^{e} g.re̠l

08691 鱺 憐題 來齊平四開 lei 歌^{e} g.re̠l

08692 鱺 盧啓 來齊上四開 lei 歌^{e} g.rel̠ʔ

08693 鬷 盧啓 來齊上四開 lei 歌^{e} g.re̠lʔ

08694 欐 盧啓 來齊上四開 lei 歌^{e} g.re̠lʔ

08695 麗 郎計 來齊去四開 lei 歌^{e} g.re̠ls

08696 儷 郎計 來齊去四開 lei 歌^{e} g.re̠ls

08697 欐 郎計 來齊去四開 lei 歌^{e} g.re̠ls

08698 癘 郎計 來齊去四開 lei 歌^{e} g.re̠ls

08699 覼 郎計 來齊去四開 lei 歌^{e} g.re̠ls

08700 蘼 郎計 來齊去四開 lei 歌^{e} g.re̠ls

08701 攦 郎計 來齊去四開 lei 歌^{e} g.re̠ls

08702 簏 山佳 生佳平二開 ʂ^{ɯ}ɛ 歌^{e} sk^{r}e̠l

08703 灑 所蟹 生佳上二開 ʂ^{ɯ}ɛ 歌^{e} sk^{r}e̠lʔ

08704 躧 所蟹 生佳上二開 ʂ^{ɯ}ɛ 歌^{e} sk^{r}e̠lʔ

08705 曬 所賣 生佳去二開 ʂ^{ɯ}ɛ 歌^{e} sk^{r}e̠ls

08706 覼 力至 來脂去三開 li 脂^{1} g.rils

08707 酈 郎擊 來錫入四開 lek 錫 g.re̠g

盭 lì

08708 盭 郎計 來齊去四開 lei 物^{ɯ} rɯ̠ds

08709 盭 練結 來屑入四開 let 物^{ɯ} rɯ̠d

連 lián

08710 鏈 丑延 徹仙平三開 ʈ^{h}iɛn 元^{e} k^{h}ren

08711 連 力延 來仙平三開 liɛn 元^{e} g.ren

08712 漣 力延 來仙平三開 liɛn 元^{e} g.ren

08713 鰱 力延 來仙平三開 liɛn 元^{e} g.ren

08714 鏈 力延 來仙平三開 liɛn 元^{e} g.ren

08715 連 力延 來仙平三開 liɛn 元^{e} g.ren

08716 槤 力延 來仙平三開 liɛn 元^{e} g.ren

08717 謰 陵延 來仙平三開 liɛn 元^{e} g.ren

08718 璉 力展 來仙上三開 liɛn 元^{e} g.renʔ

08719 僆 力展 來仙上三開 liɛn 元^{e} g.renʔ

08720 蓮 力展 來仙上三開 liɛn 元^{e} g.renʔ

08721 謰 力展 來仙上三開 liɛn 元^{e} g.renʔ

08722 蓮[1] 落賢 來先平四開 len 元^{e} g.re̠n

08723 縺 落賢 來先平四開 len 元^{e} g.re̠n

08724 僆 郎甸 來先去四開 len 元^{e} g.re̠ns

---

1 《诗·陈风·泽陂》"彼澤之陂,有蒲與蕑",郑玄笺:"蕑,當作蓮。""蕑"*kre̠n。古汉越语 sen1 莲、荷,越南语的 s-来自复辅音,可见"蓮"上古读*g.ren。

聯 lián

08725 聯[1] 力延 來仙平三開 liᴇn 元^{o} g.ron
08726 鸜[2] 力延 來仙平三開 liᴇn 元^{o} g.ron
08727 灡[3] 力延 來仙平三開 liᴇn 元^{o} g.ron

良 liáng

08728 娘 女良 娘陽平三開 ȵiaŋ 陽 mlaŋ
08729 良 吕張 來陽平三開 liaŋ 陽 g.raŋ
08730 蜋 吕張 來陽平三開 liaŋ 陽 g.raŋ
08731 踉 吕張 來陽平三開 liaŋ 陽 g.raŋ
08732 稂 吕張 來陽平三開 liaŋ 陽 g.raŋ
08733 崀 丘亮 溪陽去三開 k^{h}iaŋ 陽 k^{h}aŋs
08734 悢 力讓 來陽去三開 liaŋ 陽 g.raŋs
08735 踉 力讓 來陽去三開 liaŋ 陽 g.raŋs
08736 哴 力讓 來陽去三開 liaŋ 陽 g.raŋs
08737 眼 力讓 來陽去三開 liaŋ 陽 g.raŋs
08738 稂 魯當 來唐平一開 lɑŋ 陽 g.ra̱ŋ
08739 眼 盧當 來唐平一開 lɑŋ 陽 g.ra̱ŋ
08740 郎[4] 魯當 來唐平一開 lɑŋ 陽 g.ra̱ŋ
08741 莨 魯當 來唐平一開 lɑŋ 陽 g.ra̱ŋ
08742 桹 魯當 來唐平一開 lɑŋ 陽 g.ra̱ŋ
08743 廊 魯當 來唐平一開 lɑŋ 陽 g.ra̱ŋ
08744 榔 魯當 來唐平一開 lɑŋ 陽 g.ra̱ŋ
08745 鋃 魯當 來唐平一開 lɑŋ 陽 g.ra̱ŋ
08746 硠 魯當 來唐平一開 lɑŋ 陽 g.ra̱ŋ
08747 浪 魯當 來唐平一開 lɑŋ 陽 g.ra̱ŋ
08748 蜋 魯當 來唐平一開 lɑŋ 陽 g.ra̱ŋ
08749 琅 魯當 來唐平一開 lɑŋ 陽 g.ra̱ŋ
08750 瑯 魯當 來唐平一開 lɑŋ 陽 g.ra̱ŋ
08751 㫰 魯當 來唐平一開 lɑŋ 陽 g.ra̱ŋ
08752 狼 魯當 來唐平一開 lɑŋ 陽 g.ra̱ŋ
08753 踉 魯當 來唐平一開 lɑŋ 陽 g.ra̱ŋ
08754 莨 魯當 來唐平一開 lɑŋ 陽 g.ra̱ŋ
08755 駺 魯當 來唐平一開 lɑŋ 陽 g.ra̱ŋ
08756 筤 魯當 來唐平一開 lɑŋ 陽 g.ra̱ŋ
08757 稂 魯當 來唐平一開 lɑŋ 陽 g.ra̱ŋ
08758 閬 魯當 來唐平一開 lɑŋ 陽 g.ra̱ŋ
08759 哴 魯當 來唐平一開 lɑŋ 陽 g.ra̱ŋ
08760 朖 里黨 來唐上一開 lɑŋ 陽 g.ra̱ŋʔ
08761 朗 盧黨 來唐上一開 lɑŋ 陽 g.ra̱ŋʔ
08762 俍 盧黨 來唐上一開 lɑŋ 陽 g.ra̱ŋʔ
08763 榔 盧黨 來唐上一開 lɑŋ 陽 g.ra̱ŋʔ
08764 㫰 盧黨 來唐上一開 lɑŋ 陽 g.ra̱ŋʔ
08765 㝗 郎宕 來唐去一開 lɑŋ 陽 g.ra̱ŋs
08766 踉 郎宕 來唐去一開 lɑŋ 陽 g.ra̱ŋs
08767 浪 來宕 來唐去一開 lɑŋ 陽 g.ra̱ŋs
08768 閬 來宕 來唐去一開 lɑŋ 陽 g.ra̱ŋs
08769 埌 來宕 來唐去一開 lɑŋ 陽 g.ra̱ŋs
08770 眼 郎宕 來唐去一開 lɑŋ 陽 g.ra̱ŋs

兩 liǎng

08771 蒳 里養 來陽上三開 liaŋ 陽 g.raŋʔ
08772 裲 里養 來陽上三開 liaŋ 陽 g.raŋʔ
08773 㒳 里養 來陽上三開 liaŋ 陽 raŋʔ
08774 兩[5] 良獎 來陽上三開 liaŋ 陽 g.raŋʔ
08775 脼 良獎 來陽上三開 liaŋ 陽 g.raŋʔ
08776 緉 良獎 來陽上三開 liaŋ 陽 g.raŋʔ
08777 蜽 良獎 來陽上三開 liaŋ 陽 g.raŋʔ
08778 魎 良獎 來陽上三開 liaŋ 陽 g.raŋʔ
08779 兩 力讓 來陽去三開 liaŋ 陽 g.raŋs
08780 緉 力讓 來陽去三開 liaŋ 陽 g.raŋs

量 liàng

08781 糧 吕張 來陽平三開 liaŋ 陽 g.raŋ
08782 量[6] 吕張 來陽平三開 liaŋ 陽 g.raŋ
08783 量 力讓 來陽去三開 liaŋ 陽 g.raŋs

敹 liáo

08784 敹 落蕭 來蕭平四開 leu 宵^{e} re̱^{w}

---

1 来母在北京音系不出现撮口呼,所以来母合口仙韵字 l^{w}iᴇn,有的变成齐齿呼,有的变成了合口呼。前者有"戀"liɛn<liᴇn<l^{w}iᴇn,后者有"孌臠欒"luan<l^{w}ᴇn<l^{w}iᴇn。介音 w 与介音 i,有极端的发音部位,会造成对抗性音变,或者是 w 失落,或者是 i 失落。这种对抗性音变在《切韵》以前已经发生,"灡鸜聯"上古来自 *g.ron> *r^{w}iᴇn >liᴇn,《切韵》中"力延切",是 w 介音的失落变成开口字。

2 见"聯"字注。

3 见"聯"字注。

4 古汉越语 chang2 少年、郎君,来自复辅音,故"郎"带冠音 *g.ra̱ŋ。

5 藏文 sraŋ < *sgraŋ"斤两"的"两",沙井苗语 tʂaŋ21 < *graŋ,故"兩"上古带冠音 *g.raŋʔ> *raŋʔ。

6 藏文 graŋs 数目、bgraŋ 计数,"量"当带冠音 *g.raŋ> *raŋ。

尞 liáo

08785 燎 力昭 來宵平三開 liᴇu 宵^{e} g.re^{w}

08786 繚 力小 來宵上三開 liᴇu 宵^{e} g.re^{w}ʔ

08787 燎 力小 來宵上三開 liᴇu 宵^{e} g.re^{w}ʔ

08788 璙 力小 來宵上三開 liᴇu 宵^{e} g.re^{w}ʔ

08789 憭 力小 來宵上三開 liᴇu 宵^{e} g.re^{w}ʔ

08790 鐐 力小 來宵上三開 liᴇu 宵^{e} g.re^{w}ʔ

08791 僚 力小 來宵上三開 liᴇu 宵^{e} g.re^{w}ʔ

08792 嫽 力小 來宵上三開 liᴇu 宵^{e} g.re^{w}ʔ

08793 尞 力照 來宵去三開 liᴇu 宵^{e} g.re^{w}s

08794 尞 力照 來宵去三開 liᴇu 宵^{e} g.re^{w}s

08795 燎 力照 來宵去三開 liᴇu 宵^{e} g.re^{w}s

08796 撩 力照 來宵去三開 liᴇu 宵^{e} g.re^{w}s

08797 療 力照 來宵去三開 liᴇu 宵^{e} g.re^{w}s

08798 膫 力照 來宵去三開 liᴇu 宵^{e} g.re^{w}s

08799 鷯 力照 來宵去三開 liᴇu 宵^{e} g.re^{w}s

08800 潦[1] 郎到 來豪去一開 lɑu 宵^{e} g.re̱^{w}s

08801 暸 憐蕭 來蕭平四開 leu 宵^{e} g.re̱^{w}

08802 寮 落蕭 來蕭平四開 leu 宵^{e} g.re̱^{w}

08803 尞 憐蕭 來蕭平四開 leu 宵^{e} g.re̱^{w}

08804 飉 落蕭 來蕭平四開 leu 宵^{e} g.re̱^{w}

08805 遼 落蕭 來蕭平四開 leu 宵^{e} g.re̱^{w}

08806 寮 落蕭 來蕭平四開 leu 宵^{e} g.re̱^{w}

08807 撩 落蕭 來蕭平四開 leu 宵^{e} g.re̱^{w}

08808 橑 落蕭 來蕭平四開 leu 宵^{e} g.re̱^{w}

08809 撩 落蕭 來蕭平四開 leu 宵^{e} g.re̱^{w}

08810 僚 落蕭 來蕭平四開 leu 宵^{e} g.re̱^{w}

08811 鐐 落蕭 來蕭平四開 leu 宵^{e} g.re̱^{w}

08812 簝 落蕭 來蕭平四開 leu 宵^{e} g.re̱^{w}

08813 鷯 落蕭 來蕭平四開 leu 宵^{e} g.re̱^{w}

08814 璙 落蕭 來蕭平四開 leu 宵^{e} g.re̱^{w}

08815 嫽 落蕭 來蕭平四開 leu 宵^{e} g.re̱^{w}

08816 瞭 落蕭 來蕭平四開 leu 宵^{e} g.re̱^{w}

08817 嶚 落蕭 來蕭平四開 leu 宵^{e} g.re̱^{w}

08818 繚 落蕭 來蕭平四開 leu 宵^{e} g.re̱^{w}

08819 憭 落蕭 來蕭平四開 leu 宵^{e} g.re̱^{w}

08820 獠 落蕭 來蕭平四開 leu 宵^{e} g.re̱^{w}

08821 膫 落蕭 來蕭平四開 leu 宵^{e} g.re̱^{w}

08822 瞭 盧鳥 來蕭上四開 leu 宵^{e} g.re̱^{w}ʔ

08823 繚 盧鳥 來蕭上四開 leu 宵^{e} g.re̱^{w}ʔ

08824 憭 盧鳥 來蕭上四開 leu 宵^{e} g.re̱^{w}ʔ

08825 鐐 盧鳥 來蕭上四開 leu 宵^{e} g.re̱^{w}ʔ

08826 撩 盧鳥 來蕭上四開 leu 宵^{e} g.re̱^{w}ʔ

08827 嫽 力弔 來蕭去四開 leu 宵^{e} g.re̱^{w}s

08828 鐐 力弔 來蕭去四開 leu 宵^{e} g.re̱^{w}s

08829 璙 力弔 來蕭去四開 leu 宵^{e} g.re̱^{w}s

08830 獠 張絞 知肴上二開 ʈ^{ɯ}æu 宵^{e} kre̱^{w}ʔ

08831 簝 魯刀 來豪平一開 lɑu 宵^{a} g.ra̱^{w}

08832 獠 盧晧 來豪上一開 lɑu 宵^{a} g.ra̱^{w}ʔ

08833 轑 盧晧 來豪上一開 lɑu 宵^{a} g.ra̱^{w}ʔ

08834 橑 盧晧 來豪上一開 lɑu 宵^{a} g.ra̱^{w}ʔ

08835 蕂 盧晧 來豪上一開 lɑu 宵^{a} g.ra̱^{w}ʔ

08836 潦 盧晧 來豪上一開 lɑu 宵^{a} g.ra̱^{w}ʔ

了 liǎo

08837 了 盧鳥 來蕭上四開 leu 宵^{e} re̱^{w}ʔ

08838 衦 盧鳥 來蕭上四開 leu 宵^{e} re̱^{w}ʔ

料 liào

08839 料 落蕭 來蕭平四開 leu 宵^{e} re̱^{w}

08840 料 力弔 來蕭去四開 leu 宵^{e} re̱^{w}s

列 liè

08841 栵 力制 來祭去三開 liɛi 月^{e} g.reds

08842 洌 力制 來祭去三開 liɛi 月^{e} g.reds

08843 例 力制 來祭去三開 liɛi 月^{e} g.reds

08844 颲 力制 來祭去三開 liɛi 月^{e} g.reds

08845 栵 力制 來祭去三開 liɛi 月^{e} g.reds

08846 颲 良薛 來薛入三開 liɛt 月^{e} g.red

08847 鴷 良薛 來薛入三開 liɛt 月^{e} g.red

08848 栵 良薛 來薛入三開 liɛt 月^{e} g.red

08849 挒 良薛 來薛入三開 liɛt 月^{e} g.red

08850 鴷 良薛 來薛入三開 liɛt 月^{e} g.red

08851 㓐 良薛 來薛入三開 liɛt 月^{e} g.red

08852 栵 良薛 來薛入三開 liɛt 月^{e} g.red

08853 裂[2] 良薛 來薛入三開 liɛt 月^{e} g.red

---

1 宵^{e} 部的中古音不能是一等。

2 《马王堆汉墓帛书(壹)》乙本《老子・德经》:"其胃(謂)天毋以清將恐蓮(裂)。""蓮"古音 *k.re̱n,"裂" *g.red 与之通假。

08854 蛚 良薛 來薛入三開 liᴇt 月^{e} g.red
08855 列 良薛 來薛入三開 liᴇt 月^{e} g.red
08856 迾 良薛 來薛入三開 liᴇt 月^{e} g.red
08857 蛶 良薛 來薛入三開 liᴇt 月^{e} g.red
08858 鴷 良薛 來薛入三開 liᴇt 月^{e} g.red
08859 烈 良薛 來薛入三開 liᴇt 月^{e} g.red
08860 洌 良薛 來薛入三開 liᴇt 月^{e} g.red
08861 冽 良薛 來薛入三開 liᴇt 月^{e} g.red
08862 峛 力紙 來支上三開 lie 歌^{e} g.relʔ
08863 鴷 盧達 來曷入一開 lɑt 月^{a} g.ra̱d

劣 liè

08864 劣 力輟 來薛入三合 l^{w}iᴇt 月^{o} rod

[illegible] liè

08865 [illegible] 龍輟 來薛入三合 l^{w}iᴇt 月^{o} rod

巤 liè

08866 獵 良涉 來葉入三開 liᴇp 盍^{a} rab
08867 鬣 良涉 來葉入三開 liᴇp 盍^{a} rab
08868 躐 良涉 來葉入三開 liᴇp 盍^{a} rab
08869 擸 良涉 來葉入三開 liᴇp 盍^{a} rab
08870 儠 良涉 來葉入三開 liᴇp 盍^{a} rab
08871 犣 良涉 來葉入三開 liᴇp 盍^{a} rab
08872 鞼 良涉 來葉入三開 liᴇp 盍^{a} rab
08873 邋 良涉 來葉入三開 liᴇp 盍^{a} rab
08874 巤 良涉 來葉入三開 liᴇp 盍^{a} rab
08875 獦 良涉 來葉入三開 liᴇp 盍^{a} rab
08876 臘[1] 盧盍 來盍入一開 lɑp 盍^{a} ra̱b
08877 鑞 盧盍 來盍入一開 lɑp 盍^{a} ra̱b
08878 擸 盧盍 來盍入一開 lɑp 盍^{a} ra̱b
08879 邋 盧盍 來盍入一開 lɑp 盍^{a} ra̱b
08880 蠟[2] 盧盍 來盍入一開 lɑp 盍^{a} g.ra̱b

林 lín

08881 僸 居林 見侵平B 開 kɨim 侵^{u} k^{r}um
08882 襟 居吟 見侵平B 開 kɨim 侵^{u} k^{r}um
08883 禁 居吟 見侵平B 開 kɨim 侵^{u} k^{r}um
08884 搇 巨金 群侵平B 開 gɨim 侵^{u} g^{r}um
08885 噤 渠飲 群侵上B 開 gɨim 侵^{u} g^{r}umʔ
08886 顅 渠飲 群侵上B 開 gɨim 侵^{u} g^{r}umʔ
08887 僸 牛錦 疑侵上B 開 ŋɨim 侵^{u} ŋg^{r}umʔ
08888 禁 居蔭 見侵去B 開 kɨim 侵^{u} k^{r}ums
08889 僸 居蔭 見侵去B 開 kɨim 侵^{u} k^{r}ums
08890 噤 巨禁 群侵去B 開 gɨim 侵^{u} g^{r}ums
08891 森 所今 生侵平三開 ʂim 侵^{u} sk^{r}um
08892 棽 所今 生侵平三開 ʂim 侵^{u} sk^{r}um
08893 棽 丑林 徹侵平三開 ʈ^{h}im 侵^{u} k^{h}rum
08894 綝 丑林 徹侵平三開 ʈ^{h}im 侵^{u} k^{h}rum
08895 郴 丑林 徹侵平三開 ʈ^{h}im 侵^{u} k^{h}rum
08896 碄 犂針 來侵平三開 lim 侵^{u} g.rum
08897 惏 犂針 來侵平三開 lim 侵^{u} g.rum
08898 林[3] 力尋 來侵平三開 lim 侵^{u} g.rum
08899 琳 力尋 來侵平三開 lim 侵^{u} g.rum
08900 淋 力尋 來侵平三開 lim 侵^{u} g.rum
08901 痳 力尋 來侵平三開 lim 侵^{u} g.rum
08902 箖 力尋 來侵平三開 lim 侵^{u} g.rum
08903 霖 力尋 來侵平三開 lim 侵^{u} g.rum
08904 罧 斯甚 心侵上三開 sim 侵^{u} sk^{l}umʔ
08905 揀 力錦 來侵上三開 lim 侵^{u} g.rumʔ
08906 菻 力稔 來侵上三開 lim 侵^{u} g.rumʔ
08907 罧 所禁 生侵去三開 ʂim 侵^{u} sk^{r}ums
08908 顅 于禁 云侵去三開 ɦ^{ɨ}im 侵^{u} ɢ^{r}ums
08909 惏 盧含 來覃平一開 ləm 侵^{u} g.ru̱m
08910 婪 盧含 來覃平一開 ləm 侵^{u} g.ru̱m
08911 啉 盧含 來覃平一開 ləm 侵^{u} g.ru̱m
08912 啉 盧含 來覃平一開 ləm 侵^{u} g.ru̱m
08913 漤 盧感 來覃上一開 ləm 侵^{u} g.ru̱mʔ
08914 揀 盧感 來覃上一開 ləm 侵^{u} g.ru̱mʔ

粦 lín

08915 蹸 離珍 來真平三開 lin 真^{ŋ} riŋ
08916 燐 力珍 來真平三開 lin 真^{ŋ} riŋ
08917 轔 力珍 來真平三開 lin 真^{ŋ} riŋ
08918 嶙 力珍 來真平三開 lin 真^{ŋ} riŋ
08919 鄰 力珍 來真平三開 lin 真^{ŋ} riŋ

1　古汉越语 chap6 腊祭、腊月。ch 来自复辅音。

2　古汉越语 sap5 蜡来自复辅音，故“蠟”带冠音 * g.ra̱b > * ra̱b。

3　泰文汉借词 grɯm 森林，故“林”带冠音 * g.rum> * rum。

08920 疄 力珍 來真平三開 lin 真[ŋ] riŋ
08921 麟 力珍 來真平三開 lin 真[ŋ] riŋ
08922 鱗 力珍 來真平三開 lin 真[ŋ] riŋ
08923 璘 力珍 來真平三開 lin 真[ŋ] riŋ
08924 獜 力珍 來真平三開 lin 真[ŋ] riŋ
08925 瞵 力珍 來真平三開 lin 真[ŋ] riŋ
08926 獜 力珍 來真平三開 lin 真[ŋ] riŋ
08927 驎 力珍 來真平三開 lin 真[ŋ] riŋ
08928 磷 力珍 來真平三開 lin 真[ŋ] riŋ
08929 粼[1] 力珍 來真平三開 lin 真[ŋ] m.riŋ
08930 蹸 里忍 來真上三開 lin 真[ŋ] riŋʔ
08931 䗲 里忍 來真上三開 lin 真[ŋ] riŋʔ
08932 嶙 良忍 來真上三開 lin 真[ŋ] riŋʔ
08933 僯 良忍 來真上三開 lin 真[ŋ] riŋʔ
08934 橉 良忍 來真上三開 lin 真[ŋ] riŋʔ
08935 燐 良刃 來真去三開 lin 真[ŋ] riŋs
08936 轔 良刃 來真去三開 lin 真[ŋ] riŋs
08937 遴 良刃 來真去三開 lin 真[ŋ] riŋs
08938 磷 良刃 來真去三開 lin 真[ŋ] riŋs
08939 粦 良刃 來真去三開 lin 真[ŋ] riŋs
08940 膦 良刃 來真去三開 lin 真[ŋ] riŋs
08941 橉 良刃 來真去三開 lin 真[ŋ] riŋs
08942 甐 良刃 來真去三開 lin 真[ŋ] riŋs
08943 瞵 良刃 來真去三開 lin 真[ŋ] riŋs
08944 粼 良刃 來真去三開 lin 真[ŋ] riŋs
08945 蹸 良刃 來真去三開 lin 真[ŋ] riŋs
08946 䗲 良刃 來真去三開 lin 真[n] rins
08947 憐[2] 落賢 來先平四開 len 真[ŋ] m.ri̱ŋ
08948 獜 郎丁 來青平四開 leŋ 耕 re̱ŋ

㐭 lǐn

08949 凜 巨金 群侵平B 開 gɨim 侵[ɯ] g^{r}ɯm
08950 禀 筆錦 幫侵上B 開 pɨim 侵[ɯ] pg^{r}ɯmʔ
08951 懔 巨禁 群侵去B 開 gɨim 侵[ɯ] g^{r}ɯms
08952 鄌 餘針 以侵平三開 jim 侵[ɯ] ɢlɯm
08953 懍 力錦 來侵上三開 lim 侵[ɯ] g.rɯmʔ
08954 廩 力稔 來侵上三開 lim 侵[ɯ] g.rɯmʔ
08955 懍 力稔 來侵上三開 lim 侵[ɯ] g.rɯmʔ
08956 凜 力稔 來侵上三開 lim 侵[ɯ] g.rɯmʔ
08957 顲 力稔 來侵上三開 lim 侵[ɯ] g.rɯmʔ
08958 㐭 力稔 來侵上三開 lim 侵[ɯ] g.rɯmʔ
08959 瘭 力稔 來侵上三開 lim 侵[ɯ] g.rɯmʔ
08960 㐭 力稔 來侵上三開 lim 侵[ɯ] g.rɯmʔ
08961 壈 盧感 來覃上一開 ləm 侵[ɯ] g.rɯ̱mʔ
08962 顲 盧感 來覃上一開 ləm 侵[ɯ] g.rɯ̱mʔ
08963 懔 盧感 來覃上一開 ləm 侵[ɯ] g.rɯ̱mʔ
08964 顲 郎紺 來覃去一開 ləm 侵[ɯ] g.rɯ̱ms

吝 lìn

08965 麐 力珍 來真平三開 lin 真[n] m.rin
08966 吝 良刃 來真去三開 lin 真[n] m.rins
08967 悋 良刃 來真去三開 lin 真[n] m.rins
08968 麐 良刃 來真去三開 lin 真[n] m.rins

閵 lìn

08969 閵 良刃 來真去三開 lin 真[n] rins
08970 藺 良刃 來真去三開 lin 真[n] rins
08971 轥 良刃 來真去三開 lin 真[n] rins
08972 躪 良刃 來真去三開 lin 真[n] rins

夌 líng

08973 陵 力膺 來蒸平三開 lɨŋ 蒸 g.rɯŋ
08974 淩[3] 力膺 來蒸平三開 lɨŋ 蒸 g.rɯŋ
08975 夌 力膺 來蒸平三開 lɨŋ 蒸 g.rɯŋ
08976 綾 力膺 來蒸平三開 lɨŋ 蒸 g.rɯŋ
08977 凌 力膺 來蒸平三開 lɨŋ 蒸 g.rɯŋ
08978 菱 力膺 來蒸平三開 lɨŋ 蒸 g.rɯŋ
08979 倰 力膺 來蒸平三開 lɨŋ 蒸 g.rɯŋ
08980 鯪 力膺 來蒸平三開 lɨŋ 蒸 g.rɯŋ
08981 蔆 力膺 來蒸平三開 lɨŋ 蒸 g.rɯŋ
08982 餕 力膺 來蒸平三開 lɨŋ 蒸 g.rɯŋ
08983 掕 力膺 來蒸平三開 lɨŋ 蒸 g.rɯŋ
08984 裬 閭承 來蒸平三開 lɨŋ 蒸 g.rɯŋ
08985 稜 閭承 來蒸平三開 lɨŋ 蒸 g.rɯŋ

---

1 “憐”在楚文字里是一个双声符字，从“叟”声，“鄰居”的“鄰”在《马王堆汉墓帛书（壹）》甲本《老子》作“叟”：“四叟（鄰）。”叟，主声符是“厸”，即“鄰”的本字，词根是*riŋ。“文”是次声符*m-，为鼻冠音。

2 见“粼”字注。

3 《周驯》：“故《詩》曰：‘戰戰淩淩（戰戰兢兢）。’”“兢”音*k^{r}ɯŋ，故“淩”带冠音*g.rɯŋ>*rɯŋ。

08986 餕 里甑 來蒸去三開 lɨŋ 蒸 g.rɯŋs
08987 掕 力證 來蒸去三開 lɨŋ 蒸 g.rɯŋs
08988 稜 魯登 來登平一開 ləŋ 蒸 g.rɯ̱ŋ
08989 棱 魯登 來登平一開 ləŋ 蒸 g.rɯ̱ŋ
08990 輘 魯登 來登平一開 ləŋ 蒸 g.rɯ̱ŋ
08991 掕 紀力 見職入三開 kɨk 職 k^{r}ɯg

霝 líng

08992 靇 郎丁 來青平四開 leŋ 耕 g.re̱ŋ
08993 霝 郎丁 來青平四開 leŋ 耕 g.re̱ŋ
08994 櫺 郎丁 來青平四開 leŋ 耕 g.re̱ŋ
08995 蠕 郎丁 來青平四開 leŋ 耕 g.re̱ŋ
08996 鐳 郎丁 來青平四開 leŋ 耕 g.re̱ŋ
08997 靈 郎丁 來青平四開 leŋ 耕 g.re̱ŋ
08998 蘦 郎丁 來青平四開 leŋ 耕 g.re̱ŋ
08999 霎 郎丁 來青平四開 leŋ 耕 g.re̱ŋ
09000 醽 郎丁 來青平四開 leŋ 耕 g.re̱ŋ
09001 龗 郎丁 來青平四開 leŋ 耕 g.re̱ŋ
09002 酃 郎丁 來青平四開 leŋ 耕 g.re̱ŋ
09003 欞 郎丁 來青平四開 leŋ 耕 g.re̱ŋ
09004 靈[1] 郎丁 來青平四開 leŋ 耕 g.re̱ŋ
09005 霻 郎丁 來青平四開 leŋ 耕 g.re̱ŋ

令 lìng

09006 令 吕貞 來清平三開 liᴇŋ 耕 g.reŋ
09007 嶺 良郢 來清上三開 liᴇŋ 耕 g.reŋʔ
09008 柃 良郢 來清上三開 liᴇŋ 耕 g.reŋʔ
09009 領 良郢 來清上三開 liᴇŋ 耕 g.reŋʔ
09010 命 眉病 明庚去三開 miæŋ 耕 mg^{r}eŋs
09011 令 力政 來清去三開 liᴇŋ 耕 g.reŋs
09012 瓴 郎丁 來青平四開 leŋ 耕 g.re̱ŋ
09013 玲 郎丁 來青平四開 leŋ 耕 g.re̱ŋ
09014 聆 郎丁 來青平四開 leŋ 耕 g.re̱ŋ
09015 軨 郎丁 來青平四開 leŋ 耕 g.re̱ŋ
09016 笭 郎丁 來青平四開 leŋ 耕 g.re̱ŋ
09017 零 郎丁 來青平四開 leŋ 耕 g.re̱ŋ
09018 令 郎丁 來青平四開 leŋ 耕 g.re̱ŋ
09019 翎 郎丁 來青平四開 leŋ 耕 g.re̱ŋ
09020 駖 郎丁 來青平四開 leŋ 耕 g.re̱ŋ
09021 冷 郎丁 來青平四開 leŋ 耕 g.re̱ŋ
09022 泠 郎丁 來青平四開 leŋ 耕 g.re̱ŋ
09023 舲 郎丁 來青平四開 leŋ 耕 g.re̱ŋ
09024 齡 郎丁 來青平四開 leŋ 耕 g.re̱ŋ
09025 囹 郎丁 來青平四開 leŋ 耕 g.re̱ŋ
09026 鴒 郎丁 來青平四開 leŋ 耕 g.re̱ŋ
09027 蛉 郎丁 來青平四開 leŋ 耕 g.re̱ŋ
09028 鈴 郎丁 來青平四開 leŋ 耕 g.re̱ŋ
09029 苓 郎丁 來青平四開 leŋ 耕 g.re̱ŋ
09030 柃 郎丁 來青平四開 leŋ 耕 g.re̱ŋ
09031 伶 郎丁 來青平四開 leŋ 耕 g.re̱ŋ
09032 怜 郎丁 來青平四開 leŋ 耕 g.re̱ŋ
09033 岭 郎丁 來青平四開 leŋ 耕 g.re̱ŋ
09034 鯪 郎丁 來青平四開 leŋ 耕 g.re̱ŋ
09035 詅 郎丁 來青平四開 leŋ 耕 g.re̱ŋ
09036 酃 郎丁 來青平四開 leŋ 耕 g.re̱ŋ
09037 笭 力鼎 來青上四開 leŋ 耕 g.re̱ŋʔ
09038 冷 力鼎 來青上四開 leŋ 耕 g.re̱ŋʔ
09039 零 郎定 來青去四開 leŋ 耕 g.re̱ŋs
09040 令 郎定 來青去四開 leŋ 耕 g.re̱ŋs
09041 冷[2] 魯打 來耕上二開 l^{ɯ}ɛŋ 耕 g.re̱ŋʔ
09042 矜[3] 巨巾 群真平B 開 gɨin 真^{ŋ} g^{r}iŋ
09043 令 力延 來仙平三開 liᴇn 元^{e} g.ren
09044 零 落賢 來先平四開 len 真^{ŋ} g.ri̱ŋ
09045 怜 落賢 來先平四開 len 元^{e} g.re̱n
09046 鹶 巨巾 群真平B 開 gɨin 文^{ɯ} g^{r}ɯn
09047 矜[4] 居陵 見蒸平三開 kɨŋ 蒸 k^{r}ɯŋ

六 liù

09048 歠 子六 精屋入三合 tsiuk 覺 sklug
09049 鼀 七宿 清屋入三合 ts^{h}iuk 覺 sk^{h}lug
09050 睦[5] 莫六 明屋入三合 miuk 覺 mg^{l}ug

---

1 "靈"通"苓"* g.re̱ŋ,《史记 · 龟策列传》:"下有伏靈,上有兔絲。"《淮南子·说山》"伏靈"作"伏苓"。"靈"通"命"* mg^{r}eŋs,《书·吕刑》:"苗民弗用靈。"《礼记 · 缁衣》引"靈"作"命"。"靈"通"練"* k.re̱ns,《书·吕刑》:"苗民弗用靈。"《墨子 · 尚同中》引"靈"作"練"。"靈"通"泠"* g.re̱ŋ,《淮南子 · 修务》:"精神曉泠。"《文子 · 精诚》"泠"作"靈"。

2 原为庚韵,但是根据谐声系统应该为耕韵,《切韵》音系二等有耕、庚的历史层次。

3 《说文》"令"声,里耶秦简的字形是"令",故"令"带软腭冠音。

4 《说文》"令"声,里耶秦简的字形是"令"。

5 见"穆"字注。

09051	歗	才六	從屋入三合	dziuk	覺	sglug
09052	奔	余六	以屋入三合	jiuk	覺	ɢlug
09053	六	力竹	來屋入三合	liuk	覺	g.rug
09054	陸	力竹	來屋入三合	liuk	覺	g.rug
09055	稑	力竹	來屋入三合	liuk	覺	g.rug
09056	鵱	力竹	來屋入三合	liuk	覺	g.rug
09057	鯥	力竹	來屋入三合	liuk	覺	g.rug
09058	坴	力竹	來屋入三合	liuk	覺	g.rug
09059	宍	力竹	來屋入三合	liuk	覺	g.rug
09060	逵[1]	渠追	群脂平B合	g^{w}ɨi	之	g^{wr}ɯ
09061	竈	則到	精豪去一開	tsɑu	覺	sklu̱gs
09062	歗	子荅	精合入一開	tsəp	緝^{u}	sklu̱b

翏 liù

09063	樛	居虯	見幽平三開	kɨu	幽	k^{r}u
09064	璆	渠幽	群幽平三開	gɨu	幽	g^{r}u
09065	鷚	渠幽	群幽平三開	gɨu	幽	g^{r}u
09066	螺	渠幽	群幽平三開	gɨu	幽	g^{r}u
09067	穋	渠幽	群幽平三開	gɨu	幽	g^{r}u
09068	繆	武彪	明幽平三開	mɨu	幽	mg^{r}u
09069	鷚	武彪	明幽平三開	mɨu	幽	mg^{r}u
09070	劉	居尤	見尤平三合	kiu	幽	ku
09071	瘳	丑鳩	徹尤平三合	ʈ^{h}iu	幽	k^{h}ru
09072	鷚	莫浮	明尤平三合	miu	幽	mg^{l}u
09073	繆	莫浮	明尤平三合	miu	幽	mg^{l}u
09074	勠	力求	來尤平三合	liu	幽	g.ru
09075	摎	力求	來尤平三合	liu	幽	g.ru
09076	瞜	力求	來尤平三合	liu	幽	g.ru
09077	飂	力求	來尤平三合	liu	幽	g.ru
09078	闗	力求	來尤平三合	liu	幽	g.ru
09079	鹨	力求	來尤平三合	liu	幽	g.ru
09080	憀	力求	來尤平三合	liu	幽	g.ru
09081	鏐	力求	來尤平三合	liu	幽	g.ru
09082	蟉	渠黝	群幽上三開	gɨu	幽	g^{r}uʔ
09083	熮	力久	來尤上三合	liu	幽	g.ruʔ
09084	謬	靡幼	明幽去三開	mɨu	幽	mg^{r}us
09085	繆	靡幼	明幽去三開	mɨu	幽	mg^{r}us
09086	廖	力救	來尤去三合	liu	幽	g.rus
09087	鷚	力救	來尤去三合	liu	幽	g.rus
09088	僇	力救	來尤去三合	liu	幽	g.rus
09089	飂	力救	來尤去三合	liu	幽	g.rus
09090	勠	力救	來尤去三合	liu	幽	g.rus
09091	翏	力救	來尤去三合	liu	幽	g.rus
09092	雡	力救	來尤去三合	liu	幽	g.rus
09093	醪	魯刀	來豪平一開	lɑu	幽	g.ru̱
09094	嫪	魯刀	來豪平一開	lɑu	幽	g.ru̱
09095	嫪	郎到	來豪去一開	lɑu	幽	g.ru̱s
09096	膠	古肴	見肴平二開	k^{ɯ}æu	幽	k^{r}u̱
09097	轇	古肴	見肴平二開	k^{ɯ}æu	幽	k^{r}u̱
09098	摎	古肴	見肴平二開	k^{ɯ}æu	幽	k^{r}u̱
09099	嘐	古肴	見肴平二開	k^{ɯ}æu	幽	k^{r}u̱
09100	僇	匹交	滂肴平二開	p^{hɯ}æu	幽	k^{hr}u̱
09101	嘐	許交	曉肴平二開	h^{ɯ}æu	幽	q^{hr}u̱
09102	顟	力嘲	來肴平二開	l^{ɯ}æu	幽	g.ru̱
09103	僇	力嘲	來肴平二開	l^{ɯ}æu	幽	g.ru̱
09104	廫	力交	來肴平二開	l^{ɯ}æu	幽	g.ru̱
09105	鏐	古巧	見肴上二開	k^{ɯ}æu	幽	k^{r}u̱ʔ
09106	漻	下巧	匣肴上二開	ɦ^{ɯ}æu	幽	g^{r}u̱ʔ
09107	鏐	下巧	匣肴上二開	ɦ^{ɯ}æu	幽	g^{r}u̱ʔ
09108	獿	奴巧	娘肴上二開	ɳ^{ɯ}æu	幽	mgru̱ʔ
09109	膠	古孝	見肴去二開	k^{ɯ}æu	幽	k^{r}u̱s
09110	憀	落蕭	來蕭平四開	leu	幽^{i}	g.ri̱^{w}
09111	寥	落蕭	來蕭平四開	leu	幽^{i}	g.ri̱^{w}
09112	廖	落蕭	來蕭平四開	leu	幽^{i}	g.ri̱^{w}
09113	镠	落蕭	來蕭平四開	leu	幽^{i}	g.ri̱^{w}
09114	漻	落蕭	來蕭平四開	leu	幽^{i}	g.ri̱^{w}
09115	翏	落蕭	來蕭平四開	leu	幽^{i}	g.ri̱^{w}
09116	髎	落蕭	來蕭平四開	leu	幽^{i}	g.ri̱^{w}
09117	熮	落蕭	來蕭平四開	leu	幽^{i}	g.ri̱^{w}
09118	蓼	盧鳥	來蕭上四開	leu	幽^{i}	g.ri̱^{w}ʔ
09119	鄝	盧鳥	來蕭上四開	leu	幽^{i}	g.ri̱^{w}ʔ
09120	繆	莫六	明屋入三合	miuk	覺	mg^{l}ug
09121	戮	力竹	來屋入三合	liuk	覺	g.rug
09122	勠	力竹	來屋入三合	liuk	覺	g.rug
09123	蓼	力竹	來屋入三合	liuk	覺	g.rug
09124	僇	力竹	來屋入三合	liuk	覺	g.rug
09125	穋	力竹	來屋入三合	liuk	覺	g.rug
09126	剹	力竹	來屋入三合	liuk	覺	g.rug
09127	髎	力昭	來宵平三開	liᴇu	幽^{i}	g.ri^{w}

1　之部Ⅳ类合口 *C^{wr}ɯ 变脂韵，主元音变成 i：*C^{wr}ɯ>C^{wɨ}i。“跽”“曩”二字合口介音受主元音影响变成 ɯ，以后失落。

09128 熮 力照 來宵去三開 liɛu 幽^{i} g.ri^{w}s

09129 寥 郎擊 來錫入四開 lek 覺^{i} g.rịg^{w}

龍 lóng

09130 龔 九容 見鍾平三合 kiʊŋ 東 k^{r}oŋ

09131 龏 九容 見鍾平三合 kiʊŋ 東 k^{r}oŋ

09132 龍 力鍾 來鍾平三合 liʊŋ 東 g.roŋ

09133 鸗 力鍾 來鍾平三合 liʊŋ 東 g.roŋ

09134 籠 力鍾 來鍾平三合 liʊŋ 東 g.roŋ

09135 蘢 力鍾 來鍾平三合 liʊŋ 東 g.roŋ

09136 寵 丑隴 徹鍾上三合 ʈ^{h}iʊŋ 東 k^{h}roŋʔ

09137 襱 直隴 澄鍾上三合 ɖiʊŋ 東 groŋʔ

09138 隴 力踵 來鍾上三合 liʊŋ 東 g.roŋʔ

09139 壠 力踵 來鍾上三合 liʊŋ 東 g.roŋʔ

09140 龏 居用 見鍾去三合 kiʊŋ 東 k^{r}oŋs

09141 瓏 良用 來鍾去三合 liʊŋ 東 g.roŋs

09142 櫳 盧紅 來東平一合 luŋ 東 g.rọŋ

09143 䡁 盧紅 來東平一合 luŋ 東 g.rọŋ

09144 瀧 盧紅 來東平一合 luŋ 東 g.rọŋ

09145 聾 盧紅 來東平一合 luŋ 東 g.rọŋ

09146 轆 盧紅 來東平一合 luŋ 東 g.rọŋ

09147 礱 盧紅 來東平一合 luŋ 東 g.rọŋ

09148 嚨 盧紅 來東平一合 luŋ 東 g.rọŋ

09149 蘢 盧紅 來東平一合 luŋ 東 g.rọŋ

09150 櫳 盧紅 來東平一合 luŋ 東 g.rọŋ

09151 籠 盧紅 來東平一合 luŋ 東 g.rọŋ

09152 䶬 盧紅 來東平一合 luŋ 東 g.rọŋ

09153 巃 盧紅 來東平一合 luŋ 東 g.rọŋ

09154 襱 盧紅 來東平一合 luŋ 東 g.rọŋ

09155 瓏 盧紅 來東平一合 luŋ 東 g.rọŋ

09156 鸗 盧紅 來東平一合 luŋ 東 g.rọŋ

09157 蠪 盧紅 來東平一合 luŋ 東 g.rọŋ

09158 襱 力董 來東上一合 luŋ 東 g.rọŋʔ

09159 巃 力董 來東上一合 luŋ 東 g.rọŋʔ

09160 籠 力董 來東上一合 luŋ 東 g.rọŋʔ

09161 攏 力董 來東上一合 luŋ 東 g.rọŋʔ

09162 䶬 力董 來東上一合 luŋ 東 g.rọŋʔ

09163 礱 盧貢 來東去一合 luŋ 東 g.rọŋs

09164 瀧 所江 生江平二開 ʂ^{ɯ}ɔŋ 東 sk^{r}ọŋ

09165 龐 薄江 並江平二開 b^{ɯ}ɔŋ 東 bg^{r}ọŋ

09166 瀧 吕江 來江平二開 l^{ɯ}ɔŋ 東 g.rọŋ

09167 龏 於角 影覺入二開 ʔ^{ɯ}ɔk 屋 q^{r}ọg

弄 lòng

09168 弄 盧貢 來東去一合 luŋ 東 g.rọŋs

09169 梇 盧貢 來東去一合 luŋ 東 g.rọŋs

09170 筭[1] 蘇貫 心寒去一合 s^{w}ɑn 元^{o} sk^{l}ọns

婁 lóu

09171 慺 力朱 來虞平三合 liʊ 侯 g.ro

09172 蔞 力朱 來虞平三合 liʊ 侯 g.ro

09173 螻 力朱 來虞平三合 liʊ 侯 g.ro

09174 嶁 力朱 來虞平三合 liʊ 侯 g.ro

09175 摟 力朱 來虞平三合 liʊ 侯 g.ro

09176 鷜 力朱 來虞平三合 liʊ 侯 g.ro

09177 鏤 力朱 來虞平三合 liʊ 侯 g.ro

09178 鄭 力朱 來虞平三合 liʊ 侯 g.ro

09179 婁 力朱 來虞平三合 liʊ 侯 g.ro

09180 瘻 力朱 來虞平三合 liʊ 侯 g.ro

09181 膢 力朱 來虞平三合 liʊ 侯 g.ro

09182 數 所矩 生虞上三合 ʂiʊ 侯 sk^{r}oʔ

09183 籔 所矩 生虞上三合 ʂiʊ 侯 sk^{r}oʔ

09184 寠 郡羽 群虞上三合 giʊ 侯 g^{r}oʔ

09185 寠 其矩 群虞上三合 giʊ 侯 g^{r}oʔ

09186 貗 其矩 群虞上三合 giʊ 侯 g^{r}oʔ

09187 縷 力主 來虞上三合 liʊ 侯 g.roʔ

09188 陋 力主 來虞上三合 liʊ 侯 g.roʔ

09189 僂 力主 來虞上三合 liʊ 侯 g.roʔ

09190 褸 力主 來虞上三合 liʊ 侯 g.roʔ

09191 簍 力主 來虞上三合 liʊ 侯 g.roʔ

09192 嶁 力主 來虞上三合 liʊ 侯 g.roʔ

09193 謱 力主 來虞上三合 liʊ 侯 g.roʔ

09194 慺 力主 來虞上三合 liʊ 侯 g.roʔ

09195 漊 力主 來虞上三合 liʊ 侯 g.roʔ

09196 蔞 力主 來虞上三合 liʊ 侯 g.roʔ

09197 蔞 隴主 來虞上三合 liʊ 侯 g.roʔ

09198 屨 九遇 見虞去三合 kiʊ 侯 k^{r}os

---

1 从“弄” * g.roŋ 得声，对应于藏文的 sgroŋs 计算（命令式），韵尾 n～ŋ 交替，可比较列普查语 froŋ<sroŋ（计数，算），过去式为 frón（Mainwaring G. B. *Dictionary of the Lepcha-Language*，1898）。

09199	數	色句	生虞去三合	ṣiʊ	侯	sk^{r}os
09200	屢	良遇	來虞去三合	liʊ	侯	g.ros
09201	㜢	郎侯	來侯平一合	lu	侯	g.ro̱
09202	樓[1]	落侯	來侯平一合	lu	侯	g.ro̱
09203	婁	落侯	來侯平一合	lu	侯	g.ro̱
09204	鄋	落侯	來侯平一合	lu	侯	g.ro̱
09205	隻	落侯	來侯平一合	lu	侯	g.ro̱
09206	甗	落侯	來侯平一合	lu	侯	g.ro̱
09207	蔞	落侯	來侯平一合	lu	侯	g.ro̱
09208	僂	落侯	來侯平一合	lu	侯	g.ro̱
09209	耬	落侯	來侯平一合	lu	侯	g.ro̱
09210	髏	落侯	來侯平一合	lu	侯	g.ro̱
09211	膢	落侯	來侯平一合	lu	侯	g.ro̱
09212	廔	落侯	來侯平一合	lu	侯	g.ro̱
09213	摟	落侯	來侯平一合	lu	侯	g.ro̱
09214	螻[2]	落侯	來侯平一合	lu	侯	g.ro̱
09215	簍	落侯	來侯平一合	lu	侯	g.ro̱
09216	鞻	落侯	來侯平一合	lu	侯	g.ro̱
09217	慺	落侯	來侯平一合	lu	侯	g.ro̱
09218	鷜	落侯	來侯平一合	lu	侯	g.ro̱
09219	鞻	落侯	來侯平一合	lu	侯	g.ro̱
09220	褸	落侯	來侯平一合	lu	侯	g.ro̱
09221	遱	落侯	來侯平一合	lu	侯	g.ro̱
09222	謱	落侯	來侯平一合	lu	侯	g.ro̱
09223	藪	蘇后	心侯上一合	su	侯	sk^{l}o̱ʔ
09224	籔	蘇后	心侯上一合	su	侯	sk^{l}o̱ʔ
09225	塿	郎斗	來侯上一合	lu	侯	g.ro̱ʔ
09226	簍	郎斗	來侯上一合	lu	侯	g.ro̱ʔ
09227	甊	郎斗	來侯上一合	lu	侯	g.ro̱ʔ
09228	嶁	郎斗	來侯上一合	lu	侯	g.ro̱ʔ
09229	謱	郎斗	來侯上一合	lu	侯	g.ro̱ʔ
09230	漊	郎斗	來侯上一合	lu	侯	g.ro̱ʔ
09231	鏤	盧候	來侯去一合	lu	侯	g.ro̱s
09232	瘻	盧候	來侯去一合	lu	侯	g.ro̱s
09233	僂	盧候	來侯去一合	lu	侯	g.ro̱s
09234	數	又音速	心屋入一合	suk	屋	sk^{l}o̱g
09235	數	所角	生覺入二開	ṣ^{ɯ}ɔk	屋	sk^{r}o̱g

匧 lòu

09236	匧	郎豆	來侯去一合	lu	侯	ro̱s
09237	陋	盧候	來侯去一合	lu	侯	ro̱s

屚 lòu

09238	漏	盧候	來侯去一合	lu	侯	ro̱s
09239	屚	盧候	來侯去一合	lu	侯	ro̱s

鹵 lǔ

09240	滷	郎古	來模上一合	lu̯o	魚	g.ra̱ʔ
09241	蓾	郎古	來模上一合	lu̯o	魚	g.ra̱ʔ
09242	鹵	郎古	來模上一合	lu̯o	魚	g.ra̱ʔ
09243	滷	昌石	昌昔入三開	tɕ^{h}iᴇk	鐸	k^{h}l^{j}ag
09244	滷	徒歷	定錫入四開	dek	錫	gle̱g

彔 lù

09245	髲	博木	幫屋入一合	puk	屋	po̱g
09246	彔	盧谷	來屋入一合	luk	屋	b.ro̱g
09247	彔	房六	並屋入三合	biuk	覺	b^{r}ug

录 lù

09248	録	力玉	來燭入三合	li̯ʊk	屋	g.rog
09249	渌	力玉	來燭入三合	li̯ʊk	屋	g.rog
09250	親	力玉	來燭入三合	li̯ʊk	屋	g.rog
09251	緑[3]	力玉	來燭入三合	li̯ʊk	屋	g.rog
09252	騄	力玉	來燭入三合	li̯ʊk	屋	g.rog
09253	娽	力玉	來燭入三合	li̯ʊk	屋	g.rog
09254	菉	力玉	來燭入三合	li̯ʊk	屋	g.rog
09255	逯	力玉	來燭入三合	li̯ʊk	屋	g.rog
09256	籙	力玉	來燭入三合	li̯ʊk	屋	g.rog
09257	碌	力玉	來燭入三合	li̯ʊk	屋	g.rog
09258	趢	力玉	來燭入三合	li̯ʊk	屋	g.rog
09259	親	盧谷	來屋入一合	luk	屋	g.ro̱g
09260	琭	盧谷	來屋入一合	luk	屋	g.ro̱g
09261	碌	盧谷	來屋入一合	luk	屋	g.ro̱g
09262	盝	盧谷	來屋入一合	luk	屋	g.ro̱g
09263	娽	盧谷	來屋入一合	luk	屋	g.ro̱g
09264	录	盧谷	來屋入一合	luk	屋	g.ro̱g
09265	趢	盧谷	來屋入一合	luk	屋	g.ro̱g

1 西域地名 Krorayina 樓蘭，故“樓”带冠音 *g.ro̱> *ro̱。

2 可比较藏文同源词 grog 蚂蚁，“螻”带冠音 *g.ro̱> *ro̱。

3 《礼记·丧大记》“君大夫鬊爪實于緑中”，郑玄注：“緑當爲角。”“角”音 *k^{r}o̱g，故“緑”带冠音 *g.rog> *rog。

09266	禄	盧谷	來屋入一合	luk	屋	ɡ.ro̱ɡ
09267	睩	盧谷	來屋入一合	luk	屋	ɡ.ro̱ɡ
09268	剥[1]	北角	幫覺入二開	pᵚɔk	屋	pkʳo̱ɡ

鹿 lù

09269	鹿[2]	盧谷	來屋入一合	luk	屋	ɡ.ro̱ɡ
09270	漉	盧谷	來屋入一合	luk	屋	ɡ.ro̱ɡ
09271	簏	盧谷	來屋入一合	luk	屋	ɡ.ro̱ɡ
09272	螰	盧谷	來屋入一合	luk	屋	ɡ.ro̱ɡ
09273	麗	盧谷	來屋入一合	luk	屋	ɡ.ro̱ɡ
09274	麓	盧谷	來屋入一合	luk	屋	ɡ.ro̱ɡ
09275	騼	盧谷	來屋入一合	luk	屋	ɡ.ro̱ɡ
09276	摝	盧谷	來屋入一合	luk	屋	ɡ.ro̱ɡ
09277	鏕	盧谷	來屋入一合	luk	屋	ɡ.ro̱ɡ
09278	蔍	盧谷	來屋入一合	luk	屋	ɡ.ro̱ɡ
09279	鄜	盧谷	來屋入一合	luk	屋	ɡ.ro̱ɡ
09280	轆	盧谷	來屋入一合	luk	屋	ɡ.ro̱ɡ
09281	惼	盧谷	來屋入一合	luk	屋	ɡ.ro̱ɡ

寽 lǚ

09282	埒	力輟	來薛入三合	lʷiᴇt	月°	rod
09283	鋝	力輟	來薛入三合	lʷiᴇt	月°	rod
09284	脟	力輟	來薛入三合	lʷiᴇt	月°	rod
09285	埓	力輟	來薛入三合	lʷiᴇt	月°	rod
09286	蛶	力輟	來薛入三合	lʷiᴇt	月°	rod
09287	栙	力輟	來薛入三合	lʷiᴇt	月°	rod
09288	酹	郎外	來泰去一合	lʷɑi	月°	ro̱ds
09289	捋	郎括	來曷入一合	lʷɑt	月°	ro̱d
09290	栙	郎括	來曷入一合	lʷɑt	月°	ro̱d
09291	捋	郎括	來曷入一合	lʷɑt	月°	ro̱d
09292	蛶	郎括	來曷入一合	lʷɑt	月°	ro̱d
09293	鋝	又音刷	生鎋入二合	ʂʷᵚæt	月°	sʳo̱d
09294	脟	力兖	來仙上三合	lʷiᴇn	元°	ronʔ
09295	寽	吕卹	來質入三合	lʷit	物ᵘ	rud
09296	酹	盧對	來灰去一合	lu̯oi	微ᵘ	ru̯ls

吕 lǚ

09297	閭	力居	來魚平三開	liɤ	魚	ɡ.ra
09298	櫚	力居	來魚平三開	liɤ	魚	ɡ.ra
09299	藘	力居	來魚平三開	liɤ	魚	ɡ.ra
09300	冶[3]	羊者	以麻上三開	jiæ	魚	ɢlaʔ
09301	莒	居許	見魚上三開	kiɤ	魚	kaʔ
09302	筥	居許	見魚上三開	kiɤ	魚	kaʔ
09303	吕	力舉	來魚上三開	liɤ	魚	ɡ.raʔ
09304	梠	力舉	來魚上三開	liɤ	魚	ɡ.raʔ
09305	侣	力舉	來魚上三開	liɤ	魚	ɡ.raʔ
09306	郘	力舉	來魚上三開	liɤ	魚	ɡ.raʔ

旅 lǚ

09307	旅[4]	力舉	來魚上三開	liɤ	魚	ɡ.raʔ
09308	篖	力舉	來魚上三開	liɤ	魚	ɡ.raʔ
09309	旅	落胡	來模平一合	lu̯o	魚	ɡ.ra̱

履 lǚ

09310	履[5]	力几	來脂上三開	li	脂	riʔ

䜌 luán

09311	變	彼眷	幫仙去B開	pɨᴇn	元°	pkʳons
09312	巒	閭員	來仙平三合	lʷiᴇn	元°	ɡ.ron
09313	欒	閭員	來仙平三合	lʷiᴇn	元°	ɡ.ron
09314	孿	閭員	來仙平三合	lʷiᴇn	元°	ɡ.ron
09315	彎	閭員	來仙平三合	lʷiᴇn	元°	ɡ.ron
09316	鸞	吕員	來仙平三合	lʷiᴇn	元°	ɡ.ron
09317	䜌	吕員	來仙平三合	lʷiᴇn	元°	ɡ.ron
09318	攣	吕員	來仙平三合	lʷiᴇn	元°	ɡ.ron
09319	臠	力兖	來仙上三合	lʷiᴇn	元°	ɡ.ronʔ
09320	孌	力兖	來仙上三合	lʷiᴇn	元°	ɡ.ronʔ
09321	孿	力轉	來仙上三合	lʷiᴇn	元°	ɡ.ronʔ
09322	戀	力卷	來仙去三合	lʷiᴇn	元°	ɡ.rons
09323	欒	力卷	來仙去三合	lʷiᴇn	元°	ɡ.rons
09324	䜌	力卷	來仙去三合	lʷiᴇn	元°	ɡ.rons
09325	孌	力卷	來仙去三合	lʷiᴇn	元°	ɡ.rons

1　《广韵》又同“剥”。比较白保罗《汉藏语概论》(388)剥离 kuːk。

2　“鹿”通“禄”* ɡ.ro̱ɡ,《银雀山汉墓竹简(壹)·孙膑兵法·见威王》:“黄帝戰蜀(涿)禄(鹿)。”故“鹿”带软腭冠音。

3　李豪:陈剑以为从“吕”声,與“蠱”通,《后汉书·马融传》“田開古蠱”,注:“音冶。蠱,與冶通。”又玄应《一切经音义》十四引《声类》:“蠱,弋者反。蠱行毒也。”

4　《左传·宣公八年经》:“楚子旅卒。”《穀梁传》“旅”作“吕”。依据通假“吕”* ɡ.raʔ,“旅”当有冠音* ɡ.raʔ>* raʔ。

5　郑张尚芳:《说文》“一曰尸聲”,甲文为眉声,当为脂部。“尸”音* l̥i,“眉”音* mʳil。

09326 攣 龍眷 來仙去三合 l^{w}iᴇn 元^{o} g.rons
09327 𦆉 居願 見元去三合 k^{w}iɤn 元^{o} k^{l}ons
09328 𦆉 芳万 滂元去三合 p^{hw}iɤn 元^{o} pk^{hl}ons
09329 欒 盧丸 來寒平一合 l^{w}ɑn 元^{o} g.ro̱n
09330 臠 盧丸 來寒平一合 l^{w}ɑn 元^{o} g.ro̱n
09331 攣 盧丸 來寒平一合 l^{w}ɑn 元^{o} g.ro̱n
09332 鑾 落官 來寒平一合 l^{w}ɑn 元^{o} g.ro̱n
09333 鸞 落官 來寒平一合 l^{w}ɑn 元^{o} g.ro̱n
09334 𦆉 落官 來寒平一合 l^{w}ɑn 元^{o} g.ro̱n
09335 欒 落官 來寒平一合 l^{w}ɑn 元^{o} g.ro̱n
09336 灓 落官 來寒平一合 l^{w}ɑn 元^{o} g.ro̱n
09337 䜌 落官 來寒平一合 l^{w}ɑn 元^{o} g.ro̱n
09338 𢿢 落官 來寒平一合 l^{w}ɑn 元^{o} g.ro̱n
09339 臠 落官 來寒平一合 l^{w}ɑn 元^{o} g.ro̱n
09340 欒 落官 來寒平一合 l^{w}ɑn 元^{o} g.ro̱n
09341 𦆉 落官 來寒平一合 l^{w}ɑn 元^{o} g.ro̱n
09342 𨸹[1] 落干 來寒平一合 l^{w}ɑn 元^{o} g.ro̱n
09343 欒 郎段 來寒去一合 l^{w}ɑn 元^{o} g.ro̱ns
09344 蠻 莫還 明删平二開 m^{ɯ}æn 元^{o} mg^{r}o̱n
09345 彎 烏關 影删平二合 ʔ^{wɯ}æn 元^{o} q^{r}o̱n
09346 彎 武板 明删上二開 m^{ɯ}æn 元^{o} mg^{r}o̱nʔ
09347 攣[2] 數患 生删去二合 ʂ^{wɯ}æn 元^{o} sg^{r}o̱ns

𤔔 luàn

09348 嬵 力兖 來仙上三合 l^{w}iᴇn 元^{o} g.ronʔ
09349 覶 力轉 來仙上三合 l^{w}iᴇn 元^{o} g.ronʔ
09350 亂 郎段 來寒去一合 l^{w}ɑn 元^{o} g.ro̱ns
09351 敽 郎段 來寒去一合 l^{w}ɑn 元^{o} g.ro̱ns
09352 𤔔 郎段 來寒去一合 l^{w}ɑn 元^{o} g.ro̱ns
09353 覶 盧玩 來寒去一合 l^{w}ɑn 元^{o} g.ro̱ns
09354 𦼮[3] 五患 疑删去二合 ŋ^{wɯ}æn 元^{o} ŋg^{r}o̱ns
09355 覶 盧戈 來歌平一合 l^{w}ɑ 歌^{o} g.ro̱l

侖 lún

09356 陯 力迍 來真平三合 l^{w}in 文^{u} g.run
09357 淪 力迍 來真平三合 l^{w}in 文^{u} g.run
09358 倫 力迍 來真平三合 l^{w}in 文^{u} g.run
09359 論 力迍 來真平三合 l^{w}in 文^{u} g.run
09360 輪 力迍 來真平三合 l^{w}in 文^{u} g.run
09361 掄 力迍 來真平三合 l^{w}in 文^{u} g.run
09362 鯩 力迍 來真平三合 l^{w}in 文^{u} g.run
09363 蜦 力迍 來真平三合 l^{w}in 文^{u} g.run
09364 棆 力迍 來真平三合 l^{w}in 文^{u} g.run
09365 綸 力迍 來真平三合 l^{w}in 文^{u} g.run
09366 惀 力迍 來真平三合 l^{w}in 文^{u} g.run
09367 侖 力迍 來真平三合 l^{w}in 文^{u} g.run
09368 論 盧昆 來魂平一合 lu̯on 文^{u} g.ru̱n
09369 崙[4] 盧昆 來魂平一合 lu̯on 文^{u} g.ru̱n
09370 掄 盧昆 來魂平一合 lu̯on 文^{u} g.ru̱n
09371 菕 盧昆 來魂平一合 lu̯on 文^{u} g.ru̱n
09372 睔 胡本 匣魂上一合 ɦu̯on 文^{u} gu̱nʔ
09373 惀 盧本 來魂上一合 lu̯on 文^{u} g.ru̱nʔ
09374 睔 盧本 來魂上一合 lu̯on 文^{u} g.ru̱nʔ
09375 睔 古困 見魂去一合 ku̯on 文^{u} ku̱ns
09376 論 盧困 來魂去一合 lu̯on 文^{u} g.ru̱ns
09377 綸 古頑 見山平二合 k^{wɯ}ɛn 文^{u} k^{r}u̱n
09378 蜦 郎計 來齊去四開 lei 微^{ɯ} g.rɯ̱ls

羅 luó

09379 罹 吕支 來支平三開 lie 歌^{a} g.ral
09380 羅[5] 魯何 來歌平一開 lɑ 歌^{a} g.ra̱l
09381 蘿 魯何 來歌平一開 lɑ 歌^{a} g.ra̱l
09382 籮 魯何 來歌平一開 lɑ 歌^{a} g.ra̱l
09383 囉 魯何 來歌平一開 lɑ 歌^{a} g.ra̱l

蓏 luǒ

09384 蓏 郎果 來歌上一合 l^{w}ɑ 歌^{o} ro̱lʔ

羸 luǒ

09385 羸 力爲 來支平三合 l^{w}ie 歌^{o} g.rol
09386 欚 力爲 來支平三合 l^{w}ie 歌^{o} g.rol

---

1 "𨸹"字见于安大简《诗经》，用于"關關雎鳩"的"關"。"關"字上古音 k^{r}o̱n，可见"𨸹"上古音为 *k^{r}o̱n。

2 《广韵》又同"孿"。

3 《古今注》："蒜，卵蒜也，俗人谓之小蒜。"陶贞白云："小蒜名𦼮子。""𦼮"上古音 *g.rons，声符"亂"藏文为 gloŋ 乱，段玉裁谓根似"卵"状，故以"卵" *g.ron 为声。藏文丸状物为 goŋ。"野蒜"的原始苗语为 *ɢloŋ（王辅世《苗语方言声韵母比较》，1979 年论文）。

4 《广韵》作"崘"。

5 古汉越语 chai2 罗网，来自复辅音。《释名》枷"或曰羅枷"，是叠韵联绵字，"枷"kra̱l，"羅" *g.ra̱l。可比较同族字中"羉" *kral。

09387	蠃	落戈	來歌平一合	l^{w}ɑ	歌^{o}	g.ro̱l
09388	蠡	落戈	來歌平一合	l^{w}ɑ	歌^{o}	g.ro̱l
09389	鑹	落戈	來歌平一合	l^{w}ɑ	歌^{o}	g.ro̱l
09390	羸[1]	魯果	來歌上一合	l^{w}ɑ	歌^{o}	g.ro̱lʔ
09391	蠃	魯過	來歌去一合	l^{w}ɑ	歌^{o}	g.ro̱ls
09392	蠃	魯過	來歌去一合	l^{w}ɑ	歌^{o}	g.ro̱ls
09393	瘰	魯過	來歌去一合	l^{w}ɑ	歌^{o}	g.ro̱ls
09394	廬	魯過	來歌去一合	l^{w}ɑ	歌^{o}	g.ro̱ls
09395	癳	郎外	來泰去一合	l^{w}ɑi	月^{o}	g.ro̱ds
09396	廬	力頑	來刪平二合	l^{wɯ}æn	元^{o}	g.ro̱n

麻 má

09397	撝	忙皮	明支平B 開	mɨe	歌^{a}	m^{r}al
09398	糜	靡爲	明支平B 開	mɨe	歌^{a}	m^{r}al
09399	縻	靡爲	明支平B 開	mɨe	歌^{a}	m^{r}al
09400	蘼	靡爲	明支平B 開	mɨe	歌^{a}	m^{r}al
09401	穈	靡爲	明支平B 開	mɨe	歌^{a}	m^{r}al
09402	鏖	靡爲	明支平B 開	mɨe	歌^{a}	m^{r}al
09403	靡	靡爲	明支平B 開	mɨe	歌^{a}	m^{r}al
09404	麾	許爲	曉支平B 合	h^{w}ɨe	歌^{a}	m̥^{hr}al
09405	孊	母被	明支上B 開	mɨe	歌^{a}	m^{r}alʔ
09406	孊	母被	明支上B 開	mɨe	歌^{a}	m^{r}alʔ
09407	濂	母被	明支上B 開	mɨe	歌^{a}	m^{r}alʔ
09408	靡	文彼	明支上B 開	mɨe	歌^{a}	m^{r}alʔ
09409	靡	文彼	明支上B 開	mɨe	歌^{a}	m^{r}alʔ
09410	蘼	文彼	明支上B 開	mɨe	歌^{a}	m^{r}alʔ
09411	礳	眉波	明歌平一合	m^{w}ɑ	歌^{a}	ma̱l
09412	髍	眉波	明歌平一合	m^{w}ɑ	歌^{a}	ma̱l
09413	摩	莫婆	明歌平一合	m^{w}ɑ	歌^{a}	ma̱l
09414	塺	莫婆	明歌平一合	m^{w}ɑ	歌^{a}	ma̱l
09415	魔	莫婆	明歌平一合	m^{w}ɑ	歌^{a}	ma̱l
09416	膐	莫婆	明歌平一合	m^{w}ɑ	歌^{a}	ma̱l
09417	磨	莫婆	明歌平一合	m^{w}ɑi	歌^{a}	ma̱l
09418	劘	莫婆	明歌平一合	m^{w}ɑ	歌^{a}	ma̱l
09419	䌫	母果	明歌上一合	m^{w}ɑ	歌^{a}	ma̱lʔ
09420	麼	亡果	明歌上一合	m^{w}ɑ	歌^{a}	ma̱lʔ
09421	塺	摸臥	明歌去一合	m^{w}ɑ	歌^{a}	ma̱ls
09422	礳	摸臥	明歌去一合	m^{w}ɑ	歌^{a}	ma̱ls
09423	磨	摸臥	明歌去一合	m^{w}ɑ	歌^{a}	ma̱ls
09424	摩	摸臥	明歌去一合	m^{w}ɑ	歌^{a}	ma̱ls
09425	攠	莫卧	明歌去一合	m^{w}ɑ	歌^{a}	ma̱ls
09426	麻	莫霞	明麻平二開	m^{ɯ}æ	歌^{a}	m^{r}a̱l
09427	摩	莫霞	明麻平二開	m^{ɯ}æ	歌^{a}	m^{r}a̱l
09428	痲	莫霞	明麻平二開	m^{ɯ}æ	歌^{a}	m^{r}a̱l
09429	蔴	莫霞	明麻平二開	m^{ɯ}æ	歌^{a}	m^{r}a̱l
09430	靡	武悲	明脂平B 開	mɨi	微^{ɯ}	m^{r}ɯl
09431	塺	莫杯	明灰平一合	mu̯oi	微^{ɯ}	mɯ̱l
09432	糜	謨奔	明魂平一合	mu̯on	文^{ɯ}	mɯ̱n

馬 mǎ

09433	馬	莫下	明麻上二開	m^{ɯ}æ	魚	m^{r}a̱ʔ
09434	鄢	莫下	明麻上二開	m^{ɯ}æ	魚	m^{r}a̱ʔ
09435	罵	莫下	明麻上二開	m^{ɯ}æ	魚	m^{r}a̱ʔ
09436	瑪	母下	明麻上二開	m^{ɯ}æ	魚	m^{r}a̱ʔ
09437	禡	莫駕	明麻去二開	m^{ɯ}æ	魚	m^{r}a̱s
09438	瘍	莫駕	明麻去二開	m^{ɯ}æ	魚	m^{r}a̱s
09439	罵	莫駕	明麻去二開	m^{ɯ}æ	魚	m^{r}a̱s
09440	鄢	莫駕	明麻去二開	m^{ɯ}æ	魚	m^{r}a̱s
09441	隖	莫駕	明麻去二開	m^{ɯ}æ	魚	m^{r}a̱s
09442	傌	莫駕	明麻去二開	m^{ɯ}æ	魚	m^{r}a̱s
09443	瘍	謨晏	明刪去二開	m^{ɯ}æn	元^{a}	m^{r}a̱ns

買 mǎi

09444	䁹	莫佳	明佳平二開	m^{ɯ}ɛ	佳	m^{r}e̱
09445	買	莫蟹	明佳上二開	m^{ɯ}ɛ	佳	m^{r}e̱ʔ
09446	溳	莫蟹	明佳上二開	m^{ɯ}ɛ	佳	m^{r}e̱ʔ
09447	賣	莫懈	明佳去二開	m^{ɯ}ɛ	佳	m^{r}e̱s

蔄 mán

09448	樠	武元	明元平三合	m^{w}iɤn	元^{a}	man
09449	鬗	無販	明元去三合	m^{w}iɤn	元^{a}	mans
09450	瞞	母官	明寒平一合	m^{w}ɑn	元^{a}	ma̱n
09451	懣	母官	明寒平一合	m^{w}ɑn	元^{a}	ma̱n
09452	蔄	母官	明寒平一合	m^{w}ɑn	元^{a}	ma̱n
09453	樠	母官	明寒平一合	m^{w}ɑn	元^{a}	ma̱n
09454	鬗	母官	明寒平一合	m^{w}ɑn	元^{a}	ma̱n
09455	滿	莫旱	明寒上一合	m^{w}ɑn	元^{a}	ma̱nʔ
09456	濷	莫旱	明寒上一合	m^{w}ɑn	元^{a}	ma̱nʔ

---

1 《仪礼・士冠礼》"羸醢",郑注通"蝸"*k^{r}o̱l,故"羸"音*g.ro̱l。

09457	樠	莫奔	明魂平一合	mu̯on	文^{ɯ}	mɯ̱n
09458	璊	莫奔	明魂平一合	mu̯on	文^{ɯ}	mɯ̱n
09459	穈	莫奔	明魂平一合	mu̯on	文^{ɯ}	mɯ̱n
09460	懣	模本	明魂上一合	mu̯on	文^{ɯ}	mɯ̱nʔ
09461	懣	莫困	明魂去一合	mu̯on	文^{ɯ}	mɯ̱ns
09462	蔄	瞀見	明先去四開	men	文^{ɯ}	mɯ̱ns

曼 màn

09463	謾[1]	武延	明仙平A開	miᴇn	元^{o}	mon
09464	鄤	模元	明元平三合	m^{w}iɤn	元^{o}	mon
09465	蔓	無販	明元去三合	m^{w}iɤn	元^{o}	mons
09466	曼	無販	明元去三合	m^{w}iɤn	元^{o}	mons
09467	蟃	無販	明元去三合	m^{w}iɤn	元^{o}	mons
09468	鰻	無販	明元去三合	m^{w}iɤn	元^{o}	mons
09469	鄤	無販	明元去三合	m^{w}iɤn	元^{o}	mons
09470	獌	無販	明元去三合	m^{w}iɤn	元^{o}	mons
09471	輓	無販	明元去三合	m^{w}iɤn	元^{o}	mons
09472	槾	無販	明元去三合	m^{w}iɤn	元^{o}	mons
09473	僈	謨官	明寒平一合	m^{w}ɑn	元^{o}	mo̱n
09474	鄤	謨官	明寒平一合	m^{w}ɑn	元^{o}	mo̱n
09475	謾	母官	明寒平一合	m^{w}ɑn	元^{o}	mo̱n
09476	鏝	母官	明寒平一合	m^{w}ɑn	元^{o}	mo̱n
09477	鰻	母官	明寒平一合	m^{w}ɑn	元^{o}	mo̱n
09478	曼	母官	明寒平一合	m^{w}ɑn	元^{o}	mo̱n
09479	蔓	母官	明寒平一合	m^{w}ɑn	元^{o}	mo̱n
09480	趧	母官	明寒平一合	m^{w}ɑn	元^{o}	mo̱n
09481	墁	莫干	明寒平一開	mɑn	元^{o}	mo̱n
09482	獌	莫干	明寒平一開	mɑn	元^{o}	mo̱n
09483	謾	莫干	明寒平一開	mɑn	元^{o}	mo̱n
09484	鏝	莫半	明寒去一合	m^{w}ɑn	元^{o}	mo̱ns
09485	縵	莫半	明寒去一合	m^{w}ɑn	元^{o}	mo̱ns
09486	幔	莫半	明寒去一合	m^{w}ɑn	元^{o}	mo̱ns
09487	漫	莫半	明寒去一合	m^{w}ɑn	元^{o}	mo̱ns
09488	獌	莫半	明寒去一合	m^{w}ɑn	元^{o}	mo̱ns
09489	墁	莫半	明寒去一合	m^{w}ɑn	元^{o}	mo̱ns
09490	謾	莫半	明寒去一合	m^{w}ɑn	元^{o}	mo̱ns
09491	槾	莫半	明寒去一合	m^{w}ɑn	元^{o}	mo̱ns
09492	鄤	莫半	明寒去一合	m^{w}ɑn	元^{o}	mo̱ns
09493	獌	莫還	明删平二開	m^{ɯ}æn	元^{o}	m^{r}o̱n
09494	謾	莫還	明删平二開	m^{ɯ}æn	元^{o}	m^{r}o̱n
09495	慢	謨晏	明删去二開	m^{ɯ}æn	元^{o}	m^{r}o̱ns
09496	嫚	謨晏	明删去二開	m^{ɯ}æn	元^{o}	m^{r}o̱ns
09497	謾	謨晏	明删去二開	m^{ɯ}æn	元^{o}	m^{r}o̱ns
09498	縵	謨晏	明删去二開	m^{ɯ}æn	元^{o}	m^{r}o̱ns
09499	趧	莫奔	明魂平一合	mu̯on	文^{u}	mu̱n

龙 máng

09500	埿	力踵	來鍾上三合	liʊŋ	東	m.roŋʔ
09501	庬	母摠	明東上一合	muŋ	東	mo̱ŋʔ
09502	厖	莫江	明江平二開	m^{ɯ}ɔŋ	東	m^{r}o̱ŋ
09503	駹	莫江	明江平二開	m^{ɯ}ɔŋ	東	m^{r}o̱ŋ
09504	龙	莫江	明江平二開	m^{ɯ}ɔŋ	東	m^{r}o̱ŋ
09505	浝	莫江	明江平二開	m^{ɯ}ɔŋ	東	m^{r}o̱ŋ
09506	哤	莫江	明江平二開	m^{ɯ}ɔŋ	東	m^{r}o̱ŋ
09507	牻	莫江	明江平二開	m^{ɯ}ɔŋ	東	m^{r}o̱ŋ
09508	蛖	莫江	明江平二開	m^{ɯ}ɔŋ	東	m^{r}o̱ŋ
09509	痝	莫江	明江平二開	m^{ɯ}ɔŋ	東	m^{r}o̱ŋ
09510	硥	母項	明江上二開	m^{ɯ}ɔŋ	東	m^{r}o̱ŋʔ
09511	庬	母項	明江上二開	m^{ɯ}ɔŋ	東	m^{r}o̱ŋʔ

莽 mǎng

09512	茻	模朗	明唐上一開	mɑŋ	陽	ma̱ŋʔ
09513	漭	模朗	明唐上一開	mɑŋ	陽	ma̱ŋʔ
09514	蟒	模朗	明唐上一開	mɑŋ	陽	ma̱ŋʔ
09515	漭	莫浪	明唐去一開	mɑŋ	陽	ma̱ŋs
09516	莽	莫補	明模上一合	mu̯o	魚	ma̱ʔ

毛 máo

09517	牦	謨袍	明豪平一開	mɑu	幽^{ɯ}	mɯ̱^{w}
09518	耗	謨袍	明豪平一開	mɑu	幽^{ɯ}	mɯ̱^{w}
09519	毛	莫袍	明豪平一開	mɑu	幽^{ɯ}	mɯ̱^{w}
09520	髦	莫袍	明豪平一開	mɑu	幽^{ɯ}	mɯ̱^{w}
09521	芼	莫袍	明豪平一開	mɑu	幽^{ɯ}	mɯ̱^{w}
09522	旄	莫袍	明豪平一開	mɑu	幽^{ɯ}	mɯ̱^{w}
09523	氂	莫袍	明豪平一開	mɑu	幽^{ɯ}	mɯ̱^{w}
09524	毛	莫報	明豪去一開	mɑu	幽^{ɯ}	mɯ̱^{w}s
09525	覒	莫報	明豪去一開	mɑu	幽^{ɯ}	mɯ̱^{w}s
09526	紝	莫報	明豪去一開	mɑu	幽^{ɯ}	mɯ̱^{w}s
09527	耄	莫報	明豪去一開	mɑu	幽^{ɯ}	mɯ̱^{w}s
09528	芼	莫報	明豪去一開	mɑu	幽^{ɯ}	mɯ̱^{w}s

1 上古元^{o}部不出现重纽A类。

09529 眊 莫報 明豪去一開 mɑu 幽^{ɯ} mɯ̱^{w}s
09530 旄 莫報 明豪去一開 mɑu 幽^{ɯ} mɯ̱^{w}s
09531 秏 呼到 曉豪去一開 hɑu 幽^{ɯ} m̥^{h}ɯ̱^{w}s
09532 託 虛到 曉豪去一開 hɑu 幽^{ɯ} m̥^{h}ɯ̱^{w}s
09533 毷 莫卜 明屋入一合 muk 屋 mo̱g
09534 毷 莫角 明覺入二開 m^{ɯ}ɔk 屋 m^{r}o̱g
09535 秏 荒内 曉灰去一合 hu̯oi 職 m̥^{h}ɯ̱gs
09536 眊 莫角 明覺入二開 m^{ɯ}ɔk 覺 m^{r}u̱g

矛 máo

09537 袤[1]莫候 明侯去一合 mu 幽 mus
09538 楙[2]莫候 明侯去一合 mu 幽 mus
09539 懋[3]莫候 明侯去一合 mu 幽 mus
09540 蓩[4]莫候 明侯去一合 mu 幽 mus
09541 雺[5]莫候 明侯去一合 mu 幽 mus
09542 蟊[6]莫候 明侯去一合 mu 幽 mus
09543 揉 耳由 日尤平三合 ȵiu 幽 mgl^{j}u
09544 柔[7]耳由 日尤平三合 ȵiu 幽 mgl^{j}u
09545 鍒 耳由 日尤平三合 ȵiu 幽 mgl^{j}u
09546 瑈 耳由 日尤平三合 ȵiu 幽 mgl^{j}u
09547 騥 耳由 日尤平三合 ȵiu 幽 mgl^{j}u
09548 蝚 耳由 日尤平三合 ȵiu 幽 mgl^{j}u
09549 蹂 耳由 日尤平三合 ȵiu 幽 mgl^{j}u
09550 葇 耳由 日尤平三合 ȵiu 幽 mgl^{j}u
09551 鞣 耳由 日尤平三合 ȵiu 幽 mgl^{j}u
09552 腬 耳由 日尤平三合 ȵiu 幽 mgl^{j}u
09553 鶔 耳由 日尤平三合 ȵiu 幽 mgl^{j}u
09554 渘 而由 日尤平三合 ȵiu 幽 mgl^{j}u
09555 蟊[8]莫浮 明尤平三合 miu 幽 mu
09556 雺 莫浮 明尤平三合 miu 幽 mu
09557 矛 莫浮 明尤平三合 miu 幽 mu
09558 蝚 女九 娘尤上三合 ɳiu 幽 mgluʔ
09559 猱 女久 娘尤上三合 ɳiu 幽 mgluʔ
09560 煣 人九 日尤上三合 ȵiu 幽 mgl^{j}uʔ
09561 楺 人九 日尤上三合 ȵiu 幽 mgl^{j}uʔ
09562 輮 人九 日尤上三合 ȵiu 幽 mgl^{j}uʔ
09563 蹂 人九 日尤上三合 ȵiu 幽 mgl^{j}uʔ
09564 葇 人九 日尤上三合 ȵiu 幽 mgl^{j}uʔ
09565 糅 女救 娘尤去三合 ɳiu 幽 mglus
09566 腬 女救 娘尤去三合 ɳiu 幽 mglus
09567 猱[9]女救 娘尤去三合 ɳiu 幽 mglus
09568 蹂 人又 日尤去三合 ȵiu 幽 mgl^{j}us
09569 鞣 人又 日尤去三合 ȵiu 幽 mgl^{j}us
09570 輮 人又 日尤去三合 ȵiu 幽 mgl^{j}us
09571 煣 人又 日尤去三合 ȵiu 幽 mgl^{j}us
09572 猱[10]奴刀 泥豪平一開 nɑu 幽 mglu̱
09573 茅 莫交 明肴平二開 m^{ɯ}æu 幽 m^{r}u̱
09574 罞 莫交 明肴平二開 m^{ɯ}æu 幽 m^{r}u̱
09575 雺[11]莫紅 明東平一合 muŋ 終 muŋ
09576 蟊[12]謨蓬 明東平一合 muŋ 終 muŋ
09577 罞[13]莫紅 明東平一合 muŋ 終 muŋ
09578 髳 莫紅 明東平一合 muŋ 終 muŋ
09579 雺 莫綜 明冬去一合 mu̯oŋ 終 mu̱ŋs

卯 mǎo

09580 鄮[14]莫候 明侯去一合 mu 幽 mg^{l}us

---

1 这些从"袤"得声的字从谐声看只能是幽(觉终),但是它们却出现于一等韵侯(屋东)。从上古的音变规则看,它们最接近的中古韵母应该是尤(屋三东三)。我们不妨假设它们原来都是三等字,因为是某种原因三等介音不出现,变成了一等韵。这些字都带后元音 u,唇音舌位靠后,特别明母是鼻音,鼻音的舌腭肌收缩,带动舌头前移。现在假设这些字原来是松元音,向三等介音变化的时候,会向前移动。这就出现对抗性音变。在后元音的对抗下,前化的三等介音不出现,于是就变成对应的一等韵。

2 见"袤"字注。

3 见"袤"字注。

4 见"袤"字注。

5 见"袤"字注。

6 见"袤"字注。

7 《马王堆汉墓帛书(壹)》甲本《老子》简 33"柔"作"秫"。主声符"求"*g^{l}u>giu;次声符"矛"为冠音*m-,*mgl^{j}u>*ml^{j}u>ȵiu。

8 圆唇元音的发音部位靠后,跟其他的声母比较唇音的部位更加靠后,特别是明母鼻音由于舌腭肌的收缩,带动舌头使元音产生向后的变化。三等腭介音则有向前移动的变化。这是一个对抗性的音变,于是原来带 u 的部分幽、觉、东三等介音失落,变成了一等的侯、屋、东。

9 见 09572"猱"字注。

10 可比较武鸣壮语的猴子*m.lu̱>*malu>malau。宋赵彦卫《云麓漫钞》:"北人諺語曰胡孫爲馬流。"现代广州话谓"马骝",有同样的语源。还可以比较缅文 mlɔk,巍山彝语 mo,喜德彝语 ȵu,窝尼语 mu,皇桐临高语 ma33lu55,连山壮语 ma4liu2。"夒"与"猱"是古今字,王国维说甲骨文里"夒"指帝喾,"嚳"*k^{h}u̱g 与"夒""猱"都带有软腭塞音。可见"猱"为*mglu̱>*mlu̱>*nu>nɑu。另见"柔"字注。

11 见"袤"字注。

12 见"袤"字注。

13 见"袤"字注。

14 见"袤"字注。

09581 貿[1] 莫候 明侯去一合 mu 幽 mg^{l}us
09582 擂 丑鳩 徹尤平三合 ʈ^{h}iu 幽 k^{h}ru
09583 劉 力求 來尤平三合 liu 幽 g.ru
09584 留[2] 力求 來尤平三合 liu 幽 g.ru
09585 鶹 力求 來尤平三合 liu 幽 g.ru
09586 騮 力求 來尤平三合 liu 幽 g.ru
09587 瘤 力求 來尤平三合 liu 幽 g.ru
09588 榴 力求 來尤平三合 liu 幽 g.ru
09589 瑠 力求 來尤平三合 liu 幽 g.ru
09590 鄮 力求 來尤平三合 liu 幽 g.ru
09591 鐂 力求 來尤平三合 liu 幽 g.ru
09592 瀏 力求 來尤平三合 liu 幽 g.ru
09593 鰡 力求 來尤平三合 liu 幽 g.ru
09594 鎦 力求 來尤平三合 liu 幽 g.ru
09595 懰 力求 來尤平三合 liu 幽 g.ru
09596 餾 力求 來尤平三合 liu 幽 g.ru
09597 遛 力求 來尤平三合 liu 幽 g.ru
09598 藰 力求 來尤平三合 liu 幽 g.ru
09599 瀏 力久 來尤上三合 liu 幽 g.ruʔ
09600 茆 力久 來尤上三合 liu 幽 g.ruʔ
09601 藰 力九 來尤上三合 liu 幽 g.ruʔ
09602 抑 力九 來尤上三合 liu 幽 g.ruʔ
09603 柳 力久 來尤上三合 liu 幽 g.ruʔ
09604 罶 力久 來尤上三合 liu 幽 g.ruʔ
09605 懰 力久 來尤上三合 liu 幽 g.ruʔ
09606 珋 力久 來尤上三合 liu 幽 g.ruʔ
09607 鐂 力久 來尤上三合 liu 幽 g.ruʔ
09608 鄮 力久 來尤上三合 liu 幽 g.ruʔ
09609 籀 直祐 澄尤去三合 ɖiu 幽 grus
09610 霤 力救 來尤去三合 liu 幽 g.rus
09611 溜 力救 來尤去三合 liu 幽 g.rus
09612 餾 力救 來尤去三合 liu 幽 g.rus
09613 瘤 力救 來尤去三合 liu 幽 g.rus
09614 窌 力救 來尤去三合 liu 幽 g.rus
09615 留 力救 來尤去三合 liu 幽 g.rus
09616 廇 力救 來尤去三合 liu 幽 g.rus
09617 褶 力救 來尤去三合 liu 幽 g.rus
09618 塯 力救 來尤去三合 liu 幽 g.rus
09619 甑 力救 來尤去三合 liu 幽 g.rus
09620 擂 力救 來尤去三合 liu 幽 g.rus
09621 嚠 魯刀 來豪平一開 lɑu 幽 g.ru̲
09622 卯 莫飽 明肴上二開 m^{ɯ}æu 幽 mg^{r}u̲ʔ
09623 昴 莫飽 明肴上二開 m^{ɯ}æu 幽 mg^{r}u̲ʔ
09624 茆 莫飽 明肴上二開 m^{ɯ}æu 幽 mg^{r}u̲ʔ
09625 奅[3] 匹皃 滂肴去二開 p^{hɯ}æu 幽 k^{hr}u̲s
09626 窌[4] 匹皃 滂肴去二開 p^{hɯ}æu 幽 k^{hr}u̲s
09627 擂 力竹 來屋入三合 liuk 覺 g.rug
09628 聊 落蕭 來蕭平四開 leu 幽^{i} g.ri̲^{w}

冃 mǎo

09629 冃[5] 莫候 明侯去一合 mu 幽 mus
09630 冃 武道 明豪上一開 mɑu 幽 mu̲ʔ

冐 mào

09631 瑁 莫報 明豪去一開 mɑu 覺 mu̲gs
09632 媢 莫報 明豪去一開 mɑu 覺 mu̲gs
09633 楣 莫報 明豪去一開 mɑu 覺 mu̲gs
09634 鶥 莫報 明豪去一開 mɑu 覺 mu̲gs
09635 冃 莫報 明豪去一開 mɑu 覺 mu̲gs
09636 帽 莫報 明豪去一開 mɑu 覺 mu̲gs
09637 瑁 莫報 明豪去一開 mɑu 覺 mu̲gs
09638 冒 莫報 明豪去一開 mɑu 覺 mu̲gs
09639 瑁 莫沃 明沃入一合 mu̯ok 覺 mu̲g
09640 楣 莫沃 明沃入一合 mu̯ok 覺 mu̲g
09641 媢 莫沃 明沃入一合 mu̯ok 覺 mu̲g
09642 艒 莫沃 明沃入一合 mu̯ok 覺 mu̲g
09643 萺 莫沃 明沃入一合 mu̯ok 覺 mu̲g
09644 瞐 許竹 曉屋入三合 hiuk 職 m̥^{h}ɯg
09645 瑁 莫佩 明灰去一合 mu̯oi 職 mɯ̲gs
09646 艒 莫北 明德入一開 mək 職 mɯ̲g

1　见“冡”字注。

2　“留”通“流”* g.ru，张家山汉简《脉书》：“夫留（流）水不腐，户貙（樞）不橐（蠹）。”“溜”通“婁”* g.ro，阜阳汉简《唐风》：“弗褃（曳）弗溜（婁）。”可见“留”应该是与“流”有一样的读音* g.ru。“卯”通“流”* g.ru，郭店楚墓竹简《语丛一》：“凡勿（物）又（有）螽（本）又（有）卯（流）。”可见“卯”上古是* mg^{r}u̲ʔ>* m^{r}u̲ʔ，三辅音中第二辅音会失落。滂母字“窌”通“窖”，《節》：“毋鄉（嚮）室以兵，不可塞污澥（壑）井窌（窖）。”这是上古汉语的常见音变* ku >k^{w}u> pu。

3　* k^{hr}u̲s>* p^{hr}u̲s。

4　k^{w}>p，p>k^{w} 许多语言中都有相同的音变。窖～窌不是训读字，而是不同的音变：窖* k^{r}u̲gs，窌* k^{hr}us>* p^{hr}us。原始印欧语的* kw 和* gw 在凯尔特语中分别变成了* p 和* b（Hock 1986：153）。

5　见“冡”字注。

09647 冒 莫北 明德入一開 mək 職 mɯ̱g
09648 萺 莫六 明屋入三合 miuk 屋 mog
09649 勖 許玉 曉燭入三合 hi̯ʊk 屋 m̥^{h}og
09650 艒 莫卜 明屋入一合 muk 屋 mo̱g
09651 賵 撫鳳 滂東去三合 p^{h}iuŋ 終 m̥uŋs
09652 媢 武道 明豪上一開 mɑu 幽 mu̱ʔ
09653 瑁 莫代 明咍去一開 məi 職 mɯ̱gs

皃 mào

09654 額 莫教 明肴去二開 m^{ɯ}æu 藥^{e} m^{r}e̱g^{w}s
09655 貌 莫教 明肴去二開 m^{ɯ}æu 藥^{e} m^{r}e̱g^{w}s
09656 帨 莫教 明肴去二開 m^{ɯ}æu 藥^{e} m^{r}e̱g^{w}s
09657 皃 莫角 明覺入二開 m^{ɯ}ɔk 藥^{e} m^{r}e̱g^{w}
09658 貇 墨角 明覺入二開 m^{ɯ}ɔk 藥^{e} m^{r}e̱g^{w}
09659 邈 莫角 明覺入二開 m^{ɯ}ɔk 藥^{e} m^{r}e̱g^{w}
09660 藐 莫角 明覺入二開 m^{ɯ}ɔk 藥^{e} m^{r}e̱g^{w}
09661 藐 亡沼 明宵上A 開 miᴇu 宵^{e} me^{w}ʔ
09662 皃 莫教 明肴去二開 m^{ɯ}æu 宵^{e} m^{r}e̱^{w}s

枚 méi

09663 枚 莫杯 明灰平一合 mu̯oi 微^{ɯ} mɯ̱l

眉 méi

09664 堳 旻悲 明脂平B 開 mɨi 脂^{l} m^{r}il
09665 眉 武悲 明脂平B 開 mɨi 脂^{l} m^{r}il
09666 湄 武悲 明脂平B 開 mɨi 脂^{l} m^{r}il
09667 楣 武悲 明脂平B 開 mɨi 脂^{l} m^{r}il
09668 瑂 武悲 明脂平B 開 mɨi 脂^{l} m^{r}il
09669 郿 武悲 明脂平B 開 mɨi 脂^{l} m^{r}il
09670 郿 明祕 明脂去B 開 mɨi 脂^{l} m^{r}ils
09671 媚 明祕 明脂去B 開 mɨi 脂^{l} m^{r}ils
09672 篃 明祕 明脂去B 開 mɨi 脂^{l} m^{r}ils

美 měi

09673 美 無鄙 明脂上B 開 mɨi 微^{ɯ} m^{r}ɯlʔ
09674 媄 無鄙 明脂上B 開 mɨi 微^{ɯ} m^{r}ɯlʔ

𣎵 mèi

09675 鬽[1] 芳未 滂微去三合 p^{hw}ɤi 物^{ɯ} m̥ɯds
09676 𣎵 明祕 明脂去B 開 mɨi 物^{ɯ} m^{r}ɯds

門 mén

09677 閺 武巾 明真平B 開 mɨin 文^{ɯ} m^{r}ɯn
09678 闅 無分 明文平三合 miun 文^{ɯ} mɯn
09679 閺 無分 明文平三合 miun 文^{ɯ} mɯn
09680 闅 無分 明文平三合 miun 文^{ɯ} mɯn
09681 聞 無分 明文平三合 miun 文^{ɯ} mɯn
09682 問 亡運 明文去三合 miun 文^{ɯ} mɯns
09683 聞 亡運 明文去三合 miun 文^{ɯ} mɯns
09684 菛 謨奔 明魂平一合 mu̯on 文^{ɯ} mɯ̱n
09685 門 莫奔 明魂平一合 mu̯on 文^{ɯ} mɯ̱n
09686 捫 莫奔 明魂平一合 mu̯on 文^{ɯ} mɯ̱n
09687 悶 莫困 明魂去一合 mu̯on 文^{ɯ} mɯ̱ns
09688 闅 彌鄰 明真平A 開 min 真^{n} min
09689 闅 武巾 明真平B 開 mɨin 真^{n} m^{r}in

冃 méng

09690 冃 謨蓬 明東平一合 muŋ 東 mo̱ŋ

冡 méng

09691 幪 莫紅 明東平一合 muŋ 東 mo̱ŋ
09692 鸏 謨蓬 明東平一合 muŋ 東 mo̱ŋ
09693 驝 謨蓬 明東平一合 muŋ 東 mo̱ŋ
09694 懞 謨蓬 明東平一合 muŋ 東 mo̱ŋ
09695 蒙[2] 莫紅 明東平一合 muŋ 東 mo̱ŋ
09696 冡 莫紅 明東平一合 muŋ 東 mo̱ŋ
09697 濛 莫紅 明東平一合 muŋ 東 mo̱ŋ
09698 艨 莫紅 明東平一合 muŋ 東 mo̱ŋ
09699 矇 莫紅 明東平一合 muŋ 東 mo̱ŋ
09700 饛 莫紅 明東平一合 muŋ 東 mo̱ŋ
09701 醿 莫紅 明東平一合 muŋ 東 mo̱ŋ
09702 幏 莫紅 明東平一合 muŋ 東 mo̱ŋ
09703 蠓 莫紅 明東平一合 muŋ 東 mo̱ŋ
09704 朦 莫紅 明東平一合 muŋ 東 mo̱ŋ
09705 濛 莫孔 明東上一合 muŋ 東 mo̱ŋʔ
09706 朦 莫孔 明東上一合 muŋ 東 mo̱ŋʔ
09707 矇 莫孔 明東上一合 muŋ 東 mo̱ŋʔ
09708 蠓 莫孔 明東上一合 muŋ 東 mo̱ŋʔ

---

1 《说文》:"从髟𣎵聲。'𣎵'籀文'魅'。"
2 藏文 rmoŋs 被愚弄。

09709 懞 蒙弄 明東去一合 muŋ 東 mo̤ŋs
09710 駹 蒙弄 明東去一合 muŋ 東 mo̤ŋs
09711 幏 莫弄 明東去一合 muŋ 東 mo̤ŋs
09712 艨 莫弄 明東去一合 muŋ 東 mo̤ŋs

瞢 méng

09713 瞢 莫中 明東平三合 miuŋ 蒸 mɯŋ
09714 夢 莫中 明東平三合 miuŋ 蒸 mɯŋ
09715 懜 莫中 明東平三合 miuŋ 蒸 mɯŋ
09716 儚 亡冰 明蒸平三開 mɨŋ 蒸 m^{r}ɯŋ
09717 夢 莫鳳 明東去三合 miuŋ 蒸 mɯŋs
09718 瞢 莫鳳 明東去三合 miuŋ 蒸 mɯŋs
09719 鄸 莫鳳 明東去三合 miuŋ 蒸 mɯŋs
09720 瞢 武登 明登平一開 məŋ 蒸 mɯ̤ŋ
09721 薨[1] 呼肱 曉登平一合 h^{w}əŋ 蒸 m̥^{h}ɯ̤ŋ
09722 儚[2] 呼肱 曉登平一合 h^{w}əŋ 蒸 m̥^{h}ɯ̤ŋ
09723 夢[3] 莫紅 明東平一合 muŋ 蒸 mɯ̤ŋ
09724 懜[4] 莫紅 明東平一合 muŋ 蒸 mɯ̤ŋ
09725 懵[5] 莫孔 明東上一合 muŋ 蒸 mɯ̤ŋʔ
09726 懵 武亙 明登去一開 məŋ 蒸 mɯ̤ŋs
09727 鄸 武亙 明登去一開 məŋ 蒸 mɯ̤ŋs
09728 懜 武亙 明登去一開 məŋ 蒸 mɯ̤ŋs
09729 甍 莫耕 明耕平二開 m^{ɯ}ɛŋ 蒸 m^{r}ɯ̤ŋ
09730 蘉 莫郎 明唐平一開 mɑŋ 陽 ma̤ŋ

米 mǐ

09731 檿 旻悲 明脂平B 開 mɨi 脂 m^{r}i
09732 迷 莫兮 明齊平四開 mei 脂 mi̤
09733 米 莫禮 明齊上四開 mei 脂 mi̤ʔ
09734 眯 莫禮 明齊上四開 mei 脂 mi̤ʔ
09735 絥 莫禮 明齊上四開 mei 脂 mi̤ʔ
09736 蘇 莫禮 明齊上四開 mei 脂 mi̤ʔ
09737 寐 母禮 明齊上四開 mei 脂 mi̤ʔ
09738 罙 武移 明支平A 開 mie 佳 me
09739 麊 武移 明支平A 開 mie 佳 me
09740 冞 武移 明支平A 開 mie 佳 me
09741 敉 綿婢 明支上A 開 mie 佳 meʔ
09742 麋 武悲 明脂平B 開 mɨi 脂 m^{r}i
09743 蘪 武悲 明脂平B 開 mɨi 脂 m^{r}i
09744 攈 武悲 明脂平B 開 mɨi 脂 m^{r}i
09745 鲞 莫經 明青平四開 meŋ 真^{ŋ} mi̤ŋ

芈 mǐ

09746 芈 綿婢 明支上A 開 mie 佳 meʔ
09747 蝆 綿婢 明支上A 開 mie 佳 meʔ
09748 蝆 母婢 明支上A 開 mie 佳 meʔ

糸 mǐ

09749 糸 莫狄 明錫入四開 mek 錫 me̤g

冂 mì

09750 冟 施隻 書昔入三開 ɕiᴇk 錫 m̥^{hj}eg
09751 鼏 莫狄 明錫入四開 mek 錫 me̤g
09752 幦 莫狄 明錫入四開 mek 錫 me̤g
09753 冂 莫狄 明錫入四開 mek 錫 me̤g

宀 mián

09754 宀 武延 明仙平A 開 miᴇn 元^{e} men

臱 mián

09755 矈 武延 明仙平A 開 miᴇn 元^{e} mben
09756 顥 武延 明仙平A 開 miᴇn 元^{e} mben
09757 櫋 武延 明仙平A 開 miᴇn 元^{e} mben
09758 臱 武延 明仙平A 開 miᴇn 元^{e} mben
09759 趫 於蹇 影仙上B 開 ʔɨᴇn 元^{e} qp^{r}enʔ
09760 邊 布玄 幫先平四開 pen 元^{e} pe̤n
09761 籩 布玄 幫先平四開 pen 元^{e} pe̤n
09762 趨 布玄 幫先平四開 pen 元^{e} pe̤n
09763 鬗 莫賢 明先平四開 men 元^{e} mbe̤n
09764 寡 莫賢 明先平四開 men 元^{e} mbe̤n
09765 矏 莫賢 明先平四開 men 元^{e} mbe̤n
09766 矏 弥殄 明先上四開 men 元^{e} mbe̤nʔ
09767 簻 民卑 明支平A 開 mie 歌^{e} mbel

緜 mián

09768 矊 彌延 明仙平A 開 miᴇn 元^{e} men

---

1 *m̥^{h}->h^{w}-。

2 *m̥^{h}->h^{w}-。

3 发鼻音的时候舌腭肌收缩，带动舌头后移，加上东韵的后舌位韵尾，与三等介音有对抗性音变，导致介音失落，变成东韵一等。

4 见“夢”字注。

5 见“夢”字注。

09769	緜	武延	明仙平A開	miᴇn	元^{e}	men
09770	矊	武延	明仙平A開	miᴇn	元^{e}	men
09771	綿	武延	明仙平A開	miᴇn	元^{e}	men
09772	矊	弥殄	明先上四開	men	元^{e}	me̱nʔ

芇 miǎn

09773	芇	武延	明仙平A開	miᴇn	元^{e}	men
09774	芇	彌殄	明先上四開	men	元^{e}	me̱nʔ
09775	芇	母官	明寒平一合	m^{w}ɑn	元^{a}	ma̱n

丏 miǎn

09776	賓[1]	必鄰	幫真平A開	pin	真^{n}	pin
09777	濱[2]	必鄰	幫真平A開	pin	真^{n}	pin
09778	檳[3]	必鄰	幫真平A開	pin	真^{n}	pin
09779	覩	必鄰	幫真平A開	pin	真^{n}	pin
09780	顮	必鄰	幫真平A開	pin	真^{n}	pin
09781	儐	必鄰	幫真平A開	pin	真^{n}	pin
09782	矉	必鄰	幫真平A開	pin	真^{n}	pin
09783	魏	必鄰	幫真平A開	pin	真^{n}	pin
09784	驞	紕民	滂真平A開	p^{h}in	真^{n}	p^{h}in
09785	繽	匹賔	滂真平A開	p^{h}in	真^{n}	p^{h}in
09786	魏	匹賔	滂真平A開	p^{h}in	真^{n}	p^{h}in
09787	闠	匹賔	滂真平A開	p^{h}in	真^{n}	p^{h}in
09788	嬪	符真	並真平A開	bin	真^{n}	bin
09789	蠙	符真	並真平A開	bin	真^{n}	bin
09790	獱	符真	並真平A開	bin	真^{n}	bin
09791	魏	符真	並真平A開	bin	真^{n}	bin
09792	臏	毗忍	並真上A開	bin	真^{n}	binʔ
09793	儐	必刃	幫真去A開	pin	真^{n}	pins
09794	擯	必刃	幫真去A開	pin	真^{n}	pins
09795	殯	必刃	幫真去A開	pin	真^{n}	pins
09796	鬢	必刃	幫真去A開	pin	真^{n}	pins
09797	覩	必刃	幫真去A開	pin	真^{n}	pins
09798	闠	匹刃	滂真去A開	p^{h}in	真^{n}	p^{h}ins
09799	覩	匹刃	滂真去A開	p^{h}in	真^{n}	p^{h}ins
09800	蠙	部田	並先平四開	ben	真^{n}	bi̱n
09801	麪	莫甸	明先去四開	men	真^{n}	mbi̱ns
09802	眄	莫甸	明先去四開	men	真^{n}	mbi̱ns
09803	寅	莫甸	明先去四開	men	真^{n}	mbi̱ns
09804	沔	彌兗	明仙上A開	miᴇn	元^{e}	mbenʔ
09805	丏	彌殄	明先上四開	men	元^{e}	mbe̱nʔ
09806	眄	彌殄	明先上四開	men	元^{e}	mbe̱nʔ

免 miǎn

09807	絻	亡辨	明仙上B開	mɨᴇn	元^{o}	m^{r}onʔ
09808	葂	美辨	明仙上B開	mɨᴇn	元^{o}	m^{r}onʔ
09809	免	亡辨	明仙上B開	mɨᴇn	元^{o}	m^{r}onʔ
09810	娩	亡辨	明仙上B開	mɨᴇn	元^{o}	m^{r}onʔ
09811	勉	亡辨	明仙上B開	mɨᴇn	元^{o}	m^{r}onʔ
09812	俛	亡辨	明仙上B開	mɨᴇn	元^{o}	m^{r}onʔ
09813	鮸	亡辨	明仙上B開	mɨᴇn	元^{o}	m^{r}onʔ
09814	浼	亡辨	明仙上B開	mɨᴇn	元^{o}	m^{r}onʔ
09815	冕	亡辨	明仙上B開	mɨᴇn	元^{o}	mb^{r}onʔ
09816	輓	無遠	明元上三合	m^{w}iɤn	元^{o}	monʔ
09817	晚	無遠	明元上三合	m^{w}iɤn	元^{o}	monʔ
09818	娩	無遠	明元上三合	m^{w}iɤn	元^{o}	monʔ
09819	挽	無遠	明元上三合	m^{w}iɤn	元^{o}	monʔ
09820	浼	無遠	明元上三合	m^{w}iɤn	元^{o}	monʔ
09821	脕	無遠	明元上三合	m^{w}iɤn	元^{o}	monʔ
09822	葂	武遠	明元上三合	m^{w}iɤn	元^{o}	monʔ
09823	輓	無販	明元去三合	m^{w}iɤn	元^{o}	mons
09824	娩	無販	明元去三合	m^{w}iɤn	元^{o}	mons
09825	脕	無販	明元去三合	m^{w}iɤn	元^{o}	mons
09826	嬎	芳万	滂元去三合	p^{hw}iɤn	元^{o}	m̥ons
09827	娩	芳万	滂元去三合	p^{hw}iɤn	元^{o}	m̥ons
09828	尯	芳万	滂元去三合	p^{hw}iɤn	元^{o}	m̥ons
09829	鮸	孚萬	滂元去三合	p^{hw}iɤn	元^{o}	m̥ons
09830	鞔	母官	明寒平一合	m^{w}ɑn	元^{o}	mo̱n
09831	悗	母官	明寒平一合	m^{w}ɑn	元^{o}	mo̱n
09832	絻	母官	明寒平一合	m^{w}ɑn	元^{o}	mo̱n
09833	晚[4]	武簡	明删上二開	m^{ɯ}æn	元^{o}	m^{r}o̱nʔ
09834	絻	亡運	明文去三合	miun	文^{u}	muns
09835	脕	亡運	明文去三合	miun	文^{u}	muns
09836	娩	亡運	明文去三合	miun	文^{u}	muns
09837	葂	文運	明文去三合	miun	文^{u}	muns
09838	娩	芳遇	滂虞去三合	p^{h}iʊ	侯	m̥os
09839	浼	武罪	明灰上一合	mu̯oi	微^{u}	mu̱lʔ

1 《广韵》作“賔”。

2 《广韵》作“濵”。

3 《广韵》作“櫁”。

4 原为山韵，但是根据谐声系统应该为删韵，《切韵》音系二等有删、山的历史层次。

面 miàn

09840 媔 彌延 明仙平A 開 miɛn 元^{e} men
09841 蝒 武延 明仙平A 開 miɛn 元^{e} men
09842 緬 彌兖 明仙上A 開 miɛn 元^{e} menʔ
09843 沔 彌兖 明仙上A 開 miɛn 元^{e} menʔ
09844 愐 彌兖 明仙上A 開 miɛn 元^{e} menʔ
09845 韅 彌兖 明仙上A 開 miɛn 元^{e} menʔ
09846 偭 彌兖 明仙上A 開 miɛn 元^{e} menʔ
09847 勔 彌兖 明仙上A 開 miɛn 元^{e} menʔ
09848 媔 彌兖 明仙上A 開 miɛn 元^{e} menʔ
09849 面 彌箭 明仙去A 開 miɛn 元^{e} mens
09850 偭 彌箭 明仙去A 開 miɛn 元^{e} mens
09851 矊 覓畢 明質入A 開 mit 質^{d} mid
09852 矊 莫筆 明質入B 開 mɨit 質^{d} m^{r}id
09853 矊 美隕 明真上B 開 mɨin 真^{n} m^{r}inʔ

苗 miáo

09854 苗 武瀌 明宵平B 開 mɨɛu 宵^{e} m^{r}e^{w}
09855 緢 武瀌 明宵平B 開 mɨɛu 宵^{e} m^{r}e^{w}
09856 貓 武瀌 明宵平B 開 mɨɛu 宵^{e} m^{r}e^{w}
09857 貓 莫交 明肴平二開 m^{ɯ}æu 宵^{e} m^{r}e̱^{w}
09858 媌 莫交 明肴平二開 m^{ɯ}æu 宵^{e} m^{r}e̱^{w}
09859 緢 莫飽 明肴上二開 m^{ɯ}æu 宵^{e} m^{r}e̱^{w}ʔ
09860 媌 莫飽 明肴上二開 m^{ɯ}æu 宵^{e} m^{r}e̱^{w}ʔ
09861 緢 莫教 明肴去二開 m^{ɯ}æu 宵^{e} m^{r}e̱^{w}s

淼 miǎo

09862 淼 亡沼 明宵上A 開 miɛu 宵^{e} me^{w}ʔ

蔑 miè

09863 蔑 莫結 明屑入四開 met 月^{e} me̱d
09864 懱 莫結 明屑入四開 met 月^{e} me̱d
09865 瞢 莫結 明屑入四開 met 月^{e} me̱d
09866 蠛 莫結 明屑入四開 met 月^{e} me̱d
09867 篾 莫結 明屑入四開 met 月^{e} me̱d
09868 鱴 莫結 明屑入四開 met 月^{e} me̱d
09869 巕 莫結 明屑入四開 met 月^{e} me̱d
09870 萛 莫結 明屑入四開 met 月^{e} me̱d
09871 衊 莫結 明屑入四開 met 月^{e} me̱d
09872 瀎 莫結 明屑入四開 met 月^{e} me̱d
09873 幭 莫結 明屑入四開 met 月^{e} me̱d
09874 韈 望發 明月入三合 m^{w}iɣt 月^{a} mad
09875 襪 望發 明月入三合 m^{w}iɣt 月^{a} mad
09876 韤 莫撥 明曷入一合 m^{w}ɑt 月^{a} ma̱d
09877 瀎 莫撥 明曷入一合 m^{w}ɑt 月^{a} ma̱d
09878 苜 莫撥 明曷入一合 m^{w}ɑt 月^{o} mo̱d

民 mín

09879 民 彌鄰 明真平A 開 min 真^{ŋ} miŋ
09880 泯 彌鄰 明真平A 開 min 真^{ŋ} miŋ
09881 怋 彌鄰 明真平A 開 min 真^{ŋ} miŋ
09882 暋 彌鄰 明真平A 開 min 真^{ŋ} miŋ
09883 泯 武盡 明真上A 開 min 真^{ŋ} miŋʔ
09884 笢 武盡 明真上A 開 min 真^{ŋ} miŋʔ
09885 笢 武巾 明真平B 開 mɨin 真^{ŋ} miŋ
09886 珉 武巾 明真平B 開 mɨin 真^{ŋ} m^{r}iŋ
09887 罠 武巾 明真平B 開 mɨin 真^{ŋ} m^{r}iŋ
09888 眠 莫賢 明先平四開 men 真^{ŋ} mi̱ŋ
09889 湣 睸見 明先去四開 men 真^{ŋ} mi̱ŋs
09890 緡 彌延 明仙平A 開 miɛn 元^{e} meŋ
09891 覗 莫兮 明齊平四開 mei 脂^{l} mi̱l

旻 mín

09892 旻 武巾 明真平B 開 mɨin 蒸^{ɯ} m^{r}ɯŋ
09893 旼 武巾 明真平B 開 mɨin 蒸^{ɯ} m^{r}ɯŋ
09894 汶 武巾 明真平B 開 mɨin 蒸^{ɯ} m^{r}ɯŋ
09895 忞 武巾 明真平B 開 mɨin 蒸^{ɯ} m^{r}ɯŋ
09896 憫 眉殞 明真上B 開 mɨin 蒸^{ɯ} m^{r}ɯŋʔ
09897 閔 眉殞 明真上B 開 mɨin 蒸^{ɯ} m^{r}ɯŋʔ
09898 潣 眉殞 明真上B 開 mɨin 蒸^{ɯ} m^{r}ɯŋʔ
09899 簢 眉殞 明真上B 開 mɨin 蒸^{ɯ} m^{r}ɯŋʔ
09900 敃[1] 眉殞 明真上B 開 mɨin 蒸^{ɯ} m^{r}ɯŋʔ
09901 愍 眉殞 明真上B 開 mɨin 真^{n} m^{r}inʔ

---

1 “敃”实际上就是“旻”字，毛公鼎“敃天疾畏”，《诗经》的《召旻》《雨无正》《小旻》作“旻天疾威”。陈剑（2007）认为“敃”声符为“拇”之初文。“文”古代原有两个字形，一是通常的“文”，上古音是*mɯn，一是“拇”之初文。《尔雅·释训》：“敏，拇也。”《说文通训定声》：“敏，叚借爲拇。”《诗·生民》“履帝武敏”，郑笺：“敏，拇也。”“拇”“敏”为之蒸对转，敏*m^{r}ɯŋʔ>*m^{r}ɯnʔ>中古min。

皿 mǐn

09902	皿	武永	明庚上三開	miæŋ	陽	maŋʔ
09903	盌	武永	明庚上三開	miæŋ	陽	maŋʔ
09904	猛[1]	莫杏	明庚上二開	m^{ɯ}æŋ	陽	m^{r}a̠ŋʔ
09905	孟	莫更	明庚去二開	m^{ɯ}æŋ	陽	m^{r}a̠ŋs

黽 mǐn

09906	蠅	余陵	以蒸平三開	jɨŋ	蒸	b.lɯŋ
09907	憴[2]	食陵	船蒸平三開	ʑɨŋ	蒸	sb^{lj}ɯŋ
09908	繩[3]	食陵	船蒸平三開	ʑɨŋ	蒸	sb^{lj}ɯŋ
09909	譝[4]	食陵	船蒸平三開	ʑɨŋ	蒸	sb^{lj}ɯŋ
09910	鱦[5]	食陵	船蒸平三開	ʑɨŋ	蒸	sb^{lj}ɯŋ
09911	澠[6]	食陵	船蒸平三開	ʑɨŋ	蒸	sb^{lj}ɯŋ
09912	鱦	以證	以蒸去三開	jɨŋ	蒸	b.lɯŋs
09913	鱦[7]	實證	船蒸去三開	ʑɨŋ	蒸	sb^{lj}ɯŋs
09914	䖎[8]	實證	船蒸去三開	ʑɨŋ	蒸	sb^{lj}ɯŋs
09915	鄳[9]	武庚	明耕平二開	m^{ɯ}ɛŋ	耕	mb^{r}e̠ŋ
09916	黿	武幸	明耕上二開	m^{ɯ}ɛŋ	耕	mb^{r}e̠ŋʔ
09917	黽[10]	武幸	明耕上二開	m^{ɯ}ɛŋ	耕	mb^{r}e̠ŋʔ
09918	鱦[11]	莫杏	明耕上二開	m^{ɯ}ɛŋ	耕	mb^{r}e̠ŋʔ
09919	鄳[12]	莫杏	明耕上二開	m^{ɯ}ɛŋ	耕	mb^{r}e̠ŋʔ
09920	澠	武盡	明真上A開	min	真^{ŋ}	mb^{l}iŋʔ
09921	僶	武盡	明真上A開	min	真^{ŋ}	mb^{l}iŋʔ
09922	黽	武盡	明真上A開	min	真^{ŋ}	mb^{l}iŋʔ
09923	黽	彌兖	明仙上A開	miᴇn	元^{e}	mb^{l}enʔ
09924	澠	彌兖	明仙上A開	miᴇn	元^{e}	mb^{l}enʔ
09925	䖎[13]	以證	以蒸去三開	jɨŋ	侵^{u}	b.lums

名 míng

09926	名	武并	明清平三開	miᴇŋ	耕	meŋ
09927	眳	亡井	明清上三開	miᴇŋ	耕	meŋʔ
09928	銘	莫經	明青平四開	meŋ	耕	me̠ŋ
09929	茗	莫迥	明青上四開	meŋ	耕	me̠ŋʔ
09930	眳	莫迥	明青上四開	meŋ	耕	me̠ŋʔ

冥 míng

09931	熐	忙經	明青平四開	meŋ	耕	me̠ŋ
09932	冥	莫經	明青平四開	meŋ	耕	me̠ŋ
09933	鄍	莫經	明青平四開	meŋ	耕	me̠ŋ
09934	溟	莫經	明青平四開	meŋ	耕	me̠ŋ
09935	螟	莫經	明青平四開	meŋ	耕	me̠ŋ
09936	蓂	莫經	明青平四開	meŋ	耕	me̠ŋ
09937	瞑	莫經	明青平四開	meŋ	耕	me̠ŋ

1　郑张尚芳：反切下字“杏”由“幸”校改。

2　见“䖎”字注。

3　可比较藏文 ɦbreŋ 皮绳、珞巴语的“绳”mbɹɑŋ、格曼僜语的“绳”brǎŋ、茶堡羌语 mbri、拉坞戎语 bre。藏缅语的鼻冠音与汉语咝冠音对应，上古汉语的“繩”为 * sbl^{j}> * zl^{j}>ʑ，三合辅音的第二个辅音按规则失落，其浊音性质使冠音 s-浊化为 z。

4　见“䖎”字注。

5　见“䖎”字注。

6　见“䖎”字注。

7　见“䖎”字注。

8　船母有以下的音变： * sb^{lj}>z^{lj}>ʑ。s 在 b 的影响下浊化为 z，这与邪母的 * sɡ^{l}-、* sɢ^{l}-一样都是 s 在浊塞音的影响下浊化为 z。船母 * sb^{l} 作为三辅音中的第二辅音失落，剩下 z^{lj}像章组一样腭化为 ʑ-。《管子・五行篇》“䖎婦不銷棄”，注：“䖎，古孕字。”可比较“孕”的上古汉语是 * b.lums> * lɯŋs>中古 jɨŋ，藏文的 sbrum（怀孕、怀胎），rum（胎、孕），lhums（胎、敬语），这些都是同一个词的不同形态。汉语的“孕” * b.lums 对应藏语的 rum，那么“䖎” * sb^{lj}ums> * sb^{lj}ɯŋs>z^{lj}ɯŋs>ʑuŋs 显然对应于藏文的 sbrum。

9　原为庚韵，但是根据谐声系统应该为耕韵，《切韵》音系二等有耕、庚的历史层次。

10　“黽”通“冥”，似乎上古是耕部。但是阜阳汉简《诗经・邶风》：“沕（黽）没（勉）同心，□我（宜）有怒。”“黽”通物部“沕” * mud，主元音不可能是前低元音 e，而是后高元音 u 或 ɯ，所以“黽”更可能是蒸部 * ɯŋ，同声符的“繩”等字也属蒸部。当然，更有可能是来自侵部 * ɯm，可比较“孕”字。以“黽”得声的谐声系列中，可能是在不同的方言中有不同的音变，最早的读音是 * um，圆唇元音 u 与唇韵尾互相异化下： * um> * ɯŋ 变成了蒸韵。有些方言有以下的音变： * ɯŋ> * iŋ。

11　《古字通假会典》阳部第九（下），“黽”通“彭”。《史记・商君列传》“殺之於鄭黽池”，《集解》：“‘黽’或作‘彭’。”《索隐》：“《盐铁论》云：‘商君困於彭池。’”“彭”上古 * b^{r}a̠ŋ，故“黽” * mb^{r}e̠ŋʔ 的词根 * b^{r}e̠ŋ 近 * b^{r}a̠ŋ。

12　“鄳”“澠”通耕部字，《史记・楚世家》“涉鄳塞”，《集解》引徐广曰：“鄳或以爲冥。”《墨子・非攻中》：“次注林，出於冥隘之徑。”《史记・苏秦列传》“冥隘”作“鄳阸”。《淮南子・墬形》“冥隘”作“澠阸”。原为庚韵，但是根据谐声系统应该为耕韵，《切韵》音系二等有耕、庚的历史层次。

13　《管子・五行篇》“䖎婦不銷棄”，注：“䖎，古孕字。”“孕”在藏文的同源词为 sbrum（怀孕、怀胎），rum（胎、孕），lhums（胎、敬语），这些都是同一个词的不同形态。上古韵母 * -um 的圆唇主元音与圆唇韵尾会互相异化：u 异化为非圆唇元音 ɯ，韵尾-m 异化为非圆唇的-ŋ，如“熊” * ɡum 异化为 ɡ^{w}ɯŋ。主元音 u 异化以后还留有圆唇成分 * -^{w}-，三等到中古产生 i 介音，成了 ɦ^{w}iɯŋ，成为蒸韵字。“孕”中古以母蒸韵，也有上古 * -um 的来源： * b. lums > * lums > * lɯŋs>中古 jɨŋ。“䖎”“實證切”，与“孕”的蒸韵相同。船母上古有几种来源，“䖎”的来源是： * sb^{lj}>z^{lj}>ʑ。三辅音中的 s 在浊塞音的影响下浊化为 z，这与邪母的 * sɡ^{l}>z-有相同的音变。船母 * sbl 作为三辅音，其中第二辅音失落，剩下 zl^{j} 腭化为 ʑ-。“䖎” * sbl^{j}um 与“孕” * b.lums同根，是不同的形态。

09938 嫇 莫經 明青平四開 meŋ 耕 me̱ŋ
09939 覭 莫經 明青平四開 meŋ 耕 me̱ŋ
09940 瞑 莫經 明青平四開 meŋ 耕 me̱ŋ
09941 嫇 莫迥 明青上四開 meŋ 耕 me̱ŋʔ
09942 溟 莫迥 明青上四開 meŋ 耕 me̱ŋʔ
09943 暝 莫定 明青去四開 meŋ 耕 me̱ŋs
09944 嫇 莫耕 明耕平二開 m^{ɯ}ɛŋ 耕 m^{r}e̱ŋ
09945 幎 莫狄 明錫入四開 mek 錫 me̱g
09946 蓂 莫狄 明錫入四開 mek 錫 me̱g
09947 覭 莫狄 明錫入四開 mek 錫 me̱g
09948 簔 莫狄 明錫入四開 mek 錫 me̱g
09949 塓 莫狄 明錫入四開 mek 錫 me̱g
09950 熐 莫狄 明錫入四開 mek 錫 me̱g
09951 瞑 莫賢 明先平四開 men 元^{e} me̱n
09952 瞑 莫甸 明先去四開 men 真^{ŋ} mi̱ŋs

鳴 míng

09953 鳴 武兵 明庚平三開 miæŋ 耕 meŋ

叟 mò

09954 頞 莫勃 明没入一合 mu̯ot 物^{u} mu̱d
09955 叟 莫勃 明没入一合 mu̯ot 物^{u} mu̱d
09956 殁 莫勃 明没入一合 mu̯ot 物^{u} mu̱d
09957 没 莫勃 明没入一合 mu̯ot 物^{u} mu̱d
09958 玫 莫勃 明没入一合 mu̯ot 物^{u} mu̱d
09959 頞[1] 烏没 影没入一合 ʔu̯ot 物^{u} q^{w}u̱d

末 mò

09960 眛[2] 莫貝 明泰去一開 mɑi 月^{a} ma̱ds
09961 沬[3] 莫貝 明泰去一開 mɑi 月^{a} mg^{wl}a̱ds
09962 林 莫葛 明曷入一合 m^{w}ɑt 月^{a} ma̱d
09963 秣 莫撥 明曷入一合 m^{w}ɑt 月^{a} ma̱d
09964 餘 莫撥 明曷入一合 m^{w}ɑt 月^{a} ma̱d
09965 靺 莫撥 明曷入一合 m^{w}ɑt 月^{a} ma̱d
09966 粖 莫撥 明曷入一合 m^{w}ɑt 月^{a} ma̱d
09967 眛 莫撥 明曷入一合 m^{w}ɑt 月^{a} ma̱d
09968 抹 莫撥 明曷入一合 m^{w}ɑt 月^{a} ma̱d
09969 妺 莫撥 明曷入一合 m^{w}ɑt 月^{a} ma̱d
09970 沬 莫撥 明曷入一合 m^{w}ɑt 月^{a} ma̱d
09971 袜 莫葛 明曷入一合 m^{w}ɑt 月^{a} ma̱d
09972 末 莫撥 明曷入一合 m^{w}ɑt 月^{a} ma̱d
09973 昧 莫撥 明曷入一合 m^{w}ɑt 月^{a} ma̱d
09974 粖 莫結 明屑入四開 met 月^{e} me̱d

莫 mò

09975 暮 莫故 明模去一合 mu̯o 鐸 ma̱gs
09976 慕 莫故 明模去一合 mu̯o 鐸 ma̱gs
09977 募 莫故 明模去一合 mu̯o 鐸 ma̱gs
09978 墓 莫故 明模去一合 mu̯o 鐸 ma̱gs
09979 慔 莫故 明模去一合 mu̯o 鐸 ma̱gs
09980 摹 莫故 明模去一合 mu̯o 鐸 ma̱gs
09981 縸 莫故 明模去一合 mu̯o 鐸 ma̱gs
09982 嗼 末各 明鐸入一開 mɑk 鐸 ma̱g
09983 縸 末各 明鐸入一開 mɑk 鐸 ma̱g
09984 莫 慕各 明鐸入一開 mɑk 鐸 ma̱g
09985 幕 慕各 明鐸入一開 mɑk 鐸 ma̱g
09986 鄚 慕各 明鐸入一開 mɑk 鐸 ma̱g
09987 膜 慕各 明鐸入一開 mɑk 鐸 ma̱g
09988 鏌 慕各 明鐸入一開 mɑk 鐸 ma̱g
09989 摸 慕各 明鐸入一開 mɑk 鐸 ma̱g
09990 漠 慕各 明鐸入一開 mɑk 鐸 ma̱g
09991 瘼 慕各 明鐸入一開 mɑk 鐸 ma̱g
09992 寞 慕各 明鐸入一開 mɑk 鐸 ma̱g
09993 嗼 慕各 明鐸入一開 mɑk 鐸 ma̱g
09994 殦 慕各 明鐸入一開 mɑk 鐸 ma̱g
09995 髮 莫駕 明麻去二開 m^{ɯ}æ 鐸 m^{r}a̱gs
09996 蓦 莫白 明陌入二開 m^{ɯ}æk 鐸 m^{r}a̱g
09997 貘 莫白 明陌入二開 m^{ɯ}æk 鐸 m^{r}a̱g
09998 驀 莫白 明陌入二開 m^{ɯ}æk 鐸 m^{r}a̱g
09999 嗼 莫白 明陌入二開 m^{ɯ}æk 鐸 m^{r}a̱g
10000 募 莫白 明陌入二開 m^{ɯ}æk 鐸 m^{r}a̱g
10001 嫫 莫胡 明模平一合 mu̯o 魚 ma̱

---

1 词根应该是*mud，q 很可能是冠音，*qmud>qud，m 失落，可比较*sm->s-，是同样的道理。

2 "眛"《说文》从"末"，《广韵》讹作"昧"。

3 "曹沬"又叫"曹劌"k^{wr}ads，"沬"又通许多不同的字，如"翽"*q^{wh}a̱ds、"茇"*bo̱d。从上面的通假看，主辅音应该是一个塞音。它们是唇音，又是软腭、小舌音，从音变的规则看应该是圆唇的软腭、小舌音变作唇塞音：*g^{w}->b-。"沬"是明母字，说明有一个鼻冠音。"沬"有不同的借词，韵母可能是*-ads，也可能是*-od与*-ud之类。我们目前先把它构拟为*mg^{w}a̱ds>*mba̱ds>*ma̱ds。与"沬"谐声的许多明母字，不一定都是这种声母，目前只能先定作*m-。"沬"《说文》从"末"，《广韵》讹作"沫"。

10002 摹 蒙晡 明模平一合 mu̯o 魚 ma̱

10003 模 莫胡 明模平一合 mu̯o 魚 ma̱

10004 摸 莫胡 明模平一合 mu̯o 魚 ma̱

10005 謨 莫胡 明模平一合 mu̯o 魚 ma̱

10006 膜 莫胡 明模平一合 mu̯o 魚 ma̱

10007 蟆 莫霞 明麻平二開 mᵚæ 魚 mʳa̱

牟 móu

10008 眸 莫浮 明尤平三合 miu 幽 mu

10009 牟 莫浮 明尤平三合 miu 幽 mu

10010 侔 莫浮 明尤平三合 miu 幽 mu

10011 麰 莫浮 明尤平三合 miu 幽 mu

10012 恈 莫浮 明尤平三合 miu 幽 mu

10013 鴾 莫浮 明尤平三合 miu 幽 mu

10014 蛑 莫浮 明尤平三合 miu 幽 mu

10015 鉾 迷浮 明尤平三合 miu 幽 mu

某 mǒu

10016 某[1] 莫厚 明侯上一合 mu 之 mɯʔ

10017 謀 莫浮 明尤平三合 miu 之 mɯ

10018 楳[2] 武夫 明虞平三合 miʊ 之 mɯ

10019 楳[3] 文甫 明虞上三合 miʊ 之 mɯʔ

10020 煤 莫杯 明灰平一合 mu̯oi 之 mɯ̱

10021 脢 莫杯 明灰平一合 mu̯oi 之 mɯ̱

10022 禖 莫杯 明灰平一合 mu̯oi 之 mɯ̱

10023 媒 莫杯 明灰平一合 mu̯oi 之 mɯ̱

10024 楳 莫補 明模上一合 mu̯o 魚 ma̱ʔ

姥 mǔ

10025 姥 莫補 明模上一合 mu̯o 魚 ma̱ʔ

母 mǔ

10026 母[4] 莫厚 明侯上一合 mu 之 mɯʔ

10027 拇[5] 莫厚 明侯上一合 mu 之 mɯʔ

10028 踇[6] 莫厚 明侯上一合 mu 之 mɯʔ

10029 鴟[7] 莫厚 明侯上一合 mu 之 mɯʔ

10030 苺[8] 莫候 明侯去一合 mu 之 mɯs

10031 姆[9] 莫候 明侯去一合 mu 之 mɯs

10032 鞪 無鄙 明脂上B開 mɨi 之 mʳɯʔ

10033 侮[10] 文甫 明虞上三合 miʊ 之 mɯʔ

10034 罶[11] 文甫 明虞上三合 miʊ 之 mɯʔ

10035 鵡 文甫 明虞上三合 miʊ 之 mɯʔ

10036 莓 亡救 明尤去三開 miu 之 mɯs

10037 珻 謨杯 明灰平一合 mu̯oi 之 mɯ̱

10038 梅 莫杯 明灰平一合 mu̯oi 之 mɯ̱

10039 脢 莫杯 明灰平一合 mu̯oi 之 mɯ̱

10040 罶 莫杯 明灰平一合 mu̯oi 之 mɯ̱

10041 莓 莫杯 明灰平一合 mu̯oi 之 mɯ̱

10042 鋂 莫杯 明灰平一合 mu̯oi 之 mɯ̱

10043 挴 莫亥 明咍上一開 məi 之 mɯ̱ʔ

10044 海 呼改 曉咍上一開 həi 之 m̥ʰɯ̱ʔ

10045 晦[12] 莫後 明侯上一合 mu 之 mɯ̱ʔ

10046 每 武罪 明灰上一合 mu̯oi 之 mɯ̱ʔ

10047 挴 武罪 明灰上一合 mu̯oi 之 mɯ̱ʔ

10048 悔 呼罪 曉灰上一合 hu̯oi 之 m̥ʰɯ̱ʔ

10049 每 莫佩 明灰去一合 mu̯oi 之 mɯ̱s

10050 痗 莫佩 明灰去一合 mu̯oi 之 mɯ̱s

10051 莓 莫佩 明灰去一合 mu̯oi 之 mɯ̱s

10052 罶 莫佩 明灰去一合 mu̯oi 之 mɯ̱s

10053 脢 莫佩 明灰去一合 mu̯oi 之 mɯ̱s

10054 誨 荒内 曉灰去一合 hu̯oi 之 m̥ʰɯ̱s

10055 悔 荒内 曉灰去一合 hu̯oi 之 m̥ʰɯ̱s

10056 晦 荒内 曉灰去一合 hu̯oi 之 m̥ʰɯ̱s

10057 砉 荒内 曉灰去一合 hu̯oi 之 m̥ʰɯ̱s

10058 痗 荒内 曉灰去一合 hu̯oi 之 m̥ʰɯ̱s

---

1 见“侮”字注。

2 见“侮”字注。

3 见“侮”字注。

4 “母”字有两种读音,《诗经》基本上是之部字,但也出现于鱼部,如《诗·蝃蝀》:“朝隮于西,崇朝其雨,女子有行,遠兄弟父母。”“母”与“毋”本来就是一个字。《墨子·备穴》:“文(丈)盆純母少四斗。”于省吾《双剑誃诸子新证》:“金文‘毋’字均作‘母’,此猶存古字。”同源词中藏缅语读 ma,侗台语大部分读 me,也从 ma 演变过来。“母”的之部 *mɯ 是 *ma 的弱读。见“培”字注。

5 见“侮”字注。

6 见“侮”字注。

7 见“侮”字注。

8 见“侮”字注。

9 见“侮”字注。

10 之部的部分唇音字变成侯、虞韵,实际上都是之部的三等先变成尤韵,与幽部合流,幽部唇音继续演变为侯部,见“袤”字注和“務”字注。

11 见“侮”字注。

12 见“侮”字注。

10059 敏[1] 眉殞 明真上B 開 mɨin 蒸 mʳɯŋʔ
10060 繁[2] 眉殞 明真上B 開 mɨin 蒸 mʳɯŋʔ
10061 慜[3] 眉殞 明真上B 開 mɨin 蒸 mʳɯŋʔ
10062 毋 武夫 明虞平三合 miʊ 魚 ma
10063 坶 莫六 明屋入三合 miuk 職 mɯg

牡 mǔ

10064 牡[4] 莫厚 明侯上一合 mu 幽 muʔ

木 mù

10065 木 莫卜 明屋入一合 muk 屋 mo̱g
10066 沐 莫卜 明屋入一合 muk 屋 mo̱g
10067 霂 莫卜 明屋入一合 muk 屋 mo̱g
10068 蚞 莫卜 明屋入一合 muk 屋 mo̱g

目 mù

10069 目 莫六 明屋入三合 miuk 覺 mug
10070 苜 莫六 明屋入三合 miuk 覺 mug

牧 mù

10071 牧 莫六 明屋入三合 miuk 職 mɯg

穆 mù

10072 穆[5] 莫六 明屋入三合 miuk 覺 mgˡug
10073 皋 莫六 明屋入三合 miuk 覺 mgˡug

乃 nǎi

10074 仍 如乘 日蒸平三開 ȵɨŋ 蒸 nʲɯŋ
10075 艿 如乘 日蒸平三開 ȵɨŋ 蒸 nʲɯŋ
10076 訪 如乘 日蒸平三開 ȵɨŋ 蒸 nʲɯŋ
10077 扔 如乘 日蒸平三開 ȵɨŋ 蒸 nʲɯŋ
10078 杊 如乘 日蒸平三開 ȵɨŋ 蒸 nʲɯŋ
10079 扔 而證 日蒸去三開 ȵɨŋ 蒸 nʲɯŋs
10080 艿 而證 日蒸去三開 ȵɨŋ 蒸 nʲɯŋs
10081 杊 而證 日蒸去三開 ȵɨŋ 蒸 nʲɯŋs
10082 乃 奴亥 泥咍上一開 nəi 之 nɯ̱ʔ
10083 鼐 奴亥 泥咍上一開 nəi 之 nɯ̱ʔ
10084 疓[6] 如亥 泥咍上一開 nəi 之 nɯ̱ʔ
10085 鼐 奴代 泥咍去一開 nəi 之 nɯ̱s

柰 nài

10086 柰 奴帶 泥泰去一開 nɑi 月ᵃ na̱ds
10087 奈 奴帶 泥泰去一開 nɑi 月ᵃ na̱ds
10088 渿 奴帶 泥泰去一開 nɑi 月ᵃ na̱ds
10089 捺 奴曷 泥曷入一開 nɑt 月ᵃ na̱d
10090 奈 奴箇 泥歌去一開 nɑ 歌ᵃ na̱ls

男 nán

10091 男 那含 泥覃平一開 nəm 談ᵒ no̱m

南 nán

10092 南 那含 泥覃平一開 nəm 談ᵒ no̱m
10093 湳 奴感 泥覃上一開 nəm 談ᵒ no̱mʔ

夒 náo

10094 瓇 奴刀 泥豪平一開 nɑu 幽 mglu̱
10095 獿 奴刀 泥豪平一開 nɑu 幽 mglu̱
10096 夒[7] 奴刀 泥豪平一開 nɑu 幽 mglu̱
10097 獿 奴巧 娘肴上二開 ɳᵚæu 幽 mglu̱ʔ
10098 㥽 乃回 泥灰平一合 nu̯oi 微ᵘ mglu̱l
10099 犪 如招 日宵平三開 ȵiᴇu 幽ⁱ mglʲiʷ
10100 擾 而沼 日宵上三開 ȵiᴇu 幽ⁱ mglʲiʷʔ
10101 犪 而沼 日宵上三開 ȵiᴇu 幽ⁱ mglʲiʷʔ
10102 夒[8] 奴冬 泥冬平一合 nu̯oŋ 終 mglu̱ŋ

腦 nǎo

10103 腦 那到 泥豪去一開 nɑu 幽 nu̱s
10104 瑙 乃老 泥豪上一開 nɑu 幽 nu̱ʔ

---

1 蒸部字的第 IV 类,即 * Cʳɯŋ,当介音ʳ 变作重纽类介音ᵚ 以后,与元音 ɯ 重复,同时让元音与韵尾发生异化: * Cʳɯŋ > * Cᵚɯŋ > * Cᵚin,变成真韵 B 类。

2 见“敏”字注。

3 见“敏”字注。

4 见“侮”字注。

5 叶玉英:“穆”假借为“勠”,《清华大学藏战国竹简(贰)·系年》简 6 有“穆(勠)力同心”,声母中应该有 * r。潘悟云:“穆”通“睦” * mgˡug,《书·金縢》:“我其爲王穆卜。”玄应《众经音义》卷十引“穆”作“睦”。李春桃《古文异体关系整理与研究》“睦”字古文作“𡈼”,是双声符。主声符“六”读音 * g.rug>rug,次声符“目”是前置辅音 * m-,合成的“睦”为 * mgˡug> * mˡug。

6 《广韵》“如亥切”,日母配一等咍韵,这是它所收的古代韵书中泥、日不分,《玉篇》正音“奴亥切”。

7 “夒”与“猱”是古今字,王国维说甲骨文里“夒”指帝喾 * kʰu̱g。见“猱”字注。

8 “夒”有“奴刀切”与“奴冬切”,后者说明 G 类韵部 * -iʷ 可以与 * -um> * -uŋ 阴阳对转。

10105 腦 奴晧 泥豪上一開 nɑu 幽 nu̠ʔ
10106 堖 奴晧 泥豪上一開 nɑu 幽 nu̠ʔ
10107 惱 奴晧 泥豪上一開 nɑu 幽 nu̠ʔ
10108 㛴 奴晧 泥豪上一開 nɑu 幽 nu̠ʔ

疒 nè

10109 疒 尼戹 娘麥入二開 ɳᵚɛk 職 nɯ̠g

䭆 nè

10110 䭆 尼戹 娘麥入二開 ɳᵚɛk 錫 ne̠g

内 nèi

10111 蜹 以芮 以祭去三合 jʷiEi 盇ᵒ lobs
10112 芮 而鋭 日祭去三合 ɲʷiEi 盇ᵒ nʲobs
10113 汭 而鋭 日祭去三合 ɲʷiEi 盇ᵒ nʲobs
10114 枘 而鋭 日祭去三合 ɲʷiEi 盇ᵒ nʲobs
10115 蜹 而鋭 日祭去三合 ɲʷiEi 盇ᵒ nʲobs
10116 笍 而鋭 日祭去三合 ɲʷiEi 盇ᵒ nʲobs
10117 呐 女劣 娘薛入三合 ɳʷiEt 盇ᵒ nob
10118 蜹 如劣 日薛入三合 ɲʷiEt 盇ᵒ nʲob
10119 㕯 如劣 日薛入三合 ɲʷiEt 盇ᵒ nʲob
10120 焫 如劣 日薛入三合 ɲʷiEt 盇ᵒ nʲob
10121 蚋 如劣 日薛入三合 ɲʷiEt 盇ᵒ nʲob
10122 魶[1] 奴盇 泥盇入一開 nɑp 盇ᵒ no̠b
10123 衲[2] 諾盇 泥盇入一開 nɑp 盇ᵒ no̠b
10124 妠[3] 女刮 娘鎋入二合 ɳʷᵚæt 盇ᵒ no̠b
10125 㕯[4] 女滑 娘鎋入二合 ɳʷᵚæt 盇ᵒ no̠b
10126 肭[5] 女滑 娘鎋入二合 ɳʷᵚæt 盇ᵒ no̠b
10127 納 奴荅 泥合入一開 nəp 緝ᵘ nu̠b
10128 靹 奴荅 泥合入一開 nəp 緝ᵘ nu̠b
10129 軜 奴荅 泥合入一開 nəp 緝ᵘ nu̠b
10130 鈉 奴荅 泥合入一開 nəp 緝ᵘ nu̠b
10131 妠 奴荅 泥合入一開 nəp 緝ᵘ nu̠b
10132 魶 諾荅 泥合入一開 nəp 緝ᵘ nu̠b
10133 訥[6] 内骨 泥没入一合 nu̠ot 緝ᵘ nu̠b
10134 㕯[7] 内骨 泥没入一合 nu̠ot 緝ᵘ nu̠b
10135 肭[8] 内骨 泥没入一合 nu̠ot 緝ᵘ nu̠b
10136 抐[9] 内骨 泥没入一合 nu̠ot 緝ᵘ nu̠b
10137 笍 陟衛 知祭去三合 ʈʷiEi 月ᵒ tods
10138 内 奴對 泥灰去一合 nu̠oi 緝ᵘ nu̠bs
10139 妠 奴紺 泥覃去一開 nəm 侵ᵘ nu̠ms

能 néng

10140 䏻 奴勒 泥德入一開 nək 職 nɯ̠g
10141 能 奴來 泥咍平一開 nəi 之 nɯ̠
10142 能 奴等 泥咍上一開 nəi 蒸 nɯ̠ŋʔ
10143 螚 奴代 泥咍去一開 nəi 之 nɯ̠s
10144 能 奴代 泥咍去一開 nəi 之 nɯ̠s
10145 䏻 奴代 泥咍去一開 nəi 之 nɯ̠s
10146 態 他代 透咍去一開 tʰəi 之 n̥ɯ̠s
10147 能 奴登 泥登平一開 nəŋ 蒸 nɯ̠ŋ

尼 ní

10148 昵 入質 日質入三開 ɲit 質[9] mlʲig
10149 尼[10] 女夷 娘脂平三開 ɳi 脂 mli
10150 柅 女夷 娘脂平三開 ɳi 脂 mli
10151 怩 女夷 娘脂平三開 ɳi 脂 mli
10152 蚭 女夷 娘脂平三開 ɳi 脂 mli
10153 跜 女夷 娘脂平三開 ɳi 脂 mli
10154 秜 力脂 來脂平三開 li 脂 mli
10155 柅 女履 娘脂上三開 ɳi 脂 mliʔ
10156 坭 奴低 泥齊平四開 nei 脂 mli̠
10157 埿 奴低 泥齊平四開 nei 脂 mli̠
10158 泥 奴低 泥齊平四開 nei 脂 mli̠
10159 昵 乃禮 泥齊上四開 nei 脂 mli̠ʔ
10160 苨 奴禮 泥齊上四開 nei 脂 mli̠ʔ
10161 泥 奴計 泥齊去四開 nei 脂 mli̠s

---

1 盇ᵒ 与缉ᵘ 旁转。

2 盇ᵒ 与缉ᵘ 旁转。

3 在圆唇元音的影响下圆唇韵尾-b 异化为-d。

4 原为黠韵，但是根据谐声系统应该为鎋韵，《切韵》音系二等有鎋、黠的历史层次。在圆唇元音的影响下圆唇韵尾-b 异化为-d。

5 原为黠韵，但是根据谐声系统应该为鎋韵，《切韵》音系二等有鎋、黠的历史层次。在圆唇元音的影响下圆唇韵尾-b 异化为-d。

6 韵尾 *-b 在主元音 *u 的异化下变成物ᵘ 部韵尾 *-d。

7 韵尾 *-b 在主元音 *u 的异化下变成物ᵘ 部韵尾 *-d。

8 韵尾 *-b 在主元音 *u 的异化下变成物ᵘ 部韵尾 *-d。

9 韵尾 *-b 在主元音 *u 的异化下变成物ᵘ 部韵尾 *-d。

10 "泥"通"惕" l̥eg，马王堆汉墓帛书《易·乾》："九三，君子終日鍵（乾）鍵（乾），夕泥（惕）若，厲，无咎。""尼"通"爾" *mlʲelʔ。《古字通假会典》：《史记·孔子世家》："將欲以尼谿田封孔子。"《晏子春秋·外篇》"尼谿"作"爾稽"。"尼"通"𡰥" *li。《孝经·开宗明义章》"仲尼居"，《释文》："尼又音夷，字作𡰥，古夷字也。""尼"通假字的声母包括 m-、l-，可见"尼"的上古读音当为 *mli。

10162 迡 奴計 泥齊去四開 nei 脂 mli̯s
10163 狔 女氏 娘支上三開 ɳie 佳 mleʔ
10164 旎 女氏 娘支上三開 ɳie 佳 mleʔ
10165 抳 女氏 娘支上三開 ɳie 佳 mleʔ
10166 昵 尼質 娘質入三開 ɳit 質[9] mlig

孴 nǐ

10167 孴[1] 魚紀 疑之上三開 ŋɨ 之 ŋɯʔ

屰 nì

10168 遻 五故 疑模去一合 ŋuo 鐸 ŋga̱gs
10169 䞶 充夜 昌麻去三開 tɕʰiæ 鐸 kʰlʲags
10170 斥 充夜 昌麻去三開 tɕʰiæ 鐸 kʰlʲags
10171 䞶 遷謝 清麻去三開 tsʰiæ 鐸 skʰags
10172 逆 宜戟 疑陌入三開 ŋiæk 鐸 ŋgʳag
10173 屰 宜戟 疑陌入三開 ŋiæk 鐸 ŋgʳag
10174 縌 宜戟 疑陌入三開 ŋiæk 鐸 ŋgʳag
10175 蚸 思積 心昔入三開 siᴇk 鐸 skˡag
10176 㡿 昌石 昌昔入三開 tɕʰiᴇk 鐸 kʰʲag
10177 蚸 昌石 昌昔入三開 tɕʰiᴇk 鐸 kʰʲag
10178 跅[2] 昌石 昌昔入三開 tɕʰiᴇk 鐸 kʰʲag
10179 斥 昌石 昌昔入三開 tɕʰiᴇk 鐸 kʰʲag
10180 泝 桑故 心模去一合 suo 鐸 skˡags
10181 遡 桑故 心模去一合 suo 鐸 skˡags
10182 溯 蘇故 心模去一合 suo 鐸 skˡags
10183 愬 桑故 心模去一合 suo 鐸 skˡags
10184 訴 桑故 心模去一合 suo 鐸 skˡags
10185 柝 他各 透鐸入一開 tʰɑk 鐸 kʰla̱g
10186 跅[3] 闥各 透鐸入一開 tʰɑk 鐸 kʰla̱g
10187 𦣻 匹各 滂鐸入一開 pʰɑk 鐸 pkʰˡa̱g
10188 咢 五各 疑鐸入一開 ŋɑk 鐸 ŋga̱g
10189 愕 五各 疑鐸入一開 ŋɑk 鐸 ŋga̱g
10190 鄂 五各 疑鐸入一開 ŋɑk 鐸 ŋga̱g
10191 諤 五各 疑鐸入一開 ŋɑk 鐸 ŋga̱g
10192 㓵[4] 五各 疑鐸入一開 ŋɑk 鐸 ŋga̱g
10193 遌 五各 疑鐸入一開 ŋɑk 鐸 ŋga̱g
10194 萼 五各 疑鐸入一開 ŋɑk 鐸 ŋga̱g
10195 鍔 五各 疑鐸入一開 ŋɑk 鐸 ŋga̱g
10196 崿 五各 疑鐸入一開 ŋɑk 鐸 ŋga̱g
10197 鶚 五各 疑鐸入一開 ŋɑk 鐸 ŋga̱g
10198 鰐 五各 疑鐸入一開 ŋɑk 鐸 ŋga̱g
10199 堮 五各 疑鐸入一開 ŋɑk 鐸 ŋga̱g
10200 溯[5] 色角 生覺入二開 ʂᵚɔk 鐸 skʳa̱g
10201 朔[6] 所角 生覺入二開 ʂᵚɔk 鐸 skʳa̱g
10202 槊[7] 所角 生覺入二開 ʂᵚɔk 鐸 skʳa̱g
10203 蒴[8] 所角 生覺入二開 ʂᵚɔk 鐸 skʳa̱g
10204 愬[9] 山責 生陌入二開 ʂᵚæk 鐸 skʳa̱g
10205 拆[10] 丑格 徹陌入二開 ʈʰᵚæk 鐸 kʰla̱g
10206 坼[11] 丑格 徹陌入二開 ʈʰᵚæk 鐸 kʰla̱g

匿 nì

10207 㥾 尼質 娘質入三開 ɳit 質[9] nig
10208 嫟 昵力 娘職入三開 ɳɨk 職 nɯg
10209 匿 女力 娘職入三開 ɳɨk 職 nɯg
10210 䘌 女力 娘職入三開 ɳɨk 職 nɯg
10211 㥾 女力 娘職入三開 ɳɨk 職 nɯg
10212 慝 他德 透德入一開 tʰək 職 n̥ɯg
10213 暱 尼質 娘質入三開 ɳit 質[9] nig

𡰪 niǎn

10214 𡰪[12] 尼展 娘仙上三開 ɳiᴇn 元ᵃ nanʔ
10215 䡊 尼展 娘仙上三開 ɳiᴇn 元ᵃ nanʔ
10216 赧 奴板 娘删上二開 ɳᵚæn 元ᵃ na̱nʔ
10217 㬉 奴板 娘删上二開 ɳᵚæn 元ᵃ na̱nʔ
10218 𡰪 而兖 日仙上三合 ȵʷiᴇn 元ᵒ nʲonʔ

---

1 《说文》"孴"读若"薿"*ŋɡɯʔ>ŋɯʔ，又读若"存"*zɯn>dzɯn>dzun。有些dz-可能来自*sɡɯn>dzun。上古有鼻冠音*ŋɡɯʔ和咝冠音*sɡɯn的交替。

2 《广韵》作"蹠"。

3 《广韵》作"蹠"。

4 《广韵》作"㓵"。

5 见"朔"字注。藏文同源词 sŋa，以前、早初、往昔。

6 "朔"中古觉韵。觉韵只能来自上古的屋部-og或觉部-ug。但从声符看，"朔"上古应是铎部字，《释名》"苏也"，以鱼部字"苏"为声训，可见汉代的"朔"字还是铎部字。李豪援班固《十八侯铭·张良》韵例：石、幄、朔、宅。张振通指出，在东汉末到南北朝，上古铎部三等的庄组字，最终变成了觉韵。潘悟云指出，槊、蒴、𣂔也都是觉韵，"𣂔"还有觉、药两读，可见是魏晋以后有些铎部字出现高化现象，*ak>ɔk。

7 见"朔"字注。

8 见"朔"字注。

9 原为麦韵，但是根据谐声系统应该为陌韵，《切韵》音系二等有陌、麦的历史层次。

10 《广韵》作"㡿"

11 见定母和澄母"茶"字注。

12 《广韵》作"𡰪"。

輦 niǎn

10219 輦 力展 來仙上三開 liᴇn 元^{e} renʔ
10220 鄻 力展 來仙上三開 liᴇn 元^{e} renʔ

廿 niàn

10221 廿[1] 人執 日緝入三開 ȵip 緝^{ɯ} n^{j}ɯb

鳥 niǎo

10222 島 都晧 端豪上一開 tɑu 幽 tu̲ʔ
10223 鳥 都聊 端蕭平四開 teu 幽^{i} ti̲^{w}
10224 鵰 都聊 端蕭平四開 teu 幽^{i} ti̲^{w}
10225 鳥 都了 端蕭上四開 teu 幽^{i} ti̲^{w}ʔ
10226 蔦 都了 端蕭上四開 teu 幽^{i} ti̲^{w}ʔ
10227 樢 都了 端蕭上四開 teu 幽^{i} ti̲^{w}ʔ
10228 窵 多嘯 端蕭去四開 teu 幽^{i} ti̲^{w}s
10229 蔦 多嘯 端蕭去四開 teu 幽^{i} ti̲^{w}s

褭 niǎo

10230 褭 奴鳥 泥蕭上四開 neu 宵^{e} ne̲^{w}ʔ

尿 niào

10231 尿 奴弔 泥蕭去四開 neu 藥^{e} ne̲g^{w}s

㚔 niě

10232 㚔 尼輒 娘葉入三開 ȵiᴇp 盍^{e} neb

⺻ niè

10233 ⺻[2] 尼輒 娘葉入三開 ȵiᴇp 盍^{e} neb
10234 𦘒 尼輒 娘葉入三開 ȵiᴇp 盍^{e} neb

図 niè

10235 図 尼立 娘緝入三開 ȵip 緝^{i} nib

臬 niè

10236 寱 倪祭 疑祭去A開 ŋiᴇi 月^{e} ŋgeds
10237 甈 去例 溪祭去B開 k^{h}ɨᴇi 月^{e} k^{hr}eds
10238 劓 牛例 疑祭去B開 ŋɨᴇi 月^{e} ŋg^{r}eds
10239 寱 牛例 疑祭去B開 ŋɨᴇi 月^{e} ŋg^{r}eds
10240 闑 魚列 疑薛入B開 ŋɨᴇt 月^{e} ŋg^{r}ed
10241 寱 研計 疑齊去四開 ŋei 月^{e} ŋge̲ds
10242 臬 五結 疑屑入四開 ŋet 月^{e} ŋge̲d
10243 𦨣 五結 疑屑入四開 ŋet 月^{e} ŋge̲d
10244 闑 五結 疑屑入四開 ŋet 月^{e} ŋge̲d
10245 甈 五計 疑齊去四開 ŋei 月^{e} ŋge̲ds

聶 niè

10246 襵 陟葉 知葉入三開 ʈiᴇp 盍^{e} kleb
10247 囁 之涉 章葉入三開 tɕiᴇp 盍^{e} kl^{j}eb
10248 懾 之涉 章葉入三開 tɕiᴇp 盍^{e} kl^{j}eb
10249 欇 之涉 章葉入三開 tɕiᴇp 盍^{e} kl^{j}eb
10250 襵 之涉 章葉入三開 tɕiᴇp 盍^{e} kl^{j}eb
10251 㒹 尺涉 昌葉入三開 tɕ^{h}iᴇp 盍^{e} k^{h}l^{j}eb
10252 欇 叱涉 昌葉入三開 tɕ^{h}iᴇp 盍^{e} k^{h}l^{j}eb
10253 欇 時攝 禪葉入三開 dʑiᴇp 盍^{e} gl^{j}eb
10254 聶 尼輒 娘葉入三開 ȵiᴇp 盍^{e} mgleb
10255 躡 尼輒 娘葉入三開 ȵiᴇp 盍^{e} mgleb
10256 鑷 尼輒 娘葉入三開 ȵiᴇp 盍^{e} mgleb
10257 讘 而涉 日葉入三開 ȵiᴇp 盍^{e} mgl^{j}eb
10258 顳 而涉 日葉入三開 ȵiᴇp 盍^{e} mgl^{j}eb
10259 囁 而涉 日葉入三開 ȵiᴇp 盍^{e} mgl^{j}eb
10260 攝 書涉 書葉入三開 ɕiᴇp 盍^{e} q^{h}leb
10261 灄 書涉 書葉入三開 ɕiᴇp 盍^{e} q^{h}leb
10262 欇 書涉 書葉入三開 ɕiᴇp 盍^{e} q^{h}leb
10263 攝 奴協 泥帖入四開 nep 盍^{e} mgle̲b

枿 niè

10264 枿 五割 疑曷入一開 ŋɑt 月^{a} ŋa̲d

嵒 niè

10265 嵒 而涉 日葉入三開 ȵiᴇp 盍^{e} ŋ^{j}eb

寍 níng

10266 寗 囊丁 泥青平四開 neŋ 耕 ne̲ŋ
10267 寧 奴丁 泥青平四開 neŋ 耕 ne̲ŋ
10268 寍 奴丁 泥青平四開 neŋ 耕 ne̲ŋ
10269 鸋 奴丁 泥青平四開 neŋ 耕 ne̲ŋ
10270 𪓰 奴丁 泥青平四開 neŋ 耕 ne̲ŋ

---

1 郑张尚芳："二十"合音，宋后音变读"念"。
2 《广韵》作"𦘒"。

10271 聹 奴丁 泥青平四開 neŋ 耕 ne̱ŋ
10272 薴 乃挺 泥青上四開 neŋ 耕 ne̱ŋʔ
10273 濘 乃挺 泥青上四開 neŋ 耕 ne̱ŋʔ
10274 聹 乃挺 泥青上四開 neŋ 耕 ne̱ŋʔ
10275 濘 乃定 泥青去四開 neŋ 耕 ne̱ŋs
10276 鸋 乃定 泥青去四開 neŋ 耕 ne̱ŋs
10277 儜 女耕 娘耕平二開 ɳ^{w}ɛŋ 耕 ne̱ŋ
10278 濘 奴計 泥齊去四開 nei 佳 ne̱s

㲻 níng

10279 襄[1] 息良 心陽平三開 siaŋ 陽 sk^{l}aŋ
10280 纕 息良 心陽平三開 siaŋ 陽 sk^{l}aŋ
10281 驤 息良 心陽平三開 siaŋ 陽 sk^{l}aŋ
10282 鑲 息良 心陽平三開 siaŋ 陽 sk^{l}aŋ
10283 瓖 息良 心陽平三開 siaŋ 陽 sk^{l}aŋ
10284 欀 息良 心陽平三開 siaŋ 陽 sk^{l}aŋ
10285 蠰[2] 色莊 生陽平三開 ʂiaŋ 陽 sk^{r}aŋ
10286 鑲 女良 娘陽平三開 ɳiaŋ 陽 mglaŋ
10287 孃 女良 娘陽平三開 ɳiaŋ 陽 mglaŋ
10288 瓤 女良 娘陽平三開 ɳiaŋ 陽 mglaŋ
10289 穰 汝陽 日陽平三開 ȵiaŋ 陽 mgl^{j}aŋ
10290 禳 汝陽 日陽平三開 ȵiaŋ 陽 mgl^{j}aŋ
10291 攘 汝陽 日陽平三開 ȵiaŋ 陽 mgl^{j}aŋ
10292 鑲 汝陽 日陽平三開 ȵiaŋ 陽 mgl^{j}aŋ
10293 鄭 汝陽 日陽平三開 ȵiaŋ 陽 mgl^{j}aŋ
10294 躟 汝陽 日陽平三開 ȵiaŋ 陽 mgl^{j}aŋ
10295 瀼 汝陽 日陽平三開 ȵiaŋ 陽 mgl^{j}aŋ
10296 儴 汝陽 日陽平三開 ȵiaŋ 陽 mgl^{j}aŋ
10297 蘘 汝陽 日陽平三開 ȵiaŋ 陽 mgl^{j}aŋ
10298 簑 汝陽 日陽平三開 ȵiaŋ 陽 mgl^{j}aŋ
10299 鬤 汝陽 日陽平三開 ȵiaŋ 陽 mgl^{j}aŋ
10300 瓤 汝陽 日陽平三開 ȵiaŋ 陽 mgl^{j}aŋ
10301 孃 汝陽 日陽平三開 ȵiaŋ 陽 mgl^{j}aŋ
10302 饟 式羊 書陽平三開 ɕiaŋ 陽 q^{h}laŋ
10303 壤 如兩 日陽上三開 ȵiaŋ 陽 mgl^{j}aŋʔ
10304 蘘 如兩 日陽上三開 ȵiaŋ 陽 mgl^{j}aŋʔ
10305 膿 如兩 日陽上三開 ȵiaŋ 陽 mgl^{j}aŋʔ
10306 穰 如兩 日陽上三開 ȵiaŋ 陽 mgl^{j}aŋʔ
10307 蠰 如兩 日陽上三開 ȵiaŋ 陽 mgl^{j}aŋʔ
10308 攘 如兩 日陽上三開 ȵiaŋ 陽 mgl^{j}aŋʔ
10309 躟 如兩 日陽上三開 ȵiaŋ 陽 mgl^{j}aŋʔ
10310 饟 書兩 書陽上三開 ɕiaŋ 陽 q^{h}laŋʔ
10311 釀 女亮 娘陽去三開 ɳiaŋ 陽 mglaŋs
10312 蘸 女亮 娘陽去三開 ɳiaŋ 陽 mglaŋs
10313 讓 人㨾 日陽去三開 ȵiaŋ 陽 mgl^{j}aŋs
10314 欀 人㨾 日陽去三開 ȵiaŋ 陽 mgl^{j}aŋs
10315 攘 人㨾 日陽去三開 ȵiaŋ 陽 mgl^{j}aŋs
10316 懹 人㨾 日陽去三開 ȵiaŋ 陽 mgl^{j}aŋs
10317 饟 式亮 書陽去三開 ɕiaŋ 陽 q^{h}laŋs
10318 蠰 式亮 書陽去三開 ɕiaŋ 陽 q^{h}laŋs
10319 囊 奴當 泥唐平一開 nɑŋ 陽 mgla̱ŋ
10320 蠰[3] 奴當 泥唐平一開 nɑŋ 陽 mgla̱ŋ
10321 曩 奴朗 泥唐上一開 nɑŋ 陽 mgla̱ŋʔ
10322 鬤[4] 乃庚 娘庚平二開 ɳ^{w}æŋ 陽 mgla̱ŋ
10323 㲻[5] 乃庚 娘庚平二開 ɳ^{w}æŋ 陽 mgla̱ŋ
10324 䕅[6] 乃庚 娘庚平二開 ɳ^{w}æŋ 陽 mgla̱ŋ

牛 niú

10325 牛[7] 語求 疑尤平三合 ŋiu 之 ŋ^{w}ɯ

農 nóng

10326 醲 女容 娘鍾平三合 ɳiʊŋ 東 noŋ
10327 犪 女容 娘鍾平三合 ɳiʊŋ 東 noŋ
10328 濃 女容 娘鍾平三合 ɳiʊŋ 東 noŋ
10329 襛 女容 娘鍾平三合 ɳiʊŋ 東 noŋ
10330 穠 女容 娘鍾平三合 ɳiʊŋ 東 noŋ
10331 襛 而容 日鍾平三合 ȵiʊŋ 東 n^{j}oŋ
10332 穠 而容 日鍾平三合 ȵiʊŋ 東 n^{j}oŋ
10333 犪 奴動 泥東上一合 nuŋ 東 no̱ŋʔ
10334 癑 奴凍 泥東去一合 nuŋ 東 no̱ŋs
10335 農 奴冬 泥冬平一合 nuoŋ 終 nu̱ŋ

---

1 《古字通假会典》"襄"通"良"。《史记·仲尼弟子列传》"公良孺",《索隐》邹诞本作"公襄儒"。故"襄"的词根读音近"良"*g.raŋ,"襄"带s冠音:*sk^{l}aŋ>*s^{l}aŋ。

2 "蠰"读*mgla̱ŋ>*mla̱ŋ>中古nɑŋ,又读*sk^{r}aŋ>*s^{r}aŋ>中古ʂiaŋ,当是s冠音与m冠音的交替。

3 《古字通假会典》"蠰"通"螂"。《尔雅·释虫》:"不過,蟷蠰。"《礼记·月令》:"蟷蠰作螳螂。""螂"上古音*ɡ.ra̱ŋ,"蠰"的词根读音当与"螂"相近,故"蠰"的上古读音为*mgla̱ŋ>*gla̱ŋ>naŋ。

4 二等*Cl->*Cr-。

5 二等*Cl->*Cr-。

6 二等*Cl->*Cr-。

7 见"又"字注。

10336 噥 奴冬 泥冬平一合 nu̯oŋ 終 nu̱ŋ
10337 憹 奴冬 泥冬平一合 nu̯oŋ 終 nu̱ŋ
10338 獿 奴冬 泥冬平一合 nu̯oŋ 終 nu̱ŋ
10339 膿 奴冬 泥冬平一合 nu̯oŋ 終 nu̱ŋ
10340 聰 女江 娘江平二開 ɳ^{ɯ}ɔŋ 終 nu̱ŋ
10341 噥 女江 娘江平二開 ɳ$^{□}$ɔŋ 終 nu̱ŋ
10342 獿 奴刀 泥豪平一開 nɑu 幽 nu̱
10343 嶩 奴刀 泥豪平一開 nɑu 幽 nu̱
10344 獿 女交 娘肴平二開 ɳ^{ɯ}æu 幽 nu̱

奻 nuán

10345 奻 奴還 娘刪平二合 ɳ^{wɯ}æn 元° no̱n
10346 奻 女患 娘刪去二合 ɳ^{wɯ}æn 元° no̱ns

女 nǚ

10347 袽 女余 娘魚平三開 ɳiɤ 魚 na
10348 帤 女余 娘魚平三開 ɳiɤ 魚 na
10349 蒘 女余 娘魚平三開 ɳiɤ 魚 na
10350 挐 女余 娘魚平三開 ɳiɤ 魚 na
10351 如 人諸 日魚平三開 ȵiɤ 魚 n^{j}a
10352 蒘 人諸 日魚平三開 ȵiɤ 魚 n^{j}a
10353 鄬 人諸 日魚平三開 ȵiɤ 魚 n^{j}a
10354 洳 人諸 日魚平三開 ȵiɤ 魚 n^{j}a
10355 駕 人諸 日魚平三開 ȵiɤ 魚 n^{j}a
10356 寱 人諸 日魚平三開 ȵiɤ 魚 n^{j}a
10357 茹 人諸 日魚平三開 ȵiɤ 魚 n^{j}a
10358 女[1] 尼吕 娘魚上三開 ɳiɤ 魚 mlaʔ
10359 籹 尼吕 娘魚上三開 ɳiɤ 魚 naʔ
10360 汝 人渚 日魚上三開 ȵiɤ 魚 ml^{j}aʔ
10361 茹 人渚 日魚上三開 ȵiɤ 魚 n^{j}aʔ
10362 敎 人渚 日魚上三開 ȵiɤ 魚 n^{j}aʔ
10363 寱 人渚 日魚上三開 ȵiɤ 魚 n^{j}aʔ
10364 女 尼據 娘魚去三開 ɳiɤ 魚 mlas
10365 絮 尼據 娘魚去三開 ɳiɤ 魚 nas
10366 洳 人恕 日魚去三開 ȵiɤ 魚 n^{j}as
10367 茹 人恕 日魚去三開 ȵiɤ 魚 n^{j}as
10368 如 人恕 日魚去三開 ȵiɤ 魚 n^{j}as
10369 絮 抽據 徹魚去三開 ʈ^{h}iɤ 魚 n̥as
10370 恕 商署 書魚去三開 ɕiɤ 魚 n̥^{hj}as
10371 絮 息據 心魚去三開 siɤ 魚 snas
10372 奴 乃都 泥模平一合 nu̯o 魚 na̱
10373 砮 乃都 泥模平一合 nu̯o 魚 na̱
10374 駑 乃都 泥模平一合 nu̯o 魚 na̱
10375 帑 乃都 泥模平一合 nu̯o 魚 na̱
10376 拏 乃都 泥模平一合 nu̯o 魚 na̱
10377 笯 乃都 泥模平一合 nu̯o 魚 na̱
10378 努 奴古 泥模上一合 nu̯o 魚 na̱ʔ
10379 怒 奴古 泥模上一合 nu̯o 魚 na̱ʔ
10380 弩 奴古 泥模上一合 nu̯o 魚 na̱ʔ
10381 砮 奴古 泥模上一合 nu̯o 魚 na̱ʔ
10382 笯 乃故 泥模去一合 nu̯o 魚 na̱s
10383 怒 乃故 泥模去一合 nu̯o 魚 na̱s
10384 拏 女加 娘麻平二開 ɳ^{ɯ}æ 魚 na̱
10385 挐 女加 娘麻平二開 ɳ^{ɯ}æ 魚 na̱
10386 蒘 女加 娘麻平二開 ɳ^{ɯ}æ 魚 na̱
10387 袈 女加 娘麻平二開 ɳ^{ɯ}æ 魚 na̱
10388 笯 女加 娘麻平二開 ɳ^{ɯ}æ 魚 na̱
10389 絮 奴下 娘麻上二開 ɳ^{ɯ}æ 魚 na̱ʔ
10390 絮 乃亞 娘麻去二開 ɳ^{ɯ}æ 魚 na̱s
10391 呶[2] 女交 娘肴平二開 ɳ^{ɯ}æu 侯 no̱
10392 怓 女交 娘肴平二開 ɳ^{ɯ}æu 侯 no̱
10393 帑 他朗 透唐上一開 t^{h}ɑŋ 陽 n̥aŋʔ

虐 nüè

10394 虐 魚約° 疑藥入三開 ŋiak 藥^{a} ŋag^{w}
10395 瘧 魚約 疑藥入三開 ŋiak 藥^{a} ŋag^{w}
10396 謔 虚約 曉藥入三開 hiak 藥^{a} ŋ̊^{h}ag^{w}

𠂢 pài

10397 覓 莫狄 明錫入四開 mek 錫 me̱g

---

1 甲骨文中“母”和“女”同形，有两点的一定是“母”字，表示双乳。没有两点的可能是“母”也可能是“女”。女性最初的语义只有一个 maʔ，另有一个弱化形式 mɯʔ，读之部，它们的最早字位只有一个“女”字。后来，它们的语义产生了母亲与非母亲的区别，母亲是最常见的变体 ma，非母亲是带中缀的变体 mlaʔ>naʔ。但是这两个变体可以互用，有些方言也可以用 mla 表示母亲。在现代的不同民族语，甚至不同的汉语方言中，母亲有的读 ma，有的读 na。na 不可能来自 ma，从自然音变看只能来自 mla>na。由此可见，两个语素变体起初并不对立，随着语音和语义的长期对立，最后形成对立的两个语素，随之也产生两个对立的字位“母”和“女”，它们的读音构拟作 * maʔ 和 * mlaʔ。但是，还有些字可能在“女”变成 naʔ 以后才出现，所以我们暂时把它们的声母构拟作 n-。

2 郑张尚芳：《民劳》叶幽。可见《诗经》时代，“呶”不是鱼部，而是侯部，能与幽部押韵。

10398	覛	莫狄	明錫入四開	mek	錫	me̱g
10399	鎃	普擊	滂錫入四開	p^{h}ek	錫	m̥e̱g
10400	派	匹卦	滂佳去二開	p^{hɯ}ɛ	錫	m̥^{r}e̱gs
10401	㶁	匹卦	滂佳去二開	p^{hɯ}ɛ	錫	m̥^{r}e̱gs
10402	𥿰	匹卦	滂佳去二開	p^{hɯ}ɛ	錫	m̥^{r}e̱gs
10403	覛	莫獲	明麥入二開	m^{ɯ}ɛk	錫	m^{r}e̱g
10404	脈	莫獲	明麥入二開	m^{ɯ}ɛk	錫	m^{r}e̱g
10405	霢	莫獲	明麥入二開	m^{ɯ}ɛk	錫	m^{r}e̱g
10406	脉	莫獲	明麥入二開	m^{ɯ}ɛk	錫	m^{r}e̱g

抛 pāo

10407	抛	匹交	滂肴平二開	p^{hɯ}æu	幽	p^{hr}u̱
10408	抛	匹皃	滂肴去二開	p^{hɯ}æu	幽	p^{hr}u̱s

佩 pèi

10409	佩	蒲昧	並灰去一合	bu̯oi	之	bɯ̱s
10410	珮	蒲昧	並灰去一合	bu̯oi	之	bɯ̱s

配 pèi

10411	崀	敷勿	滂物入三合	p^{h}iut	物^{ɯ}	p^{h}ɯd
10412	配	滂佩	滂灰去一合	p^{h}u̯oi	物^{ɯ}	p^{h}ɯ̱ds
10413	崀	滂佩	滂灰去一合	p^{h}u̯oi	物^{ɯ}	p^{h}ɯ̱ds

轡 pèi

10414	轡	兵媚	幫脂去B 開	pɨi	物^{ɯ}	p^{r}ɯds

朋 péng

10415	掤	筆陵	幫蒸平三開	pɨŋ	蒸	p^{r}ɯŋ
10416	淜	扶冰	並蒸平三開	bɨŋ	蒸	b^{r}ɯŋ
10417	崩	悲朋	幫登平一開	pəŋ	蒸	pɯ̱ŋ
10418	傰	悲朋	幫登平一開	pəŋ	蒸	pɯ̱ŋ
10419	崩	北滕	幫登平一開	pəŋ	蒸	pɯ̱ŋ
10420	掤	普朋	滂登平一開	p^{h}əŋ	蒸	p^{h}ɯ̱ŋ
10421	朋	步崩	並登平一開	bəŋ	蒸	bɯ̱ŋ
10422	堋	步崩	並登平一開	bəŋ	蒸	bɯ̱ŋ
10423	鵬	步崩	並登平一開	bəŋ	蒸	bɯ̱ŋ
10424	棚	步崩	並登平一開	bəŋ	蒸	bɯ̱ŋ
10425	倗	步崩	並登平一開	bəŋ	蒸	bɯ̱ŋ
10426	傰	蒲登	並登平一開	bəŋ	蒸	bɯ̱ŋ
10427	倗	普等	滂登上一開	p^{h}əŋ	蒸	p^{h}ɯ̱ŋʔ
10428	鄌	普等	滂登上一開	p^{h}əŋ	蒸	p^{h}ɯ̱ŋʔ
10429	傰	逋鄧	幫登去一開	pəŋ	蒸	pɯ̱ŋs
10430	堋	方隥	幫登去一開	pəŋ	蒸	pɯ̱ŋs
10431	倗	父鄧	並登去一開	bəŋ	蒸	bɯ̱ŋs
10432	繃	北萌	幫耕平二開	p^{ɯ}ɛŋ	蒸	p^{r}ɯ̱ŋ
10433	弸	普耕	滂耕平二開	p^{hɯ}ɛŋ	蒸	p^{hr}ɯ̱ŋ
10434	輣[1]	薄庚	並耕平二開	b^{ɯ}ɛŋ	蒸	b^{r}ɯ̱ŋ
10435	棚	薄萌	並耕平二開	b^{ɯ}ɛŋ	蒸	b^{r}ɯ̱ŋ
10436	弸	薄萌	並耕平二開	b^{ɯ}ɛŋ	蒸	b^{r}ɯ̱ŋ
10437	鄌	薄回	並灰平一合	bu̯oi	之	bɯ̱
10438	傰	部浼	並灰上一合	bu̯oi	之	bɯ̱ʔ

彭 péng

10439	澎	撫庚	滂庚平二開	p^{hɯ}æŋ	陽	p^{hr}a̱ŋ
10440	彭	薄庚	並庚平二開	b^{ɯ}æŋ	陽	b^{r}a̱ŋ
10441	澎	薄庚	並庚平二開	b^{ɯ}æŋ	陽	b^{r}a̱ŋ
10442	膨	薄庚	並庚平二開	b^{ɯ}æŋ	陽	b^{r}a̱ŋ
10443	憉	薄庚	並庚平二開	b^{ɯ}æŋ	陽	b^{r}a̱ŋ
10444	膨	蒲孟	並庚去二開	b^{ɯ}æŋ	陽	b^{r}a̱ŋs

皮 pí

10445	陂	彼爲	幫支平B 開	pɨe	歌^{a}	pal
10446	詖	彼爲	幫支平B 開	pɨe	歌^{a}	pal
10447	鈹	敷羈	滂支平B 開	p^{h}ɨe	歌^{a}	p^{h}al
10448	帔	敷羈	滂支平B 開	p^{h}ɨe	歌^{a}	p^{h}al
10449	鮍	敷羈	滂支平B 開	p^{h}ɨe	歌^{a}	p^{h}al
10450	披[2]	敷羈	滂支平B 開	p^{h}ɨe	歌^{a}	p^{h}al
10451	旇	敷羈	滂支平B 開	p^{h}ɨe	歌^{a}	p^{h}al
10452	翍	敷羈	滂支平B 開	p^{h}ɨe	歌^{a}	p^{h}al
10453	皮	符羈	並支平B 開	bɨe	歌^{a}	bal
10454	疲	符羈	並支平B 開	bɨe	歌^{a}	bal
10455	柀	甫委	幫支上B 開	pɨe	歌^{a}	palʔ
10456	彼	甫委	幫支上B 開	pɨe	歌^{a}	palʔ
10457	披	匹靡	滂支上B 開	p^{h}ɨe	歌^{a}	p^{h}alʔ
10458	紴	匹靡	滂支上B 開	p^{h}ɨe	歌^{a}	p^{h}alʔ
10459	被	皮彼	並支上B 開	bɨe	歌^{a}	balʔ
10460	骳	文彼	明支上B 開	mɨe	歌^{a}	mbalʔ
10461	詖	彼義	幫支去B 開	pɨe	歌^{a}	pals

---

1 原为庚韵,但是根据谐声系统应该为耕韵,《切韵》音系二等有耕、庚的历史层次。

2 藏文同源词 p^{h}ral,使分离,汉语的同源词是“披”* p^{h}al。

10462 陂 彼義 幫支去B 開 pɨe 歌^{a} pals
10463 陂 彼義 幫支去B 開 pɨe 歌^{a} pals
10464 跛 彼義 幫支去B 開 pɨe 歌^{a} pals
10465 帔 披義 滂支去B 開 p^{h}ɨe 歌^{a} p^{h}als
10466 髲 平義 並支去B 開 bɨe 歌^{a} bals
10467 被 平義 並支去B 開 bɨe 歌^{a} bals
10468 鞁 平義 並支去B 開 bɨe 歌^{a} bals
10469 旇 平義 並支去B 開 bɨe 歌^{a} bals
10470 波 博禾 幫歌平一合 p^{w}ɑ 歌^{a} pa̱l
10471 紴 博禾 幫歌平一合 p^{w}ɑ 歌^{a} pa̱l
10472 碆 博禾 幫歌平一合 p^{w}ɑ 歌^{a} pa̱l
10473 頗 滂禾 滂歌平一合 p^{hw}ɑ 歌^{a} p^{h}a̱l
10474 坡 滂禾 滂歌平一合 p^{hw}ɑ 歌^{a} p^{h}a̱l
10475 婆 薄波 並歌平一合 b^{w}ɑ 歌^{a} ba̱l
10476 碆 薄波 並歌平一合 b^{w}ɑ 歌^{a} ba̱l
10477 跛 布火 幫歌上一合 p^{w}ɑ 歌^{a} pa̱lʔ
10478 簸 布火 幫歌上一合 p^{w}ɑ 歌^{a} pa̱lʔ
10479 駊 布火 幫歌上一合 p^{w}ɑ 歌^{a} pa̱lʔ
10480 尯 布火 幫歌上一合 p^{w}ɑ 歌^{a} pa̱lʔ
10481 駊 普火 滂歌上一合 p^{hw}ɑ 歌^{a} p^{h}a̱lʔ
10482 頗 普火 滂歌上一合 p^{hw}ɑ 歌^{a} p^{h}a̱lʔ
10483 簸 補過 幫歌去一合 p^{w}ɑ 歌^{a} pa̱ls
10484 破 普過 滂歌去一合 p^{hw}ɑ 歌^{a} p^{h}a̱ls
10485 頗 普過 滂歌去一合 p^{hw}ɑ 歌^{a} p^{h}a̱ls

匹 pǐ

10486 匹 譬吉 滂質入A 開 p^{h}it 質^{d} p^{h}iɡ

片 piàn

10487 片 普麵 滂先去四開 p^{h}en 元^{e} p^{h}e̱ns

票 piào

10488 標 卑遥 幫宵平A 開 piɛu 宵^{e} pe^{w}
10489 標 甫遥 幫宵平A 開 piɛu 宵^{e} pe^{w}
10490 幖 甫遥 幫宵平A 開 piɛu 宵^{e} pe^{w}
10491 趪 甫遥 幫宵平A 開 piɛu 宵^{e} pe^{w}
10492 蔈 甫遥 幫宵平A 開 piɛu 宵^{e} pe^{w}
10493 瘭 甫遥 幫宵平A 開 piɛu 宵^{e} pe^{w}
10494 熛 甫遥 幫宵平A 開 piɛu 宵^{e} p^{l}e^{w}
10495 奥 撫招 滂宵平A 開 p^{h}iɛu 宵^{e} p^{h}e^{w}
10496 漂[1] 撫招 滂宵平A 開 p^{h}iɛu 宵^{e} p^{h}e^{w}
10497 嫖 撫招 滂宵平A 開 p^{h}iɛu 宵^{e} p^{h}e^{w}
10498 瘭 撫招 滂宵平A 開 p^{h}iɛu 宵^{e} p^{h}e^{w}
10499 鏢 撫招 滂宵平A 開 p^{h}iɛu 宵^{e} p^{h}e^{w}
10500 僄 撫招 滂宵平A 開 p^{h}iɛu 宵^{e} p^{h}e^{w}
10501 鷅 撫招 滂宵平A 開 p^{h}iɛu 宵^{e} p^{h}e^{w}
10502 飄 撫招 滂宵平A 開 p^{h}iɛu 宵^{e} p^{h}e^{w}
10503 慓 撫招 滂宵平A 開 p^{h}iɛu 宵^{e} p^{h}e^{w}
10504 摽 撫招 滂宵平A 開 p^{h}iɛu 宵^{e} p^{h}e^{w}
10505 趪 撫招 滂宵平A 開 p^{h}iɛu 宵^{e} p^{h}e^{w}
10506 翲 撫招 滂宵平A 開 p^{h}iɛu 宵^{e} p^{h}e^{w}
10507 瞟 撫招 滂宵平A 開 p^{h}iɛu 宵^{e} p^{h}e^{w}
10508 螵 撫招 滂宵平A 開 p^{h}iɛu 宵^{e} p^{h}e^{w}
10509 嘌 撫招 滂宵平A 開 p^{h}iɛu 宵^{e} p^{h}e^{w}
10510 瓢 符霄 並宵平A 開 biɛu 宵^{e} be^{w}
10511 飄 符霄 並宵平A 開 biɛu 宵^{e} be^{w}
10512 剽 符霄 並宵平A 開 biɛu 宵^{e} be^{w}
10513 螵 符霄 並宵平A 開 biɛu 宵^{e} be^{w}
10514 覭 方小 幫宵上A 開 piɛu 宵^{e} pe^{w}ʔ
10515 標 方小 幫宵上A 開 piɛu 宵^{e} pe^{w}ʔ
10516 縹 敷沼 滂宵上A 開 p^{h}iɛu 宵^{e} p^{h}e^{w}ʔ
10517 顠 敷沼 滂宵上A 開 p^{h}iɛu 宵^{e} p^{h}e^{w}ʔ
10518 瞟 敷沼 滂宵上A 開 p^{h}iɛu 宵^{e} p^{h}e^{w}ʔ
10519 膘 敷沼 滂宵上A 開 p^{h}iɛu 宵^{e} p^{h}e^{w}ʔ
10520 摽[2] 苻少 並宵上A 開 biɛu 宵^{e} be^{w}ʔ
10521 慓 苻少 並宵上A 開 biɛu 宵^{e} be^{w}ʔ
10522 顠 苻少 並宵上A 開 biɛu 宵^{e} be^{w}ʔ
10523 膘 苻少 並宵上A 開 biɛu 宵^{e} be^{w}ʔ
10524 剽 匹妙 滂宵去A 開 p^{h}iɛu 宵^{e} p^{h}e^{w}s
10525 漂 匹妙 滂宵去A 開 p^{h}iɛu 宵^{e} p^{h}e^{w}s
10526 僄 匹妙 滂宵去A 開 p^{h}iɛu 宵^{e} p^{h}e^{w}s
10527 翲 匹妙 滂宵去A 開 p^{h}iɛu 宵^{e} p^{h}e^{w}s
10528 勡 匹妙 滂宵去A 開 p^{h}iɛu 宵^{e} p^{h}e^{w}s
10529 摽 匹妙 滂宵去A 開 p^{h}iɛu 宵^{e} p^{h}e^{w}s
10530 嫖 匹妙 滂宵去A 開 p^{h}iɛu 宵^{e} p^{h}e^{w}s
10531 慓 匹妙 滂宵去A 開 p^{h}iɛu 宵^{e} p^{h}e^{w}s
10532 驃 毗召 並宵去A 開 biɛu 宵^{e} be^{w}s
10533 票 毗召 並宵去A 開 biɛu 宵^{e} be^{w}s

---

1 古汉越语 chao1,ch 来自复辅音。
2 郑张尚芳：摽、慓、顠、膘的反切上字由原“符”改为“苻”。

丿 piě

10534 丿 餘制 以祭去三開 jiᴇi 月^{e} leds

10535 丿 普蔑 滂屑入四開 p^{h}et 月^{e} p^{h}e̱d

頻 pín

10536 頻 符真 並真平A開 bin 真^{n} bin

10537 蘋 符真 並真平A開 bin 真^{n} bin

10538 櫇 符真 並真平A開 bin 真^{n} bin

10539 顰 符真 並真平A開 bin 真^{n} bin

10540 嚬 符真 並真平A開 bin 真^{n} bin

10541 嚬 符真 並真平A開 bin 真^{n} bin

品 pǐn

10542 品[1] 丕飲 滂侵上B開 p^{h}ɨim 侵^{u} k^{hr}umʔ

10543 臨[2] 力尋 來侵平三開 lim 侵^{u} g.rum

10544 瀶 力尋 來侵平三開 lim 侵^{u} g.rum

10545 臨 良鴆 來侵去三開 lim 侵^{u} g.rums

朩 pìn

10546 朮[3] 匹卦 滂佳去二開 $p^{hɯ}$ɛ 錫 p^{hr}e̱gs

10547 朩[4] 匹卦 滂佳去二開 $p^{hɯ}$ɛ 錫 p^{hr}e̱gs

10548 朩[5] 匹刃 滂真去A開 p^{h}in 真^{ŋ} p^{h}iŋs

甹 pīng

10549 梬 以整 以清上三開 jiᴇŋ 耕 b.leŋʔ

10550 騁 丑郢 徹清上三開 $ʈ^{h}$iᴇŋ 耕 p^{h}leŋʔ

10551 聘 匹正 滂清去三開 p^{h}iᴇŋ 耕 p^{h}eŋs

10552 俜 匹正 滂清去三開 p^{h}iᴇŋ 耕 p^{h}eŋs

10553 娉 匹正 滂清去三開 p^{h}iᴇŋ 耕 p^{h}eŋs

10554 德 普丁 滂青平四開 p^{h}eŋ 耕 p^{h}e̱ŋ

10555 俜 普丁 滂青平四開 p^{h}eŋ 耕 p^{h}e̱ŋ

10556 甹 普丁 滂青平四開 p^{h}eŋ 耕 p^{h}e̱ŋ

10557 甹 呼刑 曉青平四開 heŋ 耕 qp^{hl}e̱ŋ

10558 甹 唐丁 定青平四開 deŋ 耕 ble̱ŋ

平 píng

10559 平 符兵 並庚平三開 biæŋ 耕 b^{r}eŋ

10560 評 符兵 並庚平三開 biæŋ 耕 b^{r}eŋ

10561 苹 符兵 並庚平三開 biæŋ 耕 b^{r}eŋ

10562 枰 符兵 並庚平三開 biæŋ 耕 b^{r}eŋ

10563 泙 符兵 並庚平三開 biæŋ 耕 b^{r}eŋ

10564 坪 符兵 並庚平三開 biæŋ 耕 b^{r}eŋ

10565 評 皮命 並庚去三開 biæŋ 耕 b^{r}eŋs

10566 枰 皮命 並庚去三開 biæŋ 耕 b^{r}eŋs

10567 鮃 薄經 並青平四開 beŋ 耕 be̱ŋ

10568 萍 薄經 並青平四開 beŋ 耕 be̱ŋ

10569 軯 悲萌 幫耕平二開 $p^{ɯ}$ɛŋ 耕 p^{r}e̱ŋ

10570 駍 披耕 滂耕平二開 $p^{hɯ}$ɛŋ 耕 p^{hr}e̱ŋ

10571 怦 普耕 滂耕平二開 $p^{hɯ}$ɛŋ 耕 p^{hr}e̱ŋ

10572 閛 普耕 滂耕平二開 $p^{hɯ}$ɛŋ 耕 p^{hr}e̱ŋ

10573 抨 普耕 滂耕平二開 $p^{hɯ}$ɛŋ 耕 p^{hr}e̱ŋ

10574 伻 普耕 滂耕平二開 $p^{hɯ}$ɛŋ 耕 p^{hr}e̱ŋ

10575 抨 普耕 滂耕平二開 $p^{hɯ}$ɛŋ 耕 p^{hr}e̱ŋ

10576 砰 普耕 滂耕平二開 $p^{hɯ}$ɛŋ 耕 p^{hr}e̱ŋ

10577 軯 叵迸 滂耕去二開 $p^{hɯ}$ɛŋ 耕 p^{hr}e̱ŋs

10578 平 房連 並仙平A開 biᴇn 元^{e} ben

凭 píng

10579 凭 扶冰 並蒸平三開 bɨŋ 蒸 b^{r}ɯŋ

10580 凭 皮證 並蒸去三開 bɨŋ 蒸 b^{r}ɯŋs

菐 pú

10581 樸 逢玉 並燭入三合 bi̯ʊk 屋 bog

10582 襆 博木 幫屋入一合 puk 屋 po̱g

10583 濮 博木 幫屋入一合 puk 屋 po̱g

10584 轐 博木 幫屋入一合 puk 屋 po̱g

10585 蹼 博木 幫屋入一合 puk 屋 po̱g

10586 纀 博木 幫屋入一合 puk 屋 po̱g

10587 樸 博木 幫屋入一合 puk 屋 po̱g

10588 樸 博木 幫屋入一合 puk 屋 po̱g

10589 墣 普木 滂屋入一合 p^{h}uk 屋 p^{h}o̱g

---

1 “品”与“臨”* g. rum 谐声，“品”中古三等，上古音是 * k^{hr}umʔ>p^{hr}umʔ，软腭音 k^{h} 在主元音 u 的影响下变成唇音 p^{h}。

2 “臨”通“監”* k^{r}a̱m。《史记·陈涉世家》：“陳王出監戰。”《汉书·陈胜传》“監”作“臨”。故“臨”应带冠音 * g.rɯm> * rɯm。

3 《说文》段注：“趙岐、劉熙注《孟子》‘妻辟纑’皆云‘緝績其麻曰辟’，按‘辟’音‘劈’。今俗語緝麻析其絲曰‘劈’。卽‘朮’也。”《广韵》“匹卦切”，与“朩”同音。

4 《广韵》作“朩”。《说文》：“分擘枲莖之皮也，读若髕。”《广韵》“匹卦切”，上古 * p^{hr}e̱gs，当与“擘”* p^{r}e̱g 音义近。

5 《广韵》作“朩”。锡真旁转。

10590 撲 普木 滂屋入一合 pʰuk 屋 pʰo̱g

10591 樸 普木 滂屋入一合 pʰuk 屋 pʰo̱g

10592 樸 步木 並屋入一合 buk 屋 bo̱g

10593 樸 蒲木 並屋入一合 buk 屋 bo̱g

10594 僕 蒲木 並屋入一合 buk 屋 bo̱g

10595 菐 蒲木 並屋入一合 buk 屋 bo̱g

10596 璞 匹角 滂覺入二開 pʰᵚɔk 屋 pʰʳo̱g

10597 樸 匹角 滂覺入二開 pʰᵚɔk 屋 pʰʳo̱g

10598 墣 匹角 滂覺入二開 pʰᵚɔk 屋 pʰʳo̱g

10599 撲 蒲角 並覺入二開 bᵚɔk 屋 bʳo̱g

10600 菐 方六 幫屋入三合 piuk 覺 pug

10601 僕 蒲沃 並沃入一合 bu̯ok 覺 bu̱g

10602 轐 蒲沃 並沃入一合 bu̯ok 覺 bu̱g

10603 樸[1] 薄胡 並模平一合 bu̯o 侯 bo̱

普 pǔ

10604 譜 博古 幫模上一合 pu̯o 魚 pa̱ʔ

10605 普 滂古 滂模上一合 pʰu̯o 魚 pʰa̱ʔ

七 qī

10606 叱 昌栗 昌質入三開 tɕʰit 質^{d} n̥ʲid

10607 七 親吉 清質入三開 tsʰit 質^{d} sn̥id

10608 砌 七計 清齊去四開 tsʰei 質^{d} sn̥i̱ds

10609 切 七計 清齊去四開 tsʰei 質^{d} sn̥i̱ds

10610 切 千結 清屑入四開 tsʰet 質^{d} sn̥i̱d

10611 齓[2] 楚引 初臻上三開 tʂʰiɪn 真^{n} sʰrinʔ

10612 齔 初覲 初臻去三開 tʂʰiɪn 真^{n} sʰrins

10613 齔 初謹 初殷上三開 tʂʰɨn 文^{ɯ} sʰrɯnʔ

妻 qī

10614 郪 取私 清脂平三開 tsʰi 脂^{l} sʰil

10615 棲 先稽 心齊平四開 sei 脂^{l} sˡi̱l

10616 妻 七稽 清齊平四開 tsʰei 脂^{l} sʰi̱l

10617 萋 七稽 清齊平四開 tsʰei 脂^{l} sʰi̱l

10618 淒[3] 七稽 清齊平四開 tsʰei 脂^{l} sʰi̱l

10619 凄 七稽 清齊平四開 tsʰei 脂^{l} sʰi̱l

10620 悽 七稽 清齊平四開 tsʰei 脂^{l} sʰi̱l

10621 郪 七稽 清齊平四開 tsʰei 脂^{l} sʰi̱l

10622 緀 七稽 清齊平四開 tsʰei 脂^{l} sʰi̱l

10623 霋 七稽 清齊平四開 tsʰei 脂^{l} sʰi̱l

10624 淒 千弟 清齊上四開 tsʰei 脂^{l} sʰi̱lʔ

10625 緀 千禮 清齊上四開 tsʰei 脂^{l} sʰi̱lʔ

10626 妻 七計 清齊去四開 tsʰei 脂^{l} sʰi̱ls

10627 磜[4] 七内 清灰去一合 tsʰu̯oi 微^{u} sʰu̱ls

桼 qī

10628 鬃 七四 清脂去三開 tsʰi 質^{g} sʰigs

10629 厀 息七 心質入三開 sit 質^{g} sˡig

10630 膝 息七 心質入三開 sit 質^{g} sˡig

10631 漆 親吉 清質入三開 tsʰit 質^{g} sʰig

10632 桼 親吉 清質入三開 tsʰit 質^{g} sʰig

10633 鶔 親吉 清質入三開 tsʰit 質^{g} sʰig

10634 桼 親吉 清質入三開 tsʰit 質^{g} sʰig

10635 㯃 親吉 清質入三開 tsʰit 質^{g} sʰig

10636 剡 初栗 初櫛入三開 tʂʰiɪt 質^{g} sʰrig

戚 qī

10637 蹙 子六 精屋入三合 tsiuk 覺 skug

10638 踧 子六 精屋入三合 tsiuk 覺 skug

10639 啾 子六 精屋入三合 tsiuk 覺 skug

10640 慼 子六 精屋入三合 tsiuk 覺 skug

10641 摵 子六 精屋入三合 tsiuk 覺 skug

10642 槭 子六 精屋入三合 tsiuk 覺 skug

10643 敊 子六 精屋入三合 tsiuk 覺 skug

10644 臧 子六 精屋入三合 tsiuk 覺 skug

10645 顣 子六 精屋入三合 tsiuk 覺 skug

10646 摵 所六 生屋入三合 ʂiuk 覺 skʳug

10647 傶 將毒 精沃入一合 tsu̯ok 覺 sku̱g

10648 戚 倉歷 清錫入四開 tsʰek 覺^{i} skʰi̱gʷ

10649 慼 倉歷 清錫入四開 tsʰek 覺^{i} skʰi̱gʷ

10650 鏚 倉歷 清錫入四開 tsʰek 覺^{i} skʰi̱gʷ

10651 慽 倉歷 清錫入四開 tsʰek 覺^{i} skʰi̱gʷ

10652 磩 倉歷 清錫入四開 tsʰek 覺^{i} skʰi̱gʷ

10653 摵 山責 生麥入二開 ʂᵚɛk 職 skʳɯ̱g

其 qí

10654 鼻 巨几 群脂上B 開 gɨi 之 gʳɯʔ

---

1 原来是侯韵字,因为是滞后音变,变成了模韵。

2 《广韵》即"齔"字。

3 武汉博物馆藏三国吴镜《诗经·硕人》"柔荑"作"濡凄",其中的"荑"在古代吴语中曾有以下的音变,*li>ji>zi,这说明它的假借读音"凄"是擦音*si,而不是塞擦音。

4 郑张尚芳:反切上字"七"由"士"校改。

10655 朞 居之 見之平三開 kɨ 之 kɯ
10656 基 居之 見之平三開 kɨ 之 kɯ
10657 箕 居之 見之平三開 kɨ 之 kɯ
10658 萁 居之 見之平三開 kɨ 之 kɯ
10659 朞 居之 見之平三開 kɨ 之 kɯ
10660 其 居之 見之平三開 kɨ 之 kɯ
10661 錤 居之 見之平三開 kɨ 之 kɯ
10662 諆 居之 見之平三開 kɨ 之 kɯ
10663 丌 居之 見之平三開 kɨ 之 kɯ
10664 欺 去其 溪之平三開 k^{h}ɨ 之 k^{h}ɯ
10665 娸 去其 溪之平三開 k^{h}ɨ 之 k^{h}ɯ
10666 魌 去其 溪之平三開 k^{h}ɨ 之 k^{h}ɯ
10667 頎 去其 溪之平三開 k^{h}ɨ 之 k^{h}ɯ
10668 僛 去其 溪之平三開 k^{h}ɨ 之 k^{h}ɯ
10669 諆 去其 溪之平三開 k^{h}ɨ 之 k^{h}ɯ
10670 其 渠之 群之平三開 gɨ 之 gɯ
10671 期 渠之 群之平三開 gɨ 之 gɯ
10672 旗 渠之 群之平三開 gɨ 之 gɯ
10673 萁 渠之 群之平三開 gɨ 之 gɯ
10674 琪 渠之 群之平三開 gɨ 之 gɯ
10675 麒 渠之 群之平三開 gɨ 之 gɯ
10676 淇 渠之 群之平三開 gɨ 之 gɯ
10677 鵋 渠之 群之平三開 gɨ 之 gɯ
10678 錤 渠之 群之平三開 gɨ 之 gɯ
10679 鯕 渠之 群之平三開 gɨ 之 gɯ
10680 褀 渠之 群之平三開 gɨ 之 gɯ
10681 踑 渠之 群之平三開 gɨ 之 gɯ
10682 亓 渠之 群之平三開 gɨ 之 gɯ
10683 倛 渠之 群之平三開 gɨ 之 gɯ
10684 濝 渠之 群之平三開 gɨ 之 gɯ
10685 曁 口已 溪之上三開 k^{h}ɨ 之 k^{h}ɯʔ
10686 迈 居吏 見之去三開 kɨ 之 kɯs
10687 唭 去吏 溪之去三開 k^{h}ɨ 之 k^{h}ɯs
10688 倛 去吏 溪之去三開 k^{h}ɨ 之 k^{h}ɯs
10689 惎 渠記 群之去三開 gɨ 之 gɯs
10690 朞 渠記 群之去三開 gɨ 之 gɯs

畀 qí

10691 綦[1] 渠之 群之平三開 gɨ 之 gɯ
10692 騏 渠之 群之平三開 gɨ 之 gɯ
10693 藄 渠之 群之平三開 gɨ 之 gɯ
10694 綦 渠之 群之平三開 gɨ 之 gɯ
10695 璂 渠之 群之平三開 gɨ 之 gɯ
10696 畀 渠之 群之平三開 gɨ 之 gɯ
10697 畀 渠記 群之去三開 gɨ 之 gɯs

齊 qí

10698 齌 即夷 精脂平三開 tsi 脂^1 sil
10699 齍 即夷 精脂平三開 tsi 脂^1 sil
10700 齎 即夷 精脂平三開 tsi 脂^1 sil
10701 薺 疾資 從脂平三開 dzi 脂^1 zil
10702 齏 疾資 從脂平三開 dzi 脂^1 zil
10703 齎[2] 祖稽 精齊平四開 tsei 脂^1 si̱l
10704 齏[3] 祖稽 精齊平四開 tsei 脂^1 si̱l
10705 櫅[4] 祖稽 精齊平四開 tsei 脂^1 si̱l
10706 擠[5] 祖稽 精齊平四開 tsei 脂^1 si̱l
10707 齌[6] 祖稽 精齊平四開 tsei 脂^1 si̱l
10708 躋[7] 祖稽 精齊平四開 tsei 脂^1 si̱l
10709 麡[8] 祖稽 精齊平四開 tsei 脂^1 si̱l
10710 齌 七稽 清齊平四開 ts^{h}ei 脂^1 s^{h}i̱l
10711 齊[9] 徂奚 從齊平四開 dzei 脂^1 zi̱l
10712 臍 徂奚 從齊平四開 dzei 脂^1 zi̱l
10713 麡 徂奚 從齊平四開 dzei 脂^1 zi̱l
10714 蠐 徂奚 從齊平四開 dzei 脂^1 zi̱l
10715 齏 徂奚 從齊平四開 dzei 脂^1 zi̱l
10716 懠 徂奚 從齊平四開 dzei 脂^1 zi̱l
10717 齌 徂奚 從齊平四開 dzei 脂^1 zi̱l
10718 癠 徂奚 從齊平四開 dzei 脂^1 zi̱l
10719 濟 子禮 精齊上四開 tsei 脂^1 si̱lʔ
10720 癠 子禮 精齊上四開 tsei 脂^1 si̱lʔ

1　李豪："畀"与"其"是两个不同的声符，秦简中"畀"与"其"写法有别，"畀"用为"棋"。"綦""騏""藄""綦""璂"各字声符皆当从"畀"，且这几个字的意思都与黑白相间的棋纹有关，所以定声符为"畀"。

2　见"擠"字注。

3　见"擠"字注。

4　见"擠"字注。

5　郑张尚芳：反切上字"祖"由"相"校改。

6　见"擠"字注。

7　见"擠"字注。

8　见"擠"字注。

9　武汉博物馆藏三国吴镜《诗经·硕人》"齊侯"作"夷侯"。可见"齊"就是东方民族的"夷"*li，东部方言出现音变*li>ji>zi>dzi，中原地区按中原读音*dzi写作"齊"*dzi。

10721 薺 徂禮 從齊上四開 dzei 脂ˡ zi̱lʔ
10722 癠 徂禮 從齊上四開 dzei 脂ˡ zi̱lʔ
10723 霽 子計 精齊去四開 tsei 脂ˡ si̱ls
10724 躋 子計 精齊去四開 tsei 脂ˡ si̱ls
10725 濟 子計 精齊去四開 tsei 脂ˡ si̱ls
10726 擠 子計 精齊去四開 tsei 脂ˡ si̱ls
10727 穧 子計 精齊去四開 tsei 脂ˡ si̱ls
10728 嚌 在詣 從齊去四開 dzei 脂ˡ zi̱ls
10729 劑 在詣 從齊去四開 dzei 脂ˡ zi̱ls
10730 穧 在詣 從齊去四開 dzei 脂ˡ zi̱ls
10731 醑 在詣 從齊去四開 dzei 脂ˡ zi̱ls
10732 齊 在詣 從齊去四開 dzei 脂ˡ zi̱ls
10733 齌 在詣 從齊去四開 dzei 脂ˡ zi̱ls
10734 癠 在詣 從齊去四開 dzei 脂ˡ zi̱ls
10735 懠 在詣 從齊去四開 dzei 脂ˡ zi̱ls
10736 齋 側皆 莊皆平二開 tʂᵚɛi 脂ˡ sri̱l
10737 儕 士皆 崇皆平二開 dʐᵚɛi 脂ˡ zri̱l
10738 齋 士皆 崇皆平二開 dʐᵚɛi 脂ˡ zri̱l
10739 劑[1] 遵爲 精支平三合 tsʷie 歌ᵉ sel
10740 穧 子例 精祭去三開 tsiᴇi 月ᵉ seds

企 qǐ

10741 企[2] 丘弭 溪支上A 開 kʰie 佳 kʰeʔ
10742 企 去智 溪支去A 開 kʰie 佳 kʰes

豈 qǐ

10743 覬 几利 見脂去B 開 kɤi 微ᵚ kʳɯls
10744 豈 祛狶 溪微平三開 kʰɤi 微ᵚ kʰɯl
10745 豈 祛狶 溪微平三開 kʰɤi 微ᵚ kʰɯl
10746 溰 魚衣 疑微平三開 ŋɤi 微ᵚ ŋɡɯl
10747 顗 魚豈 疑微上三開 ŋɤi 微ᵚ ŋɡɯlʔ
10748 螘 魚豈 疑微上三開 ŋɤi 微ᵚ ŋɡɯlʔ
10749 殪 古哀 見咍平一開 kəi 微ᵚ kɯ̱l
10750 剴 古哀 見咍平一開 kəi 微ᵚ kɯ̱l
10751 鎧 古哀 見咍平一開 kəi 微ᵚ kɯ̱l
10752 闓 又音開 溪咍平一開 kʰəi 微ᵚ kʰɯ̱l
10753 皚 五來 疑咍平一開 ŋəi 微ᵚ ŋɡɯ̱l
10754 敳 五來 疑咍平一開 ŋəi 微ᵚ ŋɡɯ̱l
10755 殪 五來 疑咍平一開 ŋəi 微ᵚ ŋɡɯ̱l
10756 隑 五來 疑咍平一開 ŋəi 微ᵚ ŋɡɯ̱l
10757 剴 五來 疑咍平一開 ŋəi 微ᵚ ŋɡɯ̱l
10758 磑[3] 五灰 疑灰平一合 ŋu̯oi 微ᵚ ŋɡɯ̱l
10759 愷 苦亥 溪咍上一開 kʰəi 微ᵚ kʰɯ̱lʔ
10760 颽 苦亥 溪咍上一開 kʰəi 微ᵚ kʰɯ̱lʔ
10761 塏 苦亥 溪咍上一開 kʰəi 微ᵚ kʰɯ̱lʔ
10762 暟 苦亥 溪咍上一開 kʰəi 微ᵚ kʰɯ̱lʔ
10763 鎧 苦亥 溪咍上一開 kʰəi 微ᵚ kʰɯ̱lʔ
10764 闓 苦亥 溪咍上一開 kʰəi 微ᵚ kʰɯ̱lʔ
10765 凱 苦亥 溪咍上一開 kʰəi 微ᵚ kʰɯ̱lʔ
10766 鎧 苦溉 溪咍去一開 kʰəi 微ᵚ kʰɯ̱ls
10767 闓 苦溉 溪咍去一開 kʰəi 微ᵚ kʰɯ̱ls
10768 豈[4] 胡對 匣灰去一合 ɦu̯oi 微ᵚ ɡɯ̱ls
10769 磑[5] 五對 疑灰去一合 ŋu̯oi 微ᵚ ŋɡɯ̱ls
10770 螘 魚倚 疑支上B 開 ŋɨe 歌ᵃ ŋɡʳalʔ
10771 蟻 魚倚 疑支上B 開 ŋɨe 歌ᵃ ŋɡʳalʔ
10772 饐 五恨 疑痕去一開 ŋən 文ᵚ ŋɡɯ̱ns

啟 qǐ

10773 棨 康禮 溪齊上四開 kʰei 歌ᵉ kʰe̱lʔ
10774 綮 康禮 溪齊上四開 kʰei 歌ᵉ kʰe̱lʔ
10775 啓 康禮 溪齊上四開 kʰei 歌ᵉ kʰe̱lʔ
10776 啟 康禮 溪齊上四開 kʰei 歌ᵉ kʰe̱lʔ
10777 䏿 康禮 溪齊上四開 kʰei 歌ᵉ kʰe̱lʔ
10778 䏿 苦計 溪齊去四開 kʰei 歌ᵉ kʰe̱ls
10779 啓 苦計 溪齊去四開 kʰei 歌ᵉ kʰe̱ls
10780 啓 去戰 溪仙去A 開 kʰiᴇn 元ᵉ kʰens

气 qì

10781 芞 極乙 群質入B 開 ɡɨit 物ᵚ ɡʳɯd
10782 圪 魚乙 疑質入B 開 ŋɨit 物ᵚ ŋɡʳɯd
10783 汽 億姞 影質入B 開 ʔɨit 物ᵚ qʳɯd
10784 汽 居氣 見微去三開 kɤi 物ᵚ kɯds
10785 欫 居豙 見微去三開 kɤi 物ᵚ kɯds
10786 汽 丘既 溪微去三開 kʰɤi 物ᵚ kʰɯds
10787 氣 去既 溪微去三開 kʰɤi 物ᵚ kʰɯds
10788 气 去既 溪微去三開 kʰɤi 物ᵚ kʰɯds

---

1 郑张尚芳：变合口，与"姊宜切"相乱，《周礼释文》"子随反"，《韵镜》列精合，《四声韵谱》改庄母。
2 见"跂"字注。
3 见"存"字注。
4 见"存"字注。
5 见"存"字注。

10789	刉[1]	其既	群微去三開	ɡɣi	物ᵚ	ɡɯds
10790	愾	許既	曉微去三開	hɣi	物ᵚ	qʰɯds
10791	氣	許既	曉微去三開	hɣi	物ᵚ	qʰɯds
10792	鎎	許既	曉微去三開	hɣi	物ᵚ	qʰɯds
10793	熂	許既	曉微去三開	hɣi	物ᵚ	qʰɯds
10794	氙	許既	曉微去三開	hɣi	物ᵚ	qʰɯds
10795	餼	許既	曉微去三開	hɣi	物ᵚ	qʰɯds
10796	訖	居乞	見迄入三開	kɨt	物ᵚ	kɯd
10797	吃	居乞	見迄入三開	kɨt	物ᵚ	kɯd
10798	扢	居乞	見迄入三開	kɨt	物ᵚ	kɯd
10799	气	欺訖	溪迄入三開	kʰɨt	物ᵚ	kʰɯd
10800	乞	去訖	溪迄入三開	kʰɨt	物ᵚ	kʰɯd
10801	芞	去訖	溪迄入三開	kʰɨt	物ᵚ	kʰɯd
10802	气	其迄	群迄入三開	ɡɨt	物ᵚ	ɡɯd
10803	趌	其迄	群迄入三開	ɡɨt	物ᵚ	ɡɯd
10804	齕	魚迄	疑迄入三開	ŋɨt	物ᵚ	ŋɡɯd
10805	屹	魚迄	疑迄入三開	ŋɨt	物ᵚ	ŋɡɯd
10806	圪	魚迄	疑迄入三開	ŋɨt	物ᵚ	ŋɡɯd
10807	疙	魚迄	疑迄入三開	ŋɨt	物ᵚ	ŋɡɯd
10808	仡	魚迄	疑迄入三開	ŋɨt	物ᵚ	ŋɡɯd
10809	釳	魚訖	疑迄入三開	ŋɨt	物ᵚ	ŋɡɯd
10810	迄	許訖	曉迄入三開	hɨt	物ᵚ	qʰɯd
10811	仡	許訖	曉迄入三開	hɨt	物ᵚ	qʰɯd
10812	釳	許訖	曉迄入三開	hɨt	物ᵚ	qʰɯd
10813	忔	許訖	曉迄入三開	hɨt	物ᵚ	qʰɯd
10814	芞	許訖	曉迄入三開	hɨt	物ᵚ	qʰɯd
10815	汔	許訖	曉迄入三開	hɨt	物ᵚ	qʰɯd
10816	气	許訖	曉迄入三開	hɨt	物ᵚ	qʰɯd
10817	愾	苦摡	溪咍去一開	kʰəi	物ᵚ	kʰɯ̱ds
10818	麧	下没	匣没入一開	ɦət	物ᵚ	ɡɯ̱d
10819	籺	下没	匣没入一開	ɦət	物ᵚ	ɡɯ̱d
10820	齕	下没	匣没入一開	ɦət	物ᵚ	ɡɯ̱d
10821	紇	下没	匣没入一開	ɦət	物ᵚ	ɡɯ̱d
10822	齕	胡結	匣屑入四開	ɦet	物ᵚ	ɡɯ̱d
10823	紇	胡結	匣屑入四開	ɦet	物ᵚ	ɡɯ̱d
10824	扢	古忽	見没入一合	ku̯ot	物ᵘ	ku̱d
10825	杚	吉忽	見没入一合	ku̯ot	物ᵘ	ku̱d
10826	頎	苦骨	溪没入一合	kʰu̯ot	物ᵘ	kʰu̱d
10827	矻	苦骨	溪没入一合	kʰu̯ot	物ᵘ	kʰu̱d
10828	頜	苦骨	溪没入一合	kʰu̯ot	物ᵘ	kʰu̱d
10829	扢	户骨	匣没入一合	ɦu̯ot	物ᵘ	ɡu̱d
10830	刉	居依	見微平三開	kɣi	微ᵚ	kɯl
10831	刉	渠希	群微平三開	ɡɣi	微ᵚ	ɡɯl
10832	頜[2]	沽罪	見灰上一合	ku̯oi	之	kʷɯ̱ʔ
10833	頎	苦本	溪魂上一合	kʰu̯on	文ᵘ	kʰu̱nʔ

咠 qì

10834	揖	伊入	影緝入A 開	ʔip	緝ⁱ	qib
10835	湒	子入	精緝入三開	tsip	緝ⁱ	skib
10836	咠	子入	精緝入三開	tsip	緝ⁱ	skib
10837	葺	子入	精緝入三開	tsip	緝ⁱ	skib
10838	戢	阻立	莊緝入三開	tʂip	緝ⁱ	skrib
10839	蕺	阻立	莊緝入三開	tʂip	緝ⁱ	skrib
10840	濈	阻立	莊緝入三開	tʂip	緝ⁱ	skrib
10841	霵	阻立	莊緝入三開	tʂip	緝ⁱ	skrib
10842	緝	七入	清緝入三開	tsʰip	緝ⁱ	skʰib
10843	葺	七入	清緝入三開	tsʰip	緝ⁱ	skʰib
10844	諿	七入	清緝入三開	tsʰip	緝ⁱ	skʰib
10845	聱	七入	清緝入三開	tsʰip	緝ⁱ	skʰib
10846	咠	七入	清緝入三開	tsʰip	緝ⁱ	skʰib
10847	輯	秦入	從緝入三開	dzip	緝ⁱ	sɡib
10848	楫	籍入	從緝入三開	dzip	緝ⁱ	sɡib
10849	咠	秦入	從緝入三開	dzip	緝ⁱ	sɡib
10850	霵	仕戢	崇緝入三開	dʐip	緝ⁱ	sɡrib
10851	壻[3]	蘇計	心齊去四開	sei	緝ⁱ	skˡi̱bs
10852	楫	即葉	精葉入三開	tsiᴇp	盍ᵉ	skeb

棄 qì

10853	棄	詰利	溪脂去A 開	kʰi	質ᵈ	kʰids

器 qì

10854	器	去冀	溪脂去B 開	kʰɨi	物ᵚ	kʰʳɯds

憩 qì

10855	憩	去例	溪祭去B 開	kʰɨᴇi	月ᵃ	kʰʳads

辛 qiān

10856	辛	去乾	溪仙平B 開	kʰɨᴇn	元ᵃ	kʰʳan

1 见“存”字注。
2 见“存”字注。
3 李豪：据秦简，“壻”字本作“聓”。

10857 辛[1] 丘閑 溪刪平二開 kʰᵚæn 元^{a} kʰʳa̱n

牽 qiān

10858 牽[2] 苦堅 溪先平四開 kʰen 真^{n} kʰi̱n
10859 牽 苦甸 溪先去四開 kʰen 真^{n} kʰi̱ns

䙴 qiān

10860 僊 相然 心仙平三開 siᴇn 元^{e} sˡen
10861 躚 相然 心仙平三開 siᴇn 元^{e} sˡen
10862 䙴 相然 心仙平三開 siᴇn 元^{e} sˡen
10863 遷 七然 清仙平三開 tsʰiᴇn 元^{e} sʰen
10864 䣊 七然 清仙平三開 tsʰiᴇn 元^{e} sʰen
10865 䙴 親然 清仙平三開 tsʰiᴇn 元^{e} sʰen
10866 躚 蘇前 心先平四開 sen 元^{e} sˡe̱n

僉 qiān

10867 檢 居奄 見鹽上B 開 kɨᴇm 談^{o} kʳomʔ
10868 儉 巨險 群鹽上B 開 gɨᴇm 談^{o} gʳomʔ
10869 顩 魚檢 疑鹽上B 開 ŋɨᴇm 談^{o} ŋgʳomʔ
10870 嬐 魚檢 疑鹽上B 開 ŋɨᴇm 談^{o} ŋgʳomʔ
10871 嶮 魚檢 疑鹽上B 開 ŋɨᴇm 談^{o} ŋgʳomʔ
10872 噞 魚檢 疑鹽上B 開 ŋɨᴇm 談^{o} ŋgʳomʔ
10873 險 虛檢 曉鹽上B 開 hɨᴇm 談^{o} qʰʳomʔ
10874 獫 虛檢 曉鹽上B 開 hɨᴇm 談^{o} qʰʳomʔ
10875 譣 虛檢 曉鹽上B 開 hɨᴇm 談^{o} qʰʳomʔ
10876 憸 虛檢 曉鹽上B 開 hɨᴇm 談^{o} qʰʳomʔ
10877 嶮 虛檢 曉鹽上B 開 hɨᴇm 談^{o} qʰʳomʔ
10878 驗[3] 魚窆 疑鹽去B 開 ŋɨᴇm 談^{o} ŋgʳoms
10879 噞 魚窆 疑鹽去B 開 ŋɨᴇm 談^{o} ŋgʳoms
10880 㢛 丘嚴 溪嚴平三開 kʰiam 談^{o} kʰom
10881 薟 虛嚴 曉嚴平三開 hiam 談^{o} qʰom
10882 䨘 子廉 精鹽平三開 tsiᴇm 談^{o} sklom
10883 憸 息廉 心鹽平三開 siᴇm 談^{o} skˡom
10884 臉 七廉 清鹽平三開 tsʰiᴇm 談^{o} skʰlom
10885 鹼 七廉 清鹽平三開 tsʰiᴇm 談^{o} skʰlom
10886 憸 七廉 清鹽平三開 tsʰiᴇm 談^{o} skʰlom
10887 僉 七廉 清鹽平三開 tsʰiᴇm 談^{o} skʰlom
10888 譣 七廉 清鹽平三開 tsʰiᴇm 談^{o} skʰlom
10889 簽 千廉 清鹽平三開 tsʰiᴇm 談^{o} skʰlom
10890 鐱 千廉 清鹽平三開 tsʰiᴇm 談^{o} skʰlom
10891 籢 力鹽 來鹽平三開 liᴇm 談^{o} g.rom
10892 薟 力鹽 來鹽平三開 liᴇm 談^{o} g.rom
10893 獫 力鹽 來鹽平三開 liᴇm 談^{o} g.rom
10894 蘞 力鹽 來鹽平三開 liᴇm 談^{o} g.rom
10895 憸 七漸 清鹽上三開 tsʰiᴇm 談^{o} skʰlomʔ
10896 斂 良冉 來鹽上三開 liᴇm 談^{o} g.romʔ
10897 撿 良冉 來鹽上三開 liᴇm 談^{o} g.romʔ
10898 薟 良冉 來鹽上三開 liᴇm 談^{o} g.romʔ
10899 獫 良冉 來鹽上三開 liᴇm 談^{o} g.romʔ
10900 羷 良冉 來鹽上三開 liᴇm 談^{o} g.romʔ
10901 [illegible] 良冉 來鹽上三開 liᴇm 談^{o} g.romʔ
10902 蘞 良冉 來鹽上三開 liᴇm 談^{o} g.romʔ
10903 劍 居欠 見嚴去三開 kiam 談^{o} kˡoms
10904 殮 力驗 來鹽去三開 liᴇm 談^{o} g.roms
10905 斂 力驗 來鹽去三開 liᴇm 談^{o} g.roms
10906 䨘 力驗 來鹽去三開 liᴇm 談^{o} g.roms
10907 獫 力驗 來鹽去三開 liᴇm 談^{o} g.roms
10908 㢛 苦咸 溪咸平二開 kʰᵚɛm 談^{o} kʰʳo̱m
10909 鹼 古斬 見咸上二開 kᵚɛm 談^{o} kʳo̱mʔ
10910 醶[4] 初檻 初咸上二開 tʂʰᵚɛm 談^{o} skʰro̱mʔ
10911 臉 力減 來咸上二開 lᵚɛm 談^{o} g.ro̱mʔ
10912 醶 力減 來咸上二開 lᵚɛm 談^{o} g.ro̱mʔ
10913 䨘[5] 子鑑 莊咸去二開 tʂᵚɛm 談^{o} skro̱ms
10914 顩 直稔 澄侵上三開 ɖim 侵^{u} grumʔ

前 qián

10915 煎 子仙 精仙平三開 tsiᴇn 元^{e} sen
10916 湔 子仙 精仙平三開 tsiᴇn 元^{e} sen
10917 鬋 子仙 精仙平三開 tsiᴇn 元^{e} sen
10918 媊 即淺 精仙上三開 tsiᴇn 元^{e} senʔ
10919 葥 即淺 精仙上三開 tsiᴇn 元^{e} senʔ
10920 鬋 即淺 精仙上三開 tsiᴇn 元^{e} senʔ
10921 譾 子淺 精仙上三開 tsiᴇn 元^{e} senʔ

---

1 原为山韵，但是根据谐声系统应该为删韵，《切韵》音系二等有删、山的历史层次。

2 见“弦”字注。

3 广东乐昌长来话 lɐi5，重纽 B 类 *Cʳ-在方言中变作来母 *C.r-。

4 原为衔韵，但是根据谐声系统应该为咸韵，《切韵》音系二等有咸、衔的历史层次。

5 余廼永校：精庄类隔，《玉篇》“側鑒切”是也。原为衔韵，但是根据谐声系统应该为咸韵，《切韵》音系二等有咸、衔的历史层次。

10922 揃 即淺 精仙上三開 tsiᴇn 元ᵉ senʔ
10923 蒴 即淺 精仙上三開 tsiᴇn 元ᵉ senʔ
10924 箭 子賤 精仙去三開 tsiᴇn 元ᵉ sens
10925 鬋 子賤 精仙去三開 tsiᴇn 元ᵉ sens
10926 葥 子賤 精仙去三開 tsiᴇn 元ᵉ sens
10927 湔 子賤 精仙去三開 tsiᴇn 元ᵉ sens
10928 煎 子賤 精仙去三開 tsiᴇn 元ᵉ sens
10929 湔 則前 精先平四開 tsen 元ᵉ se̱n
10930 前 昨先 從先平四開 dzen 元ᵉ ze̱n
10931 騚 昨先 從先平四開 dzen 元ᵉ ze̱n
10932 湔 昨先 從先平四開 dzen 元ᵉ ze̱n
10933 媊 即移 精支平三開 tsie 歌ᵉ sel

虔 qián

10934 搴 丘虔 溪仙平B 開 kʰɨᴇn 元ᵃ kʰʳan
10935 趀 去乾 溪仙平B 開 kʰɨᴇn 元ᵃ kʰʳan
10936 嗟 去乾 溪仙平B 開 kʰɨᴇn 元ᵃ kʰʳan
10937 虔 渠焉 群仙平B 開 gɨᴇn 元ᵃ gʳan
10938 鰬 渠焉 群仙平B 開 gɨᴇn 元ᵃ gʳan
10939 鄽 渠焉 群仙平B 開 gɨᴇn 元ᵃ gʳan
10940 榩 渠焉 群仙平B 開 gɨᴇn 元ᵃ gʳan
10941 搴 居言 見元平三開 kiɤn 元ᵃ kan
10942 搴 丘言 溪元平三開 kʰiɤn 元ᵃ kʰan
10943 搴 渠言 群元平三開 giɤn 元ᵃ gan
10944 搴[1] 居閑 見刪平二開 kᵚæn 元ᵃ kʳa̱n
10945 搴 丘顔 溪刪平二開 kʰᵚæn 元ᵃ kʰʳa̱n

書 qiǎn

10946 書 去演 溪仙上A 開 kʰiᴇn 元ᵉ kʰenʔ
10947 遣 去演 溪仙上A 開 kʰiᴇn 元ᵉ kʰenʔ
10948 繾 去演 溪仙上A 開 kʰiᴇn 元ᵉ kʰenʔ
10949 繾 去戰 溪仙去A 開 kʰiᴇn 元ᵉ kʰens
10950 遣 去戰 溪仙去A 開 kʰiᴇn 元ᵉ kʰens
10951 譴 去戰 溪仙去A 開 kʰiᴇn 元ᵉ kʰens

凵 qiǎn

10952 凵 丘犯 溪嚴上三開 kʰiam 談ᵒ kʰomʔ

欠 qiàn

10953 芡 巨險 群鹽上B 開 gɨᴇm 談ᵒ gʳomʔ
10954 欠 去劍 溪嚴去三開 kʰiam 談ᵒ kʰoms
10955 坎 苦感 溪覃上一開 kʰəm 談ᵒ kʰo̱mʔ

牆 qiáng

10956 螿 即良 精陽平三開 tsiaŋ 陽 skaŋ
10957 牂 即良 精陽平三開 tsiaŋ 陽 skaŋ
10958 將 即良 精陽平三開 tsiaŋ 陽 skaŋ
10959 漿 即良 精陽平三開 tsiaŋ 陽 skaŋ
10960 蔣 即良 精陽平三開 tsiaŋ 陽 skaŋ
10961 莊[2] 側羊 莊陽平三開 tʂiaŋ 陽 skraŋ
10962 妝 側羊 莊陽平三開 tʂiaŋ 陽 skraŋ
10963 裝[3] 側羊 莊陽平三開 tʂiaŋ 陽 skraŋ
10964 鏘 七羊 清陽平三開 tsʰiaŋ 陽 skʰaŋ
10965 蹡 七羊 清陽平三開 tsʰiaŋ 陽 skʰaŋ
10966 斨 七羊 清陽平三開 tsʰiaŋ 陽 skʰaŋ
10967 牄 七羊 清陽平三開 tsʰiaŋ 陽 skʰaŋ
10968 蹩 七羊 清陽平三開 tsʰiaŋ 陽 skʰaŋ
10969 戕 慈良 從陽平三開 dziaŋ 陽 sgaŋ
10970 牆[4] 在良 從陽平三開 dziaŋ 陽 sgaŋ
10971 嬙 在良 從陽平三開 dziaŋ 陽 sgaŋ
10972 檣 在良 從陽平三開 dziaŋ 陽 sgaŋ
10973 薔 在良 從陽平三開 dziaŋ 陽 sgaŋ
10974 戕 在良 從陽平三開 dziaŋ 陽 sgaŋ
10975 奘 在良 從陽平三開 dziaŋ 陽 sgaŋ
10976 牀 士莊 崇陽平三開 dʐiaŋ 陽 sgraŋ
10977 床[5] 士莊 崇陽平三開 dʐiaŋ 陽 sgraŋ
10978 鷛 式羊 書陽平三開 ɕiaŋ 陽 qʰlaŋ
10979 蘠 在良 從陽平三開 dziaŋ 陽 zaŋ
10980 奬 即兩 精陽上三開 tsiaŋ 陽 skaŋʔ
10981 篬 即兩 精陽上三開 tsiaŋ 陽 skaŋʔ
10982 槳 即兩 精陽上三開 tsiaŋ 陽 skaŋʔ
10983 蔣 即兩 精陽上三開 tsiaŋ 陽 skaŋʔ
10984 篬 秦杖 從陽上三開 dziaŋ 陽 sgaŋʔ
10985 將 子亮 精陽去三開 tsiaŋ 陽 skaŋs

---

1 原为山韵，但是根据谐声系统应该为删韵，《切韵》音系二等有删、山的历史层次。

2 可比较藏文同源词 sraŋ<*sgraŋ（街道，村落），故“莊”的上古音为*skraŋ>tʂaŋ。

3 可比较藏文同源词 skaŋ 充满，故“裝”为*skraŋ>tʂaŋ。

4 声符“爿”《五经文字》“音牆”。可比较藏文 gjaŋ 墙壁。故“牆”当为*sgaŋ>dziaŋ。

5 《广韵》又同“牀”。

10986 醬 子亮 精陽去三開 tsiaŋ 陽 skaŋs
10987 壯 側亮 莊陽去三開 tʂiaŋ 陽 skraŋs
10988 裝 側亮 莊陽去三開 tʂiaŋ 陽 skraŋs
10989 蹡 七亮 清陽去三開 tsʰiaŋ 陽 skʰaŋs
10990 狀 鋤亮 崇陽去三開 dʐiaŋ 陽 sgraŋs
10991 臧 則郎 精唐平一開 tsɑŋ 陽 ska̱ŋ
10992 牂 則郎 精唐平一開 tsɑŋ 陽 ska̱ŋ
10993 戕 則郎 精唐平一開 tsɑŋ 陽 ska̱ŋ
10994 臟 則郎 精唐平一開 tsɑŋ 陽 ska̱ŋ
10995 藏[1] 昨郎 從唐平一開 dzɑŋ 陽 sga̱ŋ
10996 奘 徂朗 從唐上一開 dzɑŋ 陽 sga̱ŋʔ
10997 奘 徂朗 從唐上一開 dzɑŋ 陽 sga̱ŋʔ
10998 臟 才浪 從唐去一開 dzɑŋ 陽 sga̱ŋs
10999 藏 徂浪 從唐去一開 dzɑŋ 陽 sga̱ŋs
11000 奘 徂浪 從唐去一開 dzɑŋ 陽 sga̱ŋs
11001 戕 古俄 見歌平一開 kɑ 魚 ka̱
11002 觕[2] 倉胡 清模平一合 tsʰu̯o 魚 skʰa̱
11003 觕 徂古 從模上一合 dzu̯o 魚 sga̱ʔ

强 qiáng

11004 强 巨良 群陽平三開 giaŋ 陽 gaŋ
11005 勥 巨良 群陽平三開 giaŋ 陽 gaŋ
11006 繈 居兩 見陽上三開 kiaŋ 陽 kaŋʔ
11007 襁 居兩 見陽上三開 kiaŋ 陽 kaŋʔ
11008 鏹 居兩 見陽上三開 kiaŋ 陽 kaŋʔ
11009 鏹 巨兩 群陽上三開 giaŋ 陽 gaŋʔ
11010 勥 其兩 群陽上三開 giaŋ 陽 gaŋʔ

且 qiě

11011 罝 子邪 精麻平三開 tsiæ 魚 ska
11012 謯 子邪 精麻平三開 tsiæ 魚 ska
11013 袓 子邪 精麻平三開 tsiæ 魚 ska
11014 ⿰女虘 子邪 精麻平三開 tsiæ 魚 ska
11015 怚 子邪 精麻平三開 tsiæ 魚 ska
11016 且 子魚 精魚平三開 tsiɤ 魚 ska
11017 蛆 子魚 精魚平三開 tsiɤ 魚 ska
11018 苴 子魚 精魚平三開 tsiɤ 魚 ska
11019 沮 子魚 精魚平三開 tsiɤ 魚 ska
11020 砠 子余 精魚平三開 tsiɤ 魚 ska
11021 ⿰且阝 子余 精魚平三開 tsiɤ 魚 ska
11022 菹 側魚 莊魚平三開 tʂiɤ 魚 skra
11023 齇 側魚 莊魚平三開 tʂiɤ 魚 skra
11024 沮 側魚 莊魚平三開 tʂiɤ 魚 skra
11025 砠 七余 清魚平三開 tsʰiɤ 魚 skʰa
11026 疽 七余 清魚平三開 tsʰiɤ 魚 skʰa
11027 岨 七余 清魚平三開 tsʰiɤ 魚 skʰa
11028 ⿰且阝 七余 清魚平三開 tsʰiɤ 魚 skʰa
11029 趄 七余 清魚平三開 tsʰiɤ 魚 skʰa
11030 苴 七余 清魚平三開 tsʰiɤ 魚 skʰa
11031 沮 七余 清魚平三開 tsʰiɤ 魚 skʰa
11032 狙 七余 清魚平三開 tsʰiɤ 魚 skʰa
11033 蛆 七余 清魚平三開 tsʰiɤ 魚 skʰa
11034 雎 七余 清魚平三開 tsʰiɤ 魚 skʰa
11035 葅 七余 清魚平三開 tsʰiɤ 魚 skʰa
11036 濾 七余 清魚平三開 tsʰiɤ 魚 skʰa
11037 伹 七余 清魚平三開 tsʰiɤ 魚 skʰa
11038 坥 七余 清魚平三開 tsʰiɤ 魚 skʰa
11039 鉏 士魚 崇魚平三開 dʐiɤ 魚 sgra
11040 耡 士魚 崇魚平三開 dʐiɤ 魚 sgra
11041 豠 士魚 崇魚平三開 dʐiɤ 魚 sgra
11042 鋤 士魚 崇魚平三開 dʐiɤ 魚 sgra
11043 姐 茲野 精麻上三開 tsiæ 魚 skaʔ
11044 担 茲野 精麻上三開 tsiæ 魚 skaʔ
11045 且 七也 清麻上三開 tsʰiæ 魚 skʰaʔ
11046 担 徐野 邪麻上三開 ziæ 魚 sgˡaʔ
11047 苴 子與 精魚上三開 tsiɤ 魚 skaʔ
11048 咀 子與 精魚上三開 tsiɤ 魚 skaʔ
11049 阻 側吕 莊魚上三開 tʂiɤ 魚 skraʔ
11050 俎 側吕 莊魚上三開 tʂiɤ 魚 skraʔ
11051 齇 創舉 初魚上三開 tʂʰiɤ 魚 skʰraʔ
11052 咀 慈吕 從魚上三開 dziɤ 魚 sgaʔ
11053 沮 慈吕 從魚上三開 dziɤ 魚 sgaʔ
11054 怚 慈吕 從魚上三開 dziɤ 魚 sgaʔ
11055 袓 慈吕 從魚上三開 dziɤ 魚 sgaʔ
11056 跙 慈吕 從魚上三開 dziɤ 魚 sgaʔ
11057 齟 牀吕 崇魚上三開 dʐiɤ 魚 sgraʔ
11058 鉏 牀吕 崇魚上三開 dʐiɤ 魚 sgraʔ
11059 笡 遷謝 清麻去三開 tsʰiæ 魚 skʰas

---

1 藏文 gsaŋ 隐藏，原始藏语当为 glaŋ 之类的音。吴语中的同根词“囥”kʰaŋ<*kʰˡa̱ŋs。

2 “觕”是“𪊍”的讹字。《说文》“𪊍”字段注：“按此字見於經史者，皆譌爲‘觕’。”

11060 怚 將預 精魚去三開 tsiɤ 魚 skas
11061 沮 將預 精魚去三開 tsiɤ 魚 skas
11062 詛 莊助 莊魚去三開 tʂiɤ 魚 skras
11063 阻 莊助 莊魚去三開 tʂiɤ 魚 skras
11064 覻 七慮 清魚去三開 tsʰiɤ 魚 skʰas
11065 坥 七慮 清魚去三開 tsʰiɤ 魚 skʰas
11066 蛆 七慮 清魚去三開 tsʰiɤ 魚 skʰas
11067 狙 七預 清魚去三開 tsʰiɤ 魚 skʰas
11068 莇 遲據 澄魚去三開 ɖiɤ 魚 glas
11069 助 牀據 崇魚去三開 dʐiɤ 魚 sgras
11070 耡 牀據 崇魚去三開 dʐiɤ 魚 sgras
11071 麆 牀據 崇魚去三開 dʐiɤ 魚 sgras
11072 鄌[1] 昨何 從歌平一開 dzɑ 魚 sga̱
11073 虘[2] 昨何 從歌平一開 dzɑ 魚 sga̱
11074 虘[3] 昨何 從歌平一開 dzɑ 魚 sga̱
11075 租 則吾 精模平一合 tsu̯o 魚 ska̱
11076 葙 則吾 精模平一合 tsu̯o 魚 ska̱
11077 粗 千胡 清模平一合 tsʰu̯o 魚 skʰa̱
11078 徂 昨胡 從模平一合 dzu̯o 魚 sga̱
11079 殂 昨胡 從模平一合 dzu̯o 魚 sga̱
11080 祖 則古 精模上一合 tsu̯o 魚 ska̱ʔ
11081 珇 則古 精模上一合 tsu̯o 魚 ska̱ʔ
11082 組 則古 精模上一合 tsu̯o 魚 ska̱ʔ
11083 葙 則古 精模上一合 tsu̯o 魚 ska̱ʔ
11084 葅 則古 精模上一合 tsu̯o 魚 ska̱ʔ
11085 蔖 采古 清模上一合 tsʰu̯o 魚 skʰa̱ʔ
11086 粗 徂古 從模上一合 dzu̯o 魚 sga̱ʔ
11087 麆 徂古 從模上一合 dzu̯o 魚 sga̱ʔ
11088 駔 徂古 從模上一合 dzu̯o 魚 sga̱ʔ
11089 伹 徂古 從模上一合 dzu̯o 魚 sga̱ʔ
11090 覰 昨誤 從模去一合 dzu̯o 魚 sga̱s
11091 樝 側加 莊麻平二開 tʂᵚæ 魚 skra̱
11092 柤 側加 莊麻平二開 tʂᵚæ 魚 skra̱
11093 齇 側加 莊麻平二開 tʂᵚæ 魚 skra̱
11094 皻 側加 莊麻平二開 tʂᵚæ 魚 skra̱
11095 抯 側加 莊麻平二開 tʂᵚæ 魚 skra̱
11096 溠 側加 莊麻平二開 tʂᵚæ 魚 skra̱
11097 摣 女加 娘麻平二開 ɳᵚæ 魚 mgra̱
11098 楂 鉏加 崇麻平二開 dʐᵚæ 魚 sgra̱
11099 齇 鉏加 崇麻平二開 dʐᵚæ 魚 sgra̱
11100 苴 鉏加 崇麻平二開 dʐᵚæ 魚 sgra̱
11101 謯 側下 莊麻上二開 tʂᵚæ 魚 skra̱ʔ
11102 渣 助駕 崇麻去二開 dʐᵚæ 魚 sgra̱s
11103 駔 子朗 精唐上一開 tsɑŋ 陽 ska̱ŋʔ

妾 qiè

11104 緁 即涉 精葉入三開 tsiɛp 盍ᵉ skeb
11105 接[4] 即葉 精葉入三開 tsiɛp 盍ᵉ skeb
11106 椄 即葉 精葉入三開 tsiɛp 盍ᵉ skeb
11107 萎 即葉 精葉入三開 tsiɛp 盍ᵉ skeb
11108 鯜 即葉 精葉入三開 tsiɛp 盍ᵉ skeb
11109 箑 即葉 精葉入三開 tsiɛp 盍ᵉ skeb
11110 踥 七接 清葉入三開 tsʰiɛp 盍ᵉ skʰeb
11111 妾 七接 清葉入三開 tsʰiɛp 盍ᵉ skʰeb
11112 淁 七接 清葉入三開 tsʰiɛp 盍ᵉ skʰeb
11113 鯜 七接 清葉入三開 tsʰiɛp 盍ᵉ skʰeb
11114 箑 山洽 生洽入二開 ʂᵚɛp 盍ᵉ skʳe̱b
11115 唼[5] 色甲 生洽入二開 ʂᵚɛp 盍ᵉ skʳe̱b
11116 翣[6] 所甲 生洽入二開 ʂᵚɛp 盍ᵉ skʳe̱b

侵 qīn

11117 祲[7] 子心 精侵平三開 tsim 侵ⁱ skim
11118 梫 子心 精侵平三開 tsim 侵ⁱ skim
11119 埐 子心 精侵平三開 tsim 侵ⁱ skim
11120 綅 子心 精侵平三開 tsim 侵ⁱ skim
11121 侵 七林 清侵平三開 tsʰim 侵ⁱ skʰim
11122 駸 七林 清侵平三開 tsʰim 侵ⁱ skʰim
11123 浸 七林 清侵平三開 tsʰim 侵ⁱ skʰim
11124 綅 七林 清侵平三開 tsʰim 侵ⁱ skʰim
11125 駸 楚簪 初侵平三開 tʂʰim 侵ⁱ skʰrim

---

1 上古鱼部发生高化链式音变 *a>o，歌部韵尾失落 *al>a。当鱼部变成 o 的时候，某些鱼部字因为音变滞后，原来的 a 不变，而歌部从 al 变成了 a，这些鱼部字就成了歌部字。

2 见“鄌”字注。

3 见“鄌”字注。

4 “接”通“挾” *ge̱b。《汉书 · 贾谊传》“竊恐陛下接王淮南諸子”，孟康注：“接音挾，挾持欲王淮南諸子也。”故“接”上古读 *skeb>tseb。藏文“连接，连合”有类似的音变 *sdeb< *sgleb。也可比较越南语 gep 联接。

5 原为狎韵，但是根据谐声系统应该为洽韵，《切韵》音系二等有洽、狎的历史层次。

6 原为狎韵，但是根据谐声系统应该为洽韵，《切韵》音系二等有洽、狎的历史层次。

7 “祲”可比较藏文同源词 kʰjim 日月晕。

11126	梫	楚簪	初侵平三開	tʂʰim	侵ⁱ	skʰrim
11127	埐	昨淫	從侵平三開	dzim	侵ⁱ	sɡim
11128	葠	疏簪	生侵平三開	ʂim	侵ⁱ	sqʳim
11129	寖	子朕	精侵上三開	tsim	侵ⁱ	skimʔ
11130	寑[1]	七稔	清侵上三開	tsʰim	侵ⁱ	skʰimʔ
11131	梫	七稔	清侵上三開	tsʰim	侵ⁱ	skʰimʔ
11132	蔓	七稔	清侵上三開	tsʰim	侵ⁱ	skʰimʔ
11133	鋟	七稔	清侵上三開	tsʰim	侵ⁱ	skʰimʔ
11134	寢	七稔	清侵上三開	tsʰim	侵ⁱ	skʰimʔ
11135	浸[2]	子鴆	精侵去三開	tsim	侵ⁱ	skims
11136	祲	子鴆	精侵去三開	tsim	侵ⁱ	skims
11137	葠	子鴆	精侵去三開	tsim	侵ⁱ	skims
11138	鋟	子廉	精鹽平三開	tsiᴇm	談ᵉ	skem
11139	綅	息廉	心鹽平三開	siᴇm	談ᵉ	sqem
秦 qín						
11140	榛	慈鄰	從真平三開	dzin	真ⁿ	zin
11141	秦	匠鄰	從真平三開	dzin	真ⁿ	zin
11142	螓	匠鄰	從真平三開	dzin	真ⁿ	zin
11143	臻	側詵	莊臻平三開	tʂiɪn	真ⁿ	srin
11144	蓁	側詵	莊臻平三開	tʂiɪn	真ⁿ	srin
11145	溱	側詵	莊臻平三開	tʂiɪn	真ⁿ	srin
11146	轃	側詵	莊臻平三開	tʂiɪn	真ⁿ	srin
11147	榛	側詵	莊臻平三開	tʂiɪn	真ⁿ	srin
11148	榛	鋤臻	崇臻平三開	dʐiɪn	真ⁿ	zrin
11149	榛	將先	精先平四開	tsen	真ⁿ	si̱n
11150	轃	則前	精先平四開	tsen	真ⁿ	si̱n
頃 qǐng						
11151	廎	窺營	溪清平三合	kʰʷiᴇŋ	耕	kʷʰeŋ
11152	傾	去營	溪清平三合	kʰʷiᴇŋ	耕	kʷʰeŋ
11153	頃	去營	溪清平三合	kʰʷiᴇŋ	耕	kʷʰeŋ
11154	頃	去潁	溪清上三合	kʰʷiᴇŋ	耕	kʷʰeŋʔ
11155	擷	犬潁	溪清上三合	kʰʷiᴇŋ	耕	kʷʰeŋʔ
11156	廎	犬潁	溪清上三合	kʰʷiᴇŋ	耕	kʷʰeŋʔ
11157	頙	犬潁	溪清上三合	kʰʷiᴇŋ	耕	kʷʰeŋʔ
11158	擷	騂潁	心清上三合	sʷiᴇŋ	耕	sqʷeŋʔ
11159	潁[3]	餘頃	以清上三合	jʷiᴇŋ	耕	ɢʷeŋʔ
11160	穎[4]	餘頃	以清上三合	jʷiᴇŋ	耕	ɢʷeŋʔ
11161	熲	古迥	見青上四合	kʷeŋ	耕	kʷe̱ŋʔ
11162	穎	口迥	溪青上四合	kʰʷeŋ	耕	kʷʰe̱ŋʔ
11163	穎[5]	胡典	匣先上四開	ɦen	真ᵑ	ɡi̱ŋʔ
殸 qìng						
11164	殸	牽盈	溪清平三開	kʰiᴇŋ	耕	kʰeŋ
11165	聲	書盈	書清平三開	ɕiᴇŋ	耕	qʰleŋ
11166	殸	苦丁	溪青平四開	kʰeŋ	耕	kʰe̱ŋ
11167	馨	呼刑	曉青平四開	heŋ	耕	qʰe̱ŋ
11168	殸	棄挺	溪青上四開	kʰeŋ	耕	kʰe̱ŋʔ
11169	謦	去挺	溪青上四開	kʰeŋ	耕	kʰe̱ŋʔ
11170	磬	苦定	溪青去四開	kʰeŋ	耕	kʰe̱ŋs
11171	殸	苦定	溪青去四開	kʰeŋ	耕	kʰe̱ŋs
11172	罄	苦定	溪青去四開	kʰeŋ	耕	kʰe̱ŋs
11173	聲	口莖	溪耕平二開	kʰᵚɛŋ	耕	kʰʳe̱ŋ
11174	殸	口莖	溪耕平二開	kʰᵚɛŋ	耕	kʰʳe̱ŋ
慶 qìng						
11175	慶[6]	丘敬	溪庚去三開	kʰiæŋ	陽	kʰʳaŋs
瞏 qióng						
11176	嬛	於緣	影仙平A合	ʔʷiᴇn	元ᵉ	qʷen
11177	翾	許緣	曉仙平A合	hʷiᴇn	元ᵉ	qʷʰen
11178	儇	許緣	曉仙平A合	hʷiᴇn	元ᵉ	qʷʰen
11179	蠉	許緣	曉仙平A合	hʷiᴇn	元ᵉ	qʷʰen
11180	趯	許緣	曉仙平A合	hʷiᴇn	元ᵉ	qʷʰen
11181	嬛	許緣	曉仙平A合	hʷiᴇn	元ᵉ	qʷʰen
11182	譞	許緣	曉仙平A合	hʷiᴇn	元ᵉ	qʷʰen
11183	蠉	香兖	曉仙上A合	hʷiᴇn	元ᵉ	qʷʰenʔ
11184	瞑	方免	幫仙上B開	pɨᴇn	元ᵉ	kʷʳenʔ
11185	圜	王權	云仙平三合	ɦⁱʷiᴇn	元ᵉ	ɢʷʳen
11186	檈	似宣	邪仙平三合	zʷiᴇn	元ᵉ	sɢʷen
11187	櫏	似宣	邪仙平三合	zʷiᴇn	元ᵉ	sɢʷen
11188	還	似宣	邪仙平三合	zʷiᴇn	元ᵉ	sɢʷen
11189	鶠	旬宣	邪仙平三合	zʷiᴇn	元ᵉ	sɢʷen
11190	繯	胡畎	匣先上四合	ɦʷen	元ᵉ	ɡʷe̱nʔ

1　可参考藏文的 kʰjim 家宅、住所，缅文 ʔim 房子。声母带软腭塞音。

2　藏文 stim< * sklim 溶入水中，故“浸”上古 * skims>tsim。

3　见“營”字注。

4　见“營”字注。

5　见“弦”字注。

6　郑张尚芳：《诗经》全叶平声。

11191 繯 古縣 見先去四合 k^{w}en 元^{e} k^{w}e̱ns
11192 懁 古縣 見先去四合 k^{w}en 元^{e} k^{w}e̱ns
11193 獧 古縣 見先去四合 k^{w}en 元^{e} k^{w}e̱ns
11194 寰[1] 黄練 匣先去四合 ɦ^{w}en 元^{e} g^{w}e̱ns
11195 噮 烏縣 影先去四合 ʔ^{w}en 元^{e} q^{w}e̱ns
11196 擐[2] 古還 見山平二合 k^{wɯ}ɛn 元^{e} k^{wr}e̱n
11197 鬟[3] 户關 匣山平二合 ɦ^{wɯ}ɛn 元^{e} g^{wr}e̱n
11198 寰[4] 户關 匣山平二合 ɦ^{wɯ}ɛn 元^{e} g^{wr}e̱n
11199 闤[5] 户關 匣山平二合 ɦ^{wɯ}ɛn 元^{e} g^{wr}e̱n
11200 轘[6] 户關 匣山平二合 ɦ^{wɯ}ɛn 元^{e} g^{wr}e̱n
11201 圜[7] 户關 匣山平二合 ɦ^{wɯ}ɛn 元^{e} g^{wr}e̱n
11202 鐶[8] 户關 匣山平二合 ɦ^{wɯ}ɛn 元^{e} g^{wr}e̱n
11203 𡑡 胡關 匣山平二合 ɦ^{wɯ}ɛn 元^{e} g^{wr}e̱n
11204 䴉 胡關 匣山平二合 ɦ^{wɯ}ɛn 元^{e} g^{wr}e̱n
11205 還[9] 户關 匣山平二合 ɦ^{wɯ}ɛn 元^{e} g^{wr}e̱n
11206 環[10] 户關 匣山平二合 ɦ^{wɯ}ɛn 元^{e} g^{wr}e̱n
11207 𠟯[11] 户關 匣山平二合 ɦ^{wɯ}ɛn 元^{e} g^{wr}e̱n
11208 攌[12] 户版 匣山上二合 ɦ^{wɯ}ɛn 元^{e} g^{wr}e̱nʔ
11209 擐[13] 胡慣 匣山去二合 ɦ^{wɯ}ɛn 元^{e} g^{wr}e̱ns
11210 轘[14] 胡慣 匣山去二合 ɦ^{wɯ}ɛn 元^{e} g^{wr}e̱ns
11211 繯[15] 胡慣 匣山去二合 ɦ^{wɯ}ɛn 元^{e} g^{wr}e̱ns
11212 睘 葵營 群清平三合 g^{w}iɛŋ 耕 g^{w}eŋ
11213 瞏 渠營 群清平三合 g^{w}iɛŋ 耕 g^{w}eŋ
11214 嬛 渠營 群清平三合 g^{w}iɛŋ 耕 g^{w}eŋ
11215 彋[16] 户盲 匣耕平二合 ɦ^{wɯ}ɛŋ 耕 ɢ^{wr}e̱ŋ
11216 檈 相倫 心真平三合 s^{w}in 真^{n} sq^{w}in

丘 qiū

11217 丘 去鳩 溪尤平三合 k^{h}iu 之 k^{wh}ɯ
11218 蚯 去鳩 溪尤平三合 k^{h}iu 之 k^{wh}ɯ
11219 邱 去鳩 溪尤平三合 k^{h}iu 之 k^{wh}ɯ

秋 qiū

11220 啾 即由 精尤平三合 tsiu 幽 sku
11221 揫 即由 精尤平三合 tsiu 幽 sku
11222 湫 即由 精尤平三合 tsiu 幽 sku
11223 秋 七由 清尤平三合 ts^{h}iu 幽 sk^{h}u
11224 湫 七由 清尤平三合 ts^{h}iu 幽 sk^{h}u
11225 鶖 七由 清尤平三合 ts^{h}iu 幽 sk^{h}u
11226 楸 七由 清尤平三合 ts^{h}iu 幽 sk^{h}u
11227 萩 七由 清尤平三合 ts^{h}iu 幽 sk^{h}u
11228 篍 七由 清尤平三合 ts^{h}iu 幽 sk^{h}u
11229 愁 士尤 崇尤平三合 dʐiu 幽 sgru
11230 湬 士尤 崇尤平三合 dʐiu 幽 sgru
11231 湫 在九 從尤上三合 dziu 幽 sguʔ
11232 愀 在九 從尤上三合 dziu 幽 sguʔ
11233 甃 側救 莊尤去三合 tʂiu 幽 skrus
11234 篍 七遥 清宵平三開 ts^{h}iɛu 幽^{i} sk^{h}i^{w}
11235 湫 子小 精宵上三開 tsiɛu 幽^{i} ski^{w}ʔ
11236 愀 親小 清宵上三開 ts^{h}iɛu 幽^{i} sk^{h}i^{w}ʔ
11237 篍 七肖 清宵去三開 ts^{h}iɛu 宵^{e} sk^{h}e^{w}s
11238 湫 子了 精蕭上四開 tseu 幽^{i} ski̱^{w}ʔ

雧 qiū

11239 雧 七由 清尤平三合 ts^{h}iu 幽 s^{h}u

囚 qiú

11240 鮂 即由 精尤平三合 tsiu 幽 sku

---

1 “睘”谐声系列中,有先韵、真韵、山韵、清韵,上古只能出现于前高元音。

2 原为删韵,但是根据谐声系统应该为山韵,《切韵》音系二等有山、删的历史层次。

3 原为删韵,但是根据谐声系统应该为山韵,《切韵》音系二等有山、删的历史层次。

4 原为删韵,但是根据谐声系统应该为山韵,《切韵》音系二等有山、删的历史层次。

5 原为删韵,但是根据谐声系统应该为山韵,《切韵》音系二等有山、删的历史层次。

6 原为删韵,但是根据谐声系统应该为山韵,《切韵》音系二等有山、删的历史层次。

7 原为删韵,但是根据谐声系统应该为山韵,《切韵》音系二等有山、删的历史层次。

8 原为删韵,但是根据谐声系统应该为山韵,《切韵》音系二等有山、删的历史层次。

9 可比较泰文 gweeŋ 旋转。原为删韵,但是根据谐声系统应该为山韵,《切韵》音系二等有山、删的历史层次。

10 原为删韵,但是根据谐声系统应该为山韵,《切韵》音系二等有山、删的历史层次。

11 原为删韵,但是根据谐声系统应该为山韵,《切韵》音系二等有山、删的历史层次。

12 原为删韵,但是根据谐声系统应该为山韵,《切韵》音系二等有山、删的历史层次。

13 原为删韵,但是根据谐声系统应该为山韵,《切韵》音系二等有山、删的历史层次。

14 原为删韵,但是根据谐声系统应该为山韵,《切韵》音系二等有山、删的历史层次。

15 原为删韵,但是根据谐声系统应该为山韵,《切韵》音系二等有山、删的历史层次。

16 原为庚韵,但是根据谐声系统应该为耕韵,《切韵》音系二等有耕、庚的历史层次。

11241	囚	似由	邪尤平三合	ziu	幽	sgˡu
11242	苬	似由	邪尤平三合	ziu	幽	sgˡu
11243	鮂	似由	邪尤平三合	ziu	幽	sgˡu
11244	泅	似由	邪尤平三合	ziu	幽	sgˡu
11245	苬	以周	以尤平三合	jiu	幽	ɢlu

求 qiú

11246	觩	渠幽	群幽平三開	gɨu	幽	gʳu
11247	求	巨鳩	群尤平三合	giu	幽	gu
11248	蛷	巨鳩	群尤平三合	giu	幽	gu
11249	逑	巨鳩	群尤平三合	giu	幽	gu
11250	莍	巨鳩	群尤平三合	giu	幽	gu
11251	郲	巨鳩	群尤平三合	giu	幽	gu
11252	賕	巨鳩	群尤平三合	giu	幽	gu
11253	俅	巨鳩	群尤平三合	giu	幽	gu
11254	脙	巨鳩	群尤平三合	giu	幽	gu
11255	絿	巨鳩	群尤平三合	giu	幽	gu
11256	銶	巨鳩	群尤平三合	giu	幽	gu
11257	捄	巨鳩	群尤平三合	giu	幽	gu
11258	蝨	巨鳩	群尤平三合	giu	幽	gu
11259	梂	巨鳩	群尤平三合	giu	幽	gu
11260	球[1]	巨鳩	群尤平三合	giu	幽	gˡu
11261	脙	許尤	曉尤平三合	hiu	幽	qʰu
11262	救	居祐	見尤去三合	kiu	幽	kus
11263	救	巨救	群尤去三合	giu	幽	gus
11264	捄	舉朱	見虞平三合	kiʊ	侯	ko

裘 qiú

11265	裘	巨鳩	群尤平三合	giu	幽	gu

曲 qū

11266	曲[2]	丘玉	溪燭入三合	kʰi̯ʊk	屋	kʰog
11267	苗	丘玉	溪燭入三合	kʰi̯ʊk	屋	kʰog
11268	豊	區玉	溪燭入三合	kʰi̯ʊk	屋	kʰog
11269	蛐	區玉	溪燭入三合	kʰi̯ʊk	屋	kʰog

區 qū

11270	區	豈俱	溪虞平三合	kʰiʊ	侯	kʰo
11271	鏂	豈俱	溪虞平三合	kʰiʊ	侯	kʰo
11272	驅	豈俱	溪虞平三合	kʰiʊ	侯	kʰo
11273	嶇	豈俱	溪虞平三合	kʰiʊ	侯	kʰo
11274	軀	豈俱	溪虞平三合	kʰiʊ	侯	kʰo
11275	摳	豈俱	溪虞平三合	kʰiʊ	侯	kʰo
11276	陁	豈俱	溪虞平三合	kʰiʊ	侯	kʰo
11277	踾	虧于	溪虞平三合	kʰiʊ	侯	kʰo
11278	樞	昌朱	昌虞平三合	tɕʰiʊ	侯	kʰʲo
11279	貙	敕俱	徹虞平三合	ʈʰiʊ	侯	kʰlo
11280	褔	憶俱	影虞平三合	ʔiʊ	侯	qo
11281	蓲	憶俱	影虞平三合	ʔiʊ	侯	qo
11282	傴	於武	影虞上三合	ʔiʊ	侯	qoʔ
11283	驅	區遇	溪虞去三合	kʰiʊ	侯	kʰos
11284	嫗	衣遇	影虞去三合	ʔiʊ	侯	qos
11285	蓲	衣遇	影虞去三合	ʔiʊ	侯	qos
11286	鏂	衣遇	影虞去三合	ʔiʊ	侯	qos
11287	彄	恪侯	溪侯平一合	kʰu	侯	kʰo̱
11288	摳	恪侯	溪侯平一合	kʰu	侯	kʰo̱
11289	謳	烏侯	影侯平一合	ʔu	侯	qo̱
11290	嘔	烏侯	影侯平一合	ʔu	侯	qo̱
11291	歐	烏侯	影侯平一合	ʔu	侯	qo̱
11292	甌	烏侯	影侯平一合	ʔu	侯	qo̱
11293	區	烏侯	影侯平一合	ʔu	侯	qo̱
11294	漚	烏侯	影侯平一合	ʔu	侯	qo̱
11295	鷗	烏侯	影侯平一合	ʔu	侯	qo̱
11296	櫙	烏侯	影侯平一合	ʔu	侯	qo̱
11297	醧	烏侯	影侯平一合	ʔu	侯	qo̱
11298	褔	烏侯	影侯平一合	ʔu	侯	qo̱
11299	鏂	烏侯	影侯平一合	ʔu	侯	qo̱
11300	膒	烏侯	影侯平一合	ʔu	侯	qo̱
11301	軀	烏侯	影侯平一合	ʔu	侯	qo̱
11302	熰	烏侯	影侯平一合	ʔu	侯	qo̱
11303	蓲	烏侯	影侯平一合	ʔu	侯	qo̱
11304	嘔	烏后	影侯上一合	ʔu	侯	qo̱ʔ
11305	歐	烏后	影侯上一合	ʔu	侯	qo̱ʔ
11306	毆	烏后	影侯上一合	ʔu	侯	qo̱ʔ
11307	塸	烏后	影侯上一合	ʔu	侯	qo̱ʔ
11308	褔	烏后	影侯上一合	ʔu	侯	qo̱ʔ
11309	漚	烏候	影侯去一合	ʔu	侯	qo̱s
11310	褔	烏候	影侯去一合	ʔu	侯	qo̱s

1 李方桂《武鸣僮语》"球"的上古借词 klau，可见上古的"球"带复杂辅音 *gˡ-。

2 自动词"局" *gog，使动词 *s.gog>kʰog。

11311 蓲 去鳩 溪尤平三合 k^{h}iu 幽 k^{h}u
11312 醧 依倨 影魚去三開 ʔiɤ 魚 qas

取 qǔ

11313 諏 子于 精虞平三合 tsiʊ 侯 sklo
11314 娵 子于 精虞平三合 tsiʊ 侯 sklo
11315 陬 子于 精虞平三合 tsiʊ 侯 sklo
11316 掫 子于 精虞平三合 tsiʊ 侯 sklo
11317 娶 相俞 心虞平三合 siʊ 侯 sk^{l}o
11318 鯫 七逾 清虞平三合 ts^{h}iʊ 侯 sk^{h}lo
11319 取 七庾 清虞上三合 ts^{h}iʊ 侯 sk^{h}loʔ
11320 聚 慈庾 從虞上三合 dziʊ 侯 sgloʔ
11321 鄹 慈庾 從虞上三合 dziʊ 侯 sgloʔ
11322 緅 子句 精虞去三合 tsiʊ 侯 sklos
11323 娶 七句 清虞去三合 ts^{h}iʊ 侯 sk^{h}los
11324 趣 七句 清虞去三合 ts^{h}iʊ 侯 sk^{h}los
11325 菆 芻注 初虞去三合 tʂ^{h}iʊ 侯 sk^{h}ros
11326 蕠 芻數 初虞去三合 tʂ^{h}iʊ 侯 sk^{h}ros
11327 堅 才句 從虞去三合 dziʊ 侯 sglos
11328 聚 才句 從虞去三合 dziʊ 侯 sglos
11329 冣 從遇 從虞去三合 dziʊ 侯 sglos
11330 緅 子侯 精侯平一合 tsu 侯 sklọ
11331 陬 子侯 精侯平一合 tsu 侯 sklọ
11332 棷 子侯 精侯平一合 tsu 侯 sklọ
11333 掫 子侯 精侯平一合 tsu 侯 sklọ
11334 諏 子侯 精侯平一合 tsu 侯 sklọ
11335 鯫 徂鉤 從侯平一合 dzu 侯 sglọ
11336 棷 蘇后 心侯上一合 su 侯 sk^{l}ọʔ
11337 趣 倉苟 清侯上一合 ts^{h}u 侯 sk^{h}lọʔ
11338 取 倉苟 清侯上一合 ts^{h}u 侯 sk^{h}lọʔ
11339 棷 倉苟 清侯上一合 ts^{h}u 侯 sk^{h}lọʔ
11340 鯫[1] 仕垢 從侯上一合 dzu 侯 sglọʔ
11341 鄹 側鳩 莊尤平三合 tʂiu 幽 skru
11342 陬 側鳩 莊尤平三合 tʂiu 幽 skru
11343 緅 側鳩 莊尤平三合 tʂiu 幽 skru
11344 齱 側鳩 莊尤平三合 tʂiu 幽 skru
11345 菆 側鳩 莊尤平三合 tʂiu 幽 skru
11346 棷 側鳩 莊尤平三合 tʂiu 幽 skru
11347 麀 側鳩 莊尤平三合 tʂiu 幽 skru
11348 棸 直由 澄尤平三合 ɖiu 幽 ɡlu
11349 掫 側九 莊尤上三合 tʂiu 幽 skruʔ
11350 棸 除柳 澄尤上三合 ɖiu 幽 ɡluʔ
11351 驟 鋤祐 崇尤去三合 dʐiu 幽 sgrus
11352 最 祖外 精泰去一合 ts^{w}ɑi 月^{o} sklọds
11353 蕞 才外 從泰去一合 dz^{w}ɑi 月^{o} sglọds
11354 繓 子括 精曷入一合 ts^{w}ɑt 月^{o} sklọd
11355 撮 子括 精曷入一合 ts^{w}ɑt 月^{o} sklọd
11356 撮 倉括 清曷入一合 ts^{hw}ɑt 月^{o} sk^{h}lọd
11357 嘬 楚夬 初夬去二合 tʂ^{hwɯ}æi 月^{o} sk^{h}rọds
11358 藂 徂紅 從東平一合 dzuŋ 東 sgọŋ
11359 叢 徂紅 從東平一合 dzuŋ 東 sglọŋ
11360 叢 徂紅 從東平一合 dzuŋ 東 sglọŋ
11361 藂 粗送 從東去一合 dzuŋ 東 sglọŋs
11362 趣 親足 清燭入三合 ts^{h}i̯ʊk 屋 sk^{h}loɡ
11363 菆 在丸 從寒平一合 dz^{w}ɑn 元^{o} sglọn
11364 鄹 辝纂 邪寒上一合 z^{w}ɑn 元^{o} sg^{l}ọnʔ
11365 齱 測角 初覺入二開 tʂ^{hɯ}ɔk 屋 sk^{h}rọɡ

去 qù

11366 祛 丘於 溪魚平三開 k^{h}iɤ 魚 k^{h}a
11367 笶 去魚 溪魚平三開 k^{h}iɤ 魚 k^{h}a
11368 袪 去魚 溪魚平三開 k^{h}iɤ 魚 k^{h}a
11369 呿 去魚 溪魚平三開 k^{h}iɤ 魚 k^{h}a
11370 胠 去魚 溪魚平三開 k^{h}iɤ 魚 k^{h}a
11371 鮭 去魚 溪魚平三開 k^{h}iɤ 魚 k^{h}a
11372 怯 去魚 溪魚平三開 k^{h}iɤ 魚 k^{h}a
11373 詓 口舉 溪魚上三開 k^{h}iɤ 魚 k^{h}aʔ
11374 去 羌舉 溪魚上三開 k^{h}iɤ 魚 k^{h}aʔ
11375 麮 羌舉 溪魚上三開 k^{h}iɤ 魚 k^{h}aʔ
11376 敊 丘倨 溪魚去三開 k^{h}iɤ 魚 k^{h}as

1　“鯫”放在末尾位置，往往是后加的，或者是作者不熟悉的读音。“鯫”是个僻字，在《经典释文》中也没有出现，但是从以下的材料中大概可以看出“士垢反”一读的来龙去脉。《汉书·张良传》“鯫生説我距關毋内諸侯”，服虔曰：“鯫音七垢反。鯫，小人也。”師古曰：“服説是也，音才垢反。”其中的“七垢反”当是“士垢反”之误。所以“士垢反”的读音最早依据可能就是服虔的注音。颜师古同意服虔之说，不过按照当时的洛阳音系把反切改作“才垢反”。《史记·货殖列传》“鯫千石”，《索隐》：“一音昨苟反。鯫，小魚也。”《正义》：“鯫音族苟反，謂雜小魚也。”“昨苟反”和“族苟反”都与颜师古的“才垢反”一致，反映从母厚韵的读音。可见在某些方言中，一二等韵的从崇两母确曾混读，但是在洛阳的标准音中是分得清楚的，所以颜师古把服虔的“士垢反”改成“才垢反”。《王韵》的作者对这个读音吃不准，只是把服虔的读音照抄下来，放在厚韵的末尾。

11377 去 丘倨 溪魚去三開 kʰiɤ 魚 kʰas
11378 麮 丘倨 溪魚去三開 kʰiɤ 魚 kʰas
11379 呿 丘倨 溪魚去三開 kʰiɤ 魚 kʰas
11380 竜 丘倨 溪魚去三開 kʰiɤ 魚 kʰas
11381 胠 丘倨 溪魚去三開 kʰiɤ 魚 kʰas
11382 虚 丘倨 溪魚去三開 kʰiɤ 魚 kʰas
11383 抾 去其 溪之平三開 kʰɨ 之 kʰɯ

全 quán

11384 輇 逵員 群仙平B 合 gʷɨᴇn 元ᵒ gʳon
11385 恮 莊緣 莊仙平三合 tʂʷiᴇn 元ᵒ skron
11386 跧 莊緣 莊仙平三合 tʂʷiᴇn 元ᵒ skron
11387 詮 此緣 清仙平三合 tsʰʷiᴇn 元ᵒ skʰon
11388 銓 此緣 清仙平三合 tsʰʷiᴇn 元ᵒ skʰon
11389 痊 此緣 清仙平三合 tsʰʷiᴇn 元ᵒ skʰon
11390 佺 此緣 清仙平三合 tsʰʷiᴇn 元ᵒ skʰon
11391 駩 此緣 清仙平三合 tsʰʷiᴇn 元ᵒ skʰon
11392 筌 此緣 清仙平三合 tsʰʷiᴇn 元ᵒ skʰon
11393 絟 此緣 清仙平三合 tsʰʷiᴇn 元ᵒ skʰon
11394 恮 此緣 清仙平三合 tsʰʷiᴇn 元ᵒ skʰon
11395 荃 此緣 清仙平三合 tsʰʷiᴇn 元ᵒ skʰon
11396 拴 此緣 清仙平三合 tsʰʷiᴇn 元ᵒ skʰon
11397 輇 逡緣 清仙平三合 tsʰʷiᴇn 元ᵒ skʰon
11398 輇 市緣 禪仙平三合 dʑʷiᴇn 元ᵒ glʲon
11399 全 疾緣 從仙平三合 dzʷiᴇn 元ᵒ sgon
11400 牷 疾緣 從仙平三合 dzʷiᴇn 元ᵒ sgon
11401 跧 阻頑 莊刪平二合 tʂʷɯæn 元ᵒ skro̱n
11402 跧 將倫 精真平三合 tsʷin 文ᵘ skun
11403 輇 敕倫 徹真平三合 ʈʰʷin 文ᵘ kʰlun
11404 絟 七絶 清薛入三合 tsʰʷiᴇt 月ᵒ skʰod

泉 quán

11405 灥 昌緣 昌仙平三合 tɕʰʷiᴇn 元ᵒ kʰʲon
11406 泉 疾緣 從仙平三合 dzʷiᴇn 元ᵒ sgon
11407 謜 此緣 清仙平三合 tsʰʷiᴇn 元ᵒ sŋ̊on
11408 縓 此緣 清仙平三合 tsʰʷiᴇn 元ᵒ sŋ̊on
11409 源[1] 愚袁 疑元平三合 ŋʷiɤn 元ᵒ ŋgon
11410 嫄 愚袁 疑元平三合 ŋʷiɤn 元ᵒ ŋgon
11411 騵 愚袁 疑元平三合 ŋʷiɤn 元ᵒ ŋgon
11412 羱 愚袁 疑元平三合 ŋʷiɤn 元ᵒ ŋgon
11413 謜 愚袁 疑元平三合 ŋʷiɤn 元ᵒ ŋgon
11414 獂 愚袁 疑元平三合 ŋʷiɤn 元ᵒ ŋgon
11415 蒝 愚袁 疑元平三合 ŋʷiɤn 元ᵒ ŋgon
11416 原[2] 愚袁 疑元平三合 ŋʷiɤn 元ᵒ ŋgon
11417 縓 七絹 清仙去三合 tsʰʷiᴇn 元ᵒ sŋ̊ons
11418 願 魚怨 疑元去三合 ŋʷiɤn 元ᵒ ŋgons
11419 傆 魚怨 疑元去三合 ŋʷiɤn 元ᵒ ŋgons
11420 愿 魚怨 疑元去三合 ŋʷiɤn 元ᵒ ŋgons
11421 豲 胡官 匣寒平一合 ɦʷɑn 元ᵒ go̱n
11422 螈 吾官 疑寒平一合 ŋʷɑn 元ᵒ ŋgo̱n
11423 羱 五丸 疑寒平一合 ŋʷɑn 元ᵒ ŋgo̱n
11424 灥 詳遵 邪真平三合 zʷin 文ᵘ sgˡun
11425 線 私箭 心仙去三開 siᴇn 元ᵉ sqens

狋 quán

11426 狋 巨員 群仙平B 合 gʷɨᴇn 元ᵉ gʷʳen

犬 quǎn

11427 畎 姑泫 見先上四合 kʷen 元ᵉ kʷe̱nʔ
11428 汱 姑泫 見先上四合 kʷen 元ᵉ kʷe̱nʔ
11429 犬 苦泫 溪先上四合 kʰʷen 真ⁿ kʷʰi̱nʔ
11430 猚[3] 五佳 疑佳平二開 ŋɯɛ 歌ᵉ ŋʳe̱l

雀 què

11431 雀 即略 精藥入三開 tsiak 藥ᵉ skegʷ

㱿 què

11432 彀 古候 見侯去一合 ku 屋 ko̱gs
11433 㝅 古候 見侯去一合 ku 屋 ko̱gs
11434 㲉 居候 見侯去一合 ku 屋 ko̱gs
11435 鷇 苦候 溪侯去一合 kʰu 屋 kʰo̱gs
11436 瞉 苦候 溪侯去一合 kʰu 屋 kʰo̱gs
11437 轂 古祿 見屋入一合 kuk 屋 ko̱g
11438 穀 古祿 見屋入一合 kuk 屋 ko̱g
11439 榖 古祿 見屋入一合 kuk 屋 ko̱g
11440 穀 古祿 見屋入一合 kuk 屋 kˡo̱g

---

1 可比较藏文 ɦgo< * ŋgo 源头。

2 "原"应以"泉"得声，楚文字中"洹"多与"邍(原)"有關，洹 * Gon。可见"原"字上古为 * ŋgon>ŋon，其中的词根为 * gon。可比较藏文同源词为 Ngo，最初，第一，源头，原 * ŋgon，泉 * sgon，词根都为 * gon。

3 见"街"字注。

11441 𣪊 空谷 溪屋入一合 kʰuk 屋 kʰo̱ɡ
11442 𡣕 空谷 溪屋入一合 kʰuk 屋 kʰo̱ɡ
11443 觳 胡谷 匣屋入一合 ɦuk 屋 ɡo̱ɡ
11444 縠 胡谷 匣屋入一合 ɦuk 屋 ɡo̱ɡ
11445 榖 胡谷 匣屋入一合 ɦuk 屋 ɡo̱ɡ
11446 螜 胡谷 匣屋入一合 ɦuk 屋 ɡo̱ɡ
11447 縠 呼木 曉屋入一合 huk 屋 qʰo̱ɡ
11448 豰 呼木 曉屋入一合 huk 屋 qʰo̱ɡ
11449 𣪍 古岳 見覺入二開 kᵚɔk 屋 kʳo̱ɡ
11450 青 苦角 溪覺入二開 kʰᵚɔk 屋 kʰʳo̱ɡ
11451 殼 苦角 溪覺入二開 kʰᵚɔk 屋 kʰʳo̱ɡ
11452 𣫂 苦角 溪覺入二開 kʰᵚɔk 屋 kʰʳo̱ɡ
11453 愨 苦角 溪覺入二開 kʰᵚɔk 屋 kʰʳo̱ɡ
11454 觳 苦角 溪覺入二開 kʰᵚɔk 屋 kʰʳo̱ɡ
11455 豰 蒲角 並覺入二開 bᵚɔk 屋 bɡʳo̱ɡ
11456 𣪊 許角 曉覺入二開 hᵚɔk 屋 qʰʳo̱ɡ
11457 㝅 乃后 泥侯上一合 nu 侯 no̱ʔ

囷 qūn

11458 麇 居筠 見真平B 合 kʷɨin 文ᵘ kʳun
11459 硱 區倫 溪真平B 合 kʰʷɨin 文ᵘ kʰʳun
11460 囷 去倫 溪真平B 合 kʰʷɨin 文ᵘ kʰʳun
11461 箘 去倫 溪真平B 合 kʰʷɨin 文ᵘ kʰʳun
11462 蜠 去倫 溪真平B 合 kʰʷɨin 文ᵘ kʰʳun
11463 菌 渠殞 群真上B 合 ɡʷɨin 文ᵘ ɡʳunʔ
11464 䐃 渠殞 群真上B 合 ɡʷɨin 文ᵘ ɡʳunʔ
11465 蜠 渠殞 群真上B 合 ɡʷɨin 文ᵘ ɡʳunʔ
11466 稛 巨隕 群真上B 合 ɡʷɨin 文ᵘ ɡʳunʔ
11467 㖥 渠殞 群真上B 合 ɡʷɨin 文ᵘ ɡʳunʔ
11468 箘 渠殞 群真上B 合 ɡʷɨin 文ᵘ ɡʳunʔ
11469 稛 牛尹 疑真上B 合 ŋʷɨin 文ᵘ ŋɡʳunʔ
11470 䞹 丘粉 溪文上三合 kʰiun 文ᵘ kʰunʔ
11471 䞹 魚吻 疑文上三合 ŋiun 文ᵘ ŋɡunʔ
11472 稛 力準 來真上三合 lʷin 文ᵘ ɡ.runʔ
11473 攈 居運 見文去三合 kiun 文ᵘ kuns
11474 攟 俱運 見文去三合 kiun 文ᵘ kuns
11475 稛 苦本 溪魂上一合 kʰu̯on 文ᵘ kʰu̱nʔ
11476 䟴 苦本 溪魂上一合 kʰu̯on 文ᵘ kʰu̱nʔ
11477 菌 求晚 群元上三合 ɡʷiɤn 元ᵒ ɡonʔ

肰 rán

11478 然 如延 日仙平三開 ȵiᴇn 元ᵉ nʲen
11479 㜣 如延 日仙平三開 ȵiᴇn 元ᵉ nʲen
11480 肰 如延 日仙平三開 ȵiᴇn 元ᵉ nʲen
11481 繎 如延 日仙平三開 ȵiᴇn 元ᵉ nʲen
11482 橪 人善 日仙上三開 ȵiᴇn 元ᵉ nʲenʔ
11483 𠐭 人善 日仙上三開 ȵiᴇn 元ᵉ nʲenʔ
11484 𠐭 式善 書仙上三開 ɕiᴇn 元ᵉ n̥ʰʲenʔ
11485 㜣 式善 書仙上三開 ɕiᴇn 元ᵉ n̥ʰʲenʔ
11486 撚 乃殄 泥先上四開 nen 元ᵉ ne̱nʔ
11487 㜣 奴甸 泥先去四開 nen 元ᵉ ne̱ns
11488 嘫 女閑 娘山平二開 ɳᵚɛn 元ᵉ ne̱n
11489 繎 而緣 日仙平三合 ȵʷiᴇn 元ᵒ nʲon

冉 rǎn

11490 䛁 汝鹽 日鹽平三開 ȵiᴇm 談ᵃ nʲam
11491 冉 汝鹽 日鹽平三開 ȵiᴇm 談ᵃ nʲam
11492 袡 汝鹽 日鹽平三開 ȵiᴇm 談ᵃ nʲam
11493 䶲 汝鹽 日鹽平三開 ȵiᴇm 談ᵃ nʲam
11494 㾆 汝鹽 日鹽平三開 ȵiᴇm 談ᵃ nʲam
11495 䑙 汝鹽 日鹽平三開 ȵiᴇm 談ᵃ nʲam
11496 髯 汝鹽 日鹽平三開 ȵiᴇm 談ᵃ nʲam
11497 蚺 汝鹽 日鹽平三開 ȵiᴇm 談ᵃ nʲam
11498 呥 汝鹽 日鹽平三開 ȵiᴇm 談ᵃ nʲam
11499 柟 汝鹽 日鹽平三開 ȵiᴇm 談ᵃ nʲam
11500 冉 而琰 日鹽上三開 ȵiᴇm 談ᵃ nʲamʔ
11501 姌 而琰 日鹽上三開 ȵiᴇm 談ᵃ nʲamʔ
11502 苒 而琰 日鹽上三開 ȵiᴇm 談ᵃ nʲamʔ
11503 柟 而琰 日鹽上三開 ȵiᴇm 談ᵃ nʲamʔ
11504 髯 而豔 日鹽去三開 ȵiᴇm 談ᵃ nʲams
11505 䑙 他酣 透談平一開 tʰɑm 談ᵃ n̥am
11506 聃 他酣 透談平一開 tʰɑm 談ᵃ n̥am
11507 㾆 處占 昌鹽平三開 tɕʰiᴇm 談ᵒ n̥ʲom
11508 柟 那含 泥覃平一開 nəm 談ᵒ no̱m
11509 抩 那含 泥覃平一開 nəm 談ᵒ no̱m
11510 䶲 那含 泥覃平一開 nəm 談ᵒ no̱m
11511 抩 他含 透覃平一開 tʰəm 談ᵒ n̥o̱m
11512 那 諾何 泥歌平一開 nɑ 歌ᵃ na̱l
11513 娜 奴可 泥歌上一開 nɑ 歌ᵃ na̱lʔ
11514 那 奴箇 泥歌去一開 nɑ 歌ᵃ na̱ls
11515 姌 乃玷 泥添上四開 nem 談ᵉ ne̱mʔ

人 rén

11516 扦 親然 清仙平三開 tsʰiᴇn 真ᵑ sniŋ

11517 人 如鄰 日真平三開 ȵin 真^{ŋ} n^{j}iŋ

11518 儿 而鄰 日真平三開 ȵin 真^{ŋ} n^{j}iŋ

11519 仁 如鄰 日真平三開 ȵin 真^{ŋ} n^{j}iŋ

11520 信 息晉 心真去三開 sin 真^{ŋ} sniŋs

11521 邾 奴丁 泥青平四開 neŋ 真^{ŋ} ni̱ŋ

11522 年[1] 奴顛 泥先平四開 nen 真^{ŋ} ni̱ŋ

11523 邾 奴顛 泥先平四開 nen 真^{ŋ} ni̱ŋ

11524 旰 倉先 清先平四開 ts^{h}en 真^{ŋ} sni̱ŋ

11525 千 蒼先 清先平四開 ts^{h}en 真^{ŋ} sni̱ŋ

11526 阡 蒼先 清先平四開 ts^{h}en 真^{ŋ} sni̱ŋ

11527 汘 蒼先 清先平四開 ts^{h}en 真^{ŋ} sni̱ŋ

11528 仟 蒼先 清先平四開 ts^{h}en 真^{ŋ} sni̱ŋ

11529 芊 蒼先 清先平四開 ts^{h}en 真^{ŋ} sni̱ŋ

11530 䅔 蒼先 清先平四開 ts^{h}en 真^{ŋ} sni̱ŋ

11531 忏 倉先 清先平四開 ts^{h}en 真^{ŋ} sni̱ŋ

11532 忏 七典 清先上四開 ts^{h}en 真^{ŋ} sni̱ŋʔ

11533 佞 乃定 泥青去四開 neŋ 真^{ŋ} ni̱ŋs

11534 芊 倉甸 清先去四開 ts^{h}en 真^{ŋ} sni̱ŋs

壬 rén

11535 鵀 女心 娘侵平三開 ɳim 侵^{u} num

11536 紝 尼心 娘侵平三開 ɳim 侵^{u} num

11537 任 如林 日侵平三開 ȵim 侵^{u} n^{j}um

11538 鵀 如林 日侵平三開 ȵim 侵^{u} n^{j}um

11539 恁 如林 日侵平三開 ȵim 侵^{u} n^{j}um

11540 壬 如林 日侵平三開 ȵim 侵^{u} n^{j}um

11541 紝 如林 日侵平三開 ȵim 侵^{u} n^{j}um

11542 鈓 如林 日侵平三開 ȵim 侵^{u} n^{j}um

11543 荏 如甚 日侵上三開 ȵim 侵^{u} n^{j}umʔ

11544 飪 如甚 日侵上三開 ȵim 侵^{u} n^{j}umʔ

11545 栠 如甚 日侵上三開 ȵim 侵^{u} n^{j}umʔ

11546 恁 如甚 日侵上三開 ȵim 侵^{u} n^{j}umʔ

11547 衽 如甚 日侵上三開 ȵim 侵^{u} n^{j}umʔ

11548 鈓 如甚 日侵上三開 ȵim 侵^{u} n^{j}umʔ

11549 賃 乃禁 娘侵去三開 ɳim 侵^{u} nums

11550 妊 汝鴆 日侵去三開 ȵim 侵^{u} n^{j}ums

11551 紝 汝鴆 日侵去三開 ȵim 侵^{u} n^{j}ums

11552 鵀 汝鴆 日侵去三開 ȵim 侵^{u} n^{j}ums

11553 任 汝鴆 日侵去三開 ȵim 侵^{u} n^{j}ums

11554 衽 汝鴆 日侵去三開 ȵim 侵^{u} n^{j}ums

11555 銋 而琰 日鹽上三開 ȵiɛm 談^{o} n^{j}omʔ

羊 rěn

11556 羊 如甚 日侵上三開 ȵim 侵^{ɯ} n^{j}ɯmʔ

刃 rèn

11557 紉 女鄰 娘真平三開 ɳin 文^{ɯ} nɯn

11558 忍 而軫 日真上三開 ȵin 文^{ɯ} n^{j}ɯnʔ

11559 荵 而軫 日真上三開 ȵin 文^{ɯ} n^{j}ɯnʔ

11560 涊 而軫 日真上三開 ȵin 文^{ɯ} n^{j}ɯnʔ

11561 刃 而振 日真去三開 ȵin 文^{ɯ} n^{j}ɯns

11562 認 而振 日真去三開 ȵin 文^{ɯ} n^{j}ɯns

11563 韌 而振 日真去三開 ȵin 文^{ɯ} n^{j}ɯns

11564 仞 而振 日真去三開 ȵin 文^{ɯ} n^{j}ɯns

11565 軔 而振 日真去三開 ȵin 文^{ɯ} n^{j}ɯns

11566 牣 而振 日真去三開 ȵin 文^{ɯ} n^{j}ɯns

11567 杒 而振 日真去三開 ȵin 文^{ɯ} n^{j}ɯns

11568 訒 而振 日真去三開 ȵin 文^{ɯ} n^{j}ɯns

11569 翱 而振 日真去三開 ȵin 文^{ɯ} n^{j}ɯns

11570 涊 乃殄 泥先上四開 nen 文^{ɯ} nɯ̱nʔ

11571 沏 奴甸 泥先去四開 nen 文^{ɯ} nɯ̱ns

11572 翱 尼質 娘質入三開 ɳit 質^{d} nid

11573 峢 人質 日質入三開 ȵit 質^{d} n^{j}id

11574 認 而證 日蒸去三開 ȵɨŋ 蒸 n^{j}ɯŋs

日 rì

11575 日 而力 日職入三開 ȵɨk 質^{g} m^{j}ig

11576 衵 尼質 娘質入三開 ɳit 質^{g} mig

11577 䵒 尼質 娘質入三開 ɳit 質^{g} mig

11578 日 人質 日質入三開 ȵit 質^{g} m^{j}ig

11579 馹 人質 日質入三開 ȵit 質^{g} m^{j}ig

11580 衵 人質 日質入三開 ȵit 質^{g} m^{j}ig

11581 汨 莫狄 明錫入四開 mek 質^{g} mi̱g

11582 鼰 莫狄 明錫入四開 mek 質^{g} mi̱g

11583 涅 奴結 泥屑入四開 net 質^{g} mi̱g

11584 埕 奴結 泥屑入四開 net 質^{g} mi̱g

11585 篞 奴結 泥屑入四開 net 質^{g} mi̱g

戎 róng

11586 戎 如融 日東平三合 ȵiuŋ 終 n^{j}uŋ

---

1 藏文 niŋ 出现于 k^{h}a niŋ（去年），估计是汉语借词。

11587 茙 如融 日東平三合 ȵiuŋ 終 n^{j}uŋ

11588 駥 如融 日東平三合 ȵiuŋ 終 n^{j}uŋ

11589 娀 息弓 心東平三合 siuŋ 終 snuŋ

肜 róng

11590 肜 以戎 以東平三合 jiuŋ 終 luŋ

11591 肜 徒冬 定冬平一合 du̯oŋ 終 lu̱ŋ

茸 róng

11592 茸 而容 日鍾平三合 ȵiʊŋ 東 n^{j}oŋ

11593 鞲 而容 日鍾平三合 ȵiʊŋ 東 n^{j}oŋ

11594 髶 而容 日鍾平三合 ȵiʊŋ 東 n^{j}oŋ

11595 搑 而容 日鍾平三合 ȵiʊŋ 東 n^{j}oŋ

11596 醋 如容 日鍾平三合 ȵiʊŋ 東 n^{j}oŋ

11597 搑 而隴 日鍾上三合 ȵiʊŋ 東 n^{j}oŋʔ

11598 鞲 而用 日鍾去三合 ȵiʊŋ 東 n^{j}oŋs

軵 rǒng

11599 軵 而隴 日鍾上三合 ȵiʊŋ 東 n^{j}oŋʔ

宂 rǒng

11600 冘[1] 以周 以尤平三合 jiu 幽 ɢlu

11601 抌[2] 以周 以尤平三合 jiu 幽 ɢlu

11602 狖[3] 余救 以尤去三合 jiu 幽 ɢlus

11603 歍 而隴 日鍾上三合 ȵiʊŋ 東 n^{j}oŋʔ

11604 宂 而隴 日鍾上三合 ȵiʊŋ 東 n^{j}oŋʔ

11605 抌 以主 以虞上三合 jiʊ 侯 ɢloʔ

肉 ròu

11606 肭 女六 娘屋入三合 ɳiuk 覺 nug

11607 肉 如六 日屋入三合 ȵiuk 覺 n^{j}ug

11608 脜 耳由 日尤平三合 ȵiu 幽 n^{j}u

乳 rǔ

11609 乳 而主 日虞上三合 ȵiʊ 侯 n^{j}oʔ

11610 涊 乃后 泥侯上一合 nu 侯 no̱ʔ

辱 rǔ

11611 辱 而蜀 日燭入三合 ȵi̯ʊk 屋 n^{j}og

11612 蓐 而蜀 日燭入三合 ȵi̯ʊk 屋 n^{j}og

11613 褥 而蜀 日燭入三合 ȵi̯ʊk 屋 n^{j}og

11614 鄏 而蜀 日燭入三合 ȵi̯ʊk 屋 n^{j}og

11615 縟 而蜀 日燭入三合 ȵi̯ʊk 屋 n^{j}og

11616 溽 而蜀 日燭入三合 ȵi̯ʊk 屋 n^{j}og

11617 嗕 而蜀 日燭入三合 ȵi̯ʊk 屋 n^{j}og

11618 槈 奴豆 泥侯去一合 nu 屋 no̱gs

11619 耨 奴豆 泥侯去一合 nu 屋 no̱gs

11620 搙 女角 娘覺入二開 ɳ^{ɯ}ɔk 屋 no̱g

11621 耨 内沃 泥沃入一合 nu̯ok 覺 nu̱g

11622 搙 内沃 泥沃入一合 nu̯ok 覺 nu̱g

11623 褥 内沃 泥沃入一合 nu̯ok 覺 nu̱g

入 rù

11624 入 人執 日緝入三開 ȵip 緝^{u} n^{j}ub

耎 ruǎn

11625 堧 而緣 日仙平三合 ȵ^{w}iᴇn 元^{o} n^{j}on

11626 瞤 而緣 日仙平三合 ȵ^{w}iᴇn 元^{o} n^{j}on

11627 碝 而緣 日仙平三合 ȵ^{w}iᴇn 元^{o} n^{j}on

11628 輭 而兖 日仙上三合 ȵ^{w}iᴇn 元^{o} n^{j}onʔ

11629 蝡 而兖 日仙上三合 ȵ^{w}iᴇn 元^{o} n^{j}onʔ

11630 梗 而兖 日仙上三合 ȵ^{w}iᴇn 元^{o} n^{j}onʔ

11631 萸 而兖 日仙上三合 ȵ^{w}iᴇn 元^{o} n^{j}onʔ

11632 碝 而兖 日仙上三合 ȵ^{w}iᴇn 元^{o} n^{j}onʔ

11633 愞 而兖 日仙上三合 ȵ^{w}iᴇn 元^{o} n^{j}onʔ

11634 腝 而兖 日仙上三合 ȵ^{w}iᴇn 元^{o} n^{j}onʔ

11635 耎 而兖 日仙上三合 ȵ^{w}iᴇn 元^{o} n^{j}onʔ

11636 偄 而兖 日仙上三合 ȵ^{w}iᴇn 元^{o} n^{j}onʔ

11637 瞤 而兖 日仙上三合 ȵ^{w}iᴇn 元^{o} n^{j}onʔ

11638 緛 而兖 日仙上三合 ȵ^{w}iᴇn 元^{o} n^{j}onʔ

11639 軟[4] 而兖 日仙上三合 ȵ^{w}iᴇn 元^{o} n^{j}onʔ

11640 瞤 人絹 日仙去三合 ȵ^{w}iᴇn 元^{o} n^{j}ons

11641 煗 乃管 泥寒上一合 n^{w}ɑn 元^{o} no̱nʔ

11642 渜 乃管 泥寒上一合 n^{w}ɑn 元^{o} no̱nʔ

11643 稬 乃管 泥寒上一合 n^{w}ɑn 元^{o} no̱nʔ

---

1 “冘”应有两个语素，侵部与幽部，幽部的读音应该是“冗”字。

2 段注“从手冘聲”。

3 段注“从豸冘聲”。“狖”可以写作“狖”，注意它不是“宂散”之“宂”，而是以母尤韵平声的“冘”，以母尤韵平声“冘”的另一个字形就是“宂”，《集韵》“狖”所收的异体字之一即作“犹”。

4 《广韵》又同“輭”。

11644	偄	奴亂	泥寒去一合	n^{w}ɑn	元^{o}	no̱ns
11645	稬	奴亂	泥寒去一合	n^{w}ɑn	元^{o}	no̱ns
11646	渜	奴亂	泥寒去一合	n^{w}ɑn	元^{o}	no̱ns
11647	䴹	奴亂	泥寒去一合	n^{w}ɑn	元^{o}	no̱ns
11648	愞	奴亂	泥寒去一合	n^{w}ɑn	元^{o}	no̱ns
11649	䎡	奴禾	泥歌平一合	n^{w}ɑ	歌^{o}	no̱l
11650	愞	乃臥	泥歌去一合	n^{w}ɑ	歌^{o}	no̱ls
11651	堧	乃臥	泥歌去一合	n^{w}ɑ	歌^{o}	no̱ls
11652	稬	乃臥	泥歌去一合	n^{w}ɑ	歌^{o}	no̱ls
11653	䁥	乃臥	泥歌去一合	n^{w}ɑ	歌^{o}	no̱ls
11654	䪹	如匀	日真平三合	ȵ^{w}in	文^{u}	n^{j}un
11655	蝡	而允	日真上三合	ȵ^{w}in	文^{u}	n^{j}unʔ
11656	媆	奴困	泥魂去一合	nu̯on	文^{u}	nu̱ns
11657	腝	奴困	泥魂去一合	nu̯on	文^{u}	nu̱ns
11658	㨎	如劣	日薛入三合	ȵ^{w}iɛt	月^{o}	n^{j}od
11659	陾	乃后	泥侯上一合	nu	侯	no̱ʔ

甍 ruǎn

11660	甍	人朱	日虞平三合	ȵiʊ	侯	n^{j}o
11661	甍	而兖	日仙上三合	ȵ^{w}iɛn	元^{o}	n^{j}onʔ

甤 ruí

11662	蕤	儒隹	日脂平三合	ȵ^{w}i	微^{u}	n^{j}ul
11663	甤	儒隹	日脂平三合	ȵ^{w}i	微^{u}	n^{j}ul
11664	甤	如壘	日脂上三合	ȵ^{w}i	微^{u}	n^{j}ulʔ
11665	甤	如累	日支上三合	ȵ^{w}ie	歌^{o}	n^{j}olʔ

睿 ruì

11666	睿	逵員	群仙平B合	g^{w}ɨɛn	元^{o}	g^{r}on
11667	趨	俱倫	見真平B合	k^{w}ɨin	文^{u}	k^{r}un
11668	璿	似宣	邪仙平三合	z^{w}iɛn	元^{o}	sg^{l}on
11669	趨	詳遵	邪真平三合	z^{w}in	文^{u}	sg^{l}un
11670	趨	辝戀	邪仙去三合	z^{w}iɛn	元^{o}	sg^{l}ons
11671	濬	私閏	心真去三合	s^{w}in	文^{u}	squns
11672	叡	以芮	以祭去三合	j^{w}iɛi	月^{o}	ɢlods
11673	睿	以芮	以祭去三合	j^{w}iɛi	月^{o}	ɢlods
11674	趨	松倫	邪真平三合	z^{w}in	文^{u}	sɢun
11675	睿	俞芮	以祭去三合	j^{w}iɛi	月^{o}	ɢods

劂 ruì

11676	劂[1]	此芮	清祭去三合	ts^{hw}iɛi	月^{o}	sk^{h}lods

閏 rùn

11677	瞤	如匀	日真平三合	ȵ^{w}in	文^{u}	n^{j}un
11678	閏	如順	日真去三合	ȵ^{w}in	文^{u}	n^{j}uns
11679	潤	如順	日真去三合	ȵ^{w}in	文^{u}	n^{j}uns
11680	撋	而緣	日仙平三合	ȵ^{w}iɛn	元^{o}	n^{j}on

叒 ruò

11681	叒	而灼	日藥入三開	ȵiak	鐸	n^{j}ag

若 ruò

11682	渃	人夜	日麻去三開	ȵiæ	鐸	n^{j}ags
11683	若	而灼	日藥入三開	ȵiak	鐸	n^{j}ag
11684	鄀	而灼	日藥入三開	ȵiak	鐸	n^{j}ag
11685	箬	而灼	日藥入三開	ȵiak	鐸	n^{j}ag
11686	惹	而灼	日藥入三開	ȵiak	鐸	n^{j}ag
11687	渃	日灼	日藥入三開	ȵiak	鐸	n^{j}ag
11688	婼	丑略	徹藥入三開	ʈ^{h}iak	鐸	n̥ag
11689	蓋	丑略	徹藥入三開	ʈ^{h}iak	鐸	n̥ag
11690	諾	奴各	泥鐸入一開	nɑk	鐸	na̱g
11691	蓋	呵各	曉鐸入一開	hɑk	鐸	n̥^{h}a̱g
11692	若	人賒	日麻平三開	ȵiæ	魚	n^{j}a
11693	婼	人賒	日麻平三開	ȵiæ	魚	n^{j}a
11694	喏	爾者	日麻上三開	ȵiæ	魚	n^{j}aʔ
11695	若	人者	日麻上三開	ȵiæ	魚	n^{j}aʔ
11696	惹	人者	日麻上三開	ȵiæ	魚	n^{j}aʔ

弱 ruò

11697	蒻	而灼	日藥入三開	ȵiak	藥^{e}	n^{j}eg^{w}
11698	溺	而灼	日藥入三開	ȵiak	藥^{e}	n^{j}eg^{w}
11699	嫋	而灼	日藥入三開	ȵiak	藥^{e}	n^{j}eg^{w}
11700	弱	而灼	日藥入三開	ȵiak	藥^{e}	n^{j}eg^{w}
11701	愵	奴歷	泥錫入四開	nek	藥^{e}	ne̱g^{w}
11702	搦	女角	娘覺入二開	ɳ^{ɯ}ɔk	藥^{e}	ne̱g^{w}
11703	鰯	女角	娘覺入二開	ɳ^{ɯ}ɔk	藥^{e}	ne̱g^{w}
11704	溺	奴歷	泥錫入四開	nek	錫	ne̱g
11705	榒[2]	昵格	娘麥入二開	ɳ^{ɯ}ɛk	錫	ne̱g

1　《说文》"鋭"的籀文作"劂"。

2　原为陌韵，但是根据谐声系统应该为麦韵，《切韵》音系二等有麦、陌的历史层次。

11706 搦[1] 女白 娘麥入二開 ɳ^{ɯ}ɛk 錫 ne̱g

11707 嫋 奴鳥 泥蕭上四開 neu 宵^{e} ne̱^{w}ʔ

卅 sà

11708 卅[2] 悉盍 心盍入一開 sɑp 盍^{o} s^{l}o̱b

薩 sà

11709 薩 桑割 心曷入一開 sɑt 月^{a} s^{l}a̱d

三 sān

11710 三[3] 蘇甘 心談平一開 sɑm 談^{o} so̱m

11711 三 蘇暫 心談去一開 sɑm 談^{o} so̱ms

散 sǎn

11712 㪔 顙旱 心寒上一開 sɑn 元^{a} sk^{l}a̱nʔ

11713 散 蘇旱 心寒上一開 sɑn 元^{a} sk^{l}a̱nʔ

11714 饊 蘇旱 心寒上一開 sɑn 元^{a} sk^{l}a̱nʔ

11715 糤 蘇旱 心寒上一開 sɑn 元^{a} sk^{l}a̱nʔ

11716 散 蘇旰 心寒去一開 sɑn 元^{a} sk^{l}a̱ns

11717 散 蘇旰 心寒去一開 sɑn 元^{a} sk^{l}a̱ns

11718 糤 蘇旰 心寒去一開 sɑn 元^{a} sk^{l}a̱ns

11719 㪔 先旰 心寒去一開 sɑn 元^{a} sk^{l}a̱ns

11720 潸 所姦 生刪平二開 ʂ^{ɯ}æn 元^{a} sk^{r}a̱n

11721 潸 數板 生刪上二開 ʂ^{ɯ}æn 元^{a} sk^{r}a̱nʔ

11722 霰[4] 蘇佃 心先去四開 sen 元^{e} sk^{l}e̱ns

桑 sāng

11723 喪[5] 息郎 心唐平一開 sɑŋ 陽 sma̱ŋ

11724 桑 息郎 心唐平一開 sɑŋ 陽 sŋa̱ŋ

11725 槡 寫朗 心唐上一開 sɑŋ 陽 sŋa̱ŋʔ

11726 顙 蘇朗 心唐上一開 sɑŋ 陽 sŋa̱ŋʔ

11727 喪 蘇浪 心唐去一開 sɑŋ 陽 sma̱ŋs

埽 sǎo

11728 埽 蘇老 心豪上一開 sɑu 幽 s^{l}u̱ʔ

11729 掃 蘇老 心豪上一開 sɑu 幽 s^{l}u̱ʔ

11730 埽 蘇到 心豪去一開 sɑu 幽 s^{l}u̱s

11731 掃 蘇到 心豪去一開 sɑu 幽 s^{l}u̱s

塞 sè

11732 僿 式吏 書之去三開 ɕɨ 職 q^{h}lɯgs

11733 賽 先代 心咍去一開 səi 職 sqɯ̱gs

11734 簺 先代 心咍去一開 səi 職 sqɯ̱gs

11735 塞 先代 心咍去一開 səi 職 sqɯ̱gs

11736 塞 蘇則 心德入一開 sək 職 sqɯ̱g

11737 𡫳 蘇則 心德入一開 sək 職 sqɯ̱g

色 sè

11738 赩 許極 曉職入三開 hɨk 職 q^{hr}ɯg

11739 色 所力 生職入三開 ʂɨk 職 s^{r}ɯg

嗇 sè

11740 歗 所力 生職入三開 ʂɨk 職 s^{r}ɯg

11741 嗇[6] 所力 生職入三開 ʂɨk 職 s^{r}ɯg

11742 穡 所力 生職入三開 ʂɨk 職 s^{r}ɯg

11743 薔 所力 生職入三開 ʂɨk 職 s^{r}ɯg

11744 轖 所力 生職入三開 ʂɨk 職 s^{r}ɯg

11745 嬙 所力 生職入三開 ʂɨk 職 s^{r}ɯg

11746 懎 所力 生職入三開 ʂɨk 職 s^{r}ɯg

澀 sè

11747 澀[7] 色立 生緝入三開 ʂip 緝^{ɯ} sk^{r}ɯb

11748 譅 色入 生緝入三開 ʂip 緝^{ɯ} sk^{r}ɯb

11749 㵦 初戢 初緝入三開 tʂ^{h}ip 緝^{ɯ} s^{h}rɯb

11750 㵦[8] 蘇合 心合入一開 səp 緝^{u} s^{l}u̱b

---

1 原为陌韵,但是根据谐声系统应该为麦韵,《切韵》音系二等有麦、陌的历史层次。

2 应为合部字,读入盍部。

3 "三"谈韵,按谐声上古当为*sam。但是《诗经·摽有梅》与"今"押韵。可见"三"为覃韵*so̱m。又郭店楚墓竹简《语丛三》"三"通"参":"名式(二),勿(物)参(三)。""参"音*s^{h}u̱m,可比较藏文 gsum 三。

4 《说文》或体作"霓"。《清华大学藏战国竹简(叁)·良臣》简3"柬"通"散"。心母有以下的音变:*sk^{l}e̱ns>*s^{l}e̱ns>sen。可比较藏文 ser 雹。塔多语为 gel,卢舍依语为 rial(Benedict P. K. *Sino-Tibetan: A Conspectus*, 1972),说明原始藏缅语也许有类似于*sgrer 的形式。

5 郑张尚芳:《说文》从亡,亡亦声,甲骨文借"桑"字,金文始加"亡"。

6 郑张尚芳:象禾來之积,"來"亦声。

7 "澀"又作"濇",通"翜"*sk^{r}ib、"接"*skeb。《说文》:"翜讀若濇。"《周礼·天官·缝人》"衣翣柳之材",郑注:"故書翣柳作接櫬,鄭司農云,接讀爲歰。""接"上古*skeb。后来音变为职部*-ɯb>*-ɯg。可比较"澀"的油岭瑶语油岭 kɔp2、乳源瑶语 səp53,它们可能借自汉语的*sk^{r}ɯb。还可比较"澀"的标话 kip334、拉珈语 tsiːp24、凤山壮语 ɬap33、黎语加茂话 səːp51。

8 *ɯb>*ɯk。

沙 shā

11751 蓰 山宜 生支平三開 ʂie 歌ᵃ sʳal
11752 簁 所宜 生支平三開 ʂie 歌ᵃ sʳal
11753 徙[1] 斯氏 心支上三開 sie 歌ᵃ sˡalʔ
11754 蓰 想氏 心支上三開 sie 歌ᵃ sˡalʔ
11755 ⿰革徙 所綺 生支上三開 ʂie 歌ᵃ sʳalʔ
11756 屣 所綺 生支上三開 ʂie 歌ᵃ sʳalʔ
11757 簁 所綺 生支上三開 ʂie 歌ᵃ sʳalʔ
11758 蓰 所綺 生支上三開 ʂie 歌ᵃ sʳalʔ
11759 漇 所綺 生支上三開 ʂie 歌ᵃ sʳalʔ
11760 杫[2] 斯義 心支去三開 sie 歌ᵃ sˡals
11761 屣 所寄 生支去三開 ʂie 歌ᵃ sʳals
11762 ⿰革徙 所寄 生支去三開 ʂie 歌ᵃ sʳals
11763 娑 素何 心歌平一開 sɑ 歌ᵃ sˡa̱l
11764 硰 作可 精歌上一開 tsɑ 歌ᵃ sa̱lʔ
11765 娑 蘇可 心歌上一開 sɑ 歌ᵃ sˡa̱lʔ
11766 硰 千可 清歌上一開 tsʰɑ 歌ᵃ sʰa̱lʔ
11767 硰 所加 生麻平二開 ʂᵚæ 歌ᵃ sʳa̱l
11768 魦 所加 生麻平二開 ʂᵚæ 歌ᵃ sʳa̱l
11769 鯊 所加 生麻平二開 ʂᵚæ 歌ᵃ sʳa̱l
11770 沙 所加 生麻平二開 ʂᵚæ 歌ᵃ sʳa̱l
11771 桬 所加 生麻平二開 ʂᵚæ 歌ᵃ sʳa̱l
11772 紗 所加 生麻平二開 ʂᵚæ 歌ᵃ sʳa̱l
11773 ⿰革徙[3] 所蟹 生麻上二開 ʂᵚæ 歌ᵃ sʳa̱lʔ
11774 沙 所嫁 生麻去二開 ʂᵚæ 歌ᵃ sʳa̱ls
11775 魦 蘇禾 心歌平一合 sʷɑ 歌ᵒ sˡo̱l
11776 莎 蘇禾 心歌平一合 sʷɑ 歌ᵒ sˡo̱l

殺 shā

11777 鎩 所例 生祭去三開 ʂiᴇi 月ᵉ sʳeds
11778 蔱 所例 生祭去三開 ʂiᴇi 月ᵉ sʳeds
11779 榝 山列 生薛入三開 ʂiᴇt 月ᵉ sʳed
11780 鎩 所拜 生皆去二開 ʂᵚɛi 月ᵉ sʳe̱ds
11781 殺 所拜 生皆去二開 ʂᵚɛi 月ᵉ sʳe̱ds
11782 ⿰糹閷 所拜 生皆去二開 ʂᵚɛi 月ᵉ sʳe̱ds
11783 殺 所八 生黠入二開 ʂᵚɛt 月ᵉ sʳe̱d
11784 鎩 所八 生黠入二開 ʂᵚɛt 月ᵉ sʳe̱d
11785 蔱 所八 生黠入二開 ʂᵚɛt 月ᵉ sʳe̱d
11786 榝 所八 生黠入二開 ʂᵚɛt 月ᵉ sʳe̱d
11787 煞[4] 所八 生黠入二開 ʂᵚɛt 月ᵉ sʳe̱d
11788 刹[5] 初鎋 初黠入二開 tʂʰᵚɛt 月ᵉ sʰre̱d
11789 摋 桑割 心曷入一開 sɑt 月ᵃ sˡa̱d
11790 ⿱殺米 桑割 心曷入一開 sɑt 月ᵃ sˡa̱d
11791 ⿰糹殺 師駭 生佳上二開 ʂᵚɛ 歌ᵉ sʳe̱lʔ

彡 shān

11792 彡 息廉 心鹽平三開 siᴇm 談ᵒ sˡom
11793 彡[6] 所銜 生咸平二開 ʂᵚɛm 談ᵒ sʳo̱m
11794 衫[7] 所銜 生咸平二開 ʂᵚɛm 談ᵒ sʳo̱m
11795 髟[8] 所銜 生咸平二開 ʂᵚɛm 談ᵒ sʳo̱m
11796 ⿰舟見 丑林 徹侵平三開 ʈʰim 侵ᵘ l̥um
11797 ⿰舟彡 丑林 徹侵平三開 ʈʰim 侵ᵘ l̥um
11798 ⿰舟見 丑禁 徹侵去三開 ʈʰim 侵ᵘ l̥ums

山 shān

11799 訕[9] 所姦 生山平二開 ʂᵚɛn 元ᵉ sʳe̱n
11800 山 所閒 生山平二開 ʂᵚɛn 元ᵉ sʳe̱n
11801 疝 所閒 生山平二開 ʂᵚɛn 元ᵉ sʳe̱n
11802 邖 所閒 生山平二開 ʂᵚɛn 元ᵉ sʳe̱n
11803 汕 所簡 生山上二開 ʂᵚɛn 元ᵉ sʳe̱nʔ
11804 訕[10] 所晏 生山去二開 ʂᵚɛn 元ᵉ sʳe̱ns
11805 汕[11] 所晏 生山去二開 ʂᵚɛn 元ᵉ sʳe̱ns

---

1 李家浩认为从"沙"得声。(李家浩《〈说文〉篆文有汉代小学家篡改和虚造字形》,《安徽大学汉语言文字研究丛书·李家浩卷》,北京师范大学出版集团,安徽大学出版社 2013 年,第 364—376 页。)

2 字又作"榹"。

3 原为佳韵,但是根据谐声系统应该为麻韵,《切韵》音系二等有麻、佳的历史层次

4 《广韵》又同"殺"。

5 原为鎋韵,但是根据谐声系统应该为黠韵,《切韵》音系二等有黠、鎋的历史层次。

6 原为銜韵,但是根据谐声系统应该为咸韵,《切韵》音系二等有咸、銜的历史层次。

7 原为銜韵,但是根据谐声系统应该为咸韵,《切韵》音系二等有咸、銜的历史层次。

8 原为銜韵,但是根据谐声系统应该为咸韵,《切韵》音系二等有咸、銜的历史层次。

9 原为删韵,但是根据谐声系统应该为山韵,《切韵》音系二等有山、删的历史层次。

10 原为删韵,但是根据谐声系统应该为山韵,《切韵》音系二等有山、删的历史层次。

11 原为删韵,但是根据谐声系统应该为山韵,《切韵》音系二等有山、删的历史层次。

11806 疝[1] 所晏 生山去二開 ʂ^{ɯ}ɛn 元^{e} s^{r}e̱ns

11807 屾 所臻 生臻平三開 ʂiɪn 真^{n} s^{r}in

芟 shān

11808 芟[2] 所銜 生咸平二開 ʂ^{ɯ}ɛm 談^{o} s^{r}o̱m

刪 shān

11809 跚 蘇干 心寒平一開 sɑn 元^{a} s^{l}a̱n

11810 珊 蘇干 心寒平一開 sɑn 元^{a} s^{l}a̱n

11811 姍 蘇干 心寒平一開 sɑn 元^{a} s^{l}a̱n

11812 𥳑 蘇干 心寒平一開 sɑn 元^{a} s^{l}a̱n

11813 𥳑 相干 心寒平一開 sɑn 元^{a} s^{l}a̱n

11814 𥳑 顙旱 心寒上一開 sɑn 元^{a} s^{l}a̱nʔ

11815 𥳑 蘇旰 心寒去一開 sɑn 元^{a} s^{l}a̱ns

11816 𥳑 先旰 心寒去一開 sɑn 元^{a} s^{l}a̱ns

11817 𥳑 師姦 生刪平二開 ʂ^{ɯ}æn 元^{a} s^{r}a̱n

11818 刪 所姦 生刪平二開 ʂ^{ɯ}æn 元^{a} s^{r}a̱n

11819 狦 所姦 生刪平二開 ʂ^{ɯ}æn 元^{a} s^{r}a̱n

11820 𥳑[3] 所簡 生刪上二開 ʂ^{ɯ}æn 元^{a} s^{r}a̱nʔ

11821 狦 所晏 生刪去二開 ʂ^{ɯ}æn 元^{a} s^{r}a̱ns

11822 柵 所晏 生刪去二開 ʂ^{ɯ}æn 元^{a} s^{r}a̱ns

11823 狦 所晏 生刪去二開 ʂ^{ɯ}æn 元^{a} s^{r}a̱ns

11824 刪 所晏 生刪去二開 ʂ^{ɯ}æn 元^{a} s^{r}a̱ns

羴 shān

11825 羴 尸連 書仙平三開 ɕiᴇn 元^{e} q^{h}len

11826 羴 許閒 曉山平二開 h^{ɯ}ɛn 元^{e} q^{hr}e̱n

11827 羼 初限 初山上二開 tʂ^{hɯ}ɛn 元^{e} sk^{h}re̱nʔ

11828 羼 初鴈 初刪去二開 tʂ^{hɯ}æn 元^{e} sk^{h}re̱ns

夾 shǎn

11829 睒 失冉 書鹽上三開 ɕiᴇm 談^{e} l̥emʔ

11830 陝 失冉 書鹽上三開 ɕiᴇm 談^{e} l̥emʔ

11831 夾 失冉 書鹽上三開 ɕiᴇm 談^{e} l̥emʔ

11832 婡 失冉 書鹽上三開 ɕiᴇm 談^{e} l̥emʔ

閃 shǎn

11833 閃 失冉 書鹽上三開 ɕiᴇm 談^{e} l̥emʔ

11834 閃 舒贍 書鹽去三開 ɕiᴇm 談^{e} l̥ems

扇 shàn

11835 扇 式連 書仙平三開 ɕiᴇn 元^{e} l̥en

11836 煽 式連 書仙平三開 ɕiᴇn 元^{e} l̥en

11837 煽 式戰 書仙去三開 ɕiᴇn 元^{e} l̥ens

11838 傓 式戰 書仙去三開 ɕiᴇn 元^{e} l̥ens

11839 𧍝 式戰 書仙去三開 ɕiᴇn 元^{e} l̥ens

11840 扇 式戰 書仙去三開 ɕiᴇn 元^{e} l̥ens

善 shàn

11841 𩓡 旨善 章仙上三開 tɕiᴇn 元^{e} t^{j}enʔ

11842 嬗 旨善 章仙上三開 tɕiᴇn 元^{e} t^{j}enʔ

11843 善 常演 禪仙上三開 dʑiᴇn 元^{e} d^{j}enʔ

11844 僐 常演 禪仙上三開 dʑiᴇn 元^{e} d^{j}enʔ

11845 鄯 常演 禪仙上三開 dʑiᴇn 元^{e} d^{j}enʔ

11846 鱔 上演 禪仙上三開 dʑiᴇn 元^{e} d^{j}enʔ

11847 膳 時戰 禪仙去三開 dʑiᴇn 元^{e} d^{j}ens

11848 僐 時戰 禪仙去三開 dʑiᴇn 元^{e} d^{j}ens

11849 鄯 時戰 禪仙去三開 dʑiᴇn 元^{e} d^{j}ens

11850 繕 時戰 禪仙去三開 dʑiᴇn 元^{e} d^{j}ens

商 shāng

11851 商 式羊 書陽平三開 ɕiaŋ 陽 q^{h}laŋ

11852 𧶜 式羊 書陽平三開 ɕiaŋ 陽 q^{h}laŋ

11853 蔏 式羊 書陽平三開 ɕiaŋ 陽 q^{h}laŋ

11854 螪 式羊 書陽平三開 ɕiaŋ 陽 q^{h}laŋ

上 shàng

11855 上 時掌 禪陽上三開 dʑiaŋ 陽 d^{j}aŋʔ

11856 上 時亮 禪陽去三開 dʑiaŋ 陽 d^{j}aŋs

尚 shàng

11857 常 市羊 禪陽平三開 dʑiaŋ 陽 gl^{j}aŋ

11858 尚 市羊 禪陽平三開 dʑiaŋ 陽 gl^{j}aŋ

11859 裳 市羊 禪陽平三開 dʑiaŋ 陽 gl^{j}aŋ

---

1 原为删韵，但是根据谐声系统应该为山韵，《切韵》音系二等有山、删的历史层次。

2 原为衔韵，但是根据谐声系统应该为咸韵，《切韵》音系二等有咸、衔的历史层次。

3 原为山韵，但是根据谐声系统应该为删韵，《切韵》音系二等有删、山的历史层次。

11860	嘗	市羊	禪陽平三開	dʑiaŋ	陽	glʲaŋ
11861	償	市羊	禪陽平三開	dʑiaŋ	陽	glʲaŋ
11862	徜	市羊	禪陽平三開	dʑiaŋ	陽	glʲaŋ
11863	掌	諸兩	章陽上三開	tɕiaŋ	陽	klʲaŋʔ
11864	敞	昌兩	昌陽上三開	tɕʰiaŋ	陽	kʰlʲaŋʔ
11865	懒	昌兩	昌陽上三開	tɕʰiaŋ	陽	kʰlʲaŋʔ
11866	𡍳	昌兩	昌陽上三開	tɕʰiaŋ	陽	kʰlʲaŋʔ
11867	倘	齒兩	昌陽上三開	tɕʰiaŋ	陽	kʰlʲaŋʔ
11868	鷵	齒兩	昌陽上三開	tɕʰiaŋ	陽	kʰlʲaŋʔ
11869	賞	書兩	書陽上三開	ɕiaŋ	陽	qʰlaŋʔ
11870	淌	尺亮	昌陽去三開	tɕʰiaŋ	陽	kʰlʲaŋs
11871	尚	時亮	禪陽去三開	dʑiaŋ	陽	glʲaŋs
11872	償	時亮	禪陽去三開	dʑiaŋ	陽	glʲaŋs
11873	堂	時亮	禪陽去三開	dʑiaŋ	陽	glʲaŋs
11874	當	都郎	端唐平一開	taŋ	陽	kla̱ŋ
11875	鐺	都郎	端唐平一開	taŋ	陽	kla̱ŋ
11876	襠	都郎	端唐平一開	taŋ	陽	kla̱ŋ
11877	璫	都郎	端唐平一開	taŋ	陽	kla̱ŋ
11878	蟷	都郎	端唐平一開	taŋ	陽	kla̱ŋ
11879	簹	都郎	端唐平一開	taŋ	陽	kla̱ŋ
11880	倘	他郎	透唐平一開	tʰaŋ	陽	kʰla̱ŋ
11881	鎲	吐郎	透唐平一開	tʰaŋ	陽	kʰla̱ŋ
11882	闣	吐郎	透唐平一開	tʰaŋ	陽	kʰla̱ŋ
11883	鼞	吐郎	透唐平一開	tʰaŋ	陽	kʰla̱ŋ
11884	鄌	徒郎	定唐平一開	daŋ	陽	gla̱ŋ
11885	堂	徒郎	定唐平一開	daŋ	陽	gla̱ŋ
11886	棠	徒郎	定唐平一開	daŋ	陽	gla̱ŋ
11887	螳	徒郎	定唐平一開	daŋ	陽	gla̱ŋ
11888	闛	徒郎	定唐平一開	daŋ	陽	gla̱ŋ
11889	鄗[1]	多朗	端唐上一開	taŋ	陽	kla̱ŋʔ
11890	黨	多朗	端唐上一開	taŋ	陽	kla̱ŋʔ
11891	讜	多朗	端唐上一開	taŋ	陽	kla̱ŋʔ
11892	曭	他朗	透唐上一開	tʰaŋ	陽	kʰla̱ŋʔ
11893	儻	他朗	透唐上一開	tʰaŋ	陽	kʰla̱ŋʔ
11894	戃	他朗	透唐上一開	tʰaŋ	陽	kʰla̱ŋʔ
11895	矘	他朗	透唐上一開	tʰaŋ	陽	kʰla̱ŋʔ
11896	爣	他朗	透唐上一開	tʰaŋ	陽	kʰla̱ŋʔ
11897	攩	他朗	透唐上一開	tʰaŋ	陽	kʰla̱ŋʔ
11898	倘	坦朗	透唐上一開	tʰaŋ	陽	kʰla̱ŋʔ
11899	攩[2]	胡廣	匣唐上一合	ɦʷaŋ	陽	gˡa̱ŋʔ
11900	擋	丁浪	端唐去一開	taŋ	陽	kla̱ŋs
11901	党	丁浪	端唐去一開	taŋ	陽	kla̱ŋs
11902	當	丁浪	端唐去一開	taŋ	陽	kla̱ŋs
11903	儻	他浪	透唐去一開	tʰaŋ	陽	kʰla̱ŋs
11904	攩[3]	乎曠	匣唐去一合	ɦʷaŋ	陽	gˡa̱ŋs
11905	撐[4]	中庚	知庚平二開	ʈʷæŋ	陽	kla̱ŋ
11906	蹚[5]	抽庚	徹庚平二開	ʈʰʷæŋ	陽	kʰla̱ŋ
11907	瞠[6]	丑庚	徹庚平二開	ʈʰʷæŋ	陽	kʰla̱ŋ
11908	橕[7]	丑庚	徹庚平二開	ʈʰʷæŋ	陽	kʰla̱ŋ
11909	樘[8]	丑庚	徹庚平二開	ʈʰʷæŋ	陽	kʰla̱ŋ
11910	党[9]	直庚	澄庚平二開	ɖʷæŋ	陽	gla̱ŋ
11911	牚[10]	他孟	徹庚去二開	ʈʰʷæŋ	陽	kʰla̱ŋs

勺 sháo

11912	約	於笑	影宵去A開	ʔiᴇu	藥ᵉ	qegʷs
11913	芍	張略	知藥入三開	ʈiak	藥ᵉ	klegʷ
11914	灼	之若	章藥入三開	tɕiak	藥ᵉ	klʲegʷ
11915	彴	之若	章藥入三開	tɕiak	藥ᵉ	klʲegʷ
11916	㣿	之若	章藥入三開	tɕiak	藥ᵉ	klʲegʷ
11917	勺	之若	章藥入三開	tɕiak	藥ᵉ	klʲegʷ
11918	酌	之若	章藥入三開	tɕiak	藥ᵉ	klʲegʷ
11919	妁	之若	章藥入三開	tɕiak	藥ᵉ	klʲegʷ
11920	犳	之若	章藥入三開	tɕiak	藥ᵉ	klʲegʷ
11921	勺	之若	章藥入三開	tɕiak	藥ᵉ	klʲegʷ
11922	衿	之若	章藥入三開	tɕiak	藥ᵉ	klʲegʷ
11923	勺	即略	精藥入三開	tsiak	藥ᵉ	sklegʷ
11924	芍	七雀	清藥入三開	tsʰiak	藥ᵉ	skʰlegʷ
11925	芍	市若	禪藥入三開	dʑiak	藥ᵉ	glʲegʷ
11926	妁	市若	禪藥入三開	dʑiak	藥ᵉ	glʲegʷ
11927	勺	市若	禪藥入三開	dʑiak	藥ᵉ	glʲegʷ
11928	汋	市若	禪藥入三開	dʑiak	藥ᵉ	glʲegʷ
11929	杓	市若	禪藥入三開	dʑiak	藥ᵉ	glʲegʷ
11930	彴	市若	禪藥入三開	dʑiak	藥ᵉ	glʲegʷ

1 《广韵》作"鄗"。
2 此音义见于《方言》郭注。又见"盳"字注。
3 此音义见于《方言》郭注。又见"盳"字注。
4 见定母和澄母"荼"字注。
5 见定母和澄母"荼"字注。
6 见定母和澄母"荼"字注。
7 见定母和澄母"荼"字注。
8 见定母和澄母"荼"字注。
9 见定母和澄母"荼"字注。
10 见定母和澄母"荼"字注。

11931 約 於略 影藥入三開 ʔiak 藥^{e} qeg^{w}

11932 葯 於略 影藥入三開 ʔiak 藥^{e} qeg^{w}

11933 礿 以灼 以藥入三開 jiak 藥^{e} ɢleg^{w}

11934 葯 以灼 以藥入三開 jiak 藥^{e} ɢleg^{w}

11935 釣 多嘯 端蕭去四開 teu 藥^{e} kle̱g^{w}s

11936 訋 多嘯 端蕭去四開 teu 藥^{e} kle̱g^{w}s

11937 尥 力弔 來蕭去四開 leu 藥^{e} g.re̱g^{w}s

11938 馰 都歷 端錫入四開 tek 藥^{e} kle̱g^{w}

11939 芍 都歷 端錫入四開 tek 藥^{e} kle̱g^{w}

11940 勺 都歷 端錫入四開 tek 藥^{e} kle̱g^{w}

11941 玓 都歷 端錫入四開 tek 藥^{e} kle̱g^{w}

11942 菂 丁歷 端錫入四開 tek 藥^{e} kle̱g^{w}

11943 靮 都歷 端錫入四開 tek 藥^{e} kle̱g^{w}

11944 的 都歷 端錫入四開 tek 藥^{e} kle̱g^{w}

11945 扚 都歷 端錫入四開 tek 藥^{e} kle̱g^{w}

11946 魡 都歷 端錫入四開 tek 藥^{e} kle̱g^{w}

11947 恦 都歷 端錫入四開 tek 藥^{e} kle̱g^{w}

11948 杓 都歷 端錫入四開 tek 藥^{e} kle̱g^{w}

11949 豹 北教 幫肴去二開 p^{ɯ}æu 藥^{e} pk^{r}e̱g^{w}s

11950 勺 北教 幫肴去二開 p^{ɯ}æu 藥^{e} pk^{r}e̱g^{w}s

11951 約 於教 影肴去二開 ʔ^{ɯ}æu 藥^{e} q^{r}e̱g^{w}s

11952 箹 北角 幫覺入二開 p^{ɯ}ɔk 藥^{e} pk^{r}e̱g^{w}

11953 箹 測角 初覺入二開 tʂ^{hɯ}ɔk 藥^{e} sk^{h}re̱g^{w}

11954 瓝 蒲角 並覺入二開 b^{ɯ}ɔk 藥^{e} bg^{r}e̱g^{w}

11955 箹 蒲角 並覺入二開 b^{ɯ}ɔk 藥^{e} bg^{r}e̱g^{w}

11956 汋 士角 崇覺入二開 dʐ^{ɯ}ɔk 藥^{e} sgre̱g^{w}

11957 約 於角 影覺入二開 ʔ^{ɯ}ɔk 藥^{e} q^{r}e̱g^{w}

11958 葯 於角 影覺入二開 ʔ^{ɯ}ɔk 藥^{e} q^{r}e̱g^{w}

11959 杓 甫遥 幫宵平A開 piᴇu 宵^{e} pk^{l}e^{w}

11960 杓 撫招 滂宵平A開 p^{h}iᴇu 宵^{e} pk^{hl}e^{w}

11961 恦 都了 端蕭上四開 teu 宵^{e} kle̱^{w}ʔ

11962 扚 都了 端蕭上四開 teu 宵^{e} kle̱^{w}ʔ

11963 杓 都了 端蕭上四開 teu 宵^{e} kle̱^{w}ʔ

11964 芍 胡了 匣蕭上四開 ɦeu 宵^{e} g^{l}e̱^{w}ʔ

11965 尥 薄交 並肴平二開 b^{ɯ}æu 宵^{e} bg^{r}e̱^{w}

舌 shé

11966 銛 息廉 心鹽平三開 siᴇm 談^{e} sk^{l}em

11967 舕 以冉 以鹽上三開 jiᴇm 談^{e} ɢlemʔ

11968 甜[1] 徒兼 定添平四開 dem 談^{e} gle̱m

11969 恬 徒兼 定添平四開 dem 談^{e} gle̱m

11970 餂[2] 他點 透添上四開 t^{h}em 談^{e} k^{h}le̱mʔ

11971 舚 他點 透添上四開 t^{h}em 談^{e} k^{h}le̱mʔ

11972 栝 他玷 透添上四開 t^{h}em 談^{e} k^{h}le̱mʔ

11973 銛 他玷 透添上四開 t^{h}em 談^{e} k^{h}le̱mʔ

11974 炛 直廉 澄鹽平三開 ɖiᴇm 談^{a} glam

11975 覝[3] 力鹽 來鹽平三開 liᴇm 談^{a} g.ram

11976 炛[4] 徒甘 定談平一開 dɑm 談^{a} gla̱m

11977 絬 私列 心薛入三開 siᴇt 月^{e} sk^{l}ed

11978 舌 食列 船薛入三開 ʑiᴇt 月^{e} ɢl^{j}ed

11979 炛[5] 夷針 以侵平三開 jim 侵^{u} ɢlum

11980 狧 吐盍 透盍入一開 t^{h}ɑp 盍^{a} k^{h}la̱b

射 shè

11981 射 羊謝 以麻去三開 jiæ 鐸 ɢlags

11982 麝[6] 神夜 船麻去三開 ʑiæ 鐸 ɢl^{j}ags

11983 射 神夜 船麻去三開 ʑiæ 鐸 ɢl^{j}ags

11984 謝 詞夜 邪麻去三開 ziæ 鐸 sɢ^{l}ags

11985 謝 辝夜 邪麻去三開 ziæ 鐸 sɢ^{l}ags

11986 榭 辝夜 邪麻去三開 ziæ 鐸 sɢ^{l}ags

11987 澍 辝夜 邪麻去三開 ziæ 鐸 sɢ^{l}ags

11988 射 羊益 以昔入三開 jiᴇk 鐸 ɢlag

11989 麝 食亦 船昔入三開 ʑiᴇk 鐸 ɢl^{j}ag

11990 射 食亦 船昔入三開 ʑiᴇk 鐸 ɢl^{j}ag

---

1 “甜”在龙华炯奈语读 ken1，滩散瑶语 kaːm35<keːm35，藏文 ʑim<*ljim 香甜，故“甜”的声母当有软腭音。

2 “餂”即“舔”，“舔”的览金勉语 klem21，新寨勉语 tlem。

3 “覝”《说文》读若“鎌”。见“炛”字注。

4 李豪：大盂鼎此字字形作“醎”，所在句的辞例为：“酉勿敢～。”一般读为“酒勿敢酖/醮”。王国维以为其中的“炛”即《说文》之“炛”字。（见《盂鼎铭考释》，《古史新证》第 106 页，清华大学出版社 1994 年。）“炛”与“舌”的古文字字形相混，“舌”有 *-ed 与 *-em 的读音，很可能就是上面二字的相混造成的。目前暂时用作字形“舌”。

5 《广韵・侵韵》馀针切：“芜，热也。”杨宝忠《疑难字考释与研究》曰：余迺永《校勘记》引龙宇纯《校》：“《S6178》、《全王》、《王一》、《王二》此字並作‘苂’，案此即《説文》‘炛’字，本書談韻下云：‘小熱’是也。此作‘芜’，大誤。……”龙说是也。“炛”字俗书作“灾”（见《万象名义・火部》），形近误作“苂”；手写两点相连与“冖”相乱（参看《切韵》残叶三〔斯 6178〕“苂”字），故“苂”进而变作“芜”字。杨宝忠、杨清臣《疑难字续考（十则）》曰：“‘炛（苂）’字古蓋兩讀，其讀淫者，訓‘明’；其讀徒甘切者，訓‘小爇’，誤作‘小熱’‘熱’。《切韻》系韻書‘苂’字音淫、訓熱，音訓相亂。”

6 可比较藏语 gla（麝），怒苏语 ɣɹa，革什扎语 ɣlɑ。

涉 shè

11991 涉 時攝 禪葉入三開 dʑiɛp 盍e dʲeb
11992 涉 丁愜 端帖入四開 tep 盍e te̱b

設 shè

11993 設[1] 識列 書薛入三開 ɕiɛt 月e ŋ̊ʰʲed
11994 蔎 識列 書薛入三開 ɕiɛt 月e ŋ̊ʰʲed

申 shēn

11995 胂 丑人 徹真平三開 ʈʰin 真ŋ kʰliŋ
11996 蔯 地鄰 澄真平三開 ɖin 真ŋ gliŋ
11997 蠒 地鄰 澄真平三開 ɖin 真ŋ gliŋ
11998 陳[2] 直珍 澄真平三開 ɖin 真ŋ gliŋ
11999 敶 直珍 澄真平三開 ɖin 真ŋ gliŋ
12000 倲 升人 書真平三開 ɕin 真ŋ qʰliŋ
12001 申 失人 書真平三開 ɕin 真ŋ qʰliŋ
12002 伸[3] 失人 書真平三開 ɕin 真ŋ qʰliŋ
12003 紳 失人 書真平三開 ɕin 真ŋ qʰliŋ
12004 呻 失人 書真平三開 ɕin 真ŋ qʰliŋ
12005 眒 失人 書真平三開 ɕin 真ŋ qʰliŋ
12006 胂 失人 書真平三開 ɕin 真ŋ qʰliŋ
12007 柛 失人 書真平三開 ɕin 真ŋ qʰliŋ
12008 魋 失人 書真平三開 ɕin 真ŋ qʰliŋ
12009 神 食鄰 船真平三開 ʑin 真ŋ ɢlʲiŋ
12010 蠒 丑忍 徹真上三開 ʈʰin 真ŋ kʰliŋʔ
12011 軸 以忍 以真上三開 jin 真ŋ ɢliŋʔ
12012 蠒 丑刃 徹真去三開 ʈʰin 真ŋ kʰliŋs
12013 陳 直刃 澄真去三開 ɖin 真ŋ gliŋs
12014 倲 直刃 澄真去三開 ɖin 真ŋ gliŋs
12015 眒 試刃 書真去三開 ɕin 真ŋ qʰliŋs
12016 螓 羊晉 以真去三開 jin 真ŋ ɢliŋs
12017 軸 羊進 以真去三開 jin 真ŋ ɢliŋs
12018 電[4] 堂練 定先去四開 den 真ŋ gli̱ŋs

身 shēn

12019 舳 癡鄰 徹真平三開 ʈʰin 真ŋ kʰliŋ
12020 侁 失人 書真平三開 ɕin 真ŋ qʰliŋ
12021 身 失人 書真平三開 ɕin 真ŋ qʰliŋ

甡 shēn

12022 甡 所臻 生臻平三開 ʂɪn 真n sʳin

罙 shēn

12023 罙 所今 生侵平三開 ʂim 侵u skʳum
12024 琛 丑林 徹侵平三開 ʈʰim 侵u kʰlum
12025 深 式針 書侵平三開 ɕim 侵u qʰlum
12026 蓀 式針 書侵平三開 ɕim 侵u qʰlum
12027 深 式禁 書侵去三開 ɕim 侵u qʰlums
12028 探 他含 透覃平一開 tʰəm 侵u kʰlu̱m

桑 shēn

12029 桑 所臻 生臻平三開 ʂɪn 真n sʳin

蘽 shēn

12030 蘽 所臻 生臻平三開 ʂɪn 真n sʳin

審 shěn

12031 審[5] 式荏 書侵上三開 ɕim 侵ɯ l̥ɯmʔ
12032 瀋 昌枕 昌侵上三開 tɕʰim 侵ɯ l̥ʲɯmʔ

甚 shèn

12033 愖 火禁 曉侵去B開 hɨim 侵u qʰʳums
12034 椹 知林 知侵平三開 ʈim 侵u klum
12035 斟 職深 章侵平三開 tɕim 侵u klʲum
12036 覩 充針 昌侵平三開 tɕʰim 侵u kʰlʲum
12037 湛 直深 澄侵平三開 ɖim 侵u glum
12038 煁 氏任 禪侵平三開 dʑim 侵u glʲum
12039 瘎 氏任 禪侵平三開 dʑim 侵u glʲum
12040 諶 氏任 禪侵平三開 dʑim 侵u glʲum
12041 愖 氏任 禪侵平三開 dʑim 侵u glʲum
12042 醋 昨淫 從侵平三開 dzim 侵u sgum
12043 醋 餘針 以侵平三開 jim 侵u ɢlum
12044 戡 張甚 知侵上三開 ʈim 侵u klumʔ
12045 踸 丑甚 徹侵上三開 ʈʰim 侵u kʰlumʔ
12046 錪 丑甚 徹侵上三開 ʈʰim 侵u kʰlumʔ

---

1 "設"通"埶" *ŋeds,《老子丙》:"埶(設)大象,天下往。"

2 "陳"通"田" *gliŋ。

3 藏文 sriŋ 使长,使动词。汉语自动词"引" *lin,使动词"伸" *slin> *l̥in>ɕin。

4 闪电,罗香勉语 giŋ11,大坪江勉语 liːŋ13,"電"上古汉语应为 *gli̱ŋs。

5 郑张尚芳:反切下字"荏"由"任"校改,《说文》同"宷"。

12047 甚 常枕 禪侵上三開 dʑim 侵^{u} gl^{j}umʔ
12048 葚 食荏 船侵上三開 ʑim 侵^{u} ɢl^{j}umʔ
12049 揕 知鴆 知侵去三開 ʈim 侵^{u} klums
12050 愖 知鴆 知侵去三開 ʈim 侵^{u} klums
12051 甚 時鴆 禪侵去三開 dʑim 侵^{u} gl^{j}ums
12052 湛 丁含 端覃平一開 təm 侵^{u} klu̲m
12053 媅 丁含 端覃平一開 təm 侵^{u} klu̲m
12054 ⿰甚見 丁含 端覃平一開 təm 侵^{u} klu̲m
12055 嵁 口含 溪覃平一開 k^{h}əm 侵^{u} k^{h}u̲m
12056 堪 口含 溪覃平一開 k^{h}əm 侵^{u} k^{h}u̲m
12057 戡 口含 溪覃平一開 k^{h}əm 侵^{u} k^{h}u̲m
12058 ⿰甚見 大含 定覃平一開 dəm 侵^{u} glu̲m
12059 嵁 五含 疑覃平一開 ŋəm 侵^{u} ŋgu̲m
12060 糂 桑感 心覃上一開 səm 侵^{u} sk^{l}u̲mʔ
12061 歁 苦感 溪覃上一開 k^{h}əm 侵^{u} k^{h}u̲mʔ
12062 黮 他感 透覃上一開 t^{h}əm 侵^{u} k^{h}lu̲mʔ
12063 黮 徒感 定覃上一開 dəm 侵^{u} glu̲mʔ
12064 ⿰甚見 徒感 定覃上一開 dəm 侵^{u} glu̲mʔ
12065 ⿱雨甚 徒感 定覃上一開 dəm 侵^{u} glu̲mʔ
12066 ⿱甚毛 徒感 定覃上一開 dəm 侵^{u} glu̲mʔ
12067 啿 徒感 定覃上一開 dəm 侵^{u} glu̲mʔ
12068 嵁 五感 疑覃上一開 ŋəm 侵^{u} ŋgu̲mʔ
12069 勘 苦紺 溪覃去一開 k^{h}əm 侵^{u} k^{h}u̲ms
12070 嵁 苦咸 溪咸平二開 k^{hɯ}ɛm 侵^{u} k^{hr}u̲m
12071 湛[1] 徒減 澄咸上二開 ɖ^{ɯ}ɛm 侵^{u} glu̲mʔ
12072 嵁 士減 崇咸上二開 dʐ^{ɯ}ɛm 侵^{u} sgru̲mʔ
12073 ⿰食甚 口敢 溪談上一開 k^{h}ɑm 談^{a} k^{h}a̲mʔ
12074 ⿱甚毛 徒濫 定談去一開 dɑm 談^{a} gla̲ms
12075 歁 口荅 溪合入一開 k^{h}əp 緝^{u} k^{h}u̲b

升 shēng

12076 升 識蒸 書蒸平三開 ɕɨŋ 蒸 q^{h}lɯŋ
12077 昇 識蒸 書蒸平三開 ɕɨŋ 蒸 q^{h}lɯŋ
12078 陞 識蒸 書蒸平三開 ɕɨŋ 蒸 q^{h}lɯŋ
12079 抍 識蒸 書蒸平三開 ɕɨŋ 蒸 q^{h}lɯŋ

生 shēng

12080 鯖 諸盈 章清平三開 tɕiᴇŋ 耕 kl^{j}eŋ
12081 鶄 咨盈 精清平三開 tsiᴇŋ 耕 skleŋ
12082 菁 子盈 精清平三開 tsiᴇŋ 耕 skleŋ
12083 鶄 子盈 精清平三開 tsiᴇŋ 耕 skleŋ
12084 蜻 子盈 精清平三開 tsiᴇŋ 耕 skleŋ
12085 鶄 子盈 精清平三開 tsiᴇŋ 耕 skleŋ
12086 婧 子盈 精清平三開 tsiᴇŋ 耕 skleŋ
12087 睛 子盈 精清平三開 tsiᴇŋ 耕 skleŋ
12088 旌 子盈 精清平三開 tsiᴇŋ 耕 skleŋ
12089 箐 子盈 精清平三開 tsiᴇŋ 耕 skleŋ
12090 精 子盈 精清平三開 tsiᴇŋ 耕 skleŋ
12091 清 七情 清清平三開 ts^{h}iᴇŋ 耕 sk^{h}leŋ
12092 圊 七情 清清平三開 ts^{h}iᴇŋ 耕 sk^{h}leŋ
12093 情 疾盈 從清平三開 dziᴇŋ 耕 sgleŋ
12094 晴 疾盈 從清平三開 dziᴇŋ 耕 sgleŋ
12095 請 疾盈 從清平三開 dziᴇŋ 耕 sgleŋ
12096 殅 疾盈 從清平三開 dziᴇŋ 耕 sgleŋ
12097 省 息井 心清上三開 siᴇŋ 耕 sk^{l}eŋʔ
12098 渻 息井 心清上三開 siᴇŋ 耕 sk^{l}eŋʔ
12099 楮 息井 心清上三開 siᴇŋ 耕 sk^{l}eŋʔ
12100 請 七靜 清清上三開 ts^{h}iᴇŋ 耕 sk^{h}leŋʔ
12101 睛 七靜 清清上三開 ts^{h}iᴇŋ 耕 sk^{h}leŋʔ
12102 婧 疾郢 從清上三開 dziᴇŋ 耕 sgleŋʔ
12103 靜[2] 疾郢 從清上三開 dziᴇŋ 耕 sgleŋʔ
12104 彭 疾郢 從清上三開 dziᴇŋ 耕 sgleŋʔ
12105 靖 疾郢 從清上三開 dziᴇŋ 耕 sgleŋʔ
12106 精 子姓 精清去三開 tsiᴇŋ 耕 skleŋs
12107 性 息正 心清去三開 siᴇŋ 耕 sk^{l}eŋs
12108 姓 息正 心清去三開 siᴇŋ 耕 sk^{l}eŋs
12109 蛸 息正 心清去三開 siᴇŋ 耕 sk^{l}eŋs
12110 清 七姓 清清去三開 ts^{h}iᴇŋ 耕 sk^{h}leŋs
12111 倩 七政 清清去三開 ts^{h}iᴇŋ 耕 sk^{h}leŋs
12112 靚 疾政 從清去三開 dziᴇŋ 耕 sgleŋs
12113 請 疾政 從清去三開 dziᴇŋ 耕 sgleŋs
12114 婧 疾政 從清去三開 dziᴇŋ 耕 sgleŋs
12115 星 桑經 心青平四開 seŋ 耕 sk^{l}e̲ŋ
12116 腥 桑經 心青平四開 seŋ 耕 sk^{l}e̲ŋ
12117 胜 桑經 心青平四開 seŋ 耕 sk^{l}e̲ŋ
12118 鮏 桑經 心青平四開 seŋ 耕 sk^{l}e̲ŋ
12119 醒 桑經 心青平四開 seŋ 耕 sk^{l}e̲ŋ
12120 猩 桑經 心青平四開 seŋ 耕 sk^{l}e̲ŋ

1　见定母和澄母“茶”字注。

2　“静”与“耕”* k^{r}e̲ŋ 通假,《上海博物馆藏战国楚竹书(贰)·容成氏》:“昔舜静(耕)於鬲(歷)山。”

12121 狌 桑經 心青平四開 seŋ 耕 skˡe̱ŋ
12122 青[1] 倉經 清青平四開 tsʰeŋ 耕 skʰle̱ŋ
12123 鶄 倉經 清青平四開 tsʰeŋ 耕 skʰle̱ŋ
12124 鯖 倉經 清青平四開 tsʰeŋ 耕 skʰle̱ŋ
12125 蜻 倉經 清青平四開 tsʰeŋ 耕 skʰle̱ŋ
12126 醒 蘇挺 心青上四開 seŋ 耕 skˡe̱ŋʔ
12127 腥 蘇佞 心青去四開 seŋ 耕 skˡe̱ŋs
12128 醒 蘇佞 心青去四開 seŋ 耕 skˡe̱ŋs
12129 喔 新佞 心青去四開 seŋ 耕 skˡe̱ŋs
12130 綪 側莖 莊耕平二開 tʂᵚɛŋ 耕 skre̱ŋ
12131 狌 所庚 生耕平二開 ʂᵚɛŋ 耕 skʳe̱ŋ
12132 湦[2] 師庚 生耕平二開 ʂᵚɛŋ 耕 skʳe̱ŋ
12133 生[3] 所庚 生耕平二開 ʂᵚɛŋ 耕 skʳe̱ŋ
12134 笙[4] 所庚 生耕平二開 ʂᵚɛŋ 耕 skʳe̱ŋ
12135 牲[5] 所庚 生耕平二開 ʂᵚɛŋ 耕 skʳe̱ŋ
12136 狌[6] 所庚 生耕平二開 ʂᵚɛŋ 耕 skʳe̱ŋ
12137 甥[7] 所庚 生耕平二開 ʂᵚɛŋ 耕 skʳe̱ŋ
12138 鼪[8] 所庚 生耕平二開 ʂᵚɛŋ 耕 skʳe̱ŋ
12139 崝[9] 士耕 崇耕平二開 dʐᵚɛŋ 耕 sgre̱ŋ
12140 省[10] 所景 生耕上二開 ʂᵚɛŋ 耕 skʳe̱ŋʔ
12141 眚[11] 所景 生耕上二開 ʂᵚɛŋ 耕 skʳe̱ŋʔ
12142 媘[12] 所景 生耕上二開 ʂᵚɛŋ 耕 skʳe̱ŋʔ
12143 渻[13] 所景 生耕上二開 ʂᵚɛŋ 耕 skʳe̱ŋʔ
12144 蛸[14] 所景 生耕上二開 ʂᵚɛŋ 耕 skʳe̱ŋʔ
12145 生 所敬 生耕去二開 ʂᵚɛŋ 耕 skʳe̱ŋs
12146 鼪 所敬 生耕去二開 ʂᵚɛŋ 耕 skʳe̱ŋs
12147 濪[15] 楚敬 初耕去二開 tʂʰᵚɛŋ 耕 skʰre̱ŋs
12148 蒨 倉甸 清先去四開 tsʰen 真ŋ skʰli̱ŋs
12149 輤 倉甸 清先去四開 tsʰen 真ŋ skʰli̱ŋs
12150 綪 倉甸 清先去四開 tsʰen 真ŋ skʰli̱ŋs
12151 倩 倉甸 清先去四開 tsʰen 真ŋ skʰli̱ŋs
12152 猜 倉才 清咍平一開 tsʰəi 之 skʰlɯ̱

聖 shèng

12153 檉 丑貞 徹清平三開 ʈʰiᴇŋ 耕 kʰle̱ŋ
12154 聖 式正 書清去三開 ɕiᴇŋ 耕 qʰle̱ŋs
12155 聽 他丁 透青平四開 tʰeŋ 耕 kʰle̱ŋ
12156 廳 他丁 透青平四開 tʰeŋ 耕 kʰle̱ŋ
12157 聽 他定 透青去四開 tʰeŋ 耕 kʰle̱ŋs

尸 shī

12158 屎 喜夷 曉脂平A 開 hi 脂 qʰˡi
12159 吚 虛器 曉脂去A 開 hi 脂 l̥ʰis
12160 尸 以脂 以脂平三開 ji 脂 li
12161 稺 陳尼 澄脂平三開 ɖi 脂 li
12162 稺 直尼 澄脂平三開 ɖi 脂 li
12163 遲[16] 直尼 澄脂平三開 ɖi 脂 li
12164 謘 直尼 澄脂平三開 ɖi 脂 li
12165 鳲 式脂 書脂平三開 ɕi 脂 l̥i
12166 尸 式脂 書脂平三開 ɕi 脂 l̥i
12167 屍 式脂 書脂平三開 ɕi 脂 l̥i
12168 屎[17] 式視 書脂上三開 ɕi 脂 qʰliʔ
12169 稚 直利 澄脂去三開 ɖi 脂 lis

---

1 郑张尚芳:《说文》从生丹,戴侗、王筠皆云"从丹生声"。

2 原为庚韵,但是根据谐声系统应该为耕韵,《切韵》音系二等有耕、庚的历史层次。

3 原为庚韵,但是根据谐声系统应该为耕韵,《切韵》音系二等有耕、庚的历史层次。耕部二等庄组字,显然分为两类,一类是生母字,变作中古庚韵,只有一个"濪"字初母,在《玉篇》读清母青韵。另一类是非生母字,全部读耕韵。这些庄组庚韵原来应该读耕韵,后来读入庚韵。

4 原为庚韵,但是根据谐声系统应该为耕韵,《切韵》音系二等有耕、庚的历史层次。

5 原为庚韵,但是根据谐声系统应该为耕韵,《切韵》音系二等有耕、庚的历史层次。

6 原为庚韵,但是根据谐声系统应该为耕韵,《切韵》音系二等有耕、庚的历史层次。

7 原为庚韵,但是根据谐声系统应该为耕韵,《切韵》音系二等有耕、庚的历史层次。

8 原为庚韵三等,但是根据谐声系统应该为耕韵二等,《切韵》音系二等有耕、庚的历史层次。

9 见"鎗"字注。

10 原为庚韵三等,但是根据谐声系统应该为耕韵二等,《切韵》音系二等有耕、庚的历史层次。李豪:据古文字,"省"与"眚"本一字分化,皆从"生"声。

11 原为庚韵三等,但是根据谐声系统应该为耕韵二等,《切韵》音系二等有耕、庚的历史层次。

12 原为庚韵三等,但是根据谐声系统应该为耕韵二等,《切韵》音系二等有耕、庚的历史层次。

13 原为庚韵三等,但是根据谐声系统应该为耕韵二等,《切韵》音系二等有耕、庚的历史层次。

14 原为庚韵三等,但是根据谐声系统应该为耕韵二等,《切韵》音系二等有耕、庚的历史层次。

15 原为庚韵三等,但是根据谐声系统应该为耕韵二等,《切韵》音系二等有耕、庚的历史层次。

16 《广韵》又同"遟"。西域地名 Alexandria《魏略》作"烏遟散"(蒲立本 1962-3、F.Hirth1885)。

17 上古 *qʰliʔ > *hʲiʔ > ɕi,可比较藏缅语门巴墨脱 kʰi、羌 qʰʂə、珞巴义都 kʰɹi55、巴兴 kʰli、缅文 kʰle3>kʰje3、景颇 kʰji55、傈僳 kʰi31、基诺 kʰri44、加罗 kʰiː、阿自地彝 ɬi33、怒苏 kʰɹi55。还可比较侗台语泰 kʰii3、老挝 kʰii3、傣 xi3、阿含 kʰi3、拉珈 kwei4、侗 qe4、毛南 ce4。

12170	遅[1]	直利	澄脂去三開	ɖi	脂	lis
12171	稺	直利	澄脂去三開	ɖi	脂	lis
12172	謘	直利	澄脂去三開	ɖi	脂	lis
12173	屎	丑利	徹脂去三開	ʈʰi	脂	l̥is
12174	屍	矢利	書脂去三開	ɕi	脂	l̥is
12175	徲[2]	杜奚	定齊平四開	dei	脂	li̠
12176	庢	杜奚	定齊平四開	dei	脂	li̠
12177	犀[3]	先稽	心齊平四開	sei	脂	l̥ʲi̠

失 shī

12178	趃	陟栗	知質入三開	ʈit	質^{g}	lig
12179	佚	夷質	以質入三開	jit	質^{g}	lig
12180	軼	夷質	以質入三開	jit	質^{g}	lig
12181	泆	夷質	以質入三開	jit	質^{g}	lig
12182	劮	夷質	以質入三開	jit	質^{g}	lig
12183	駃	夷質	以質入三開	jit	質^{g}	lig
12184	鴃	夷質	以質入三開	jit	質^{g}	lig
12185	呹	弋質	以質入三開	jit	質^{g}	lig
12186	秩	直一	澄質入三開	ɖit	質^{g}	lig
12187	紩	直一	澄質入三開	ɖit	質^{g}	lig
12188	帙	直一	澄質入三開	ɖit	質^{g}	lig
12189	袟	直一	澄質入三開	ɖit	質^{g}	lig
12190	豒	直一	澄質入三開	ɖit	質^{g}	lig
12191	袟	直質	澄質入三開	ɖit	質^{g}	lig
12192	抶	丑栗	徹質入三開	ʈʰit	質^{g}	l̥ig
12193	眣	丑栗	徹質入三開	ʈʰit	質^{g}	l̥ig
12194	咥	敕栗	徹質入三開	ʈʰit	質^{g}	l̥ig
12195	失	式質	書質入三開	ɕit	質^{g}	l̥ig
12196	眣	徒結	定屑入四開	det	質^{g}	li̠g
12197	昳	徒結	定屑入四開	det	質^{g}	li̠g
12198	胅	徒結	定屑入四開	det	質^{g}	li̠g
12199	迭	徒結	定屑入四開	det	質^{g}	li̠g
12200	跌	徒結	定屑入四開	det	質^{g}	li̠g
12201	軼	徒結	定屑入四開	det	質^{g}	li̠g
12202	駃	徒結	定屑入四開	det	質^{g}	li̠g
12203	颫	徒結	定屑入四開	det	質^{g}	li̠g
12204	苵	徒結	定屑入四開	det	質^{g}	li̠g
12205	瓞	徒結	定屑入四開	det	質^{g}	li̠g
12206	詄	徒結	定屑入四開	det	質^{g}	li̠g
12207	泆	徒結	定屑入四開	det	質^{g}	li̠g
12208	鴃	徒結	定屑入四開	det	質^{g}	li̠g
12209	蛈	他結	透屑入四開	tʰet	質^{g}	l̥i̠g
12210	柣	千結	清屑入四開	tsʰet	質^{g}	sl̥i̠g

師 shī

12211	師	疏夷	生脂平三開	ʂi	脂	sʳi
12212	蒒	疏夷	生脂平三開	ʂi	脂	sʳi
12213	篩	疏夷	生脂平三開	ʂi	脂	sʳi
12214	獅	疏夷	生脂平三開	ʂi	脂	sʳi

溼 shī

12215	濕	叱入	昌緝入三開	tɕʰip	緝^{u}	kʰlʲub
12216	隰	似入	邪緝入三開	zip	緝^{u}	sgˡub
12217	濕	失入	書緝入三開	ɕip	緝^{u}	qʰlub
12218	溼	失入	書緝入三開	ɕip	緝^{u}	qʰlub
12219	濕	他合	透合入一開	tʰəp	緝^{u}	kʰlu̠b
12220	濕	鄂合	疑合入一開	ŋəp	緝^{u}	ŋgu̠b
12221	㬎[4]	五合	疑合入一開	ŋəp	緝^{u}	ŋgu̠b
12222	儑	五合	疑合入一開	ŋəp	緝^{u}	ŋgu̠b
12223	堳	直葉	澄葉入三開	ɖiɛp	盍^{o}	glob
12224	儑	五紺	疑覃去一開	ŋəm	侵^{u}	ŋgu̠ms

十 shí

12225	汁	之入	章緝入三開	tɕip	緝^{u}	kʲub
12226	斟	昌汁	昌緝入三開	tɕʰip	緝^{u}	kʰʲub
12227	什	是執	禪緝入三開	dʑip	緝^{u}	gʲub
12228	十[5]	是執	禪緝入三開	dʑip	緝^{u}	glʲub
12229	針	職深	章侵平三開	tɕim	侵^{u}	kʲum
12230	針	之任	章侵去三開	tɕim	侵^{u}	kʲums
12231	計	古詣	見齊去四開	kei	質^{d}	ki̠ds
12232	叶	胡頰	匣帖入四開	ɦep	緝^{ɯ}	gɯ̠b

石 shí

12233	柘	之夜	章麻去三開	tɕiæ	鐸	klʲags
12234	鷓	之夜	章麻去三開	tɕiæ	鐸	klʲags

---

1 《广韵》又同"遲"。

2 《广韵》作"徲"。

3 从"尸"得声的字形"犀"都作"屖"。"犀牛"的"犀"从"尾"得声,字形不作"屖"。

4 《广韵》作"㬎"。

5 十位数的"十",缅文中是 klip,应该来自 * klup。藏文 btçu< * bklub。马丁内的后元音前化规则: u>i,不可能有 i>u。

12235 䗪 之夜 章麻去三開 tɕiæ 鐸 kl^{j}ags
12236 嗻 之夜 章麻去三開 tɕiæ 鐸 kl^{j}ags
12237 蔗 之夜 章麻去三開 tɕiæ 鐸 kl^{j}ags
12238 蟅 之夜 章麻去三開 tɕiæ 鐸 kl^{j}ags
12239 樜 之夜 章麻去三開 tɕiæ 鐸 kl^{j}ags
12240 庶 章恕 章魚去三開 tɕiɤ 鐸 kl^{j}ags
12241 庶 商署 書魚去三開 ɕiɤ 鐸 q^{h}lags
12242 樜 商署 書魚去三開 ɕiɤ 鐸 q^{h}lags
12243 摭 之石 章昔入三開 tɕiᴇk 鐸 kl^{j}ag
12244 蹠 之石 章昔入三開 tɕiᴇk 鐸 kl^{j}ag
12245 䗪 之石 章昔入三開 tɕiᴇk 鐸 kl^{j}ag
12246 跖 之石 章昔入三開 tɕiᴇk 鐸 kl^{j}ag
12247 蟅 之石 章昔入三開 tɕiᴇk 鐸 kl^{j}ag
12248 拓 之石 章昔入三開 tɕiᴇk 鐸 kl^{j}ag
12249 石 常隻 禪昔入三開 dʑiᴇk 鐸 gl^{j}ag
12250 碩 常隻 禪昔入三開 dʑiᴇk 鐸 gl^{j}ag
12251 祏 常隻 禪昔入三開 dʑiᴇk 鐸 gl^{j}ag
12252 柘 常隻 禪昔入三開 dʑiᴇk 鐸 gl^{j}ag
12253 鼫 常隻 禪昔入三開 dʑiᴇk 鐸 gl^{j}ag
12254 席 祥易 邪昔入三開 ziᴇk 鐸 sg^{l}ag
12255 蓆 祥易 邪昔入三開 ziᴇk 鐸 sg^{l}ag
12256 斫 之若 章藥入三開 tɕiak 鐸 kl^{j}ag
12257 妒 當故 端模去一合 tu̯o 鐸 kla̱gs
12258 蠹 當故 端模去一合 tu̯o 鐸 kla̱gs
12259 渡 徒故 定模去一合 du̯o 鐸 gla̱gs
12260 度 徒故 定模去一合 du̯o 鐸 gla̱gs
12261 袥 他各 透鐸入一開 t^{h}ɑk 鐸 k^{h}la̱g
12262 橐 他各 透鐸入一開 t^{h}ɑk 鐸 k^{h}la̱g
12263 拓 他各 透鐸入一開 t^{h}ɑk 鐸 k^{h}la̱g
12264 沰 他各 透鐸入一開 t^{h}ɑk 鐸 k^{h}la̱g
12265 剫 徒落 定鐸入一開 dɑk 鐸 gla̱g
12266 度 徒落 定鐸入一開 dɑk 鐸 gla̱g
12267 踱 徒落 定鐸入一開 dɑk 鐸 gla̱g
12268 磔[1] 陟格 知陌入二開 ʈ^{ɯ}æk 鐸 kla̱g
12269 遮 正奢 章麻平三開 tɕiæ 魚 kl^{j}a
12270 敷 徒古 定模上一合 du̯o 魚 gla̱ʔ
12271 宕[2] 徒浪 定唐去一開 dɑŋ 陽 gla̱ŋs

食 shí

12272 食 羊吏 以之去三開 jɨ 職 ɢlɯgs
12273 飤 祥吏 邪之去三開 zɨ 職 sɢ^{l}ɯgs
12274 飼[3] 祥吏 邪之去三開 zɨ 職 sɢ^{l}ɯgs
12275 飭 恥力 徹職入三開 ʈ^{h}ɨk 職 k^{h}lɯg
12276 飾 賞職 書職入三開 ɕɨk 職 q^{h}lɯg
12277 食 乘力 船職入三開 ʑɨk 職 ɢl^{j}ɯg
12278 蝕 乘力 船職入三開 ʑɨk 職 ɢl^{j}ɯg

實 shí

12279 實 神質 船質入三開 ʑit 質^{9} ɢl^{j}ig

史 shǐ

12280 史 踈士 生之上三開 ʂɨ 之 sk^{r}ɯʔ
12281 使 踈士 生之上三開 ʂɨ 之 sk^{r}ɯʔ
12282 駛 踈士 生之上三開 ʂɨ 之 sk^{r}ɯʔ
12283 䮘 踈士 生之上三開 ʂɨ 之 sk^{r}ɯʔ
12284 事 側吏 莊之去三開 tʂɨ 之 skrɯs
12285 倳 側吏 莊之去三開 tʂɨ 之 skrɯs
12286 剚 側吏 莊之去三開 tʂɨ 之 skrɯs
12287 浊 疏吏 生之去三開 ʂɨ 之 sk^{r}ɯs
12288 駛 踈吏 生之去三開 ʂɨ 之 sk^{r}ɯs
12289 使 踈吏 生之去三開 ʂɨ 之 sk^{r}ɯs
12290 䮘 踈吏 生之去三開 ʂɨ 之 sk^{r}ɯs
12291 事 鉏吏 崇之去三開 dʐɨ 之 sgrɯs
12292 吏 力置 來之去三開 lɨ 之 g.rɯs

矢 shǐ

12293 薙 直几 澄脂上三開 ɖi 脂 gliʔ
12294 雉[4] 直几 澄脂上三開 ɖi 脂 gliʔ
12295 薙 徐姊 邪脂上三開 zi 脂 sg^{l}iʔ
12296 苵 徐姊 邪脂上三開 zi 脂 sg^{l}iʔ
12297 矢 式視 書脂上三開 ɕi 脂 q^{h}liʔ
12298 薙 他計 透齊去四開 t^{h}ei 脂 k^{h}li̱s
12299 彘 直例 澄祭去三開 ɖiᴇi 月^{e} gleds
12300 璏 直例 澄祭去三開 ɖiᴇi 月^{e} gleds

1 见定母和澄母“荼”字注。

2 通“廣”，不嬰㲄“宕伐”作“廣伐”。“廣”音 * k^{w}a̱ŋʔ，故“宕”为复辅音 * gla̱ŋs>da̱ŋ。

3 《广韵》又同“飤”。

4 * gliʔ>diʔ>ɖi，可比较全州勉语 gli 雉鸡，石口勉语 kli，加罗语 grik 野鸡，卢舍依语 va-hrit 黑野鸡，普沃语和斯戈语 k^{h}liʔ 雉鸡（Benedict 1972）。

12301 瓌[1] 王伐 云月入三合 ɦ^{iw}iɣt 月^{e} ɢ^{r}ed

豕 shǐ

12302 蠡 吕支 來支平三開 lie 歌^{e} g.rel

12303 劙 吕支 來支平三開 lie 歌^{e} g.rel

12304 彖 尺氏 昌支上三開 tɕ^{h}ie 歌^{e} k^{h}l^{j}elʔ

12305 豕[2] 施是 書支上三開 ɕie 歌^{e} l̥elʔ

12306 盠 郎奚 來齊平四開 lei 歌^{e} g.rel̠

12307 蠡 盧啓 來齊上四開 lei 歌^{e} g.re̠lʔ

12308 𦪹 盧啓 來齊上四開 lei 歌^{e} g.re̠lʔ

12309 鱶 盧啓 來齊上四開 lei 歌^{e} g.re̠lʔ

12310 欚 盧啓 來齊上四開 lei 歌^{e} g.re̠lʔ

12311 盠 盧啓 來齊上四開 lei 歌^{e} g.re̠lʔ

12312 劙 盧啓 來齊上四開 lei 歌^{e} g.re̠lʔ

12313 劙 郎計 來齊去四開 lei 歌^{e} g.re̠ls

12314 蠡 郎計 來齊去四開 lei 歌^{e} g.re̠ls

12315 㣝 户佳 匣佳平二開 ɦ^{ɯ}ɛ 歌^{e} g^{r}e̠l

士 shì

12316 士 鉏里 崇之上三開 dʐɨ 之 zrɯʔ

12317 仕 鉏里 崇之上三開 dʐɨ 之 zrɯʔ

氏 shì

12318 祇 巨支 群支平A 開 gie 佳 ge

12319 衹 巨支 群支平A 開 gie 佳 ge

12320 疧 巨支 群支平A 開 gie 佳 ge

12321 忯 巨支 群支平A 開 gie 佳 ge

12322 軝 巨支 群支平A 開 gie 佳 ge

12323 芪 巨支 群支平A 開 gie 佳 ge

12324 蚔 巨支 群支平A 開 gie 佳 ge

12325 祇 章移 章支平三開 tɕie 佳 k^{j}e

12326 氏 章移 章支平三開 tɕie 佳 k^{j}e

12327 忯 是支 禪支平三開 dʑie 佳 g^{j}e

12328 眡 是支 禪支平三開 dʑie 佳 g^{j}e

12329 紙 諸氏 章支上三開 tɕie 佳 k^{j}eʔ

12330 坁 諸氏 章支上三開 tɕie 佳 k^{j}eʔ

12331 扺 諸氏 章支上三開 tɕie 佳 k^{j}eʔ

12332 汦 諸氏 章支上三開 tɕie 佳 k^{j}eʔ

12333 氏 承紙 禪支上三開 dʑie 佳 g^{j}eʔ

12334 跃 承紙 禪支上三開 dʑie 佳 g^{j}eʔ

12335 氏 子盈 精清平三開 tsiᴇŋ 耕 skeŋ

示 shì

12336 祁 渠脂 群脂平B 開 gɨi 脂^{1} g^{r}il

12337 狋 牛肌 疑脂平B 開 ŋɨi 脂^{1} ŋg^{r}il

12338 祁 職雉 章脂上三開 tɕi 脂^{1} k^{j}ilʔ

12339 視 承矢 禪脂上三開 dʑi 脂^{1} g^{j}ilʔ

12340 視 常利 禪脂去三開 dʑi 脂^{1} g^{j}ils

12341 示 神至 船脂去三開 ʑi 脂^{1} ɢ^{j}is

12342 眎 神至 船脂去三開 ʑi 脂^{1} ɢ^{j}is

12343 示 巨支 群支平A 開 gie 歌^{e} gel

世 shì

12344 迣 征例 章祭去三開 tɕiᴇi 盇^{e} kl^{j}ebs

12345 跇 丑例 徹祭去三開 ʈ^{h}iᴇi 盇^{e} k^{h}lebs

12346 貰 舒制 書祭去三開 ɕiᴇi 盇^{e} q^{h}lebs

12347 世 舒制 書祭去三開 ɕiᴇi 盇^{e} q^{h}lebs

12348 勩 餘制 以祭去三開 jiᴇi 盇^{e} ɢlebs

12349 泄 餘制 以祭去三開 jiᴇi 盇^{e} ɢlebs

12350 枻 餘制 以祭去三開 jiᴇi 盇^{e} ɢlebs

12351 詍 餘制 以祭去三開 jiᴇi 盇^{e} ɢlebs

12352 靾 餘制 以祭去三開 jiᴇi 盇^{e} ɢlebs

12353 跇 餘制 以祭去三開 jiᴇi 盇^{e} ɢlebs

12354 袣 餘制 以祭去三開 jiᴇi 盇^{e} ɢlebs

12355 抴 餘制 以祭去三開 jiᴇi 盇^{e} ɢlebs

12356 呭 餘制 以祭去三開 jiᴇi 盇^{e} ɢlebs

12357 貰[3] 神夜 船祭去三開 ʑiᴇi 盇^{e} ɢl^{j}ebs

12358 緤[4] 私列 心薛入三開 siᴇt 盇^{e} sk^{l}eb

12359 紲[5] 私列 心薛入三開 siᴇt 盇^{e} sk^{l}eb

12360 泄[6] 私列 心薛入三開 siᴇt 盇^{e} sk^{l}eb

12361 渫[7] 私列 心薛入三開 siᴇt 盇^{e} sk^{l}eb

12362 媟[8] 私列 心薛入三開 siᴇt 盇^{e} sk^{l}eb

12363 齛[9] 私列 心薛入三開 siᴇt 盇^{e} sk^{l}eb

---

1 月^{e} 部不可能有月韵，应该是薛韵。

2 比较珞巴 li 豕，上古应是 *l̥elʔ>ɕiʔ。

3 祭韵混入麻三。原为麻韵，但是根据谐声系统应该为祭韵，《切韵》音系二等有祭、麻的历史层次。

4 韵尾-b 在前高元音前变作-d。

5 见“緤”字注。

6 见“緤”字注。

7 见“緤”字注。

8 见“緤”字注。

9 见“緤”字注。

12364 抴[1] 羊列 以薛入三開 jiᴇt 盍^{e} ɢleb

12365 揲[2] 食列 船薛入三開 ʑiᴇt 盍^{e} ɢl^{j}eb

12366 牒 直葉 澄葉入三開 ɖiᴇp 盍^{e} gleb

12367 殜 直葉 澄葉入三開 ɖiᴇp 盍^{e} gleb

12368 葉 書涉 書葉入三開 ɕiᴇp 盍^{e} q^{h}leb

12369 韘 書涉 書葉入三開 ɕiᴇp 盍^{e} q^{h}leb

12370 偞 弋涉 以葉入三開 jiᴇp 盍^{e} ɢleb

12371 葉 與涉 以葉入三開 jiᴇp 盍^{e} ɢleb

12372 楪 與涉 以葉入三開 jiᴇp 盍^{e} ɢleb

12373 揲 與涉 以葉入三開 jiᴇp 盍^{e} ɢleb

12374 鍱 與涉 以葉入三開 jiᴇp 盍^{e} ɢleb

12375 僷 與涉 以葉入三開 jiᴇp 盍^{e} ɢleb

12376 枼[3] 與涉 以葉入三開 jiᴇp 盍^{e} ɢleb

12377 篥 與涉 以葉入三開 jiᴇp 盍^{e} ɢleb

12378 殜 與涉 以葉入三開 jiᴇp 盍^{e} ɢleb

12379 喋 丁惬 端帖入四開 tep 盍^{e} kle̱b

12380 揲 思頰 心帖入四開 sep 盍^{e} sk^{l}e̱b

12381 屟 蘇協 心帖入四開 sep 盍^{e} sk^{l}e̱b

12382 韘 蘇協 心帖入四開 sep 盍^{e} sk^{l}e̱b

12383 蝶 他協 透帖入四開 t^{h}ep 盍^{e} k^{h}le̱b

12384 牒 徒協 定帖入四開 dep 盍^{e} gle̱b

12385 喋 徒協 定帖入四開 dep 盍^{e} gle̱b

12386 蹀 徒協 定帖入四開 dep 盍^{e} gle̱b

12387 諜 徒協 定帖入四開 dep 盍^{e} gle̱b

12388 堞 徒協 定帖入四開 dep 盍^{e} gle̱b

12389 褋 徒協 定帖入四開 dep 盍^{e} gle̱b

12390 惵 徒協 定帖入四開 dep 盍^{e} gle̱b

12391 蝶 徒協 定帖入四開 dep 盍^{e} gle̱b

12392 揲 徒協 定帖入四開 dep 盍^{e} gle̱b

12393 瞸 徒協 定帖入四開 dep 盍^{e} gle̱b

12394 喋 呼牒 曉帖入四開 hep 盍^{e} q^{h}e̱b

12395 偞 呼牒 曉帖入四開 hep 盍^{e} q^{h}e̱b

12396 喋[4] 丈甲 澄洽入二開 ɖ^{ɯ}ɛp 盍^{e} gle̱b

12397 渫[5] 士洽 崇洽入二開 dʐ^{ɯ}ɛp 盍^{e} sgre̱b

12398 篥 丑輒 徹葉入三開 ʈ^{h}iᴇp 盍^{a} k^{h}lab

12399 僷 敕涉 徹葉入三開 ʈ^{h}iᴇp 盍^{a} k^{h}lab

12400 僷 直涉 澄葉入三開 ɖiᴇp 盍^{a} glab

12401 殜 余業 以業入三開 jiap 盍^{a} ɢlab

12402 鰈 吐盍 透盍入一開 t^{h}ɑp 盍^{a} k^{h}la̱b

12403 勩 羊至 以脂去三開 ji 緝^{i} ɢlibs

是 shì

12404 跽 居企 見支上A 開 kie 佳 keʔ

12405 禔 章移 章支平三開 tɕie 佳 k^{j}e

12406 匙 是支 禪支平三開 dʑie 佳 g^{j}e

12407 篂 是支 禪支平三開 dʑie 佳 g^{j}e

12408 堤 是支 禪支平三開 dʑie 佳 g^{j}e

12409 禔 是支 禪支平三開 dʑie 佳 g^{j}e

12410 崼 是支 禪支平三開 dʑie 佳 g^{j}e

12411 鶗 常支 禪支平三開 dʑie 佳 g^{j}e

12412 提 是支 禪支平三開 dʑie 佳 g^{j}e

12413 踶 池爾 澄支上三開 ɖie 佳 deʔ

12414 褆 池爾 澄支上三開 ɖie 佳 deʔ

12415 徥 池爾 澄支上三開 ɖie 佳 deʔ

12416 是 承紙 禪支上三開 dʑie 佳 g^{j}eʔ

12417 媞 承紙 禪支上三開 dʑie 佳 g^{j}eʔ

12418 諟 承紙 禪支上三開 dʑie 佳 g^{j}eʔ

12419 徥 承紙 禪支上三開 dʑie 佳 g^{j}eʔ

12420 褆 承紙 禪支上三開 dʑie 佳 g^{j}eʔ

12421 鯷 又音是 禪支上三開 dʑie 佳 g^{j}eʔ

12422 崼 上紙 禪支上三開 dʑie 佳 g^{j}eʔ

12423 鯷 是義 禪支去三開 dʑie 佳 g^{j}es

12424 翨 施智 書支去三開 ɕie 佳 q^{hj}es

12425 堤 都奚 端齊平四開 ti 脂 te̱

12426 騠 丁奚 端齊平四開 ti 脂 te̱

12427 鞮 都奚 端齊平四開 ti 脂 te̱

12428 隄 都奚 端齊平四開 ti 脂 te̱

12429 㔸 都奚 端齊平四開 ti 脂 te̱

12430 鍉 都奚 端齊平四開 ti 脂 te̱

12431 提 杜奚 定齊平四開 di 脂 de̱

12432 隄 杜奚 定齊平四開 di 脂 de̱

12433 題 杜奚 定齊平四開 di 脂 de̱

12434 媞 杜奚 定齊平四開 di 脂 de̱

---

1 见“緤”字注。

2 见“緤”字注。

3 《说文》:“薄也。”指物体的扁平形状。段注:“木片之薄者謂之枼,故葉、牒、鍱、篥、偞等字,皆用以會意。”此字对应藏文的 gleb 压扁,leb 扁。白土壮语“薄片”读 lip7,又读 kip7。还可比较越南语 giep6 扁,giep6lep5 扁瘪,giep6đep6 扁平。

4 见定母和澄母“荼”字注。原为狎韵,但是根据谐声系统应该为洽韵,《切韵》音系二等有洽、狎的历史层次。

5 郑张尚芳:反切上字“士”由“七”校正。

12435	題	杜奚	定齊平四開	di	脂	de̠
12436	醍	杜奚	定齊平四開	di	脂	de̠
12437	褆	杜奚	定齊平四開	di	脂	de̠
12438	禔	杜奚	定齊平四開	di	脂	de̠
12439	緹	杜奚	定齊平四開	di	脂	de̠
12440	騠	杜奚	定齊平四開	di	脂	de̠
12441	櫨	杜奚	定齊平四開	di	脂	de̠
12442	蝭	杜奚	定齊平四開	di	脂	de̠
12443	趧	杜奚	定齊平四開	di	脂	de̠
12444	瑅	杜奚	定齊平四開	di	脂	de̠
12445	惿	田黎	定齊平四開	di	脂	de̠
12446	堤	都禮	端齊上四開	ti	脂	te̠ʔ
12447	醍	他禮	透齊上四開	t^{h}i	脂	t^{h}e̠ʔ
12448	緹	他禮	透齊上四開	t^{h}i	脂	t^{h}e̠ʔ
12449	題	徒禮	定齊上四開	di	脂	de̠ʔ
12450	媞	徒禮	定齊上四開	di	脂	de̠ʔ
12451	蝭	都計	端齊去四開	ti	脂	te̠s
12452	踶	特計	定齊去四開	di	脂	de̠s
12453	題	特計	定齊去四開	di	脂	de̠s
12454	提	特計	定齊去四開	di	脂	de̠s
12455	鯷	特計	定齊去四開	di	脂	de̠s
12456	寔	常職	禪職入三開	dʑɨk	職	g^{j}ɯg
12457	湜	常職	禪職入三開	dʑɨk	職	g^{j}ɯg
12458	瑅	他甸	透先去四開	t^{h}en	真^{ŋ}	t^{h}i̠ŋs

筮 shì

12459	噬[1]	時制	禪祭去三開	dʑiɛi	月^{e}	gl^{j}eds
12460	筮	時制	禪祭去三開	dʑiɛi	月^{e}	gl^{j}eds
12461	澨	時制	禪祭去三開	dʑiɛi	月^{e}	gl^{j}eds
12462	遾	時制	禪祭去三開	dʑiɛi	月^{e}	gl^{j}eds

奭 shì

12463	襫	施隻	書昔入三開	ɕiɛk	鐸	q^{h}lag
12464	奭	施隻	書昔入三開	ɕiɛk	鐸	q^{h}lag
12465	奭[2]	黑各	曉鐸入一開	hɑk	鐸	q^{hl}a̠g

手 shǒu

12466	杽[3]	敕九	徹尤上三合	ʈ^{h}iu	幽	ml̥uʔ
12467	手[4]	書九	書尤上三合	ɕiu	幽	m.l̥uʔ

守 shǒu

12468	守[5]	書九	書尤上三合	ɕiu	幽	q^{h}luʔ

首 shǒu

12469	艏	始九	書尤上三合	ɕiu	幽	q^{h}luʔ
12470	首[6]	書九	書尤上三合	ɕiu	幽	q^{h}luʔ
12471	百	書九	書尤上三合	ɕiu	幽	q^{h}luʔ
12472	首	舒救	書尤去三合	ɕiu	幽	q^{h}lus
12473	道	徒晧	定豪上一開	dɑu	幽	glu̠ʔ
12474	翿	徒晧	定豪上一開	dɑu	幽	glu̠ʔ
12475	導	徒到	定豪去一開	dɑu	幽	glu̠s
12476	翿	徒到	定豪去一開	dɑu	幽	glu̠s

獸 shòu

12477	獸	舒救	書尤去三合	ɕiu	幽	l̥us
12478	嘼	許救	曉尤去三合	hiu	幽	q^{h}us

殳 shū

12479	杸	市朱	禪虞平三合	dʑiʊ	侯	d^{j}o
12480	殳	市朱	禪虞平三合	dʑiʊ	侯	d^{j}o
12481	几	市朱	禪虞平三合	dʑiʊ	侯	d^{j}o
12482	吺	當侯	端侯平一合	tu	侯	to̠
12483	投	度侯	定侯平一合	du	侯	do̠
12484	祋	丁外	端泰去一合	t^{w}ɑi	月^{o}	to̠ds
12485	祋	丁括	端曷入一合	t^{w}ɑt	月^{o}	to̠d

疋 shū

12486	梳	所葅	生魚平三開	ʂiɤ	魚	sŋ^{r}a
12487	蔬	所葅	生魚平三開	ʂiɤ	魚	sŋ^{r}a
12488	疋	所葅	生魚平三開	ʂiɤ	魚	sŋ^{r}a

---

1 通“逝” *gl^{j}eds。《马王堆汉墓帛书(壹)》甲本《老子·道经》:“大曰筮(逝),筮(逝)曰遠,遠曰反。”

2 “奭”通“郝” *q^{h}la̠g。《古字通假会典》中《史记·樗里子甘茂列传》:“不如公孫奭。”《战国策》“奭”作“郝”。故“奭”字作q^{hl}a̠g。

3 上古声母为复辅音,历史演变为: *m̥l->*p^{h}l->*t^{h}->中古ʈ^{h}-,复辅音。

4 *m.l̥>*l̥>ɕ,其中的m是冠音,后来失落。

5 *m̥l->*p^{h}l->t^{h}-,复辅音。

6 书母上古有几种来源,如果比较材料中有软腭、小舌的塞音来源当是小舌塞音,可以比较以下材料。藏缅语:普米九龙q^{h}uo55、却域q^{h}o55、扎坝gu13、达让僜语kɹu53、史兴q^{h}ʊ33、纳西ku33ly33、藏文mgo。侗台语:壮柳江kjau3、布依tɕau3、临高hau3、佯黄kəu3、侗kaːu3、仫佬kɣo3、水三洞ku3、毛难ko3、泰klau1。苗瑶语:养蒿q^{h}o33、甲定ho13、野鸡坡hu55、油迈l̥o21、小寨k^{h}ɔ53。

12489 疋 所葅 生魚平三開 ʂiɤ 魚 sŋʳa
12490 疏 山於 生魚平三開 ʂiɤ 魚 sŋʳa
12491 䟽 山於 生魚平三開 ʂiɤ 魚 sŋʳa
12492 蔬 所葅 生魚平三開 ʂiɤ 魚 sŋʳa
12493 胥 相居 心魚平三開 siɤ 魚 sŋa
12494 鱛 相居 心魚平三開 siɤ 魚 sŋa
12495 稰 相居 心魚平三開 siɤ 魚 sŋa
12496 楈 相居 心魚平三開 siɤ 魚 sŋa
12497 諝 相居 心魚平三開 siɤ 魚 sŋa
12498 湑 相居 心魚平三開 siɤ 魚 sŋa
12499 蝑 相居 心魚平三開 siɤ 魚 sŋa
12500 䟽 新於 心魚平三開 siɤ 魚 sŋa
12501 揟 相居 心魚平三開 siɤ 魚 sŋa
12502 糈 踈舉 生魚上三開 ʂiɤ 魚 sŋʳaʔ
12503 疋 踈舉 生魚上三開 ʂiɤ 魚 sŋʳaʔ
12504 貾 踈舉 生魚上三開 ʂiɤ 魚 sŋʳaʔ
12505 楚 創舉 初魚上三開 tʂʰiɤ 魚 sŋ̊raʔ
12506 礎 創舉 初魚上三開 tʂʰiɤ 魚 sŋ̊raʔ
12507 濋 創舉 初魚上三開 tʂʰiɤ 魚 sŋ̊raʔ
12508 胥 私吕 心魚上三開 siɤ 魚 sŋaʔ
12509 諝 私吕 心魚上三開 siɤ 魚 sŋaʔ
12510 稰 私吕 心魚上三開 siɤ 魚 sŋaʔ
12511 醑 私吕 心魚上三開 siɤ 魚 sŋaʔ
12512 湑 私吕 心魚上三開 siɤ 魚 sŋaʔ
12513 糈 私吕 心魚上三開 siɤ 魚 sŋaʔ
12514 楈 私吕 心魚上三開 siɤ 魚 sŋaʔ
12515 褙 私吕 心魚上三開 siɤ 魚 sŋaʔ
12516 㥠 寫與 心魚上三開 siɤ 魚 sŋaʔ
12517 輑 寫與 心魚上三開 siɤ 魚 sŋaʔ
12518 蝑 司夜 心麻去三開 siæ 魚 sŋas
12519 疏 所據 生魚去三開 ʂiɤ 魚 sŋʳas
12520 蔬 所去 生魚去三開 ʂiɤ 魚 sŋʳas
12521 楚 瘡據 初魚去三開 tʂʰiɤ 魚 sŋ̊ras
12522 疋[1] 五下 疑麻上二開 ŋʷæ 魚 ŋgʳa̱ʔ
12523 盄 五下 疑麻上二開 ŋʷæ 魚 ŋgʳa̱ʔ

叔 shū

12524 琡 之六 章屋入三合 tɕiuk 覺 kʲug
12525 諔 之六 章屋入三合 tɕiuk 覺 kʲug
12526 俶 昌六 昌屋入三合 tɕʰiuk 覺 kʰʲug
12527 琡 昌六 昌屋入三合 tɕʰiuk 覺 kʰʲug
12528 埱 昌六 昌屋入三合 tɕʰiuk 覺 kʰʲug
12529 埱 昌六 昌屋入三合 tɕʰiuk 覺 kʰʲug
12530 諔 昌六 昌屋入三合 tɕʰiuk 覺 kʰʲug
12531 敊 丑六 徹屋入三合 ʈʰiuk 覺 kʰlug
12532 淑 殊六 禪屋入三合 dʑiuk 覺 gʲug
12533 尗 式竹 書屋入三合 ɕiuk 覺 qʰlug
12534 叔 式竹 書屋入三合 ɕiuk 覺 qʰlug
12535 鮛 式竹 書屋入三合 ɕiuk 覺 qʰlug
12536 菽 式竹 書屋入三合 ɕiuk 覺 qʰlug
12537 督 冬毒 端沃入一合 tu̯ok 覺 klu̱g
12538 裻 冬毒 端沃入一合 tu̯ok 覺 klu̱g
12539 裻 先篤 心沃入一合 su̯ok 覺 skˡu̱g
12540 薂 徒歷 定錫入四開 dek 覺^{i} gli̱gʷ
12541 踧 徒歷 定錫入四開 dek 覺^{i} gli̱gʷ
12542 惄 奴歷 泥錫入四開 nek 覺^{i} mgli̱gʷ

孰 shú

12543 熟 殊六 禪屋入三合 dʑiuk 覺 dʲug
12544 孰 殊六 禪屋入三合 dʑiuk 覺 dʲug
12545 塾 殊六 禪屋入三合 dʑiuk 覺 dʲug

黍 shǔ

12546 黍[2] 舒吕 書魚上三開 ɕiɤ 魚 l̥aʔ

蜀 shǔ

12547 欘 陟玉 知燭入三合 ʈi̯ʊk 屋 klog
12548 钃 陟玉 知燭入三合 ʈi̯ʊk 屋 klog
12549 孎 陟玉 知燭入三合 ʈi̯ʊk 屋 klog
12550 斸 陟玉 知燭入三合 ʈi̯ʊk 屋 klog
12551 噣 之欲 章燭入三合 tɕi̯ʊk 屋 klʲog
12552 蠾 之欲 章燭入三合 tɕi̯ʊk 屋 klʲog
12553 鸀 之欲 章燭入三合 tɕi̯ʊk 屋 klʲog
12554 蠋 之欲 章燭入三合 tɕi̯ʊk 屋 klʲog
12555 灟 朱欲 章燭入三合 tɕi̯ʊk 屋 klʲog
12556 躅 珠玉 章燭入三合 tɕi̯ʊk 屋 klʲog
12557 灟 珠玉 章燭入三合 tɕi̯ʊk 屋 klʲog
12558 燭 之欲 章燭入三合 tɕi̯ʊk 屋 klʲog

---

1 古文“雅”，是古文字中“夏”的讹变。

2 “黍”通“餘” *ɢla，《吕氏春秋·先识览》：“晉太史屠黍見晉之亂也。”《说苑·权谋》作“屠餘”。

12559 屬[1] 之欲 章燭入三合 tɕi̯ʊk 屋 kl^{j}og
12560 矚 之欲 章燭入三合 tɕi̯ʊk 屋 kl^{j}og
12561 囑 之欲 章燭入三合 tɕi̯ʊk 屋 kl^{j}og
12562 鸀 之欲 章燭入三合 tɕi̯ʊk 屋 kl^{j}og
12563 斸 之欲 章燭入三合 tɕi̯ʊk 屋 kl^{j}og
12564 觸 尺玉 昌燭入三合 tɕ^{h}i̯ʊk 屋 k^{h}l^{j}og
12565 歜 尺玉 昌燭入三合 tɕ^{h}i̯ʊk 屋 k^{h}l^{j}og
12566 臅 尺玉 昌燭入三合 tɕ^{h}i̯ʊk 屋 k^{h}l^{j}og
12567 斶 樞玉 昌燭入三合 tɕ^{h}i̯ʊk 屋 k^{h}l^{j}og
12568 躅 直録 澄燭入三合 ɖi̯ʊk 屋 glog
12569 蠋 直録 澄燭入三合 ɖi̯ʊk 屋 glog
12570 躅 直録 澄燭入三合 ɖi̯ʊk 屋 glog
12571 蜀 市玉 禪燭入三合 dʑi̯ʊk 屋 gl^{j}og
12572 韣 市玉 禪燭入三合 dʑi̯ʊk 屋 gl^{j}og
12573 蠋 市玉 禪燭入三合 dʑi̯ʊk 屋 gl^{j}og
12574 襡 市玉 禪燭入三合 dʑi̯ʊk 屋 gl^{j}og
12575 襩 市玉 禪燭入三合 dʑi̯ʊk 屋 gl^{j}og
12576 屬 市玉 禪燭入三合 dʑi̯ʊk 屋 gl^{j}og
12577 鐲 市玉 禪燭入三合 dʑi̯ʊk 屋 gl^{j}og
12578 钃 殊玉 禪燭入三合 dʑi̯ʊk 屋 gl^{j}og
12579 噣 都豆 端侯去一合 tu 屋 klọgs
12580 斣 都豆 端侯去一合 tu 屋 klọgs
12581 襡 都豆 端侯去一合 tu 屋 klọgs
12582 獨 徒谷 定屋入一合 duk 屋 glọg
12583 髑 徒谷 定屋入一合 duk 屋 glọg
12584 襡 徒谷 定屋入一合 duk 屋 glọg
12585 韣 徒谷 定屋入一合 duk 屋 glọg
12586 鸀 徒谷 定屋入一合 duk 屋 glọg
12587 孎[2] 竹角 知覺入二開 ʈ^{ɯ}ɔk 屋 klọg
12588 斀[3] 竹角 知覺入二開 ʈ^{ɯ}ɔk 屋 klọg
12589 噣[4] 竹角 知覺入二開 ʈ^{ɯ}ɔk 屋 klọg
12590 擉[5] 又音踔 徹覺入二開 ʈ^{hɯ}ɔk 屋 k^{h}lọg
12591 擉 測角 初覺入二開 tʂ^{hɯ}ɔk 屋 sk^{h}rọg
12592 濁[6] 直角 澄覺入二開 ɖ^{ɯ}ɔk 屋 glọg
12593 鐲[7] 直角 澄覺入二開 ɖ^{ɯ}ɔk 屋 glọg
12594 檧[8] 直角 澄覺入二開 ɖ^{ɯ}ɔk 屋 glọg
12595 鸀[9] 直角 澄覺入二開 ɖ^{ɯ}ɔk 屋 glọg
12596 躅[10] 直角 澄覺入二開 ɖ^{ɯ}ɔk 屋 glọg
12597 襡 當口 端侯上一合 tu 侯 klọʔ
12598 襡 徒口 定侯上一合 du 侯 glọʔ
12599 噣 陟救 知尤去三合 ʈiu 幽 klus
12600 歜 徂感 從覃上一開 dzəm 談^{o} sgọmʔ

鼠 shǔ

12601 鼠[11] 舒吕 書魚上三開 ɕiɤ 魚 q^{h}laʔ
12602 癙 舒吕 書魚上三開 ɕiɤ 魚 q^{h}laʔ

术 shù

12603 訹 辛聿 心質入三合 s^{w}it 物^{u} sk^{l}ud
12604 怵 丑律 徹質入三合 ʈ^{hw}it 物^{u} k^{h}lud
12605 跊 丑律 徹質入三合 ʈ^{hw}it 物^{u} k^{h}lud
12606 术 直律 澄質入三合 ɖ^{w}it 物^{u} glud
12607 茮 直律 澄質入三合 ɖ^{w}it 物^{u} glud
12608 术 直律 澄質入三合 ɖ^{w}it 物^{u} glud
12609 秫 食聿 船質入三合 ʑ^{w}it 物^{u} ɢl^{j}ud
12610 沭 食聿 船質入三合 ʑ^{w}it 物^{u} ɢl^{j}ud
12611 术 食聿 船質入三合 ʑ^{w}it 物^{u} ɢl^{j}ud
12612 術 食聿 船質入三合 ʑ^{w}it 物^{u} ɢl^{j}ud
12613 述 食聿 船質入三合 ʑ^{w}it 物^{u} ɢl^{j}ud
12614 鉥 食律 船質入三合 ʑ^{w}it 物^{u} ɢl^{j}ud
12615 莍 于筆 云質入三合 ɦ^{iw}it 物^{u} ɢ^{r}ud
12616 痲 呼骨 曉没入一合 hu̯ot 物^{u} q^{h}ụd
12617 颰 許劣 曉薛入B合 h^{w}ɨɛt 月^{o} q^{hr}od

戍 shù

12618 戍 傷遇 書虞去三合 ɕiʊ 侯 l̥os

束 shù

12619 涑 相玉 心燭入三合 si̯ʊk 屋 sk^{l}og
12620 楝 丑玉 徹燭入三合 ʈ^{h}i̯ʊk 屋 k^{h}log
12621 諫 七玉 清燭入三合 ts^{h}i̯ʊk 屋 sk^{h}log

---

1 自动词“市玉切”,使动词“之欲切”,*s.gl^{j}og>*kl^{j}og。
2 见定母和澄母“荼”字注。
3 见定母和澄母“荼”字注。
4 见定母和澄母“荼”字注。
5 见定母和澄母“荼”字注。
6 见定母和澄母“荼”字注。
7 见定母和澄母“荼”字注。
8 见定母和澄母“荼”字注。
9 见定母和澄母“荼”字注。
10 见定母和澄母“荼”字注。
11 古文字从“吕”*g.raʔ、“予”*ɢlaʔ得声,可比较缅文krwak4、Tavoyan语kwaˊ、阿昌语kʐ̥oʔ55。“鼠”上古汉语当为*q^{h}laʔ。

12622 束 書玉 書燭入三合 ɕi̯ʊk 屋 q^{h}log
12623 鏉 蘇奏 心侯去一合 su 屋 sk^{l}o̱gs
12624 敕 蘇奏 心侯去一合 su 屋 sk^{l}o̱gs
12625 漱 蘇奏 心侯去一合 su 屋 sk^{l}o̱gs
12626 餗 桑谷 心屋入一合 suk 屋 sk^{l}o̱g
12627 樕 桑谷 心屋入一合 suk 屋 sk^{l}o̱g
12628 梀 桑谷 心屋入一合 suk 屋 sk^{l}o̱g
12629 鷻 桑谷 心屋入一合 suk 屋 sk^{l}o̱g
12630 藗 桑谷 心屋入一合 suk 屋 sk^{l}o̱g
12631 涑 桑谷 心屋入一合 suk 屋 sk^{l}o̱g
12632 趚 蘇谷 心屋入一合 suk 屋 sk^{l}o̱g
12633 樕 蘇谷 心屋入一合 suk 屋 sk^{l}o̱g
12634 觫 蘇谷 心屋入一合 suk 屋 sk^{l}o̱g
12635 㯈 蘇谷 心屋入一合 suk 屋 sk^{l}o̱g
12636 速[1] 桑谷 心屋入一合 suk 屋 sk^{l}o̱g
12637 蔌 桑谷 心屋入一合 suk 屋 sk^{l}o̱g
12638 楝 千木 清屋入一合 ts^{h}uk 屋 sk^{h}lo̱g
12639 嗽 桑谷 心屋入一合 suk 屋 s^{l}o̱g
12640 嗽 所角 生覺入二開 ʂ^{ɯ}ɔk 屋 sk^{r}o̱g
12641 敕 所角 生覺入二開 ʂ^{ɯ}ɔk 屋 sk^{r}o̱g
12642 娕 測角 初覺入二開 tʂ^{hɯ}ɔk 屋 sk^{hr}o̱g
12643 悚 息拱 心鍾上三合 siʊŋ 東 sk^{l}oŋʔ
12644 竦 息拱 心鍾上三合 siʊŋ 東 sk^{l}oŋʔ
12645 駷 息拱 心鍾上三合 siʊŋ 東 sk^{l}oŋʔ
12646 涑 速侯 心侯平一合 su 侯 sk^{l}o̱
12647 鏉 速侯 心侯平一合 su 侯 sk^{l}o̱
12648 駷 蘇后 心侯上一合 su 侯 sk^{l}o̱ʔ
12649 漱 所祐 生尤去三合 ʂiu 覺 sk^{r}ugs
12650 鏉 所祐 生尤去三合 ʂiu 覺 sk^{r}ugs

尌 shù

12651 尌 殊遇 禪虞去三合 dʑiʊ 侯 d^{j}os

刷 shuā

12652 唰[2] 所劣 生薛入三合 ʂ^{w}iɛt 月^{o} s^{r}od
12653 刷 所劣 生薛入三合 ʂ^{w}iɛt 月^{o} s^{r}od
12654 刷 數刮 生鎋入二合 ʂ^{wɯ}æt 月^{o} s^{r}o̱d

衰 shuāi

12655 滖 宣隹 心脂平三合 s^{w}i 微^{u} s^{l}ul
12656 衰 所追 生脂平三合 ʂ^{w}i 微^{u} s^{r}ul
12657 榱 所追 生脂平三合 ʂ^{w}i 微^{u} s^{r}ul
12658 瘊 所追 生脂平三合 ʂ^{w}i 微^{u} s^{r}ul
12659 蓑 素回 心灰平一合 su̯oi 微^{u} s^{l}u̱l
12660 縗 倉回 清灰平一合 ts^{h}u̯oi 微^{u} s^{h}u̱l
12661 衰 楚危 初支平三合 tʂ^{hw}ie 歌^{o} s^{h}rol
12662 蓑 蘇禾 心歌平一合 s^{w}ɑ 歌^{o} s^{l}o̱l

率 shuài

12663 率 所類 生脂去三合 ʂ^{w}i 物^{u} s^{r}uds
12664 䢦 劣戌 來質入三合 l^{w}it 物^{u} rud
12665 繂 吕卹 來質入三合 l^{w}it 物^{u} rud
12666 膟 吕卹 來質入三合 l^{w}it 物^{u} rud
12667 䢦 朔律 生櫛入三合 ʂ^{w}iɪt 物^{u} s^{r}ud
12668 率 所律 生櫛入三合 ʂ^{w}iɪt 物^{u} s^{r}ud
12669 蟀 所律 生櫛入三合 ʂ^{w}iɪt 物^{u} s^{r}ud
12670 達 所律 生櫛入三合 ʂ^{w}iɪt 物^{u} s^{r}ud
12671 衛 所律 生櫛入三合 ʂ^{w}iɪt 物^{u} s^{r}ud
12672 啐 山芮 生祭去三合 ʂ^{w}iɛi 月^{o} s^{r}ods
12673 啐 所劣 生薛入三合 ʂ^{w}iɛt 月^{o} s^{r}od

帥 shuài

12674 膂 力遂 來脂去三合 l^{w}i 物^{u} ruds
12675 帥 所類 生脂去三合 ʂ^{w}i 物^{u} s^{r}uds
12676 帥 所律 生櫛入三合 ʂ^{w}iɪt 物^{u} s^{r}ud

雙 shuāng

12677 㩳 息拱 心鍾上三合 siʊŋ 東 s^{l}oŋʔ
12678 雙 所江 生江平二開 ʂ^{ɯ}ɔŋ 東 s^{r}o̱ŋ
12679 㩳 所江 生江平二開 ʂ^{ɯ}ɔŋ 東 s^{r}o̱ŋ

爽 shuǎng

12680 鷞 色莊 生陽平三開 ʂiaŋ 陽 sk^{r}aŋ
12681 爽 踈兩 生陽上三開 ʂiaŋ 陽 sk^{r}aŋʔ
12682 縔 踈兩 生陽上三開 ʂiaŋ 陽 sk^{r}aŋʔ
12683 鷞 踈兩 生陽上三開 ʂiaŋ 陽 sk^{r}aŋʔ
12684 瓾 踈兩 生陽上三開 ʂiaŋ 陽 sk^{r}aŋʔ
12685 漺 踈兩 生陽上三開 ʂiaŋ 陽 sk^{r}aŋʔ

---

1 “速”通“數” * sk^{l}o̱g,《银雀山汉墓竹简（壹）· 晏子》简13:“公喜,令數（速）爲之。”

2 《广韵》作“㕞”。

12686	湙	初兩	初陽上三開	tʂ^{h}iaŋ	陽	s^{h}raŋʔ
12687	瓾	初兩	初陽上三開	tʂ^{h}iaŋ	陽	s^{h}raŋʔ

水 shuǐ

12688	癝	其季	群脂去A 合	ɡ^{w}i	微^{u}	ɡ^{wl}uls
12689	林[1]	之累	章脂上三合	tɕ^{w}i	微^{u}	kl^{j}ulʔ
12690	水[2]	式軌	書脂上三合	ɕ^{w}i	微^{u}	q^{h}l^{j}ulʔ
12691	㳊	釋類	書脂去三合	ɕ^{w}i	微^{u}	q^{h}l^{j}uls

厶 sī

12692	私	息夷	心脂平三開	si	脂^{1}	s^{l}il
12693	厶	息夷	心脂平三開	si	脂^{1}	s^{l}il
12694	菘	息夷	心脂平三開	si	脂^{1}	s^{l}il
12695	玜	息夷	心脂平三開	si	脂^{1}	s^{l}il

司 sī

12696	詞	似茲	邪之平三開	zɨ	之	l^{j}ɯ
12697	祠	似茲	邪之平三開	zɨ	之	l^{j}ɯ
12698	司	息茲	心之平三開	sɨ	之	l̥^{j}ɯ
12699	伺	息茲	心之平三開	sɨ	之	l̥^{j}ɯ
12700	覗	息茲	心之平三開	sɨ	之	l̥^{j}ɯ
12701	泀	新茲	心之平三開	sɨ	之	l̥^{j}ɯ
12702	嗣	祥吏	邪之去三開	zɨ	之	l^{j}ɯs
12703	笥	相吏	心之去三開	sɨ	之	l̥^{j}ɯs
12704	伺	相吏	心之去三開	sɨ	之	l̥^{j}ɯs
12705	覗	相吏	心之去三開	sɨ	之	l̥^{j}ɯs

虒 sī

12706	虒	息移	心支平三開	sie	佳	sk^{l}e
12707	榹	息移	心支平三開	sie	佳	sk^{l}e
12708	滮	息移	心支平三開	sie	佳	sk^{l}e
12709	磃	息移	心支平三開	sie	佳	sk^{l}e
12710	傂	息移	心支平三開	sie	佳	sk^{l}e
12711	謕	息移	心支平三開	sie	佳	sk^{l}e
12712	鷈	息移	心支平三開	sie	佳	sk^{l}e
12713	螔	息移	心支平三開	sie	佳	sk^{l}e
12714	褫	息移	心支平三開	sie	佳	sk^{l}e
12715	鷉	相支	心支平三開	sie	佳	sk^{l}e
12716	箎	直離	澄支平三開	ɖie	佳	ɡle
12717	褫	直離	澄支平三開	ɖie	佳	ɡle
12718	傂	直離	澄支平三開	ɖie	佳	ɡle
12719	趆	直離	澄支平三開	ɖie	佳	ɡle
12720	傂	弋支	以支平三開	jie	佳	ɢle
12721	歋	弋支	以支平三開	jie	佳	ɢle
12722	螔	弋支	以支平三開	jie	佳	ɢle
12723	褫	敕豸	徹支上三開	ʈ^{h}ie	佳	k^{h}leʔ
12724	鯱	池爾	澄支上三開	ɖie	佳	ɡleʔ
12725	褫	池爾	澄支上三開	ɖie	佳	ɡleʔ
12726	傂	池爾	澄支上三開	ɖie	佳	ɡleʔ
12727	傂	移爾	以支上三開	jie	佳	ɢleʔ
12728	鷉	天黎	透齊平四開	t^{h}ei	佳	k^{h}le̯
12729	鷈	土雞	透齊平四開	t^{h}ei	佳	k^{h}le̯
12730	謕	土雞	透齊平四開	t^{h}ei	佳	k^{h}le̯
12731	嗁	杜奚	定齊平四開	dei	佳	ɡle̯
12732	蹏	杜奚	定齊平四開	dei	佳	ɡle̯
12733	鷈	杜奚	定齊平四開	dei	佳	ɡle̯
12734	謕	杜奚	定齊平四開	dei	佳	ɡle̯
12735	鎕	杜奚	定齊平四開	dei	佳	ɡle̯
12736	鷉	田黎	定齊平四開	dei	佳	ɡle̯
12737	綕	郎奚	來齊平四開	lei	佳	ɡ.re̯
12738	遞	徒禮	定齊上四開	dei	佳	ɡle̯ʔ
12739	篪	大計	定齊去四開	dei	佳	ɡle̯s
12740	遞	特計	定齊去四開	dei	佳	ɡle̯s
12741	褫	敕里	徹之上三開	ʈ^{h}ɨ	之	k^{h}lɯʔ

斯 sī

12742	斯[3]	息移	心支平三開	sie	佳	sqe
12743	廝	息移	心支平三開	sie	佳	sqe
12744	澌	息移	心支平三開	sie	佳	sqe
12745	蟴	息移	心支平三開	sie	佳	sqe
12746	蟖	息移	心支平三開	sie	佳	sqe
12747	蕲	息移	心支平三開	sie	佳	sqe

---

1 反切下字支韵。但是“林”与“水”字同根,《玉篇》“之水反”,当为脂韵。

2 “水”通“準”。《周礼·考工记·辀人》“輈注則利準”,郑注:“故書準作水。”《周礼·考工记·㮚氏》“權之然後準之”,郑注:“準故書或作水,杜子春云當爲水。”“準”上古为 *kl^{j}unʔ,很可能有阴声韵的形态变体 *k^{w}l^{j}ilʔ>tɕ^{w}i。“水”上古音为 *q^{h}l^{j}ulʔ> *q^{wh}l^{j}ilʔ> *h^{wj}ilʔ>ɕ^{w}i,但是也有软腭音的形态变体 *kl^{j}ulʔ> *kl^{wj}ilʔ> *tɕ^{wj}ilʔ>tɕ^{w}i,厦门的“水”有两个读音 sui 和 tsui,后者又写作“林”。可比较藏语的同源词水、河 tɕ^{h}u< *k^{h}l^{j}u,Manang 语 kju,Tamang 语 kjui,Khoibu 语 jui。

3 《说文》“斯”从“其”得声,这至少说明许慎认为“斯”的声母跟“其”相似,只是韵母之、佳旁转。

12748 鏭 息移 心支平三開 sie 佳 sqe

12749 凘 相支 心支平三開 sie 佳 sqe

12750 澌 斯義 心支去三開 sie 佳 sqes

12751 菥 先稽 心齊平四開 sei 佳 sqe̱

12752 嘶 先稽 心齊平四開 sei 佳 sqe̱

12753 撕 先稽 心齊平四開 sei 佳 sqe̱

12754 楒 先稽 心齊平四開 sei 佳 sqe̱

12755 誓 先稽 心齊平四開 sei 佳 sqe̱

12756 凘 先齊 心齊平四開 sei 佳 sqe̱

絲 sī

12757 茲 子之 精之平三開 tsɨ 之 sɯ

12758 孳 子之 精之平三開 tsɨ 之 sɯ

12759 嵫 子之 精之平三開 tsɨ 之 sɯ

12760 滋 子之 精之平三開 tsɨ 之 sɯ

12761 嗞 子之 精之平三開 tsɨ 之 sɯ

12762 鎡 子之 精之平三開 tsɨ 之 sɯ

12763 鰦 子之 精之平三開 tsɨ 之 sɯ

12764 鶿 子之 精之平三開 tsɨ 之 sɯ

12765 絲[1] 息茲 心之平三開 sɨ 之 sˡɯ

12766 鷥 新茲 心之平三開 sɨ 之 sˡɯ

12767 慈 疾之 從之平三開 dzɨ 之 zɯ

12768 鶿 疾之 從之平三開 dzɨ 之 zɯ

12769 茲 疾之 從之平三開 dzɨ 之 zɯ

12770 磁 牆之 從之平三開 dzɨ 之 zɯ

12771 孳 疾置 從之去三開 dzɨ 之 zɯs

死 sǐ

12772 死[2] 息姊 心脂上三開 si 脂 l̥ʲiʔ

巳 sì

12773 孜 子之 精之平三開 tsɨ 之 sklɯ

12774 仔 子之 精之平三開 tsɨ 之 sklɯ

12775 熙 許其 曉之平三開 hɨ 之 qʰˡɯ

12776 媐 許其 曉之平三開 hɨ 之 qʰˡɯ

12777 媐 與之 以之平三開 jɨ 之 ɢlɯ

12778 异 與之 以之平三開 jɨ 之 ɢlɯ

12779 圯 與之 以之平三開 jɨ 之 ɢlɯ

12780 巸 與之 以之平三開 jɨ 之 ɢlɯ

12781 仔 即里 精之上三開 tsɨ 之 sklɯʔ

12782 耔 即里 精之上三開 tsɨ 之 sklɯʔ

12783 杍 即里 精之上三開 tsɨ 之 sklɯʔ

12784 子[3] 即里 精之上三開 tsɨ 之 sklɯʔ

12785 起 墟里 溪之上三開 kʰɨ 之 kʰˡɯʔ

12786 戺 鉏里 崇之上三開 dʐɨ 之 sgrɯʔ

12787 已[4] 羊己 以之上三開 jɨ 之 ɢlɯʔ

12788 攺 羊己 以之上三開 jɨ 之 ɢlɯʔ

12789 攺 象齒 邪之上三開 zɨ 之 sɢˡɯʔ

12790 已 又音似 邪之上三開 zɨ 之 sɢˡɯʔ

12791 祀 詳里 邪之上三開 zɨ 之 sɢˡɯʔ

12792 巳 詳里 邪之上三開 zɨ 之 sɢˡɯʔ

12793 汜 詳里 邪之上三開 zɨ 之 sɢˡɯʔ

12794 攺 詳里 邪之上三開 zɨ 之 sɢˡɯʔ

12795 麀 詳里 邪之上三開 zɨ 之 sɢˡɯʔ

12796 字 疾置 從之去三開 dzɨ 之 sglɯs

12797 孛 疾置 從之去三開 dzɨ 之 sglɯs

12798 芓 疾置 從之去三開 dzɨ 之 sglɯs

12799 牸 疾置 從之去三開 dzɨ 之 sglɯs

12800 异 羊吏 以之去三開 jɨ 之 ɢlɯs

12801 已 羊吏 以之去三開 jɨ 之 ɢlɯs

12802 改 古亥 見咍上一開 kəi 之 kˡɯ̠ʔ

四 sì

12803 呬[5] 虛器 曉脂去A開 hi 質[9] pʰ.ligs

12804 四[6] 息利 心脂去三開 si 質[9] p.lʲigs

12805 柶 息利 心脂去三開 si 質[9] p.lʲigs

12806 泗[7] 息利 心脂去三開 si 質[9] p.lʲigs

---

1 比较藏文借词 sri 丝(格西曲札)。

2 *l̥ʲiʔ>si,可比较藏文 ɕi<*l̥ji 死。《上海博物馆藏战国楚竹书(贰)·容成氏》泦通伊:“墨(禹)乃迵(通)泦(伊)洛。”“伊”上古*qˡi>qi>ʔi,“死”*l̥ʲiʔ>siʔ,*qˡi 可与*l̥ʲi 谐声。

3 “子”通“祀”。《周礼·秋官·闽隶》“掌子則取隸焉”,郑注:“杜子春云:子當爲祀。”

4 《周礼·考工记·匠人》“里爲式”,郑注:“里讀爲已,聲之誤也。”《经典释文》:“里讀爲已。”“已”通“己”,“己”上古读 k-,故“里”带冠音读*g.rɯʔ>*rɯʔ。

5 *pʰ.ligs>*l̥ʰigs>*higs>中古 hi。

6 《说文》:“柶,匕也,从木四聲。”可见早期“四”应该是*p.lʲigs>*l̥ʲigs>中古 si。冠音 pʰ 失落,其发声态带到主要音节,使 l-变成清流音,如英语中 please 中的 l 变成 l̥。“四”在民族语中有类似的读音:三江瑶 pli,长垌瑶 ple。藏文 bʑi<blji,小平地彝语 ɬi33,独龙语 bli53。

7 《上海博物馆藏战国楚竹书(贰)·容成氏》:“乃立泗(伊)尹以为差(佐)。”“伊”在有些方言中已经变成*qˡi>ʔli,“泗”*p.lʲigs>>*l̥ʲigs>中古 si,在演变的中间阶段*l̥ʲigs 与“伊”通。

12807 牭 息利 心脂去三開 si 質^{9} p.l^{j}igs

12808 駟 息利 心脂去三開 si 質^{9} p.l^{j}igs

兕 sì

12809 兕 徐姊 邪脂上三開 zi 脂 l^{j}iʔ

嵩 sōng

12810 嵩 息弓 心東平三合 siuŋ 終 sk^{l}uŋ

宋 sòng

12811 宋[1] 蘇統 心冬去一合 su̯oŋ 侵^{u} sq^{l}u̠ms

叟 sǒu

12812 叟[2] 蘇后 心侯上一合 su 幽 sk^{l}uʔ

12813 瞍[3] 蘇后 心侯上一合 su 幽 sk^{l}uʔ

12814 謏[4] 蘇后 心侯上一合 su 幽 sk^{l}uʔ

12815 廋[5] 蘇后 心侯上一合 su 幽 sk^{l}uʔ

12816 謏[6] 蘇奏 心侯去一合 su 幽 sk^{l}us

12817 搜 所鳩 生尤平三合 ʂiu 幽 sk^{r}u

12818 颼 所鳩 生尤平三合 ʂiu 幽 sk^{r}u

12819 溲 所鳩 生尤平三合 ʂiu 幽 sk^{r}u

12820 鎪 所鳩 生尤平三合 ʂiu 幽 sk^{r}u

12821 廋 所鳩 生尤平三合 ʂiu 幽 sk^{r}u

12822 蒐 所鳩 生尤平三合 ʂiu 幽 sk^{r}u

12823 獀 所鳩 生尤平三合 ʂiu 幽 sk^{r}u

12824 鄋 所鳩 生尤平三合 ʂiu 幽 sk^{r}u

12825 艘 疎鳩 生尤平三合 ʂiu 幽 sk^{r}u

12826 蒐 疎鳩 生尤平三合 ʂiu 幽 sk^{r}u

12827 醙 息有 心尤上三合 siu 幽 sk^{l}uʔ

12828 溲 踈有 生尤上三合 ʂiu 幽 sk^{r}uʔ

12829 瘦 所祐 生尤去三合 ʂiu 幽 sk^{r}us

12830 槮 蘇遭 心豪平一開 sɑu 幽 sk^{l}u̠

12831 嫂[7] 蘇老 心豪上一開 sɑu 幽 sk^{l}u̠ʔ

12832 薚 蘇老 心豪上一開 sɑu 幽 sk^{l}u̠ʔ

12833 艘 蘇彫 心蕭平四開 seu 幽^{i} sk^{l}i̠^{w}

12834 瞍 蘇彫 心蕭平四開 seu 幽^{i} sk^{l}i̠^{w}

12835 謏 先鳥 心蕭上四開 seu 幽^{i} sk^{l}i̠^{w}ʔ

12836 謏 所六 生屋入三合 ʂiuk 覺 sk^{r}ug

王 sù

12837 王 息逐 心屋入三合 siuk 覺 s^{l}ug

12838 王 相玉 心燭入三合 si̯ʊk 屋 s^{l}og

夙 sù

12839 夙 息逐 心屋入三合 siuk 覺 s^{l}ug

素 sù

12840 素 桑故 心模去一合 su̯o 魚 s^{l}a̠s

12841 傃 桑故 心模去一合 su̯o 魚 s^{l}a̠s

12842 嗉 桑故 心模去一合 su̯o 魚 s^{l}a̠s

12843 愫 蘇故 心模去一合 su̯o 魚 s^{l}a̠s

宿 sù

12844 宿 息救 心尤去三合 siu 覺 s^{l}ugs

12845 摍 所六 生屋入三合 ʂiuk 覺 sk^{r}ug

12846 縮 所六 生屋入三合 ʂiuk 覺 sk^{r}ug

12847 樎 所六 生屋入三合 ʂiuk 覺 sk^{r}ug

12848 蹜 所六 生屋入三合 ʂiuk 覺 sk^{r}ug

12849 宿 息逐 心屋入三合 siuk 覺 s^{l}ug

12850 蓿 息逐 心屋入三合 siuk 覺 s^{l}ug

12851 䑿 息逐 心屋入三合 siuk 覺 s^{l}ug

粟 sù

12852 粟[8] 相玉 心燭入三合 si̯ʊk 屋 sk^{l}og

肅 sù

12853 繡 息救 心尤去三合 siu 覺^{ɯ} s^{l}ɯg^{w}s

1　“宋”《说文》“读如送”。“送”字“弅”声，通“賸”，武威汉简《仪礼（甲本）》之《有司》：“入乃徹，徹牢中之送（賸）。”“賸”读 *ɢl^{j}ums，故“送”字拟音是 *sq^{l}o̠ms。所以，“宋”字上古暂拟作 *sq^{l}u̠ms。“浨”字又作“溇”，来母覃韵上声，是常见的方言字，水果汁。也许很可能有比较早的字形，郑张尚芳疑“林”省声。

2　这个谐声系列心母侯韵可能来自幽部，这与明母幽部变作侯韵有类似的现象。

3　见“叟”字注。

4　见“叟”字注。

5　见“叟”字注。

6　见“叟”字注。

7　藏文 sru 嫂子。

8　《战国古文字典》“粟”字从米角声。潘悟云：“角”的上古音 *k^{r}o̠g。《说文》误以为从“卣”。《说文》：“㮚：嘉穀实也。”上古的穀类以粟为主，所以“粟”与“穀”有语源关系，“穀”的上古音 *k^{l}o̠g，与“角” *kru 语音接近。《说文》：“㮚……孔子曰：‘㮚之爲言續也。’”《说文》：“穀，續也。”“粟”“穀”都以“續”为声训，“續”上古音为 *sg^{l}og，故“粟”的上古音为 *sk^{l}og> *s^{l}og。

12854 鏽 息救 心尤去三合 siu 覺^{ɯ} s^{l}ɯg^{w}s
12855 鏽 息六 心屋入三合 siuk 覺^{ɯ} s^{l}ɯg^{w}
12856 肅 息逐 心屋入三合 siuk 覺^{ɯ} s^{l}ɯg^{w}
12857 鷫 息逐 心屋入三合 siuk 覺^{ɯ} s^{l}ɯg^{w}
12858 蟰 息逐 心屋入三合 siuk 覺^{ɯ} s^{l}ɯg^{w}
12859 驌 息逐 心屋入三合 siuk 覺^{ɯ} s^{l}ɯg^{w}
12860 鱐 息逐 心屋入三合 siuk 覺^{ɯ} s^{l}ɯg^{w}
12861 礵 息逐 心屋入三合 siuk 覺^{ɯ} s^{l}ɯg^{w}
12862 潚 息逐 心屋入三合 siuk 覺^{ɯ} s^{l}ɯg^{w}
12863 橚 息逐 心屋入三合 siuk 覺^{ɯ} s^{l}ɯg^{w}
12864 歗 蘇弔 心蕭去四開 seu 覺^{ɯ} s^{l}ɯ̠g^{w}s
12865 嘯 蘇弔 心蕭去四開 seu 覺^{ɯ} s^{l}ɯ̠g^{w}s
12866 膷 蘇弔 心蕭去四開 seu 覺^{ɯ} s^{l}ɯ̠g^{w}s
12867 驌 所鳩 生尤平三合 ʂiu 幽^{ɯ} s^{r}ɯ^{w}
12868 蕭 蘇彫 心蕭平四開 seu 幽^{ɯ} s^{l}ɯ̠^{w}
12869 簫 蘇彫 心蕭平四開 seu 幽^{ɯ} s^{l}ɯ̠^{w}
12870 蟰 蘇彫 心蕭平四開 seu 幽^{ɯ} s^{l}ɯ̠^{w}
12871 橚 蘇彫 心蕭平四開 seu 幽^{ɯ} s^{l}ɯ̠^{w}
12872 潚 蘇彫 心蕭平四開 seu 幽^{ɯ} s^{l}ɯ̠^{w}
12873 礵 先鳥 心蕭上四開 seu 幽^{ɯ} s^{l}ɯ̠^{w}ʔ

蒜 suàn

12874 蒜 蘇貫 心寒去一合 s^{w}ɑn 元^{o} sk^{l}o̠ns
12875 祘 蘇貫 心寒去一合 s^{w}ɑn 元^{o} sk^{l}o̠ns

算 suàn

12876 篹 山員 生仙平三合 ʂ^{w}iɛn 元^{o} sk^{r}on
12877 潩 須絹 心仙去三合 s^{w}iɛn 元^{o} sk^{l}ons
12878 篹 所眷 生仙去三合 ʂ^{w}iɛn 元^{o} sk^{r}ons
12879 皵[1] 叉万 初仙去三合 tʂ^{hw}iɛn 元^{o} sk^{h}rons
12880 纂 作管 精寒上一合 ts^{w}ɑn 元^{o} sklo̠nʔ
12881 算 蘇管 心寒上一合 s^{w}ɑn 元^{o} sk^{l}o̠nʔ
12882 匴 蘇管 心寒上一合 s^{w}ɑn 元^{o} sk^{l}o̠nʔ
12883 篹 蘇管 心寒上一合 s^{w}ɑn 元^{o} sk^{l}o̠nʔ
12884 篡 初患 初删去二合 tʂ^{hwɯ}æn 元^{o} sk^{h}ro̠ns
12885 纂 側劣 莊薛入三合 tʂ^{w}iɛt 月^{o} skrod
12886 潩 先活 心曷入一合 s^{w}ɑt 月^{o} sk^{l}o̠d
12887 纂 初刮 初鎋入二合 tʂ^{hwɯ}æt 月^{o} sk^{h}ro̠d

笇 suàn

12888 笇 蘇貫 心寒去一合 s^{w}ɑn 元^{o} sk^{l}o̠ns

夊 suī

12889 夊 息遺 心脂平三合 s^{w}i 微^{u} s^{l}ul

㒸 suì

12890 㒸 雖遂 心脂去三合 s^{w}i 物^{u} sk^{l}uds
12891 邃 雖遂 心脂去三合 s^{w}i 物^{u} sk^{l}uds
12892 墜[2] 直類 澄脂去三合 ɖ^{w}i 物^{u} gluds
12893 遂 徐醉 邪脂去三合 z^{w}i 物^{u} sg^{l}uds
12894 隧 徐醉 邪脂去三合 z^{w}i 物^{u} sg^{l}uds
12895 襚 徐醉 邪脂去三合 z^{w}i 物^{u} sg^{l}uds
12896 旞 徐醉 邪脂去三合 z^{w}i 物^{u} sg^{l}uds
12897 璲 徐醉 邪脂去三合 z^{w}i 物^{u} sg^{l}uds
12898 檖 徐醉 邪脂去三合 z^{w}i 物^{u} sg^{l}uds
12899 鐩 徐醉 邪脂去三合 z^{w}i 物^{u} sg^{l}uds
12900 穟 徐醉 邪脂去三合 z^{w}i 物^{u} sg^{l}uds
12901 㒸 徐醉 邪脂去三合 z^{w}i 物^{u} sg^{l}uds
12902 䜃 徐醉 邪脂去三合 z^{w}i 物^{u} sg^{l}uds
12903 繸 徐醉 邪脂去三合 z^{w}i 物^{u} sg^{l}uds
12904 椓 徐醉 邪脂去三合 z^{w}i 物^{u} sg^{l}uds
12905 隊 徒對 定灰去一合 du̠oi 物^{u} glu̠ds
12906 碌 徒對 定灰去一合 du̠oi 物^{u} glu̠ds
12907 墜 徒對 定灰去一合 du̠oi 物^{u} glu̠ds
12908 顡 五怪 疑皆去二合 ŋ^{wɯ}ɛi 物^{u} ŋg^{r}u̠ds

祟 suì

12909 祟[3] 雖遂 心脂去三合 s^{w}i 物^{u} sk^{l}uds

孫 sūn

12910 孫 思渾 心魂平一合 su̠on 文^{u} sk^{l}u̠n
12911 蓀 思渾 心魂平一合 su̠on 文^{u} sk^{l}u̠n
12912 遜 蘇困 心魂去一合 su̠on 文^{u} sk^{l}u̠ns
12913 愻 蘇困 心魂去一合 su̠on 文^{u} sk^{l}u̠ns

飧 sūn

12914 飧 思渾 心魂平一合 su̠on 文^{u} s^{l}u̠n

---

1 叉万切，元韵不可能出现初母。此音亦见于《玉篇》"叉萬切"，《说文》"初萘切"。本手册暂放到仙韵类。

2 《神乌赋》"随"通"墜"："毛羽随落。""随"为*sg^{l}-。

3 李豪：楚简或作"祱"，从"兑"声，"兑"上古*glo̠ds。

12915 蓑 思渾 心魂平一合 su̯on 文^{u} s^{l}u̱n

惢 suǒ

12916 惢 姊規 精支平三合 ts^{w}ie 歌^{o} skol

12917 蘂 如累 日支上三合 ȵ^{w}ie 歌^{o} mgl^{j}olʔ

12918 蕊 如累 日支上三合 ȵ^{w}ie 歌^{o} mgl^{j}olʔ

12919 繠 如累 日支上三合 ȵ^{w}ie 歌^{o} mgl^{j}olʔ

12920 惢[1] 才捶 從支上三合 dz^{w}ie 歌^{o} sgolʔ

12921 惢 蘇果 心歌上一合 s^{w}ɑ 歌^{o} sqo̱lʔ

12922 蕊 如壘 日脂上三合 ȵ^{w}i 微^{u} mgl^{j}ulʔ

12923 繠 如壘 日脂上三合 ȵ^{w}i 微^{u} mgl^{j}ulʔ

索 suǒ

12924 索 山戟 生陌入三開 ʂiæk 鐸 sk^{r}ag

12925 溹 山戟 生陌入三開 ʂiæk 鐸 sk^{r}ag

12926 索[2] 蘇各 心鐸入一開 sɑk 鐸 sk^{l}a̱g

12927 摌 蘇各 心鐸入一開 sɑk 鐸 sk^{l}a̱g

12928 溹 蘇各 心鐸入一開 sɑk 鐸 sk^{l}a̱g

12929 鞢 蘇各 心鐸入一開 sɑk 鐸 sk^{l}a̱g

12930 索[3] 山責 生陌入二開 ʂ^{ɯ}æk 鐸 sk^{r}ag

12931 溹[4] 山責 生陌入二開 ʂ^{ɯ}æk 鐸 sk^{r}ag

肖 suǒ

12932 鎖 蘇果 心歌上一合 s^{w}ɑ 歌^{o} s^{l}o̱lʔ

12933 瑣 蘇果 心歌上一合 s^{w}ɑ 歌^{o} s^{l}o̱lʔ

12934 溑 蘇果 心歌上一合 s^{w}ɑ 歌^{o} s^{l}o̱lʔ

12935 嫧 蘇果 心歌上一合 s^{w}ɑ 歌^{o} s^{l}o̱lʔ

12936 肖 蘇果 心歌上一合 s^{w}ɑ 歌^{o} s^{l}o̱lʔ

12937 膹 先臥 心歌去一合 s^{w}ɑ 歌^{o} s^{l}o̱ls

它 tā

12938 鉈 視遮 禪麻平三開 dʑiæ 歌^{a} gl^{j}al

12939 蛇 食遮 船麻平三開 ʑiæ 歌^{a} ɢl^{j}al

12940 虵 羊者 以麻上三開 jiæ 歌^{a} lalʔ

12941 灺 徐野 邪麻上三開 ziæ 歌^{a} l^{j}alʔ

12942 袉 徒河 定歌平一開 dɑ 歌^{a} la̱l

12943 鮀 徒河 定歌平一開 dɑ 歌^{a} la̱l

12944 佗 徒河 定歌平一開 dɑ 歌^{a} la̱l

12945 迱 唐何 定歌平一開 dɑ 歌^{a} la̱l

12946 駝 徒河 定歌平一開 dɑ 歌^{a} la̱l

12947 紽 徒河 定歌平一開 dɑ 歌^{a} la̱l

12948 鮀 徒河 定歌平一開 dɑ 歌^{a} la̱l

12949 陀 徒河 定歌平一開 dɑ 歌^{a} la̱l

12950 沱 徒河 定歌平一開 dɑ 歌^{a} la̱l

12951 跎 徒河 定歌平一開 dɑ 歌^{a} la̱l

12952 詑 徒河 定歌平一開 dɑ 歌^{a} la̱l

12953 池 徒河 定歌平一開 dɑ 歌^{a} la̱l

12954 酡 徒河 定歌平一開 dɑ 歌^{a} la̱l

12955 它 託何 透歌平一開 t^{h}ɑ 歌^{a} l̥a̱l

12956 蛇 託何 透歌平一開 t^{h}ɑ 歌^{a} l̥a̱l

12957 他 託何 透歌平一開 t^{h}ɑ 歌^{a} l̥a̱l

12958 佗 託何 透歌平一開 t^{h}ɑ 歌^{a} l̥a̱l

12959 拕 託何 透歌平一開 t^{h}ɑ 歌^{a} l̥a̱l

12960 舵 徒可 定歌上一開 dɑ 歌^{a} la̱lʔ

12961 柂 待可 定歌上一開 dɑ 歌^{a} la̱lʔ

12962 袉 徒可 定歌上一開 dɑ 歌^{a} la̱lʔ

12963 拕 徒可 定歌上一開 dɑ 歌^{a} la̱lʔ

12964 沱 徒可 定歌上一開 dɑ 歌^{a} la̱lʔ

12965 詑 徒可 定歌上一開 dɑ 歌^{a} la̱lʔ

12966 袉 吐可 透歌上一開 t^{h}ɑ 歌^{a} l̥a̱lʔ

12967 他 唐佐 定歌去一開 dɑ 歌^{a} la̱ls

12968 拖 吐邏 透歌去一開 t^{h}ɑ 歌^{a} l̥a̱ls

12969 詑[5] 土禾 透歌平一開 t^{h}ɑ 歌^{a} l̥a̱l

沓 tà

12970 錔 他合 透合入一開 t^{h}əp 緝^{ɯ} t^{h}ɯ̱b

12971 婚 他合 透合入一開 t^{h}əp 緝^{ɯ} t^{h}ɯ̱b

12972 踏 他合 透合入一開 t^{h}əp 緝^{ɯ} t^{h}ɯ̱b

12973 鞜 他合 透合入一開 t^{h}əp 緝^{ɯ} t^{h}ɯ̱b

12974 錔 託合 透合入一開 t^{h}əp 緝^{ɯ} t^{h}ɯ̱b

12975 沓 徒合 定合入一開 dəp 緝^{ɯ} dɯ̱b

12976 誻 徒合 定合入一開 dəp 緝^{ɯ} dɯ̱b

12977 揩 徒合 定合入一開 dəp 緝^{ɯ} dɯ̱b

12978 涾 徒合 定合入一開 dəp 緝^{ɯ} dɯ̱b

---

1 郑张尚芳：反切下字“捶”由“棰”校改。

2 索*sk^{l}a̱g与綱*k^{l}a̱ŋ同根。苗瑶语的绳子有两个同根语素，一是l̥a<*kla，一是l̥aŋ<*klaŋ。

3 原为麦韵，但是根据谐声系统应该为陌韵，《切韵》音系二等有陌、麦的历史层次。

4 原为麦韵，但是根据谐声系统应该为陌韵，《切韵》音系二等有陌、麦的历史层次。

5 “詑”《宋本玉篇》“湯何切”。

12979 碆 徒合 定合入一開 dəp 緝^{ɯ} dɯ̱b

少 tà

12980 少 他達 透曷入一開 t^{a}ɑt 月^{a} t^{h}a̱d

㬰 tà

12981 鞳 都榼 端盇入一開 tɑp 盇^{a} ta̱b

12982 搨 都榼 端盇入一開 tɑp 盇^{a} ta̱b

12983 榻 吐盇 透盇入一開 t^{h}ɑp 盇^{a} t^{h}a̱b

12984 毾 吐盇 透盇入一開 t^{h}ɑp 盇^{a} t^{h}a̱b

12985 鰨 吐盇 透盇入一開 t^{h}ɑp 盇^{a} t^{h}a̱b

12986 㬰 吐盇 透盇入一開 t^{h}ɑp 盇^{a} t^{h}a̱b

12987 蹋 徒盇 定盇入一開 dɑp 盇^{a} da̱b

12988 闒 徒盇 定盇入一開 dɑp 盇^{a} da̱b

12989 譶 徒盇 定盇入一開 dɑp 盇^{a} da̱b

12990 蹹 徒合 定合入一開 dəp 緝^{ɯ} dɯ̱b

礷 tà

12991 礷 託盇 透盇入一開 t^{h}ɑp 盇^{a} t^{h}a̱b

龘 tà

12992 霅 之涉 章葉入三開 tɕiᴇp 盇^{o} kl^{j}ob

12993 霅 蘇合 心合入一開 səp 盇^{o} sk^{l}o̱b

12994 龘 徒合 定合入一開 dəp 盇^{o} glo̱b

12995 霅[1] 丈甲 澄洽入二開 ɖ^{ɯ}ɛp 盇^{o} glo̱b

12996 霅[2] 胡甲 匣洽入二開 ɦ^{ɯ}ɛp 盇^{o} g^{r}o̱b

12997 龘 直立 澄緝入三開 ɖip 緝^{u} glub

12998 譚 他紺 透覃去一開 t^{h}əm 談^{o} k^{h}lo̱ms

覃 tán

12999 鐔 徐林 邪侵平三開 zim 侵^{u} sg^{l}um

13000 鱏 徐林 邪侵平三開 zim 侵^{u} sg^{l}um

13001 蟫 餘針 以侵平三開 jim 侵^{u} ɢlum

13002 鷣 餘針 以侵平三開 jim 侵^{u} ɢlum

13003 撢 餘針 以侵平三開 jim 侵^{u} ɢlum

13004 鐔 餘針 以侵平三開 jim 侵^{u} ɢlum

13005 鱏 餘針 以侵平三開 jim 侵^{u} ɢlum

13006 蕈 慈荏 從侵上三開 dzim 侵^{u} sgumʔ

13007 瞫[3] 式荏 書侵上三開 ɕim 侵^{u} q^{h}lumʔ

13008 嬸[4] 式荏 書侵上三開 ɕim 侵^{u} q^{h}lumʔ

13009 潭 以荏 以侵上三開 jim 侵^{u} ɢlumʔ

13010 撢 他含 透覃平一開 t^{h}əm 侵^{u} k^{h}lu̱m

13011 鄿 徒含 定覃平一開 dəm 侵^{u} glu̱m

13012 潭 徒含 定覃平一開 dəm 侵^{u} glu̱m

13013 藫 徒含 定覃平一開 dəm 侵^{u} glu̱m

13014 橝 徒含 定覃平一開 dəm 侵^{u} glu̱m

13015 蟫 徒含 定覃平一開 dəm 侵^{u} glu̱m

13016 譚 徒含 定覃平一開 dəm 侵^{u} glu̱m

13017 燂 徒含 定覃平一開 dəm 侵^{u} glu̱m

13018 鐔 徒含 定覃平一開 dəm 侵^{u} glu̱m

13019 糫 徒含 定覃平一開 dəm 侵^{u} glu̱m

13020 醰 徒南 定覃平一開 dəm 侵^{u} glu̱m

13021 禫 徒感 定覃上一開 dəm 侵^{u} glu̱mʔ

13022 糫 徒感 定覃上一開 dəm 侵^{u} glu̱mʔ

13023 醰 徒感 定覃上一開 dəm 侵^{u} glu̱mʔ

13024 嘾 徒感 定覃上一開 dəm 侵^{u} glu̱mʔ

13025 譚 徒感 定覃上一開 dəm 侵^{u} glu̱mʔ

13026 窞 徒感 定覃上一開 dəm 侵^{u} glu̱mʔ

13027 撢 他紺 透覃去一開 t^{h}əm 侵^{u} k^{h}lu̱ms

13028 憛 他紺 透覃去一開 t^{h}əm 侵^{u} k^{h}lu̱ms

13029 醰 徒紺 定覃去一開 dəm 侵^{u} glu̱ms

13030 瞫 徒紺 定覃去一開 dəm 侵^{u} glu̱ms

13031 橝[5] 徒玷 定添上四開 dem 侵^{u} glɯ̱mʔ

13032 簟[6] 徒玷 定添上四開 dem 侵^{u} glɯ̱mʔ

13033 驔[7] 徒玷 定添上四開 dem 侵^{u} glɯ̱mʔ

13034 嬸[8] 乃玷 泥添上四開 nem 侵^{u} mglɯ̱mʔ

13035 燂 昨鹽 從鹽平三開 dziᴇm 談^{o} sgom

13036 覃 徒含 定覃平一開 dəm 談^{o} glo̱m

曇 tán

13037 曇 徒含 定覃平一開 dəm 侵^{u} du̱m

1　见定母和澄母"茶"字注。原为狎韵，但是根据谐声系统应该为洽韵，《切韵》音系二等有洽、狎的历史层次。

2　原为狎韵，但是根据谐声系统应该为洽韵，《切韵》音系二等有洽、狎的历史层次。

3　见"審"字注。

4　见"審"字注。

5　见"簟"字注。

6　u 在圆唇韵尾 m 的异化下变作 ɯ：*glu̱mʔ>*glɯ̱mʔ>*dimʔ>dem。

7　见"簟"字注。

8　见"簟"字注。

夲 tāo

13038 夲 土刀 透豪平一開 tʰɑu 幽 kʰlu̱

叏 tāo

13039 弢 土刀 透豪平一開 tʰɑu 宵^{a} kʰla̱ʷ
13040 ⿰牜叏 土刀 透豪平一開 tʰɑu 宵^{a} kʰla̱ʷ
13041 叏 土刀 透豪平一開 tʰɑu 宵^{a} kʰla̱ʷ

替 tì

13042 替 他計 透齊去四開 tʰei 質^{d} l̥i̱ds
13043 僣 他結 透屑入四開 tʰet 質^{d} l̥i̱d

天 tiān

13044 天 他前 透先平四開 tʰen 真^{ŋ} l̥i̱ŋ
13045 吞 他前 透先平四開 tʰen 真^{ŋ} l̥i̱ŋ
13046 忝 他玷 透添上四開 tʰem 侵^{i} l̥i̱mʔ
13047 忝 他念 透添去四開 tʰem 侵^{i} l̥i̱ms
13048 吞[1] 吐根 透痕平一開 tʰən 文^{ɯ} l̥ɯ̱n
13049 添 他兼 透添平四開 tʰem 侵^{i} l̥i̱m
13050 蚕 他典 透先上四開 tʰen 真^{ŋ} l̥i̱ŋʔ

田 tián

13051 畇 徒年 定先平四開 den 真^{ŋ} gli̱ŋ
13052 鈿 徒年 定先平四開 den 真^{ŋ} gli̱ŋ
13053 ⿰車田 徒年 定先平四開 den 真^{ŋ} gli̱ŋ
13054 沺 徒年 定先平四開 den 真^{ŋ} gli̱ŋ
13055 田[2] 徒年 定先平四開 den 真^{ŋ} gli̱ŋ
13056 佃 徒年 定先平四開 den 真^{ŋ} gli̱ŋ
13057 畋 徒年 定先平四開 den 真^{ŋ} gli̱ŋ
13058 畋 堂練 定先去四開 den 真^{ŋ} gli̱ŋs
13059 甸[3] 堂練 定先去四開 den 真^{ŋ} gli̱ŋs
13060 佃 堂練 定先去四開 den 真^{ŋ} gli̱ŋs
13061 鈿 堂練 定先去四開 den 真^{ŋ} gli̱ŋs

靦 tiǎn

13062 靦 他典 透先上四開 tʰen 文^{ɯ} tʰɯ̱nʔ

㐁 tiàn

13063 㐁[4] 他紺 透覃去一開 tʰəm 侵^{ɯ} l̥ɯ̱ms
13064 㐁 他念 透添去四開 tʰem 侵^{ɯ} l̥ɯ̱ms

廷 tíng

13065 桯 他丁 透青平四開 tʰeŋ 耕 kʰle̱ŋ
13066 綎 他丁 透青平四開 tʰeŋ 耕 kʰle̱ŋ
13067 庭 特丁 定青平四開 deŋ 耕 gle̱ŋ
13068 鼮 特丁 定青平四開 deŋ 耕 gle̱ŋ
13069 莛 特丁 定青平四開 deŋ 耕 gle̱ŋ
13070 筳 特丁 定青平四開 deŋ 耕 gle̱ŋ
13071 霆 特丁 定青平四開 deŋ 耕 gle̱ŋ
13072 綎 特丁 定青平四開 deŋ 耕 gle̱ŋ
13073 娗 特丁 定青平四開 deŋ 耕 gle̱ŋ
13074 挺 特丁 定青平四開 deŋ 耕 gle̱ŋ
13075 蜓 特丁 定青平四開 deŋ 耕 gle̱ŋ
13076 廷 特丁 定青平四開 deŋ 耕 gle̱ŋ
13077 ⿰犭廷 特丁 定青平四開 deŋ 耕 gle̱ŋ
13078 珽 他鼎 透青上四開 tʰeŋ 耕 kʰle̱ŋʔ
13079 脡 他鼎 透青上四開 tʰeŋ 耕 kʰle̱ŋʔ
13080 侹 他鼎 透青上四開 tʰeŋ 耕 kʰle̱ŋʔ
13081 頲 他鼎 透青上四開 tʰeŋ 耕 kʰle̱ŋʔ
13082 蜓 徒鼎 定青上四開 deŋ 耕 gle̱ŋʔ
13083 挺 徒鼎 定青上四開 deŋ 耕 gle̱ŋʔ
13084 艇 徒鼎 定青上四開 deŋ 耕 gle̱ŋʔ
13085 鋌 徒鼎 定青上四開 deŋ 耕 gle̱ŋʔ
13086 梃 徒鼎 定青上四開 deŋ 耕 gle̱ŋʔ
13087 娗 徒鼎 定青上四開 deŋ 耕 gle̱ŋʔ
13088 霆 徒鼎 定青上四開 deŋ 耕 gle̱ŋʔ
13089 莛 徒鼎 定青上四開 deŋ 耕 gle̱ŋʔ
13090 涏 徒鼎 定青上四開 deŋ 耕 gle̱ŋʔ
13091 侹 他定 透青去四開 tʰeŋ 耕 kʰle̱ŋs
13092 廷 徒徑 定青去四開 deŋ 耕 gle̱ŋs
13093 蜓 徒典 定先上四開 den 元^{e} gle̱nʔ

---

1 可比较泰文 klɯɯn 吞。

2 “田”当为*gliŋ>din，可比较缅文 kraŋ̥^{3}<*kriŋ^{3} 陆地，藏文 ʑiŋ 田、地<*ljiŋ，gliŋ 大陆、地区，还可比较览金瑶语 giːŋ2，三江瑶语 ljaŋ2 田（王辅世、毛宗武《苗瑶语古音构拟》，中国社会科学出版社 1995 年）。有些上古晚期的字不是 gl-，而是 d-，可参考“同”字注。

3 可比较同源词：缅文 kraŋ̥^{3}<*kriŋ^{3} 陆地，藏文 ʑiŋ 田，地<*ljiŋ，gliŋ 大陆、地区，泰文 ʔdin 土壤、土地，还可比较览金瑶语 giːŋ2，三江瑶语 ljaŋ2 田（王辅世，毛宗武 1995）。

4 李豪：本为“簟”之表意初文，古文字“尋”从㐁声。

13094 涏 堂練 定先去四開 den 真^{ŋ} gli̱ŋs

壬 tǐng

13095 壬 他鼎 透青上四開 t^{h}eŋ 耕 k^{h}le̱ŋʔ

同 tóng

13096 鲖 直隴 澄鍾上三合 ɖioŋ 東 gloŋʔ
13097 狪 徒東 定東平一合 duŋ 東 glo̱ŋ
13098 秱 徒東 定東平一合 duŋ 東 glo̱ŋ
13099 同[1] 徒紅 定東平一合 duŋ 東 glo̱ŋ
13100 銅 徒紅 定東平一合 duŋ 東 glo̱ŋ
13101 桐 徒紅 定東平一合 duŋ 東 glo̱ŋ
13102 峒 徒紅 定東平一合 duŋ 東 glo̱ŋ
13103 硐 徒紅 定東平一合 duŋ 東 glo̱ŋ
13104 筒[2] 徒紅 定東平一合 duŋ 東 glo̱ŋ
13105 洞 徒紅 定東平一合 duŋ 東 glo̱ŋ
13106 侗 徒紅 定東平一合 duŋ 東 glo̱ŋ
13107 烔 徒紅 定東平一合 duŋ 東 glo̱ŋ
13108 挏[3] 徒紅 定東平一合 duŋ 東 glo̱ŋ
13109 鲖 徒紅 定東平一合 duŋ 東 glo̱ŋ
13110 眮 徒紅 定東平一合 duŋ 東 glo̱ŋ
13111 衕 徒紅 定東平一合 duŋ 東 glo̱ŋ
13112 哃 徒紅 定東平一合 duŋ 東 glo̱ŋ
13113 絧 徒紅 定東平一合 duŋ 東 glo̱ŋ
13114 狪 他東 透東平一合 t^{h}uŋ 東 k^{h}lo̱ŋ
13115 侗 他紅 透東平一合 t^{h}uŋ 東 k^{h}lo̱ŋ
13116 恫 他紅 透東平一合 t^{h}uŋ 東 k^{h}lo̱ŋ
13117 姛 徒揔 定東上一合 duŋ 東 glo̱ŋʔ
13118 眮 徒揔 定東上一合 duŋ 東 glo̱ŋʔ
13119 詷 徒揔 定東上一合 duŋ 東 glo̱ŋʔ
13120 挏 徒揔 定東上一合 duŋ 東 glo̱ŋʔ
13121 硐 徒揔 定東上一合 duŋ 東 glo̱ŋʔ
13122 侗 他孔 透東上一合 t^{h}uŋ 東 k^{h}lo̱ŋʔ
13123 祠 吐孔 透東上一合 t^{h}uŋ 東 k^{h}lo̱ŋʔ
13124 峒 徒弄 定東去一合 duŋ 東 glo̱ŋs
13125 詷 徒弄 定東去一合 duŋ 東 glo̱ŋs
13126 胴 徒弄 定東去一合 duŋ 東 glo̱ŋs
13127 筒 徒弄 定東去一合 duŋ 東 glo̱ŋs
13128 駧 徒弄 定東去一合 duŋ 東 glo̱ŋs
13129 洞[4] 徒弄 定東去一合 duŋ 東 glo̱ŋs
13130 恫 徒弄 定東去一合 duŋ 東 glo̱ŋs
13131 眮 徒弄 定東去一合 duŋ 東 glo̱ŋs
13132 絧 徒弄 定東去一合 duŋ 東 glo̱ŋs
13133 衕 徒弄 定東去一合 duŋ 東 glo̱ŋs
13134 迵 徒弄 定東去一合 duŋ 東 glo̱ŋs
13135 鲖[5] 除柳 澄尤上三合 ɖiu 幽 gluʔ

𠫓 tū

13136 𠫓 他骨 透没入一合 t^{h}u̱ot 物^{u} t^{h}u̱d

秃 tū

13137 秃 他谷 透屋入一合 t^{h}uk 屋 t^{h}o̱g

突 tū

13138 突 他骨 透没入一合 t^{h}u̱ot 物^{u} t^{h}u̱d
13139 突 陀骨 定没入一合 du̱ot 物^{u} du̱d
13140 鼵 陀骨 定没入一合 du̱ot 物^{u} du̱d
13141 葖 陀骨 定没入一合 du̱ot 物^{u} du̱d
13142 鵚 陀骨 定没入一合 du̱ot 物^{u} du̱d
13143 堗 陀骨 定没入一合 du̱ot 物^{u} du̱d

圖 tú

13144 圖 同都 定模平一合 du̱o 魚 da̱

土 tǔ

13145 社 常者 禪麻上三開 dʑiæ 魚 gl^{j}aʔ
13146 徒 同都 定模平一合 du̱o 魚 gla̱
13147 跿 同都 定模平一合 du̱o 魚 gla̱
13148 肚 當古 端模上一合 tu̱o 魚 kla̱ʔ

---

1 谐声系列“同”的上古声母为 *gl->d-，但是在上古晚期声母已经变成了 d-，我们还无法在知道什么时候哪些谐声字变为 d-，目前暂时先拟作 gl-。

2 比较泰文 klɔɔŋ 管、筒，邕南壮语 toŋ2，平乐壮语 luŋ5，大坪瑶语 toŋ，小寨苗语 kuŋ，故“筒”为复辅音 *glo̱ŋ>doŋ。

3 藏文 gloŋ 搅动，故“挏”为复辅音 *glo̱ŋ>doŋ。

4 比较台语“洞”的借词有 luaŋ3（黄腊布依）、koŋ33（马山壮）、luŋ 44（龙南勉）、q^{h}ɔŋ13（摆托苗）、toŋ53（盘石勉），故“洞”为复辅音 *glo̱ŋ>doŋ。

5 郑张尚芳：鲖阳，汉县。澄母尤韵的读音，戴震认为是从“紂红反”的“紂”字读音的误读。王念孙《读书杂志》“鲖陽”条提出过反对意见。

13149 土[1] 他魯 透模上一合 t^{h}u̯o 魚 k^{h}la̱ʔ

13150 吐[2] 他魯 透模上一合 t^{h}u̯o 魚 k^{h}la̱ʔ

13151 芏 他魯 透模上一合 t^{h}u̯o 魚 k^{h}la̱ʔ

13152 杜[3] 徒古 定模上一合 du̯o 魚 gla̱ʔ

13153 靯 徒古 定模上一合 du̯o 魚 gla̱ʔ

13154 肚 徒古 定模上一合 du̯o 魚 gla̱ʔ

13155 土 徒古 定模上一合 du̯o 魚 gla̱ʔ

13156 吐 湯故 透模去一合 t^{h}u̯o 魚 k^{h}la̱s

兔 tù

13157 菟 同都 定模平一合 du̯o 魚 gla̱

13158 鵵 同都 定模平一合 du̯o 魚 gla̱

13159 菟 湯故 透模去一合 t^{h}u̯o 魚 k^{h}la̱s

13160 兔 湯故 透模去一合 t^{h}u̯o 魚 k^{h}la̱s

13161 鵵 湯故 透模去一合 t^{h}u̯o 魚 k^{h}la̱s

彖 tuàn

13162 猭 丑緣 徹仙平三合 ʈ^{hw}iᴇn 元^{o} k^{h}lon

13163 椽 直攣 澄仙平三合 ɖ^{w}iᴇn 元^{o} glon

13164 蝝 與專 以仙平三合 j^{w}iᴇn 元^{o} ɢlon

13165 緣 與專 以仙平三合 j^{w}iᴇn 元^{o} ɢlon

13166 腞 敕轉 徹仙上三合 ʈ^{hw}iᴇn 元^{o} k^{h}lonʔ

13167 篆 持兖 澄仙上三合 ɖ^{w}iᴇn 元^{o} glonʔ

13168 瑑 持兖 澄仙上三合 ɖ^{w}iᴇn 元^{o} glonʔ

13169 隊 持兖 澄仙上三合 ɖ^{w}iᴇn 元^{o} glonʔ

13170 腞 柱兖 澄仙上三合 ɖ^{w}iᴇn 元^{o} glonʔ

13171 遂 寵戀 徹仙去三合 ʈ^{hw}iᴇn 元^{o} k^{h}lons

13172 猭 丑戀 徹仙去三合 ʈ^{hw}iᴇn 元^{o} k^{h}lons

13173 鶨 丑戀 徹仙去三合 ʈ^{hw}iᴇn 元^{o} k^{h}lons

13174 掾 以絹 以仙去三合 j^{w}iᴇn 元^{o} ɢlons

13175 緣 以絹 以仙去三合 j^{w}iᴇn 元^{o} ɢlons

13176 彖 通貫 透寒去一合 t^{hw}ɑn 元^{o} k^{h}lo̱ns

13177 褖 通貫 透寒去一合 t^{hw}ɑn 元^{o} k^{h}lo̱ns

13178 鶨 又音彖 透寒去一合 t^{hw}ɑn 元^{o} k^{h}lo̱ns

13179 喙 許穢 曉廢去三合 h^{w}iai 月^{o} q^{h}ods

13180 瘃 許穢 曉廢去三合 h^{w}iai 月^{o} q^{h}ods

13181 餘 許穢 曉廢去三合 h^{w}iai 月^{o} q^{h}ods

13182 喙 昌芮 昌祭去三合 tɕ^{hw}iᴇi 月^{o} k^{h}l^{j}ods

13183 鶨 徒困 定魂去一合 du̯on 文^{u} glu̱ns

13184 腞 徒困 定魂去一合 du̯on 文^{u} glu̱ns

13185 蠡 落戈 來歌平一合 l^{w}ɑ 歌^{o} g.ro̱l

退 tuì

13186 退 他内 透灰去一合 t^{h}u̯oi 緝^{u} n̥u̱bs

屯 tún

13187 屯 陟綸 知真平三合 ʈ^{w}in 文^{u} klun

13188 窀 陟綸 知真平三合 ʈ^{w}in 文^{u} klun

13189 迍 陟綸 知真平三合 ʈ^{w}in 文^{u} klun

13190 訰 章倫 章真平三合 tɕ^{w}in 文^{u} kl^{j}un

13191 肫 章倫 章真平三合 tɕ^{w}in 文^{u} kl^{j}un

13192 椿 丑倫 徹真平三合 ʈ^{hw}in 文^{u} k^{h}lun

13193 杶 丑倫 徹真平三合 ʈ^{hw}in 文^{u} k^{h}lun

13194 春 昌脣 昌真平三合 tɕ^{hw}in 文^{u} k^{h}l^{j}un

13195 奄 常倫 禪真平三合 dʑ^{w}in 文^{u} gl^{j}un

13196 純[4] 常倫 禪真平三合 dʑ^{w}in 文^{u} gl^{j}un

13197 純 之尹 章真上三合 tɕ^{w}in 文^{u} kl^{j}unʔ

13198 偆 癡凖 徹真上三合 ʈ^{hw}in 文^{u} k^{h}lunʔ

13199 蠢 尺尹 昌真上三合 tɕ^{hw}in 文^{u} k^{h}l^{j}unʔ

13200 踳 尺尹 昌真上三合 tɕ^{hw}in 文^{u} k^{h}l^{j}unʔ

13201 惷[5] 尺尹 昌真上三合 tɕ^{hw}in 文^{u} k^{h}l^{j}unʔ

13202 偆 尺尹 昌真上三合 tɕ^{hw}in 文^{u} k^{h}l^{j}unʔ

13203 訰 之閏 章真去三合 tɕ^{w}in 文^{u} kl^{j}uns

13204 鬊 舒閏 書真去三合 ɕ^{w}in 文^{u} q^{h}luns

---

1 《庄子·让王》“其土苴以治天下”中“土”字在《经典释文》中的注音“下賈反”，可折合成* g.a̱ʔ。北方土话“圪垃”土块，还保留带冠音节的形式* k.ra>kəra。“土”在藏缅语中有以下的形式：景颇 ka55、独龙 gaʔ55、羌 k^{h}iɑ、达让僜 k^{h}ɯ31lɑi55。侗台语德宏傣 la(田)、佯黄 za、仫佬 ɣa、水 ʔɣa、麻散毛南 ʐa、车江侗 ja、三江水^{n}ga、下江侗 ɣa、卡蒲佯僙 ra。苗瑶语矮寨苗 la22、石门坎苗 lɦa24、洞头寨苗 lɑ22、先进苗 lua31、青岩苗 tɑ55。朝鲜《三国史记》卷三十四，地理一：“新羅者……魏時曰新盧，宋時曰新羅。”“新羅”是汉语中古译名，“新盧”是上古译名，其中的“羅”中古音 lɑ<* ra̱，“盧”上古音 ra̱，都是“地方”的意思，“新羅”者，新城也。新，朝鲜语새[sae]。

2 《释名》“苦吐也，人所吐也”，苦* k^{hl}a̱ʔ>* k^{h}a̱ʔ，以“吐”为声训，故“吐”为复辅音* k^{h}la̱ ʔ>* t^{h}aʔ。

3 《方言》：“東齊謂根曰杜。”可比较格曼僜语 kɹa53 根，故“杜”为复辅音* gla̱ʔ>da̱ʔ。

4 《周礼·司几筵》“設莞筵紛純”，郑司农云：“純讀爲均服之均。”声母带软腭塞音。

5 “坉”马王堆帛书《老子》甲、乙本作“湷”，王弼本作“混”，刘信芳《荆门郭店竹简老子解诂》([台北] 艺文印书馆，1999 年)读为“惷”，又作“蠢”。声母带软腭塞音。

13205 黗 他昆 透魂平一合 t$^{\urcorner}$u̯on 文^{u} k^{h}lu̲n

13206 沌 徒渾 定魂平一合 du̯on 文^{u} glu̲n

13207 邨 徒渾 定魂平一合 du̯on 文^{u} glu̲n

13208 忳 徒渾 定魂平一合 du̯on 文^{u} glu̲n

13209 芚 徒渾 定魂平一合 du̯on 文^{u} glu̲n

13210 庉 徒渾 定魂平一合 du̯on 文^{u} glu̲n

13211 屯 徒渾 定魂平一合 du̯on 文^{u} glu̲n

13212 軘 徒渾 定魂平一合 du̯on 文^{u} glu̲n

13213 窀 徒渾 定魂平一合 du̯on 文^{u} glu̲n

13214 黗 他衮 透魂上一合 t^{h}u̯on 文^{u} k^{h}lu̲nʔ

13215 炖 杜本 定魂上一合 du̯on 文^{u} glu̲nʔ

13216 囤 徒損 定魂上一合 du̯on 文^{u} glu̲nʔ

13217 笹 徒損 定魂上一合 du̯on 文^{u} glu̲nʔ

13218 沌 徒損 定魂上一合 du̯on 文^{u} glu̲nʔ

13219 庉 徒損 定魂上一合 du̯on 文^{u} glu̲nʔ

13220 頓 都困 端魂去一合 tu̯on 文^{u} klu̲ns

13221 鈍 徒困 定魂去一合 du̯on 文^{u} glu̲ns

13222 沌 持兖 澄仙上三合 ɖ^{w}iɛn 元^{o} glonʔ

13223 窀[1] 墜頑 澄删平二合 ɖ^{wɯ}æn 元^{o} glo̲n

屍 tún

13224 殿 都甸 端先去四開 ten 文^{ɯ} klɯ̲ns

13225 澱 堂練 定先去四開 den 文^{ɯ} glɯ̲ns

13226 殿 堂練 定先去四開 den 文^{ɯ} glɯ̲ns

13227 屍 堂練 定先去四開 den 文^{ɯ} glɯ̲ns

13228 驔 堂練 定先去四開 den 文^{ɯ} glɯ̲ns

13229 壂 堂練 定先去四開 den 文^{ɯ} glɯ̲ns

13230 臀[2] 徒渾 定魂平一合 du̯on 文^{u} glu̲n

13231 簸[3] 徒渾 定魂平一合 du̯on 文^{u} glu̲n

豚 tún

13232 豚 徒渾 定魂平一合 du̯on 文^{u} lu̲n

13233 遯 徒渾 定魂平一合 du̯on 文^{u} lu̲n

13234 遯 徒損 定魂上一合 du̯on 文^{u} lu̲nʔ

13235 腞 杜本 定魂上一合 du̯on 文^{u} lu̲nʔ

13236 遯 徒困 定魂去一合 du̯on 文^{u} lu̲ns

妥 tuǒ

13237 綏[4] 儒隹 日脂平三合 ȵ^{w}i 微^{u} n^{j}ul

13238 桵 儒隹 日脂平三合 ȵ^{w}i 微^{u} n^{j}ul

13239 挼[5] 儒隹 日脂平三合 ȵ^{w}i 微^{u} n^{j}ul

13240 婑[6] 儒隹 日脂平三合 ȵ^{w}i 微^{u} n^{j}ul

13241 綏 息遺 心脂平三合 s^{w}i 微^{u} snul

13242 捼[7] 乃回 泥灰平一合 nu̯oi 微^{u} nu̲l

13243 屦 通回 透灰平一合 t^{h}u̯oi 微^{u} n̥u̲l

13244 挼 素回 心灰平一合 su̯oi 微^{u} snu̲l

13245 餒 奴罪 泥灰上一合 nu̯oi 微^{u} nu̲lʔ

13246 婑[8] 弩罪 泥灰上一合 nu̯oi 微^{u} nu̲lʔ

13247 脮[9] 弩罪 泥灰上一合 nu̯oi 微^{u} nu̲lʔ

13248 崾 吐猥 透灰上一合 t^{h}u̯oi 微^{u} n̥u̲lʔ

13249 倭 吐猥 透灰上一合 t^{h}u̯oi 微^{u} n̥u̲lʔ

13250 諉[10] 女恚 娘支去三合 ɳ^{w}ie 歌^{o} nols

13251 錗[11] 女恚 娘支去三合 ɳ^{w}ie 歌^{o} nols

13252 捼[12] 奴禾 泥歌平一合 n^{w}ɑ 歌^{o} no̲l

13253 妥 他果 透歌上一合 t^{hw}ɑ 歌^{o} n̥o̲lʔ

13254 崾 他果 透歌上一合 t^{hw}ɑ 歌^{o} n̥o̲lʔ

瓦 wǎ

13255 瓦 五寡 疑麻上二合 ŋ^{wɯ}æ 歌^{a} ŋ^{wr}a̲lʔ

13256 瓦 五化 疑麻去二合 ŋ^{wɯ}æ 歌^{a} ŋ^{wr}a̲ls

丸 wán

13257 紈 胡官 匣寒平一合 ɦ^{w}ɑn 元^{o} go̲n

13258 丸[13] 胡官 匣寒平一合 ɦ^{w}ɑn 元^{o} go̲n

13259 汍 胡官 匣寒平一合 ɦ^{w}ɑn 元^{o} go̲n

13260 芄 胡官 匣寒平一合 ɦ^{w}ɑn 元^{o} go̲n

13261 魭 胡官 匣寒平一合 ɦ^{w}ɑn 元^{o} go̲n

13262 肒 胡玩 匣寒去一合 ɦ^{w}ɑn 元^{o} go̲ns

13263 疣 胡玩 匣寒去一合 ɦ^{w}ɑn 元^{o} go̲ns

13264 骫 於詭 影支上B合 ʔ^{w}ɨe 歌^{o} q^{r}olʔ

---

1 见定母和澄母"荼"字注。

2 见"存"字注。

3 见"存"字注。

4 见"諉"字注。

5 见"諉"字注。

6 见"諉"字注。

7 见"諉"字注。

8 见"諉"字注。

9 见"諉"字注。

10 "妥"得声，应为字形影响讹作"委"声。

11 见"諉"字注。

12 见"諉"字注。

13 可比较藏文 go(la)球、丸，goŋ 丸形。

炃 wǎn

13265 鋄 亡范 明凡上三開 miɐ̯am 談^{a} mamʔ

13266 炃 亡范 明凡上三開 miɐ̯am 談^{a} mamʔ

13267 炃 明忝 明添上四開 mem 談^{e} mẹmʔ

万 wàn

13268 万 無販 明元去三合 m^{w}iɤn 元^{a} mans

萬 wàn

13269 礪 力制 來祭去三開 liɛi 月^{a} ɡ.rads

13270 勵 力制 來祭去三開 liɛi 月^{a} ɡ.rads

13271 厲[1] 力制 來祭去三開 liɛi 月^{a} ɡ.rads

13272 癘 力制 來祭去三開 liɛi 月^{a} ɡ.rads

13273 犡 力制 來祭去三開 liɛi 月^{a} ɡ.rads

13274 巁 力制 來祭去三開 liɛi 月^{a} ɡ.rads

13275 濿 力制 來祭去三開 liɛi 月^{a} ɡ.rads

13276 蠣 力制 來祭去三開 liɛi 月^{a} ɡ.rads

13277 櫔 力制 來祭去三開 liɛi 月^{a} ɡ.rads

13278 糲 力制 來祭去三開 liɛi 月^{a} ɡ.rads

13279 糲 落蓋 來泰去一開 lɑi 月^{a} ɡ.rạds

13280 犡 落蓋 來泰去一開 lɑi 月^{a} ɡ.rạds

13281 噧 他達 透曷入一開 t^{h}ɑt 月^{a} p^{h}lạd

13282 糲 盧達 來曷入一開 lɑt 月^{a} ɡ.rạd

13283 囆 丑邁 徹夬去二開 ʈ^{hɯ}æi 月^{a} k^{h}rạds

13284 蠆 丑犗 徹夬去二開 ʈ^{hɯ}æi 月^{a} k^{h}rạds

13285 譪 火犗 曉夬去二開 h^{ɯ}æi 月^{a} m̥^{hr}ạds

13286 邁 莫話 明夬去二開 m^{ɯ}æi 月^{a} mb^{r}ạds

13287 勱 莫話 明夬去二開 m^{ɯ}æi 月^{a} mb^{r}ạds

13288 譪 莫話 明夬去二開 m^{ɯ}æi 月^{a} mb^{r}ạds

13289 萬 無販 明元去三合 m^{w}iɤn 元^{a} mb^{l}ans

13290 贎 無販 明元去三合 m^{w}iɤn 元^{a} mb^{l}ans

13291 噧 許介 曉皆去二開 h^{ɯ}ɛi 月^{e} m̥^{hr}ẹds

13292 譪 許介 曉皆去二開 h^{ɯ}ɛi 月^{e} m̥^{hr}ẹds

尣 wāng

13293 尣 烏光 影唐平一合 ʔ^{w}ɑŋ 陽 q^{w}ạŋ

亡 wáng

13294 亡 武方 明陽平三合 m^{w}iaŋ 陽 maŋ

13295 芒 武方 明陽平三合 m^{w}iaŋ 陽 maŋ

13296 莣 武方 明陽平三合 m^{w}iaŋ 陽 maŋ

13297 鋩 武方 明陽平三合 m^{w}iaŋ 陽 maŋ

13298 宋 武方 明陽平三合 m^{w}iaŋ 陽 maŋ

13299 甿 武方 明陽平三合 m^{w}iaŋ 陽 maŋ

13300 邙 武方 明陽平三合 m^{w}iaŋ 陽 maŋ

13301 望 武方 明陽平三合 m^{w}iaŋ 陽 maŋ

13302 朢 武方 明陽平三合 m^{w}iaŋ 陽 maŋ

13303 鬸 武方 明陽平三合 m^{w}iaŋ 陽 maŋ

13304 忘 武方 明陽平三合 m^{w}iaŋ 陽 maŋ

13305 網 文兩 明陽上三合 m^{w}iaŋ 陽 maŋʔ

13306 罔 文兩 明陽上三合 m^{w}iaŋ 陽 maŋʔ

13307 輞 文兩 明陽上三合 m^{w}iaŋ 陽 maŋʔ

13308 惘 文兩 明陽上三合 m^{w}iaŋ 陽 maŋʔ

13309 誷 文兩 明陽上三合 m^{w}iaŋ 陽 maŋʔ

13310 魍 文兩 明陽上三合 m^{w}iaŋ 陽 maŋʔ

13311 謊 許昉 曉陽上三合 h^{w}iaŋ 陽 m̥^{h}aŋʔ

13312 妄 巫放 明陽去三合 m^{w}iaŋ 陽 maŋs

13313 朢 巫放 明陽去三合 m^{w}iaŋ 陽 maŋs

13314 忘 巫放 明陽去三合 m^{w}iaŋ 陽 maŋs

13315 汒 巫放 明陽去三合 m^{w}iaŋ 陽 maŋs

13316 望 巫放 明陽去三合 m^{w}iaŋ 陽 maŋs

13317 甿 謨郎 明唐平一開 mɑŋ 陽 mạŋ

13318 茫 莫郎 明唐平一開 mɑŋ 陽 mạŋ

13319 盲 莫郎 明唐平一開 mɑŋ 陽 mạŋ

13320 汒 莫郎 明唐平一開 mɑŋ 陽 mạŋ

13321 忙 莫郎 明唐平一開 mɑŋ 陽 mạŋ

13322 甿 莫郎 明唐平一開 mɑŋ 陽 mạŋ

13323 邙 莫郎 明唐平一開 mɑŋ 陽 mạŋ

13324 芒 莫郎 明唐平一開 mɑŋ 陽 mạŋ

13325 宋 莫郎 明唐平一開 mɑŋ 陽 mạŋ

13326 𥇀 莫郎 明唐平一開 mɑŋ 陽 mạŋ

13327 荒 呼光 曉唐平一合 h^{w}ɑŋ 陽 m̥^{h}ạŋ

13328 巟 呼光 曉唐平一合 h^{w}ɑŋ 陽 m̥^{h}ạŋ

---

1 《古字通假会典》泰部第十四《诗·小雅·都人士》“垂带而厲”，郑笺：“‘厲’字當作‘裂’。”“裂”音*ɡ.red，与“厲”*ɡ.rads通假。《左传·昭公四年》：“遂滅賴。”《公羊传》《穀梁传》“賴”並作“厲”。《史记·秦始皇本纪》：“悼公享國十五年。葬僖公西，城雍，生剌龔公。”泷川资言《史记会注考证》：“三條、南化本‘剌’作‘賴’。”《秦本纪》作“厲共公”。“賴”古音*ɡ.rạds，与“厲”*ɡ.rads通假。

13329	肓	呼光	曉唐平一合	h^{w}ɑŋ	陽	m̥^{h}a̱ŋ
13330	衁	呼光	曉唐平一合	h^{w}ɑŋ	陽	m̥^{h}a̱ŋ
13331	⿰馬巟[1]	呼光	曉唐平一合	h^{w}ɑŋ	陽	m̥^{h}a̱ŋ
13332	絖	呼光	曉唐平一合	h^{w}ɑŋ	陽	m̥^{h}a̱ŋ
13333	謊	呼光	曉唐平一合	h^{w}ɑŋ	陽	m̥^{h}a̱ŋ
13334	⿰目巟	呼光	曉唐平一合	h^{w}ɑŋ	陽	m̥^{h}a̱ŋ
13335	⿰巾巟	呼光	曉唐平一合	h^{w}ɑŋ	陽	m̥^{h}a̱ŋ
13336	巟	呼光	曉唐平一合	h^{w}ɑŋ	陽	m̥^{h}a̱ŋ
13337	⿰亡羽	呼光	曉唐平一合	h^{w}ɑŋ	陽	m̥^{h}a̱ŋ
13338	⿰月巟	呼郎	曉唐平一開	hɑŋ	陽	m̥^{h}a̱ŋ
13339	⿰山亡	模朗	明唐上一開	mɑŋ	陽	ma̱ŋʔ
13340	慌	呼晃	曉唐上一合	h^{w}ɑŋ	陽	m̥^{h}a̱ŋʔ
13341	⿰月巟	呼晃	曉唐上一合	h^{w}ɑŋ	陽	m̥^{h}a̱ŋʔ
13342	謊	呼晃	曉唐上一合	h^{w}ɑŋ	陽	m̥^{h}a̱ŋʔ
13343	⿱亡日	莫浪	明唐去一開	mɑŋ	陽	ma̱ŋs
13344	⿰山亡	莫浪	明唐去一開	mɑŋ	陽	ma̱ŋs
13345	荒	呼浪	曉唐去一開	hɑŋ	陽	m̥^{h}a̱ŋs
13346	甿[2]	謨耕	明庚平二開	m^{ɯ}æŋ	陽	m^{r}a̱ŋ
13347	氓[3]	莫耕	明庚平二開	m^{ɯ}æŋ	陽	m^{r}a̱ŋ
13348	蝱	武庚	明庚平二開	m^{ɯ}æŋ	陽	m^{r}a̱ŋ
13349	盲	武庚	明庚平二開	m^{ɯ}æŋ	陽	m^{r}a̱ŋ
13350	⿱亡明	莫更	明庚去二開	m^{ɯ}æŋ	陽	m^{r}a̱ŋs
13351	⿰亡攵	微夫	明虞平三合	miʊ	魚	ma
13352	⿰亡攵	芳武	滂虞上三合	p^{h}iʊ	魚	m̥aʔ

王 wáng

13353	王	雨方	云陽平三合	ɦ^{ɨw}iaŋ	陽	ɢ^{w}aŋ
13354	蚟	雨方	云陽平三合	ɦ^{ɨw}iaŋ	陽	ɢ^{w}aŋ
13355	迋	俱往	見陽上三合	k^{w}iaŋ	陽	k^{w}aŋʔ
13356	迋	于放	云陽去三合	ɦ^{ɨw}iaŋ	陽	ɢ^{w}aŋs
13357	旺	于放	云陽去三合	ɦ^{ɨw}iaŋ	陽	ɢ^{w}aŋs
13358	王	于放	云陽去三合	ɦ^{ɨw}iaŋ	陽	ɢ^{w}aŋs
13359	⿱王土	胡光	匣唐平一合	ɦ^{w}ɑŋ	陽	g^{w}a̱ŋ
13360	尪	烏光	影唐平一合	ʔ^{w}ɑŋ	陽	q^{w}a̱ŋ

网 wǎng

13361	网[4]	文兩	明陽上三合	m^{w}iaŋ	陽	mk^{l}aŋʔ
13362	崗	古郎	見唐平一開	kɑŋ	陽	k^{l}a̱ŋ
13363	剛	古郎	見唐平一開	kɑŋ	陽	k^{l}a̱ŋ
13364	鋼	古郎	見唐平一開	kɑŋ	陽	k^{l}a̱ŋ
13365	綱	古郎	見唐平一開	kɑŋ	陽	k^{l}a̱ŋ
13366	堈	古郎	見唐平一開	kɑŋ	陽	k^{l}a̱ŋ
13367	⿱艹岡	居郎	見唐平一開	kɑŋ	陽	k^{l}a̱ŋ
13368	⿰岡瓦	古郎	見唐平一開	kɑŋ	陽	k^{l}a̱ŋ
13369	岡	古郎	見唐平一開	kɑŋ	陽	k^{l}a̱ŋ
13370	犅	古郎	見唐平一開	kɑŋ	陽	k^{l}a̱ŋ
13371	鋼	古浪	見唐去一開	kɑŋ	陽	k^{l}a̱ŋs

危 wēi

13372	危	魚爲	疑支平B合	ŋ^{w}ɨe	歌^{o}	ŋg^{r}ol
13373	洈	魚爲	疑支平B合	ŋ^{w}ɨe	歌^{o}	ŋg^{r}ol
13374	峗	魚爲	疑支平B合	ŋ^{w}ɨe	歌^{o}	ŋg^{r}ol
13375	詭	過委	見支上B合	k^{w}ɨe	歌^{o}	k^{r}olʔ
13376	垝	過委	見支上B合	k^{w}ɨe	歌^{o}	k^{r}olʔ
13377	⿰危阝	過委	見支上B合	k^{w}ɨe	歌^{o}	k^{r}olʔ
13378	⿰金危	過委	見支上B合	k^{w}ɨe	歌^{o}	k^{r}olʔ
13379	觤	過委	見支上B合	k^{w}ɨe	歌^{o}	k^{r}olʔ
13380	恑	過委	見支上B合	k^{w}ɨe	歌^{o}	k^{r}olʔ
13381	蛫	過委	見支上B合	k^{w}ɨe	歌^{o}	k^{r}olʔ
13382	祪	過委	見支上B合	k^{w}ɨe	歌^{o}	k^{r}olʔ
13383	洈	過委	見支上B合	k^{w}ɨe	歌^{o}	k^{r}olʔ
13384	姽	過委	見支上B合	k^{w}ɨe	歌^{o}	k^{r}olʔ
13385	桅	過委	見支上B合	k^{w}ɨe	歌^{o}	k^{r}olʔ
13386	佹	過委	見支上B合	k^{w}ɨe	歌^{o}	k^{r}olʔ
13387	跪[5]	去委	溪支上B合	k^{hw}ɨe	歌^{o}	k^{hr}olʔ
13388	跪	渠委	群支上B合	g^{w}ɨe	歌^{o}	g^{r}olʔ

---

1 《广韵》作"⿱巟馬"。

2 原为耕韵，但是根据谐声系统应该为庚韵，《切韵》音系二等有庚、耕的历史层次。

3 原为耕韵，但是根据谐声系统应该为庚韵，《切韵》音系二等有庚、耕的历史层次。

4 《说文》"岡"从"网"谐声，"网"又与"亡"谐声，从道理上说"岡"与"亡"也能谐声。但是"亡"的谐声系列和通假字中没有见系字，"亡"与"无"通用，"无"上古是*ma，"亡"是*maŋ，两者通过韵尾交替形成同根词。但是，"岡"的词根是见母字*k^{l}a̱ŋ，它怎么能够与明母字"亡"*maŋ谐声呢？谐声有一个历史层次的问题。"岡"，《说文》从山网声，可见"网"一定带有软腭音，最好的解释是"网"的原始读音是*mk^{l}aŋʔ>*m^{l}aŋʔ>中古 mɨaŋ，它的词根是*k^{l}aŋʔ，带鼻冠音前缀*m-，其词根与"岡"的词根*k^{l}a̱ŋ可以谐声。"网"的同族词还有"罟"*ka̱ʔ，"罝"*ska>中古 tsɨæ，"綱"*k^{l}a̱ŋ。《论语・述而》"子釣而不綱"，何晏《集解》引孔曰："綱者爲大網。""网"最早还没有声符"亡"，秦文字以后"网"的读音已经变成了*maŋʔ，其词根与"亡"同音，就加上了声符"亡"。

5 古文字中"坐"与"跪"同，可比较藏文 ɦk^{h}od 坐。

13389 硊　魚毀　疑支上B 合　ŋ^{w}ɨe　歌^{o}　ŋg^{r}olʔ
13390 頠　魚毀　疑支上B 合　ŋ^{w}ɨe　歌^{o}　ŋg^{r}olʔ
13391 姽　魚毀　疑支上B 合　ŋ^{w}ɨe　歌^{o}　ŋg^{r}olʔ
13392 垝　詭僞　見支去B 合　k^{w}ɨe　歌^{o}　k^{r}ols
13393 趖　蘇禾　心歌平一合　s^{w}ɑ　歌^{o}　sk^{l}o̱l
13394 娑　蘇禾　心歌平一合　s^{w}ɑ　歌^{o}　sk^{l}o̱l
13395 脞　醋伽　清歌平一合　ts^{hw}ɑ　歌^{o}　sk^{h}lo̱l
13396 遳　七戈　清歌平一合　ts^{hw}ɑ　歌^{o}　sk^{h}lo̱l
13397 矬　醋伽　清歌平一合　ts^{hw}ɑ　歌^{o}　sk^{h}lo̱l
13398 痤　昨禾　從歌平一合　dz^{w}ɑ　歌^{o}　sglo̱l
13399 銼　昨禾　從歌平一合　dz^{w}ɑ　歌^{o}　sglo̱l
13400 矬　昨禾　從歌平一合　dz^{w}ɑ　歌^{o}　sglo̱l
13401 睉　昨禾　從歌平一合　dz^{w}ɑ　歌^{o}　sglo̱l
13402 脞　倉果　清歌上一合　ts^{hw}ɑ　歌^{o}　sk^{h}lo̱lʔ
13403 坐[1] 徂果　從歌上一合　dz^{w}ɑ　歌^{o}　sglo̱lʔ
13404 侳　則臥　精歌去一合　ts^{w}ɑ　歌^{o}　sklo̱ls
13405 葰　祖卧　精歌去一合　ts^{w}ɑ　歌^{o}　sklo̱ls
13406 挫　則臥　精歌去一合　ts^{w}ɑ　歌^{o}　sklo̱ls
13407 剉　麤臥　清歌去一合　ts^{hw}ɑ　歌^{o}　sk^{h}lo̱ls
13408 莝　麤臥　清歌去一合　ts^{hw}ɑ　歌^{o}　sk^{h}lo̱ls
13409 銼　麤臥　清歌去一合　ts^{hw}ɑ　歌^{o}　sk^{h}lo̱ls
13410 座　徂臥　從歌去一合　dz^{w}ɑ　歌^{o}　sglo̱ls
13411 坐　徂臥　從歌去一合　dz^{w}ɑ　歌^{o}　sglo̱ls
13412 髽　莊華　莊麻平二合　tʂ^{wɯ}æ　歌^{o}　skro̱l
13413 郈　暨軌　見脂上B 合　k^{w}ɨi　微^{u}　k^{r}ulʔ
13414 桅　五灰　疑灰平一合　ŋu̯oi　微^{u}　ŋgu̱l
13415 葰　祖猥　精灰上一合　tsu̯oi　微^{u}　sklu̱lʔ
13416 頠　五罪　疑灰上一合　ŋu̯oi　微^{u}　ŋgu̱lʔ
13417 峗　五罪　疑灰上一合　ŋu̯oi　微^{u}　ŋgu̱lʔ
13418 葰　祖對　精灰去一合　tsu̯oi　微^{u}　sklu̱ls
13419 卼[2] 五忽　疑没入一合　ŋu̯ot　物^{u}　ŋgu̱d
13420 銼　昨木　從屋入一合　dzuk　屋　sglo̱g

威 wēi

13421 威　於非　影微平三合　ʔ^{w}ɤi　微^{u}　qul
13422 葳　於非　影微平三合　ʔ^{w}ɤi　微^{u}　qul
13423 楲　於非　影微平三合　ʔ^{w}ɤi　微^{u}　qul
13424 崴[3] 乙乖　影皆平二合　ʔ^{wɯ}ɛi　微^{u}　q^{r}u̱l

溦 wēi

13425 矀　武悲　明脂平B 開　mɨi　微^{ɯ}　m^{r}ɯl
13426 溦　旻悲　明脂平B 開　mɨi　微^{ɯ}　m^{r}ɯl
13427 矀　武悲　明脂平B 開　mɨi　微^{ɯ}　m^{r}ɯl
13428 籔　武悲　明脂平B 開　mɨi　微^{ɯ}　m^{r}ɯl
13429 黴　武悲　明脂平B 開　mɨi　微^{ɯ}　m^{r}ɯl
13430 薇　武悲　明脂平B 開　mɨi　微^{ɯ}　m^{r}ɯl
13431 媺　無鄙　明脂上B 開　mɨi　微^{ɯ}　m^{r}ɯlʔ
13432 微　無非　明微平三合　m^{w}ɤi　微^{ɯ}　mɯl
13433 溦　無非　明微平三合　m^{w}ɤi　微^{ɯ}　mɯl
13434 薇　無非　明微平三合　m^{w}ɤi　微^{ɯ}　mɯl
13435 矀　無非　明微平三合　m^{w}ɤi　微^{ɯ}　mɯl
13436 籔　無非　明微平三合　m^{w}ɤi　微^{ɯ}　mɯl
13437 鏾　無非　明微平三合　m^{w}ɤi　微^{ɯ}　mɯl
13438 溦　無非　明微平三合　m^{w}ɤi　微^{ɯ}　mɯl
13439 黴　許歸　曉微平三合　h^{w}ɤi　微^{ɯ}　m̥^{h}ɯl
13440 黴　許歸　曉微平三合　h^{w}ɤi　微^{ɯ}　m̥^{h}ɯl
13441 徽　許歸　曉微平三合　h^{w}ɤi　微^{ɯ}　m̥^{h}ɯl
13442 黴　莫佩　明灰去一合　mu̯oi　微^{ɯ}　mɯ̱ls

口 wéi

13443 口　雨非　云微平三合　ɦ^{iw}ɤi　微^{u}　ɢ^{r}ul

韋 wéi

13444 媁　於非　影微平三合　ʔ^{w}ɤi　微^{u}　qul
13445 禕　許歸　曉微平三合　h^{w}ɤi　微^{u}　q^{h}ul
13446 韍　吁韋　曉微平三合　h^{w}ɤi　微^{u}　q^{h}ul
13447 韡　于非　云微平三合　ɦ^{iw}ɤi　微^{u}　ɢ^{r}ul
13448 幃　雨非　云微平三合　ɦ^{iw}ɤi　微^{u}　ɢ^{r}ul
13449 韋　雨非　云微平三合　ɦ^{iw}ɤi　微^{u}　ɢ^{r}ul
13450 闈　雨非　云微平三合　ɦ^{iw}ɤi　微^{u}　ɢ^{r}ul
13451 圍　雨非　云微平三合　ɦ^{iw}ɤi　微^{u}　ɢ^{r}ul
13452 褌　雨非　云微平三合　ɦ^{iw}ɤi　微^{u}　ɢ^{r}ul
13453 湋　雨非　云微平三合　ɦ^{iw}ɤi　微^{u}　ɢ^{r}ul
13454 鍏　雨非　云微平三合　ɦ^{iw}ɤi　微^{u}　ɢ^{r}ul
13455 潿　雨非　云微平三合　ɦ^{iw}ɤi　微^{u}　ɢ^{r}ul

1　藏文 sdod 坐、停住。“跪”“坐”“危”用同一个表意初文（邬可晶《说古文献中以“坐”为“跪（诡）”的现象》，原载《简帛》第5辑，上海古籍出版社 2010 年；又载《出土文献与古典学重建论集》，中西书局 2018 年），正可以证明“坐”的演变为：*sglo̱lʔ>*sdo̱lʔ>*dzo̱lʔ>dzuɑ。

2　《广韵》作“阢”。

3　郑张尚芳：反切下字“乖”由“皆”校改。

13456	𩫏	雨非	云微平三合	ɦ^{ɨw}ɤi	微^{u}	ɢ^{r}ul
13457	違	雨非	云微平三合	ɦ^{ɨw}ɤi	微^{u}	ɢ^{r}ul
13458	韙	于鬼	云微上三合	ɦ^{ɨw}ɤi	微^{u}	ɢ^{r}ulʔ
13459	煒	于鬼	云微上三合	ɦ^{ɨw}ɤi	微^{u}	ɢ^{r}ulʔ
13460	暐	于鬼	云微上三合	ɦ^{ɨw}ɤi	微^{u}	ɢ^{r}ulʔ
13461	偉	于鬼	云微上三合	ɦ^{ɨw}ɤi	微^{u}	ɢ^{r}ulʔ
13462	瑋	于鬼	云微上三合	ɦ^{ɨw}ɤi	微^{u}	ɢ^{r}ulʔ
13463	葦	于鬼	云微上三合	ɦ^{ɨw}ɤi	微^{u}	ɢ^{r}ulʔ
13464	椲	于鬼	云微上三合	ɦ^{ɨw}ɤi	微^{u}	ɢ^{r}ulʔ
13465	韡	于鬼	云微上三合	ɦ^{ɨw}ɤi	微^{u}	ɢ^{r}ulʔ
13466	媁	于鬼	云微上三合	ɦ^{ɨw}ɤi	微^{u}	ɢ^{r}ulʔ
13467	愇	于鬼	云微上三合	ɦ^{ɨw}ɤi	微^{u}	ɢ^{r}ulʔ
13468	鍏	于鬼	云微上三合	ɦ^{ɨw}ɤi	微^{u}	ɢ^{r}ulʔ
13469	羠	羽鬼	云微上三合	ɦ^{ɨw}ɤi	微^{u}	ɢ^{r}ulʔ
13470	諱	許貴	曉微去三合	h^{w}ɤi	微^{u}	q^{h}uls
13471	緯	于貴	云微去三合	ɦ^{ɨw}ɤi	微^{u}	ɢ^{r}uls
13472	圍	于貴	云微去三合	ɦ^{ɨw}ɤi	微^{u}	ɢ^{r}uls
13473	禕	於離	影支平B 開	ʔɨe	歌^{a}	q^{r}al
13474	郼[1]	於希	影微平三開	ʔɤi	微^{ɯ}	qɯl

爲 wéi

13475	媯	居爲	見支平B 合	k^{w}ɨe	歌^{a}	k^{wr}al
13476	蝸	於爲	影支平B 合	ʔ^{w}ɨe	歌^{a}	q^{wr}al
13477	噅	許爲	曉支平B 合	h^{w}ɨe	歌^{a}	q^{whr}al
13478	撝	許爲	曉支平B 合	h^{w}ɨe	歌^{a}	q^{whr}al
13479	隝	許爲	曉支平B 合	h^{w}ɨe	歌^{a}	q^{whr}al
13480	蟡	過委	見支上B 合	k^{w}ɨe	歌^{a}	k^{wr}alʔ
13481	碼	虎委	曉支上B 合	h^{w}ɨe	歌^{a}	q^{whr}alʔ
13482	䝐	詭僞	見支去B 合	k^{w}ɨe	歌^{a}	k^{wr}als
13483	僞	危睡	疑支去B 合	ŋ^{w}ɨe	歌^{a}	ŋɡ^{wr}als
13484	爲	薳支	云支平三合	ɦ^{ɨw}ie	歌^{a}	ɢ^{wr}al
13485	隝	薳支	云支平三合	ɦ^{ɨw}ie	歌^{a}	ɢ^{wr}al
13486	鄬	薳支	云支平三合	ɦ^{ɨw}ie	歌^{a}	ɢ^{wr}al
13487	蔿	韋委	云支上三合	ɦ^{ɨw}ie	歌^{a}	ɢ^{wr}alʔ
13488	鄬	韋委	云支上三合	ɦ^{ɨw}ie	歌^{a}	ɢ^{wr}alʔ
13489	隝	韋委	云支上三合	ɦ^{ɨw}ie	歌^{a}	ɢ^{wr}alʔ
13490	蘤	韋委	云支上三合	ɦ^{ɨw}ie	歌^{a}	ɢ^{wr}alʔ
13491	瘍	韋委	云支上三合	ɦ^{ɨw}ie	歌^{a}	ɢ^{wr}alʔ
13492	闖	韋委	云支上三合	ɦ^{ɨw}ie	歌^{a}	ɢ^{wr}alʔ
13493	寪	韋委	云支上三合	ɦ^{ɨw}ie	歌^{a}	ɢ^{wr}alʔ
13494	䧦	羽委	云支上三合	ɦ^{ɨw}ie	歌^{a}	ɢ^{wr}alʔ
13495	爲	于僞	云支去三合	ɦ^{ɨw}ie	歌^{a}	ɢ^{wr}als
13496	闖	苦緺	溪麻平二合	k^{hwɯ}æ	歌^{a}	k^{whr}a̠l

尾 wěi

13497	娓	武悲	明脂平B 開	mɨi	微^{ɯ}	m^{r}ɯl
13498	娓	明祕	明脂去B 開	mɨi	微^{ɯ}	m^{r}ɯls
13499	尾	無匪	明微上三合	m^{w}ɤi	微^{ɯ}	mɯlʔ
13500	娓	無匪	明微上三合	m^{w}ɤi	微^{ɯ}	mɯlʔ
13501	娓	許偉	曉微上三合	h^{w}ɤi	微^{ɯ}	m̥^{h}ɯlʔ
13502	屖[2]	先稽	心齊平四開	sei	脂^{l}	smɯ̠l

委 wěi

13503	覣	於爲	影支平B 合	ʔ^{w}ɨe	歌^{o}	q^{r}ol
13504	蜲	於爲	影支平B 合	ʔ^{w}ɨe	歌^{o}	q^{r}ol
13505	痿	於爲	影支平B 合	ʔ^{w}ɨe	歌^{o}	q^{r}ol
13506	倭	於爲	影支平B 合	ʔ^{w}ɨe	歌^{o}	q^{r}ol
13507	委	於爲	影支平B 合	ʔ^{w}ɨe	歌^{o}	q^{r}ol
13508	逶	於爲	影支平B 合	ʔ^{w}ɨe	歌^{o}	q^{r}ol
13509	𣨙	於爲	影支平B 合	ʔ^{w}ɨe	歌^{o}	q^{r}ol
13510	萎	於爲	影支平B 合	ʔ^{w}ɨe	歌^{o}	q^{r}ol
13511	矮	於詭	影支上B 合	ʔ^{w}ɨe	歌^{o}	q^{r}olʔ
13512	蜲	於詭	影支上B 合	ʔ^{w}ɨe	歌^{o}	q^{r}olʔ
13513	委	於詭	影支上B 合	ʔ^{w}ɨe	歌^{o}	q^{r}olʔ
13514	崣	鄔毀	影支去B 合	ʔ^{w}ɨe	歌^{o}	q^{r}ols
13515	餧	於僞	影支去B 合	ʔ^{w}ɨe	歌^{o}	q^{r}ols
13516	萎	於僞	影支去B 合	ʔ^{w}ɨe	歌^{o}	q^{r}ols
13517	矮	於僞	影支去B 合	ʔ^{w}ɨe	歌^{o}	q^{r}ols
13518	𣨙	於僞	影支去B 合	ʔ^{w}ɨe	歌^{o}	q^{r}ols
13519	倭	烏禾	影歌平一合	ʔ^{w}ɑ	歌^{o}	qo̠l
13520	涹	烏禾	影歌平一合	ʔ^{w}ɑ	歌^{o}	qo̠l
13521	踒	烏禾	影歌平一合	ʔ^{w}ɑ	歌^{o}	qo̠l
13522	倭	烏果	影歌上一合	ʔ^{w}ɑ	歌^{o}	qo̠lʔ
13523	矮[3]	烏蟹	影麻上二開	ʔ^{ɯ}æ	歌^{o}	q^{r}o̠lʔ

---

1 微^{ɯ}与微^{u}旁转。

2 从“尸”得声的字形“犀”都作“屖”。“犀牛”的“犀”从尾得声，字形不作“屖”。

3 见“街”字注。原为佳韵，但是根据谐声系统应该为麻韵，《切韵》音系二等有麻、佳的历史层次。

未 wèi

13524	魅	明祕	明脂去B 開	mɨi	物^{ɯ}	m^{r}ɯds
13525	未	無沸	明微去三合	m^{w}ɤi	物^{ɯ}	mɯds
13526	味	無沸	明微去三合	m^{w}ɤi	物^{ɯ}	mɯds
13527	菋	無沸	明微去三合	m^{w}ɤi	物^{ɯ}	mɯds
13528	沬[1]	無沸	明微去三合	m^{w}ɤi	物^{u}	mq^{hl}uds
13529	昧	莫佩	明灰去一合	mu̱oi	物^{ɯ}	mɯ̱ds
13530	眛	莫佩	明灰去一合	mu̱oi	物^{ɯ}	mɯ̱ds
13531	妹	莫佩	明灰去一合	mu̱oi	物^{ɯ}	mɯ̱ds
13532	頮[2]	莫佩	明灰去一合	mu̱oi	物^{ɯ}	mɯ̱ds
13533	沬[3]	呼内	曉灰去一合	hu̱oi	物^{u}	q^{hl}uds
13534	韎[4]	莫拜	明皆去二開	m^{ɯ}ɛi	物^{ɯ}	m^{r}ɯ̱ds
13535	佅[5]	莫話	明皆去二開	m^{ɯ}ɛi	物^{ɯ}	m^{r}ɯ̱ds
13536	寐	彌二	明脂去A 開	mi	質^{d}	mids

畏 wèi

13537	崼	於非	影微平三合	ʔ^{w}ɤi	微^{u}	qul
13538	嵔	於鬼	影微上三合	ʔ^{w}ɤi	微^{u}	qulʔ
13539	畏	於胃	影微去三合	ʔ^{w}ɤi	微^{u}	quls
13540	隈	烏恢	影灰平一合	ʔu̱oi	微^{u}	qu̱l
13541	煨	烏恢	影灰平一合	ʔu̱oi	微^{u}	qu̱l
13542	渨	烏恢	影灰平一合	ʔu̱oi	微^{u}	qu̱l
13543	椳	烏恢	影灰平一合	ʔu̱oi	微^{u}	qu̱l
13544	偎	烏恢	影灰平一合	ʔu̱oi	微^{u}	qu̱l
13545	鰃	烏恢	影灰平一合	ʔu̱oi	微^{u}	qu̱l
13546	猥	烏賄	影灰上一合	ʔu̱oi	微^{u}	qu̱lʔ
13547	腲	烏賄	影灰上一合	ʔu̱oi	微^{u}	qu̱lʔ
13548	嵔	烏賄	影灰上一合	ʔu̱oi	微^{u}	qu̱lʔ
13549	鍡	烏賄	影灰上一合	ʔu̱oi	微^{u}	qu̱lʔ
13550	媁	烏賄	影灰上一合	ʔu̱oi	微^{u}	qu̱lʔ
13551	碨	烏賄	影灰上一合	ʔu̱oi	微^{u}	qu̱lʔ
13552	隈	烏績	影灰去一合	ʔu̱oi	微^{u}	qu̱ls
13553	碨[6]	乙乖	影皆平二合	ʔ^{wɯ}ɛi	微^{u}	q^{r}u̱l

胃 wèi

13554	喟	丘愧	溪脂去B 合	k^{hw}ɨi	物^{u}	k^{hr}uds
13555	胃	于貴	云微去三合	ɦ^{iw}ɤi	物^{u}	ɢ^{r}uds
13556	謂	于貴	云微去三合	ɦ^{iw}ɤi	物^{u}	ɢ^{r}uds
13557	愲	于貴	云微去三合	ɦ^{iw}ɤi	物^{u}	ɢ^{r}uds
13558	媦	于貴	云微去三合	ɦ^{iw}ɤi	物^{u}	ɢ^{r}uds
13559	彙	于貴	云微去三合	ɦ^{iw}ɤi	物^{u}	ɢ^{r}uds
13560	渭	于貴	云微去三合	ɦ^{iw}ɤi	物^{u}	ɢ^{r}uds
13561	煟	于貴	云微去三合	ɦ^{iw}ɤi	物^{u}	ɢ^{r}uds
13562	鮹	于貴	云微去三合	ɦ^{iw}ɤi	物^{u}	ɢ^{r}uds
13563	猬	于貴	云微去三合	ɦ^{iw}ɤi	物^{u}	ɢ^{r}uds
13564	緭	于貴	云微去三合	ɦ^{iw}ɤi	物^{u}	ɢ^{r}uds
13565	颶	于貴	云微去三合	ɦ^{iw}ɤi	物^{u}	ɢ^{r}uds
13566	颶	王勿	云物入三合	ɦ^{ɨ}iut	物^{u}	ɢ^{r}ud
13567	喟	苦怪	溪皆去二合	k^{hwɯ}ɛi	物^{u}	k^{hr}u̱ds

尉 wèi

13568	蝁	於胃	影微去三合	ʔ^{w}ɤi	物^{u}	quds
13569	尉	於胃	影微去三合	ʔ^{w}ɤi	物^{u}	quds
13570	熨	於胃	影微去三合	ʔ^{w}ɤi	物^{u}	quds
13571	慰	於胃	影微去三合	ʔ^{w}ɤi	物^{u}	quds
13572	罻	於胃	影微去三合	ʔ^{w}ɤi	物^{u}	quds
13573	犚	於胃	影微去三合	ʔ^{w}ɤi	物^{u}	quds
13574	蔚	於胃	影微去三合	ʔ^{w}ɤi	物^{u}	quds
13575	螱	於胃	影微去三合	ʔ^{w}ɤi	物^{u}	quds
13576	褽	於胃	影微去三合	ʔ^{w}ɤi	物^{u}	quds
13577	尉	紆物	影物入三合	ʔiut	物^{u}	qud

---

1 “沬”字易与“沫”字混，前字为物部，甲骨文中隶定为“頮”字，“頁”原义“面部”，“廾”古文字是两只手，两手就皿洒面，这是甲金文中常用字，是古人最常用的洗面方法。后字为月部，水名，古人“曹沫”通作“曹劌”。“沬”明母未韵，“頮”晓母队韵。有两种可能的上古构拟。一种是*muds>mɨɤi，和*m̥u̱ds>h^{w}əi。另一种构拟是*mq^{hl}uds>mɨɤi，和*q^{hl}u̱ds>h^{w}əi。但是，《礼记》“沬”字又作“靧”。“靧”与“貴”*k^{l}uds谐声，所以“靧”的上古读音应该是*q^{hl}u̱ds。一直到现代还有两手洒面的这个词，如闽语、温州白读晓母灰韵 hu<hui。

2 “頮”是“頮”的异体，左上的“日”在金文字形中是容水的器皿。

3 “沬”字易与“沫”字混。“沫”字为月部，水名，古人“曹沫”通作“曹劌”。“沬”字为物部，甲骨文中隶定为“頮”，其中“頁”义为面部，“廾”是两只手，两手就皿洒面，这是甲金文中的常用字，是古人最常用的洗脸方法。本手册把“沬”定为“頮”的上古通用字。“沬”有明母未韵、晓母队韵两种读音。《礼记》“沬”字又作“靧”。“靧”与“貴”*k^{l}uds谐声，所以“靧”的晓母队韵读音在上古应该是*q^{hl}u̱ds>中古h^{w}əi，一直到现代方言中还有保留这个词的，如闽语、温州读晓母灰韵 hu<hui。“沬”的明母未韵是词根前加鼻冠音：*mq^{hl}uds>中古 miɤi。

4 《说文》从“末”得声，《说文通训定声》改为“未”声。

5 原为夬韵，但是根据谐声系统应该为皆韵，《切韵》音系二等有皆、夬的历史层次。

6 见“崴”字注。

13578 熨 紆物 影物入三合 ʔiut 物^{u} qud
13579 蔚 紆物 影物入三合 ʔiut 物^{u} qud

韋 wèi

13580 韋 于貴 云微去三合 ɦ^{ɨw}ɤi 物^{u} ɢ^{r}uds

衛 wèi

13581 衞 居衛 見祭去B 合 k^{w}ɨɛi 月^{e} k^{wr}eds
13582 瓏[1] 于歲 云祭去三合 ɦ^{ɨw}iɛi 月^{e} ɢ^{wr}eds
13583 衛 于歲 云祭去三合 ɦ^{ɨw}iɛi 月^{e} ɢ^{wr}eds
13584 䘙 于歲 云祭去三合 ɦ^{ɨw}iɛi 月^{e} ɢ^{wr}eds
13585 衛[2] 于歲 云祭去三合 ɦ^{ɨw}iɛi 月^{e} ɢ^{wr}eds
13586 衞 于歲 云祭去三合 ɦ^{ɨw}iɛi 月^{e} ɢ^{wr}eds
13587 衛 火怪 曉皆去二合 h^{wɯ}ɛi 月^{e} q^{whr}e̱ds
13588 衞 渠穢 群廢去三合 ɡ^{w}iai 月^{a} ɡ^{w}ads

昷 wēn

13589 蝹 於倫 影真平B 合 ʔ^{w}ɨin 文^{u} q^{r}un
13590 瘟 於云 影文平三合 ʔiun 文^{u} qun
13591 煴 於云 影文平三合 ʔiun 文^{u} qun
13592 氳 於云 影文平三合 ʔiun 文^{u} qun
13593 緼 於云 影文平三合 ʔiun 文^{u} qun
13594 蒀 於云 影文平三合 ʔiun 文^{u} qun
13595 蘊 於云 影文平三合 ʔiun 文^{u} qun
13596 蝹 於云 影文平三合 ʔiun 文^{u} qun
13597 薀 於粉 影文上三合 ʔiun 文^{u} qunʔ
13598 韞 於粉 影文上三合 ʔiun 文^{u} qunʔ
13599 緼 於粉 影文上三合 ʔiun 文^{u} qunʔ
13600 褞 於粉 影文上三合 ʔiun 文^{u} qunʔ
13601 醖 於粉 影文上三合 ʔiun 文^{u} qunʔ
13602 搵 於粉 影文上三合 ʔiun 文^{u} qunʔ
13603 醞 於問 影文去三合 ʔiun 文^{u} quns
13604 慍 於問 影文去三合 ʔiun 文^{u} quns
13605 緼 於問 影文去三合 ʔiun 文^{u} quns
13606 薀 於問 影文去三合 ʔiun 文^{u} quns
13607 豱 烏渾 影魂平一合 ʔu̯on 文^{u} qu̱n
13608 緼 烏渾 影魂平一合 ʔu̯on 文^{u} qu̱n
13609 昷 烏渾 影魂平一合 ʔu̯on 文^{u} qu̱n
13610 温 烏渾 影魂平一合 ʔu̯on 文^{u} qu̱n
13611 轀 烏渾 影魂平一合 ʔu̯on 文^{u} qu̱n
13612 薀 烏渾 影魂平一合 ʔu̯on 文^{u} qu̱n
13613 殟 烏渾 影魂平一合 ʔu̯on 文^{u} qu̱n
13614 韞 烏渾 影魂平一合 ʔu̯on 文^{u} qu̱n
13615 瘟 烏昆 影魂平一合 ʔu̯on 文^{u} qu̱n
13616 搵 烏困 影魂去一合 ʔu̯on 文^{u} qu̱ns
13617 殟 烏没 影没入一合 ʔu̯ot 物^{u} qu̱d
13618 嗢 烏没 影没入一合 ʔu̯ot 物^{u} qu̱d
13619 搵 烏没 影没入一合 ʔu̯ot 物^{u} qu̱d
13620 瘟 烏没 影没入一合 ʔu̯ot 物^{u} qu̱d
13621 嗢 烏八 影黠入二合 ʔ^{wɯ}ɛt 物^{u} q^{r}u̱d
13622 媪 烏晧 影豪上一開 ʔɑu 幽 qu̱ʔ
13623 蝹 烏晧 影豪上一開 ʔɑu 幽 qu̱ʔ

文 wén

13624 文 無分 明文平三合 miun 文^{ɯ} mɯn
13625 彣 無分 明文平三合 miun 文^{ɯ} mɯn
13626 紋 無分 明文平三合 miun 文^{ɯ} mɯn
13627 雯 無分 明文平三合 miun 文^{ɯ} mɯn
13628 駇 無分 明文平三合 miun 文^{ɯ} mɯn
13629 蚊 無分 明文平三合 miun 文^{ɯ} mɯn
13630 鳼 無分 明文平三合 miun 文^{ɯ} mɯn
13631 汶 無分 明文平三合 miun 文^{ɯ} mɯn
13632 鴍 無分 明文平三合 miun 文^{ɯ} mɯn
13633 魰 無分 明文平三合 miun 文^{ɯ} mɯn
13634 螡 無分 明文平三合 miun 文^{ɯ} mɯn
13635 芠 無分 明文平三合 miun 文^{ɯ} mɯn
13636 抆 武粉 明文上三合 miun 文^{ɯ} mɯnʔ
13637 汶 亡運 明文去三合 miun 文^{ɯ} mɯns
13638 紊 亡運 明文去三合 miun 文^{ɯ} mɯns
13639 抆 亡運 明文去三合 miun 文^{ɯ} mɯns
13640 鴍 亡運 明文去三合 miun 文^{ɯ} mɯns
13641 玟 謨杯 明灰平一合 mu̯oi 微^{ɯ} mɯ̱l
13642 潣 武罪 明灰上一合 mu̯oi 微^{ɯ} mɯ̱lʔ

我 wǒ

13643 䎸 魚羈 疑支平B 開 ŋɨe 歌^{a} ŋal

1　见“玕”字注。

2　该字反切原作“子例切”，《经典释文》引《字林》作“于例反”，《玉篇》“于例切”，“子”为“于”之讹。

13644 巇[1] 魚羈 疑支平B 開 ŋɨe 歌^{a} ŋal
13645 轙 魚羈 疑支平B 開 ŋɨe 歌^{a} ŋal
13646 㕒[2] 魚爲 疑支平B 開 ŋɨe 歌^{a} ŋal
13647 儀 魚羈 疑支平B 開 ŋɨe 歌^{a} ŋal
13648 犧 許羈 曉支平B 開 hɨe 歌^{a} ŋ̊^{h}al
13649 羲 許羈 曉支平B 開 hɨe 歌^{a} ŋ̊^{h}al
13650 羛 許羈 曉支平B 開 hɨe 歌^{a} ŋ̊^{h}al
13651 曦 許羈 曉支平B 開 hɨe 歌^{a} ŋ̊^{h}al
13652 㩗 虚宜 曉支平B 開 hɨe 歌^{a} ŋ̊^{h}al
13653 蛾 魚倚 疑支上B 開 ŋɨe 歌^{a} ŋalʔ
13654 礒 魚倚 疑支上B 開 ŋɨe 歌^{a} ŋalʔ
13655 檥 魚倚 疑支上B 開 ŋɨe 歌^{a} ŋalʔ
13656 寲 魚倚 疑支上B 開 ŋɨe 歌^{a} ŋalʔ
13657 轙 魚倚 疑支上B 開 ŋɨe 歌^{a} ŋalʔ
13658 羛 魚倚 疑支上B 開 ŋɨe 歌^{a} ŋalʔ
13659 議 宜寄 疑支去B 開 ŋɨe 歌^{a} ŋals
13660 義 宜寄 疑支去B 開 ŋɨe 歌^{a} ŋals
13661 蛾 五何 疑歌平一開 ŋɑ 歌^{a} ŋa̱l
13662 睋 五何 疑歌平一開 ŋɑ 歌^{a} ŋa̱l
13663 涐 五何 疑歌平一開 ŋɑ 歌^{a} ŋa̱l
13664 誐 五何 疑歌平一開 ŋɑ 歌^{a} ŋa̱l
13665 硪 五何 疑歌平一開 ŋɑ 歌^{a} ŋa̱l
13666 莪 五何 疑歌平一開 ŋɑ 歌^{a} ŋa̱l
13667 娥 五何 疑歌平一開 ŋɑ 歌^{a} ŋa̱l
13668 峨 五何 疑歌平一開 ŋɑ 歌^{a} ŋa̱l
13669 鵝 五何 疑歌平一開 ŋɑ 歌^{a} ŋa̱l
13670 俄 五何 疑歌平一開 ŋɑ 歌^{a} ŋa̱l
13671 我 五可 疑歌上一開 ŋɑ 歌^{a} ŋa̱lʔ
13672 騀 五可 疑歌上一開 ŋɑ 歌^{a} ŋa̱lʔ
13673 硪 五可 疑歌上一開 ŋɑ 歌^{a} ŋa̱lʔ
13674 餓 五个 疑歌去一開 ŋɑ 歌^{a} ŋa̱ls

臥 wò

13675 臥 吾貨 疑歌去一合 ŋ^{w}ɑ 歌^{a} ŋ^{w}a̱ls

臤 wò

13676 堅 於袁 影元平三合 ʔ^{w}iɤn 元^{o} qon
13677 掔 烏貫 影寒去一合 ʔ^{w}ɑn 元^{o} qo̱ns
13678 堅 烏貫 影寒去一合 ʔ^{w}ɑn 元^{o} qo̱ns
13679 暋 烏括 影曷入一合 ʔ^{w}ɑt 月^{o} qo̱d
13680 臤 烏括 影曷入一合 ʔ^{w}ɑt 月^{o} qo̱d

巫 wū

13681 誣 武夫 明虞平三合 miʊ 魚 ma
13682 巫 武夫 明虞平三合 miʊ 魚 ma
13683 莁 武夫 明虞平三合 miʊ 魚 ma
13684 㠶 武夫 明虞平三合 miʊ 魚 ma

屋 wū

13685 屋 烏谷 影屋入一合 ʔuk 屋 qo̱g
13686 剭 烏谷 影屋入一合 ʔuk 屋 qo̱g
13687 鄏 烏谷 影屋入一合 ʔuk 屋 qo̱g
13688 偓 於角 影覺入二開 ʔ^{ɯ}ɔk 屋 q^{ʕ}o̱g
13689 幄 於角 影覺入二開 ʔ^{ɯ}ɔk 屋 q^{ʕ}o̱g
13690 楃 於角 影覺入二開 ʔ^{ɯ}ɔk 屋 q^{ʕ}o̱g
13691 喔 於角 影覺入二開 ʔ^{ɯ}ɔk 屋 q^{ʕ}o̱g
13692 腛 於角 影覺入二開 ʔ^{ɯ}ɔk 屋 q^{ʕ}o̱g
13693 剭 於角 影覺入二開 ʔ^{ɯ}ɔk 屋 q^{ʕ}o̱g
13694 渥 於角 影覺入二開 ʔ^{ɯ}ɔk 屋 q^{ʕ}o̱g
13695 握 於角 影覺入二開 ʔ^{ɯ}ɔk 屋 q^{ʕ}o̱g

烏 wū

13696 於 央居 影魚平三開 ʔiɤ 魚 qa
13697 箊 央居 影魚平三開 ʔiɤ 魚 qa
13698 淤 央居 影魚平三開 ʔiɤ 魚 qa
13699 瘀 依倨 影魚去三開 ʔiɤ 魚 qas
13700 鄔 依倨 影魚去三開 ʔiɤ 魚 qas
13701 淤 依倨 影魚去三開 ʔiɤ 魚 qas
13702 菸 依倨 影魚去三開 ʔiɤ 魚 qas
13703 棜 依倨 影魚去三開 ʔiɤ 魚 qas
13704 烏 哀都 影模平一合 ʔu̯o 魚 qa̱
13705 嗚 哀都 影模平一合 ʔu̯o 魚 qa̱
13706 歍 哀都 影模平一合 ʔu̯o 魚 qa̱
13707 瑦 哀都 影模平一合 ʔu̯o 魚 qa̱
13708 鄔 哀都 影模平一合 ʔu̯o 魚 qa̱
13709 於 哀都 影模平一合 ʔu̯o 魚 qa̱
13710 塢 安古 影模上一合 ʔu̯o 魚 qa̱ʔ
13711 隖 安古 影模上一合 ʔu̯o 魚 qa̱ʔ

1 《广韵》作“鸃”。
2 反切下字为合口,据《玉篇残卷》“語奇反”当开口。

13712 鄔 安古 影模上一合 ʔu̯o 魚 qa̱ʔ
13713 瑦 安古 影模上一合 ʔu̯o 魚 qa̱ʔ
13714 䍐 安古 影模上一合 ʔu̯o 魚 qʷa̱ʔ
13715 塢 烏故 影模去一合 ʔu̯o 魚 qa̱s
13716 閼 於歇 影月入三開 ʔiɤt 月^{a} qad
13717 閼 烏葛 影曷入一開 ʔɑt 月^{a} qa̱d
13718 閼 於乾 影仙平B 開 ʔɨɜn 元^{a} qʳan
13719 閼 烏前 影先平四開 ʔen 元^{e} qe̱n

无 wú

13720 无 武夫 明虞平三合 miʊ 魚 ma
13721 无 莫胡 明模平一合 mu̯o 魚 ma̱

吴 wú

13722 虞 遇俱 疑虞平三合 ŋiʊ 魚 ŋgʷa
13723 娛 遇俱 疑虞平三合 ŋiʊ 魚 ŋgʷa
13724 澞 遇俱 疑虞平三合 ŋiʊ 魚 ŋgʷa
13725 麌 虞矩 疑虞上三合 ŋiʊ 魚 ŋgʷaʔ
13726 俁 虞矩 疑虞上三合 ŋiʊ 魚 ŋgʷaʔ
13727 噳 虞矩 疑虞上三合 ŋiʊ 魚 ŋgʷaʔ
13728 吴 五乎 疑模平一合 ŋu̯o 魚 ŋgʷa̱
13729 鋘 五乎 疑模平一合 ŋu̯o 魚 ŋgʷa̱
13730 麌 五乎 疑模平一合 ŋu̯o 魚 ŋgʷa̱
13731 誤 五故 疑模去一合 ŋu̯o 魚 ŋgʷa̱s
13732 娛 五故 疑模去一合 ŋu̯o 魚 ŋgʷa̱s
13733 鋘 户花 匣麻平二合 ɦʷɯæ 魚 gʷʳa̱

無 wú

13734 橅 微夫 明虞平三合 miʊ 魚 ma
13735 無 武夫 明虞平三合 miʊ 魚 ma
13736 瞴 武夫 明虞平三合 miʊ 魚 ma
13737 膴 武夫 明虞平三合 miʊ 魚 ma
13738 蕪 武夫 明虞平三合 miʊ 魚 ma
13739 璑 武夫 明虞平三合 miʊ 魚 ma
13740 隲 武夫 明虞平三合 miʊ 魚 ma
13741 舞 武夫 明虞平三合 miʊ 魚 ma
13742 譕 武夫 明虞平三合 miʊ 魚 ma
13743 墲 武夫 明虞平三合 miʊ 魚 ma
13744 憮 武夫 明虞平三合 miʊ 魚 ma
13745 鄦 虛呂 曉魚上三開 hiɤ 魚 m̥ʰaʔ
13746 潕 罔甫 明虞上三合 miʊ 魚 maʔ
13747 嘸 罔甫 明虞上三合 miʊ 魚 maʔ
13748 舞 文甫 明虞上三合 miʊ 魚 maʔ
13749 嫵 文甫 明虞上三合 miʊ 魚 maʔ
13750 䍢 文甫 明虞上三合 miʊ 魚 maʔ
13751 憮 文甫 明虞上三合 miʊ 魚 maʔ
13752 廡 文甫 明虞上三合 miʊ 魚 maʔ
13753 甒 文甫 明虞上三合 miʊ 魚 maʔ
13754 潕 文甫 明虞上三合 miʊ 魚 maʔ
13755 膴 文甫 明虞上三合 miʊ 魚 maʔ
13756 瞴 文甫 明虞上三合 miʊ 魚 maʔ
13757 𩂍 文甫 明虞上三合 miʊ 魚 maʔ
13758 撫 芳武 滂虞上三合 pʰiʊ 魚 m̥aʔ
13759 嘸 斐父 滂虞上三合 pʰiʊ 魚 m̥aʔ
13760 橅 莫胡 明模平一合 mu̯o 魚 ma̱
13761 墲 莫胡 明模平一合 mu̯o 魚 ma̱
13762 墲 普胡 滂模平一合 pʰu̯o 魚 m̥a̱
13763 膴 荒烏 曉模平一合 hu̯o 魚 m̥ʰa̱
13764 幠 荒烏 曉模平一合 hu̯o 魚 m̥ʰa̱

五 wǔ

13765 齬 語居 疑魚平三開 ŋiɤ 魚 ŋa
13766 鋙 語居 疑魚平三開 ŋiɤ 魚 ŋa
13767 衙 語居 疑魚平三開 ŋiɤ 魚 ŋa
13768 魯 悉姐 心麻上三開 siæ 魚 sŋaʔ
13769 語 魚巨 疑魚上三開 ŋiɤ 魚 ŋaʔ
13770 敔 魚巨 疑魚上三開 ŋiɤ 魚 ŋaʔ
13771 圄 魚巨 疑魚上三開 ŋiɤ 魚 ŋaʔ
13772 衙 魚巨 疑魚上三開 ŋiɤ 魚 ŋaʔ
13773 齬 魚巨 疑魚上三開 ŋiɤ 魚 ŋaʔ
13774 鋙 魚巨 疑魚上三開 ŋiɤ 魚 ŋaʔ
13775 語 牛倨 疑魚去三開 ŋiɤ 魚 ŋas
13776 娪 五乎 疑模平一合 ŋu̯o 魚 ŋa̱
13777 梧 五乎 疑模平一合 ŋu̯o 魚 ŋa̱
13778 珸 五乎 疑模平一合 ŋu̯o 魚 ŋa̱
13779 悟 訛胡 疑模平一合 ŋu̯o 魚 ŋa̱
13780 俉 訛胡 疑模平一合 ŋu̯o 魚 ŋa̱
13781 吾 五乎 疑模平一合 ŋu̯o 魚 ŋa̱
13782 齬 五乎 疑模平一合 ŋu̯o 魚 ŋa̱
13783 浯 五乎 疑模平一合 ŋu̯o 魚 ŋa̱

13784 菩[1] 五乎 疑模平一合 ŋu̯o 魚 ŋa̱
13785 郚 五乎 疑模平一合 ŋu̯o 魚 ŋa̱
13786 齬 五乎 疑模平一合 ŋu̯o 魚 ŋa̱
13787 五[2] 疑古 疑模上一合 ŋu̯o 魚 s.ŋa̱ʔ
13788 伍 疑古 疑模上一合 ŋu̯o 魚 s.ŋa̱ʔ
13789 晤 五故 疑模去一合 ŋu̯o 魚 ŋa̱s
13790 悟 五故 疑模去一合 ŋu̯o 魚 ŋa̱s
13791 逜 五故 疑模去一合 ŋu̯o 魚 ŋa̱s
13792 寤 五故 疑模去一合 ŋu̯o 魚 ŋa̱s
13793 捂 五故 疑模去一合 ŋu̯o 魚 ŋa̱s
13794 倍 五故 疑模去一合 ŋu̯o 魚 ŋa̱s
13795 铻 五故 疑模去一合 ŋu̯o 魚 ŋa̱s
13796 寣 五故 疑模去一合 ŋu̯o 魚 ŋa̱s
13797 衙 五加 疑麻平二開 ŋᵚæ 魚 ŋʳa̱
13798 吾 五加 疑麻平二開 ŋᵚæ 魚 ŋʳa̱

午 wǔ

13799 籞 魚巨 疑魚上三開 ŋiɤ 魚 ŋaʔ
13800 御 魚巨 疑魚上三開 ŋiɤ 魚 ŋaʔ
13801 禦 魚巨 疑魚上三開 ŋiɤ 魚 ŋaʔ
13802 蘌 魚巨 疑魚上三開 ŋiɤ 魚 ŋaʔ
13803 杵 昌與 昌魚上三開 tɕʰiɤ 魚 ŋ̊ʲaʔ
13804 許[3] 虚吕 曉魚上三開 hiɤ 魚 ŋ̊ʰaʔ
13805 卸 司夜 心麻去三開 siæ 魚 sŋas
13806 御 牛倨 疑魚去三開 ŋiɤ 魚 ŋas
13807 仵 疑古 疑模上一合 ŋu̯o 魚 ŋa̱ʔ
13808 午[4] 疑古 疑模上一合 ŋu̯o 魚 s.ŋa̱ʔ
13809 滸 呼古 曉模上一合 hu̯o 魚 ŋ̊ʰaʔ
13810 忤 五故 疑模去一合 ŋu̯o 魚 ŋa̱s
13811 迕 五故 疑模去一合 ŋu̯o 魚 ŋa̱s

武 wǔ

13812 武 文甫 明虞上三合 miʊ 魚 mbaʔ
13813 珷 文甫 明虞上三合 miʊ 魚 mbaʔ
13814 鵡 文甫 明虞上三合 miʊ 魚 mbaʔ
13815 賦 方遇 幫虞去三合 piʊ 魚 pas
13816 賦 方遇 幫虞去三合 piʊ 魚 pas

兀 wù

13817 阢 魚屈 疑物入三合 ŋiut 物ᵘ ŋud
13818 兀 五忽 疑没入一合 ŋu̯ot 物ᵘ ŋu̱d
13819 扤 五忽 疑没入一合 ŋu̯ot 物ᵘ ŋu̱d
13820 杌 五忽 疑没入一合 ŋu̯ot 物ᵘ ŋu̱d
13821 屼 五忽 疑没入一合 ŋu̯ot 物ᵘ ŋu̱d
13822 軏 五忽 疑没入一合 ŋu̯ot 物ᵘ ŋu̱d
13823 虮 五忽 疑没入一合 ŋu̯ot 物ᵘ ŋu̱d
13824 虺 許偉 曉微上三合 hʷɤi 微ᵘ ŋ̊ʰulʔ
13825 虫 許偉 曉微上三合 hʷɤi 微ᵘ ŋ̊ʰulʔ
13826 虺 呼恢 曉灰平一合 hu̯oi 微ᵘ ŋ̊ʰu̱l
13827 虺 呼恢 曉灰平一合 hu̯oi 微ᵘ ŋ̊ʰu̱l
13828 虺 呼懐 曉皆平二合 hʷᵚɛi 微ᵘ ŋ̊ʰʳu̱l
13829 軏 魚厥 疑月入三合 ŋʷiɤt 月ᵒ ŋod
13830 扤 魚厥 疑月入三合 ŋʷiɤt 月ᵒ ŋod

勿 wù

13831 沕 美筆 明質入B 開 mɨit 物ᵘ mʳud
13832 物 文弗 明物入三合 miut 物ᵘ mud
13833 勿 文弗 明物入三合 miut 物ᵘ mud
13834 芴 文弗 明物入三合 miut 物ᵘ mud
13835 岉 文弗 明物入三合 miut 物ᵘ mud
13836 伆 文弗 明物入三合 miut 物ᵘ mud
13837 昒 文弗 明物入三合 miut 物ᵘ mud
13838 沕 文弗 明物入三合 miut 物ᵘ mud
13839 颮 許勿 曉物入三合 hiut 物ᵘ m̥ʰud
13840 揔[5] 苦骨 溪没入一合 kʰu̯ot 物ᵘ kʰu̱d
13841 忽 呼骨 曉没入一合 hu̯ot 物ᵘ m̥ʰu̱d
13842 昒 呼骨 曉没入一合 hu̯ot 物ᵘ m̥ʰu̱d
13843 囫 呼骨 曉没入一合 hu̯ot 物ᵘ m̥ʰu̱d
13844 笏 呼骨 曉没入一合 hu̯ot 物ᵘ m̥ʰu̱d

---

1 “菩”*ŋa̱,即“苏”*sŋa̱。上古百越地区苏子是重要的植物油。传到东南亚以后,芝麻是更重要的植物油,把苏子的名称给替换了,名称却一直传到现代,所以东南亚的芝麻会有苏子的名称,印尼ləŋa、柬埔寨l.ŋa、布朗s.ŋa44、傣和壮ŋa2、水ŋa1。有些语言以“苏子”为根词,“芝麻”是在“苏子”的后面再加一个修饰成分,把它说成是扁的苏子,有壳的苏子,或可全部倒出来(控)的苏子,等等。

2 比较藏文lŋa五,泰语借词ha<sa<*sŋa。同声符字“譽”悉姐切,上古汉语为*sŋaʔ。故“五”的上古音当带s-冠音:*s.ŋa̱ʔ>ŋa̱ʔ。s-冠音与藏文的l-对应。还可比较地支“午”在西双版纳傣语的借词sa1ŋa4。

3 藏文sŋags赞美、赞扬。

4 藏文sŋa早晨、上午,地支“午”德宏傣语si1ŋa4、西傣语sa1ŋa4,故“午”上古带冠音s-。

5 可能是*m̥ʰu̱d>hu̱d,借为kʰu̱d。

13845 曶 呼骨 曉没入一合 hu̯ot 物ᵘ m̥ʰu̯d
13846 ⿰木曶 呼骨 曉没入一合 hu̯ot 物ᵘ m̥ʰu̯d
13847 ⿱曶巾[1] 呼骨 曉没入一合 hu̯ot 物ᵘ m̥ʰu̯d
13848 ⿰忄曶 呼骨 曉没入一合 hu̯ot 物ᵘ m̥ʰu̯d
13849 ⿰風曶 呼骨 曉没入一合 hu̯ot 物ᵘ m̥ʰu̯d
13850 ⿰氵曶 呼骨 曉没入一合 hu̯ot 物ᵘ m̥ʰu̯d
13851 昒 莫拜 明皆去二開 mᵚɛi 物ᵘ mʳu̯ds
13852 吻 武粉 明文上三合 miun 文ᵘ munʔ
13853 伆 武粉 明文上三合 miun 文ᵘ munʔ
13854 刎 武粉 明文上三合 miun 文ᵘ munʔ
13855 ⿰氵曶 武粉 明文上三合 miun 文ᵘ munʔ
13856 昒 莫撥 明曷入一合 mʷɑt 月ᵒ mo̯d

戊 wù

13857 茂[2] 莫候 明侯去一合 mu 幽 mus
13858 戊[3] 莫候 明侯去一合 mu 幽 mus

敄 wù

13859 ⿱敄巾[4] 莫胡 明模平一合 mu̯o 幽 mu
13860 ⿱敄酉[5] 莫胡 明模平一合 mu̯o 幽 mu
13861 ⿱敄黍[6] 莫後 明侯上一合 mu 幽 muʔ
13862 ⿱艹敄[7] 莫候 明侯去一合 mu 幽 mus
13863 瞀[8] 莫候 明侯去一合 mu 幽 mus
13864 愗[9] 莫候 明侯去一合 mu 幽 mus
13865 ⿱敄委[10] 莫候 明侯去一合 mu 幽 mus
13866 鞪 莫浮 明尤平三合 miu 幽 mu
13867 鍪 莫浮 明尤平三合 miu 幽 mu
13868 堥 莫浮 明尤平三合 miu 幽 mu
13869 ⿱敄酉 莫浮 明尤平三合 miu 幽 mu
13870 蝥 莫浮 明尤平三合 miu 幽 mu
13871 ⿱髟敄 莫浮 明尤平三合 miu 幽 mu
13872 蝥[11] 武夫 明虞平三合 miʊ 幽 mu
13873 敄[12] 文甫 明虞上三合 miʊ 幽 muʔ
13874 務[13] 亡遇 明虞去三合 miʊ 幽 mus
13875 婺[14] 亡遇 明虞去三合 miʊ 幽 mus
13876 霧[15] 亡遇 明虞去三合 miʊ 幽 mus
13877 鶩[16] 亡遇 明虞去三合 miʊ 幽 mus
13878 ⿱敄手[17] 亡遇 明虞去三合 miʊ 幽 mus
13879 蝥[18] 亡遇 明虞去三合 miʊ 幽 mus
13880 ⿱敄足[19] 亡遇 明虞去三合 miʊ 幽 mus
13881 ⿱敄巾[20] 亡遇 明虞去三合 miʊ 幽 mus
13882 愗[21] 亡遇 明虞去三合 miʊ 幽 mus
13883 敄[22] 亡遇 明虞去三合 miʊ 幽 mus
13884 鶩[23] 亡遇 明虞去三合 miʊ 幽 mus
13885 ⿰木敄 莫袍 明豪平一開 mɑu 幽 mu̯
13886 堥 莫袍 明豪平一開 mɑu 幽 mu̯
13887 蓩 武道 明豪上一開 mɑu 幽 mu̯ʔ
13888 ⿱艹敄 武道 明豪上一開 mɑu 幽 mu̯ʔ
13889 蝥 莫交 明肴平二開 mᵚæu 幽 mʳu̯
13890 鶩[24] 莫卜 明屋入一合 muk 覺 mug
13891 ⿱敄巾[25] 莫卜 明屋入一合 muk 覺 mug
13892 蓩[26] 莫卜 明屋入一合 muk 覺 mug
13893 鞪[27] 莫卜 明屋入一合 muk 覺 mug
13894 楘[28] 莫卜 明屋入一合 muk 覺 mug
13895 瞀 莫角 明覺入二開 mᵚɔk 覺 mʳu̯g
13896 霿[29] 莫紅 明東平一合 muŋ 終 muŋ

---

1 《说文通训定声》"⿱曶巾"字的声符亦作"曶"。
2 见"袤"字注。
3 见"袤"字注。
4 见"袤"字注。
5 见"袤"字注。
6 见"袤"字注。
7 见"袤"字注。
8 见"袤"字注。
9 见"袤"字注。
10 见"袤"字注。
11 见"務"字注。
12 见"務"字注。李豪以为"敄"不以"矛"为声符。"敄"象用支击打长发的人形。
13 三等字在上古的侯部变成虞韵，幽部会变成尤韵。但是，有些幽部字会变成虞韵，而且有比较严格的语音条件：基本上是滂母平声字和明母的去声字。目前尚不清楚这一音变发生的音理。
14 见"務"字注。
15 见"務"字注。
16 见"務"字注。
17 见"務"字注。
18 见"務"字注。
19 见"務"字注。
20 见"務"字注。
21 见"務"字注。
22 见"務"字注。
23 见"務"字注。
24 见"袤"字注。
25 见"袤"字注。
26 见"袤"字注。
27 见"袤"字注。
28 见"袤"字注。
29 见"袤"字注。

13897 霿[1] 莫弄 明東去一合 muŋ 終 muŋs

夕 xī

13898 夕[2] 祥易 邪昔入三開 ziᴇk 鐸 sɢ^{l}ag
13899 汐 祥易 邪昔入三開 ziᴇk 鐸 sɢ^{l}ag
13900 穸 祥易 邪昔入三開 ziᴇk 鐸 sɢ^{l}ag

兮 xī

13901 兮 胡雞 匣齊平四開 ɦei 佳 ɢe̠
13902 盻 五計 疑齊去四開 ŋei 佳 ŋɢe̠s
13903 枍 於計 影齊去四開 ʔei 佳 qe̠s
13904 盻 胡計 匣齊去四開 ɦei 佳 ɢe̠s

西 xī

13905 西 先稽 心齊平四開 sei 微^{ɯ} s^{l}ɯ̠l
13906 栖 先稽 心齊平四開 sei 微^{ɯ} s^{l}ɯ̠l
13907 洒 先禮 心齊上四開 sei 微^{ɯ} s^{l}ɯ̠lʔ
13908 栖 蘇計 心齊去四開 sei 微^{ɯ} s^{l}ɯ̠ls
13909 哂 式忍 書真上三開 ɕin 文^{ɯ} l̥ɯnʔ
13910 茜 倉甸 清先去四開 ts^{h}en 文^{ɯ} s^{h}ɯ̠ns
13911 洒 所賣 生佳去二開 ʂ^{ɯ}ɛ 歌^{e} s^{r}e̠ls

希 xī

13912 希 香衣 曉微平三開 hɤi 微^{ɯ} q^{h}ɯl
13913 晞 香衣 曉微平三開 hɤi 微^{ɯ} q^{h}ɯl
13914 莃 香衣 曉微平三開 hɤi 微^{ɯ} q^{h}ɯl
13915 鵗 香衣 曉微平三開 hɤi 微^{ɯ} q^{h}ɯl
13916 睎 香衣 曉微平三開 hɤi 微^{ɯ} q^{h}ɯl
13917 稀 香衣 曉微平三開 hɤi 微^{ɯ} q^{h}ɯl
13918 豨 香衣 曉微平三開 hɤi 微^{ɯ} q^{h}ɯl
13919 悕 香衣 曉微平三開 hɤi 微^{ɯ} q^{h}ɯl
13920 俙 香衣 曉微平三開 hɤi 微^{ɯ} q^{h}ɯl
13921 欷 香衣 曉微平三開 hɤi 微^{ɯ} q^{h}ɯl
13922 狶 抽遲 徹脂平三開 ʈ^{h}i 微^{ɯ} k^{h}lɯl
13923 絺 丑飢 徹脂平三開 ʈ^{h}i 微^{ɯ} k^{h}lɯl
13924 郗 丑飢 徹脂平三開 ʈ^{h}i 微^{ɯ} k^{h}lɯl
13925 脪 丑飢 徹脂平三開 ʈ^{h}i 微^{ɯ} k^{h}lɯl
13926 豨 虛豈 曉微上三開 hɤi 微^{ɯ} q^{h}ɯlʔ
13927 俙 虛豈 曉微上三開 hɤi 微^{ɯ} q^{h}ɯlʔ
13928 唏 虛豈 曉微上三開 hɤi 微^{ɯ} q^{h}ɯlʔ
13929 欷 許既 曉微去三開 hɤi 微^{ɯ} q^{h}ɯls
13930 唏 許既 曉微去三開 hɤi 微^{ɯ} q^{h}ɯls
13931 俙 喜皆 曉皆平二開 h^{ɯ}ɛi 微^{ɯ} q^{hr}ɯ̠l
13932 脪 興腎 曉真上B開 hɨin 文^{ɯ} q^{hr}ɯnʔ
13933 脪 香靳 曉殷去三開 hɨn 文^{ɯ} q^{h}ɯns

昔 xī

13934 唶 子夜 精麻去三開 tsiæ 鐸 sags
13935 借 子夜 精麻去三開 tsiæ 鐸 sags
13936 藉 慈夜 從麻去三開 dziæ 鐸 zags
13937 蜡 七慮 清魚去三開 ts^{h}iɤ 鐸 s^{h}ags
13938 借 資昔 精昔入三開 tsiᴇk 鐸 sag
13939 踖 資昔 精昔入三開 tsiᴇk 鐸 sag
13940 昔 思積 心昔入三開 siᴇk 鐸 s^{l}ag
13941 腊 思積 心昔入三開 siᴇk 鐸 s^{l}ag
13942 惜 思積 心昔入三開 siᴇk 鐸 s^{l}ag
13943 棤 思積 心昔入三開 siᴇk 鐸 s^{l}ag
13944 䧿 思積 心昔入三開 siᴇk 鐸 s^{l}ag
13945 皵 七迹 清昔入三開 ts^{h}iᴇk 鐸 s^{h}ag
13946 籍 秦昔 從昔入三開 dziᴇk 鐸 zag
13947 踖 秦昔 從昔入三開 dziᴇk 鐸 zag
13948 藉 秦昔 從昔入三開 dziᴇk 鐸 zag
13949 耤 秦昔 從昔入三開 dziᴇk 鐸 zag
13950 猎 秦昔 從昔入三開 dziᴇk 鐸 zag
13951 䣢 秦昔 從昔入三開 dziᴇk 鐸 zag
13952 [illegible] 秦昔 從昔入三開 dziᴇk 鐸 zag
13953 斮 側略 莊藥入三開 tʂiak 鐸 srag
13954 鵲 七雀 清藥入三開 ts^{h}iak 鐸 s^{h}ag
13955 趞 七雀 清藥入三開 ts^{h}iak 鐸 s^{h}ag
13956 碏 七雀 清藥入三開 ts^{h}iak 鐸 s^{h}ag
13957 皵 七雀 清藥入三開 ts^{h}iak 鐸 s^{h}ag
13958 踖 七雀 清藥入三開 ts^{h}iak 鐸 s^{h}ag

---

1 见"霥"字注。

2 "夕"与"月"在甲骨文中有相同的字形，在《说文》时代，"月"的读音已经与"夕"不一样了。"夕"的上古读音 *sɢ^{l}ag>中古 ziᴇk，与藏缅语中的月亮 sɢla 显然同源。楚历"屈夕"中的"夕"证明其有"月份"义，"屈夕"又作"屈栾"（梅祖麟《古代楚方言中"夕（亦示）"字的词义和语源》，《方言》1981 年第 3 期），"栾"与"亦"同音，上古音当为 *ɢlag>lag>jᴇk。这说明楚语中的月亮还是与"夕"有一样的来源 *sɢ^{l}ag，汉语的"夜" *ɢlags 与"夕"是同根词，说明"夕"作为月亮的字形与原来的读音 *sɢ^{l}ag 已经不一样了，于是加了一个新的声符"亦" *g.lag。

13959 竨 七雀 清藥入三開 tsʰiak 鐸 sʰag
13960 厝 倉故 清模去一合 tsʰu̯o 鐸 sʰa̱gs
13961 措 倉故 清模去一合 tsʰu̯o 鐸 sʰa̱gs
13962 醋 倉故 清模去一合 tsʰu̯o 鐸 sʰa̱gs
13963 錯 倉故 清模去一合 tsʰu̯o 鐸 sʰa̱gs
13964 澛 倉故 清模去一合 tsʰu̯o 鐸 sʰa̱gs
13965 錯 倉各 清鐸入一開 tsʰɑk 鐸 sʰa̱g
13966 厝 倉各 清鐸入一開 tsʰɑk 鐸 sʰa̱g
13967 逪 倉各 清鐸入一開 tsʰɑk 鐸 sʰa̱g
13968 剒 倉各 清鐸入一開 tsʰɑk 鐸 sʰa̱g
13969 鄁 在各 從鐸入一開 dzɑk 鐸 za̱g
13970 緒 在各 從鐸入一開 dzɑk 鐸 za̱g
13971 蜡 鋤駕 崇麻去二開 dʐᵚæ 鐸 zra̱gs
13972 褙 鋤駕 崇麻去二開 dʐᵚæ 鐸 zra̱gs
13973 齰 鋤駕 崇麻去二開 dʐᵚæ 鐸 zra̱gs
13974 斮[1] 側角 莊覺入二開 tʂᵘɔk 鐸 sra̱g
13975 浩 側伯 莊陌入二開 tʂᵚæk 鐸 sra̱g
13976 諎 側伯 莊陌入二開 tʂᵚæk 鐸 sra̱g
13977 浩[2] 山責 生陌入二開 ʂᵚæk 鐸 sʳa̱g
13978 簎 測戟 初陌入二開 tʂʰᵚæk 鐸 sʰra̱g
13979 稓[3] 楚革 初陌入二開 tʂʰᵚæk 鐸 sʰra̱g
13980 稓[4] 士革 崇陌入二開 dʐᵚæk 鐸 zra̱g
13981 齰 鋤陌 崇陌入二開 dʐᵚæk 鐸 zra̱g
13982 簎[5] 士角 崇覺入二開 dʐᵘɔk 藥ᵃ zra̱gʷ

析 xī

13983 晢 先擊 心錫入四開 sek 錫 sˡe̱g
13984 晰 先的 心錫入四開 sek 錫 sˡe̱g
13985 析 先擊 心錫入四開 sek 錫 sˡe̱g
13986 晳 先擊 心錫入四開 sek 錫 sˡe̱g
13987 蜥 先擊 心錫入四開 sek 錫 sˡe̱g
13988 菥 先擊 心錫入四開 sek 錫 sˡe̱g
13989 淅 先擊 心錫入四開 sek 錫 sˡe̱g
13990 惁 先擊 心錫入四開 sek 錫 sˡe̱g
13991 菥 息移 心支平三開 sie 佳 sˡe
13992 晳 息移 心支平三開 sie 佳 sˡe

肸 xī

13993 肸 羲乙 曉質入B 開 hɨit 物ᵚ qʰʳɯd
13994 肸 許訖 曉迄入三開 hɨt 物ᵚ qʰɯd

息 xī

13995 息 相即 心職入三開 sɨk 職 sˡɯg
13996 梎 相即 心職入三開 sɨk 職 sˡɯg
13997 郋 相即 心職入三開 sɨk 職 sˡɯg
13998 瘜 相即 心職入三開 sɨk 職 sˡɯg
13999 葸 相即 心職入三開 sɨk 職 sˡɯg
14000 熄 相即 心職入三開 sɨk 職 sˡɯg
14001 膓 相即 心職入三開 sɨk 職 sˡɯg
14002 鎴 相即 心職入三開 sɨk 職 sˡɯg

奚 xī

14003 雞 古奚 見齊平四開 kei 佳 ke̱
14004 嘆 堅奚 見齊平四開 kei 佳 ke̱
14005 谿 苦奚 溪齊平四開 kʰei 佳 kʰe̱
14006 鸂 苦奚 溪齊平四開 kʰei 佳 kʰe̱
14007 螇 苦奚 溪齊平四開 kʰei 佳 kʰe̱
14008 奚 胡雞 匣齊平四開 ɦei 佳 ge̱
14009 豯 胡雞 匣齊平四開 ɦei 佳 ge̱
14010 傒 胡雞 匣齊平四開 ɦei 佳 ge̱
14011 嫨 胡雞 匣齊平四開 ɦei 佳 ge̱
14012 蹊 胡雞 匣齊平四開 ɦei 佳 ge̱
14013 螇 胡雞 匣齊平四開 ɦei 佳 ge̱
14014 榽 胡雞 匣齊平四開 ɦei 佳 ge̱
14015 騱 胡雞 匣齊平四開 ɦei 佳 ge̱
14016 鼷 胡雞 匣齊平四開 ɦei 佳 ge̱
14017 傒 胡雞 匣齊平四開 ɦei 佳 ge̱
14018 鼷 胡雞 匣齊平四開 ɦei 佳 ge̱
14019 蒵 胡雞 匣齊平四開 ɦei 佳 ge̱
14020 貕 胡雞 匣齊平四開 ɦei 佳 ge̱
14021 徯 弦雞 匣齊平四開 ɦei 佳 ge̱
14022 徯 胡禮 匣齊上四開 ɦei 佳 ge̱ʔ
14023 謑 胡禮 匣齊上四開 ɦei 佳 ge̱ʔ

---

1 见“朔”字注。

2 原为麦韵，但是根据谐声系统应该为陌韵，《切韵》音系二等有陌、麦的历史层次。

3 原为麦韵，但是根据谐声系统应该为陌韵，《切韵》音系二等有陌、麦的历史层次。

4 原为麦韵，但是根据谐声系统应该为陌韵，《切韵》音系二等有陌、麦的历史层次。

5 见“朔”字注。

14024 蒵 胡計 匣齊去四開 ɦei 佳 ge̱s
14025 膎 户佳 匣佳平二開 ɦ^{ɯ}ɛ 佳 g^{r}e̱
14026 鞵 户佳 匣佳平二開 ɦ^{ɯ}ɛ 佳 g^{r}e̱
14027 榽 户佳 匣佳平二開 ɦ^{ɯ}ɛ 佳 g^{r}e̱
14028 謑 火懈 曉佳去二開 h^{ɯ}ɛ 佳 q^{hr}e̱s

𠩺 xī

14029 漦 俟甾 崇之平三開 dʐɨ 之 sgrɯ
14030 𠩺 許其 曉之平三開 hɨ 之 q^{h}ɯ
14031 釐 里之 來之平三開 lɨ 之 g.rɯ
14032 氂 里之 來之平三開 lɨ 之 g.rɯ
14033 嫠 里之 來之平三開 lɨ 之 g.rɯ
14034 ⿱𠩺力 里之 來之平三開 lɨ 之 g.rɯ
14035 犛 里之 來之平三開 lɨ 之 g.rɯ
14036 ⿱𠩺又 里之 來之平三開 lɨ 之 g.rɯ
14037 孷 里之 來之平三開 lɨ 之 g.rɯ
14038 ⿱𠩺心 陵之 來之平三開 lɨ 之 g.rɯ
14039 ⿱𠩺又 里之 來之平三開 lɨ 之 g.rɯ
14040 李[1] 良士 來之上三開 lɨ 之 g.rɯʔ
14041 犛 落哀 來咍平一開 ləi 之 g.rɯ̱
14042 犛[2] 莫交 明肴平二開 m^{ɯ}æu 之 mg^{r}ɯ̱
14043 ⿱𠩺心 力至 來脂去三開 li 脂 g.ris

悉 xī

14044 悉 息七 心質入三開 sit 質^{d} s^{l}id
14045 蟋 息七 心質入三開 sit 質^{d} s^{l}id
14046 ⿰米悉 息七 心質入三開 sit 質^{d} s^{l}id
14047 僁 息七 心質入三開 sit 質^{d} s^{l}id
14048 蟋 所櫛 生櫛入三開 ʂiɪt 質^{d} s^{r}id
14049 僁 先結 心屑入四開 set 質^{d} s^{l}i̱d
14050 ⿰米悉 私列 心薛入三開 siɛt 月^{e} s^{l}ed

醯 xī

14051 醯 呼雞 曉齊平四開 hei 佳 q^{h}e̱
14052 ⿰木⿱㐬皿 呼雞 曉齊平四開 hei 佳 q^{h}e̱
14053 ⿰木⿱㐬皿 呼改 曉咍上一開 həi 之 q^{h}ɯ̱ʔ

習 xí

14054 ⿰月習 直立 澄緝入三開 ɖip 緝^{ɯ} glɯb
14055 褶 是執 禪緝入三開 dʑip 緝^{ɯ} gl^{j}ɯb
14056 習 似入 邪緝入三開 zip 緝^{ɯ} sg^{l}ɯb
14057 鰼 似入 邪緝入三開 zip 緝^{ɯ} sg^{l}ɯb
14058 騽 似入 邪緝入三開 zip 緝^{ɯ} sg^{l}ɯb
14059 槢 似入 邪緝入三開 zip 緝^{ɯ} sg^{l}ɯb
14060 ⿰習鳥 似入 邪緝入三開 zip 緝^{ɯ} sg^{l}ɯb
14061 褶 似入 邪緝入三開 zip 緝^{ɯ} sg^{l}ɯb
14062 ⿰口習 先立 心緝入三開 sip 緝^{ɯ} sq^{l}ɯb
14063 熠 羊入 以緝入三開 jip 緝^{ɯ} ɢlɯb
14064 熠 爲立 云緝入三開 ɦ^{ɨ}ip 緝^{ɯ} ɢ^{r}ɯb
14065 騽 爲立 云緝入三開 ɦ^{ɨ}ip 緝^{ɯ} ɢ^{r}ɯb
14066 摺 盧合 來合入一開 ləp 緝^{ɯ} g.rɯ̱b
14067 慴 徒協 定帖入四開 dep 緝^{ɯ} glɯ̱b
14068 褶 徒協 定帖入四開 dep 緝^{ɯ} glɯ̱b
14069 慴 之涉 章葉入三開 tɕiɛp 盍^{a} kl^{j}ab
14070 摺 之涉 章葉入三開 tɕiɛp 盍^{a} kl^{j}ab
14071 謵 叱涉 昌葉入三開 tɕ^{h}iɛp 盍^{a} k^{h}l^{j}ab

覡 xí

14072 覡 胡狄 匣錫入四開 ɦek 錫 ge̱g

喜 xǐ

14073 瞦 許其 曉之平三開 hɨ 之 q^{h}ɯ
14074 熹 許其 曉之平三開 hɨ 之 q^{h}ɯ
14075 嘻 許其 曉之平三開 hɨ 之 q^{h}ɯ
14076 僖 許其 曉之平三開 hɨ 之 q^{h}ɯ
14077 歖 許其 曉之平三開 hɨ 之 q^{h}ɯ
14078 嬉 許其 曉之平三開 hɨ 之 q^{h}ɯ
14079 禧 許其 曉之平三開 hɨ 之 q^{h}ɯ
14080 譆 許其 曉之平三開 hɨ 之 q^{h}ɯ
14081 瞦 許已 曉之上三開 hɨ 之 q^{h}ɯʔ
14082 喜 虚里 曉之上三開 hɨ 之 q^{h}ɯʔ
14083 憙 虚里 曉之上三開 hɨ 之 q^{h}ɯʔ
14084 饎 昌志 昌之去三開 tɕ^{h}ɨ 之 k^{hj}ɯs
14085 糦 昌志 昌之去三開 tɕ^{h}ɨ 之 k^{hj}ɯs
14086 憙 許記 曉之去三開 hɨ 之 q^{h}ɯs
14087 嬉 許記 曉之去三開 hɨ 之 q^{h}ɯs

---

1 李豪：据古文字，"李"本"犛"之省形，从"𠩺"声。楚文字声作"犛"，从"來"声。参看刘传宾《"行李"考》《"李"字释读的整理与研究》。

2 郑张尚芳：训读"牦""旄"。实际上是之部读作侯部，见"侮"字注。

14088 喜 香忌 曉之去三開 hɨ 之 q^{h}ɯs
14089 黖 許極 曉職入三開 hɨk 職 q^{h}ɯg

肸 xì

14090 肸 許訖 曉迄入三開 hɨt 物^{ɯ} l̥^{h}ɯd
14091 佾 夷質 以質入三開 jit 物^{ɯ} lɯd
14092 屑 先結 心屑入四開 set 物^{ɯ} l̥^{j}ɯ̠d
14093 榍 先結 心屑入四開 set 物^{ɯ} l̥^{j}ɯ̠d
14094 ⿰齒屑 千結 清屑入四開 ts^{h}et 物^{ɯ} sl̥ɯ̠d

匸 xì

14095 匸 胡禮 匣齊上四開 ɦei 佳 ge̠ʔ

系 xì

14096 係 古詣 見齊去四開 kei 錫 ke̠gs
14097 系 胡計 匣齊去四開 ɦei 錫 ge̠gs

𡭴 xì

14098 𡭴 乞逆 溪陌入三開 k^{h}iæk 鐸 k^{hr}ag
14099 隙 綺戟 溪陌入三開 k^{h}iæk 鐸 k^{hr}ag
14100 虩 許郤 曉陌入三開 hiæk 鐸 q^{hr}ag
14101 ⿰虫𡭴 離灼 來藥入三開 liak 鐸 g.rag
14102 虩[1] 山責 生陌入二開 ʂ^{ɯ}æk 鐸 sk^{r}a̠g
14103 虩 迄力 曉職入三開 hɨk 職 q^{h}ɯg
14104 覤 迄力 曉職入三開 hɨk 職 q^{h}ɯg

舄 xì

14105 瀉 司夜 心麻去三開 siæ 鐸 sk^{hl}ags
14106 潟[2] 思積 心昔入三開 siᴇk 鐸 sk^{hl}ag
14107 ⿰石舄 思積 心昔入三開 siᴇk 鐸 sk^{hl}ag
14108 舄 思積 心昔入三開 siᴇk 鐸 sk^{hl}ag
14109 蕮 思積 心昔入三開 siᴇk 鐸 sk^{hl}ag
14110 舄 七雀 清藥入三開 ts^{h}iak 鐸 sk^{h}lag
14111 獡 書藥 書藥入三開 ɕiak 鐸 q^{h}lag
14112 寫 悉姐 心麻上三開 siæ 魚 sk^{hl}aʔ
14113 ⿰木舄 悉姐 心麻上三開 siæ 魚 sk^{hl}aʔ
14114 瀉 悉姐 心麻上三開 siæ 魚 sk^{hl}aʔ
14115 藛 洗野 心麻上三開 siæ 魚 sk^{hl}aʔ

霼 xì

14116 霼 虛器 曉脂去A 開 hi 脂[1] q^{h}ils

衋 xì

14117 衋 許極 曉職入三開 hɨk 職 q^{hr}ɯg

⿱艹囟 xì

14118 ⿱艹囟 許訖 曉迄入三開 hɨt 物^{ɯ} q^{h}ɯd

叚 xiá

14119 叚 何加 匣麻平二開 ɦ^{ɯ}æ 魚 g^{r}a̠

舝 xiá

14120 舝 胡瞎 匣鎋入二開 ɦ^{ɯ}æt 月^{a} g^{r}a̠d
14121 ⿺辶舝 黃外 匣泰去一合 ɦ^{w}ɑi 月^{a} g^{w}a̠ds
14122 ⿱舝䖵 胡瞎 匣鎋入二開 ɦ^{ɯ}æt 月^{a} g^{r}a̠d
14123 ⿰王舝 胡瞎 匣鎋入二開 ɦ^{ɯ}æt 月^{a} g^{r}a̠d

下 xià

14124 苄 侯古 匣模上一合 ɦu̯o 魚 ga̠ʔ
14125 下 胡雅 匣麻上二開 ɦ^{ɯ}æ 魚 g^{r}a̠ʔ
14126 下 胡駕 匣麻去二開 ɦ^{ɯ}æ 魚 g^{r}a̠s
14127 苄 胡駕 匣麻去二開 ɦ^{ɯ}æ 魚 g^{r}a̠s

夏 xià

14128 夏 古下 見麻上二開 k^{ɯ}æ 魚 k^{r}a̠ʔ
14129 夏 胡雅 匣麻上二開 ɦ^{ɯ}æ 魚 g^{r}a̠ʔ
14130 廈 胡雅 匣麻上二開 ɦ^{ɯ}æ 魚 g^{r}a̠ʔ
14131 嗄[3] 所嫁 生麻去二開 ʂ^{ɯ}æ 魚 sk^{r}a̠s
14132 夏 胡駕 匣麻去二開 ɦ^{ɯ}æ 魚 g^{r}a̠s
14133 嗄 於犗 影麻去二開 ʔ^{ɯ}æ 魚 q^{r}a̠s

仚 xiān

14134 仚 許延 曉仙平B 開 hɨᴇn 元^{e} q^{hr}en

先 xiān

14135 駪 所臻 生臻平三開 ʂiɪn 文^{ɯ} s^{r}ɯn

---

1 原为麦韵，但是根据谐声系统应该为陌韵，《切韵》音系二等有陌、麦的历史层次。

2 “潟”通“澤” * gla̠g，《史记 · 夏本纪》“海濱廣潟”，《集解》引徐广曰：“潟一作澤。”《书 · 禹贡 》又作“海濱廣斥”。“斥”古读 * k^{h}l^{j}ags。

3 原为夬韵，但是根据谐声系统应该为麻韵，《切韵》音系二等有麻、夬的历史层次。

14136 𤘸 所臻 生臻平三開 ʂɪn 文^{ɯ} s^{r}ɯn
14137 詵 所臻 生臻平三開 ʂɪn 文^{ɯ} s^{r}ɯn
14138 侁 所臻 生臻平三開 ʂɪn 文^{ɯ} s^{r}ɯn
14139 𢓭 所臻 生臻平三開 ʂɪn 文^{ɯ} s^{r}ɯn
14140 姺 所臻 生臻平三開 ʂɪn 文^{ɯ} s^{r}ɯn
14141 先 蘇前 心先平四開 sen 文^{ɯ} s^{l}ɯ̱n
14142 洗 蘇典 心先上四開 sen 文^{ɯ} s^{l}ɯ̱nʔ
14143 銑 蘇典 心先上四開 sen 文^{ɯ} s^{l}ɯ̱nʔ
14144 跣 蘇典 心先上四開 sen 文^{ɯ} s^{l}ɯ̱nʔ
14145 毨 蘇典 心先上四開 sen 文^{ɯ} s^{l}ɯ̱nʔ
14146 姺 蘇典 心先上四開 sen 文^{ɯ} s^{l}ɯ̱nʔ
14147 茾 蘇典 心先上四開 sen 文^{ɯ} s^{l}ɯ̱nʔ
14148 先 蘇佃 心先去四開 sen 文^{ɯ} s^{l}ɯ̱ns
14149 洗 先禮 心齊上四開 sei 微^{ɯ} s^{l}ɯ̱lʔ

暹 xiān

14150 暹 息廉 心鹽平三開 siᴇm 談^{e} s^{l}em

思 xiān

14151 思 息廉 心鹽平三開 siᴇm 談^{o} sk^{l}om

鮮 xiān

14152 鮮 相然 心仙平三開 siᴇn 元^{e} s^{l}en
14153 廯 相然 心仙平三開 siᴇn 元^{e} s^{l}en
14154 癬 息淺 心仙上三開 siᴇn 元^{e} s^{l}enʔ
14155 廯 息淺 心仙上三開 siᴇn 元^{e} s^{l}enʔ
14156 鮮 息淺 心仙上三開 siᴇn 元^{e} s^{l}enʔ
14157 鮮 私箭 心仙去三開 siᴇn 元^{e} s^{l}ens
14158 𩆷 息移 心支平三開 sie 歌^{e} s^{l}el

鱻 xiān

14159 鱻 相然 心仙平三開 siᴇn 元^{e} l̥^{j}en

次 xián

14160 䢮 以然 以仙平三開 jiᴇn 元^{e} ɢlen
14161 次 夕連 邪仙平三開 ziᴇn 元^{e} sɢ^{l}en
14162 䌓 昌善 昌仙上三開 tɕ^{h}iᴇn 元^{e} k^{h}l^{j}enʔ
14163 䌓 徐翦 邪仙上三開 ziᴇn 元^{e} sɢ^{l}enʔ
14164 羨 予線 以仙去三開 jiᴇn 元^{e} ɢlens
14165 䢮 予線 以仙去三開 jiᴇn 元^{e} ɢlens
14166 𣿅 延面 以仙去三開 jiᴇn 元^{e} ɢlens
14167 羨 似面 邪仙去三開 ziᴇn 元^{e} sɢ^{l}ens
14168 䢮 似面 邪仙去三開 ziᴇn 元^{e} sɢ^{l}ens
14169 欥 弋支 以支平三開 jie 歌^{e} ɢlel
14170 羨[1] 以脂 以脂平三開 ji 歌^{e} ɢlel

弦 xián

14171 蚿 胡田 匣先平四開 ɦen 真^{n} gi̱n

咸 xián

14172 羬 巨淹 群鹽平B 開 gɨᴇm 談^{o} g^{r}om
14173 鍼 巨淹 群鹽平B 開 gɨᴇm 談^{o} g^{r}om
14174 緘 呼廉 曉鹽平B 開 hɨᴇm 談^{o} q^{hr}om
14175 緘 古南 見覃平一開 kəm 談^{o} ko̱m
14176 感 古禫 見覃上一開 kəm 談^{o} ko̱mʔ
14177 鱤 古禫 見覃上一開 kəm 談^{o} ko̱mʔ
14178 轗 苦感 溪覃上一開 k^{h}əm 談^{o} k^{h}o̱mʔ
14179 顑 苦感 溪覃上一開 k^{h}əm 談^{o} k^{h}o̱mʔ
14180 撼 胡感 匣覃上一開 ɦəm 談^{o} go̱mʔ
14181 喊[2] 呼覽 曉談上一開 hɑm 談^{o} q^{h}o̱mʔ
14182 轗 苦紺 溪覃去一開 k^{h}əm 談^{o} k^{h}o̱ms
14183 憾 胡紺 匣覃去一開 ɦəm 談^{o} go̱ms
14184 緘 古咸 見咸平二開 k^{ɯ}ɛm 談^{o} k^{r}o̱m
14185 緘 古咸 見咸平二開 k^{ɯ}ɛm 談^{o} k^{r}o̱m
14186 瑊 古咸 見咸平二開 k^{ɯ}ɛm 談^{o} k^{r}o̱m
14187 黬 古咸 見咸平二開 k^{ɯ}ɛm 談^{o} k^{r}o̱m
14188 黵 古咸 見咸平二開 k^{ɯ}ɛm 談^{o} k^{r}o̱m
14189 咸 胡讒 匣咸平二開 ɦ^{ɯ}ɛm 談^{o} g^{r}o̱m
14190 鹹 胡讒 匣咸平二開 ɦ^{ɯ}ɛm 談^{o} g^{r}o̱m
14191 醎 胡讒 匣咸平二開 ɦ^{ɯ}ɛm 談^{o} g^{r}o̱m
14192 諴 胡讒 匣咸平二開 ɦ^{ɯ}ɛm 談^{o} g^{r}o̱m
14193 椷 胡讒 匣咸平二開 ɦ^{ɯ}ɛm 談^{o} g^{r}o̱m
14194 輱 胡讒 匣咸平二開 ɦ^{ɯ}ɛm 談^{o} g^{r}o̱m
14195 黬 五咸 疑咸平二開 ŋ^{ɯ}ɛm 談^{o} ŋg^{r}o̱m
14196 羬 五咸 疑咸平二開 ŋ^{ɯ}ɛm 談^{o} ŋg^{r}o̱m
14197 麙 五咸 疑咸平二開 ŋ^{ɯ}ɛm 談^{o} ŋg^{r}o̱m
14198 減 古斬 見咸上二開 k^{ɯ}ɛm 談^{o} k^{r}o̱mʔ
14199 減 下斬 匣咸上二開 ɦ^{ɯ}ɛm 談^{o} g^{r}o̱mʔ

---

1 支韵读入脂韵。
2 覃韵读入谈韵，与“三”的变化相同。

14200 喊 下斬 匣咸上二開 ɦ^{ɯ}ɛm 談^{o} g^{r}o̱mʔ
14201 喊 呼豏 曉咸上二開 h^{ɯ}ɛm 談^{o} q^{hr}o̱mʔ
14202 顑 玉陷 疑咸去二開 ŋ^{ɯ}ɛm 談^{o} ŋg^{r}o̱ms
14203 [箴鳥] 職深 章侵平三開 tɕim 侵^{u} kl^{j}um
14204 箴 職深 章侵平三開 tɕim 侵^{u} kl^{j}um
14205 葴 職深 章侵平三開 tɕim 侵^{u} kl^{j}um
14206 瑊 職深 章侵平三開 tɕim 侵^{u} kl^{j}um
14207 鍼 職深 章侵平三開 tɕim 侵^{u} kl^{j}um
14208 鹼 古洽 見洽入二開 k^{ɯ}ɛp 盍^{o} k^{r}o̱b
14209 瞰 苦洽 溪洽入二開 k^{hɯ}ɛp 盍^{o} k^{hr}o̱b
14210 鹼 苦洽 溪洽入二開 k^{hɯ}ɛp 盍^{o} k^{hr}o̱b

閒 xián

14211 覵 方免 幫仙上B開 pɨᴇn 元^{e} pk^{r}enʔ
14212 閒 古閑 見山平二開 k^{ɯ}ɛn 元^{e} k^{r}e̱n
14213 蕑 古閑 見山平二開 k^{ɯ}ɛn 元^{e} k^{r}e̱n
14214 覵 古閑 見山平二開 k^{ɯ}ɛn 元^{e} k^{r}e̱n
14215 蕳 居閑 見山平二開 k^{ɯ}ɛn 元^{e} k^{r}e̱n
14216 澗 居閑 見山平二開 k^{ɯ}ɛn 元^{e} k^{r}e̱n
14217 鬜 丘閑 溪山平二開 k^{hɯ}ɛn 元^{e} k^{hr}e̱n
14218 鬝[1] 可顔 溪山平二開 k^{hɯ}ɛn 元^{e} k^{hr}e̱n
14219 鬝 苦閑 溪山平二開 k^{hɯ}ɛn 元^{e} k^{hr}e̱n
14220 鷳 户閒 匣山平二開 ɦ^{ɯ}ɛn 元^{e} g^{r}e̱n
14221 嫺 户閒 匣山平二開 ɦ^{ɯ}ɛn 元^{e} g^{r}e̱n
14222 癇 户閒 匣山平二開 ɦ^{ɯ}ɛn 元^{e} g^{r}e̱n
14223 [馬閒] 户閒 匣山平二開 ɦ^{ɯ}ɛn 元^{e} g^{r}e̱n
14224 瞯 户閒 匣山平二開 ɦ^{ɯ}ɛn 元^{e} g^{r}e̱n
14225 憪 户閒 匣山平二開 ɦ^{ɯ}ɛn 元^{e} g^{r}e̱n
14226 鬜 鉏山 崇山平二開 dʐ^{ɯ}ɛn 元^{e} sgre̱n
14227 僩 古限 見山上二開 k^{ɯ}ɛn 元^{e} k^{r}e̱nʔ
14228 簡 賈限 見山上二開 k^{ɯ}ɛn 元^{e} k^{r}e̱nʔ
14229 簡 古限 見山上二開 k^{ɯ}ɛn 元^{e} k^{r}e̱nʔ
14230 [氵簡] 古限 見山上二開 k^{ɯ}ɛn 元^{e} k^{r}e̱nʔ
14231 撊[2] 下赧 匣山上二開 ɦ^{ɯ}ɛn 元^{e} g^{r}e̱nʔ
14232 撊[3] 下赧 匣山上二開 ɦ^{ɯ}ɛn 元^{e} g^{r}e̱nʔ
14233 橌[4] 下赧 匣山上二開 ɦ^{ɯ}ɛn 元^{e} g^{r}e̱nʔ
14234 僩[5] 下赧 匣山上二開 ɦ^{ɯ}ɛn 元^{e} g^{r}e̱nʔ
14235 憪[6] 下赧 匣山上二開 ɦ^{ɯ}ɛn 元^{e} g^{r}e̱nʔ
14236 澗[7] 古晏 見山去二開 k^{ɯ}ɛn 元^{e} k^{r}e̱ns
14237 鐗[8] 古晏 見山去二開 k^{ɯ}ɛn 元^{e} k^{r}e̱ns
14238 澗 居莧 見山去二開 k^{ɯ}ɛn 元^{e} k^{r}e̱ns
14239 閒 古莧 見山去二開 k^{ɯ}ɛn 元^{e} k^{r}e̱ns
14240 覵 古莧 見山去二開 k^{ɯ}ɛn 元^{e} k^{r}e̱ns
14241 鬝 恪八 溪黠入二開 k^{hɯ}ɛt 月^{e} k^{hr}e̱d

尟 xiǎn

14242 尟 息淺 心仙上三開 siᴇn 元^{e} s^{l}enʔ

顯 xiǎn

14243 顯 呼典 曉先上四開 hen 元^{e} ŋ̊^{h}e̱nʔ
14244 韅 呼典 曉先上四開 hen 元^{e} ŋ̊^{h}e̱nʔ
14245 㬎[9] 呼典 曉先上四開 hen 元^{e} ŋ̊^{h}e̱nʔ

[辶奎] xiàn

14246 [辶奎] 胡甸 匣先去四開 ɦen 元^{e} ge̱ns

臽 xiàn

14247 讇 時占 禪鹽平三開 dʑiᴇm 談^{o} gl^{j}om
14248 閻 余廉 以鹽平三開 jiᴇm 談^{o} ɢlom
14249 [氵閻] 余廉 以鹽平三開 jiᴇm 談^{o} ɢlom
14250 櫩 余廉 以鹽平三開 jiᴇm 談^{o} ɢlom
14251 讇 余廉 以鹽平三開 jiᴇm 談^{o} ɢlom
14252 讇 丑琰 徹鹽上三開 ʈ^{h}iᴇm 談^{o} k^{h}lomʔ
14253 諂 丑琰 徹鹽上三開 ʈ^{h}iᴇm 談^{o} k^{h}lomʔ
14254 䜤 以冉 以鹽上三開 jiᴇm 談^{o} ɢlomʔ
14255 淊 以冉 以鹽上三開 jiᴇm 談^{o} ɢlomʔ
14256 櫩 以冉 以鹽上三開 jiᴇm 談^{o} ɢlomʔ

---

1 原为删韵，但是根据谐声系统应该为山韵，《切韵》音系二等有山、删的历史层次。

2 原为删韵，但是根据谐声系统应该为山韵，《切韵》音系二等有山、删的历史层次。

3 原为删韵，但是根据谐声系统应该为山韵，《切韵》音系二等有山、删的历史层次。

4 原为删韵，但是根据谐声系统应该为山韵，《切韵》音系二等有山、删的历史层次。

5 原为删韵，但是根据谐声系统应该为山韵，《切韵》音系二等有山、删的历史层次。

6 原为删韵，但是根据谐声系统应该为山韵，《切韵》音系二等有山、删的历史层次。

7 原为删韵，但是根据谐声系统应该为山韵，《切韵》音系二等有山、删的历史层次。

8 原为删韵，但是根据谐声系统应该为山韵，《切韵》音系二等有山、删的历史层次。

9 《广韵》作"[日系]"。

14257	爓	以贍	以鹽去三開	jiɛm	談^{o}	ɢloms
14258	惂	苦感	溪覃上一開	k^{h}əm	談^{o}	k^{h}o̱mʔ
14259	錎	苦感	溪覃上一開	k^{h}əm	談^{o}	k^{h}o̱mʔ
14260	埳	苦感	溪覃上一開	k^{h}əm	談^{o}	k^{h}o̱mʔ
14261	臽	苦感	溪覃上一開	k^{h}əm	談^{o}	k^{h}o̱mʔ
14262	淊	胡感	匣覃上一開	ɦəm	談^{o}	go̱mʔ
14263	欿	胡感	匣覃上一開	ɦəm	談^{o}	go̱mʔ
14264	蜭	胡感	匣覃上一開	ɦəm	談^{o}	go̱mʔ
14265	窞	徒感	定覃上一開	dəm	談^{o}	glo̱mʔ
14266	萏	徒感	定覃上一開	dəm	談^{o}	glo̱mʔ
14267	峆	苦紺	溪覃去一開	k^{h}əm	談^{o}	k^{h}o̱ms
14268	䐄[1]	下瞰	匣談去一開	ɦɑm	談^{o}	go̱ms
14269	淊	乙咸	影咸平二開	ʔ^{ɯ}ɛm	談^{o}	q^{r}o̱m
14270	陷[2]	户韽	匣咸去二開	ɦ^{ɯ}ɛm	談^{o}	g^{r}o̱ms
14271	䑢	户韽	匣咸去二開	ɦ^{ɯ}ɛm	談^{o}	g^{r}o̱ms
14272	臽	户韽	匣咸去二開	ɦ^{ɯ}ɛm	談^{o}	g^{r}o̱ms
14273	䐄	户韽	匣咸去二開	ɦ^{ɯ}ɛm	談^{o}	g^{r}o̱ms
14274	錎	户韽	匣咸去二開	ɦ^{ɯ}ɛm	談^{o}	g^{r}o̱ms
14275	淊	於陷	影咸去二開	ʔ^{ɯ}ɛm	談^{o}	q^{r}o̱ms
14276	蜭	胡紺	匣覃去一開	ɦəm	侵^{u}	gu̱ms
14277	䐄	胡紺	匣覃去一開	ɦəm	侵^{u}	gu̱ms
14278	啗	徒濫	定談去一開	dɑm	談^{a}	gla̱ms
14279	掐	苦洽	溪洽入二開	k^{hɯ}ɛp	盍^{o}	k^{hr}o̱b

縣 xiàn

14280	𥂡	許緣	曉仙平A合	h^{w}iɛn	元^{e}	q^{wh}en
14281	縣	胡涓	匣先平四合	ɦ^{w}en	元^{e}	g^{w}e̱n
14282	𥂡	胡涓	匣先平四合	ɦ^{w}en	元^{e}	g^{w}e̱n
14283	𥂡	胡畎	匣先上四合	ɦ^{w}en	元^{e}	g^{w}e̱nʔ
14284	縣	黄練	匣先去四合	ɦ^{w}en	元^{e}	g^{w}e̱ns

相 xiāng

14285	廂	息良	心陽平三開	siaŋ	陽	sk^{l}aŋ
14286	湘[3]	息良	心陽平三開	siaŋ	陽	sk^{l}aŋ
14287	相[4]	息良	心陽平三開	siaŋ	陽	sk^{l}aŋ
14288	緗	息良	心陽平三開	siaŋ	陽	sk^{l}aŋ
14289	箱	息良	心陽平三開	siaŋ	陽	sk^{l}aŋ
14290	葙	息良	心陽平三開	siaŋ	陽	sk^{l}aŋ
14291	霜	色莊	生陽平三開	ʂiaŋ	陽	sk^{r}aŋ
14292	鸘	色莊	生陽平三開	ʂiaŋ	陽	sk^{r}aŋ
14293	孀	色莊	生陽平三開	ʂiaŋ	陽	sk^{r}aŋ
14294	驦	色莊	生陽平三開	ʂiaŋ	陽	sk^{r}aŋ
14295	想	息兩	心陽上三開	siaŋ	陽	sk^{l}aŋʔ
14296	相	息亮	心陽去三開	siaŋ	陽	sk^{l}aŋs

香 xiāng

14297	香	許良	曉陽平三開	hiaŋ	陽	q^{h}aŋ

鄉 xiāng

14298	卿	去京	溪庚平三開	k^{h}iæŋ	陽	k^{hr}aŋ
14299	皀	許良	曉陽平三開	hiaŋ	陽	q^{h}aŋ
14300	薌	許良	曉陽平三開	hiaŋ	陽	q^{h}aŋ
14301	鄉	許良	曉陽平三開	hiaŋ	陽	q^{h}aŋ
14302	膷	許良	曉陽平三開	hiaŋ	陽	q^{h}aŋ
14303	響	許兩	曉陽上三開	hiaŋ	陽	q^{h}aŋʔ
14304	饗	許兩	曉陽上三開	hiaŋ	陽	q^{h}aŋʔ
14305	蠁	許兩	曉陽上三開	hiaŋ	陽	q^{h}aŋʔ
14306	嚮	許兩	曉陽上三開	hiaŋ	陽	q^{h}aŋʔ
14307	曏	許兩	曉陽上三開	hiaŋ	陽	q^{h}aŋʔ
14308	曏	書兩	書陽上三開	ɕiaŋ	陽	q^{h}laŋʔ
14309	曏	許亮	曉陽去三開	hiaŋ	陽	q^{h}aŋs
14310	闀	許亮	曉陽去三開	hiaŋ	陽	q^{h}aŋs
14311	蠁	許亮	曉陽去三開	hiaŋ	陽	q^{h}aŋs
14312	嚮	許亮	曉陽去三開	hiaŋ	陽	q^{h}aŋs
14313	曏	式亮	書陽去三開	ɕiaŋ	陽	q^{h}laŋs

亯 xiǎng

14314	亨	許兩	曉陽上三開	hiaŋ	陽	q^{hl}aŋʔ
14315	享	許兩	曉陽上三開	hiaŋ	陽	q^{hl}aŋʔ
14316	亯	許兩	曉陽上三開	hiaŋ	陽	q^{hl}aŋʔ
14317	亨	許庚	曉庚平二開	h^{ɯ}æŋ	陽	q^{hr}a̱ŋ
14318	烹	披庚	滂庚平二開	p^{hɯ}æŋ	陽	pq^{hr}a̱ŋ
14319	亨	撫庚	滂庚平二開	p^{hɯ}æŋ	陽	pq^{hr}a̱ŋ

---

1 覃韵读入谈韵，与“三”的变化相同。

2 古汉越语 trom4<*groms 凹陷，“陷”二等匣母*g^{r}-，上古韵部*-om。

3 《诗·召南·采蘋》“于以湘之”，《汉书·郊祀志》颜注引《韩诗》“湘”作“鬺”，“鬺”读*q^{h}laŋ。

4 上博楚竹书《民之父母》简 11“日逑月相”，《礼记·孔子闲居》作“日就月將”，“將”读 skaŋ，故“相”作*sk^{l}aŋ>*s^{l}aŋ>siaŋ。

向 xiàng

14320 餉 式亮 書陽去三開 ɕiaŋ 陽 q^{h}laŋs

14321 向 式亮 書陽去三開 ɕiaŋ 陽 q^{h}laŋs

14322 珦 式亮 書陽去三開 ɕiaŋ 陽 q^{h}laŋs

14323 向 許亮 曉陽去三開 hiaŋ 陽 q^{hl}aŋs

14324 珦 許亮 曉陽去三開 hiaŋ 陽 q^{hl}aŋs

象 xiàng

14325 饟 書兩 書陽上三開 ɕiaŋ 陽 q^{h}laŋʔ

14326 勨 餘兩 以陽上三開 jiaŋ 陽 ɢlaŋʔ

14327 像 徐兩 邪陽上三開 ziaŋ 陽 sɢ^{l}aŋʔ

14328 象[1] 徐兩 邪陽上三開 ziaŋ 陽 sɢ^{l}aŋʔ

14329 蟓 徐兩 邪陽上三開 ziaŋ 陽 sɢ^{l}aŋʔ

14330 橡 徐兩 邪陽上三開 ziaŋ 陽 sɢ^{l}aŋʔ

14331 襐 徐兩 邪陽上三開 ziaŋ 陽 sɢ^{l}aŋʔ

14332 勨 徐兩 邪陽上三開 ziaŋ 陽 sɢ^{l}aŋʔ

14333 潒 徐兩 邪陽上三開 ziaŋ 陽 sɢ^{l}aŋʔ

14334 蟓 式亮 書陽去三開 ɕiaŋ 陽 q^{h}laŋs

14335 潒 徒朗 定唐上一開 dɑŋ 陽 gla̱ŋʔ

14336 像 徒朗 定唐上一開 dɑŋ 陽 gla̱ŋʔ

梟 xiāo

14337 梟 古堯 見蕭平四開 keu 幽^{i} ki̱^{w}

14338 蟂 古堯 見蕭平四開 keu 幽^{i} ki̱^{w}

14339 嘄 堅堯 見蕭平四開 keu 幽^{i} ki̱^{w}

14340 鄡 苦幺 溪蕭平四開 k^{h}eu 幽^{i} k^{h}i̱^{w}

囂 xiāo

14341 囂 許嬌 曉宵平B 開 hɨᴇu 宵^{o} ŋ̊^{hr}o^{w}

14342 藃 許嬌 曉宵平B 開 hɨᴇu 宵^{o} ŋ̊^{hr}o^{w}

14343 囂 虛嬌 曉宵平B 開 hɨᴇu 宵^{o} ŋ̊^{hr}o^{w}

14344 囂 牛刀 疑豪平一開 ŋɑu 宵^{o} ŋo̱^{w}

小 xiǎo

14345 ⿰鳥眇 弭沼 明宵上A 開 miᴇu 宵^{e} mk^{l}e^{w}ʔ

14346 眇 亡沼 明宵上A 開 miᴇu 宵^{e} mk^{l}e^{w}ʔ

14347 渺 亡沼 明宵上A 開 miᴇu 宵^{e} mk^{l}e^{w}ʔ

14348 訬 亡沼 明宵上A 開 miᴇu 宵^{e} mk^{l}e^{w}ʔ

14349 杪 亡沼 明宵上A 開 miᴇu 宵^{e} mk^{l}e^{w}ʔ

14350 秒 亡沼 明宵上A 開 miᴇu 宵^{e} mk^{l}e^{w}ʔ

14351 篎 亡沼 明宵上A 開 miᴇu 宵^{e} mk^{l}e^{w}ʔ

14352 妙 彌笑 明宵去A 開 miᴇu 宵^{e} mk^{l}e^{w}s

14353 篎 彌笑 明宵去A 開 miᴇu 宵^{e} mk^{l}e^{w}s

14354 銷 相邀 心宵平三開 siᴇu 宵^{e} sk^{l}e^{w}

14355 硝 相邀 心宵平三開 siᴇu 宵^{e} sk^{l}e^{w}

14356 蛸 相邀 心宵平三開 siᴇu 宵^{e} sk^{l}e^{w}

14357 萷 思邀 心宵平三開 siᴇu 宵^{e} sk^{l}e^{w}

14358 宵 相邀 心宵平三開 siᴇu 宵^{e} sk^{l}e^{w}

14359 消 相邀 心宵平三開 siᴇu 宵^{e} sk^{l}e^{w}

14360 霄 相邀 心宵平三開 siᴇu 宵^{e} sk^{l}e^{w}

14361 捎 相邀 心宵平三開 siᴇu 宵^{e} sk^{l}e^{w}

14362 逍 相邀 心宵平三開 siᴇu 宵^{e} sk^{l}e^{w}

14363 痟 相邀 心宵平三開 siᴇu 宵^{e} sk^{l}e^{w}

14364 綃 相邀 心宵平三開 siᴇu 宵^{e} sk^{l}e^{w}

14365 蛸 相邀 心宵平三開 siᴇu 宵^{e} sk^{l}e^{w}

14366 哨 相邀 心宵平三開 siᴇu 宵^{e} sk^{l}e^{w}

14367 揱 相邀 心宵平三開 siᴇu 宵^{e} sk^{l}e^{w}

14368 邩 子小 精宵上三開 tsiᴇu 宵^{e} skle^{w}ʔ

14369 小 私兆 心宵上三開 siᴇu 宵^{e} sk^{l}e^{w}ʔ

14370 鈔 齒紹 昌宵上三開 tɕ^{h}iᴇu 宵^{e} k^{h}l^{j}e^{w}ʔ

14371 悄 親小 清宵上三開 ts^{h}iᴇu 宵^{e} sk^{h}le^{w}ʔ

14372 釥 親小 清宵上三開 ts^{h}iᴇu 宵^{e} sk^{h}le^{w}ʔ

14373 趙 治小 澄宵上三開 ɖiᴇu 宵^{e} gle^{w}ʔ

14374 邩 書沼 書宵上三開 ɕiᴇu 宵^{e} q^{h}le^{w}ʔ

14375 少 書沼 書宵上三開 ɕiᴇu 宵^{e} q^{h}le^{w}ʔ

14376 鞘 私妙 心宵去三開 siᴇu 宵^{e} sk^{l}e^{w}s

14377 峭 七肖 清宵去三開 ts^{h}iᴇu 宵^{e} sk^{h}le^{w}s

14378 哨 七肖 清宵去三開 ts^{h}iᴇu 宵^{e} sk^{h}le^{w}s

14379 俏 七肖 清宵去三開 ts^{h}iᴇu 宵^{e} sk^{h}le^{w}s

14380 帩 七肖 清宵去三開 ts^{h}iᴇu 宵^{e} sk^{h}le^{w}s

14381 誚 才笑 從宵去三開 dziᴇu 宵^{e} sble^{w}s

14382 少 失照 書宵去三開 ɕiᴇu 宵^{e} q^{h}le^{w}s

14383 踃 蘇彫 心蕭平四開 seu 宵^{e} sk^{l}e̱^{w}

14384 箾 蘇彫 心蕭平四開 seu 宵^{e} sk^{l}e̱^{w}

14385 朴 子了 精蕭上四開 tseu 宵^{e} skle̱^{w}ʔ

1　藏文 glaŋ 象，s-为动物名称前缀。阿昌语 tɕ^{h}aŋ55，勒期语 ts^{h}aŋ33，声母为塞擦音，说明都有 s-加塞音的来源。“象”在勉语中，金门览金 kjaːŋ，藻敏大坪 sjaŋ，说明“象”的读音中应该有 s，还有软腭音 k。

14386 ⿱艹削 師交 生肴平二開 ʂ^{ɯ}æu 宵^{e} sk^{r}e̱^{w}
14387 梢 所交 生肴平二開 ʂ^{ɯ}æu 宵^{e} sk^{r}e̱^{w}
14388 捎 所交 生肴平二開 ʂ^{ɯ}æu 宵^{e} sk^{r}e̱^{w}
14389 髾 所交 生肴平二開 ʂ^{ɯ}æu 宵^{e} sk^{r}e̱^{w}
14390 旓 所交 生肴平二開 ʂ^{ɯ}æu 宵^{e} sk^{r}e̱^{w}
14391 ⿱竹捎 所交 生肴平二開 ʂ^{ɯ}æu 宵^{e} sk^{r}e̱^{w}
14392 筲 所交 生肴平二開 ʂ^{ɯ}æu 宵^{e} sk^{r}e̱^{w}
14393 鞘 所交 生肴平二開 ʂ^{ɯ}æu 宵^{e} sk^{r}e̱^{w}
14394 蛸 所交 生肴平二開 ʂ^{ɯ}æu 宵^{e} sk^{r}e̱^{w}
14395 ⿰衤肖 所交 生肴平二開 ʂ^{ɯ}æu 宵^{e} sk^{r}e̱^{w}
14396 綃 所交 生肴平二開 ʂ^{ɯ}æu 宵^{e} sk^{r}e̱^{w}
14397 莦 所交 生肴平二開 ʂ^{ɯ}æu 宵^{e} sk^{r}e̱^{w}
14398 娋 所交 生肴平二開 ʂ^{ɯ}æu 宵^{e} sk^{r}e̱^{w}
14399 鈔 楚交 初肴平二開 tʂ^{hɯ}æu 宵^{e} sk^{h}re̱^{w}
14400 訬 楚交 初肴平二開 tʂ^{hɯ}æu 宵^{e} sk^{h}re̱^{w}
14401 抄 楚交 初肴平二開 tʂ^{hɯ}æu 宵^{e} sk^{h}re̱^{w}
14402 炒 初爪 初肴上二開 tʂ^{hɯ}æu 宵^{e} sk^{h}re̱^{w}ʔ
14403 ⿰肖阝 所教 生肴去二開 ʂ^{ɯ}æu 宵^{e} sk^{r}e̱^{w}s
14404 睄 所教 生肴去二開 ʂ^{ɯ}æu 宵^{e} sk^{r}e̱^{w}s
14405 稍 所教 生肴去二開 ʂ^{ɯ}æu 宵^{e} sk^{r}e̱^{w}s
14406 ⿱⺍斗 所教 生肴去二開 ʂ^{ɯ}æu 宵^{e} sk^{r}e̱^{w}s
14407 娋 所教 生肴去二開 ʂ^{ɯ}æu 宵^{e} sk^{r}e̱^{w}s
14408 抄 初教 初肴去二開 tʂ^{hɯ}æu 宵^{e} sk^{h}re̱^{w}s
14409 鈔 初教 初肴去二開 tʂ^{hɯ}æu 宵^{e} sk^{h}re̱^{w}s
14410 肖 私妙 心宵去三開 siᴇu 藥^{e} sk^{l}eg^{w}s
14411 削 息約 心藥入三開 siak 藥^{e} sk^{l}eg^{w}
14412 稍 所角 生覺入二開 ʂ^{ɯ}ɔk 藥^{e} sk^{r}e̱g^{w}
14413 ⿱艹削 色角 生覺入二開 ʂ^{ɯ}ɔk 藥^{e} sk^{r}e̱g^{w}
14414 箾 所角 生覺入二開 ʂ^{ɯ}ɔk 藥^{e} sk^{r}e̱g^{w}
14415 ⿱⺍斗 所角 生覺入二開 ʂ^{ɯ}ɔk 藥^{e} sk^{r}e̱g^{w}

皛 xiǎo

14416 皛 胡了 匣蕭上四開 ɦeu 宵^{e} ge̱^{w}ʔ

孝 xiào

14417 哮 許交 曉肴平二開 h^{ɯ}æu 幽 q^{hr}u̱
14418 庨 許交 曉肴平二開 h^{ɯ}æu 幽 q^{hr}u̱
14419 孝 呼教 曉肴去二開 h^{ɯ}æu 幽 q^{hr}u̱s
14420 哮 呼教 曉肴去二開 h^{ɯ}æu 幽 q^{hr}u̱s

笑 xiào

14421 笑[1] 仙妙 心宵去三開 siᴇu 宵^{e} sk^{l}e^{w}s

劦 xié

14422 ⿰扌脅 盧合 來合入一開 lǝp 緝^{ɯ} g.rɯ̱b
14423 協 胡頰 匣帖入四開 ɦep 緝^{ɯ} gɯ̱b
14424 ⿰角恖 胡頰 匣帖入四開 ɦep 緝^{ɯ} gɯ̱b
14425 劦 胡頰 匣帖入四開 ɦep 緝^{ɯ} gɯ̱b
14426 恊 檄頰 匣帖入四開 ɦep 緝^{ɯ} gɯ̱b
14427 ⿰黑劦 檄頰 匣帖入四開 ɦep 緝^{ɯ} gɯ̱b
14428 ⿰風劦 檄頰 匣帖入四開 ɦep 緝^{ɯ} gɯ̱b
14429 劦 力協 來帖入四開 lep 緝^{ɯ} g.rɯ̱b
14430 ⿰脅欠 虚業 曉業入三開 hiap 盍^{a} q^{h}ab
14431 拹 虚業 曉業入三開 hiap 盍^{a} q^{h}ab
14432 脅 虚業 曉業入三開 hiap 盍^{a} q^{h}ab
14433 脅 許欠 曉嚴去三開 hiam 談^{a} q^{h}ams

⿱大乇 xiè

14434 ⿱大乇[2] 許介 曉佳去二開 h^{ɯ}ɛ 佳 q^{hr}e̱s

禼 xiè

14435 禼[3] 私列 心薛入三開 siᴇt 月^{e} sk^{l}ed
14436 竊 千結 清屑入四開 ts^{h}et 月^{e} sk^{h}le̱d

燮 xiè

14437 燮 蘇協 心帖入四開 sep 盍^{e} s^{l}e̱b
14438 躞 蘇協 心帖入四開 sep 盍^{e} s^{l}e̱b
14439 ⿰王燮 蘇協 心帖入四開 sep 盍^{e} s^{l}e̱b
14440 爕 蘇協 心帖入四開 sep 盍^{e} s^{l}e̱b

心 xīn

14441 芯 思林 心侵平三開 sim 侵^{u} s^{l}um

---

1 “笑”通“兆”,《上海博物馆藏战国楚竹书(伍)·鲍叔牙与隰朋之谏》简 8:“含(今)内之不得百生(姓),外之爲者(諸)侯兆(笑)。”“兆”的读音 *gle^{w}ʔ,接近于“笑” *sk^{l}e^{w}s 的词根。可比较侗台语“笑”的原始构拟 *skleu。

2 原为皆韵,但是根据谐声系统应该为佳韵,《切韵》音系二等有佳、皆的历史层次。

3 “禼”通“契” *k^{h}e̱d。《上海博物馆藏战国楚竹书(贰)·子羔》简 10—11:“禼(契)之母,又(有)廼(娀)是(氏)之女也。”故“禼”带软腭音。

14442 心 息林 心侵平三開 sim 侵^{u} s^{l}um
14443 沁 七鴆 清侵去三開 ts^{h}im 侵^{u} s^{h}ums

辛 xīn

14444 新 息鄰 心真平三開 sin 真^{ŋ} s^{l}iŋ
14445 辛 息鄰 心真平三開 sin 真^{ŋ} s^{l}iŋ
14446 薪[1] 息鄰 心真平三開 sin 真^{ŋ} s^{l}iŋ
14447 婞 斯人 心真平三開 sin 真^{ŋ} s^{l}iŋ
14448 親 七人 清真平三開 ts^{h}in 真^{ŋ} s^{h}iŋ
14449 亲 側詵 莊臻平三開 tʂiɪn 真^{ŋ} sriŋ
14450 溵 側詵 莊臻平三開 tʂiɪn 真^{ŋ} sriŋ
14451 莘 緇詵 莊臻平三開 tʂiɪn 真^{ŋ} sriŋ
14452 莘 所臻 生臻平三開 ʂiɪn 真^{ŋ} s^{r}iŋ
14453 㜪 所臻 生臻平三開 ʂiɪn 真^{ŋ} s^{r}iŋ
14454 榟 所臻 生臻平三開 ʂiɪn 真^{ŋ} s^{r}iŋ
14455 瘁 所臻 生臻平三開 ʂiɪn 真^{ŋ} s^{r}iŋ
14456 㸶 疏臻 生臻平三開 ʂiɪn 真^{ŋ} s^{r}iŋ
14457 亲 仄謹 莊殷上三開 tʂɨn 真^{ŋ} sriŋʔ
14458 親 七遴 清真去三開 ts^{h}in 真^{ŋ} s^{h}iŋs
14459 寴 七遴 清真去三開 ts^{h}in 真^{ŋ} s^{h}iŋs
14460 溵 七遴 清真去三開 ts^{h}in 真^{ŋ} s^{h}iŋs
14461 櫬 初覲 初臻去三開 tʂ^{h}iɪn 真^{ŋ} s^{h}riŋs
14462 溵 初覲 初臻去三開 tʂ^{h}iɪn 真^{ŋ} s^{h}riŋs
14463 襯 初覲 初臻去三開 tʂ^{h}iɪn 真^{ŋ} s^{h}riŋs
14464 瘁[2] 踈錦 生侵上三開 ʂim 侵^{i} s^{r}imʔ

囟 xìn

14465 思 息兹 心之平三開 sɨ 之 s^{l}ɯ
14466 罳 息兹 心之平三開 sɨ 之 s^{l}ɯ
14467 緦 息兹 心之平三開 sɨ 之 s^{l}ɯ
14468 禗 息兹 心之平三開 sɨ 之 s^{l}ɯ
14469 偲 息兹 心之平三開 sɨ 之 s^{l}ɯ
14470 颸 楚持 初之平三開 tʂ^{h}ɨ 之 s^{h}rɯ
14471 ⿰思阝 想止 心之上三開 sɨ 之 s^{l}ɯʔ
14472 狸 胥里 心之上三開 sɨ 之 s^{l}ɯʔ
14473 葸 胥里 心之上三開 sɨ 之 s^{l}ɯʔ
14474 諰 胥里 心之上三開 sɨ 之 s^{l}ɯʔ
14475 思 相吏 心之去三開 sɨ 之 s^{l}ɯs
14476 鰓 蘇來 心咍平一開 səi 之 s^{l}ɯ̱
14477 䚡 蘇來 心咍平一開 səi 之 s^{l}ɯ̱
14478 偲 倉才 清咍平一開 ts^{h}əi 之 s^{h}ɯ̱
14479 諰[3] 山佳 生皆平二開 ʂ^{ɯ}ɛi 之 s^{r}ɯ̱
14480 崽 山皆 生皆平二開 ʂ^{ɯ}ɛi 之 s^{r}ɯ̱
14481 ⿰亻囟 斯氏 心支上三開 sie 佳 s^{l}eʔ
14482 ⿰亻囟 雌氏 清支上三開 ts^{h}ie 佳 s^{h}eʔ
14483 ⿰氵囟 蘇計 心齊去四開 sei 微^{ɯ} s^{l}ɯ̱ls
14484 細 蘇計 心齊去四開 sei 微^{ɯ} s^{l}ɯ̱ls
14485 囟 息晉 心真去三開 sin 真^{ŋ} s^{l}iŋs

釁 xìn

14486 釁 許覲 曉真去B 開 hɨin 文^{ɯ} m̥^{hr}ɯns
14487 舋 許覲 曉真去B 開 hɨin 文^{ɯ} m̥^{hr}ɯns
14488 璺 亡運 明文去三合 miun 文^{ɯ} mɯns
14489 虋 莫奔 明魂平一合 mu̯on 文^{ɯ} mɯ̱n
14490 亹 莫奔 明魂平一合 mu̯on 文^{ɯ} mɯ̱n
14491 亹 無匪 明微上三合 m^{w}ɤi 微^{ɯ} mɯlʔ
14492 ⿱艹亹 武斐 明微上三合 m^{w}ɤi 微^{ɯ} mɯlʔ

興 xīng

14493 興 虛陵 曉蒸平三開 hɨŋ 蒸 q^{h}ɯŋ
14494 嬹 虛陵 曉蒸平三開 hɨŋ 蒸 q^{h}ɯŋ
14495 ⿰興阝 虛陵 曉蒸平三開 hɨŋ 蒸 q^{h}ɯŋ
14496 興 許應 曉蒸去三開 hɨŋ 蒸 q^{h}ɯŋs
14497 嬹 許應 曉蒸去三開 hɨŋ 蒸 q^{h}ɯŋs

𦍌 xīng

14498 ⿰土𦍌 息營 心清平三合 s^{w}iɛŋ 耕 sq^{w}eŋ
14499 觲 息營 心清平三合 s^{w}iɛŋ 耕 sq^{w}eŋ
14500 𦍌[4] 息營 心清平三合 s^{w}iɛŋ 耕 sq^{w}eŋ
14501 ⿰馬𦍌 翾營 曉清平三合 h^{w}iɛŋ 耕 q^{wh}eŋ

杏 xìng

14502 杏 何梗 匣庚上二開 ɦ^{ɯ}æŋ 陽 g^{r}aŋʔ

1　藏文 çiŋ 木、柴，藏文的 ç 来自 l̥-。

2　真^{ŋ} 部与侵^{i} 部旁转。

3　原为佳韵，但是根据谐声系统应该为皆韵，《切韵》音系二等有皆、佳的历史层次。

4　罗振玉《增订殷虚书契考释》：《说文》无"𦍌"字，见卜辞，"⿰馬𦍌"之本字。

幸 xìng

14503	婞	胡頂	匣青上四開	ɦeŋ	耕	ɡe̱ŋʔ
14504	涬	胡頂	匣青上四開	ɦeŋ	耕	ɡe̱ŋʔ
14505	綽	胡頂	匣青上四開	ɦeŋ	耕	ɡe̱ŋʔ
14506	幸	胡耿	匣耕上二開	ɦ^{ɯ}ɛŋ	耕	ɡ^{r}e̱ŋʔ
14507	㚔	胡耿	匣耕上二開	ɦ^{ɯ}ɛŋ	耕	ɡ^{r}e̱ŋʔ
14508	倖	胡耿	匣耕上二開	ɦ^{ɯ}ɛŋ	耕	ɡ^{r}e̱ŋʔ
14509	悻	下耿	匣耕上二開	ɦ^{ɯ}ɛŋ	耕	ɡ^{r}e̱ŋʔ

凶 xiōng

14510	胸[1]	許容	曉鍾平三合	hiʊŋ	東	q^{h}oŋ
14511	凶	許容	曉鍾平三合	hiʊŋ	東	q^{h}oŋ
14512	洶	許容	曉鍾平三合	hiʊŋ	東	q^{h}oŋ
14513	恟	許容	曉鍾平三合	hiʊŋ	東	q^{h}oŋ
14514	兇	許容	曉鍾平三合	hiʊŋ	東	q^{h}oŋ
14515	訩	許容	曉鍾平三合	hiʊŋ	東	q^{h}oŋ
14516	匈	許容	曉鍾平三合	hiʊŋ	東	q^{h}oŋ
14517	詾	亦説	曉鍾平三合	hiʊŋ	東	q^{h}oŋ
14518	兇	許拱	曉鍾上三合	hiʊŋ	東	q^{h}oŋʔ
14519	洶	許拱	曉鍾上三合	hiʊŋ	東	q^{h}oŋʔ
14520	詾	許拱	曉鍾上三合	hiʊŋ	東	q^{h}oŋʔ
14521	葼	子紅	精東平一合	tsuŋ	東	sko̱ŋ
14522	鬷	子紅	精東平一合	tsuŋ	東	sko̱ŋ
14523	嵕	子紅	精東平一合	tsuŋ	東	sko̱ŋ
14524	猣	子紅	精東平一合	tsuŋ	東	sko̱ŋ
14525	椶	子紅	精東平一合	tsuŋ	東	sko̱ŋ
14526	騣	子紅	精東平一合	tsuŋ	東	sko̱ŋ
14527	艐	子紅	精東平一合	tsuŋ	東	sko̱ŋ
14528	堫	子紅	精東平一合	tsuŋ	東	sko̱ŋ
14529	豵	子紅	精東平一合	tsuŋ	東	sko̱ŋ
14530	稯	子紅	精東平一合	tsuŋ	東	sko̱ŋ
14531	緵	子紅	精東平一合	tsuŋ	東	sko̱ŋ
14532	嵏	子紅	精東平一合	tsuŋ	東	sko̱ŋ
14533	峣	五東	疑東平一合	ŋuŋ	東	ŋɡo̱ŋ
14534	啂	呼公	曉東平一合	huŋ	東	q^{h}o̱ŋ
14535	峣	盧紅	來東平一合	luŋ	東	ɡ.ro̱ŋ
14536	㚇	祖動	精東上一合	tsuŋ	東	sko̱ŋʔ
14537	鬷	作孔	精東上一合	tsuŋ	東	sko̱ŋʔ
14538	猣	作孔	精東上一合	tsuŋ	東	sko̱ŋʔ
14539	豵	作孔	精東上一合	tsuŋ	東	sko̱ŋʔ
14540	睃	作孔	精東上一合	tsuŋ	東	sko̱ŋʔ
14541	輚	作孔	精東上一合	tsuŋ	東	sko̱ŋʔ
14542	睃	作弄	精東去一合	tsuŋ	東	sko̱ŋs
14543	嵏	作弄	精東去一合	tsuŋ	東	sko̱ŋs
14544	緵	作弄	精東去一合	tsuŋ	東	sko̱ŋs
14545	堫	楚江	初江平二開	tʂ^{hɯ}ɔŋ	東	sk^{h}ro̱ŋ
14546	峣	五江	疑江平二開	ŋ^{ɯ}ɔŋ	東	ŋɡ^{r}o̱ŋ
14547	酗	香句	曉虞去三合	hiʊ	侯	q^{h}os
14548	慺	先奏	心侯去一合	su	侯	sqo̱s

兄 xiōng

14549	兄	許榮	曉庚平三合	h^{w}iæŋ	陽	q^{wh}aŋ
14550	芫	許永	曉庚上三合	h^{w}iæŋ	陽	q^{wh}aŋʔ
14551	怳	許昉	曉陽上三合	h^{w}iaŋ	陽	q^{wh}aŋʔ
14552	帆	詡往	曉陽上三合	h^{w}iaŋ	陽	q^{wh}aŋʔ
14553	況	許訪	曉陽去三合	h^{w}iaŋ	陽	q^{wh}aŋs
14554	貺	許訪	曉陽去三合	h^{w}iaŋ	陽	q^{wh}aŋs
14555	睨	許放	曉陽去三合	h^{w}iaŋ	陽	q^{wh}aŋs
14556	帆	許放	曉陽去三合	h^{w}iaŋ	陽	q^{wh}aŋs

熊 xióng

14557	熊[2]	羽弓	云東平三合	ɦ^{i}iuŋ	侵^{u}	ɢum

敻 xiòng

14558	趫	香兖	曉仙上A合	h^{w}iᴇn	耕	q^{wh}eŋʔ
14559	瞁	火玄	曉先平四合	h^{w}en	耕	q^{wh}e̱ŋ
14560	讂	古縣	見先去四合	k^{w}en	耕	k^{w}e̱ŋs
14561	敻	許縣	曉先去四合	h^{w}en	耕	q^{wh}e̱ŋs
14562	趫	許縣	曉先去四合	h^{w}en	耕	q^{wh}e̱ŋs
14563	讂	許縣	曉先去四合	h^{w}en	耕	q^{wh}e̱ŋs
14564	瓊	渠營	群清平三合	ɡ^{w}iᴇŋ	耕	ɡ^{w}eŋ
14565	藑	渠營	群清平三合	ɡ^{w}iᴇŋ	耕	ɡ^{w}eŋ
14566	敻	休正	曉清去三合	h^{w}iᴇŋ	耕	q^{wh}eŋs
14567	瞁	休正	曉清去三合	h^{w}iᴇŋ	耕	q^{wh}eŋs
14568	趫	居聿	見質入A合	k^{w}it	質^{g}	k^{w}iɡ
14569	趫	許穢	曉廢去三合	h^{w}iai	月^{a}	q^{wh}ads
14570	䫋	古穴	見屑入四合	k^{w}et	月^{e}	k^{w}e̱d

1 《广韵》作"胷"。

2 《清华大学藏战国竹简（壹）·楚居》"熊"通作"酓"。"熊"*ɢum>*ɡ^{w}ɯŋ>ɦ^{w}iɯŋ，圆唇元音 u 跟唇韵尾-m 的互相异化。

休 xiū

14571	烋	香幽	曉幽平三開	hɨu	幽	q^{hr}u
14572	休	許尤	曉尤平三合	hiu	幽	q^{h}u
14573	貅	許尤	曉尤平三合	hiu	幽	q^{h}u
14574	鵂	許尤	曉尤平三合	hiu	幽	q^{h}u
14575	鸺	許尤	曉尤平三合	hiu	幽	q^{h}u
14576	庥	許尤	曉尤平三合	hiu	幽	q^{h}u
14577	髹[1]	許尤	曉尤平三合	hiu	幽	q^{h}u
14578	咻	許尤	曉尤平三合	hiu	幽	q^{h}u
14579	茠	呼高	曉豪平一開	hɑu	幽	q^{h}u̱
14580	咻	況羽	曉虞上三合	hiʊ	侯	q^{h}oʔ

秀 xiù

14581	誘	與久	以尤上三合	jiu	幽	luʔ
14582	莠	與久	以尤上三合	jiu	幽	luʔ
14583	琇	與久	以尤上三合	jiu	幽	luʔ
14584	褎	余救	以尤去三合	jiu	幽	lus
14585	秀	息救	心尤去三合	siu	幽	l̥^{j}us
14586	琇	息救	心尤去三合	siu	幽	l̥^{j}us
14587	透[2]	他候	透侯去一合	t^{h}u	幽	l̥u̱s
14588	透	式竹	書屋入三合	ɕiuk	覺	l̥ug

欻 xū

14589	欻	許勿	曉物入三合	hiut	物^{ɯ}	m̥^{h}ɯd

戌 xū

14590	滅	亡列	明薛入A 開	miɛt	月^{e}	med
14591	搣	亡列	明薛入A 開	miɛt	月^{e}	med
14592	烕	許劣	曉薛入B 合	h^{w}ɨɛt	月^{e}	m̥^{hr}ed
14593	烕	休必	曉質入A 合	h^{w}it	質^{d}	m̥^{h}id
14594	戌[3]	辛聿	心質入三合	s^{w}it	質^{d}	smid
14595	鉞[4]	辛聿	心質入三合	s^{w}it	質^{d}	smid

須 xū

14596	須	相俞	心虞平三合	siʊ	侯	s^{l}o
14597	嬃	相俞	心虞平三合	siʊ	侯	s^{l}o
14598	鬚	相俞	心虞平三合	siʊ	侯	s^{l}o
14599	頾	相庾	心虞上三合	siʊ	侯	s^{l}oʔ
14600	頾	息有	心尤上三合	siu	幽	s^{l}uʔ
14601	頾	息拱	心鍾上三合	siʊŋ	東	s^{l}oŋʔ

需 xū

14602	儒	人朱	日虞平三合	ȵiʊ	侯	n^{j}o
14603	獳	人朱	日虞平三合	ȵiʊ	侯	n^{j}o
14604	濡	人朱	日虞平三合	ȵiʊ	侯	n^{j}o
14605	襦	人朱	日虞平三合	ȵiʊ	侯	n^{j}o
14606	懦	人朱	日虞平三合	ȵiʊ	侯	n^{j}o
14607	嚅	人朱	日虞平三合	ȵiʊ	侯	n^{j}o
14608	鱬	人朱	日虞平三合	ȵiʊ	侯	n^{j}o
14609	嬬	人朱	日虞平三合	ȵiʊ	侯	n^{j}o
14610	繻	人朱	日虞平三合	ȵiʊ	侯	n^{j}o
14611	顬	人朱	日虞平三合	ȵiʊ	侯	n^{j}o
14612	臑	人朱	日虞平三合	ȵiʊ	侯	n^{j}o
14613	醹	人朱	日虞平三合	ȵiʊ	侯	n^{j}o
14614	魗	人朱	日虞平三合	ȵiʊ	侯	n^{j}o
14615	蠕	汝朱	日虞平三合	ȵiʊ	侯	n^{j}o
14616	檽	汝朱	日虞平三合	ȵiʊ	侯	n^{j}o
14617	繻	相俞	心虞平三合	siʊ	侯	sno
14618	需	相俞	心虞平三合	siʊ	侯	sno
14619	擩	而主	日虞上三合	ȵiʊ	侯	n^{j}oʔ
14620	醹	而主	日虞上三合	ȵiʊ	侯	n^{j}oʔ
14621	孺	而遇	日虞去三合	ȵiʊ	侯	n^{j}os
14622	擩	而遇	日虞去三合	ȵiʊ	侯	n^{j}os
14623	獳	奴鉤	泥侯平一合	nu	侯	no̱
14624	魗	奴鉤	泥侯平一合	nu	侯	no̱
14625	檽	乃后	泥侯上一合	nu	侯	no̱ʔ
14626	檽	乃豆	泥侯去一合	nu	侯	no̱s
14627	擩	奴豆	泥侯去一合	nu	侯	no̱s
14628	瑌	而宣	日仙平三合	ȵ^{w}iɛn	元^{o}	n^{j}on
14629	蠕	而宣	日仙平三合	ȵ^{w}iɛn	元^{o}	n^{j}on
14630	濡	乃官	泥寒平一合	n^{w}ɑn	元^{o}	no̱n
14631	擩	儒隹	日脂平三合	ȵ^{w}i	微^{u}	n^{j}ul

---

1 秦汉文字"髼"就是"漆"字。刷漆的动作,可以就是"漆"字,现在汉语就是如此。名词是漆,动词是髼,《广韵》七四切,去声为使动词。但是,用油类刷饰的动作,可能是另一个字:许尤切。《前汉纪・前汉孝成皇帝纪》"庭彤朱而壁髹漆",音同休。《说文》把"髹"这个词写作了"髼",从髟得声。《切韵》没有"髹"字,《说文》讹作"髼",今从《玉篇》改作"髹"。

2 幽部读入侯部。

3 *sm->s^{w}-。

4 *sm->s^{w}-。

盬 xù

14632 盬 呼昊 曉錫入四合 hʷek 錫 qʷʰe̱g

亘 xuān

14633 宣[1] 須緣 心仙平三合 sʷiᴇn 元^{o} sqon
14634 愃 須緣 心仙平三合 sʷiᴇn 元^{o} sqon
14635 瑄 須緣 心仙平三合 sʷiᴇn 元^{o} sqon
14636 亘 須緣 心仙平三合 sʷiᴇn 元^{o} sqon
14637 貆 況袁 曉元平三合 hʷiɤn 元^{o} qʰon
14638 喧 況袁 曉元平三合 hʷiɤn 元^{o} qʰon
14639 諠 況袁 曉元平三合 hʷiɤn 元^{o} qʰon
14640 鮔 況袁 曉元平三合 hʷiɤn 元^{o} qʰon
14641 蝖 況袁 曉元平三合 hʷiɤn 元^{o} qʰon
14642 萱 況袁 曉元平三合 hʷiɤn 元^{o} qʰon
14643 暄 況袁 曉元平三合 hʷiɤn 元^{o} qʰon
14644 垣[2] 雨元 云元平三合 ɦⁱʷiɤn 元^{o} ɢʳon
14645 洹 雨元 云元平三合 ɦⁱʷiɤn 元^{o} ɢʳon
14646 超 雨元 云元平三合 ɦⁱʷiɤn 元^{o} ɢʳon
14647 查 火遠 曉元上三合 hʷiɤn 元^{o} qʰonʔ
14648 咺 況晚 曉元上三合 hʷiɤn 元^{o} qʰonʔ
14649 烜 況晚 曉元上三合 hʷiɤn 元^{o} qʰonʔ
14650 愃 況晚 曉元上三合 hʷiɤn 元^{o} qʰonʔ
14651 查 雨阮 云元上三合 ɦⁱʷiɤn 元^{o} ɢʳonʔ
14652 貆 呼官 曉寒平一合 hʷɑn 元^{o} qʰo̱n
14653 狟 胡官 匣寒平一合 ɦʷɑn 元^{o} ɢo̱n
14654 查 胡官 匣寒平一合 ɦʷɑn 元^{o} ɢo̱n
14655 貆 胡官 匣寒平一合 ɦʷɑn 元^{o} ɢo̱n
14656 桓 胡官 匣寒平一合 ɦʷɑn 元^{o} ɢo̱n
14657 洹 胡官 匣寒平一合 ɦʷɑn 元^{o} ɢo̱n
14658 絙 胡官 匣寒平一合 ɦʷɑn 元^{o} ɢo̱n
14659 荁 胡官 匣寒平一合 ɦʷɑn 元^{o} ɢo̱n
14660 烜 許委 曉支上B 合 hʷɨe 歌^{o} qʰʳolʔ

吅 xuān

14661 吅 又音宣 心仙平三合 sʷiᴇn 元^{o} sqˡon
14662 吅 況袁 曉元平三合 hʷiɤn 元^{o} qʰon
14663 吅 似用 邪鍾去三合 ziʊŋ 東 sɢˡoŋs

玄 xuán

14664 玄 胡涓 匣先平四合 ɦʷen 真^{ŋ} ɡʷi̱ŋ
14665 眩 胡涓 匣先平四合 ɦʷen 真^{ŋ} ɡʷi̱ŋ
14666 玹 胡涓 匣先平四合 ɦʷen 真^{ŋ} ɡʷi̱ŋ
14667 玆 胡涓 匣先平四合 ɦʷen 真^{ŋ} ɡʷi̱ŋ
14668 胘 胡涓 匣先平四合 ɦʷen 真^{ŋ} ɡʷi̱ŋ
14669 呟 古泫 見先上四合 kʷen 真^{ŋ} kʷi̱ŋʔ
14670 泫 胡畎 匣先上四合 ɦʷen 真^{ŋ} ɡʷi̱ŋʔ
14671 鉉 胡畎 匣先上四合 ɦʷen 真^{ŋ} ɡʷi̱ŋʔ
14672 袨 黃練 匣先去四合 ɦʷen 真^{ŋ} ɡʷi̱ŋs
14673 眩 黃練 匣先去四合 ɦʷen 真^{ŋ} ɡʷi̱ŋs
14674 炫 黃練 匣先去四合 ɦʷen 真^{ŋ} ɡʷi̱ŋs
14675 衒 黃練 匣先去四合 ɦʷen 真^{ŋ} ɡʷi̱ŋs
14676 玹 黃練 匣先去四合 ɦʷen 真^{ŋ} ɡʷi̱ŋs
14677 昡 熒絹 匣先去四合 ɦʷen 真^{ŋ} ɡʷi̱ŋs

旋 xuán

14678 旋[3] 似宣 邪仙平三合 zʷiᴇn 元^{o} sɢʷen
14679 淀 似宣 邪仙平三合 zʷiᴇn 元^{o} sɢʷen
14680 璇 似宣 邪仙平三合 zʷiᴇn 元^{o} sɢʷen
14681 暶 似宣 邪仙平三合 zʷiᴇn 元^{o} sɢʷen
14682 鏇 似宣 邪仙平三合 zʷiᴇn 元^{o} sɢʷen
14683 膸 旬宣 邪仙平三合 zʷiᴇn 元^{o} sɢʷen
14684 嫙 似宣 邪仙平三合 zʷiᴇn 元^{o} sɢʷen
14685 膸 詳兖 邪仙上三合 zʷiᴇn 元^{o} sɢʷenʔ
14686 旋 辝戀 邪仙去三合 zʷiᴇn 元^{o} sɢʷens
14687 膸 隨戀 邪仙去三合 zʷiᴇn 元^{o} sɢʷens
14688 縼 辝戀 邪仙去三合 zʷiᴇn 元^{o} sɢʷens
14689 淀 辝戀 邪仙去三合 zʷiᴇn 元^{o} sɢʷens
14690 鏇 辝戀 邪仙去三合 zʷiᴇn 元^{o} sɢʷens

衒 xuàn

14691 衒 扃縣 見先去四合 kʷen 真^{n} kʷi̱ns
14692 衒 黃練 匣先去四合 ɦʷen 真^{n} ɡʷi̱ns

贙 xuàn

14693 贙 胡畎 匣先上四合 ɦʷen 真^{n} ɡʷi̱nʔ

---

1 可比较藏文 sgron 告、说。《尔雅・释言》"宣,緩也",以"緩"* ɢʳo̱nʔ 为声训。

2 可比较藏文 go 围院。

3 《北京大学藏西汉竹书(肆)》"旋"通"玄"* ɡʷi̱n,《反淫》:"楚苗之食,旋(玄)山之飯。"《北京大学藏西汉竹书(叁)》"旋"通"環"* ɡʷʳe̱n,《周驯》:"環(旋)正海内。"

14694	贙	黃練	匣先去四合	ɦʷen	真^{n}	gʷi̱ns

薛 xuē

14695	孽	魚列	疑薛入B 開	ŋɨᴇt	月^{e}	ŋgʳed
14696	糵	魚列	疑薛入B 開	ŋɨᴇt	月^{e}	ŋgʳed
14697	蠥	魚列	疑薛入B 開	ŋɨᴇt	月^{e}	ŋgʳed
14698	櫱	魚列	疑薛入B 開	ŋɨᴇt	月^{e}	ŋgʳed
14699	薛	私列	心薛入三開	siᴇt	月^{e}	sŋed
14700	辥	私列	心薛入三開	siᴇt	月^{e}	sŋed
14701	巕	五結	疑屑入四開	ŋet	月^{e}	ŋge̱d
14702	躠	先結	心屑入四開	set	月^{e}	sŋe̱d
14703	鸛[1]	古鎋	見黠入二開	kᶭɛt	月^{e}	kʳe̱d
14704	巕	五割	疑曷入一開	ŋɑt	月^{a}	ŋga̱d
14705	櫱	五割	疑曷入一開	ŋɑt	月^{a}	ŋga̱d
14706	蠥	桑割	心曷入一開	sɑt	月^{a}	sŋa̱d
14707	辥	魚乙	疑質入B 開	ŋɨit	質^{d}	ŋgʳid

穴 xué

14708	⿰目穴	休必	曉質入A 合	hʷit	質^{d}	qʷʰid
14709	袕	食聿	船質入三合	ʑʷit	質^{d}	ɢʷʲid
14710	穴	胡決	匣屑入四合	ɦʷet	質^{d}	gʷi̱d
14711	⿰糹穴	胡決	匣屑入四合	ɦʷet	質^{d}	gʷi̱d
14712	袕	胡決	匣屑入四合	ɦʷet	質^{d}	gʷi̱d
14713	泬	呼決	曉屑入四合	hʷet	質^{d}	qʷʰi̱d
14714	⿰目窅	於決	影屑入四合	ʔʷet	月^{e}	qʷe̱d
14715	⿰数穴	户八	匣黠入二合	ɦʷᶭɛt	月^{e}	gʷʳe̱d

學 xué

14716	嚳	苦沃	溪沃入一合	kʰu̱ok	覺	kʰu̱g
14717	礐	胡沃	匣沃入一合	ɦu̱ok	覺	gu̱g
14718	黌	烏酷	影沃入一合	ʔu̱ok	覺	qu̱g
14719	觷	烏酷	影沃入一合	ʔu̱ok	覺	qu̱g
14720	鷽	烏酷	影沃入一合	ʔu̱ok	覺	qu̱g
14721	覺	古孝	見肴去二開	kᶭæu	覺	kʳu̱gs
14722	覺	古岳	見覺入二開	kᶭɔk	覺	kʳu̱g
14723	鷽	古岳	見覺入二開	kᶭɔk	覺	kʳu̱g
14724	嶨	苦角	溪覺入二開	kʰᶭɔk	覺	kʰʳu̱g
14725	礐	苦角	溪覺入二開	kʰᶭɔk	覺	kʰʳu̱g
14726	學	胡覺	匣覺入二開	ɦᶭɔk	覺	gʳu̱g
14727	嶨	胡覺	匣覺入二開	ɦᶭɔk	覺	gʳu̱g
14728	鷽	胡覺	匣覺入二開	ɦᶭɔk	覺	gʳu̱g
14729	澩	胡覺	匣覺入二開	ɦᶭɔk	覺	gʳu̱g
14730	觷	胡覺	匣覺入二開	ɦᶭɔk	覺	gʳu̱g
14731	觷	五角	疑覺入二開	ŋᶭɔk	覺	ŋgʳu̱g
14732	澩	士角	崇覺入二開	dʐᶭɔk	覺	sgru̱g
14733	鷽	於角	影覺入二開	ʔᶭɔk	覺	qʳu̱g
14734	鷽	於角	影覺入二開	ʔᶭɔk	覺	qʳu̱g
14735	攪	古巧	見肴上二開	kᶭæu	幽	kʳu̱ʔ
14736	澩	下巧	匣肴上二開	ɦᶭæu	幽	gʳu̱ʔ
14737	斅	胡教	匣肴去二開	ɦᶭæu	覺	gʳu̱gs
14738	⿱𦥯民	胡教	匣肴去二開	ɦᶭæu	覺	gʳu̱gs
14739	黌	胡遘	匣侯去一合	ɦu	侯	go̱s
14740	礐	胡谷	匣屋入一合	ɦuk	屋	go̱g

血 xuè

14741	侐	火季	曉脂去A 合	hʷi	質^{g}	qʷʰigs
14742	卹	辛聿	心質入三合	sʷit	質^{g}	sqʷig
14743	恤	辛聿	心質入三合	sʷit	質^{g}	sqʷig
14744	⿰血阝	雪律	心質入三合	sʷit	質^{g}	sqʷig
14745	血	呼決	曉屑入四合	hʷet	質^{g}	qʷʰi̱g
14746	⿱艹血	呼決	曉屑入四合	hʷet	質^{g}	qʷʰi̱g
14747	洫	況逼	曉職入三合	hʷɨk	職	qʷʰʳɯg
14748	侐	況逼	曉職入三合	hʷɨk	職	qʷʰʳɯg
14749	蠲[2]	古玄	見先平四合	kʷen	真^{ŋ}	kʷi̱ŋ
14750	殈	呼昊	曉錫入四合	hʷek	錫	qʷʰe̱g

旻 xuè

14751	旻	許劣	曉薛入B 合	hʷɨᴇt	月^{e}	qʷʰʳed

熏 xūn

14752	薰	許云	曉文平三合	hiun	文^{u}	qʰun
14753	曛	許云	曉文平三合	hiun	文^{u}	qʰun
14754	熏	許云	曉文平三合	hiun	文^{u}	qʰun
14755	獯	許云	曉文平三合	hiun	文^{u}	qʰun

---

1 原为鎋韵，但是根据谐声系统应该为黠韵，《切韵》音系二等有黠、鎋的历史层次。

2 肖祎科：楚简中有一"盨"字，陈剑读为"蠲潔"之"蠲"，辞例见上博竹书五《鲍叔牙与隰朋之谏》简 3："器必～（蠲）潔。"《上海博物馆藏战国楚竹书（陆）·天子建州》甲本简 8："邦君飤（食）～（蠲）。"乙本简 7 同。肖祎科疑它是"血"省声，从"益"的写法是后起的。

14756 纁 許云 曉文平三合 hiun 文ᵘ qʰun
14757 醺 許云 曉文平三合 hiun 文ᵘ qʰun
14758 臐 許云 曉文平三合 hiun 文ᵘ qʰun
14759 臐 許運 曉文去三合 hiun 文ᵘ qʰuns
14760 薰 許運 曉文去三合 hiun 文ᵘ qʰuns
14761 壎 吁運 曉文去三合 hiun 文ᵘ qʰuns
14762 壎 況袁 曉元平三合 hʷiɤn 元ᵒ qʰon

尋 xún

14763 尋 徐林 邪侵平三開 zim 侵ᵘ sɡˡum
14764 潯 徐林 邪侵平三開 zim 侵ᵘ sɡˡum
14765 鄩 徐林 邪侵平三開 zim 侵ᵘ sɡˡum
14766 襑 徐林 邪侵平三開 zim 侵ᵘ sɡˡum
14767 撏 徐林 邪侵平三開 zim 侵ᵘ sɡˡum
14768 㜸 徐心 邪侵平三開 zim 侵ᵘ sɡˡum
14769 蕁 徒含 定覃平一開 dəm 侵ᵘ ɡlu̱m
14770 撏 昨含 從覃平一開 dzəm 侵ᵘ sɡlu̱m
14771 襑 他感 透覃上一開 tʰəm 侵ᵘ kʰlu̱mʔ
14772 燖[1] 徐鹽 邪鹽平三開 ziᴇm 談ᵒ sɡˡom
14773 撏 視占 禪鹽平三開 dʑiᴇm 談ᵒ ɡlʲom

卂 xùn

14774 扟 所臻 生臻平三開 ʂiɪn 文ᵚ sʳɯn
14775 阠 所臻 生臻平三開 ʂiɪn 文ᵚ sʳɯn
14776 阠 試刃 書真去三開 ɕin 文ᵚ l̥ɯns
14777 迅[2] 私閏 心真去三合 sʷin 文ᵚ sˡɯns
14778 訊 息晉 心真去三開 sin 文ᵚ sˡɯns
14779 迅 息晉 心真去三開 sin 文ᵚ sˡɯns
14780 卂 息晉 心真去三開 sin 文ᵚ sˡɯns
14781 汛 息晉 心真去三開 sin 文ᵚ sˡɯns
14782 阠 息晉 心真去三開 sin 文ᵚ sˡɯns
14783 汛 蘇佃 心先去四開 sen 文ᵚ sˡɯ̱ns
14784 蝨[3] 所櫛 生櫛入三開 ʂiɪt 質ᵈ sʳid
14785 汛[4] 所賣 生皆去二開 ʂᵚɛi 微ᵚ sʳɯ̱ls

奞 xùn

14786 奞 先準 心真上三合 sʷin 文ᵘ sˡunʔ
14787 奞 私閏 心真去三合 sʷin 文ᵘ sˡuns
14788 奞 相邀 心宵平三開 siᴇu 宵ᵉ sˡeʷ
14789 奞 息遺 心脂平三合 sʷi 微ᵘ sˡul

丫 yā

14790 丫 於加 影麻平二開 ʔᵚæ 魚 qʳa̱

牙 yá

14791 邪 以遮 以麻平三開 jiæ 魚 ɢa
14792 耶 以遮 以麻平三開 jiæ 魚 ɢa
14793 釾 以遮 以麻平三開 jiæ 魚 ɢa
14794 椰 以遮 以麻平三開 jiæ 魚 ɢa
14795 茒 以遮 以麻平三開 jiæ 魚 ɢa
14796 衺 似嗟 邪麻平三開 ziæ 魚 sɢa
14797 邪 似嗟 邪麻平三開 ziæ 魚 sɢa
14798 㖿 徐嗟 邪麻平三開 ziæ 魚 sɢa
14799 藇 相居 心魚平三開 siɤ 魚 skˡa
14800 鸒 以諸 以魚平三開 jiɤ 魚 ɢla
14801 與 以諸 以魚平三開 jiɤ 魚 ɢla
14802 歟 以諸 以魚平三開 jiɤ 魚 ɢla
14803 譽[5] 以諸 以魚平三開 jiɤ 魚 ɢla
14804 嬩 以諸 以魚平三開 jiɤ 魚 ɢla
14805 𧼮 以諸 以魚平三開 jiɤ 魚 ɢla
14806 輿 以諸 以魚平三開 jiɤ 魚 ɢla
14807 懙 羊諸 以魚平三開 jiɤ 魚 ɢla
14808 䉎 羊諸 以魚平三開 jiɤ 魚 ɢla
14809 旟 以諸 以魚平三開 jiɤ 魚 ɢla
14810 惥 以諸 以魚平三開 jiɤ 魚 ɢla
14811 𢊍 以諸 以魚平三開 jiɤ 魚 ɢla
14812 藇 以諸 以魚平三開 jiɤ 魚 ɢla
14813 𣿈 以諸 以魚平三開 jiɤ 魚 ɢla
14814 璵 以諸 以魚平三開 jiɤ 魚 ɢla
14815 舉 居許 見魚上三開 kiɤ 魚 kˡaʔ
14816 藇 余吕 以魚上三開 jiɤ 魚 ɢlaʔ
14817 惥 余吕 以魚上三開 jiɤ 魚 ɢlaʔ
14818 与[6] 余吕 以魚上三開 jiɤ 魚 ɢlaʔ

---

1 《广韵》作"㷫"。

2 见"存"字注。

3 可比较藏文 ɕig < * l̥jig, Bunan 语 śrig, Lushai [Mizo] 语 hrik, Ukhrul 语 rik。

4 原为佳韵，但是根据谐声系统应该为皆韵，《切韵》音系二等有皆、佳的历史层次。"汛"又通"洒"。

5 * ɢla，可比较藏文 grag 名誉、声望。

6 李豪："与"本"牙"字之变体，借用为"與"。

14819	與	余吕	以魚上三開	jiɤ	魚	ɢlaʔ
14820	歟	余吕	以魚上三開	jiɤ	魚	ɢlaʔ
14821	蕻	徐吕	邪魚上三開	ziɤ	魚	sɢ^{l}aʔ
14822	嶼	徐吕	邪魚上三開	ziɤ	魚	sɢ^{l}aʔ
14823	鱮	徐吕	邪魚上三開	ziɤ	魚	sɢ^{l}aʔ
14824	鵜	羊茹	以魚去三開	jiɤ	魚	ɢlas
14825	譽	羊洳	以魚去三開	jiɤ	魚	ɢlas
14826	礜	羊洳	以魚去三開	jiɤ	魚	ɢlas
14827	輿	羊洳	以魚去三開	jiɤ	魚	ɢlas
14828	鸒	羊洳	以魚去三開	jiɤ	魚	ɢlas
14829	鷽	羊洳	以魚去三開	jiɤ	魚	ɢlas
14830	蕻	羊洳	以魚去三開	jiɤ	魚	ɢlas
14831	歟	羊洳	以魚去三開	jiɤ	魚	ɢlas
14832	與	羊洳	以魚去三開	jiɤ	魚	ɢlas
14833	忬	苦加	溪麻平二開	k^{hɯ}æ	魚	k^{hr}a̱
14834	牙	五加	疑麻平二開	ŋ^{ɯ}æ	魚	ŋg^{r}a̱
14835	芽	五加	疑麻平二開	ŋ^{ɯ}æ	魚	ŋg^{r}a̱
14836	齖	五加	疑麻平二開	ŋ^{ɯ}æ	魚	ŋg^{r}a̱
14837	呀	五加	疑麻平二開	ŋ^{ɯ}æ	魚	ŋg^{r}a̱
14838	枒	五加	疑麻平二開	ŋ^{ɯ}æ	魚	ŋg^{r}a̱
14839	鴉	於加	影麻平二開	ʔ^{ɯ}æ	魚	q^{r}a̱
14840	呀	許加	曉麻平二開	h^{ɯ}æ	魚	q^{hr}a̱
14841	谺	許加	曉麻平二開	h^{ɯ}æ	魚	q^{hr}a̱
14842	颬	許加	曉麻平二開	h^{ɯ}æ	魚	q^{hr}a̱
14843	閜	虚加	曉麻平二開	h^{ɯ}æ	魚	q^{hr}a̱
14844	雅	五下	疑麻上二開	ŋ^{ɯ}æ	魚	ŋg^{r}a̱ʔ
14845	庌	五下	疑麻上二開	ŋ^{ɯ}æ	魚	ŋg^{r}a̱ʔ
14846	迓	吾駕	疑麻去二開	ŋ^{ɯ}æ	魚	ŋg^{r}a̱s
14847	訝	吾駕	疑麻去二開	ŋ^{ɯ}æ	魚	ŋg^{r}a̱s
14848	齖	吾駕	疑麻去二開	ŋ^{ɯ}æ	魚	ŋg^{r}a̱s
14849	枒	吾駕	疑麻去二開	ŋ^{ɯ}æ	魚	ŋg^{r}a̱s
14850	玡	魚駕	疑麻去二開	ŋ^{ɯ}æ	魚	ŋg^{r}a̱s
14851	閜	魚駕	疑麻去二開	ŋ^{ɯ}æ	魚	ŋg^{r}a̱s

襾 yà

14852	苧	陳如	澄魚平三開	ɖiɤ	魚	gla
14853	宁	直魚	澄魚平三開	ɖiɤ	魚	gla
14854	貯[1]	丁吕	知魚上三開	ʈiɤ	魚	klaʔ
14855	齡	丁吕	知魚上三開	ʈiɤ	魚	klaʔ
14856	衿	丁吕	知魚上三開	ʈiɤ	魚	klaʔ
14857	苧	直吕	澄魚上三開	ɖiɤ	魚	glaʔ
14858	佇	直吕	澄魚上三開	ɖiɤ	魚	glaʔ
14859	紵	直吕	澄魚上三開	ɖiɤ	魚	glaʔ
14860	羜	直吕	澄魚上三開	ɖiɤ	魚	glaʔ
14861	宁	直吕	澄魚上三開	ɖiɤ	魚	glaʔ
14862	眝	直吕	澄魚上三開	ɖiɤ	魚	glaʔ
14863	宔	丈吕	澄魚上三開	ɖiɤ	魚	glaʔ
14864	䍆	丈吕	澄魚上三開	ɖiɤ	魚	glaʔ
14865	賈	公户	見模上一合	ku̱o	魚	k^{l}a̱ʔ
14866	檟	古疋	見麻上二開	k^{ɯ}æ	魚	k^{r}a̱ʔ
14867	賈	古疋	見麻上二開	k^{ɯ}æ	魚	k^{r}a̱ʔ
14868	價	古訝	見麻去二開	k^{ɯ}æ	魚	k^{r}a̱s
14869	賈	古訝	見麻去二開	k^{ɯ}æ	魚	k^{r}a̱s
14870	襾	衣嫁	影麻去二開	ʔ^{ɯ}æ	鐸	q^{r}a̱s

亞 yà

14871	惡	烏路	影模去一合	ʔu̱o	鐸	qa̱gs
14872	噁	烏路	影模去一合	ʔu̱o	鐸	qa̱gs
14873	惡	烏各	影鐸入一開	ʔɑk	鐸	qa̱g
14874	堊	烏各	影鐸入一開	ʔɑk	鐸	qa̱g
14875	蝁	烏各	影鐸入一開	ʔɑk	鐸	qa̱g
14876	亞	衣嫁	影麻去二開	ʔ^{ɯ}æ	鐸	q^{r}a̱gs
14877	啞	衣嫁	影麻去二開	ʔ^{ɯ}æ	鐸	q^{r}a̱gs
14878	婭	衣嫁	影麻去二開	ʔ^{ɯ}æ	鐸	q^{r}a̱gs
14879	晉	衣駕	影麻去二開	ʔ^{ɯ}æ	鐸	q^{r}a̱gs
14880	啞	烏格	影陌入二開	ʔ^{ɯ}æk	鐸	q^{r}a̱g
14881	惡	哀都	影模平一合	ʔu̱o	魚	qa̱
14882	誣	安古	影模上一合	ʔu̱o	魚	q^{w}a̱ʔ
14883	錏	於加	影麻平二開	ʔ^{ɯ}æ	魚	q^{r}a̱
14884	剄	於加	影麻平二開	ʔ^{ɯ}æ	魚	q^{r}a̱
14885	啞	烏下	影麻上二開	ʔ^{ɯ}æ	魚	q^{r}a̱ʔ

焉 yān

14886	焉	於乾	影仙平B	開	ʔɨᴇn	元^{a}	q^{r}an
14887	蔫	於乾	影仙平B	開	ʔɨᴇn	元^{a}	q^{r}an
14888	嫣	於乾	影仙平B	開	ʔɨᴇn	元^{a}	q^{r}an
14889	鄢	於乾	影仙平B	開	ʔɨᴇn	元^{a}	q^{r}an
14890	嗎	許延	曉仙平B	開	hɨᴇn	元^{a}	q^{hr}an
14891	嫣	許延	曉仙平B	開	hɨᴇn	元^{a}	q^{hr}an

1 李豪:"貯"与"賈"是一字分化。

14892	嫣	於蹇	影仙上B 開	ʔɨᴇn	元^{a}	q^{r}anʔ
14893	潙	有乾	云仙平三開	ɦ^{i}iᴇn	元^{a}	ɢ^{r}an
14894	螞	有乾	云仙平三開	ɦ^{i}iᴇn	元^{a}	ɢ^{r}an
14895	焉	有乾	云仙平三開	ɦ^{i}iᴇn	元^{a}	ɢ^{r}an
14896	蔫	謁言	影元平三開	ʔiɤn	元^{a}	qan
14897	焉	謁言	影元平三開	ʔiɤn	元^{a}	qan
14898	鄢	於幰	影元上三開	ʔiɤn	元^{a}	qanʔ
14899	嫣	於遠	影元上三開	ʔiɤn	元^{a}	qanʔ
14900	鄢	於建	影元去三開	ʔiɤn	元^{a}	qans
14901	潙	於建	影元去三開	ʔiɤn	元^{a}	qans
14902	嫣	於建	影元去三開	ʔiɤn	元^{a}	qans
14903	隱	於建	影元去三開	ʔiɤn	元^{a}	qans
14904	傿	於建	影元去三開	ʔiɤn	元^{a}	qans

延 yán

14905	鋋	市連	禪仙平三開	dʑiᴇn	元^{a}	gl^{j}an
14906	延	以然	以仙平三開	jiᴇn	元^{a}	lan
14907	埏	以然	以仙平三開	jiᴇn	元^{a}	lan
14908	筵	以然	以仙平三開	jiᴇn	元^{a}	lan
14909	狿	以然	以仙平三開	jiᴇn	元^{a}	lan
14910	郔	以然	以仙平三開	jiᴇn	元^{a}	lan
14911	綖	以然	以仙平三開	jiᴇn	元^{a}	lan
14912	蜒	以然	以仙平三開	jiᴇn	元^{a}	lan
14913	䄐	以然	以仙平三開	jiᴇn	元^{a}	lan
14914	鋋	以然	以仙平三開	jiᴇn	元^{a}	lan
14915	涎	夕連	邪仙平三開	ziᴇn	元^{a}	l^{j}an
14916	烻	抽延	徹仙平三開	ʈ^{h}iᴇn	元^{a}	l̥an
14917	脠	丑延	徹仙平三開	ʈ^{h}iᴇn	元^{a}	l̥an
14918	梴	丑延	徹仙平三開	ʈ^{h}iᴇn	元^{a}	l̥an
14919	延	丑延	徹仙平三開	ʈ^{h}iᴇn	元^{a}	l̥an
14920	䄐	式連	書仙平三開	ɕiᴇn	元^{a}	l̥an
14921	烻	尸連	書仙平三開	ɕiᴇn	元^{a}	l̥an
14922	埏	式連	書仙平三開	ɕiᴇn	元^{a}	l̥an
14923	挻	式連	書仙平三開	ɕiᴇn	元^{a}	l̥an
14924	脠	式連	書仙平三開	ɕiᴇn	元^{a}	l̥an
14925	硟	相然	心仙平三開	siᴇn	元^{a}	l̥^{j}an
14926	延	丑善	徹仙上三開	ʈ^{h}iᴇn	元^{a}	l̥anʔ
14927	烻	延面	以仙去三開	jiᴇn	元^{a}	lans
14928	狿	予線	以仙去三開	jiᴇn	元^{a}	lans
14929	延	予線	以仙去三開	jiᴇn	元^{a}	lans
14930	涎	予線	以仙去三開	jiᴇn	元^{a}	lans
14931	硟	昌戰	昌仙去三開	tɕ^{h}iᴇn	元^{a}	l̥^{j}ans
14932	唌	徒干	定寒平一開	dɑn	元^{a}	l̠an
14933	誕	徒旱	定寒上一開	dɑn	元^{a}	l̠anʔ

言 yán

14934	唁	魚變	疑仙去B 開	ŋɨᴇn	元^{a}	ŋ^{r}ans
14935	這	魚變	疑仙去B 開	ŋɨᴇn	元^{a}	ŋ^{r}ans
14936	言	語軒	疑元平三開	ŋiɤn	元^{a}	ŋan
14937	琂	語軒	疑元平三開	ŋiɤn	元^{a}	ŋan
14938	狺	語巾	疑真平B 開	ŋɨin	文^{ɯ}	ŋ^{r}ɯn
14939	圁	語巾	疑真平B 開	ŋɨin	文^{ɯ}	ŋ^{r}ɯn
14940	誾	語巾	疑真平B 開	ŋɨin	文^{ɯ}	ŋ^{r}ɯn
14941	麠	語巾	疑真平B 開	ŋɨin	文^{ɯ}	ŋ^{r}ɯn
14942	麠	語斤	疑殷平三開	ŋɨn	文^{ɯ}	ŋɯn
14943	狺	語斤	疑殷平三開	ŋɨn	文^{ɯ}	ŋɯn

炎 yán

14944	緂	處占	昌鹽平三開	tɕ^{h}iᴇm	談^{a}	k^{h}l^{j}am
14945	裧	處占	昌鹽平三開	tɕ^{h}iᴇm	談^{a}	k^{h}l^{j}am
14946	燅	徐鹽	邪鹽平三開	ziᴇm	談^{a}	sg^{l}am
14947	炎	于廉	云鹽平三開	ɦ^{i}iᴇm	談^{a}	ɢ^{r}am
14948	剡	時染	禪鹽上三開	dʑiᴇm	談^{a}	gl^{j}amʔ
14949	覢	失冉	書鹽上三開	ɕiᴇm	談^{a}	q^{h}lamʔ
14950	睒	失冉	書鹽上三開	ɕiᴇm	談^{a}	q^{h}lamʔ
14951	扊	以冉	以鹽上三開	jiᴇm	談^{a}	ɢlamʔ
14952	琰	以冉	以鹽上三開	jiᴇm	談^{a}	ɢlamʔ
14953	剡	以冉	以鹽上三開	jiᴇm	談^{a}	ɢlamʔ
14954	棪	以冉	以鹽上三開	jiᴇm	談^{a}	ɢlamʔ
14955	淡	以冉	以鹽上三開	jiᴇm	談^{a}	ɢlamʔ
14956	猣	以冉	以鹽上三開	jiᴇm	談^{a}	ɢlamʔ
14957	掞	舒贍	書鹽去三開	ɕiᴇm	談^{a}	q^{h}lams
14958	焱	以贍	以鹽去三開	jiᴇm	談^{a}	ɢlams
14959	緂	他酣	透談平一開	t^{h}ɑm	談^{a}	k^{h}l̠am
14960	談	徒甘	定談平一開	dɑm	談^{a}	gl̠am
14961	郯	徒甘	定談平一開	dɑm	談^{a}	gl̠am
14962	惔	徒甘	定談平一開	dɑm	談^{a}	gl̠am
14963	錟	徒甘	定談平一開	dɑm	談^{a}	gl̠am
14964	淡	徒甘	定談平一開	dɑm	談^{a}	gl̠am
14965	痰	徒甘	定談平一開	dɑm	談^{a}	gl̠am

14966 倓 徒甘 定談平一開 dɑm 談^{a} gla̱m
14967 餤 徒甘 定談平一開 dɑm 談^{a} gla̱m
14968 𥰭 徒甘 定談平一開 dɑm 談^{a} gla̱m
14969 菼 吐敢 透談上一開 t^{h}ɑm 談^{a} k^{h}la̱mʔ
14970 緂 吐敢 透談上一開 t^{h}ɑm 談^{a} k^{h}la̱mʔ
14971 𦂳 吐敢 透談上一開 t^{h}ɑm 談^{a} k^{h}la̱mʔ
14972 裧 吐敢 透談上一開 t^{h}ɑm 談^{a} k^{h}la̱mʔ
14973 惔 徒敢 定談上一開 dɑm 談^{a} gla̱mʔ
14974 淡 徒敢 定談上一開 dɑm 談^{a} gla̱mʔ
14975 𧋍 吐濫 透談去一開 t^{h}ɑm 談^{a} k^{h}la̱ms
14976 睒[1] 吐濫 透談去一開 t^{h}ɑm 談^{a} k^{h}la̱ms
14977 錟[2] 吐濫 透談去一開 t^{h}ɑm 談^{a} k^{h}la̱ms
14978 惔 徒濫 定談去一開 dɑm 談^{a} gla̱ms
14979 腅 徒濫 定談去一開 dɑm 談^{a} gla̱ms
14980 淡 徒濫 定談去一開 dɑm 談^{a} gla̱ms
14981 啖 徒濫 定談去一開 dɑm 談^{a} gla̱ms
14982 倓 徒濫 定談去一開 dɑm 談^{a} gla̱ms
14983 倓 徒感 定覃上一開 dəm 談^{o} glo̱mʔ

碞 yán

14984 嵒 五咸 疑咸平二開 ŋ^{ɯ}ɛm 侵^{ɯ} ŋ^{r}ɯ̱m
14985 碞 魚金 疑侵平B 開 ŋɨim 侵^{ɯ} ŋ^{r}ɯm
14986 碞 五咸 疑咸平二開 ŋ^{ɯ}ɛm 侵^{ɯ} ŋ^{r}ɯ̱m

虤 yán

14987 虤 五閑 疑山平二開 ŋ^{ɯ}ɛn 真^{n} ŋ^{r}i̱n

广 yǎn

14988 广 魚檢 疑鹽上B 開 ŋɨᴇm 談^{a} ŋ^{r}amʔ
14989 广[3] 魚埯 疑嚴上三開 ŋiam 談^{a} ŋamʔ

㕣 yǎn

14990 兗 渠篆 群仙上B 合 g^{w}ɨᴇn 元^{o} g^{r}onʔ
14991 𠥦 旬宣 邪仙平三合 z^{w}iᴇn 元^{o} sg^{l}on
14992 沿 與專 以仙平三合 j^{w}iᴇn 元^{o} ɢlon
14993 鉛 與專 以仙平三合 j^{w}iᴇn 元^{o} ɢlon
14994 船[4] 食川 船仙平三合 ʑ^{w}iᴇn 元^{o} ɢl^{j}on
14995 兗 以轉 以仙上三合 j^{w}iᴇn 元^{o} ɢlonʔ
14996 㕣 以轉 以仙上三合 j^{w}iᴇn 元^{o} ɢlonʔ
14997 究 以轉 以仙上三合 j^{w}iᴇn 元^{o} ɢlonʔ
14998 究 古本 見魂上一合 ku̯on 文^{u} k^{l}u̱nʔ
14999 袞 古本 見魂上一合 ku̯on 文^{u} k^{l}u̱nʔ

㫃 yǎn

15000 㫃 於蹇 影仙上B 開 ʔɨᴇn 元^{a} q^{r}anʔ
15001 扵 丑善 徹仙上三開 ʈ^{h}iᴇn 元^{a} k^{h}lanʔ
15002 㫃 於幰 影元上三開 ʔiɤn 元^{a} q^{l}anʔ

奄 yǎn

15003 㤿[5] 一鹽 影鹽平B 開 ʔɨᴇm 談^{o} q^{r}om
15004 淹 央炎 影鹽平B 開 ʔɨᴇm 談^{o} q^{r}om
15005 菴 央炎 影鹽平B 開 ʔɨᴇm 談^{o} q^{r}om
15006 崦 央炎 影鹽平B 開 ʔɨᴇm 談^{o} q^{r}om
15007 𨛫 央炎 影鹽平B 開 ʔɨᴇm 談^{o} q^{r}om
15008 閹 央炎 影鹽平B 開 ʔɨᴇm 談^{o} q^{r}om
15009 奄 衣儉 影鹽上B 開 ʔɨᴇm 談^{o} q^{r}omʔ
15010 𨛫 衣儉 影鹽上B 開 ʔɨᴇm 談^{o} q^{r}omʔ
15011 閹 衣儉 影鹽上B 開 ʔɨᴇm 談^{o} q^{r}omʔ
15012 掩 衣儉 影鹽上B 開 ʔɨᴇm 談^{o} q^{r}omʔ
15013 裺 衣儉 影鹽上B 開 ʔɨᴇm 談^{o} q^{r}omʔ
15014 晻 衣儉 影鹽上B 開 ʔɨᴇm 談^{o} q^{r}omʔ
15015 罨 衣儉 影鹽上B 開 ʔɨᴇm 談^{o} q^{r}omʔ
15016 俺 於驗 影鹽去B 開 ʔɨᴇm 談^{o} q^{r}oms
15017 腌 於嚴 影嚴平三開 ʔiam 談^{o} qom
15018 俺 於劒 影嚴去三開 ʔiam 談^{o} qoms
15019 㤿 於劒 影嚴去三開 ʔiam 談^{o} qoms
15020 淹 於劒 影嚴去三開 ʔiam 談^{o} qoms
15021 婘 於劒 影嚴去三開 ʔiam 談^{o} qoms
15022 裺 於劒 影嚴去三開 ʔiam 談^{o} qoms
15023 䛳 於劒 影嚴去三開 ʔiam 談^{o} qoms
15024 庵 烏含 影覃平一開 ʔəm 談^{o} qo̱m
15025 菴 烏含 影覃平一開 ʔəm 談^{o} qo̱m
15026 晻 烏感 影覃上一開 ʔəm 談^{o} qo̱mʔ

1 见定母和澄母“荼”字注。

2 见定母和澄母“荼”字注。

3 郑张尚芳：反切下字“埯”由“掩”校改。

4 “船”* ɢl^{j}on 的声符为“㕣”* ɢlonʔ > j^{w}ᴇn。可比较藏文 sgrol 用船渡，还可比较独龙语 kɔŋ、淮冲铺话 lɔŋ、义都语 ɹoŋ、卓克基语 ʒgru<sgru。原始苗瑶语（陈其光《苗瑶语文》，中央民族大学出版社 2013 年）拟作 *ŋglɔŋ，带鼻冠音，鼻冠音与卓克基语的 s 冠音对应。

5 原为 A 类，与上古非前高元音不配。

15027 唵 烏感 影覃上一開 ʔəm 談^{o} qọmʔ
15028 黤 烏感 影覃上一開 ʔəm 談^{o} qọmʔ
15029 黤[1] 於檻 影咸上二開 ʔᵚɛm 談^{o} qˤọmʔ
15030 腌 於輒 影葉入B 開 ʔɨɛp 盍^{o} qˤob
15031 㛪 於業 影業入三開 ʔiap 盍^{o} qob
15032 鞥 於業 影業入三開 ʔiap 盍^{o} qob
15033 餣 於業 影業入三開 ʔiap 盍^{o} qob
15034 晻 於業 影業入三開 ʔiap 盍^{o} qob
15035 罨 於業 影業入三開 ʔiap 盍^{o} qob
15036 殗 於業 影業入三開 ʔiap 盍^{o} qob
15037 罨 烏合 影合入一開 ʔəp 盍^{o} qọb
15038 庵 烏合 影合入一開 ʔəp 盍^{o} qọb
15039 鞥 烏合 影合入一開 ʔəp 盍^{o} qọb

衍 yǎn

15040 愆 去乾 溪仙平B 開 kʰɨɛn 元^{a} kʰʳan
15041 饘 諸延 章仙平三開 tɕiɛn 元^{a} kʲan
15042 鬻 諸延 章仙平三開 tɕiɛn 元^{a} kʲan
15043 鬻 居言 見元平三開 kiɤn 元^{a} kan
15044 衍 以淺 以仙上三開 jiɛn 元^{a} ɢanʔ
15045 䜩 以淺 以仙上三開 jiɛn 元^{a} ɢanʔ
15046 衎 以淺 以仙上三開 jiɛn 元^{a} ɢanʔ
15047 衍 予線 以仙去三開 jiɛn 元^{a} ɢans
15048 侃[2] 空旱 溪寒上一開 kʰɑn 元^{a} kʰạnʔ
15049 侃 苦旰 溪寒去一開 kʰɑn 元^{a} kʰạns
15050 遃[3] 丘閑 溪刪平二開 kʰᵚæn 元^{a} kʰʳạn

晏 yàn

15051 堰 於扇 影仙去B 開 ʔɨɛn 元^{a} qʳans
15052 隁 隱憶 影元上三開 ʔiɤn 元^{a} qanʔ
15053 偃 於幰 影元上三開 ʔiɤn 元^{a} qanʔ
15054 鶠 於幰 影元上三開 ʔiɤn 元^{a} qanʔ
15055 郾 於幰 影元上三開 ʔiɤn 元^{a} qanʔ
15056 褗 於幰 影元上三開 ʔiɤn 元^{a} qanʔ
15057 堰 於幰 影元上三開 ʔiɤn 元^{a} qanʔ
15058 匽 於幰 影元上三開 ʔiɤn 元^{a} qanʔ
15059 蝘 於幰 影元上三開 ʔiɤn 元^{a} qanʔ
15060 鰋 於幰 影元上三開 ʔiɤn 元^{a} qanʔ
15061 堰 於建 影元去三開 ʔiɤn 元^{a} qans
15062 褗 於建 影元去三開 ʔiɤn 元^{a} qans
15063 椻 於建 影元去三開 ʔiɤn 元^{a} qans
15064 郾 於建 影元去三開 ʔiɤn 元^{a} qans
15065 晏 於諫 影刪去二開 ʔᵚæn 元^{a} qʳạns
15066 蝘 於殄 影先上四開 ʔen 元^{e} qẹnʔ
15067 宴 於殄 影先上四開 ʔen 元^{e} qẹnʔ
15068 晏 於殄 影先上四開 ʔen 元^{e} qẹnʔ
15069 晏 伊甸 影先去四開 ʔen 元^{e} qẹns
15070 宴 於甸 影先去四開 ʔen 元^{e} qẹns
15071 揠[4] 烏黠 影鎋入二開 ʔᵚæt 月^{a} qʳạd

厭 yàn

15072 懕 一鹽 影鹽平A 開 ʔiɛm 談^{e} qem
15073 厭 於鹽 影鹽平A 開 ʔiɛm 談^{e} qem
15074 壓 一鹽 影鹽平A 開 ʔiɛm 談^{e} qem
15075 黶 於琰 影鹽上A 開 ʔiɛm 談^{e} qemʔ
15076 檿 於琰 影鹽上A 開 ʔiɛm 談^{e} qemʔ
15077 厭 於琰 影鹽上A 開 ʔiɛm 談^{e} qemʔ
15078 擪 於琰 影鹽上A 開 ʔiɛm 談^{e} qemʔ
15079 厭 於豔 影鹽去A 開 ʔiɛm 談^{e} qems
15080 懕 於豔 影鹽去A 開 ʔiɛm 談^{e} qems
15081 擪 於葉 影葉入A 開 ʔiɛp 盍^{e} qeb
15082 靨 於葉 影葉入A 開 ʔiɛp 盍^{e} qeb
15083 壓 於葉 影葉入A 開 ʔiɛp 盍^{e} qeb
15084 厭 於葉 影葉入A 開 ʔiɛp 盍^{e} qeb
15085 擪 一牒 影帖入四開 ʔep 盍^{e} qẹb
15086 壓[5] 烏甲 影洽入二開 ʔᵚɛp 盍^{e} qʳẹb

燕 yàn

15087 燕 烏前 影先平四開 ʔen 元^{e} qẹn
15088 驠 烏前 影先平四開 ʔen 元^{e} qẹn
15089 嬿 於殄 影先上四開 ʔen 元^{e} qẹnʔ
15090 鄢 於甸 影先去四開 ʔen 元^{e} qẹns
15091 讌 於甸 影先去四開 ʔen 元^{e} qẹns

1　原为銜韵，但是根据谐声系统应该为咸韵，《切韵》音系二等有咸、銜的历史层次。

2　据裘锡圭考证，“侃”由“衍”分化而來。

3　原为山韵，但是根据谐声系统应该为刪韵，《切韵》音系二等有刪、山的历史层次。

4　原为黠韵，但是根据谐声系统应该为鎋韵，《切韵》音系二等有鎋、黠的历史层次。

5　原为狎韵，但是根据谐声系统应该为洽韵，《切韵》音系二等有洽、狎的历史层次。

15092 嚥 伊甸 影先去四開 ʔen 元^{e} qe̱ns
15093 驠 於甸 影先去四開 ʔen 元^{e} qe̱ns
15094 燕 於甸 影先去四開 ʔen 元^{e} qe̱ns
15095 醼 於甸 影先去四開 ʔen 元^{e} qe̱ns
15096 嬿 於甸 影先去四開 ʔen 元^{e} qe̱ns
15097 嚥 於甸 影先去四開 ʔen 元^{e} qe̱ns
15098 曣 於甸 影先去四開 ʔen 元^{e} qe̱ns
15099 嚥[1] 於諫 影山去二開 ʔ^{ɯ}ɛn 元^{e} q^{r}e̱ns

甗 yàn

15100 钀 魚列 疑薛入B開 ŋɨɛt 月^{a} ŋg^{r}ad
15101 轙 魚列 疑薛入B開 ŋɨɛt 月^{a} ŋg^{r}ad
15102 囐 魚列 疑薛入B開 ŋɨɛt 月^{a} ŋg^{r}ad
15103 讞 魚列 疑薛入B開 ŋɨɛt 月^{a} ŋg^{r}ad
15104 钀 語訐 疑月入三開 ŋiɤt 月^{a} ŋgad
15105 櫱 五割 疑曷入一開 ŋɑt 月^{a} ŋga̱d
15106 轙 五割 疑曷入一開 ŋɑt 月^{a} ŋga̱d
15107 齾 牙葛 疑曷入一開 ŋɑt 月^{a} ŋga̱d
15108 囐 牙葛 疑曷入一開 ŋɑt 月^{a} ŋga̱d
15109 囐 才割 從曷入一開 dzɑt 月^{a} sga̱d
15110 齾 牛轄 疑鎋入二開 ŋ^{ɯ}æt 月^{a} ŋg^{r}a̱d
15111 巘 魚蹇 疑仙上B開 ŋɨɛn 元^{a} ŋg^{r}anʔ
15112 讞 魚蹇 疑仙上B開 ŋɨɛn 元^{a} ŋg^{r}anʔ
15113 甗 魚蹇 疑仙上B開 ŋɨɛn 元^{a} ŋg^{r}anʔ
15114 甗 魚變 疑仙去B開 ŋɨɛn 元^{a} ŋg^{r}ans
15115 甗 語軒 疑元平三開 ŋiɤn 元^{a} ŋgan
15116 巘 語偃 疑元上三開 ŋiɤn 元^{a} ŋganʔ
15117 甗[2] 語堰 疑元去三開 ŋiɤn 元^{a} ŋgans
15118 獻 許建 曉元去三開 hiɤn 元^{a} ŋ̊^{h}ans
15119 瓛[3] 胡官 匣寒平一合 ɦ^{w}ɑn 元^{a} ɢa̱n
15120 獻 素何 心歌平一開 sɑ 歌^{a} sŋa̱l

央 yāng

15121 鉠 於驚 影庚平三開 ʔiæŋ 陽 q^{r}aŋ
15122 英 於驚 影庚平三開 ʔiæŋ 陽 q^{r}aŋ
15123 瑛 於驚 影庚平三開 ʔiæŋ 陽 q^{r}aŋ
15124 央[4] 於良 影陽平三開 ʔiaŋ 陽 qaŋ
15125 鴦 於良 影陽平三開 ʔiaŋ 陽 qaŋ
15126 殃 於良 影陽平三開 ʔiaŋ 陽 qaŋ
15127 鉠 於良 影陽平三開 ʔiaŋ 陽 qaŋ
15128 秧 於良 影陽平三開 ʔiaŋ 陽 qaŋ
15129 胦 於良 影陽平三開 ʔiaŋ 陽 qaŋ
15130 泱 於良 影陽平三開 ʔiaŋ 陽 qaŋ
15131 抰 依兩 影陽上三開 ʔiaŋ 陽 qaŋʔ
15132 鞅 於兩 影陽上三開 ʔiaŋ 陽 qaŋʔ
15133 柍 於兩 影陽上三開 ʔiaŋ 陽 qaŋʔ
15134 秧 於兩 影陽上三開 ʔiaŋ 陽 qaŋʔ
15135 詇 於兩 影陽上三開 ʔiaŋ 陽 qaŋʔ
15136 岟 於兩 影陽上三開 ʔiaŋ 陽 qaŋʔ
15137 駚 於兩 影陽上三開 ʔiaŋ 陽 qaŋʔ
15138 怏 於兩 影陽上三開 ʔiaŋ 陽 qaŋʔ
15139 紻 於兩 影陽上三開 ʔiaŋ 陽 qaŋʔ
15140 映 於敬 影庚去三開 ʔiæŋ 陽 q^{r}aŋs
15141 詇 於敬 影庚去三開 ʔiæŋ 陽 q^{r}aŋs
15142 怏 於亮 影陽去三開 ʔiaŋ 陽 qaŋs
15143 詇 於亮 影陽去三開 ʔiaŋ 陽 qaŋs
15144 鴦 烏郎 影唐平一開 ʔɑŋ 陽 qa̱ŋ
15145 佒 烏郎 影唐平一開 ʔɑŋ 陽 qa̱ŋ
15146 姎 烏郎 影唐平一開 ʔɑŋ 陽 qa̱ŋ
15147 抰 於郎 影唐平一開 ʔɑŋ 陽 qa̱ŋ
15148 坱 烏朗 影唐上一開 ʔɑŋ 陽 qa̱ŋʔ
15149 映 烏朗 影唐上一開 ʔɑŋ 陽 qa̱ŋʔ
15150 泱 烏朗 影唐上一開 ʔɑŋ 陽 qa̱ŋʔ
15151 醠 烏朗 影唐上一開 ʔɑŋ 陽 qa̱ŋʔ
15152 盎 烏朗 影唐上一開 ʔɑŋ 陽 qa̱ŋʔ
15153 駚 烏朗 影唐上一開 ʔɑŋ 陽 qa̱ŋʔ
15154 軮 烏朗 影唐上一開 ʔɑŋ 陽 qa̱ŋʔ
15155 姎 烏朗 影唐上一開 ʔɑŋ 陽 qa̱ŋʔ
15156 盎 烏浪 影唐去一開 ʔɑŋ 陽 qa̱ŋs
15157 醠 烏浪 影唐去一開 ʔɑŋ 陽 qa̱ŋs

羊 yáng

15158 姜 居良 見陽平三開 kiaŋ 陽 k^{l}aŋ
15159 羌 去羊 溪陽平三開 k^{h}iaŋ 陽 k^{hl}aŋ
15160 蜣 去羊 溪陽平三開 k^{h}iaŋ 陽 k^{hl}aŋ

---

1 原为删韵，但是根据谐声系统应该为山韵，《切韵》音系二等有山、删的历史层次。
2 郑张尚芳：《说文》"虍"声，戴侗云，唐本"虔"省声。
3 见"𤯍"字注。
4 比较泰文 klaaŋ 中间、中心。

15161	倂[1]	在良	從陽平三開	dziaŋ	陽	sglaŋ
15162	詳	似羊	邪陽平三開	ziaŋ	陽	sg^{l}aŋ
15163	洋	似羊	邪陽平三開	ziaŋ	陽	sg^{l}aŋ
15164	翔	似羊	邪陽平三開	ziaŋ	陽	sg^{l}aŋ
15165	庠	似羊	邪陽平三開	ziaŋ	陽	sg^{l}aŋ
15166	祥[2]	似羊	邪陽平三開	ziaŋ	陽	sg^{l}aŋ
15167	殚	似羊	邪陽平三開	ziaŋ	陽	sg^{l}aŋ
15168	痒	似羊	邪陽平三開	ziaŋ	陽	sg^{l}aŋ
15169	烊	徐羊	邪陽平三開	ziaŋ	陽	sg^{l}aŋ
15170	詳	與章	以陽平三開	jiaŋ	陽	ɢlaŋ
15171	垟	余章	以陽平三開	jiaŋ	陽	ɢlaŋ
15172	羊[3]	與章	以陽平三開	jiaŋ	陽	ɢlaŋ
15173	样	與章	以陽平三開	jiaŋ	陽	ɢlaŋ
15174	佯	與章	以陽平三開	jiaŋ	陽	ɢlaŋ
15175	徉	與章	以陽平三開	jiaŋ	陽	ɢlaŋ
15176	洋	與章	以陽平三開	jiaŋ	陽	ɢlaŋ
15177	烊	與章	以陽平三開	jiaŋ	陽	ɢlaŋ
15178	羘	與章	以陽平三開	jiaŋ	陽	ɢlaŋ
15179	蛘	與章	以陽平三開	jiaŋ	陽	ɢlaŋ
15180	養	餘兩	以陽上三開	jiaŋ	陽	ɢlaŋʔ
15181	痒	餘兩	以陽上三開	jiaŋ	陽	ɢlaŋʔ
15182	瀁	餘兩	以陽上三開	jiaŋ	陽	ɢlaŋʔ
15183	蛘	餘兩	以陽上三開	jiaŋ	陽	ɢlaŋʔ
15184	咩	丘亮	溪陽去三開	k^{h}iaŋ	陽	k^{hl}aŋs
15185	様	弋亮	以陽去三開	jiaŋ	陽	ɢlaŋs
15186	漾	餘亮	以陽去三開	jiaŋ	陽	ɢlaŋs
15187	恙	餘亮	以陽去三開	jiaŋ	陽	ɢlaŋs
15188	羕[4]	餘亮	以陽去三開	jiaŋ	陽	ɢlaŋs
15189	養	餘亮	以陽去三開	jiaŋ	陽	ɢlaŋs
15190	瀁	餘亮	以陽去三開	jiaŋ	陽	ɢlaŋs
15191	牂	則郎	精唐平一開	tsɑŋ	陽	skla̠ŋ

昜 yáng

15192	募	褚羊	徹陽平三開	ʈ^{h}iaŋ	陽	k^{h}laŋ
15193	鍚	七羊	清陽平三開	ts^{h}iaŋ	陽	sk^{h}laŋ
15194	腸[5]	直良	澄陽平三開	ɖiaŋ	陽	glaŋ
15195	場	直良	澄陽平三開	ɖiaŋ	陽	glaŋ
15196	塲	式羊	書陽平三開	ɕiaŋ	陽	q^{h}laŋ
15197	傷	式羊	書陽平三開	ɕiaŋ	陽	q^{h}laŋ
15198	鍚	式羊	書陽平三開	ɕiaŋ	陽	q^{h}laŋ
15199	殤	式羊	書陽平三開	ɕiaŋ	陽	q^{h}laŋ
15200	慯	式羊	書陽平三開	ɕiaŋ	陽	q^{h}laŋ
15201	觴	式羊	書陽平三開	ɕiaŋ	陽	q^{h}laŋ
15202	湯	式羊	書陽平三開	ɕiaŋ	陽	q^{h}laŋ
15203	鷊	式羊	書陽平三開	ɕiaŋ	陽	q^{h}laŋ
15204	禓	式羊	書陽平三開	ɕiaŋ	陽	q^{h}laŋ
15205	陽	與章	以陽平三開	jiaŋ	陽	ɢlaŋ
15206	暘	與章	以陽平三開	jiaŋ	陽	ɢlaŋ
15207	楊	與章	以陽平三開	jiaŋ	陽	ɢlaŋ
15208	颺	與章	以陽平三開	jiaŋ	陽	ɢlaŋ
15209	昜	與章	以陽平三開	jiaŋ	陽	ɢlaŋ
15210	煬	與章	以陽平三開	jiaŋ	陽	ɢlaŋ
15211	鍚	與章	以陽平三開	jiaŋ	陽	ɢlaŋ
15212	揚	與章	以陽平三開	jiaŋ	陽	ɢlaŋ
15213	瘍	與章	以陽平三開	jiaŋ	陽	ɢlaŋ
15214	鸉	與章	以陽平三開	jiaŋ	陽	ɢlaŋ
15215	禓	與章	以陽平三開	jiaŋ	陽	ɢlaŋ
15216	崵	與章	以陽平三開	jiaŋ	陽	ɢlaŋ
15217	瑒	與章	以陽平三開	jiaŋ	陽	ɢlaŋ
15218	蕩	與章	以陽平三開	jiaŋ	陽	ɢlaŋ
15219	暢	丑亮	徹陽去三開	ʈ^{h}iaŋ	陽	k^{h}laŋs
15220	蘠	丑亮	徹陽去三開	ʈ^{h}iaŋ	陽	k^{h}laŋs
15221	暘	丑亮	徹陽去三開	ʈ^{h}iaŋ	陽	k^{h}laŋs
15222	傷	式亮	書陽去三開	ɕiaŋ	陽	q^{h}laŋs
15223	慯	式亮	書陽去三開	ɕiaŋ	陽	q^{h}laŋs
15224	颺	餘亮	以陽去三開	jiaŋ	陽	ɢlaŋs
15225	煬	餘亮	以陽去三開	jiaŋ	陽	ɢlaŋs
15226	鷊	餘諒	以陽去三開	jiaŋ	陽	ɢlaŋs
15227	募	吐郎	透唐平一開	t^{h}ɑŋ	陽	k^{h}la̠ŋ
15228	湯	吐郎	透唐平一開	t^{h}ɑŋ	陽	k^{h}la̠ŋ
15229	蕩	吐郎	透唐平一開	t^{h}ɑŋ	陽	k^{h}la̠ŋ
15230	踼	吐郎	透唐平一開	t^{h}ɑŋ	陽	k^{h}la̠ŋ

---

1 《玉篇》"又似羊反"，《篆隶万象名义》"在羊反"，两者可能是从邪不分。《释名》"翔，倂也"，"倂"与邪母字"翔"字为声训，当以《释名》的读音为准。《广韵》"在羊反"，应改用邪母的读音。

2 藏文 g-jaŋ 福庆，故"祥"当为 *sg^{l}aŋ>ziaŋ。

3 藏文绵羊 g-jaŋ，拉萨 jaŋ，所以 jaŋ 是词根，g-为冠音失落。从藏缅语的历史比较看，藏文的 j 最早来自 l，g-jaŋ 当来自原始藏语的 *g.laŋ。上古汉语的"羊"是 *g.laŋ>*laŋ>jaŋ，与藏语完全相同。

4 "羕"与"长"同根，"永"与"羊"双声符，主声符"羊"带词根 *laŋ，次声符"永"带冠音 *ɢ-，合成"羕" *ɢlaŋs。比较藏文 rgjaŋ 远<rjaŋ<*rlaŋ。

5 可比较全州瑶语 klaŋ2 肠，藏文 gʑaŋ<gljaŋ 肛门、百叶肚，Limbu 语 gjāŋ 肠，标敏瑶语 klaŋ2 肠子。

15231	盪	吐郎	透唐平一開	tʰɑŋ	陽	kʰla̠ŋ
15232	蝪	吐郎	透唐平一開	tʰɑŋ	陽	kʰla̠ŋ
15233	薚	吐郎	透唐平一開	tʰɑŋ	陽	kʰla̠ŋ
15234	碭	徒郎	定唐平一開	dɑŋ	陽	gla̠ŋ
15235	踼	徒郎	定唐平一開	dɑŋ	陽	gla̠ŋ
15236	餳[1]	徒郎	定唐平一開	dɑŋ	陽	gla̠ŋ
15237	偒	他朗	透唐上一開	tʰɑŋ	陽	kʰla̠ŋʔ
15238	簜	他朗	透唐上一開	tʰɑŋ	陽	kʰla̠ŋʔ
15239	蕩	徒朗	定唐上一開	dɑŋ	陽	gla̠ŋʔ
15240	崵	徒朗	定唐上一開	dɑŋ	陽	gla̠ŋʔ
15241	婸	徒朗	定唐上一開	dɑŋ	陽	gla̠ŋʔ
15242	簜	徒朗	定唐上一開	dɑŋ	陽	gla̠ŋʔ
15243	愓	徒朗	定唐上一開	dɑŋ	陽	gla̠ŋʔ
15244	璗	徒朗	定唐上一開	dɑŋ	陽	gla̠ŋʔ
15245	盪	徒朗	定唐上一開	dɑŋ	陽	gla̠ŋʔ
15246	簜	徒朗	定唐上一開	dɑŋ	陽	gla̠ŋʔ
15247	湯	他浪	透唐去一開	tʰɑŋ	陽	kʰla̠ŋs
15248	蕩	他浪	透唐去一開	tʰɑŋ	陽	kʰla̠ŋs
15249	盪	他浪	透唐去一開	tʰɑŋ	陽	kʰla̠ŋs
15250	踼	徒浪	定唐去一開	dɑŋ	陽	gla̠ŋs
15251	碭	徒浪	定唐去一開	dɑŋ	陽	gla̠ŋs
15252	逿	徒浪	定唐去一開	dɑŋ	陽	gla̠ŋs
15253	蕩	徒浪	定唐去一開	dɑŋ	陽	gla̠ŋs
15254	瑒[2]	徒杏	澄庚上二開	ɖʷæŋ	陽	gla̠ŋʔ

幺 yāo

15255	呦	於虯	影幽平三開	ʔɨu	幽^{i}	qʳiʷ
15256	蟉	於虯	影幽平三開	ʔɨu	幽^{i}	qʳiʷ
15257	怮	於虯	影幽平三開	ʔɨu	幽^{i}	qʳiʷ
15258	幽	於虯	影幽平三開	ʔɨu	幽^{i}	qʳiʷ
15259	欪	於虯	影幽平三開	ʔɨu	幽^{i}	qʳiʷ
15260	幽	於虯	影幽平三開	ʔɨu	幽^{i}	qʳiʷ
15261	泑	於虯	影幽平三開	ʔɨu	幽^{i}	qʳiʷ
15262	幽	於求	影尤平三合	ʔiu	幽^{i}	qiʷ
15263	怮	於求	影尤平三合	ʔiu	幽^{i}	qiʷ
15264	黝	於糾	影幽上三開	ʔɨu	幽^{i}	qʳiʷʔ
15265	怮	於糾	影幽上三開	ʔɨu	幽^{i}	qʳiʷʔ
15266	蚴	於糾	影幽上三開	ʔɨu	幽^{i}	qʳiʷʔ
15267	泑	於糾	影幽上三開	ʔɨu	幽^{i}	qʳiʷʔ
15268	眑	於糾	影幽上三開	ʔɨu	幽^{i}	qʳiʷʔ
15269	眑	於糾	影幽上三開	ʔɨu	幽^{i}	qʳiʷʔ
15270	鰗	於柳	影尤上三合	ʔiu	幽^{i}	qiʷʔ
15271	幼	伊謬	影幽去三開	ʔɨu	幽^{i}	qʳiʷs
15272	幺	於堯	影蕭平四開	ʔeu	幽^{i}	qi̠ʷ
15273	怮	於堯	影蕭平四開	ʔeu	幽^{i}	qi̠ʷ
15274	鰗	於堯	影蕭平四開	ʔeu	幽^{i}	qi̠ʷ
15275	窈	烏皎	影蕭上四開	ʔeu	幽^{i}	qi̠ʷʔ
15276	鴢	烏皎	影蕭上四開	ʔeu	幽^{i}	qi̠ʷʔ
15277	坳	於交	影肴平二開	ʔᵚæu	幽^{i}	qʳi̠ʷ
15278	眑	於交	影肴平二開	ʔᵚæu	幽^{i}	qʳi̠ʷ
15279	拗	於絞	影肴上二開	ʔᵚæu	幽^{i}	qʳi̠ʷʔ
15280	鴢	於絞	影肴上二開	ʔᵚæu	幽^{i}	qʳi̠ʷʔ
15281	狕	於絞	影肴上二開	ʔᵚæu	幽^{i}	qʳi̠ʷʔ
15282	欪	於六	影屋入三合	ʔiuk	覺^{i}	qigʷ
15283	黝[3]	於夷	影脂平A開	ʔi	幽^{ɯ}	qʷʳɯʷ
15284	黟[4]	烏奚	影脂平A開	ʔi	幽^{ɯ}	qʷʳɯʷ

1　后代作“糖”，读*gla̠ŋ>dɑŋ。

2　见定母和澄母“茶”字注。

3　幽^{ɯ}部（-ɯʷ），它们在合口介音的异化下，韵尾^{w}失落，并入之部：*Cʷʳɯʷ>*Cʷʳɯ，进一步演变为中古脂韵。之部变为这些脂韵的音变规则，见“逵”字注。

4　黟县，又叫作黝县。颜师古、王念孙都认为原来是同一个字，而且训释基本相同：“黑，县名。”但是这两个字的读音相差甚远，“黟”的读音，是本手册的一个疑点，要重点考证。

“黝”在各韵书中基本上都为影母幽韵，但有脂韵的异读。《汉书》颜氏音注、《晋书音义》“音伊”、《广韵》“又於夷切”。“黝”在上古为幽部，与幽部字谐声的还有许多脂韵字，如“九”为幽部尤韵，“馗”“艽”“軌”则为脂韵。这些脂韵字郑张尚芳认为是幽^{ɯ}部（-ɯʷ），它们在合口介音的异化下，韵尾^{w}失落，并入之部：*Cʷʳɯʷ>*Cʷʳɯ，进一步演变为中古脂韵。之部变为这些脂韵的音变规则，见“逵”字注。

“黟”《王三》脂、齐韵。齐韵的读音只出现于《王三》《广韵》，而脂韵的读音则出现于大多的韵书，如《王三》《广韵》《广雅音注》《宋本玉篇》《篆隶万象名义》。《篆隶万象名义》“都咨反”，《宋本玉篇》“郁咨切”，“郁”与“都”形近，误为“都”字，所以它的读音同样是影母脂韵。齐韵的读音很可能就是后起的，是脂韵变作了齐韵。《说文》“黟”从歌韵“多”得声，脂韵字是不太可能与“多”字谐声的，所以“黟”脂韵一读是可疑的。

秦始皇二十六年（公元前221年），秦并天下置黝县，属鄣郡。最早的记载为《越绝书》。《汉书·地理志》云：“丹扬郡……黝。”东汉建安十三年（208年）改作黟县。可见，这个地名最早是“黝”字，所以它的读音应该是影母脂韵。到东汉的时候，歌部的三等与支韵合流，当时的“黟”可能是以母支韵字。罗常培、周祖谟《汉魏晋南北朝韵部演变研究》中支韵与脂韵大量合韵，说明支脂声音很接近。“黝”原为影母脂韵，“黟”字原为以母支韵。“黟”的现在读音是影母脂韵，与以母支韵并不相同。“黝黑”的“黝”是常用字，写作地名并不合适。因为黝、黟古文字字形相似，读音非常接近，就把地名“黝”改作“黟”字了。

夭 yāo

15285 妖 於喬 影宵平B 開 ʔɨᴇu 宵^{o} q^{r}o^{w}

15286 祅 於喬 影宵平B 開 ʔɨᴇu 宵^{o} q^{r}o^{w}

15287 枖 於喬 影宵平B 開 ʔɨᴇu 宵^{o} q^{r}o^{w}

15288 訞 於喬 影宵平B 開 ʔɨᴇu 宵^{o} q^{r}o^{w}

15289 夭 於喬 影宵平B 開 ʔɨᴇu 宵^{o} q^{r}o^{w}

15290 夭 於兆 影宵上B 開 ʔɨᴇu 宵^{o} q^{r}o^{w}ʔ

15291 殀 於兆 影宵上B 開 ʔɨᴇu 宵^{o} q^{r}o^{w}ʔ

15292 芺 於兆 影宵上B 開 ʔɨᴇu 宵^{o} q^{r}o^{w}ʔ

15293 跃 烏晧 影豪上一開 ʔɑu 宵^{o} qo̱^{w}ʔ

15294 芺 烏晧 影豪上一開 ʔɑu 宵^{o} qo̱^{w}ʔ

15295 麇 烏晧 影豪上一開 ʔɑu 宵^{o} qo̱^{w}ʔ

15296 夭 烏晧 影豪上一開 ʔɑu 宵^{o} qo̱^{w}ʔ

15297 鴹 烏晧 影豪上一開 ʔɑu 宵^{o} qo̱^{w}ʔ

15298 跃 烏到 影豪去一開 ʔɑu 宵^{o} qo̱^{w}s

15299 渂 於到 影豪去一開 ʔɑu 宵^{o} qo̱^{w}s

15300 吠 於交 影肴平二開 ʔ^{ɯ}æu 宵^{o} q^{r}o̱^{w}

15301 沃 烏酷 影沃入一合 ʔu̯ok 藥^{o} qo̱g^{w}

15302 鋈 烏酷 影沃入一合 ʔu̯ok 藥^{o} qo̱g^{w}

15303 飫[1] 依倨 影魚去三開 ʔiɤ 鐸 qags

爻 yáo

15304 餚 乎刀 匣豪平一開 ɦɑu 幽 gu̱

15305 崤 胡刀 匣豪平一開 ɦɑu 幽 gu̱

15306 郩 烏晧 影豪上一開 ʔɑu 幽 qu̱ʔ

15307 教 古肴 見肴平二開 k^{ɯ}æu 幽 k^{r}u̱

15308 餚 胡茅 匣肴平二開 ɦ^{ɯ}æu 幽 g^{r}u̱

15309 肴 胡茅 匣肴平二開 ɦ^{ɯ}æu 幽 g^{r}u̱

15310 崤 胡茅 匣肴平二開 ɦ^{ɯ}æu 幽 g^{r}u̱

15311 殽 胡茅 匣肴平二開 ɦ^{ɯ}æu 幽 g^{r}u̱

15312 爻 胡茅 匣肴平二開 ɦ^{ɯ}æu 幽 g^{r}u̱

15313 淆 胡茅 匣肴平二開 ɦ^{ɯ}æu 幽 g^{r}u̱

15314 倄 胡茅 匣肴平二開 ɦ^{ɯ}æu 幽 g^{r}u̱

15315 敎 古巧 見肴上二開 k^{ɯ}æu 幽 k^{r}u̱ʔ

15316 敎 居效 見肴去二開 k^{ɯ}æu 幽 k^{r}u̱s

15317 鷎 呼教 曉肴去二開 h^{ɯ}æu 幽 q^{hr}u̱s

15318 教 古孝 見肴去二開 k^{ɯ}æu 覺 k^{r}u̱gs

15319 較 古孝 見肴去二開 k^{ɯ}æu 覺 k^{r}u̱gs

15320 季 古孝 見肴去二開 k^{ɯ}æu 覺 k^{r}u̱gs

15321 駁 北角 幫覺入二開 p^{ɯ}ɔk 覺 k^{r}u̱g

15322 較 古岳 見覺入二開 k^{ɯ}ɔk 覺 k^{r}u̱g

15323 較 古岳 見覺入二開 k^{ɯ}ɔk 覺 k^{r}u̱g

堯 yáo

15324 翹 渠遥 群宵平A 開 giᴇu 宵^{e} ge^{w}

15325 藮 渠遥 群宵平A 開 giᴇu 宵^{e} ge^{w}

15326 蟯 於霄 影宵平A 開 ʔiᴇu 宵^{e} qe^{w}

15327 趬 丘召 溪宵去A 開 k^{h}iᴇu 宵^{e} k^{h}e^{w}s

15328 翹 巨要 群宵去A 開 giᴇu 宵^{e} ge^{w}s

15329 趬 去遥 溪宵平B 開 k^{h}ɨᴇu 宵^{e} k^{hr}e^{w}

15330 饒 如招 日宵平三開 ȵiᴇu 宵^{e} ŋgl^{j}e^{w}

15331 橈 如招 日宵平三開 ȵiᴇu 宵^{e} ŋgl^{j}e^{w}

15332 襓 如招 日宵平三開 ȵiᴇu 宵^{e} ŋgl^{j}e^{w}

15333 蕘 如招 日宵平三開 ȵiᴇu 宵^{e} ŋgl^{j}e^{w}

15334 蟯 如招 日宵平三開 ȵiᴇu 宵^{e} ŋgl^{j}e^{w}

15335 燒 式招 書宵平三開 ɕiᴇu 宵^{e} q^{h}le^{w}

15336 繞 而沼 日宵上三開 ȵiᴇu 宵^{e} ŋgl^{j}e^{w}ʔ

15337 遶 而沼 日宵上三開 ȵiᴇu 宵^{e} ŋgl^{j}e^{w}ʔ

15338 嬈 而沼 日宵上三開 ȵiᴇu 宵^{e} ŋgl^{j}e^{w}ʔ

15339 饒 人要 日宵去三開 ȵiᴇu 宵^{e} ŋgl^{j}e^{w}s

15340 繞 人要 日宵去三開 ȵiᴇu 宵^{e} ŋgl^{j}e^{w}s

15341 燒 失照 書宵去三開 ɕiᴇu 宵^{e} q^{h}le^{w}s

15342 驍 古堯 見蕭平四開 keu 宵^{e} ke̱^{w}

15343 澆 古堯 見蕭平四開 keu 宵^{e} ke̱^{w}

15344 敲 苦幺 溪蕭平四開 k^{h}eu 宵^{e} k^{h}e̱^{w}

15345 髐 牽幺 溪蕭平四開 k^{h}eu 宵^{e} k^{h}e̱^{w}

15346 翹 巨堯 群蕭平四開 geu 宵^{e} ge̱^{w}

15347 堯 五聊 疑蕭平四開 ŋeu 宵^{e} ŋge̱^{w}

15348 嶢 五聊 疑蕭平四開 ŋeu 宵^{e} ŋge̱^{w}

15349 僥 五聊 疑蕭平四開 ŋeu 宵^{e} ŋge̱^{w}

15350 垚 五聊 疑蕭平四開 ŋeu 宵^{e} ŋge̱^{w}

15351 顤 五聊 疑蕭平四開 ŋeu 宵^{e} ŋge̱^{w}

15352 膮 許幺 曉蕭平四開 heu 宵^{e} q^{h}e̱^{w}

15353 嘵 許幺 曉蕭平四開 heu 宵^{e} q^{h}e̱^{w}

15354 憢 許幺 曉蕭平四開 heu 宵^{e} q^{h}e̱^{w}

15355 髐 馨幺 曉蕭平四開 heu 宵^{e} q^{h}e̱^{w}

15356 鐃 古了 見蕭上四開 keu 宵^{e} ke̱^{w}ʔ

---

1 "夭"声在屋部,"飫"铎部字,与屋部旁转。

15357 磽 苦皎 溪蕭上四開 kʰeu 宵ᵉ kʰe̱ʷʔ

15358 嬈 奴鳥 泥蕭上四開 neu 宵ᵉ ŋgle̱ʷʔ

15359 鐃 馨皛 曉蕭上四開 heu 宵ᵉ qʰe̱ʷʔ

15360 曉 馨皛 曉蕭上四開 heu 宵ᵉ qʰe̱ʷʔ

15361 皢 馨皛 曉蕭上四開 heu 宵ᵉ qʰe̱ʷʔ

15362 膮 馨皛 曉蕭上四開 heu 宵ᵉ qʰe̱ʷʔ

15363 顤 五弔 疑蕭去四開 ŋeu 宵ᵉ ŋge̱ʷs

15364 獟 五弔 疑蕭去四開 ŋeu 宵ᵉ ŋge̱ʷs

15365 澆 五弔 疑蕭去四開 ŋeu 宵ᵉ ŋge̱ʷs

15366 嬈 火弔 曉蕭去四開 heu 宵ᵉ qʰe̱ʷs

15367 磽 口交 溪肴平二開 kʰᵚæu 宵ᵉ kʰʳe̱ʷ

15368 墝 口交 溪肴平二開 kʰᵚæu 宵ᵉ kʰʳe̱ʷ

15369 譊 女交 娘肴平二開 ɳᵚæu 宵ᵉ ŋgle̱ʷ

15370 橈 女教 娘肴平二開 ɳᵚæu 宵ᵉ ŋgle̱ʷ

15371 鐃 女交 娘肴平二開 ɳᵚæu 宵ᵉ ŋgle̱ʷ

15372 敫 五交 疑肴平二開 ŋᵚæu 宵ᵉ ŋgʳe̱ʷ

15373 磽 五交 疑肴平二開 ŋᵚæu 宵ᵉ ŋgʳe̱ʷ

15374 顤 許交 曉肴平二開 hᵚæu 宵ᵉ qʰʳe̱ʷ

15375 髐 虛交 曉肴平二開 hᵚæu 宵ᵉ qʰʳe̱ʷ

15376 撓 奴巧 娘肴上二開 ɳᵚæu 宵ᵉ ŋgle̱ʷʔ

15377 橈 奴教 娘肴去二開 ɳᵚæu 宵ᵉ ŋgle̱ʷs

15378 磽 五教 疑肴去二開 ŋᵚæu 宵ᵉ ŋgʳe̱ʷs

15379 撓 呼毛 曉豪平一開 hɑu 宵ᵃ qʰa̱ʷ

15380 敫 苦擊 溪錫入四開 kʰek 藥ᵉ kʰe̱gʷ

巳 yǎo

15381 尥 弋照 以宵去三開 jiɛu 宵ᵉ ɢleʷs

15382 巳 烏皎 影蕭上四開 ʔeu 宵ᵉ qˡe̱ʷʔ

15383 宎 烏皎 影蕭上四開 ʔeu 宵ᵉ qˡe̱ʷʔ

15384 宧 烏皎 影蕭上四開 ʔeu 宵ᵉ qˡe̱ʷʔ

15385 宦 烏叫 影蕭去四開 ʔeu 宵ᵉ qe̱ʷs

15386 炮 他歷 透錫入四開 tʰek 藥ᵉ kʰle̱gʷ

杳 yǎo

15387 杳 烏皎 影蕭上四開 ʔeu 宵ᵉ qe̱ʷʔ

舀 yǎo

15388 舀 以周 以尤平三合 jiu 幽 ɢlu

15389 𤲶 他刀 透豪平一開 tʰɑu 幽 kʰlu̱

15390 𩢍 他刀 透豪平一開 tʰɑu 幽 kʰlu̱

15391 韜 土刀 透豪平一開 tʰɑu 幽 kʰlu̱

15392 謟 土刀 透豪平一開 tʰɑu 幽 kʰlu̱

15393 滔 土刀 透豪平一開 tʰɑu 幽 kʰlu̱

15394 慆 土刀 透豪平一開 tʰɑu 幽 kʰlu̱

15395 槄 土刀 透豪平一開 tʰɑu 幽 kʰlu̱

15396 搯 土刀 透豪平一開 tʰɑu 幽 kʰlu̱

15397 瑫 土刀 透豪平一開 tʰɑu 幽 kʰlu̱

15398 䈱 土刀 透豪平一開 tʰɑu 幽 kʰlu̱

15399 稻 他浩 透豪上一開 tʰɑu 幽 kʰlu̱ʔ

15400 稻 徒晧 定豪上一開 dɑu 幽 glu̱ʔ

15401 蹈 徒到 定豪去一開 dɑu 幽 glu̱s

15402 舀 羊朱 以虞平三合 jiʊ 侯 ɢlo

15403 舀 以沼 以宵上三開 jiɛu 幽ⁱ ɢliʷʔ

窅 yǎo

15404 窅 烏皎 影蕭上四開 ʔeu 宵ᵉ qe̱ʷʔ

15405 窅 於交 影肴平二開 ʔᵚæu 宵ᵉ qʳe̱ʷ

要 yào

15406 要 於霄 影宵平A 開 ʔiɛu 宵ᵉ qeʷ

15407 腰 於霄 影宵平A 開 ʔiɛu 宵ᵉ qeʷ

15408 葽 於霄 影宵平A 開 ʔiɛu 宵ᵉ qeʷ

15409 喓 於霄 影宵平A 開 ʔiɛu 宵ᵉ qeʷ

15410 䙅 於霄 影宵平A 開 ʔiɛu 宵ᵉ qeʷ

15411 䳾 於霄 影宵平A 開 ʔiɛu 宵ᵉ qeʷ

15412 要 於笑 影宵去A 開 ʔiɛu 宵ᵉ qeʷs

15413 葽 於笑 影宵去A 開 ʔiɛu 宵ᵉ qeʷs

15414 葽 於堯 影蕭平四開 ʔeu 宵ᵉ qe̱ʷ

15415 偠 烏皎 影蕭上四開 ʔeu 宵ᵉ qe̱ʷʔ

15416 騕 烏皎 影蕭上四開 ʔeu 宵ᵉ qe̱ʷʔ

15417 葽 烏皎 影蕭上四開 ʔeu 宵ᵉ qe̱ʷʔ

15418 𣄴 烏皎 影蕭上四開 ʔeu 宵ᵉ qe̱ʷʔ

覞 yào

15419 覞 弋照 以宵去三開 jiɛu 宵ᵃ laʷs

也 yě

15420 杝 弋支 以支平三開 jie 歌ᵉ lel

15421 椸 弋支 以支平三開 jie 歌ᵉ lel

15422 訑 弋支 以支平三開 jie 歌ᵉ lel

15423 祂 弋支 以支平三開 jie 歌^{e} lel

15424 暆 弋支 以支平三開 jie 歌^{e} lel

15425 迆 弋支 以支平三開 jie 歌^{e} lel

15426 酏 弋支 以支平三開 jie 歌^{e} lel

15427 匜 弋支 以支平三開 jie 歌^{e} lel

15428 蛇 弋支 以支平三開 jie 歌^{e} lel

15429 袘 余支 以支平三開 jie 歌^{e} lel

15430 馳 直離 澄支平三開 ɖie 歌^{e} lel

15431 池 直離 澄支平三開 ɖie 歌^{e} lel

15432 醃 商支 書支平三開 ɕie 歌^{e} l̥el

15433 施 式支 書支平三開 ɕie 歌^{e} l̥el

15434 葹 式支 書支平三開 ɕie 歌^{e} l̥el

15435 鍦 式支 書支平三開 ɕie 歌^{e} l̥el

15436 鍦 式支 書支平三開 ɕie 歌^{e} l̥el

15437 螶 式支 書支平三開 ɕie 歌^{e} l̥el

15438 攸 式支 書支平三開 ɕie 歌^{e} l̥el

15439 訑 香支 曉支平三開 hie 歌^{e} l̥^{h}el

15440 椸 鄰知 來支平三開 lie 歌^{e} rel

15441 也 羊者 以麻上三開 jiæ 歌^{e} lelʔ

15442 狏 承紙 禪支上三開 dʑie 歌^{e} gl^{j}elʔ

15443 胣 演爾 以支上三開 jie 歌^{e} lelʔ

15444 酏 移爾 以支上三開 jie 歌^{e} lelʔ

15445 迆 移爾 以支上三開 jie 歌^{e} lelʔ

15446 匜 移爾 以支上三開 jie 歌^{e} lelʔ

15447 祂 移爾 以支上三開 jie 歌^{e} lelʔ

15448 虒 移爾 以支上三開 jie 歌^{e} lelʔ

15449 拸 移爾 以支上三開 jie 歌^{e} lelʔ

15450 杝 池爾 澄支上三開 ɖie 歌^{e} lelʔ

15451 阤 池爾 澄支上三開 ɖie 歌^{e} lelʔ

15452 胣 丑豸 徹支上三開 ʈ^{h}ie 歌^{e} l̥elʔ

15453 胣 賞是 書支上三開 ɕie 歌^{e} l̥elʔ

15454 阤 施是 書支上三開 ɕie 歌^{e} l̥elʔ

15455 弛 施是 書支上三開 ɕie 歌^{e} l̥elʔ

15456 狏 神帋 船支上三開 ʑie 歌^{e} ɢl^{j}elʔ

15457 貤 以豉 以支去三開 jie 歌^{e} lels

15458 施 以寘 以支去三開 jie 歌^{e} lels

15459 施 施智 書支去三開 ɕie 歌^{e} l̥els

15460 鍦 施智 書支去三開 ɕie 歌^{e} l̥els

15461 螶 施智 書支去三開 ɕie 歌^{e} l̥els

15462 鉈 式支 書支平三開 ɕie 歌^{e} l̥el

15463 地[1] 徒四 定脂去三開 di 歌^{e} lels

15464 他 呼雞 曉齊平四開 hei 歌^{e} l̥^{h}e̱l

15465 髢 特計 定齊去四開 dei 歌^{e} le̱ls

曳 yè

15466 絏 以制 以祭去三開 jiᴇi 月^{e} leds

15467 洩 餘制 以祭去三開 jiᴇi 月^{e} leds

15468 曳 餘制 以祭去三開 jiᴇi 月^{e} leds

15469 跩 餘制 以祭去三開 jiᴇi 月^{e} leds

15470 怈 餘制 以祭去三開 jiᴇi 月^{e} leds

15471 怈 丑例 徹祭去三開 ʈ^{h}iᴇi 月^{e} l̥eds

15472 絏 私列 心薛入三開 siᴇt 月^{e} l̥^{j}ed

頁 yè

15473 頁[2] 胡結 匣屑入四開 ɦet 月^{e} ge̱d

15474 蝢 奚結 匣屑入四開 ɦet 月^{e} ge̱d

業 yè

15475 業 魚怯 疑業入三開 ŋiap 盍^{a} ŋab

15476 鄴 魚怯 疑業入三開 ŋiap 盍^{a} ŋab

15477 𡾊 魚怯 疑業入三開 ŋiap 盍^{a} ŋab

15478 㓸 魚怯 疑業入三開 ŋiap 盍^{a} ŋab

15479 碟 五合 疑合入一開 ŋəp 緝^{ɯ} ŋɯ̱b

曄 yè

15480 曄 筠輒 云葉入三開 ɦ^{i}iᴇp 盍^{e} ɢ^{r}eb

---

1 汉藏语中的"土"与"地"往往语义相混。出土文献中，"地"不见于甲骨文，说明当时的"土"与"地"可能是相混的。进入农业社会后，耕种的土壤才出现"地"的概念，"土"的韵母是*-a，加了声符就成了"地"。"土"的韵母*-a 加上后缀*-l 成了"地"*-al，于是就出现了以下的音变*-al>*-el>-ei>-i。出土文献"地"的声符有以下的字形：它、也、豕，从西周到战国，最多的字形是"豕"字，"豕"的上古读音是*-el。上面的音变链中，"它"的上古读音是*-al，多出现于秦楚的一些古老读音中。音变链中的最后音变-i 就是中古脂韵，一直到现代，"地"字还读-i。

"地"的几个声符虽然是同一个读音演变而成的，但是在很长的时间和很广阔的地域上，其韵母是*-el，声符都是"也"和"豕"。于是，我们把"地"的声符定作"也"，而不是定作"它"。"它"声符的韵母为*-al，出现一等韵；"也"声符的韵母为*-el，出现四等韵。三等韵中"它"出现麻韵，"也"出现支韵。《切韵》中"也"字读麻韵。但是《篆隶万象名义》"餘紙、餘者反"，《玉篇》"余爾切，又余者切"。可见早期的中古音以支韵为主要读音，故以声符作"也"不作"它"。支韵再读入脂韵。

2 郑张尚芳：藏文同源词为 klad 头脑。

15481 爗[1] 筠輒 云葉入三開 ɦ^{ɨ}iɛp 盍^{e} ɢ^{r}eb

15482 曅 筠輒 云葉入三開 ɦ^{ɨ}iɛp 盍^{e} ɢ^{r}eb

15483 曅 爲立 云緝入三開 ɦ^{ɨ}ip 緝^{i} ɢ^{r}ib

15484 爗 域及 云緝入三開 ɦ^{ɨ}ip 緝^{i} ɢ^{r}ib

一 yī

15485 一 於悉 影質入A 開 ʔit 質^{g} q^{l}ig

伊 yī

15486 伊 於脂 影脂平A 開 ʔi 脂 q^{l}i

15487 咿 於脂 影脂平A 開 ʔi 脂 q^{l}i

15488 蛜 於脂 影脂平A 開 ʔi 脂 q^{l}i

衣 yī

15489 妶 於希 影微平三開 ʔɤi 微^{ɯ} qɯl

15490 㐆 於希 影微平三開 ʔɤi 微^{ɯ} qɯl

15491 㥋 於希 影微平三開 ʔɤi 微^{ɯ} qɯl

15492 浓 於希 影微平三開 ʔɤi 微^{ɯ} qɯl

15493 依 於希 影微平三開 ʔɤi 微^{ɯ} qɯl

15494 衣 於希 影微平三開 ʔɤi 微^{ɯ} qɯl

15495 扆 於豈 影微上三開 ʔɤi 微^{ɯ} qɯlʔ

15496 㥋 於豈 影微上三開 ʔɤi 微^{ɯ} qɯlʔ

15497 偯 於豈 影微上三開 ʔɤi 微^{ɯ} qɯlʔ

15498 衣 於既 影微去三開 ʔɤi 微^{ɯ} qɯls

15499 哀 烏開 影咍平一開 ʔəi 微^{ɯ} qɯ̱l

15500 衮 烏痕 影痕平一開 ʔən 文^{ɯ} qɯ̱n

医 yī

15501 蠮[2] 烏結 影屑入四開 ʔet 質^{g} qi̱g

15502 鷖 烏奚 影齊平四開 ʔei 脂 qi̱

15503 翳 烏奚 影齊平四開 ʔei 脂 qi̱

15504 醫 烏奚 影齊平四開 ʔei 脂 qi̱

15505 嫛 烏奚 影齊平四開 ʔei 脂 qi̱

15506 黳 烏奚 影齊平四開 ʔei 脂 qi̱

15507 堅 烏奚 影齊平四開 ʔei 脂 qi̱

15508 磬 烏奚 影齊平四開 ʔei 脂 qi̱

15509 緊 烏奚 影齊平四開 ʔei 脂 qi̱

15510 翳[3] 於計 影齊去四開 ʔei 脂 qi̱s

15511 堅 於計 影齊去四開 ʔei 脂 qi̱s

15512 医 於計 影齊去四開 ʔei 脂 qi̱s

15513 嫕 於計 影齊去四開 ʔei 脂 qi̱s

15514 蘙 於計 影齊去四開 ʔei 脂 qi̱s

15515 繄 於計 影齊去四開 ʔei 脂 qi̱s

15516 殹 於計 影齊去四開 ʔei 脂 qi̱s

15517 瘱[4] 烏懈 影皆去二開 ʔ^{ɯ}ɛi 脂 q^{r}i̱s

15518 醫 於其 影之平三開 ʔɨ 之 qɯ

15519 瘢 於其 影之平三開 ʔɨ 之 qɯ

壹 yī

15520 壹 於悉 影質入A 開 ʔit 質^{g} q^{l}ig

15521 懿 乙冀 影脂去B 開 ʔɨi 質^{g} q^{r}igs

15522 饐 乙冀 影脂去B 開 ʔɨi 質^{g} q^{r}igs

15523 壇 乙冀 影脂去B 開 ʔɨi 質^{g} q^{r}igs

15524 鷧 乙冀 影脂去B 開 ʔɨi 質^{g} q^{r}igs

15525 撎 乙冀 影脂去B 開 ʔɨi 質^{g} q^{r}igs

15526 㲪 乙冀 影脂去B 開 ʔɨi 質^{g} q^{r}igs

15527 饐 乙冀 影脂去B 開 ʔɨi 質^{g} q^{r}igs

15528 豷[5] 許位 曉脂去B 開 hɨi 質^{g} q^{hr}igs

15529 㲪 於筆 影質入B 開 ʔɨit 質^{g} q^{r}ig

15530 曀 於計 影齊去四開 ʔei 質^{g} qi̱gs

15531 殪 於計 影齊去四開 ʔei 質^{g} qi̱gs

15532 豷 於計 影齊去四開 ʔei 質^{g} qi̱gs

15533 壇 於計 影齊去四開 ʔei 質^{g} qi̱gs

15534 譩 於計 影齊去四開 ʔei 質^{g} qi̱gs

15535 噎 烏結 影屑入四開 ʔet 質^{g} qi̱g

15536 欹 於几 影脂上A 開 ʔi 脂 qiʔ

15537 㲪 於記 影之去三開 ʔɨ 之 qɯs

夷 yí

15538 咦 喜夷 曉脂平A 開 hi 脂 l̥^{h}i

15539 侇 延脂 以脂平三開 ji 脂 li

15540 跠 以脂 以脂平三開 ji 脂 li

15541 姨 以脂 以脂平三開 ji 脂 li

1　《说文》“盛也”,《诗》:“爗爗震電。”原语义应是闪电。藏缅、侗台、苗瑶的“闪电”为 lep。

2　从声符看,韵尾应为-g,但《诗・皇矣》:“作之屏之,其菑其翳。修之平之,其灌其栵。”“栵”韵尾为-d,故“蠮”为 * -ig>-id。

3　“殪”为“翳”之声训。《释名・释丧制》:“殪,翳也。”《释天》:“曀,翳也。”

4　原为佳韵,但是根据谐声系统应该为皆韵,《切韵》音系二等有皆、佳的历史层次。

5　原“許位切”,《集韵》“虚器切”,当是开口字。

15542 夷 以脂 以脂平三開 ji 脂 li

15543 痍 以脂 以脂平三開 ji 脂 li

15544 荑 以脂 以脂平三開 ji 脂 li

15545 桋 以脂 以脂平三開 ji 脂 li

15546 蛦 以脂 以脂平三開 ji 脂 li

15547 鮧 以脂 以脂平三開 ji 脂 li

15548 羠 以脂 以脂平三開 ji 脂 li

15549 徔 以脂 以脂平三開 ji 脂 li

15550 鶫 以脂 以脂平三開 ji 脂 li

15551 洟 以脂 以脂平三開 ji 脂 li

15552 跠 陳尼 澄脂平三開 ɖi 脂 li

15553 羠 徐姊 邪脂上三開 zi 脂 l^{j}iʔ

15554 桋 杜奚 定齊平四開 dei 脂 li̱

15555 荑 杜奚 定齊平四開 dei 脂 li̱

15556 鶫 杜奚 定齊平四開 dei 脂 li̱

15557 鮧 杜奚 定齊平四開 dei 脂 li̱

15558 洟 他計 透齊去四開 t^{h}ei 脂 l̥i̱s

15559 銕[1] 他結 透屑入四開 t^{h}et 質^{g} l̥i̱g

臣 yí

15560 姬 居之 見之平三開 kɨ 之 kɯ

15561 箟 居之 見之平三開 kɨ 之 kɯ

15562 獄 息兹 心之平三開 sɨ 之 sqɯ

15563 瑿 與之 以之平三開 jɨ 之 ɢɯ

15564 宧 與之 以之平三開 jɨ 之 ɢɯ

15565 姬 與之 以之平三開 jɨ 之 ɢɯ

15566 洍 與之 以之平三開 jɨ 之 ɢɯ

15567 臣 與之 以之平三開 jɨ 之 ɢɯ

15568 頤 與之 以之平三開 jɨ 之 ɢɯ

15569 茝 諸市 章之上三開 tɕɨ 之 k^{j}ɯʔ

15570 洍 詳里 邪之上三開 zɨ 之 sg^{l}ɯʔ

宜 yí

15571 宜 魚羈 疑支平B 開 ŋɨe 歌^{a} ŋ^{r}al

15572 誼 宜寄 疑支去B 開 ŋɨe 歌^{a} ŋ^{r}als

遺 yí

15573 旟 以追 以脂平三合 j^{w}i 微^{u} ɢlul

15574 遺 以追 以脂平三合 j^{w}i 微^{u} ɢlul

15575 壝 以追 以脂平三合 j^{w}i 微^{u} ɢlul

15576 蠙 以追 以脂平三合 j^{w}i 微^{u} ɢlul

15577 壝 以水 以脂上三合 j^{w}i 微^{u} ɢlulʔ

15578 濻 以水 以脂上三合 j^{w}i 微^{u} ɢlulʔ

15579 遺 以醉 以脂去三合 j^{w}i 微^{u} ɢluls

15580 瞶 以醉 以脂去三合 j^{w}i 微^{u} ɢluls

15581 蠙 以醉 以脂去三合 j^{w}i 微^{u} ɢluls

15582 鞼 公回 見灰平一合 ku̯oi 微^{u} k^{l}u̱l

15583 蕢 他回 透灰平一合 t^{h}u̯oi 微^{u} k^{h}lu̱l

15584 穨 杜回 定灰平一合 du̯oi 微^{u} glu̱l

15585 頹 杜回 定灰平一合 du̯oi 微^{u} glu̱l

15586 瘄 杜回 定灰平一合 du̯oi 微^{u} glu̱l

15587 隤 杜回 定灰平一合 du̯oi 微^{u} glu̱l

15588 蘈 杜回 定灰平一合 du̯oi 微^{u} glu̱l

15589 蹪 杜回 定灰平一合 du̯oi 微^{u} glu̱l

15590 僓 吐猥 透灰上一合 t^{h}u̯oi 微^{u} k^{h}lu̱lʔ

15591 濻 徒猥 定灰上一合 du̯oi 微^{u} glu̱lʔ

15592 頹 吐卧 透歌去一合 t^{hw}ɑ 歌^{o} k^{h}lo̱ls

彝 yí

15593 彝 以脂 以脂平三開 ji 脂 li

15594 櫜 以脂 以脂平三開 ji 脂 li

乙 yǐ

15595 玌 魚乙 疑質入B 開 ŋɨit 質^{g} ŋ^{r}ig

15596 乙 於筆 影質入B 開 ʔɨit 質^{g} q^{r}ig

15597 鳦 於筆 影質入B 開 ʔɨit 質^{g} q^{r}ig

15598 札 側八 莊黠入二開 tʂ^{ɯ}ɛt 質^{g} skri̱g

15599 蚻 側八 莊黠入二開 tʂ^{ɯ}ɛt 質^{g} skri̱g

15600 扎 側八 莊黠入二開 tʂ^{ɯ}ɛt 質^{g} skri̱g

15601 穵[2] 烏八 影黠入二合 ʔ^{wɯ}ɛt 質^{g} q^{r}i̱g

15602 軋 烏黠 影黠入二開 ʔ^{ɯ}ɛt 質^{g} q^{r}i̱g

15603 圠 烏黠 影黠入二開 ʔ^{ɯ}ɛt 質^{g} q^{r}i̱g

15604 穵 烏黠 影黠入二開 ʔ^{ɯ}ɛt 質^{g} q^{r}i̱g

15605 肊 於力 影職入三開 ʔɨk 職 qɯg

以 yǐ

15606 齝 丑之 徹之平三開 ʈ^{h}ɨ 之 k^{h}lɯ

15607 笞 丑之 徹之平三開 ʈ^{h}ɨ 之 k^{h}lɯ

---

1 脂部与质^{g} 部对转。

2 声符开口。个别字二等介音合口化 *q^{r}>C^{ɯ}->C^{w}-。

15608	秮	澄之	澄之平三開	ɖɨ	之	glɯ
15609	治[1]	直之	澄之平三開	ɖɨ	之	glɯ
15610	齝	書之	書之平三開	ɕɨ	之	qʰlɯ
15611	枱	盈之	以之平三開	jɨ	之	ɢlɯ
15612	飴[2]	與之	以之平三開	jɨ	之	ɢlɯ
15613	怡	與之	以之平三開	jɨ	之	ɢlɯ
15614	貽	與之	以之平三開	jɨ	之	ɢlɯ
15615	詒	與之	以之平三開	jɨ	之	ɢlɯ
15616	台	與之	以之平三開	jɨ	之	ɢlɯ
15617	眙	與之	以之平三開	jɨ	之	ɢlɯ
15618	瓵	與之	以之平三開	jɨ	之	ɢlɯ
15619	葈	想止	心之上三開	sɨ	之	skˡɯʔ
15620	枲	胥里	心之上三開	sɨ	之	skˡɯʔ
15621	篒	胥里	心之上三開	sɨ	之	skˡɯʔ
15622	似	詳里	邪之上三開	zɨ	之	sɡˡɯʔ
15623	姒	詳里	邪之上三開	zɨ	之	sɡˡɯʔ
15624	耜[3]	詳里	邪之上三開	zɨ	之	sɡˡɯʔ
15625	鈶	詳里	邪之上三開	zɨ	之	sɡˡɯʔ
15626	枱	象齒	邪之上三開	zɨ	之	sɡˡɯʔ
15627	始	詩止	書之上三開	ɕɨ	之	qʰlɯʔ
15628	苡	羊己	以之上三開	jɨ	之	ɢlɯʔ
15629	佁	羊己	以之上三開	jɨ	之	ɢlɯʔ
15630	苢[4]	羊己	以之上三開	jɨ	之	ɢlɯʔ
15631	以	羊己	以之上三開	jɨ	之	ɢlɯʔ
15632	眙	丑吏	徹之去三開	ʈʰɨ	之	kʰlɯs
15633	佁	丑吏	徹之去三開	ʈʰɨ	之	kʰlɯs
15634	治	直吏	澄之去三開	ɖɨ	之	glɯs
15635	胎	土來	透咍平一開	tʰəi	之	kʰlɯ̱
15636	鮐	土來	透咍平一開	tʰəi	之	kʰlɯ̱
15637	台	土來	透咍平一開	tʰəi	之	kʰlɯ̱
15638	邰	土來	透咍平一開	tʰəi	之	kʰlɯ̱
15639	菭	徒哀	定咍平一開	dəi	之	glɯ̱
15640	苔	徒哀	定咍平一開	dəi	之	glɯ̱
15641	炱	徒哀	定咍平一開	dəi	之	glɯ̱
15642	箈	徒哀	定咍平一開	dəi	之	glɯ̱
15643	駘	徒哀	定咍平一開	dəi	之	glɯ̱
15644	跆	徒哀	定咍平一開	dəi	之	glɯ̱
15645	咍	呼來	曉咍平一開	həi	之	qʰˡɯ̱
15646	駘	徒亥	定咍上一開	dəi	之	glɯ̱ʔ
15647	殆	徒亥	定咍上一開	dəi	之	glɯ̱ʔ
15648	怠	徒亥	定咍上一開	dəi	之	glɯ̱ʔ
15649	迨[5]	徒亥	定咍上一開	dəi	之	glɯ̱ʔ
15650	紿	徒亥	定咍上一開	dəi	之	glɯ̱ʔ
15651	箈	徒亥	定咍上一開	dəi	之	glɯ̱ʔ
15652	詒	徒亥	定咍上一開	dəi	之	glɯ̱ʔ
15653	菭	直尼	澄脂平三開	ɖi	脂	gli
15654	治	直利	澄脂去三開	ɖi	脂	glis

矣 yǐ

15655	癡	丑之	徹之平三開	ʈʰɨ	之	kʰrɯ
15656	疑[6]	語其	疑之平三開	ŋɨ	之	ŋɡʳɯ
15657	嶷	語其	疑之平三開	ŋɨ	之	ŋɡʳɯ
15658	觺	語其	疑之平三開	ŋɨ	之	ŋɡʳɯ
15659	唉	於其	影之平三開	ʔɨ	之	qɯ
15660	焳	許其	曉之平三開	hɨ	之	qʰɯ
15661	娭	許其	曉之平三開	hɨ	之	qʰɯ
15662	誒	許其	曉之平三開	hɨ	之	qʰɯ
15663	擬	魚紀	疑之上三開	ŋɨ	之	ŋɡʳɯʔ
15664	儗	魚紀	疑之上三開	ŋɨ	之	ŋɡʳɯʔ
15665	薿	魚紀	疑之上三開	ŋɨ	之	ŋɡʳɯʔ
15666	譺	魚紀	疑之上三開	ŋɨ	之	ŋɡʳɯʔ
15667	俟	牀史	崇之上三開	dʐɨ	之	sɡrɯʔ
15668	涘	牀史	崇之上三開	dʐɨ	之	sɡrɯʔ
15669	騃	牀史	崇之上三開	dʐɨ	之	sɡrɯʔ
15670	糇	牀史	崇之上三開	dʐɨ	之	sɡrɯʔ
15671	竢	牀史	崇之上三開	dʐɨ	之	sɡrɯʔ
15672	矣	于紀	云之上三開	ɦʲɨ	之	ɢʳɯʔ
15673	嶷	魚記	疑之去三開	ŋɨ	之	ŋɡʳɯs
15674	譺	魚記	疑之去三開	ŋɨ	之	ŋɡʳɯs
15675	䰯	魚記	疑之去三開	ŋɨ	之	ŋɡʳɯs
15676	儗	魚記	疑之去三開	ŋɨ	之	ŋɡʳɯs
15677	唉	烏開	影咍平一開	ʔəi	之	qɯ̱
15678	焳	烏開	影咍平一開	ʔəi	之	qɯ̱
15679	欸	烏開	影咍平一開	ʔəi	之	qɯ̱
15680	埃	烏開	影咍平一開	ʔəi	之	qɯ̱
15681	欸	於改	影咍上一開	ʔəi	之	qɯ̱ʔ

1 治玉为"理"*g.rɯʔ,故"治"当为*glɯ>dɯ。
2 可比较藏文 li 甘蔗、甘蔗汁。
3 同"梩"*g.rɯʔ,故"耜"带有软腭塞音为*sɡˡɯʔ。
4 《广韵》又同"苡"。
5 通"逮"*glɯ̱ds,故"迨"为复辅音*glɯ̱ʔ。
6 张富海:"矣"是"疑"的分化字。

15682 挨 於改 影咍上一開 ʔəi 之 qɯ̱ʔ
15683 礙 五溉 疑咍去一開 ŋəi 之 ŋgɯ̱s
15684 儗 五溉 疑咍去一開 ŋəi 之 ŋgɯ̱s
15685 懝 五溉 疑咍去一開 ŋəi 之 ŋgɯ̱s
15686 騃 五駭 疑皆上二開 ŋ^{ɯ}ɛi 之 ŋg^{r}ɯ̱ʔ
15687 挨 於駭 影皆上二開 ʔ^{ɯ}ɛi 之 q^{r}ɯ̱ʔ
15688 唉 於駭 影皆上二開 ʔ^{ɯ}ɛi 之 q^{r}ɯ̱ʔ
15689 譺 五介 疑皆去二開 ŋ^{ɯ}ɛi 之 ŋg^{r}ɯ̱s
15690 欸 許介 曉皆去二開 h^{ɯ}ɛi 之 q^{hr}ɯ̱s
15691 嶷 魚力 疑職入三開 ŋɨk 職 ŋg^{r}ɯg
15692 薿 魚力 疑職入三開 ŋɨk 職 ŋg^{r}ɯg
15693 嶷 魚力 疑職入三開 ŋɨk 職 ŋg^{r}ɯg
15694 儗 魚力 疑職入三開 ŋɨk 職 ŋg^{r}ɯg
15695 觺 魚力 疑職入三開 ŋɨk 職 ŋg^{r}ɯg
15696 儗 海愛 曉咍去一開 həi 職 q^{h}ɯ̱gs
15697 凝[1] 魚陵 疑蒸平三開 ŋɨŋ 蒸 ŋg^{r}ɯŋ
15698 觺 魚陵 疑蒸平三開 ŋɨŋ 蒸 ŋg^{r}ɯŋ
15699 凝 牛餧 疑蒸去三開 ŋɨŋ 蒸 ŋg^{r}ɯŋs
15700 俟[2] 渠希 群微平三開 gɣi 微^{ɯ} gɯl

嗌 yì

15701 縊 於賜 影支去A開 ʔie 錫 qegs
15702 嗌 伊昔 影昔入三開 ʔiᴇk 錫 qeg
15703 齸 伊昔 影昔入三開 ʔiᴇk 錫 qeg
15704 膉 伊昔 影昔入三開 ʔiᴇk 錫 qeg
15705 䳄 伊昔 影昔入三開 ʔiᴇk 錫 qeg
15706 縊 於計 影齊去四開 ʔei 錫 qe̱gs
15707 鷁 五歷 疑錫入四開 ŋek 錫 ŋge̱g
15708 艗 五歷 疑錫入四開 ŋek 錫 ŋge̱g
15709 隘 烏懈 影佳去二開 ʔ^{ɯ}ɛ 錫 q^{r}e̱gs
15710 搤 於革 影麥入二開 ʔ^{ɯ}ɛk 錫 q^{r}e̱g
15711 䶩 於革 影麥入二開 ʔ^{ɯ}ɛk 錫 q^{r}e̱g
15712 齸 夷質 以質入三開 jit 質[9] ɢig

睪 yì

15713 釋 施隻 書昔入三開 ɕiᴇk 鐸 q^{h}lag
15714 釋 施隻 書昔入三開 ɕiᴇk 鐸 q^{h}lag
15715 檡 施隻 書昔入三開 ɕiᴇk 鐸 q^{h}lag
15716 睪 施隻 書昔入三開 ɕiᴇk 鐸 q^{h}lag
15717 燡 羊益 以昔入三開 jiᴇk 鐸 ɢlag
15718 睪 夷益 以昔入三開 jiᴇk 鐸 ɢlag
15719 醳 羊益 以昔入三開 jiᴇk 鐸 ɢlag
15720 圛 羊益 以昔入三開 jiᴇk 鐸 ɢlag
15721 襗 羊益 以昔入三開 jiᴇk 鐸 ɢlag
15722 繹 羊益 以昔入三開 jiᴇk 鐸 ɢlag
15723 睪 羊益 以昔入三開 jiᴇk 鐸 ɢlag
15724 譯 羊益 以昔入三開 jiᴇk 鐸 ɢlag
15725 懌 羊益 以昔入三開 jiᴇk 鐸 ɢlag
15726 斁 羊益 以昔入三開 jiᴇk 鐸 ɢlag
15727 驛 羊益 以昔入三開 jiᴇk 鐸 ɢlag
15728 嶧 羊益 以昔入三開 jiᴇk 鐸 ɢlag
15729 殬 當故 端模去一合 tu̯o 鐸 kla̱gs
15730 斁 當故 端模去一合 tu̯o 鐸 kla̱gs
15731 斁 徒故 定模去一合 du̯o 鐸 gla̱gs
15732 籜 他各 透鐸入一開 t^{h}ɑk 鐸 k^{h}la̱g
15733 蘀 他各 透鐸入一開 t^{h}ɑk 鐸 k^{h}la̱g
15734 鐸 徒落 定鐸入一開 dɑk 鐸 gla̱g
15735 襗 徒落 定鐸入一開 dɑk 鐸 gla̱g
15736 鞾 徒落 定鐸入一開 dɑk 鐸 gla̱g
15737 擇[3] 場伯 澄陌入二開 ɖ^{ɯ}æk 鐸 gla̱g
15738 澤[4] 場伯 澄陌入二開 ɖ^{ɯ}æk 鐸 gla̱g
15739 檡[5] 場伯 澄陌入二開 ɖ^{ɯ}æk 鐸 gla̱g
15740 鸅[6] 場伯 澄陌入二開 ɖ^{ɯ}æk 鐸 gla̱g
15741 蠌[7] 場伯 澄陌入二開 ɖ^{ɯ}æk 鐸 gla̱g
15742 襗[8] 場伯 澄陌入二開 ɖ^{ɯ}æk 鐸 gla̱g

厂 yì

15743 厂 餘制 以祭去三開 jiᴇi 月^{e} leds

乂 yì

15744 刈 魚肺 疑廢去三開 ŋiai 月^{a} ŋads
15745 壁 魚肺 疑廢去三開 ŋiai 月^{a} ŋads
15746 乂 魚肺 疑廢去三開 ŋiai 月^{a} ŋads
15747 忞 魚肺 疑廢去三開 ŋiai 月^{a} ŋads

---

1 见“冰”字注。
2 之部与微^{ɯ}部旁转。
3 见定母和澄母“茶”字注。
4 见定母和澄母“茶”字注。
5 见定母和澄母“茶”字注。
6 见定母和澄母“茶”字注。
7 见定母和澄母“茶”字注。
8 见定母和澄母“茶”字注。

15748 艾 魚肺 疑廢去三開 ŋiai 月^{a} ŋads
15749 𧆨 魚肺 疑廢去三開 ŋiai 月^{a} ŋads
15750 艾 五蓋 疑泰去一開 ŋɑi 月^{a} ŋa̱ds
15751 鴱 五蓋 疑泰去一開 ŋɑi 月^{a} ŋa̱ds
15752 餀 呼艾 曉泰去一開 hɑi 月^{a} ŋ̊^{h}a̱ds

弋 yì

15753 紿 式吏 書之去三開 ɕɨ 職 q^{h}lɯgs
15754 試 式吏 書之去三開 ɕɨ 職 q^{h}lɯgs
15755 杙 恥力 徹職入三開 ʈ^{h}ɨk 職 k^{h}lɯg
15756 侙 恥力 徹職入三開 ʈ^{h}ɨk 職 k^{h}lɯg
15757 式 賞職 書職入三開 ɕɨk 職 q^{h}lɯg
15758 拭 賞職 書職入三開 ɕɨk 職 q^{h}lɯg
15759 軾 賞職 書職入三開 ɕɨk 職 q^{h}lɯg
15760 絨 賞職 書職入三開 ɕɨk 職 q^{h}lɯg
15761 弋[1] 與職 以職入三開 jɨk 職 ɢlɯg
15762 黓 與職 以職入三開 jɨk 職 ɢlɯg
15763 䧅 與職 以職入三開 jɨk 職 ɢlɯg
15764 妋 與職 以職入三開 jɨk 職 ɢlɯg
15765 杙 與職 以職入三開 jɨk 職 ɢlɯg
15766 芅 與職 以職入三開 jɨk 職 ɢlɯg
15767 釴 與職 以職入三開 jɨk 職 ɢlɯg
15768 酟 與職 以職入三開 jɨk 職 ɢlɯg
15769 貸 他代 透咍去一開 t^{h}əi 職 k^{h}lɯ̱gs
15770 蚮 他代 透咍去一開 t^{h}əi 職 k^{h}lɯ̱gs
15771 忒 他代 透咍去一開 t^{h}əi 職 k^{h}lɯ̱gs
15772 代 徒耐 定咍去一開 dəi 職 glɯ̱gs
15773 岱 徒耐 定咍去一開 dəi 職 glɯ̱gs
15774 黛 徒耐 定咍去一開 dəi 職 glɯ̱gs
15775 袋 徒耐 定咍去一開 dəi 職 glɯ̱gs
15776 忒 惕得 透德入一開 t^{h}ək 職 k^{h}lɯ̱g
15777 忒 他德 透德入一開 t^{h}ək 職 k^{h}lɯ̱g
15778 貣 他德 透德入一開 t^{h}ək 職 k^{h}lɯ̱g
15779 貣 徒得 定德入一開 dək 職 glɯ̱g

亦 yì

15780 赦[2] 始夜 書麻去三開 ɕiæ 鐸 q^{h}lags
15781 夜 羊謝 以麻去三開 jiæ 鐸 ɢlags
15782 䳑 羊謝 以麻去三開 jiæ 鐸 ɢlags
15783 被 之石 章昔入三開 tɕiᴇk 鐸 kl^{j}ag
15784 郝 昌石 昌昔入三開 tɕ^{h}iᴇk 鐸 k^{h}l^{j}ag
15785 郝 施隻 書昔入三開 ɕiᴇk 鐸 q^{h}lag
15786 螫 施隻 書昔入三開 ɕiᴇk 鐸 q^{h}lag
15787 亦[3] 羊益 以昔入三開 jiᴇk 鐸 ɢlag
15788 弈 羊益 以昔入三開 jiᴇk 鐸 ɢlag
15789 奕 羊益 以昔入三開 jiᴇk 鐸 ɢlag
15790 帟 羊益 以昔入三開 jiᴇk 鐸 ɢlag
15791 腋 羊益 以昔入三開 jiᴇk 鐸 ɢlag
15792 掖 羊益 以昔入三開 jiᴇk 鐸 ɢlag
15793 袘 羊益 以昔入三開 jiᴇk 鐸 ɢlag
15794 液 羊益 以昔入三開 jiᴇk 鐸 ɢlag
15795 郝 呵各 曉鐸入一開 hɑk 鐸 q^{hl}a̱g

忍 yì

15796 忍 魚既 疑微去三開 ŋɤi 物^{ɯ} ŋɯds

抑 yì

15797 抑 於力 影職入三開 ʔɨk 職 qɯg

邑 yì

15798 挹 伊入 影緝入A 開 ʔip 緝^{ɯ} qɯb
15799 邑 於汲 影緝入B 開 ʔɨip 緝^{ɯ} q^{r}ɯb
15800 悒 於汲 影緝入B 開 ʔɨip 緝^{ɯ} q^{r}ɯb
15801 唈 於汲 影緝入B 開 ʔɨip 緝^{ɯ} q^{r}ɯb
15802 裛 於汲 影緝入B 開 ʔɨip 緝^{ɯ} q^{r}ɯb
15803 浥 於汲 影緝入B 開 ʔɨip 緝^{ɯ} q^{r}ɯb
15804 唈 烏荅 影合入一開 ʔəp 緝^{ɯ} qɯ̱b
15805 浥 烏洽 影洽入二開 ʔ^{ɯ}ɛp 緝^{ɯ} q^{r}ɯ̱b
15806 裛 於輒 影葉入B 開 ʔɨᴇp 盍^{a} q^{r}ab
15807 裛 於業 影業入三開 ʔiap 盍^{a} qab
15808 浥 於業 影業入三開 ʔiap 盍^{a} qab

---

1 《书・多士》:“敢弋殷命。”《经典释文》:“弋,馬本作翼。”《正义》郑玄王肃本“弋”作“翼”。“翼”音 * ɢlɯg,故“弋”也带冠音作 * ɢlɯg> * lɯg。《左传・定公十五年经》:“似氏卒。”《公羊传》同《穀梁传》“姒氏”作“弋氏”。《左传・襄公四年经》:“夫人姒氏薨,葬我小君定姒。”《穀梁传》同《公羊传》“姒”作“弋”。“姒”邪母,通“弋”,音 * sɢ^{l}ɯʔ> * z^{l}ɯʔ。

2 郑张尚芳:《说文》或从“亦”声。

3 越南字喃“吺”“怀”从“亦”得声,却分别读作 siêc6、ghiêc6(闻宥《论字喃(Chǔ Nôm)之组织及其与汉字之关涉》,《燕京学报》1933 年第 14 期),越南语中的 s 来自于复辅音,可见“亦”带冠音 * ɢlag> * lag。

役 yì

15809 投 營隻 以昔入三合 j^{w}iᴇk 錫 ɢ^{w}eg
15810 役[1] 營隻 以昔入三合 j^{w}iᴇk 錫 ɢ^{w}eg
15811 茷[2] 營隻 以昔入三合 j^{w}iᴇk 錫 ɢ^{w}eg
15812 疫[3] 營隻 以昔入三合 j^{w}iᴇk 錫 ɢ^{w}eg
15813 坄[4] 營隻 以昔入三合 j^{w}iᴇk 錫 ɢ^{w}eg
15814 鴔[5] 營隻 以昔入三合 j^{w}iᴇk 錫 ɢ^{w}eg
15815 豛[6] 營隻 以昔入三合 j^{w}iᴇk 錫 ɢ^{w}eg
15816 柍[7] 胡狄 匣錫入四開 ɦek 錫 g^{w}e̱g
15817 殺 呼臭 曉錫入四合 h^{w}ek 錫 q^{wh}e̱g
15818 柍[8] 下革 匣麥入二開 ɦ^{ɯ}ɛk 錫 g^{wr}e̱g
15819 茷[9] 羊捶 以支上三合 j^{w}ie 佳 ɢ^{w}eʔ

易 yì

15820 易 以豉 以支去三開 jie 錫 legs
15821 傷 以豉 以支去三開 jie 錫 legs
15822 皷 以豉 以支去三開 jie 錫 legs
15823 賜 斯義 心支去三開 sie 錫 l̥^{j}egs
15824 蕮 斯義 心支去三開 sie 錫 l̥^{j}egs
15825 易 羊益 以昔入三開 jiᴇk 錫 leg
15826 瘍 羊益 以昔入三開 jiᴇk 錫 leg
15827 蜴 羊益 以昔入三開 jiᴇk 錫 leg
15828 埸 羊益 以昔入三開 jiᴇk 錫 leg
15829 睗 施隻 書昔入三開 ɕiᴇk 錫 l̥eg
15830 暘 施隻 書昔入三開 ɕiᴇk 錫 l̥eg
15831 鬄 施隻 書昔入三開 ɕiᴇk 錫 l̥eg
15832 鬄 思積 心昔入三開 siᴇk 錫 l̥^{j}eg
15833 鶍 思積 心昔入三開 siᴇk 錫 l̥^{j}eg
15834 剔 他歷 透錫入四開 t^{h}ek 錫 l̥e̱g
15835 惕 他歷 透錫入四開 t^{h}ek 錫 l̥e̱g
15836 鶍 他歷 透錫入四開 t^{h}ek 錫 l̥e̱g
15837 踢 他歷 透錫入四開 t^{h}ek 錫 l̥e̱g
15838 鬄 他歷 透錫入四開 t^{h}ek 錫 l̥e̱g
15839 錫 先擊 心錫入四開 sek 錫 l̥^{j}e̱g
15840 裼 先擊 心錫入四開 sek 錫 l̥^{j}e̱g
15841 緆 先擊 心錫入四開 sek 錫 l̥^{j}e̱g
15842 猲[10] 陟革 知麥入二開 ʈ^{ɯ}ɛk 錫 te̱g
15843 舓 神帋 船支上三開 ʑie 佳 l^{j}e̱ʔ
15844 舐 神帋 船支上三開 ʑie 佳 l^{j}e̱ʔ
15845 餳 徐盈 邪清平三開 ziᴇŋ 耕 l^{j}eŋ

𢊁 yì

15846 肆 羊至 以脂去三開 ji 質^{9} ligs
15847 𢊁 羊至 以脂去三開 ji 質^{9} ligs
15848 隸 息利 心脂去三開 si 質^{9} l̥^{j}igs
15849 𢊁 息利 心脂去三開 si 質^{9} l̥^{j}igs
15850 肄 息利 心脂去三開 si 質^{9} l̥^{j}igs
15851 𢊁 特計 定齊去四開 dei 質^{9} li̱gs

益 yì

15852 益 伊昔 影昔入三開 ʔiᴇk 錫 qeg
15853 謚 伊昔 影昔入三開 ʔiᴇk 錫 qeg

埶 yì

15854 囈 魚祭 疑祭去A開 ŋiᴇi 月^{e} ŋeds
15855 藝 魚祭 疑祭去A開 ŋiᴇi 月^{e} ŋeds
15856 蓺 魚祭 疑祭去A開 ŋiᴇi 月^{e} ŋeds
15857 槸 魚祭 疑祭去A開 ŋiᴇi 月^{e} ŋeds
15858 褹 魚祭 疑祭去A開 ŋiᴇi 月^{e} ŋeds
15859 埶 魚祭 疑祭去A開 ŋiᴇi 月^{e} ŋeds
15860 勢 舒制 書祭去三開 ɕiᴇi 月^{e} ŋ̊^{hj}eds
15861 熱 如列 日薛入三開 ɲiᴇt 月^{e} ŋ^{j}ed
15862 爇[11] 如劣 日薛入三合 ɲ^{w}iᴇt 月^{e} ŋ^{wj}ed
15863 𧊅 私列 心薛入三開 siᴇt 月^{e} sŋed
15864 褻 私列 心薛入三開 siᴇt 月^{e} sŋed
15865 㸃 私列 心薛入三開 siᴇt 月^{e} sŋed
15866 槷 五結 疑屑入四開 ŋet 月^{e} ŋe̱d
15867 褹 女介 娘皆去二開 ɳ^{ɯ}ɛi 月^{e} ŋl̥e̱ds

---

1 见"營"字注。
2 见"營"字注。
3 见"營"字注。
4 见"營"字注。
5 见"營"字注。
6 见"營"字注。
7 见"弦"字注。
8 见"街"字注。
9 见"營"字注。
10 见定母和澄母"荼"字注。
11 肖祎科：《广雅·释诂二》："焫，爇也。"王念孙《疏证》："焫即爇字也。……爇、熱、焫竝通。"此字应该是"熱"的训读字。

異 yì

15868 異[1] 羊吏 以之去三開 jɨ 職 ɢlɯgs
15869 潩 羊吏 以之去三開 jɨ 職 ɢlɯgs
15870 萁 羊吏 以之去三開 jɨ 職 ɢlɯgs
15871 廙 羊吏 以之去三開 jɨ 職 ɢlɯgs
15872 趩 恥力 徹職入三開 ʈ^{h}ɨk 職 k^{h}lɯg
15873 瀷 昌力 昌職入三開 tɕ^{h}ɨk 職 k^{h}l^{j}ɯg
15874 潩 與職 以職入三開 jɨk 職 ɢlɯg
15875 匴 與職 以職入三開 jɨk 職 ɢlɯg
15876 趩 與職 以職入三開 jɨk 職 ɢlɯg
15877 瀷 與職 以職入三開 jɨk 職 ɢlɯg
15878 糞 與職 以職入三開 jɨk 職 ɢlɯg
15879 廙 與職 以職入三開 jɨk 職 ɢlɯg
15880 翼 與職 以職入三開 jɨk 職 ɢlɯg
15881 蛡 與職 以職入三開 jɨk 職 ɢlɯg
15882 廙 胥里 心之上三開 sɨ 之 sk^{l}ɯʔ

逸 yì

15883 逸 夷質 以質入三開 jit 質^{d} lid

豙 yì

15884 毅 魚既 疑微去三開 ŋɤi 物^{ɯ} ŋgɯds
15885 豙 魚既 疑微去三開 ŋɤi 物^{ɯ} ŋgɯds
15886 藙 魚既 疑微去三開 ŋɤi 物^{ɯ} ŋgɯds
15887 顡 魚既 疑微去三開 ŋɤi 物^{ɯ} ŋgɯds
15888 顡[2] 五罪 疑灰上一合 ŋu̯oi 微^{ɯ} ŋgɯ̠lʔ
15889 顡[3] 迍怪 知皆去二合 ʈ^{wɯ}ɛi 微^{ɯ} klɯ̠ls
15890 豙 魚記 疑之去三開 ŋɨ 之 ŋgɯs

啻 yì

15891 意 於記 影之去三開 ʔɨ 職 qɯgs
15892 鷾 於記 影之去三開 ʔɨ 職 qɯgs
15893 意 乙力 影職入三開 ʔɨk 職 qɯg
15894 憶 於力 影職入三開 ʔɨk 職 qɯg
15895 億 於力 影職入三開 ʔɨk 職 qɯg
15896 臆 於力 影職入三開 ʔɨk 職 qɯg
15897 啻 於力 影職入三開 ʔɨk 職 qɯg
15898 繶 於力 影職入三開 ʔɨk 職 qɯg
15899 醷 於力 影職入三開 ʔɨk 職 qɯg
15900 澺 於力 影職入三開 ʔɨk 職 qɯg
15901 薏 於力 影職入三開 ʔɨk 職 qɯg
15902 檍 於力 影職入三開 ʔɨk 職 qɯg
15903 噫 烏界 影皆去二開 ʔ^{ɯ}ɛi 職 q^{r}ɯ̠gs
15904 譩 於其 影之平三開 ʔɨ 之 qɯ
15905 噫 於其 影之平三開 ʔɨ 之 qɯ
15906 譩 於擬 影之上三開 ʔɨ 之 qɯʔ
15907 醷 於擬 影之上三開 ʔɨ 之 qɯʔ
15908 譩 於希 影微平三開 ʔɤi 微^{ɯ} qɯl

裔 yì

15909 裔 餘制 以祭去三開 jiᴇi 月^{e} leds
15910 澨 餘制 以祭去三開 jiᴇi 月^{e} leds

溢 yì

15911 謚 神至 船脂去三開 ʑi 質^{g} ɢ^{j}igs
15912 溢[4] 夷質 以質入三開 jit 質^{g} ɢig
15913 鎰 夷質 以質入三開 jit 質^{g} ɢig

劓 yì

15914 劓 魚器 疑脂去B 開 ŋɨi 質^{d} ŋ^{r}ids

因 yīn

15915 因 於真 影真平A 開 ʔin 真^{n} qin
15916 茵 於真 影真平A 開 ʔin 真^{n} qin
15917 駰 於真 影真平A 開 ʔin 真^{n} qin
15918 烟 於真 影真平A 開 ʔin 真^{n} qin
15919 氤 於真 影真平A 開 ʔin 真^{n} qin
15920 絪 於真 影真平A 開 ʔin 真^{n} qin
15921 洇 於真 影真平A 開 ʔin 真^{n} qin
15922 姻 於真 影真平A 開 ʔin 真^{n} qin
15923 裀 於真 影真平A 開 ʔin 真^{n} qin

1　以母“異”通见母“幾”。《阜阳汉简・阜春四》：“幾（異）日，智柏（伯）与襄子歓（飲）酒而譁襄□。”故以母“異”上古带前冠音*ɢlɯgs>*lɯgs>中古 jɨ。

2　见“存”字注。

3　蔡梦麒：切语上字原作“他”，据元泰定本及《集韵》改。巾箱本、《四库全书》原本作“辿”，蓋“迍”之形讹。《王一》《王三》作“知怪反”，声母同。《七音略》《切韵指南》均将此字列知母位置，《韵镜》空缺。声符应是开口，变作合口，见“存”字注。

4　李豪：“溢”与“益”属于两个谐声系列，不具有谐声关系。“鎰”“謚”属“溢”声系列，“鹢”属于“益”声系列。

15924 捆 於真 影真平A 開 ʔin 真^{n} qin
15925 駰 於巾 影真平B 開 ʔɨin 真^{n} q^{r}in
15926 烟 烏前 影先平四開 ʔen 真^{n} qi̱n
15927 咽 烏前 影先平四開 ʔen 真^{n} qi̱n
15928 胭 烏前 影先平四開 ʔen 真^{n} qi̱n
15929 珚 因蓮 影先平四開 ʔen 真^{n} qi̱n
15930 咽 於甸 影先去四開 ʔen 真^{n} qi̱ns
15931 咽 烏結 影屑入四開 ʔet 質^{d} qi̱d
15932 㹞 烏結 影屑入四開 ʔet 質^{d} qi̱d
15933 欭 乙冀 影脂去B 開 ʔɨi 脂^{l} q^{r}ils
15934 恩 烏痕 影痕平一開 ʔən 文^{ɯ} qɯ̱n

垔 yīn

15935 緸 伊真 影真平A 開 ʔin 真^{n} qin
15936 䃌 伊真 影真平A 開 ʔin 真^{n} qin
15937 禋 於真 影真平A 開 ʔin 真^{n} qin
15938 闉 於真 影真平A 開 ʔin 真^{n} qin
15939 湮 於真 影真平A 開 ʔin 真^{n} qin
15940 垔 於真 影真平A 開 ʔin 真^{n} qin
15941 堙 於真 影真平A 開 ʔin 真^{n} qin
15942 諲 於真 影真平A 開 ʔin 真^{n} qin
15943 䅧 於真 影真平A 開 ʔin 真^{n} qin
15944 歅 於真 影真平A 開 ʔin 真^{n} qin
15945 㢕 於刃 影真去A 開 ʔin 真^{n} qins
15946 䃌 之人 章真平三開 tɕin 真^{n} k^{j}in
15947 甄[1] 職鄰 章真平三開 tɕin 真^{n} k^{j}in
15948 籈[2] 職鄰 章真平三開 tɕin 真^{n} k^{j}in
15949 蘣[3] 職鄰 章真平三開 tɕin 真^{n} k^{j}in
15950 湮 烏前 影先平四開 ʔen 真^{n} qi̱n
15951 煙 烏前 影先平四開 ʔen 真^{n} qi̱n
15952 䅧 烏閑 影山平二開 ʔ^{ɯ}ɛn 真^{n} q^{r}i̱n
15953 黫 烏閑 影山平二開 ʔ^{ɯ}ɛn 真^{n} q^{r}i̱n
15954 㖶 於閑 影山平二開 ʔ^{ɯ}ɛn 真^{n} q^{r}i̱n
15955 鶠 稽延 見仙平A 開 kiᴇn 元^{e} ken
15956 甄 居延 見仙平A 開 kiᴇn 元^{e} ken
15957 蘣 居延 見仙平A 開 kiᴇn 元^{e} ken
15958 籈 居延 見仙平A 開 kiᴇn 元^{e} ken
15959 鄄 吉掾 見仙去A 合 k^{w}iᴇn 元^{e} k^{w}ens
15960 鶠 諸延 章仙平三開 tɕiᴇn 元^{e} k^{j}en
15961 䅧 烏奚 影齊平四開 ʔei 歌^{e} qe̱l

音 yīn

15962 愔 挹淫 影侵平A 開 ʔim 侵^{ɯ} qɯm
15963 韾 挹淫 影侵平A 開 ʔim 侵^{ɯ} qɯm
15964 音 於金 影侵平B 開 ʔɨim 侵^{ɯ} q^{r}ɯm
15965 隌 於金 影侵平B 開 ʔɨim 侵^{ɯ} q^{r}ɯm
15966 瘖 於金 影侵平B 開 ʔɨim 侵^{ɯ} q^{r}ɯm
15967 喑 於金 影侵平B 開 ʔɨim 侵^{ɯ} q^{r}ɯm
15968 歆 許金 曉侵平B 開 hɨim 侵^{ɯ} q^{hr}ɯm
15969 瀶 於錦 影侵上B 開 ʔɨim 侵^{ɯ} q^{r}ɯmʔ
15970 窨 於禁 影侵去B 開 ʔɨim 侵^{ɯ} q^{r}ɯms
15971 喑 於禁 影侵去B 開 ʔɨim 侵^{ɯ} q^{r}ɯms
15972 諳 烏含 影覃平一開 ʔəm 侵^{ɯ} qɯ̱m
15973 喑 烏含 影覃平一開 ʔəm 侵^{ɯ} qɯ̱m
15974 揞 烏感 影覃上一開 ʔəm 侵^{ɯ} qɯ̱mʔ
15975 隌 烏感 影覃上一開 ʔəm 侵^{ɯ} qɯ̱mʔ
15976 罯 烏感 影覃上一開 ʔəm 侵^{ɯ} qɯ̱mʔ
15977 瀶 烏感 影覃上一開 ʔəm 侵^{ɯ} qɯ̱mʔ
15978 暗 烏紺 影覃去一開 ʔəm 侵^{ɯ} qɯ̱ms
15979 闇 烏紺 影覃去一開 ʔəm 侵^{ɯ} qɯ̱ms
15980 㹱 乙咸 影咸平二開 ʔ^{ɯ}ɛm 侵^{ɯ} q^{r}ɯ̱m
15981 黯 乙咸 影咸平二開 ʔ^{ɯ}ɛm 侵^{ɯ} q^{r}ɯ̱m
15982 黯 乙減 影咸上二開 ʔ^{ɯ}ɛm 侵^{ɯ} q^{r}ɯ̱mʔ
15983 㹱 於陷 影咸去二開 ʔ^{ɯ}ɛm 侵^{ɯ} q^{r}ɯ̱ms
15984 揞 於陷 影咸去二開 ʔ^{ɯ}ɛm 侵^{ɯ} q^{r}ɯ̱ms
15985 湆 去急 溪緝入B 開 k^{h}ɨip 緝^{ɯ} k^{hr}ɯb
15986 罯 烏合 影合入一開 ʔəp 緝^{ɯ} qɯ̱b

殷 yīn

15987 殷 於斤 影殷平三開 ʔɨn 文^{ɯ} qɯn
15988 慇 於斤 影殷平三開 ʔɨn 文^{ɯ} qɯn
15989 磤 於謹 影殷上三開 ʔɨn 文^{ɯ} qɯnʔ
15990 㐆 於謹 影殷上三開 ʔɨn 文^{ɯ} qɯnʔ
15991 殷 烏閑 影山平二開 ʔ^{ɯ}ɛn 文^{ɯ} q^{r}ɯ̱n
15992 㐆 於希 影微平三開 ʔɤi 微^{ɯ} qɯl

冘 yín

15993 炈 巨金 群侵平B 開 gɨim 侵^{u} g^{r}um

1 见"真"字注。
2 见"真"字注。
3 见"真"字注。

15994 沈 直深 澄侵平三開 ɖim 侵^{u} glum
15995 莐 直深 澄侵平三開 ɖim 侵^{u} glum
15996 霃 直深 澄侵平三開 ɖim 侵^{u} glum
15997 枕 直深 澄侵平三開 ɖim 侵^{u} glum
15998 鈂 直深 澄侵平三開 ɖim 侵^{u} glum
15999 ⿱艹冘 直深 澄侵平三開 ɖim 侵^{u} glum
16000 忱 氏任 禪侵平三開 dʑim 侵^{u} gl^{j}um
16001 訦 氏任 禪侵平三開 dʑim 侵^{u} gl^{j}um
16002 鈂 昨淫 從侵平三開 dzim 侵^{u} sglum
16003 冘 餘針 以侵平三開 jim 侵^{u} ɢlum
16004 ⿰冘殳 張甚 知侵上三開 ʈim 侵^{u} klumʔ
16005 枕 章荏 章侵上三開 tɕim 侵^{u} kl^{j}umʔ
16006 頕 章荏 章侵上三開 tɕim 侵^{u} kl^{j}umʔ
16007 沈[1] 式荏 書侵上三開 ɕim 侵^{u} q^{h}lumʔ
16008 枕 之任 章侵去三開 tɕim 侵^{u} kl^{j}ums
16009 鴆 直禁 澄侵去三開 ɖim 侵^{u} glums
16010 沈 直禁 澄侵去三開 ɖim 侵^{u} glums
16011 耽 丁含 端覃平一開 təm 侵^{u} klu̠m
16012 眈 丁含 端覃平一開 təm 侵^{u} klu̠m
16013 酖 丁含 端覃平一開 təm 侵^{u} klu̠m
16014 妉 丁含 端覃平一開 təm 侵^{u} klu̠m
16015 眈 徒含 定覃平一開 dəm 侵^{u} glu̠m
16016 黕 都感 端覃上一開 təm 侵^{u} klu̠mʔ
16017 眈 都感 端覃上一開 təm 侵^{u} klu̠mʔ
16018 頕 都感 端覃上一開 təm 侵^{u} klu̠mʔ
16019 ⿰冘瓦 都感 端覃上一開 təm 侵^{u} klu̠mʔ
16020 抌 都感 端覃上一開 təm 侵^{u} klu̠mʔ
16021 監 他感 透覃上一開 t^{h}əm 侵^{u} k^{h}lu̠mʔ
16022 肬 他感 透覃上一開 t^{h}əm 侵^{u} k^{h}lu̠mʔ
16023 髧 徒感 定覃上一開 dəm 侵^{u} glu̠mʔ
16024 紞[2] 都敢 端談上一開 tɑm 談^{o} klo̠mʔ
16025 ⿱艹冘[3] 都敢 端談上一開 tɑm 談^{o} klo̠mʔ

乑 yín

16026 ⿱雨乑 魚金 疑侵平B 開 ŋɨim 侵^{ɯ} ŋ^{r}ɯm
16027 乑 魚金 疑侵平B 開 ŋɨim 侵^{ɯ} ŋ^{r}ɯm
16028 ⿱雨乑 擬皆 疑皆平二開 ŋ^{ɯ}ɛi 微^{ɯ} ŋ^{r}ɯ̠l

犾 yín

16029 犾 語斤 疑殷平三開 ŋɨn 文^{ɯ} ŋɯn

㸒 yín

16030 淫 餘針 以侵平三開 jim 侵^{u} ɢlum
16031 霪 餘針 以侵平三開 jim 侵^{u} ɢlum
16032 婬 餘針 以侵平三開 jim 侵^{u} ɢlum
16033 㸒[4] 餘針 以侵平三開 jim 侵^{u} ɢlum

寅 yín

16034 寅 翼真 以真平三開 jin 真^{n} lin
16035 夤 翼真 以真平三開 jin 真^{n} lin
16036 黄 翼真 以真平三開 jin 真^{n} lin
16037 螾 翼真 以真平三開 jin 真^{n} lin
16038 螾 余忍 以真上三開 jin 真^{n} linʔ
16039 濥 余忍 以真上三開 jin 真^{n} linʔ
16040 戭 余忍 以真上三開 jin 真^{n} linʔ
16041 縯 余忍 以真上三開 jin 真^{n} linʔ
16042 螾 余刃 以真去三開 jin 真^{n} lins
16043 濥 羊晉 以真去三開 jin 真^{n} lins
16044 演 以淺 以仙上三開 jiɛn 元^{e} lenʔ
16045 縯 以淺 以仙上三開 jiɛn 元^{e} lenʔ
16046 黄 以淺 以仙上三開 jiɛn 元^{e} lenʔ
16047 戭 以淺 以仙上三開 jiɛn 元^{e} lenʔ
16048 鏔 以脂 以脂平三開 ji 脂^{l} lil
16049 黄 以脂 以脂平三開 ji 脂^{l} lil
16050 寅 以脂 以脂平三開 ji 脂^{l} lil
16051 鏔 與之 以之平三開 jɨ 之 lɯ
16052 瞚 輸閏 書真去三合 ɕ^{w}in 文^{u} l̥uns

齗 yín

16053 齗 語巾 疑真平B 開 ŋɨin 真^{n} ŋ^{r}in

乚 yǐn

16054 乚 於謹 影殷上三開 ʔɨn 文^{ɯ} qɯnʔ

1 见"審"字注。
2 覃韵读入谈韵,与"三"的变化相同。
3 覃韵读入谈韵,与"三"的变化相同。
4 《古文四声韵》引古《孝经》、古《老子》"禁"分别作"㸒"。上博《孔子见季桓子》简17"㸒"与传抄古文正合"禁"。《春官·司服》注:"鄭司農云:淫讀爲廞。"禁音 *k^{r}um,可见"㸒"上古为 *ɢlum>*lɯm>jim。

尹 yǐn

16055 尹[1]余準 以真上三合 j^{w}in 文^{u} ɢunʔ
16056 䒘[2]余準 以真上三合 j^{w}in 文^{u} ɢunʔ
16057 茾[3]羊捶 以支上三合 j^{w}ie 歌^{o} ɢolʔ
16058 茾[4]餘律 以質入三合 j^{w}it 物^{u} ɢud

引 yǐn

16059 紖 直引 澄真上三開 ɖin 真^{n} glinʔ
16060 矧 直引 澄真上三開 ɖin 真^{n} glinʔ
16061 矤 式忍 書真上三開 ɕin 真^{n} q^{h}linʔ
16062 弞 式忍 書真上三開 ɕin 真^{n} q^{h}linʔ
16063 引 余忍 以真上三開 jin 真^{n} ɢlinʔ
16064 蚓[5]余忍 以真上三開 jin 真^{n} ɢlinʔ
16065 弞 余忍 以真上三開 jin 真^{n} ɢlinʔ
16066 朄 余忍 以真上三開 jin 真^{n} ɢlinʔ
16067 釿 余忍 以真上三開 jin 真^{n} ɢlinʔ
16068 靷 余忍 以真上三開 jin 真^{n} ɢlinʔ
16069 靷 羊晉 以真去三開 jin 真^{n} ɢlins
16070 引 羊晉 以真去三開 jin 真^{n} ɢlins
16071 朄 羊晉 以真去三開 jin 真^{n} ɢlins
16072 釿 羊晉 以真去三開 jin 真^{n} ɢlins
16073 蚓 余刃 以真去三開 jin 真^{n} ɢlins

廴 yǐn

16074 廴 余忍 以真上三開 jin 真^{n} linʔ

㥯 yìn

16075 濦 於覲 影真去B 開 ʔɨin 文^{ɯ} q^{ˤ}ɯns
16076 濦 於斤 影殷平三開 ʔɨn 文^{ɯ} qɯn
16077 濦 於謹 影殷上三開 ʔɨn 文^{ɯ} qɯnʔ
16078 輼 於謹 影殷上三開 ʔɨn 文^{ɯ} qɯnʔ
16079 讔 倚謹 影殷上三開 ʔɨn 文^{ɯ} qɯnʔ
16080 隱 於謹 影殷上三開 ʔɨn 文^{ɯ} qɯnʔ
16081 㥯 於謹 影殷上三開 ʔɨn 文^{ɯ} qɯnʔ
16082 檃 於謹 影殷上三開 ʔɨn 文^{ɯ} qɯnʔ
16083 癮 倚謹 影殷上三開 ʔɨn 文^{ɯ} qɯnʔ
16084 蘟 倚謹 影殷上三開 ʔɨn 文^{ɯ} qɯnʔ
16085 㥯 於靳 影殷去三開 ʔɨn 文^{ɯ} qɯns
16086 㥯 於靳 影殷去三開 ʔɨn 文^{ɯ} qɯns
16087 濦 於靳 影殷去三開 ʔɨn 文^{ɯ} qɯns
16088 隱 於靳 影殷去三開 ʔɨn 文^{ɯ} qɯns
16089 檃 於靳 影殷去三開 ʔɨn 文^{ɯ} qɯns
16090 穩[6]烏本 影魂上一合 ʔu̯on 文^{ɯ} qɯ̯nʔ
16091 饐 烏恨 影痕去一開 ʔən 文^{ɯ} qɯ̯ns
16092 饐[7]烏困 影魂去一合 ʔu̯on 文^{ɯ} qɯ̯ns

印 yìn

16093 茚 伊刃 影真去A 開 ʔin 真^{ŋ} qiŋs
16094 印 於刃 影真去A 開 ʔin 真^{ŋ} qiŋs

胤 yìn

16095 胤[8]羊晉 以真去三開 jin 文^{u} ɢuns
16096 酳[9]羊晉 以真去三開 jin 文^{u} ɢuns

雁 yīng

16097 蠅 於陵 影蒸平三開 ʔɨŋ 蒸 qɯŋ
16098 雁 於陵 影蒸平三開 ʔɨŋ 蒸 qɯŋ
16099 膺 於陵 影蒸平三開 ʔɨŋ 蒸 qɯŋ
16100 應 於陵 影蒸平三開 ʔɨŋ 蒸 qɯŋ
16101 鷹 於陵 影蒸平三開 ʔɨŋ 蒸 qɯŋ
16102 膺 於證 影蒸去三開 ʔɨŋ 蒸 qɯŋs
16103 應 於證 影蒸去三開 ʔɨŋ 蒸 qɯŋs

嬰 yīng

16104 嬰 於盈 影清平三開 ʔiɛŋ 耕 qeŋ
16105 纓 於盈 影清平三開 ʔiɛŋ 耕 qeŋ
16106 攖 於盈 影清平三開 ʔiɛŋ 耕 qeŋ
16107 郹 於盈 影清平三開 ʔiɛŋ 耕 qeŋ
16108 賏 於盈 影清平三開 ʔiɛŋ 耕 qeŋ

---

1 “尹”通“君”*kun，上古音当是*ɢunʔ，小舌音对 u 发生异化：*ɢun>*ɢ^{w}in>j^{w}in。
2 见“尹”字注。
3 见“尹”字注。
4 见“尹”字注。
5 通“螼”，《说文》：“螼，螾也。”
6 见“存”字注。
7 见“存”字注。
8 《诗·大雅·既醉》“永錫祚胤”，《国语·周语》引“胤”作“允”。“胤”上古合口，中古变成开口，见“酌”字注。
9 《仪礼·特牲馈食礼》“升酌酳尸”，郑注：“古文酳皆爲酌。”按“酌”当作“胤”。

16109 褮 於盈 影清平三開 ʔiᴇŋ 耕 qeŋ

16110 廮 於郢 影清上三開 ʔiᴇŋ 耕 qeŋʔ

16111 郻 於郢 影清上三開 ʔiᴇŋ 耕 qeŋʔ

16112 瘿 於郢 影清上三開 ʔiᴇŋ 耕 qeŋʔ

16113 賏 於敬 影庚去三開 ʔiæŋ 耕 qʳeŋs

16114 濴 烟涬 影青上四開 ʔeŋ 耕 qe̱ŋʔ

16115 濴 莫迥 明青上四開 meŋ 耕 mqˡe̱ŋʔ

16116 罌 烏莖 影耕平二開 ʔᵚɛŋ 耕 qʳe̱ŋ

16117 嚶 烏莖 影耕平二開 ʔᵚɛŋ 耕 qʳe̱ŋ

16118 櫻 烏莖 影耕平二開 ʔᵚɛŋ 耕 qʳe̱ŋ

16119 鸚 烏莖 影耕平二開 ʔᵚɛŋ 耕 qʳe̱ŋ

16120 譻 烏莖 影耕平二開 ʔᵚɛŋ 耕 qʳe̱ŋ

16121 鶯 烏莖 影耕平二開 ʔᵚɛŋ 耕 qʳe̱ŋ

16122 濴[1] 於孟 影耕去二開 ʔᵚɛŋ 耕 qʳe̱ŋs

盈 yíng

16123 盈[2] 以成 以清平三開 jiᴇŋ 耕 ɢleŋ

16124 楹 以成 以清平三開 jiᴇŋ 耕 ɢleŋ

16125 緼 他丁 透青平四開 tʰeŋ 耕 kʰle̱ŋ

熒 yíng

16126 榮 永兵 云庚平三合 ɦᶤʷiæŋ 耕 ɢʷʳeŋ

16127 禜 永兵 云庚平三合 ɦᶤʷiæŋ 耕 ɢʷʳeŋ

16128 蠑 永兵 云庚平三合 ɦᶤʷiæŋ 耕 ɢʷʳeŋ

16129 瑩 永兵 云庚平三合 ɦᶤʷiæŋ 耕 ɢʷʳeŋ

16130 嶸 永兵 云庚平三合 ɦᶤʷiæŋ 耕 ɢʷʳeŋ

16131 藀 渠營 群清平三合 ɡʷiᴇŋ 耕 ɡʷeŋ

16132 煢 渠營 群清平三合 ɡʷiᴇŋ 耕 ɡʷeŋ

16133 輂 渠營 群清平三合 ɡʷiᴇŋ 耕 ɡʷeŋ

16134 儝[3] 渠營 群清平三合 ɡʷiᴇŋ 耕 ɡʷeŋ

16135 藀 娟營 影清平三合 ʔʷiᴇŋ 耕 qʷeŋ

16136 縈 於營 影清平三合 ʔʷiᴇŋ 耕 qʷeŋ

16137 褮 於營 影清平三合 ʔʷiᴇŋ 耕 qʷeŋ

16138 嫈 於營 影清平三合 ʔʷiᴇŋ 耕 qʷeŋ

16139 營[4] 余傾 以清平三合 jʷiᴇŋ 耕 ɢʷeŋ

16140 鎣[5] 余傾 以清平三合 jʷiᴇŋ 耕 ɢʷeŋ

16141 塋[6] 余傾 以清平三合 jʷiᴇŋ 耕 ɢʷeŋ

16142 朁[7] 余傾 以清平三合 jʷiᴇŋ 耕 ɢʷeŋ

16143 濼[8] 余傾 以清平三合 jʷiᴇŋ 耕 ɢʷeŋ

16144 誉[9] 余傾 以清平三合 jʷiᴇŋ 耕 ɢʷeŋ

16145 檾 去潁 溪清上三合 kʰʷiᴇŋ 耕 kʷʰeŋʔ

16146 弅[10] 庾頃 以清上三合 jʷiᴇŋ 耕 ɢʷeŋʔ

16147 禜 爲命 云庚去三合 ɦᶤʷiæŋ 耕 ɢʷʳeŋs

16148 醟 爲命 云庚去三合 ɦᶤʷiæŋ 耕 ɢʷʳeŋs

16149 醟 休正 曉清去三合 hʷiᴇŋ 耕 qʷʰeŋs

16150 熒 户扃 匣青平四合 ɦʷeŋ 耕 ɡʷe̱ŋ

16151 褮 户扃 匣青平四合 ɦʷeŋ 耕 ɡʷe̱ŋ

16152 螢 户扃 匣青平四合 ɦʷeŋ 耕 ɡʷe̱ŋ

16153 滎 户扃 匣青平四合 ɦʷeŋ 耕 ɡʷe̱ŋ

16154 朁 户扃 匣青平四合 ɦʷeŋ 耕 ɡʷe̱ŋ

16155 巆 玄扃 匣青平四合 ɦʷeŋ 耕 ɡʷe̱ŋ

16156 熒[11] 户經 匣青平四開 ɦeŋ 耕 ɡʷe̱ŋ

16157 檾 口迥 溪青上四合 kʰʷeŋ 耕 kʷʰe̱ŋʔ

16158 濙 烏迥 影青上四合 ʔʷeŋ 耕 qʷe̱ŋʔ

16159 弅 烏迥 影青上四合 ʔʷeŋ 耕 qʷe̱ŋʔ

16160 鎣 烏定 影青去四合 ʔʷeŋ 耕 qʷe̱ŋs

16161 瑩 烏定 影青去四合 ʔʷeŋ 耕 qʷe̱ŋs

16162 巆 乎萌 匣耕平二合 ɦʷᵚɛŋ 耕 ɡʷʳe̱ŋ

16163 嶸 户萌 匣耕平二合 ɦʷᵚɛŋ 耕 ɡʷʳe̱ŋ

16164 謍 烏宏 影耕平二合 ʔʷᵚɛŋ 耕 qʷʳe̱ŋ

16165 罃[12] 烏莖 影耕平二開 ʔᵚɛŋ 耕 qʷʳe̱ŋ

16166 鶯[13] 烏莖 影耕平二開 ʔᵚɛŋ 耕 qʷʳe̱ŋ

16167 嫈[14] 烏莖 影耕平二開 ʔᵚɛŋ 耕 qʷʳe̱ŋ

16168 褮[15] 烏莖 影耕平二開 ʔᵚɛŋ 耕 qʷʳe̱ŋ

16169 謍[16] 虎横 曉耕平二合 hʷᵚɛŋ 耕 qʷʰʳe̱ŋ

---

1 原为庚韵，但是根据谐声系统应该为耕韵，《切韵》音系二等有耕、庚的历史层次。

2 《易・屯・彖传》：“雷雨之動滿盈。”《集解》“盈”作“形”。《老子》二章：“高下相傾。”汉帛书甲本、乙本“傾”作“盈”。“形”音 * ɡe̱ŋ，“傾”音 * kʰʷeŋ，故“盈”带软腭冠音 * ɢleŋ> * leŋ>jᴇŋ。

3 《广韵》作“儝”。

4 云母合口在前高元音后变为以母。

5 见“營”字注。

6 见“營”字注。

7 见“營”字注。

8 见“營”字注。

9 见“營”字注。

10 见“營”字注。

11 见“弦”字注。

12 见“街”字注。

13 见“街”字注。

14 见“街”字注。

15 见“街”字注。

16 原为庚韵，但是根据谐声系统应该为耕韵，《切韵》音系二等有耕、庚的历史层次。

16170 瞢[1] 烏猛 影耕上二開 ʔᵚɛŋ 耕 qʳe̱ŋʔ

16171 嫈 鷖迸 影耕去二合 ʔʷᵚɛŋ 耕 qʷʳe̱ŋs

嬴 yíng

16172 礝 怡成 以清平三開 jiᴇŋ 耕 ɢleŋ

16173 嬴[2] 以成 以清平三開 jiᴇŋ 耕 ɢleŋ

16174 孆 以成 以清平三開 jiᴇŋ 耕 ɢleŋ

16175 瀛 以成 以清平三開 jiᴇŋ 耕 ɢleŋ

16176 籯 以成 以清平三開 jiᴇŋ 耕 ɢleŋ

16177 贏 以成 以清平三開 jiᴇŋ 耕 ɢleŋ

16178 攍 以成 以清平三開 jiᴇŋ 耕 ɢleŋ

邕 yōng

16179 邕 於容 影鍾平三合 ʔiʊŋ 東 qoŋ

16180 雍 於容 影鍾平三合 ʔiʊŋ 東 qoŋ

16181 噰 於容 影鍾平三合 ʔiʊŋ 東 qoŋ

16182 䳌 於容 影鍾平三合 ʔiʊŋ 東 qoŋ

16183 滽 於容 影鍾平三合 ʔiʊŋ 東 qoŋ

16184 癰 於容 影鍾平三合 ʔiʊŋ 東 qoŋ

16185 饔 於容 影鍾平三合 ʔiʊŋ 東 qoŋ

16186 廱 於容 影鍾平三合 ʔiʊŋ 東 qoŋ

16187 饔 於容 影鍾平三合 ʔiʊŋ 東 qoŋ

16188 壅 於容 影鍾平三合 ʔiʊŋ 東 qoŋ

16189 雝 於容 影鍾平三合 ʔiʊŋ 東 qoŋ

16190 灉 於容 影鍾平三合 ʔiʊŋ 東 qoŋ

16191 臃 委勇 影鍾上三合 ʔiʊŋ 東 qoŋʔ

16192 甕 委勇 影鍾上三合 ʔiʊŋ 東 qoŋʔ

16193 擁 於隴 影鍾上三合 ʔiʊŋ 東 qoŋʔ

16194 壅 於隴 影鍾上三合 ʔiʊŋ 東 qoŋʔ

16195 雍 於用 影鍾去三合 ʔiʊŋ 東 qoŋs

16196 灉 於用 影鍾去三合 ʔiʊŋ 東 qoŋs

16197 甕 於用 影鍾去三合 ʔiʊŋ 東 qoŋs

16198 䳌 烏孔 影東上一合 ʔuŋ 東 qo̱ŋʔ

16199 饔 烏貢 影東去一合 ʔuŋ 東 qo̱ŋs

16200 甕 烏貢 影東去一合 ʔuŋ 東 qo̱ŋs

永 yǒng

16201 永[3] 于憬 云庚上三合 ɦᶤʷiæŋ 陽 ɢʳaŋʔ

16202 詠[4] 爲命 云庚去三合 ɦᶤʷiæŋ 陽 ɢʳaŋs

16203 泳[5] 爲命 云庚去三合 ɦᶤʷiæŋ 陽 ɢʳaŋs

用 yòng

16204 傭 丑凶 徹鍾平三合 ʈʰiʊŋ 東 kʰloŋ

16205 鱅 蜀庸 禪鍾平三合 dʑiʊŋ 東 glʲoŋ

16206 慵 蜀庸 禪鍾平三合 dʑiʊŋ 東 glʲoŋ

16207 滽 餘封 以鍾平三合 jiʊŋ 東 ɢloŋ

16208 庸 餘封 以鍾平三合 jiʊŋ 東 ɢloŋ

16209 鏞 餘封 以鍾平三合 jiʊŋ 東 ɢloŋ

16210 墉 餘封 以鍾平三合 jiʊŋ 東 ɢloŋ

16211 鏞 餘封 以鍾平三合 jiʊŋ 東 ɢloŋ

16212 鄘 餘封 以鍾平三合 jiʊŋ 東 ɢloŋ

16213 傭 餘封 以鍾平三合 jiʊŋ 東 ɢloŋ

16214 鱅 餘封 以鍾平三合 jiʊŋ 東 ɢloŋ

16215 鱅 餘封 以鍾平三合 jiʊŋ 東 ɢloŋ

16216 蠣 餘封 以鍾平三合 jiʊŋ 東 ɢloŋ

16217 犝 餘封 以鍾平三合 jiʊŋ 東 ɢloŋ

16218 恿 余隴 以鍾上三合 jiʊŋ 東 ɢloŋʔ

16219 勇 余隴 以鍾上三合 jiʊŋ 東 ɢloŋʔ

16220 涌 余隴 以鍾上三合 jiʊŋ 東 ɢloŋʔ

16221 甬 余隴 以鍾上三合 jiʊŋ 東 ɢloŋʔ

16222 踊 余隴 以鍾上三合 jiʊŋ 東 ɢloŋʔ

16223 通 余隴 以鍾上三合 jiʊŋ 東 ɢloŋʔ

16224 踴 余隴 以鍾上三合 jiʊŋ 東 ɢloŋʔ

16225 悀 余隴 以鍾上三合 jiʊŋ 東 ɢloŋʔ

16226 埇 余隴 以鍾上三合 jiʊŋ 東 ɢloŋʔ

16227 蛹 余隴 以鍾上三合 jiʊŋ 東 ɢloŋʔ

16228 俑 余隴 以鍾上三合 jiʊŋ 東 ɢloŋʔ

16229 誦 似用 邪鍾去三合 ziʊŋ 東 sɡˡoŋs

16230 用[6] 余頌 以鍾去三合 jiʊŋ 東 ɢloŋs

---

1 原为庚韵,但是根据谐声系统应该为耕韵,《切韵》音系二等有耕、庚的历史层次。

2 《晏子春秋·内篇·杂上》:"不復嬴矣。"《荀子·劝学》"嬴"作"挺",《大略》仍作"嬴"。"挺"音 * gle̱ŋ,故"嬴"带冠音 * ɢleŋ> * leŋ>中古 jiᴇŋ。

3 "羕"与"長" * glaŋ 同根,"永"与"羊" * ɢlaŋ 合为双声符,主声符"羊" * ɢlaŋ 带词根 * laŋ,次声符"永"带冠音 * ɢʷ-,应为开口字,小舌音产生合口,故"永"当为 * ɢʳaŋ> * gʷʳaŋ。可比较藏文 rgjaŋ 远< * rjaŋ< * rlaŋ。

4 见"眪"字注。

5 见"眪"字注。

6 "用"通"龔" * kʳoŋ。《墨子·非命(上)》:"帝伐之惡,龔喪厥師。"孙诒让引毕沅:"用爽厥師。"可见"用"带冠音,读 * ɢloŋs> * loŋs,可比较藏文 loŋs 享用。

16231 通[1] 他紅 透東平一合 tʰuŋ 東 kʰlo̱ŋ
16232 俑 他紅 透東平一合 tʰuŋ 東 kʰlo̱ŋ
16233 筩 徒紅 定東平一合 duŋ 東 glo̱ŋ
16234 桶 他孔 透東上一合 tʰuŋ 東 kʰlo̱ŋʔ
16235 桶 徒揔 定東上一合 duŋ 東 glo̱ŋʔ
16236 痛 他貢 透東去一合 tʰuŋ 東 kʰlo̱ŋs

攸 yōu

16237 翛 蘇彫 心蕭平四開 seu 幽ⁱ skˡi̱ʷ
16238 蓨 吐彫 透蕭平四開 tʰeu 幽ⁱ kʰli̱ʷ
16239 鋚 徒聊 定蕭平四開 deu 幽ⁱ gli̱ʷ
16240 儵[2] 徒聊 定蕭平四開 deu 幽ⁱ gli̱ʷ
16241 鞗 徒聊 定蕭平四開 deu 幽ⁱ gli̱ʷ
16242 匬 徒聊 定蕭平四開 deu 幽ⁱ gli̱ʷ
16243 鰷 徒聊 定蕭平四開 deu 幽ⁱ gli̱ʷ
16244 條[3] 徒聊 定蕭平四開 deu 幽ⁱ gli̱ʷ
16245 筱 先鳥 心蕭上四開 seu 幽ⁱ skˡi̱ʷʔ
16246 篠 先鳥 心蕭上四開 seu 幽ⁱ skˡi̱ʷʔ
16247 窱 土了 透蕭上四開 tʰeu 幽ⁱ kʰli̱ʷʔ
16248 窱 他弔 透蕭去四開 tʰeu 幽ⁱ kʰli̱ʷs
16249 莜 徒弔 定蕭去四開 deu 幽ⁱ gli̱ʷs
16250 滫[4] 思留 心尤平三合 siu 幽 skˡu
16251 脩 息流 心尤平三合 siu 幽 skˡu
16252 修 息流 心尤平三合 siu 幽 skˡu
16253 儵 直由 澄尤平三合 ḍiu 幽 glu
16254 莜 夷周 以尤平三合 jiu 幽 ɢlu
16255 悠 以周 以尤平三合 jiu 幽 ɢlu
16256 攸 以周 以尤平三合 jiu 幽 ɢlu
16257 浟 以周 以尤平三合 jiu 幽 ɢlu
16258 滫 息有 心尤上三合 siu 幽 skˡuʔ
16259 眥[5] 他刀 透豪平一開 tʰɑu 幽 kʰlu̱
16260 絛 土刀 透豪平一開 tʰɑu 幽 kʰlu̱
16261 儵 式竹 書屋入三合 ɕiuk 覺 qʰlug
16262 倏 式竹 書屋入三合 ɕiuk 覺 qʰlug
16263 鱅 式竹 書屋入三合 ɕiuk 覺 qʰlug
16264 儵 式竹 書屋入三合 ɕiuk 覺 qʰlug
16265 翛 式竹 書屋入三合 ɕiuk 覺 qʰlug
16266 鱅 余六 以屋入三合 jiuk 覺 ɢlug
16267 蓨 他歷 透錫入四開 tʰek 覺ⁱ kʰli̱gʷ
16268 䑻 他歷 透錫入四開 tʰek 覺ⁱ kʰli̱gʷ
16269 滌 徒歷 定錫入四開 dek 覺ⁱ gli̱gʷ
16270 蓧 徒歷 定錫入四開 dek 覺ⁱ gli̱gʷ
16271 旐 餘昭 以宵平三開 jiᴇu 幽ⁱ ɢliʷ

麀 yōu

16272 麀 於求 影尤平三合 ʔiu 幽 qu
16273 鑣 於刀 影豪平一開 ʔɑu 幽 qu̱
16274 麐 於刀 影豪平一開 ʔɑu 幽 qu̱

憂 yōu

16275 憂 於求 影尤平三合 ʔiu 幽 qˡu
16276 優 於求 影尤平三合 ʔiu 幽 qˡu
16277 瀀 於求 影尤平三合 ʔiu 幽 qˡu
16278 櫌 於求 影尤平三合 ʔiu 幽 qˡu
16279 鄾 於求 影尤平三合 ʔiu 幽 qˡu
16280 嚘 於求 影尤平三合 ʔiu 幽 qˡu
16281 耰 於求 影尤平三合 ʔiu 幽 qˡu
16282 獶 於求 影尤平三合 ʔiu 幽 qˡu
16283 纋 於求 影尤平三合 ʔiu 幽 qˡu
16284 懮 於柳 影尤上三合 ʔiu 幽 qˡuʔ

䍃 yóu

16285 榣 餘昭 以宵平三開 jiᴇu 宵ᵉ leʷ
16286 搖 餘昭 以宵平三開 jiᴇu 宵ᵉ leʷ
16287 謠 餘昭 以宵平三開 jiᴇu 宵ᵉ leʷ
16288 愮 餘昭 以宵平三開 jiᴇu 宵ᵉ leʷ
16289 繇 餘昭 以宵平三開 jiᴇu 宵ᵉ leʷ
16290 鷂 餘昭 以宵平三開 jiᴇu 宵ᵉ leʷ
16291 遥 餘昭 以宵平三開 jiᴇu 宵ᵉ leʷ
16292 媱 餘昭 以宵平三開 jiᴇu 宵ᵉ leʷ
16293 傜 餘昭 以宵平三開 jiᴇu 宵ᵉ leʷ

---

1 缅文 kʰjoŋ2<kʰloŋ2 松弛，故"通"有复铺音。

2 《广韵》作"鋚"。

3 "條"字的词根是 *gliw，带 s-冠音的前缀：*s.gliw>*gliw>diw。"支"上古是 kʲe。这与叙利亚的"塞琉西亚"Seleucia（希腊语 Σελεύκεια）读音切合。可比较藏文中的"嫩枝""嫩條" ltɕug<*lklʲug，其中的前缀 l-对应于汉语的 s-。

4 李豪校：王念孙《读书杂志》："滫，當爲滫，讀與脩同。"见裘锡圭《考古发现的秦汉文字资料对于校读古籍的重要性》。可比较下面几个幽部带流音的字，语义都与"水流貌"相关。以母：*lu 攸浟慦，邪母：*lʲu 泅，来母：*ru 流漻。

5 《说文》或从"丩"声。

16294 繇 餘昭 以宵平三開 jiᴇu 宵^{e} le^{w}
16295 飖 餘昭 以宵平三開 jiᴇu 宵^{e} le^{w}
16296 歈 餘昭 以宵平三開 jiᴇu 宵^{e} le^{w}
16297 蕏 餘昭 以宵平三開 jiᴇu 宵^{e} le^{w}
16298 鰩 餘昭 以宵平三開 jiᴇu 宵^{e} le^{w}
16299 颻 餘昭 以宵平三開 jiᴇu 宵^{e} le^{w}
16300 嗂 餘昭 以宵平三開 jiᴇu 宵^{e} le^{w}
16301 踰 餘昭 以宵平三開 jiᴇu 宵^{e} le^{w}
16302 瑶 餘昭 以宵平三開 jiᴇu 宵^{e} le^{w}
16303 蘨 餘招 以宵平三開 jiᴇu 宵^{e} le^{w}
16304 繇 式招 書宵平三開 ɕiᴇu 宵^{e} l̥e^{w}
16305 蕏 弋照 以宵去三開 jiᴇu 宵^{e} le^{w}s
16306 摇 弋照 以宵去三開 jiᴇu 宵^{e} le^{w}s
16307 鷂 弋照 以宵去三開 jiᴇu 宵^{e} le^{w}s
16308 櫾 以周 以尤平三合 jiu 幽^{i} li^{w}
16309 舎[1] 以周 以尤平三合 jiu 幽^{i} li^{w}
16310 圝[2] 以周 以尤平三合 jiu 幽^{i} li^{w}
16311 䍃[3] 以周 以尤平三合 jiu 幽^{i} li^{w}
16312 繇 以周 以尤平三合 jiu 幽^{i} li^{w}
16313 櫾 余救 以尤去三合 jiu 幽^{i} li^{w}s
16314 繇 直祐 澄尤去三合 ɖiu 幽^{i} li^{w}s

尤 yóu

16315 尤[4] 羽求 云尤平三合 ɦ^{ɨ}iu 之 ɢ^{w}ɯ
16316 疣[5] 羽求 云尤平三合 ɦ^{ɨ}iu 之 ɢ^{w}ɯ
16317 肬[6] 羽求 云尤平三合 ɦ^{ɨ}iu 之 ɢ^{w}ɯ
16318 沋[7] 羽求 云尤平三合 ɦ^{ɨ}iu 之 ɢ^{w}ɯ
16319 訧[8] 羽求 云尤平三合 ɦ^{ɨ}iu 之 ɢ^{w}ɯ
16320 蚘 户恢 匣灰平一合 ɦu̯oi 之 ɢ^{w}ɯ̱

由 yóu

16321 抽 丑鳩 徹尤平三合 ʈ^{h}iu 幽 k^{h}lu
16322 妯 丑鳩 徹尤平三合 ʈ^{h}iu 幽 k^{h}lu
16323 紬 直由 澄尤平三合 ɖiu 幽 glu
16324 怞 直由 澄尤平三合 ɖiu 幽 glu
16325 鮋 直由 澄尤平三合 ɖiu 幽 glu
16326 鮋 市流 禪尤平三合 dʑiu 幽 gl^{j}u
16327 油[9] 以周 以尤平三合 jiu 幽 ɢlu
16328 由[10] 以周 以尤平三合 jiu 幽 ɢlu
16329 蚰 以周 以尤平三合 jiu 幽 ɢlu
16330 鮋 以周 以尤平三合 jiu 幽 ɢlu
16331 邮 以周 以尤平三合 jiu 幽 ɢlu
16332 粤 以周 以尤平三合 jiu 幽 ɢlu
16333 岫 似祐 邪尤去三合 ziu 幽 sg^{l}us
16334 袖 似祐 邪尤去三合 ziu 幽 sg^{l}us
16335 牰 似祐 邪尤去三合 ziu 幽 sg^{l}us
16336 鼬 余救 以尤去三合 jiu 幽 ɢlus
16337 柚 余救 以尤去三合 jiu 幽 ɢlus
16338 油 余救 以尤去三合 jiu 幽 ɢlus
16339 牰 余救 以尤去三合 jiu 幽 ɢlus
16340 駎 直祐 澄尤去三合 ɖiu 覺 glugs
16341 冑 直祐 澄尤去三合 ɖiu 覺 glugs
16342 胄 直祐 澄尤去三合 ɖiu 覺 glugs
16343 宙 直祐 澄尤去三合 ɖiu 覺 glugs
16344 伷 直祐 澄尤去三合 ɖiu 覺 glugs
16345 訷 直祐 澄尤去三合 ɖiu 覺 glugs
16346 苗 丑六 徹屋入三合 ʈ^{h}iuk 覺 k^{h}lug
16347 軸 直六 澄屋入三合 ɖiuk 覺 glug
16348 妯 直六 澄屋入三合 ɖiuk 覺 glug
16349 舳 直六 澄屋入三合 ɖiuk 覺 glug
16350 柚 直六 澄屋入三合 ɖiuk 覺 glug
16351 徆 徒歷 定錫入四開 dek 覺^{i} gli̠g^{w}
16352 迪 徒歷 定錫入四開 dek 覺^{i} gli̠g^{w}
16353 笛 徒歷 定錫入四開 dek 覺^{i} gli̠g^{w}
16354 邮 徒歷 定錫入四開 dek 覺^{i} gli̠g^{w}
16355 苗 徒歷 定錫入四開 dek 覺^{i} gli̠g^{w}

斿 yóu

16356 遊 以周 以尤平三合 jiu 幽 ɢlu
16357 蝣 以周 以尤平三合 jiu 幽 ɢlu

---

1 今"謡"字。

2 又作"囮",是"圝"的异体字。

3 李豪:"䍃"为"繇"之省,其所从字形本为"鼬"的表意初文,但隶楷文字多已从"䍃",今仍之,不再追改。参看曾宪通《说繇》。

4 见"又"字注。

5 见"又"字注。

6 见"又"字注。

7 见"又"字注。

8 见"又"字注。

9 侗台语的"油"借词 klau<* klu,故"油"带冠音 k.lu<* lu。

10 "由"通"攸"k.lu,《易·家人》"無攸遂",《大戴礼记·本命》卢注引"攸"作"由"。

16358 斿 以周 以尤平三合 jiu 幽 ɢlu
16359 游 以周 以尤平三合 jiu 幽 ɢlu

郵 yóu

16360 脽[1] 羽求 云尤平三合 ɦ^{ɨ}iu 之 ɢ^{w}ɯ
16361 郵[2] 羽求 云尤平三合 ɦ^{ɨ}iu 之 ɢ^{w}ɯ

酉 yǒu

16362 遒 即由 精尤平三合 tsiu 幽 sku
16363 蝤 即由 精尤平三合 tsiu 幽 sku
16364 逎 即由 精尤平三合 tsiu 幽 sku
16365 揂 即由 精尤平三合 tsiu 幽 sku
16366 鞧 七由 清尤平三合 ts^{h}iu 幽 sk^{h}u
16367 緧 七由 清尤平三合 ts^{h}iu 幽 sk^{h}u
16368 䤛 七由 清尤平三合 ts^{h}iu 幽 sk^{h}u
16369 趥 七由 清尤平三合 ts^{h}iu 幽 sk^{h}u
16370 酋 自秋 從尤平三合 dziu 幽 sɡu
16371 愐 自秋 從尤平三合 dziu 幽 sɡu
16372 遒 自秋 從尤平三合 dziu 幽 sɡu
16373 崷 自秋 從尤平三合 dziu 幽 sɡu
16374 鰌 自秋 從尤平三合 dziu 幽 sɡu
16375 蝤 自秋 從尤平三合 dziu 幽 sɡu
16376 艏 自秋 從尤平三合 dziu 幽 sɡu
16377 猷 以周 以尤平三合 jiu 幽 ɢlu
16378 猶 以周 以尤平三合 jiu 幽 ɢlu
16379 蕕 以周 以尤平三合 jiu 幽 ɢlu
16380 輶 以周 以尤平三合 jiu 幽 ɢlu
16381 楢 以周 以尤平三合 jiu 幽 ɢlu
16382 庮 以周 以尤平三合 jiu 幽 ɢlu
16383 酒 子酉 精尤上三合 tsiu 幽 skuʔ
16384 醜 昌九 昌尤上三合 tɕ^{h}iu 幽 k^{hj}uʔ
16385 酉[3] 與久 以尤上三合 jiu 幽 ɢluʔ
16386 槱 與久 以尤上三合 jiu 幽 ɢluʔ
16387 庮 與久 以尤上三合 jiu 幽 ɢluʔ
16388 輶 與久 以尤上三合 jiu 幽 ɢluʔ
16389 楢 亦槱 以尤上三合 jiu 幽 ɢluʔ
16390 猶 居祐 見尤去三合 kiu 幽 kus
16391 猶 余救 以尤去三合 jiu 幽 ɢlus
16392 槱 余救 以尤去三合 jiu 幽 ɢlus
16393 輶 余救 以尤去三合 jiu 幽 ɢlus
16394 茜 所六 生屋入三合 ʂiuk 覺 sk^{r}uɡ
16395 敿 七六 清屋入三合 ts^{h}iuk 覺 sk^{h}uɡ
16396 楢 尺沼 昌宵上三開 tɕ^{h}iɛu 幽^{i} k^{hj}i^{w}ʔ
16397 趙[4] 千仲 清東去三合 ts^{h}iuŋ 終 sk^{h}uŋs

卣 yǒu

16398 卤 以周 以尤平三合 jiu 幽 lu
16399 卣[5] 以周 以尤平三合 jiu 幽 lu
16400 鋚 以周 以尤平三合 jiu 幽 lu
16401 䚻 以周 以尤平三合 jiu 幽 lu
16402 蓾 以周 以尤平三合 jiu 幽 lu
16403 卣 與久 以尤上三合 jiu 幽 luʔ
16404 㪍 與久 以尤上三合 jiu 幽 luʔ
16405 鋚 與久 以尤上三合 jiu 幽 luʔ
16406 鋚 弋照 以宵去三開 jiɛu 幽^{i} li^{w}s
16407 卤 徒聊 定蕭平四開 deu 幽^{i} l̠i^{w}

牖 yǒu

16408 牖 與久 以尤上三開 jiu 幽^{ɯ} lɯ^{w}ʔ

又 yòu

16409 疚[6] 云九 云尤上三合 ɦ^{ɨ}iu 之 ɢ^{w}ɯʔ
16410 有[7] 云久 云尤上三合 ɦ^{ɨ}iu 之 ɢ^{w}ɯʔ
16411 右[8] 云久 云尤上三合 ɦ^{ɨ}iu 之 ɢ^{w}ɯʔ
16412 鴧[9] 云久 云尤上三合 ɦ^{ɨ}iu 之 ɢ^{w}ɯʔ
16413 友[10] 云久 云尤上三合 ɦ^{ɨ}iu 之 ɢ^{w}ɯʔ
16414 盍[11] 云久 云尤上三合 ɦ^{ɨ}iu 之 ɢ^{w}ɯʔ

---

1 见“又”字注。

2 见“又”字注。

3 《北京大学藏西汉竹书(伍)·揕輿》:“酉(柳)、七星、張”。“酒”精母。侗台语的“酒”为汉语借词,声母出现软腭、小舌塞音和流音,可见上古汉语“酒”应该读 ɢluʔ>*stuʔ>tsuʔ。可比较仡佬语 k^{h}ɣaːu3,水语 q^{h}aːu3,毛难语 k^{h}aːu3。声符“酉”为地支名,可比较布依 zu4<*ju<*lu,傣西lǎu3。

4 郑张尚芳:反切上字“千”由“子”校改。

5 李豪:今“卣”形实为“卤”形之讹变,犹“囚”字俗或作“囙”。但以“卤”字较为生僻,今定声符为“卣”。

6 见“又”字注。

7 见“又”字注。

8 见“又”字注。

9 见“又”字注。

10 见“又”字注。

11 见“又”字注。

16415 栯[1] 云久 云尤上三合 ɦ^{ɨ}iu 之 ɢ^{w}ɯʔ
16416 洧 榮美 云脂上三合 ɦ^{iw}i 之 ɢ^{wr}ɯʔ
16417 鮪 榮美 云脂上三合 ɦ^{iw}i 之 ɢ^{wr}ɯʔ
16418 痏 榮美 云脂上三合 ɦ^{iw}i 之 ɢ^{wr}ɯʔ
16419 蔿 榮美 云脂上三合 ɦ^{iw}i 之 ɢ^{wr}ɯʔ
16420 琙[2] 許救 曉尤去三合 hiu 之 q^{wh}ɯs
16421 疚[3] 于救 云尤去三合 ɦ^{ɨ}iu 之 ɢ^{w}ɯs
16422 宥[4] 于救 云尤去三合 ɦ^{ɨ}iu 之 ɢ^{w}ɯs
16423 又[5] 于救 云尤去三合 ɦ^{ɨ}iu 之 ɢ^{w}ɯs
16424 佑[6] 于救 云尤去三合 ɦ^{ɨ}iu 之 ɢ^{w}ɯs
16425 右[7] 于救 云尤去三合 ɦ^{ɨ}iu 之 ɢ^{w}ɯs
16426 祐[8] 于救 云尤去三合 ɦ^{ɨ}iu 之 ɢ^{w}ɯs
16427 盍[9] 于救 云尤去三合 ɦ^{ɨ}iu 之 ɢ^{w}ɯs
16428 酭[10] 于救 云尤去三合 ɦ^{ɨ}iu 之 ɢ^{w}ɯs
16429 頄[11] 于救 云尤去三合 ɦ^{ɨ}iu 之 ɢ^{w}ɯs
16430 姷[12] 于救 云尤去三合 ɦ^{ɨ}iu 之 ɢ^{w}ɯs
16431 忧[13] 于救 云尤去三合 ɦ^{ɨ}iu 之 ɢ^{w}ɯs
16432 趙[14] 于救 云尤去三合 ɦ^{ɨ}iu 之 ɢ^{w}ɯs
16433 侑[15] 于救 云尤去三合 ɦ^{ɨ}iu 之 ɢ^{w}ɯs
16434 脢 莫杯 明灰平一合 mu̯oi 之 mk^{l}ɯ̯
16435 恢 苦回 溪灰平一合 k^{h}u̯oi 之 k^{wh}ɯ̯
16436 詼 苦回 溪灰平一合 k^{h}u̯oi 之 k^{wh}ɯ̯
16437 蛕 户恢 匣灰平一合 ɦu̯oi 之 g^{w}ɯ̯
16438 灰 呼恢 曉灰平一合 hu̯oi 之 q^{wh}ɯ̯
16439 絠[16] 古亥 見咍上一開 kəi 之 k^{w}ɯ̯ʔ
16440 醢[17] 呼改 曉咍上一開 həi 之 q^{wh}ɯ̯ʔ
16441 賄 呼罪 曉灰上一合 hu̯oi 之 q^{wh}ɯ̯ʔ
16442 蛕 呼罪 曉灰上一合 hu̯oi 之 q^{wh}ɯ̯ʔ
16443 蔇 古對 見灰去一合 ku̯oi 之 k^{w}ɯ̯s
16444 筷 古對 見灰去一合 ku̯oi 之 k^{w}ɯ̯s
16445 囿 于救 云尤去三合 ɦ^{ɨ}iu 職 ɢ^{w}ɯgs
16446 郁 於六 影屋入三合 ʔiuk 職 q^{w}ɯg
16447 醎 於六 影屋入三合 ʔiuk 職 q^{w}ɯg
16448 栯 於六 影屋入三合 ʔiuk 職 q^{w}ɯg
16449 囿 于六 云屋入三合 ɦ^{ɨ}iuk 職 ɢ^{w}ɯg

于 yú

16450 荂[18] 芳無 滂虞平三合 p^{h}iʊ 魚 k^{whr}a
16451 紆 憶俱 影虞平三合 ʔiʊ 魚 q^{w}a
16452 靬 憶俱 影虞平三合 ʔiʊ 魚 q^{w}a
16453 陓 憶俱 影虞平三合 ʔiʊ 魚 q^{w}a
16454 扜 憶俱 影虞平三合 ʔiʊ 魚 q^{w}a
16455 迂 憶俱 影虞平三合 ʔiʊ 魚 q^{w}a
16456 尪 憶俱 影虞平三合 ʔiʊ 魚 q^{w}a
16457 虷 憶俱 影虞平三合 ʔiʊ 魚 q^{w}a
16458 宇 邕俱 影虞平三合 ʔiʊ 魚 q^{w}a
16459 盱 況于 曉虞平三合 hiʊ 魚 q^{wh}a
16460 昇 況于 曉虞平三合 hiʊ 魚 q^{wh}a
16461 扜 況于 曉虞平三合 hiʊ 魚 q^{wh}a
16462 雩 況于 曉虞平三合 hiʊ 魚 q^{wh}a
16463 荂 況于 曉虞平三合 hiʊ 魚 q^{wh}a
16464 訏 況于 曉虞平三合 hiʊ 魚 q^{wh}a
16465 吁 況于 曉虞平三合 hiʊ 魚 q^{wh}a
16466 雩 況于 曉虞平三合 hiʊ 魚 q^{wh}a
16467 忏 況于 曉虞平三合 hiʊ 魚 q^{wh}a
16468 旴 況于 曉虞平三合 hiʊ 魚 q^{wh}a
16469 靬 況于 曉虞平三合 hiʊ 魚 q^{wh}a
16470 汙 羽俱 云虞平三合 ɦ^{ɨ}iʊ 魚 ɢ^{wr}a
16471 杅 羽俱 云虞平三合 ɦ^{ɨ}iʊ 魚 ɢ^{wr}a
16472 骬 羽俱 云虞平三合 ɦ^{ɨ}iʊ 魚 ɢ^{wr}a
16473 雩 羽俱 云虞平三合 ɦ^{ɨ}iʊ 魚 ɢ^{wr}a
16474 謣 羽俱 云虞平三合 ɦ^{ɨ}iʊ 魚 ɢ^{wr}a
16475 靬 羽俱 云虞平三合 ɦ^{ɨ}iʊ 魚 ɢ^{wr}a
16476 衧 雲俱 云虞平三合 ɦ^{ɨ}iʊ 魚 ɢ^{wr}a
16477 玗 羽俱 云虞平三合 ɦ^{ɨ}iʊ 魚 ɢ^{wr}a

---

1 见“又”字注。
2 见“又”字注。
3 见“又”字注。
4 见“又”字注。
5 主元音 ɯ 在合口介音^{w} 的影响下变成 u：*C^{w}ɯ>Ciu（中古尤韵）。
6 见“又”字注。
7 见“又”字注。
8 见“又”字注。
9 见“又”字注。
10 见“又”字注。
11 见“又”字注。
12 见“又”字注。
13 见“又”字注。
14 见“又”字注。
15 见“又”字注。
16 *k^{w}ɯ̯ʔ>*k^{ɯ}ɯ̯ʔ>*kɯ̯ʔ。
17 *q^{wh}ɯ̯ʔ>*q^{ɯh}ɯ̯ʔ>*q^{h}ɯ̯ʔ。
18 《尔雅·释草》“華，荂也”，郭璞注：“今江東呼華爲荂。音敷。”音变：*k^{whr}a>p^{h}a。

16478	芋[1]	羽俱	云虞平三合	$ɦ^{ɨ}iʊ$	魚	$ɢ^{wr}a$
16479	于[2]	羽俱	云虞平三合	$ɦ^{ɨ}iʊ$	魚	$ɢ^{wr}a$
16480	迂	羽俱	云虞平三合	$ɦ^{ɨ}iʊ$	魚	$ɢ^{wr}a$
16481	盂	羽俱	云虞平三合	$ɦ^{ɨ}iʊ$	魚	$ɢ^{wr}a$
16482	邘	羽俱	云虞平三合	$ɦ^{ɨ}iʊ$	魚	$ɢ^{wr}a$
16483	雩	羽俱	云虞平三合	$ɦ^{ɨ}iʊ$	魚	$ɢ^{wr}a$
16484	竽	羽俱	云虞平三合	$ɦ^{ɨ}iʊ$	魚	$ɢ^{wr}a$
16485	迂	於武	影虞上三合	ʔiʊ	魚	$q^{w}aʔ$
16486	昦	況羽	曉虞上三合	hiʊ	魚	$q^{wh}aʔ$
16487	宇	王矩	云虞上三合	$ɦ^{ɨ}iʊ$	魚	$ɢ^{wr}aʔ$
16488	芋	王遇	云虞去三合	$ɦ^{ɨ}iʊ$	魚	$ɢ^{wr}as$
16489	吁	王遇	云虞去三合	$ɦ^{ɨ}iʊ$	魚	$ɢ^{wr}as$
16490	刳	空胡	溪模平一合	$k^{h}\underline{u}o$	魚	$k^{wh}\underline{a}$
16491	刳	苦胡	溪模平一合	$k^{h}\underline{u}o$	魚	$k^{wh}\underline{a}$
16492	挎	苦胡	溪模平一合	$k^{h}\underline{u}o$	魚	$k^{wh}\underline{a}$
16493	鮬	苦胡	溪模平一合	$k^{h}\underline{u}o$	魚	$k^{wh}\underline{a}$
16494	瓠	户吴	匣模平一合	$ɦ\underline{u}o$	魚	$g^{w}\underline{a}$
16495	洿	哀都	影模平一合	$ʔ\underline{u}o$	魚	$q^{w}\underline{a}$
16496	杇	哀都	影模平一合	$ʔ\underline{u}o$	魚	$q^{w}\underline{a}$
16497	鴮	哀都	影模平一合	$ʔ\underline{u}o$	魚	$q^{w}\underline{a}$
16498	釫	汪胡	影模平一合	$ʔ\underline{u}o$	魚	$q^{w}\underline{a}$
16499	刳	汪胡	影模平一合	$ʔ\underline{u}o$	魚	$q^{w}\underline{a}$
16500	窏	汪胡	影模平一合	$ʔ\underline{u}o$	魚	$q^{w}\underline{a}$
16501	圬[3]	哀都	影模平一合	$ʔ\underline{u}o$	魚	$q^{w}\underline{a}$
16502	鄠	侯古	匣模上一合	$ɦ\underline{u}o$	魚	$g^{w}\underline{a}ʔ$
16503	洿	侯古	匣模上一合	$ɦ\underline{u}o$	魚	$g^{w}\underline{a}ʔ$
16504	婟	侯古	匣模上一合	$ɦ\underline{u}o$	魚	$g^{w}\underline{a}ʔ$
16505	侉[4]	安賀	影歌去一開	ʔɑ	魚	$q\underline{a}s$
16506	絝	苦故	溪模去一合	$k^{h}\underline{u}o$	魚	$k^{wh}\underline{a}s$
16507	胯	苦故	溪模去一合	$k^{h}\underline{u}o$	魚	$k^{wh}\underline{a}s$
16508	跨	苦故	溪模去一合	$k^{h}\underline{u}o$	魚	$k^{wh}\underline{a}s$
16509	袴[5]	苦故	溪模去一合	$k^{h}\underline{u}o$	魚	$k^{wh}\underline{a}s$
16510	豟	胡故	匣模去一合	$ɦ\underline{u}o$	魚	$g^{w}\underline{a}s$
16511	瓠	胡誤	匣模去一合	$ɦ\underline{u}o$	魚	$g^{w}\underline{a}s$
16512	鮬	薄故	並模去一合	$b\underline{u}o$	魚	$b^{l}\underline{a}s$
16513	汙	烏路	影模去一合	$ʔ\underline{u}o$	魚	$q^{w}\underline{a}s$
16514	誇	苦瓜	溪麻平二合	$k^{hwɯ}æ$	魚	$k^{whr}\underline{a}$
16515	夸	苦瓜	溪麻平二合	$k^{hwɯ}æ$	魚	$k^{whr}\underline{a}$
16516	姱	苦瓜	溪麻平二合	$k^{hwɯ}æ$	魚	$k^{whr}\underline{a}$
16517	跨	苦瓜	溪麻平二合	$k^{hwɯ}æ$	魚	$k^{whr}\underline{a}$
16518	胯	苦瓜	溪麻平二合	$k^{hwɯ}æ$	魚	$k^{whr}\underline{a}$
16519	侉	枯瓜	溪麻平二合	$k^{hwɯ}æ$	魚	$k^{whr}\underline{a}$
16520	侉[6]	苦瓜	溪麻平二合	$k^{hwɯ}æ$	魚	$k^{whr}\underline{a}$
16521	鏵	户花	匣麻平二合	$ɦ^{wɯ}æ$	魚	$g^{wr}\underline{a}$
16522	釫	户花	匣麻平二合	$ɦ^{wɯ}æ$	魚	$g^{wr}\underline{a}$
16523	華	户花	匣麻平二合	$ɦ^{wɯ}æ$	魚	$g^{wr}\underline{a}$
16524	驊	户花	匣麻平二合	$ɦ^{wɯ}æ$	魚	$g^{wr}\underline{a}$
16525	樺	户花	匣麻平二合	$ɦ^{wɯ}æ$	魚	$g^{wr}\underline{a}$
16526	崋	户花	匣麻平二合	$ɦ^{wɯ}æ$	魚	$g^{wr}\underline{a}$
16527	華	呼瓜	曉麻平二合	$h^{wɯ}æ$	魚	$q^{whr}\underline{a}$
16528	譁	呼瓜	曉麻平二合	$h^{wɯ}æ$	魚	$q^{whr}\underline{a}$
16529	跨	苦瓦	溪麻上二合	$k^{hwɯ}æ$	魚	$k^{whr}\underline{a}ʔ$
16530	踤	枯化	溪麻去二合	$k^{hwɯ}æ$	魚	$k^{whr}\underline{a}s$
16531	跨	苦化	溪麻去二合	$k^{hwɯ}æ$	魚	$k^{whr}\underline{a}s$
16532	胯	苦化	溪麻去二合	$k^{hwɯ}æ$	魚	$k^{whr}\underline{a}s$
16533	華	胡化	匣麻去二合	$ɦ^{wɯ}æ$	魚	$g^{wr}\underline{a}s$
16534	崋	胡化	匣麻去二合	$ɦ^{wɯ}æ$	魚	$g^{wr}\underline{a}s$
16535	樺	胡化	匣麻去二合	$ɦ^{wɯ}æ$	魚	$g^{wr}\underline{a}s$
16536	摦	胡化	匣麻去二合	$ɦ^{wɯ}æ$	魚	$g^{wr}\underline{a}s$
16537	槬	胡化	匣麻去二合	$ɦ^{wɯ}æ$	魚	$g^{wr}\underline{a}s$
16538	粵[7]	王伐	云月入三合	$ɦ^{iw}iɣt$	月[a]	$ɢ^{wr}ad$
16539	摴	丑居	徹魚平三開	$ʈ^{h}iɣ$	魚	$k^{wh}la$
16540	瑦	他胡	透模平一合	$t^{h}\underline{u}o$	魚	$k^{wh}l\underline{a}$
16541	樗	通都	透模平一合	$t^{h}\underline{u}o$	魚	$k^{wh}l\underline{a}$

余 yú

16542	佘	時遮	禪麻平三開	dʑiæ	魚	$gl^{j}a$
16543	余	視遮	禪麻平三開	dʑiæ	魚	$gl^{j}a$
16544	賒	式車	書麻平三開	ɕiæ	魚	$q^{h}la$
16545	畬	式車	書麻平三開	ɕiæ	魚	$q^{h}la$
16546	荼	食遮	船麻平三開	ʑiæ	魚	$ɢl^{j}a$
16547	斜	似嗟	邪麻平三開	ziæ	魚	$sɢ^{l}a$
16548	篨	丑居	徹魚平三開	$ʈ^{h}iɣ$	魚	$k^{h}la$

1　藏文 gro<*gwra，山芋。藏语有音变 wa>o。

2　“于”有往义，藏文的同源词是 ɦgro<*ɦgwra 走，藏语有规则音变 wa>o。

3　《广韵》又同“杇”。

4　歌鱼旁转，而且声母从合口转成开口。

5　《广韵》又同“絝”。

6　鱼部 a 的滞后音变，与歌部合流，而且声母从合口转成开口。

7　李豪：“粵”，古文字本作“雩”，从“于”声。

16549	除[1]	直魚	澄魚平三開	ɖiɤ	魚	ɡla
16550	涂	直魚	澄魚平三開	ɖiɤ	魚	ɡla
16551	篨	直魚	澄魚平三開	ɖiɤ	魚	ɡla
16552	蒢	直魚	澄魚平三開	ɖiɤ	魚	ɡla
16553	蜍	署魚	禪魚平三開	dʑiɤ	魚	ɡlʲa
16554	余	以諸	以魚平三開	jiɤ	魚	la
16555	𨙻	傷魚	書魚平三開	ɕiɤ	魚	qʰla
16556	蜍	以諸	以魚平三開	jiɤ	魚	ɢla
16557	餘	以諸	以魚平三開	jiɤ	魚	ɢla
16558	駼	以諸	以魚平三開	jiɤ	魚	ɢla
16559	艅	以諸	以魚平三開	jiɤ	魚	ɢla
16560	畬	以諸	以魚平三開	jiɤ	魚	ɢla
16561	狳	以諸	以魚平三開	jiɤ	魚	ɢla
16562	雓	以諸	以魚平三開	jiɤ	魚	ɢla
16563	徐	似魚	邪魚平三開	ziɤ	魚	sɢˡa
16564	𨙻	似魚	邪魚平三開	ziɤ	魚	sɢˡa
16565	俆	似魚	邪魚平三開	ziɤ	魚	sɢˡa
16566	捨	書冶	書麻上三開	ɕiæ	魚	qʰlaʔ
16567	舍	書冶	書麻上三開	ɕiæ	魚	qʰlaʔ
16568	騇	書冶	書麻上三開	ɕiæ	魚	qʰlaʔ
16569	敘	象吕	邪魚上三開	ziɤ	魚	sɢˡaʔ
16570	漵	象吕	邪魚上三開	ziɤ	魚	sɢˡaʔ
16571	溆	徐吕	邪魚上三開	ziɤ	魚	sɢˡaʔ
16572	舍	始夜	書麻去三開	ɕiæ	魚	qʰlas
16573	騇	始夜	書麻去三開	ɕiæ	魚	qʰlas
16574	涻	始夜	書麻去三開	ɕiæ	魚	qʰlas
16575	悇	抽據	徹魚去三開	ʈʰiɤ	魚	kʰlas
16576	除	遲倨	澄魚去三開	ɖiɤ	魚	ɡlas
16577	悆	羊洳	以魚去三開	jiɤ	魚	ɢlas
16578	悇	羊洳	以魚去三開	jiɤ	魚	ɢlas
16579	悇	他胡	透模平一合	tʰu̯o	魚	kʰla̠
16580	梌	他胡	透模平一合	tʰu̯o	魚	kʰla̠
16581	捈	他胡	透模平一合	tʰu̯o	魚	kʰla̠
16582	稌	他胡	透模平一合	tʰu̯o	魚	kʰla̠
16583	塗	同都	定模平一合	du̯o	魚	ɡla̠
16584	酴	同都	定模平一合	du̯o	魚	ɡla̠
16585	駼	同都	定模平一合	du̯o	魚	ɡla̠
16586	𤙗	同都	定模平一合	du̯o	魚	ɡla̠
16587	駼	同都	定模平一合	du̯o	魚	ɡla̠
16588	涂	同都	定模平一合	du̯o	魚	ɡla̠
16589	荼[2]	同都	定模平一合	du̯o	魚	ɡla̠
16590	捈	同都	定模平一合	du̯o	魚	ɡla̠
16591	𨙻	同都	定模平一合	du̯o	魚	ɡla̠
16592	鵌	同都	定模平一合	du̯o	魚	ɡla̠
16593	蒤	同都	定模平一合	du̯o	魚	ɡla̠
16594	筡	同都	定模平一合	du̯o	魚	ɡla̠
16595	梌	同都	定模平一合	du̯o	魚	ɡla̠
16596	途	同都	定模平一合	du̯o	魚	ɡla̠
16597	稌	他魯	透模上一合	tʰu̯o	魚	kʰla̠ʔ
16598	茶[3]	宅加	澄麻平二開	ɖᵚæ	魚	ɡla̠
16599	梌[4]	宅加	澄麻平二開	ɖᵚæ	魚	ɡla̠
16600	塗[5]	宅加	澄麻平二開	ɖᵚæ	魚	ɡla̠

臾 yú

16601	萸	容朱	以虞平三合	jiʊ	侯	lo
16602	庾	容朱	以虞平三合	jiʊ	侯	lo
16603	瘐	容朱	以虞平三合	jiʊ	侯	lo
16604	臾	羊朱	以虞平三合	jiʊ	侯	lo
16605	楰	羊朱	以虞平三合	jiʊ	侯	lo
16606	腴	羊朱	以虞平三合	jiʊ	侯	lo
16607	諛	羊朱	以虞平三合	jiʊ	侯	lo
16608	楰	以主	以虞上三合	jiʊ	侯	loʔ
16609	斞	以主	以虞上三合	jiʊ	侯	loʔ
16610	庾	勇主	以虞上三合	jiʊ	侯	loʔ
16611	瘐	勇主	以虞上三合	jiʊ	侯	loʔ

舁 yú

16612	舁	以諸	以魚平三開	jiɤ	魚	ɢla

1 藏文有以下的同源词：ɦdag 清除，rlag-pa 抛弃、丢掉、糟蹋。

2 跟以母或塞音谐声的端知组字来自复辅音。如“荼”的上古读音*ɡla̠>*da̠。它的文读发生了高化：*da̠>dɔ>do，即中古的定母模韵。上古鱼部*Ca到汉代一等变为*Ca̠>Cɔ，二等变为*Cˤa̠>Cᵚa。茶作为中国最常见的饮料，作为高频词音变速度会滞后，成了白读，韵母仍停留在 a 的阶段，与二等麻韵的ᵚa 合流。于是，“荼”的白读变化就是*da̠>dᵚa>ɖᵚa，定母的 d 在介音ᵚ 的影响下卷舌化变为澄母。白读的读音 ɖᵚa 跟文读 dɔ 差别很大，就出现一个新的方言字“茶”。

3 有些二等知组是从一等端组演变过来的。如“荼”原是定母模韵字，汉代演变为麻韵澄母，就是“茶”字的本字。汉达文库中只有两个“茶”字用例：王逸《九思》与蔡邕《太尉陈球碑》。但是这两字在其他文献中都写作“荼”。我们已见的古文字和出土文献中不出现“茶”字。见定母和澄母“荼”字注。

4 见定母和澄母“荼”字注。

5 见定母和澄母“荼”字注。

禺 yú

16613 愚 遇俱 疑虞平三合 ŋiʊ 侯 ŋgo

16614 湡 遇俱 疑虞平三合 ŋiʊ 侯 ŋgo

16615 堣 遇俱 疑虞平三合 ŋiʊ 侯 ŋgo

16616 嵎 遇俱 疑虞平三合 ŋiʊ 侯 ŋgo

16617 髃 遇俱 疑虞平三合 ŋiʊ 侯 ŋgo

16618 禺 遇俱 疑虞平三合 ŋiʊ 侯 ŋgo

16619 隅[1] 遇俱 疑虞平三合 ŋiʊ 侯 ŋgo

16620 鰅 遇俱 疑虞平三合 ŋiʊ 侯 ŋgo

16621 鍝 遇俱 疑虞平三合 ŋiʊ 侯 ŋgo

16622 齵 遇俱 疑虞平三合 ŋiʊ 侯 ŋgo

16623 偶 元俱 疑虞平三合 ŋiʊ 侯 ŋgo

16624 遇 牛具 疑虞去三合 ŋiʊ 侯 ŋgos

16625 寓 牛具 疑虞去三合 ŋiʊ 侯 ŋgos

16626 禺 牛具 疑虞去三合 ŋiʊ 侯 ŋgos

16627 祹 墟侯 溪侯平一合 k^{h}u 侯 k^{h}o̱

16628 齵 五婁 疑侯平一合 ŋu 侯 ŋgo̱

16629 腢 魚侯 疑侯平一合 ŋu 侯 ŋgo̱

16630 藕 五口 疑侯上一合 ŋu 侯 ŋgo̱ʔ

16631 偶 五口 疑侯上一合 ŋu 侯 ŋgo̱ʔ

16632 耦 五口 疑侯上一合 ŋu 侯 ŋgo̱ʔ

16633 髃 五口 疑侯上一合 ŋu 侯 ŋgo̱ʔ

16634 甌 五口 疑侯上一合 ŋu 侯 ŋgo̱ʔ

16635 偶 五遘 疑侯去一合 ŋu 侯 ŋgo̱s

16636 顒 魚容 疑鍾平三合 ŋiʊŋ 東 ŋgoŋ

16637 鰅 魚容 疑鍾平三合 ŋiʊŋ 東 ŋgoŋ

16638 喁 魚容 疑鍾平三合 ŋiʊŋ 東 ŋgoŋ

俞 yú

16639 毹 山芻 生虞平三合 ʂiʊ 侯 sk^{r}o

16640 毹 山芻 生虞平三合 ʂiʊ 侯 sk^{r}o

16641 踰 椿俱 徹虞平三合 ʈ^{h}iʊ 侯 k^{h}lo

16642 輸 式朱 書虞平三合 ɕiʊ 侯 q^{h}lo

16643 鄃 式朱 書虞平三合 ɕiʊ 侯 q^{h}lo

16644 隃 式朱 書虞平三合 ɕiʊ 侯 q^{h}lo

16645 緰 相俞 心虞平三合 siʊ 侯 q^{h}l^{j}o

16646 隃 相俞 心虞平三合 siʊ 侯 q^{h}l^{j}o

16647 瑜 羊朱 以虞平三合 jiʊ 侯 ɢlo

16648 羭 羊朱 以虞平三合 jiʊ 侯 ɢlo

16649 蝓 羊朱 以虞平三合 jiʊ 侯 ɢlo

16650 榆 羊朱 以虞平三合 jiʊ 侯 ɢlo

16651 堬 羊朱 以虞平三合 jiʊ 侯 ɢlo

16652 牏 羊朱 以虞平三合 jiʊ 侯 ɢlo

16653 渝 羊朱 以虞平三合 jiʊ 侯 ɢlo

16654 媮 羊朱 以虞平三合 jiʊ 侯 ɢlo

16655 瘉 羊朱 以虞平三合 jiʊ 侯 ɢlo

16656 蕍 羊朱 以虞平三合 jiʊ 侯 ɢlo

16657 鞧 羊朱 以虞平三合 jiʊ 侯 ɢlo

16658 瓻 羊朱 以虞平三合 jiʊ 侯 ɢlo

16659 踰 羊朱 以虞平三合 jiʊ 侯 ɢlo

16660 腧 容朱 以虞平三合 jiʊ 侯 ɢlo

16661 喻 容朱 以虞平三合 jiʊ 侯 ɢlo

16662 逾[2] 羊朱 以虞平三合 jiʊ 侯 ɢlo

16663 窬 羊朱 以虞平三合 jiʊ 侯 ɢlo

16664 隃 羊朱 以虞平三合 jiʊ 侯 ɢlo

16665 鄃 羊朱 以虞平三合 jiʊ 侯 ɢlo

16666 覦 羊朱 以虞平三合 jiʊ 侯 ɢlo

16667 闟 羊朱 以虞平三合 jiʊ 侯 ɢlo

16668 俞[3] 羊朱 以虞平三合 jiʊ 侯 ɢlo

16669 歈 羊朱 以虞平三合 jiʊ 侯 ɢlo

16670 愉 羊朱 以虞平三合 jiʊ 侯 ɢlo

16671 揄 羊朱 以虞平三合 jiʊ 侯 ɢlo

16672 褕 羊朱 以虞平三合 jiʊ 侯 ɢlo

16673 愈 以主 以虞上三合 jiʊ 侯 ɢloʔ

16674 瘉 以主 以虞上三合 jiʊ 侯 ɢloʔ

16675 貐 以主 以虞上三合 jiʊ 侯 ɢloʔ

16676 踰 勇主 以虞上三合 jiʊ 侯 ɢloʔ

16677 愉 色句 生虞去三合 ʂiʊ 侯 sk^{r}os

16678 腧 持遇 澄虞去三合 ɖiʊ 侯 glos

16679 腧 傷遇 書虞去三合 ɕiʊ 侯 q^{h}los

16680 輸 傷遇 書虞去三合 ɕiʊ 侯 q^{h}los

16681 趨 傷遇 書虞去三合 ɕiʊ 侯 q^{h}los

16682 鞧 傷遇 書虞去三合 ɕiʊ 侯 q^{h}los

16683 隃 傷遇 書虞去三合 ɕiʊ 侯 q^{h}los

16684 喻 羊戍 以虞去三合 jiʊ 侯 ɢlos

1　可比较藏文 gru 边、角，藏文 ŋos 侧面、旁边。

2　比较古汉越语 lồ5 过分，藏文 zlo< * sɢlo 超越。

3　《清华大学藏战国竹简(贰)·系年》简 113:"晉師閔(門)長城句俞(瀆)之門。""俞"的通假字"瀆"音 * glo̱g。"俞"的同根词为"舟" * kl^{j}u，藏文同源词为 gru。可见"俞"不是简单的 lo，而是 * ɢlo>lo。

16685 覦 羊戍 以虞去三合 jiʊ 侯 ɢlos

16686 諭 羊戍 以虞去三合 jiʊ 侯 ɢlos

16687 偷 託侯 透侯平一合 t^{h}u 侯 k^{h}lo̱

16688 鍮 託侯 透侯平一合 t^{h}u 侯 k^{h}lo̱

16689 媮 託侯 透侯平一合 t^{h}u 侯 k^{h}lo̱

16690 [illegible] 度侯 定侯平一合 du 侯 glo̱

16691 牏 度侯 定侯平一合 du 侯 glo̱

16692 [illegible] 度侯 定侯平一合 du 侯 glo̱

16693 窬 度侯 定侯平一合 du 侯 glo̱

16694 緰 度侯 定侯平一合 du 侯 glo̱

16695 歈 度侯 定侯平一合 du 侯 glo̱

16696 匬 徒侯 定侯平一合 du 侯 glo̱

16697 揄 度侯 定侯平一合 du 侯 glo̱

16698 [illegible][1] 同都 定模平一合 du̯o 侯 glo̱

16699 揄 徒口 定侯上一合 du 侯 glo̱ʔ

16700 窬 徒候 定侯去一合 du 侯 glo̱s

16701 揄 以周 以尤平三合 jiu 幽 ɢlu

16702 俞 丑救 徹尤去三合 ʈ^{h}iu 幽 k^{h}lus

魚 yú

16703 魚 語居 疑魚平三開 ŋiɤ 魚 ŋa

16704 [illegible] 語居 疑魚平三開 ŋiɤ 魚 ŋa

16705 漁 語居 疑魚平三開 ŋiɤ 魚 ŋa

16706 蘇[2] 素姑 心模平一合 su̯o 魚 sŋa̱

16707 穌 素姑 心模平一合 su̯o 魚 sŋa̱

16708 酥 素姑 心模平一合 su̯o 魚 sŋa̱

16709 魯[3] 郎古 來模上一合 lu̯o 魚 ɡ.ra̱ʔ

16710 櫓 郎古 來模上一合 lu̯o 魚 ɡ.ra̱ʔ

予 yǔ

16711 舒 傷魚 書魚平三開 ɕiɤ 魚 q^{h}la

16712 紓 傷魚 書魚平三開 ɕiɤ 魚 q^{h}la

16713 妤 以諸 以魚平三開 jiɤ 魚 ɢla

16714 予[4] 以諸 以魚平三開 jiɤ 魚 ɢla

16715 伃 以諸 以魚平三開 jiɤ 魚 ɢla

16716 野 羊者 以麻上三開 jiæ 魚 ɢlaʔ

16717 柔 丈吕 澄魚上三開 ɖiɤ 魚 glaʔ

16718 芧 直呂 澄魚上三開 ɖiɤ 魚 glaʔ

16719 杼 直呂 澄魚上三開 ɖiɤ 魚 glaʔ

16720 墅 承與 禪魚上三開 dʑiɤ 魚 gl^{j}aʔ

16721 野 承與 禪魚上三開 dʑiɤ 魚 gl^{j}aʔ

16722 伃 演女 以魚上三開 jiɤ 魚 ɢlaʔ

16723 予 余吕 以魚上三開 jiɤ 魚 ɢlaʔ

16724 紓 神與 船魚上三開 ʑiɤ 魚 ɢl^{j}aʔ

16725 抒 神與 船魚上三開 ʑiɤ 魚 ɢl^{j}aʔ

16726 杼 神與 船魚上三開 ʑiɤ 魚 ɢl^{j}aʔ

16727 伃 象吕 邪魚上三開 ziɤ 魚 sɢ^{l}aʔ

16728 [illegible] 象吕 邪魚上三開 ziɤ 魚 sɢ^{l}aʔ

16729 序 徐吕 邪魚上三開 ziɤ 魚 sɢ^{l}aʔ

16730 抒 徐吕 邪魚上三開 ziɤ 魚 sɢ^{l}aʔ

16731 [illegible] 徐吕 邪魚上三開 ziɤ 魚 sɢ^{l}aʔ

16732 豫 羊洳 以魚去三開 jiɤ 魚 ɢlas

16733 預 羊洳 以魚去三開 jiɤ 魚 ɢlas

16734 蕷 羊洳 以魚去三開 jiɤ 魚 ɢlas

16735 [illegible] 羊洳 以魚去三開 jiɤ 魚 ɢlas

16736 [illegible] 徐預 邪魚去三開 ziɤ 魚 sɢ^{l}as

羽 yǔ

16737 詡 況羽 曉虞上三合 hiʊ 魚 q^{wh}aʔ

16738 栩 況羽 曉虞上三合 hiʊ 魚 q^{wh}aʔ

16739 祤 況羽 曉虞上三合 hiʊ 魚 q^{wh}aʔ

16740 羽[5] 王矩 云虞上三合 ɦ^{ɨ}iʊ 魚 ɢ^{w}aʔ

16741 祤 王矩 云虞上三合 ɦ^{ɨ}iʊ 魚 ɢ^{w}aʔ

16742 栩 王矩 云虞上三合 ɦ^{ɨ}iʊ 魚 ɢ^{w}aʔ

16743 頨 王矩 云虞上三合 ɦ^{ɨ}iʊ 魚 ɢ^{w}aʔ

16744 [illegible] 王矩 云虞上三合 ɦ^{ɨ}iʊ 魚 ɢ^{w}aʔ

16745 羽 王遇 云虞去三合 ɦ^{ɨ}iʊ 魚 ɢ^{w}as

16746 [illegible] 王遇 云虞去三合 ɦ^{ɨ}iʊ 魚 ɢ^{w}as

雨 yǔ

16747 雨[6] 王矩 云虞上三合 ɦ^{ɨ}iʊ 魚 ɢ^{wr}aʔ

---

1 原来是侯部字，产生了滞后音变。当鱼部 a 高化成 o 的时候，侯部滞后的读音 o 与鱼部高化后的读音相同。

2 可比较藏文 sn̥a 紫苏叶。见“菩”字注。

3 《史记·周本纪》：“魯天子之命。”《鲁世家》作“嘉天子之命”。“嘉”* k^{r}a̱l，故“魯”带冠音 * ɡ.ra̱ʔ> * ra̱ʔ。

4 “予”与“舆”* ɢlaʔ 通假，《诗·鄘风·干旄》：“何以予之。”

5 藏文 sgro 羽毛，据藏文的音变规则：sgro< * sgr^{w}a。

6 “雨”上古鱼部，中古虞韵，应是-^{w}a。云母多是 * ɢ^{wr}-，可比较迪加罗 kə ra 雨、坎布 kə wa 水、迪马萨 ha 下雨、卢舍依 ruaʔ 雨、罗东 wa 水、缅甸文 rwaː2 下雨、尔苏 ɡuɑ33 雨、僜达让 kɑ31ɹɑ55 雨、珞巴义都 kɑ31ɹɑ55 雨、独龙 dzɑʔ55 雨、怒苏语 ɹuɑ35 雨、怒怒苏 ɣɹua33 下雨。

16748 雨 王遇 云虞去三合 ɦᶤiʊ 魚 ɢʷʳas

禹 yǔ

16749 踽 俱雨 見虞上三合 kiʊ 魚 kʷaʔ
16750 萬 俱雨 見虞上三合 kiʊ 魚 kʷaʔ
16751 瑀 俱雨 見虞上三合 kiʊ 魚 kʷaʔ
16752 楀 俱雨 見虞上三合 kiʊ 魚 kʷaʔ
16753 齲 驅雨 溪虞上三合 kʰiʊ 魚 kʷʰaʔ
16754 踽 驅雨 溪虞上三合 kʰiʊ 魚 kʷʰaʔ
16755 禹 王矩 云虞上三合 ɦᶤiʊ 魚 ɢʷaʔ
16756 瑀 王矩 云虞上三合 ɦᶤiʊ 魚 ɢʷaʔ
16757 郠 王矩 云虞上三合 ɦᶤiʊ 魚 ɢʷaʔ
16758 楀 王矩 云虞上三合 ɦᶤiʊ 魚 ɢʷaʔ
16759 萬 王矩 云虞上三合 ɦᶤiʊ 魚 ɢʷaʔ
16760 瑀 王矩 云虞上三合 ɦᶤiʊ 魚 ɢʷaʔ
16761 霛 王矩 云虞上三合 ɦᶤiʊ 魚 ɢʷaʔ
16762 偊 王矩 云虞上三合 ɦᶤiʊ 魚 ɢʷaʔ

胍 yǔ

16763 胍 以主 以虞上三合 jiʊ 侯 loʔ
16764 窳 勇主 以虞上三合 jiʊ 侯 loʔ
16765 窳 以主 以虞上三合 jiʊ 侯 loʔ

圄 yǔ

16766 圄 魚巨 疑魚上三開 ŋiɤ 魚 ŋaʔ

玉 yù

16767 玉 魚欲 疑燭入三合 ŋi̯ʊk 屋 ŋgog
16768 瑦 魚欲 疑燭入三合 ŋi̯ʊk 屋 ŋgog
16769 頊 魚欲 疑燭入三合 ŋi̯ʊk 屋 ŋgog
16770 頊 許玉 曉燭入三合 hi̯ʊk 屋 qʰog
16771 玨[1] 訖岳 見覺入二開 kᵚɔk 屋 kʳo̤g
16772 砡 魚菊 疑屋入三合 ŋiuk 覺 ŋgug

聿 yù

16773 筆 鄙密 幫質入B 開 pɨit 物ᵘ pʳud
16774 聿 餘律 以質入三合 jʷit 物ᵘ b.lud
16775 建 餘律 以質入三合 jʷit 物ᵘ b.lud
16776 葟 允律 以質入三合 jʷit 物ᵘ b.lud
16777 褘 劣戌 來質入三合 lʷit 物ᵘ b.rud
16778 律 吕卹 來質入三合 lʷit 物ᵘ b.rud
16779 葎 吕卹 來質入三合 lʷit 物ᵘ b.rud
16780 硉 勒没 來没入一合 lu̯ot 物ᵘ b.ru̯d

㐬 yù

16781 育 余六 以屋入三合 jiuk 覺 lug
16782 絠 余六 以屋入三合 jiuk 覺 lug
16783 淯 余六 以屋入三合 jiuk 覺 lug
16784 逳 余六 以屋入三合 jiuk 覺 lug
16785 蓿 余六 以屋入三合 jiuk 覺 lug
16786 毓 余六 以屋入三合 jiuk 覺 lug
16787 流[2] 力求 來尤平三合 liu 幽 g.ru
16788 塗 力求 來尤平三合 liu 幽 g.ru
16789 旒 力求 來尤平三合 liu 幽 g.ru
16790 蜦 力求 來尤平三合 liu 幽 g.ru
16791 裗 力求 來尤平三合 liu 幽 g.ru

馭 yù

16792 馭 牛倨 疑魚去三開 ŋiɤ 魚 ŋas

矞 yù

16793 橘 居聿 見質入A 合 kʷit 物ᵘ kud
16794 繘 居聿 見質入A 合 kʷit 物ᵘ kud
16795 醑 居聿 見質入A 合 kʷit 物ᵘ kud
16796 趫 居聿 見質入A 合 kʷit 物ᵘ kud
16797 趫 其律 群質入A 合 gʷit 物ᵘ gud
16798 僪 其律 群質入A 合 gʷit 物ᵘ gud
16799 獝 況必 曉質入A 合 hʷit 物ᵘ qʰud
16800 遹[3] 餘律 以質入三合 jʷit 物ᵘ ɢud
16801 鷸 餘律 以質入三合 jʷit 物ᵘ ɢud
16802 驈 餘律 以質入三合 jʷit 物ᵘ ɢud
16803 繘 餘律 以質入三合 jʷit 物ᵘ ɢud
16804 潏 餘律 以質入三合 jʷit 物ᵘ ɢud
16805 矞 餘律 以質入三合 jʷit 物ᵘ ɢud
16806 蟠 餘律 以質入三合 jʷit 物ᵘ ɢud
16807 鱊 餘律 以質入三合 jʷit 物ᵘ ɢud

---

1 《广韵》又同"珏"。

2 泰文汉借词 glaawh 流、川流、涌流,故"流"带冠音 *g.ru>*ru。

3 《尔雅・释言》:"遹,述也。"《经典释文》:"遹,古述字。""述"音 *ɢlʲud。

16808 噊 餘律 以質入三合 j^{w}it 物^{u} ɢud

16809 趫 允律 以質入三合 j^{w}it 物^{u} ɢud

16810 僪 允律 以質入三合 j^{w}it 物^{u} ɢud

16811 噊 食聿 船質入三合 ʑ^{w}it 物^{u} ɢ^{j}ud

16812 潏 食聿 船質入三合 ʑ^{w}it 物^{u} ɢ^{j}ud

16813 鷸 食聿 船質入三合 ʑ^{w}it 物^{u} ɢ^{j}ud

16814 驈 食聿 船質入三合 ʑ^{w}it 物^{u} ɢ^{j}ud

16815 蟠 食聿 船質入三合 ʑ^{w}it 物^{u} ɢ^{j}ud

16816 潏 古穴 見屑入四合 k^{w}et 物^{u} ku̱d

16817 譎 古穴 見屑入四合 k^{w}et 物^{u} ku̱d

16818 鐍 古穴 見屑入四合 k^{w}et 物^{u} ku̱d

16819 憰 古穴 見屑入四合 k^{w}et 物^{u} ku̱d

16820 襘 古穴 見屑入四合 k^{w}et 物^{u} ku̱d

16821 僪 古穴 見屑入四合 k^{w}et 物^{u} ku̱d

16822 窩 呼決 曉屑入四合 h^{w}et 物^{u} q^{h}u̱d

16823 瞲 呼決 曉屑入四合 h^{w}et 物^{u} q^{h}u̱d

16824 劀 古滑 見黠入二合 k^{wɯ}ɛt 物^{u} k^{r}u̱d

16825 鱊 古滑 見黠入二合 k^{wɯ}ɛt 物^{u} k^{r}u̱d

16826 劀 古頒 見鎋入二合 k^{wɯ}æt 物^{u} k^{r}u̱d

獄 yù

16827 獄 魚欲 疑燭入三合 ŋi̯ʊk 屋 ŋog

16828 嶽 五角 疑覺入二開 ŋ^{ɯ}ɔk 屋 ŋ^{r}o̱g

16829 鸑 五角 疑覺入二開 ŋ^{ɯ}ɔk 屋 ŋ^{r}o̱g

賣 yù

16830 續 似足 邪燭入三合 zi̯ʊk 屋 sg^{l}og

16831 藚 似足 邪燭入三合 zi̯ʊk 屋 sg^{l}og

16832 贖 神蜀 船燭入三合 ʑi̯ʊk 屋 ɢl^{j}og

16833 竇 徒候 定侯去一合 du 屋 glo̱gs

16834 鱝 徒谷 定屋入一合 duk 屋 glo̱g

16835 遺 徒谷 定屋入一合 duk 屋 glo̱g

16836 瀆 徒谷 定屋入一合 duk 屋 glo̱g

16837 繢 徒谷 定屋入一合 duk 屋 glo̱g

16838 韇 徒谷 定屋入一合 duk 屋 glo̱g

16839 嬻 徒谷 定屋入一合 duk 屋 glo̱g

16840 犢 徒谷 定屋入一合 duk 屋 glo̱g

16841 匵 徒谷 定屋入一合 duk 屋 glo̱g

16842 讟 徒谷 定屋入一合 duk 屋 glo̱g

16843 殰 徒谷 定屋入一合 duk 屋 glo̱g

16844 讀 徒谷 定屋入一合 duk 屋 glo̱g

16845 櫝 徒谷 定屋入一合 duk 屋 glo̱g

16846 牘 徒谷 定屋入一合 duk 屋 glo̱g

16847 儥 徒谷 定屋入一合 duk 屋 glo̱g

16848 黷 徒谷 定屋入一合 duk 屋 glo̱g

16849 儥 余六 以屋入三合 jiuk 覺 ɢlug

16850 覿 徒歷 定錫入四開 dek 覺^{ɯ} glɯ̱g^{w}

鬻 yù

16851 粥[1] 之六 章屋入三合 tɕiuk 覺 k^{j}ug

16852 鬻 余六 以屋入三合 jiuk 覺 ɢug

16853 粥 余六 以屋入三合 jiuk 覺 ɢug

鬱 yù

16854 鬱[2] 紆物 影物入三合 ʔiut 物^{u} qud

冤 yuān

16855 冤 於袁 影元平三合 ʔ^{w}iɤn 元^{o} qon

16856 菀 於袁 影元平三合 ʔ^{w}iɤn 元^{o} qon

16857 婉 於袁 影元平三合 ʔ^{w}iɤn 元^{o} qon

16858 鞔 於袁 影元平三合 ʔ^{w}iɤn 元^{o} qon

16859 鞔 於阮 影元上三合 ʔ^{w}iɤn 元^{o} qonʔ

淵 yuān

16860 蜵 一均 影真平B 開 ʔɨin 真^{n} q^{r}in

16861 鼘 於巾 影真平B 開 ʔɨin 真^{n} q^{w}in

16862 淵 烏玄 影先平四合 ʔ^{w}en 真^{n} q^{w}i̱n

16863 鼘 烏玄 影先平四合 ʔ^{w}en 真^{n} q^{w}i̱n

16864 蜵 烏玄 影先平四合 ʔ^{w}en 真^{n} q^{w}i̱n

16865 鼝 烏玄 影先平四合 ʔ^{w}en 真^{n} q^{w}i̱n

16866 蜵 縈玄 影先平四合 ʔ^{w}en 真^{n} q^{w}i̱n

元 yuán

16867 沅 愚袁 疑元平三合 ŋ^{w}iɤn 元^{o} ŋgon

16868 黿 愚袁 疑元平三合 ŋ^{w}iɤn 元^{o} ŋgon

16869 蚖 愚袁 疑元平三合 ŋ^{w}iɤn 元^{o} ŋgon

16870 芫 愚袁 疑元平三合 ŋ^{w}iɤn 元^{o} ŋgon

---

1 郑张尚芳：潮州 kiok。

2 “鬱金”（Curcuma aromatica）即波斯语的 kurkum。《汉书·地理志》:“鬱林郡,故秦桂林郡。”“鬱” * qud>q^{w}id 与“桂”k^{w}e̱s 通假。

16871 邧 愚袁 疑元平三合 ŋ^{w}iɤn 元^{o} ŋgon
16872 䲮 愚袁 疑元平三合 ŋ^{w}iɤn 元^{o} ŋgon
16873 阮 愚袁 疑元平三合 ŋ^{w}iɤn 元^{o} ŋgon
16874 魭 愚袁 疑元平三合 ŋ^{w}iɤn 元^{o} ŋgon
16875 元[1] 愚袁 疑元平三合 ŋ^{w}iɤn 元^{o} ŋgon
16876 杬 愚袁 疑元平三合 ŋ^{w}iɤn 元^{o} ŋgon
16877 朊 五遠 疑元上三合 ŋ^{w}iɤn 元^{o} ŋgonʔ
16878 阮 虞遠 疑元上三合 ŋ^{w}iɤn 元^{o} ŋgonʔ
16879 邧 虞遠 疑元上三合 ŋ^{w}iɤn 元^{o} ŋgonʔ
16880 院 王眷 云仙去三合 ɦ^{ɨw}iᴇn 元^{o} ɢ^{r}ons
16881 莞 古丸 見寒平一合 k^{w}ɑn 元^{o} ko̱n
16882 冠 古丸 見寒平一合 k^{w}ɑn 元^{o} ko̱n
16883 垸 胡官 匣寒平一合 ɦ^{w}ɑn 元^{o} go̱n
16884 捖 胡官 匣寒平一合 ɦ^{w}ɑn 元^{o} go̱n
16885 院 胡官 匣寒平一合 ɦ^{w}ɑn 元^{o} go̱n
16886 莞 胡官 匣寒平一合 ɦ^{w}ɑn 元^{o} go̱n
16887 完 胡官 匣寒平一合 ɦ^{w}ɑn 元^{o} go̱n
16888 梡 胡官 匣寒平一合 ɦ^{w}ɑn 元^{o} go̱n
16889 綄 胡官 匣寒平一合 ɦ^{w}ɑn 元^{o} go̱n
16890 岏 五丸 疑寒平一合 ŋ^{w}ɑn 元^{o} ŋgo̱n
16891 刓 五丸 疑寒平一合 ŋ^{w}ɑn 元^{o} ŋgo̱n
16892 忨 五丸 疑寒平一合 ŋ^{w}ɑn 元^{o} ŋgo̱n
16893 蚖 五丸 疑寒平一合 ŋ^{w}ɑn 元^{o} ŋgo̱n
16894 黿 五丸 疑寒平一合 ŋ^{w}ɑn 元^{o} ŋgo̱n
16895 抏 五丸 疑寒平一合 ŋ^{w}ɑn 元^{o} ŋgo̱n
16896 魭 五丸 疑寒平一合 ŋ^{w}ɑn 元^{o} ŋgo̱n
16897 筦 古滿 見寒上一合 k^{w}ɑn 元^{o} ko̱nʔ
16898 涫 古緩 見寒上一合 k^{w}ɑn 元^{o} ko̱nʔ
16899 脘 古滿 見寒上一合 k^{w}ɑn 元^{o} ko̱nʔ
16900 梡 苦管 溪寒上一合 k^{hw}ɑn 元^{o} k^{h}o̱nʔ
16901 綄 胡管 匣寒上一合 ɦ^{w}ɑn 元^{o} go̱nʔ
16902 梡 胡管 匣寒上一合 ɦ^{w}ɑn 元^{o} go̱nʔ
16903 晥 胡管 匣寒上一合 ɦ^{w}ɑn 元^{o} go̱nʔ
16904 輐 户管 匣寒上一合 ɦ^{w}ɑn 元^{o} go̱nʔ
16905 輐 五管 疑寒上一合 ŋ^{w}ɑn 元^{o} ŋgo̱nʔ
16906 魭 五管 疑寒上一合 ŋ^{w}ɑn 元^{o} ŋgo̱nʔ
16907 浣 胡管 匣寒上一合 ɦ^{w}ɑn 元^{o} ŋgo̱nʔ
16908 冠 古玩 見寒去一合 k^{w}ɑn 元^{o} ko̱ns
16909 垸 胡玩 匣寒去一合 ɦ^{w}ɑn 元^{o} go̱ns
16910 輐 胡玩 匣寒去一合 ɦ^{w}ɑn 元^{o} go̱ns
16911 玩 五换 疑寒去一合 ŋ^{w}ɑn 元^{o} ŋgo̱ns
16912 翫 五换 疑寒去一合 ŋ^{w}ɑn 元^{o} ŋgo̱ns
16913 忨 五换 疑寒去一合 ŋ^{w}ɑn 元^{o} ŋgo̱ns
16914 輐 五换 疑寒去一合 ŋ^{w}ɑn 元^{o} ŋgo̱ns
16915 魭 五换 疑寒去一合 ŋ^{w}ɑn 元^{o} ŋgo̱ns
16916 頑 五還 疑删平二合 ŋ^{wɯ}æn 元^{o} ŋg^{r}o̱n
16917 晥 户板 匣删上二合 ɦ^{wɯ}æn 元^{o} g^{r}o̱nʔ
16918 鯇 户板 匣删上二合 ɦ^{wɯ}æn 元^{o} g^{r}o̱nʔ
16919 皖 户板 匣删上二合 ɦ^{wɯ}æn 元^{o} g^{r}o̱nʔ
16920 莞 户板 匣删上二合 ɦ^{wɯ}æn 元^{o} g^{r}o̱nʔ
16921 浣 户版 匣删上二合 ɦ^{wɯ}æn 元^{o} g^{r}o̱nʔ
16922 髡[2] 苦昆 溪魂平一合 k^{h}u̯on 文^{u} k^{h}u̱n
16923 蒝 户昆 匣魂平一合 ɦu̯on 文^{u} gu̱n
16924 俒 户昆 匣魂平一合 ɦu̯on 文^{u} gu̱n
16925 俒 胡困 匣魂去一合 ɦu̯on 文^{u} gu̱ns

爰 yuán

16926 湲 王權 云仙平三合 ɦ^{ɨw}iᴇn 元^{o} ɢ^{r}on
16927 蕿 許元 曉元平三合 h^{w}iɤn 元^{o} q^{h}on
16928 暖 許元 曉元平三合 h^{w}iɤn 元^{o} q^{h}on
16929 喛 況袁 曉元平三合 h^{w}iɤn 元^{o} q^{h}on
16930 暖 況袁 曉元平三合 h^{w}iɤn 元^{o} q^{h}on
16931 諼 況袁 曉元平三合 h^{w}iɤn 元^{o} q^{h}on
16932 愋 況袁 曉元平三合 h^{w}iɤn 元^{o} q^{h}on
16933 煖 況袁 曉元平三合 h^{w}iɤn 元^{o} q^{h}on
16934 蝯 于元 云元平三合 ɦ^{ɨw}iɤn 元^{o} ɢ^{r}on
16935 爰 雨元 云元平三合 ɦ^{ɨw}iɤn 元^{o} ɢ^{r}on
16936 援 雨元 云元平三合 ɦ^{ɨw}iɤn 元^{o} ɢ^{r}on
16937 媛 雨元 云元平三合 ɦ^{ɨw}iɤn 元^{o} ɢ^{r}on
16938 猨 雨元 云元平三合 ɦ^{ɨw}iɤn 元^{o} ɢ^{r}on
16939 覫 況晚 曉元上三合 h^{w}iɤn 元^{o} q^{h}onʔ
16940 諼 況晚 曉元上三合 h^{w}iɤn 元^{o} q^{h}onʔ
16941 暖 火遠 曉元上三合 h^{w}iɤn 元^{o} q^{h}onʔ
16942 暖 況晚 曉元上三合 h^{w}iɤn 元^{o} q^{h}onʔ
16943 顐 雲阮 云元上三合 ɦ^{ɨw}iɤn 元^{o} ɢ^{r}onʔ
16944 瑗 王眷 云仙去三合 ɦ^{ɨw}iᴇn 元^{o} ɢ^{r}ons
16945 援 王眷 云仙去三合 ɦ^{ɨw}iᴇn 元^{o} ɢ^{r}ons
16946 媛 王眷 云仙去三合 ɦ^{ɨw}iᴇn 元^{o} ɢ^{r}ons
16947 褑 王眷 云仙去三合 ɦ^{ɨw}iᴇn 元^{o} ɢ^{r}ons

---

1 比较藏文 ɦgo<*ŋgo 头、第一、最初，十里香瑶语 gɔŋ545 头。

2 《说文》或体作"髡"，古文字皆从"元"声。

16948 楥 虚願 曉元去三合 h^{w}iɤn 元^{o} q^{h}ons
16949 瑗 于願 云元去三合 ɦ^{iw}iɤn 元^{o} ɢ^{r}ons
16950 緩 胡管 匣寒上一合 ɦ^{w}ɑn 元^{o} ɢo̱nʔ
16951 睆 胡管 匣寒上一合 ɦ^{w}ɑn 元^{o} ɢo̱nʔ
16952 覫 胡管 匣寒上一合 ɦ^{w}ɑn 元^{o} ɢo̱nʔ
16953 暖[1] 乃管 泥寒上一合 n^{w}ɑn 元^{o} mglo̱nʔ
16954 煖[2] 乃管 泥寒上一合 n^{w}ɑn 元^{o} mglo̱nʔ
16955 喛 火貫 曉寒去一合 h^{w}ɑn 元^{o} q^{h}o̱ns
16956 鍰 户關 匣刪平二合 ɦ^{wɯ}æn 元^{o} ɢ^{r}o̱n
16957 湲 獲頑 匣刪平二合 ɦ^{wɯ}æn 元^{o} ɢ^{r}o̱n

袁 yuán

16958 袁 雨元 云元平三合 ɦ^{iw}iɤn 元^{o} ɢ^{r}on
16959 園 雨元 云元平三合 ɦ^{iw}iɤn 元^{o} ɢ^{r}on
16960 榬 雨元 云元平三合 ɦ^{iw}iɤn 元^{o} ɢ^{r}on
16961 轅 雨元 云元平三合 ɦ^{iw}iɤn 元^{o} ɢ^{r}on
16962 遠 于願 云元去三合 ɦ^{iw}iɤn 元^{o} ɢ^{r}ons
16963 薳 韋委 云支上三合 ɦ^{iw}ie 歌^{o} ɢ^{r}olʔ

員 yuán

16964 圓 王權 云仙平三合 ɦ^{iw}iɛn 元^{o} ɢ^{r}on
16965 員 王權 云仙平三合 ɦ^{iw}iɛn 元^{o} ɢ^{r}on
16966 塤 況袁 曉元平三合 h^{w}iɤn 元^{o} q^{h}on
16967 勛[3] 許云 曉文平三合 hiun 文^{u} q^{h}un
16968 篔 王分 云文平三合 ɦ^{i}iun 文^{u} ɢ^{r}un
16969 鄖 王分 云文平三合 ɦ^{i}iun 文^{u} ɢ^{r}un
16970 溳 王分 云文平三合 ɦ^{i}iun 文^{u} ɢ^{r}un
16971 員 王分 云文平三合 ɦ^{i}iun 文^{u} ɢ^{r}un
16972 愪 王分 云文平三合 ɦ^{i}iun 文^{u} ɢ^{r}un
16973 熉 王分 云文平三合 ɦ^{i}iun 文^{u} ɢ^{r}un
16974 緼 爲贇 云真平三合 ɦ^{iw}in 文^{u} ɢ^{r}un
16975 熉 羽粉 云文上三合 ɦ^{i}iun 文^{u} ɢ^{r}unʔ
16976 賱 云粉 云文上三合 ɦ^{i}iun 文^{u} ɢ^{r}unʔ
16977 瘨 云粉 云文上三合 ɦ^{i}iun 文^{u} ɢ^{r}unʔ
16978 殞 于敏 云真上三合 ɦ^{iw}in 文^{u} ɢ^{r}unʔ
16979 溳 于敏 云真上三合 ɦ^{iw}in 文^{u} ɢ^{r}unʔ
16980 磒 于敏 云真上三合 ɦ^{iw}in 文^{u} ɢ^{r}unʔ
16981 隕 于敏 云真上三合 ɦ^{iw}in 文^{u} ɢ^{r}unʔ
16982 實 于敏 云真上三合 ɦ^{iw}in 文^{u} ɢ^{r}unʔ
16983 愪 于敏 云真上三合 ɦ^{iw}in 文^{u} ɢ^{r}unʔ
16984 員 王問 云文去三合 ɦ^{i}iun 文^{u} ɢ^{r}uns
16985 韻 王問 云文去三合 ɦ^{i}iun 文^{u} ɢ^{r}uns
16986 䫴 王問 云文去三合 ɦ^{i}iun 文^{u} ɢ^{r}uns
16987 瘨 王問 云文去三合 ɦ^{i}iun 文^{u} ɢ^{r}uns
16988 圓[4] 王問 云文去三合 ɦ^{i}iun 文^{u} ɢ^{r}uns
16989 顚 胡本 匣魂上一合 ɦu̯on 文^{u} gu̱nʔ
16990 損 蘇本 心魂上一合 su̯on 文^{u} squ̱nʔ
16991 膶 蘇本 心魂上一合 su̯on 文^{u} squ̱nʔ

夗 yuǎn

16992 輓 於袁 影元平三合 ʔ^{w}iɤn 元^{o} qon
16993 智 於袁 影元平三合 ʔ^{w}iɤn 元^{o} qon
16994 鴛 於袁 影元平三合 ʔ^{w}iɤn 元^{o} qon
16995 帑 於袁 影元平三合 ʔ^{w}iɤn 元^{o} qon
16996 鵷 於袁 影元平三合 ʔ^{w}iɤn 元^{o} qon
16997 窻 於袁 影元平三合 ʔ^{w}iɤn 元^{o} qon
16998 宛 於袁 影元平三合 ʔ^{w}iɤn 元^{o} qon
16999 蜿 於袁 影元平三合 ʔ^{w}iɤn 元^{o} qon
17000 怨 於袁 影元平三合 ʔ^{w}iɤn 元^{o} qon
17001 褑 於袁 影元平三合 ʔ^{w}iɤn 元^{o} qon
17002 褑 委遠 影元上三合 ʔ^{w}iɤn 元^{o} qonʔ
17003 鞔 委遠 影元上三合 ʔ^{w}iɤn 元^{o} qonʔ
17004 婉 於阮 影元上三合 ʔ^{w}iɤn 元^{o} qonʔ
17005 菀 於阮 影元上三合 ʔ^{w}iɤn 元^{o} qonʔ
17006 苑 於阮 影元上三合 ʔ^{w}iɤn 元^{o} qonʔ
17007 踠 於阮 影元上三合 ʔ^{w}iɤn 元^{o} qonʔ
17008 蜿 於阮 影元上三合 ʔ^{w}iɤn 元^{o} qonʔ
17009 畹 於阮 影元上三合 ʔ^{w}iɤn 元^{o} qonʔ
17010 琬 於阮 影元上三合 ʔ^{w}iɤn 元^{o} qonʔ
17011 宛 於阮 影元上三合 ʔ^{w}iɤn 元^{o} qonʔ
17012 窻 於阮 影元上三合 ʔ^{w}iɤn 元^{o} qonʔ

---

1 见“煖”字注。

2 暖、煖、暄、燠，在古代字书中都是同义词，有晓母元韵、泥母寒韵的读者，都是合口字。其声符“爰”上古读 * ɢ^{r}on，晓母元韵读 * qon 或者 * q^{l}on，泥母寒韵是 * mglon> * mlon>中古 n^{w}ɑn，三辅音组的第二辅音失落。

3 战国中山王壶有“勛”字，汉代文字才出现“勳”。

4 圆义的词在下面的比较材料中几乎都是 Gon 类。藏缅语：藏文 gor(ba)圆块、珞巴博嘎尔 kor kor 圆、纳西永宁 ko31(tv33lɿ55)圆、哈尼 ɣɔ33 圆、木雅 gø33gø53 圆。苗瑶语：苗川黔滇 k^{h}un2、苗滇东北 qo3lo8、勉 kun2，侗台语：水 qon2、仫佬 kon6。古汉越语圆 dron< * gron。

17013 惋　於阮 影元上三合 ʔ^{w}iɤn 元^{o} qonʔ
17014 夗　於阮 影元上三合 ʔ^{w}iɤn 元^{o} qonʔ
17015 畹　於阮 影元上三合 ʔ^{w}iɤn 元^{o} qonʔ
17016 晼　於阮 影元上三合 ʔ^{w}iɤn 元^{o} qonʔ
17017 諕　於阮 影元上三合 ʔ^{w}iɤn 元^{o} qonʔ
17018 婴　紆願 影元去三合 ʔ^{w}iɤn 元^{o} qons
17019 怨　於願 影元去三合 ʔ^{w}iɤn 元^{o} qons
17020 諕　於願 影元去三合 ʔ^{w}iɤn 元^{o} qons
17021 涴　烏官 影寒平一合 ʔ^{w}ɑn 元^{o} qo̱n
17022 捥　烏丸 影寒平一合 ʔ^{w}ɑn 元^{o} qo̱n
17023 盌　烏丸 影寒平一合 ʔ^{w}ɑn 元^{o} qo̱n
17024 眢　一丸 影寒平一合 ʔ^{w}ɑn 元^{o} qo̱n
17025 蜿　一丸 影寒平一合 ʔ^{w}ɑn 元^{o} qo̱n
17026 盌[1]烏管 影寒上一合 ʔ^{w}ɑn 元^{o} qo̱nʔ
17027 捥　鄔管 影寒上一合 ʔ^{w}ɑn 元^{o} qo̱nʔ
17028 捥　烏貫 影寒去一合 ʔ^{w}ɑn 元^{o} qo̱ns
17029 惋　烏貫 影寒去一合 ʔ^{w}ɑn 元^{o} qo̱ns
17030 腕　烏貫 影寒去一合 ʔ^{w}ɑn 元^{o} qo̱ns
17031 睕　烏貫 影寒去一合 ʔ^{w}ɑn 元^{o} qo̱ns
17032 琬　烏貫 影寒去一合 ʔ^{w}ɑn 元^{o} qo̱ns
17033 捥　紆勿 影物入三合 ʔiut 物^{u} qud
17034 餱[2]紆勿 影物入三合 ʔiut 物^{u} qud
17035 盌　紆勿 影物入三合 ʔiut 物^{u} qud
17036 菀　紆物 影物入三合 ʔiut 物^{u} qud
17037 黦　於月 影月入三合 ʔ^{w}iɤt 月^{o} qod
17038 盌　於月 影月入三合 ʔ^{w}iɤt 月^{o} qod
17039 餱　於月 影月入三合 ʔ^{w}iɤt 月^{o} qod
17040 睕　烏括 影曷入一合 ʔ^{w}ɑt 月^{o} qo̱d
17041 輐　於粉 影文上三合 ʔiun 文^{u} qunʔ
17042 鴛　烏渾 影魂平一合 ʔu̯on 文^{u} qu̱n
17043 輐　於云 影文平三合 ʔiun 文^{u} qun
17044 涴　烏臥 影歌去一合 ʔ^{w}ɑ 歌^{o} qo̱ls

肙 yuàn

17045 圓　似宣 邪仙平三合 z^{w}iᴇn 元^{e} sɢ^{w}en
17046 悁　於緣 影仙平A 合 ʔ^{w}iᴇn 元^{e} q^{w}en
17047 蜎　於緣 影仙平A 合 ʔ^{w}iᴇn 元^{e} q^{w}en
17048 娟　縈緣 影仙平A 合 ʔ^{w}iᴇn 元^{e} q^{w}en
17049 弲　許緣 曉仙平A 合 h^{w}iᴇn 元^{e} q^{wh}en
17050 蜎　狂兖 群仙上A 合 ɡ^{w}iᴇn 元^{e} ɡ^{w}enʔ
17051 絹　吉掾 見仙去A 合 k^{w}iᴇn 元^{e} k^{w}ens
17052 狷　吉掾 見仙去A 合 k^{w}iᴇn 元^{e} k^{w}ens
17053 捐[3]與專 以仙平三合 j^{w}iᴇn 元^{e} ɢ^{w}en
17054 睊　古玄 見先平四合 k^{w}en 元^{e} k^{w}e̱n
17055 焆　圭玄 見先平四合 k^{w}en 元^{e} k^{w}e̱n
17056 稍　古玄 見先平四合 k^{w}en 元^{e} k^{w}e̱n
17057 鞙　古玄 見先平四合 k^{w}en 元^{e} k^{w}e̱n
17058 涓　古玄 見先平四合 k^{w}en 元^{e} k^{w}e̱n
17059 痟　烏玄 影先平四合 ʔ^{w}en 元^{e} q^{w}e̱n
17060 弲　烏玄 影先平四合 ʔ^{w}en 元^{e} q^{w}e̱n
17061 剈　烏玄 影先平四合 ʔ^{w}en 元^{e} q^{w}e̱n
17062 蜎　烏玄 影先平四合 ʔ^{w}en 元^{e} q^{w}e̱n
17063 焆　縈玄 影先平四合 ʔ^{w}en 元^{e} q^{w}e̱n
17064 鋗　火玄 曉先平四合 h^{w}en 元^{e} q^{wh}e̱n
17065 駽　火玄 曉先平四合 h^{w}en 元^{e} q^{wh}e̱n
17066 圓　火玄 曉先平四合 h^{w}en 元^{e} q^{wh}e̱n
17067 埍　姑泫 見先上四合 k^{w}en 元^{e} k^{w}e̱nʔ
17068 罥　姑泫 見先上四合 k^{w}en 元^{e} k^{w}e̱nʔ
17069 埍　胡畎 匣先上四合 ɦ^{w}en 元^{e} ɡ^{w}e̱nʔ
17070 鞙　胡畎 匣先上四合 ɦ^{w}en 元^{e} ɡ^{w}e̱nʔ
17071 蜎　毆泫 影先上四合 ʔ^{w}en 元^{e} q^{w}e̱nʔ
17072 睊　古縣 見先去四合 k^{w}en 元^{e} k^{w}e̱ns
17073 䏌　古縣 見先去四合 k^{w}en 元^{e} k^{w}e̱ns
17074 罥　古縣 見先去四合 k^{w}en 元^{e} k^{w}e̱ns
17075 狷　古縣 見先去四合 k^{w}en 元^{e} k^{w}e̱ns
17076 餇　烏縣 影先去四合 ʔ^{w}en 元^{e} q^{w}e̱ns
17077 肙　烏縣 影先去四合 ʔ^{w}en 元^{e} q^{w}e̱ns
17078 駽　許縣 曉先去四合 h^{w}en 元^{e} q^{wh}e̱ns
17079 焆[4]於列 影薛入A 合 ʔ^{w}iᴇt 月^{e} q^{w}ed
17080 焆　古穴 見屑入四合 k^{w}et 月^{e} k^{w}e̱d
17081 焆　一決 影屑入四合 ʔ^{w}et 月^{e} q^{w}e̱d

曰 yuē

17082 曰[5]王伐 云月入三合 ɦ^{iw}iɤt 月^{o} ɢ^{r}od

---

1 《广韵》又同"盌"。

2 《广韵》又同"餐"。

3 见"瞥"字注。

4 《广韵》"於列切",反切上字"於"模韵,可切合口。

5 《诗·七月》"曰爲改歲",《释文》:"《漢書》'曰'作'聿'。"

17083	吹[1]	餘律	以質入三合	j^{w}it	物^{u}	ɢud
17084	颸	于筆	云質入三合	ɦ^{ɨw}it	物^{u}	ɢ^{r}ud
17085	汩	于筆	云質入三合	ɦ^{ɨw}it	物^{u}	ɢ^{r}ud
17086	汩	古忽	見没入一合	ku̯ot	物^{u}	ku̱d
17087	扫	户骨	匣没入一合	ɦu̯ot	物^{u}	gu̱d

月 yuè

17088	月	魚厥	疑月入三合	ŋ^{w}iɤt	月^{o}	ŋod
17089	刖	魚厥	疑月入三合	ŋ^{w}iɤt	月^{o}	ŋod
17090	抈	魚厥	疑月入三合	ŋ^{w}iɤt	月^{o}	ŋod
17091	跀	魚厥	疑月入三合	ŋ^{w}iɤt	月^{o}	ŋod
17092	外[2]	五會	疑泰去一合	ŋ^{w}ɑi	月^{o}	ŋo̱ds
17093	跀	五活	疑曷入一合	ŋ^{w}ɑt	月^{o}	ŋo̱d
17094	刖	五刮	疑鎋入二合	ŋ^{wɯ}æt	月^{o}	ŋ^{r}o̱d
17095	玥	五刮	疑鎋入二合	ŋ^{wɯ}æt	月^{o}	ŋ^{r}o̱d
17096	刖[3]	五忽	疑没入一合	ŋu̯ot	物^{u}	ŋu̱d
17097	刖	五忽	疑没入一合	ŋu̯ot	物^{u}	ŋu̱d
17098	跀	五忽	疑没入一合	ŋu̯ot	物^{u}	ŋu̱d

戉 yuè

17099	劌[4]	居衛	見祭去B合	k^{w}ɨᴇi	月^{a}	k^{wr}ads
17100	噦	乙劣	影薛入B合	ʔ^{w}ɨᴇt	月^{a}	q^{wr}ad
17101	鐬	於廢	影廢去三合	ʔ^{w}iai	月^{a}	q^{w}ads
17102	濊	於廢	影廢去三合	ʔ^{w}iai	月^{a}	q^{w}ads
17103	穢	於廢	影廢去三合	ʔ^{w}iai	月^{a}	q^{w}ads
17104	薉	於廢	影廢去三合	ʔ^{w}iai	月^{a}	q^{w}ads
17105	顪	許穢	曉廢去三合	h^{w}iai	月^{a}	q^{wh}ads
17106	歲[5]	相鋭	心祭去三合	s^{w}iᴇi	月^{a}	sq^{w}ads
17107	噦	於月	影月入三合	ʔ^{w}iɤt	月^{a}	q^{w}ad
17108	薉	於月	影月入三合	ʔ^{w}iɤt	月^{a}	q^{w}ad
17109	泧	許月	曉月入三合	h^{w}iɤt	月^{a}	q^{wh}ad
17110	狘	許月	曉月入三合	h^{w}iɤt	月^{a}	q^{wh}ad
17111	䟒	許月	曉月入三合	h^{w}iɤt	月^{a}	q^{wh}ad
17112	娍	王伐	云月入三合	ɦ^{ɨw}iɤt	月^{a}	ɢ^{w}ad
17113	泧	王伐	云月入三合	ɦ^{ɨw}iɤt	月^{a}	ɢ^{w}ad
17114	戉	王伐	云月入三合	ɦ^{ɨw}iɤt	月^{a}	ɢ^{w}ad
17115	樾	王伐	云月入三合	ɦ^{ɨw}iɤt	月^{a}	ɢ^{w}ad
17116	越	王伐	云月入三合	ɦ^{ɨw}iɤt	月^{a}	ɢ^{w}ad
17117	逑	王伐	云月入三合	ɦ^{ɨw}iɤt	月^{a}	ɢ^{w}ad
17118	鉞[6]	王伐	云月入三合	ɦ^{ɨw}iɤt	月^{a}	ɢ^{w}ad
17119	絾	王伐	云月入三合	ɦ^{ɨw}iɤt	月^{a}	ɢ^{w}ad
17120	濊	烏外	影泰去一合	ʔ^{w}ɑi	月^{a}	q^{w}a̱ds
17121	翽[7]	呼會	曉泰去一合	h^{w}ɑi	月^{a}	q^{wh}a̱ds
17122	濊	呼會	曉泰去一合	h^{w}ɑi	月^{a}	q^{wh}a̱ds
17123	譢	呼會	曉泰去一合	h^{w}ɑi	月^{a}	q^{wh}a̱ds
17124	噦	呼會	曉泰去一合	h^{w}ɑi	月^{a}	q^{wh}a̱ds
17125	越	户括	匣曷入一合	ɦ^{w}ɑt	月^{a}	g^{w}a̱d
17126	濊	呼括	曉曷入一合	h^{w}ɑt	月^{a}	q^{wh}a̱d
17127	奯	呼括	曉曷入一合	h^{w}ɑt	月^{a}	q^{wh}a̱d
17128	濊	呼括	曉曷入一合	h^{w}ɑt	月^{a}	q^{wh}a̱d
17129	泧	呼括	曉曷入一合	h^{w}ɑt	月^{a}	q^{wh}a̱d
17130	眓	呼括	曉曷入一合	h^{w}ɑt	月^{a}	q^{wh}a̱d
17131	怴[8]	許聿	曉質入A合	h^{w}it	物^{u}	q^{wh}ud

岳 yuè

17132	頟	五角	疑覺入二開	ŋ^{ɯ}ɔk	屋	ŋ^{r}o̱g
17133	岳	五角	疑覺入二開	ŋ^{ɯ}ɔk	屋	ŋ^{r}o̱g

龠 yuè

17134	禴	弋笑	以宵去三開	jiᴇu	藥^{e}	ɢleg^{w}s
17135	覦	弋照	以宵去三開	jiᴇu	藥^{e}	ɢleg^{w}s
17136	爚	書藥	書藥入三開	ɕiak	藥^{e}	q^{h}leg^{w}
17137	蘥	以灼	以藥入三開	jiak	藥^{e}	ɢleg^{w}
17138	鑰	以灼	以藥入三開	jiak	藥^{e}	ɢleg^{w}
17139	瀹	以灼	以藥入三開	jiak	藥^{e}	ɢleg^{w}
17140	瀹	以灼	以藥入三開	jiak	藥^{e}	ɢleg^{w}
17141	爚	以灼	以藥入三開	jiak	藥^{e}	ɢleg^{w}
17142	龠	以灼	以藥入三開	jiak	藥^{e}	ɢleg^{w}
17143	籥	以灼	以藥入三開	jiak	藥^{e}	ɢleg^{w}
17144	鸙	以灼	以藥入三開	jiak	藥^{e}	ɢleg^{w}
17145	趯	以灼	以藥入三開	jiak	藥^{e}	ɢleg^{w}
17146	闟	以灼	以藥入三開	jiak	藥^{e}	ɢleg^{w}

---

1 郑张尚芳：《说文》"曰"声，《诗》作"遹"*ɢud。

2 显然以"月"*ŋod得声，可比较藏文同源词ŋos边沿。

3 《说文》段注："刖省聲。"

4 见"沬"字注。

5 闽语读h-，反映"歲"曾有另一个异读*q^{hw}ads>h^{w}-，中原地区的心母读*sq^{hw}ads>*sh^{w}->s^{w}-。

6 《释名·释兵》："鉞，豁也。"故带介音^{w}。

7 见"沬"字注。

8 物^{u}部质韵应该是B类。

17147 覦 以灼 以藥入三開 jiak 藥^{e} ɢleg^{w}
17148 踚 以灼 以藥入三開 jiak 藥^{e} ɢleg^{w}
17149 褕 以灼 以藥入三開 jiak 藥^{e} ɢleg^{w}
17150 籲 羊戍 以虞去三合 jiʊ 屋 ɢlogs

壼 yūn

17151 壼 於云 影文平三合 ʔiun 文^{u} qun

云 yún

17152 紜 王分 云文平三合 ɦ^{i}iun 文^{u} ɢ^{r}un
17153 澐 王分 云文平三合 ɦ^{i}iun 文^{u} ɢ^{r}un
17154 云 王分 云文平三合 ɦ^{i}iun 文^{u} ɢ^{r}un
17155 郧 王分 云文平三合 ɦ^{i}iun 文^{u} ɢ^{r}un
17156 沄 王分 云文平三合 ɦ^{i}iun 文^{u} ɢ^{r}un
17157 貶 王分 云文平三合 ɦ^{i}iun 文^{u} ɢ^{r}un
17158 眃 王分 云文平三合 ɦ^{i}iun 文^{u} ɢ^{r}un
17159 秐 王分 云文平三合 ɦ^{i}iun 文^{u} ɢ^{r}un
17160 雲 王分 云文平三合 ɦ^{i}iun 文^{u} ɢ^{r}un
17161 芸 王分 云文平三合 ɦ^{i}iun 文^{u} ɢ^{r}un
17162 妘 王分 云文平三合 ɦ^{i}iun 文^{u} ɢ^{r}un
17163 囩 爲贇 云真平三合 ɦ^{iw}in 文^{u} ɢ^{r}un
17164 奁 魚吻 疑文上三合 ŋiun 文^{u} ŋgunʔ
17165 抎 云粉 云文上三合 ɦ^{i}iun 文^{u} ɢ^{r}unʔ
17166 貶 王問 云文去三合 ɦ^{i}iun 文^{u} ɢ^{r}uns
17167 秐 王問 云文去三合 ɦ^{i}iun 文^{u} ɢ^{r}uns
17168 魂[1] 户昆 匣魂平一合 ɦu̯on 文^{u} gu̱n
17169 沄 户昆 匣魂平一合 ɦu̯on 文^{u} gu̱n
17170 眃 户衮 匣魂上一合 ɦu̯on 文^{u} gu̱nʔ

匀 yún

17171 袀 居匀 見真平A合 k^{w}in 真^{ŋ} k^{w}iŋ
17172 汮 居匀 見真平A合 k^{w}in 真^{ŋ} k^{w}iŋ
17173 均 居匀 見真平A合 k^{w}in 真^{ŋ} k^{w}iŋ
17174 鈞 居匀 見真平A合 k^{w}in 真^{ŋ} k^{w}iŋ
17175 汮 居筠 見真平B合 k^{w}ɨin 真^{ŋ} k^{wr}iŋ
17176 眗 相倫 心真平三合 s^{w}in 真^{ŋ} sq^{w}iŋ
17177 荀 相倫 心真平三合 s^{w}in 真^{ŋ} sq^{w}iŋ
17178 郇 相倫 心真平三合 s^{w}in 真^{ŋ} sq^{w}iŋ
17179 詢 相倫 心真平三合 s^{w}in 真^{ŋ} sq^{w}iŋ
17180 眴 相倫 心真平三合 s^{w}in 真^{ŋ} sq^{w}iŋ
17181 峋 相倫 心真平三合 s^{w}in 真^{ŋ} sq^{w}iŋ
17182 珣 相倫 心真平三合 s^{w}in 真^{ŋ} sq^{w}iŋ
17183 栒 相倫 心真平三合 s^{w}in 真^{ŋ} sq^{w}iŋ
17184 洵 相倫 心真平三合 s^{w}in 真^{ŋ} sq^{w}iŋ
17185 恂 相倫 心真平三合 s^{w}in 真^{ŋ} sq^{w}iŋ
17186 槆 相倫 心真平三合 s^{w}in 真^{ŋ} sq^{w}iŋ
17187 姰 相倫 心真平三合 s^{w}in 真^{ŋ} sq^{w}iŋ
17188 栒 須倫 心真平三合 s^{w}in 真^{ŋ} sq^{w}iŋ
17189 帕 須倫 心真平三合 s^{w}in 真^{ŋ} sq^{w}iŋ
17190 匀[2] 羊倫 以真平三合 j^{w}in 真^{ŋ} ɢ^{w}iŋ
17191 昀[3] 羊倫 以真平三合 j^{w}in 真^{ŋ} ɢ^{w}iŋ
17192 昀[4] 俞倫 以真平三合 j^{w}in 真^{ŋ} ɢ^{w}iŋ
17193 筠 爲贇 云真平三合 ɦ^{ɨw}in 真^{ŋ} ɢ^{wr}iŋ
17194 菿 爲贇 云真平三合 ɦ^{ɨw}in 真^{ŋ} ɢ^{wr}iŋ
17195 帕 松倫 邪真平三合 z^{w}in 真^{ŋ} sɢ^{w}iŋ
17196 栒 祥匀 邪真平三合 z^{w}in 真^{ŋ} sɢ^{w}iŋ
17197 旬[5] 詳遵 邪真平三合 z^{w}in 真^{ŋ} sɢ^{w}iŋ
17198 洵 詳遵 邪真平三合 z^{w}in 真^{ŋ} sɢ^{w}iŋ
17199 昀 詳遵 邪真平三合 z^{w}in 真^{ŋ} sɢ^{w}iŋ
17200 笋 思尹 心真上三合 s^{w}in 真^{ŋ} sq^{w}iŋʔ
17201 筍 思尹 心真上三合 s^{w}in 真^{ŋ} sq^{w}iŋʔ
17202 笋 思尹 心真上三合 s^{w}in 真^{ŋ} sq^{w}iŋʔ
17203 菿 于敏 云真上三合 ɦ^{ɨw}in 真^{ŋ} ɢ^{wr}iŋʔ
17204 迿 私閏 心真去三合 s^{w}in 真^{ŋ} sq^{w}iŋs
17205 酌[6] 羊進 以真去三開 jin 真^{ŋ} ɢ^{w}iŋs
17206 殉 辭閏 邪真去三合 z^{w}in 真^{ŋ} sɢ^{w}iŋs
17207 徇 辭閏 邪真去三合 z^{w}in 真^{ŋ} sɢ^{w}iŋs
17208 侚 辭閏 邪真去三合 z^{w}in 真^{ŋ} sɢ^{w}iŋs
17209 彴 辭閏 邪真去三合 z^{w}in 真^{ŋ} sɢ^{w}iŋs
17210 昀 胡涓 匣先平四合 ɦ^{w}en 真^{ŋ} ɢ^{w}i̱ŋ
17211 訇 胡涓 匣先平四合 ɦ^{w}en 真^{ŋ} ɢ^{w}i̱ŋ
17212 絢 許縣 曉先去四合 h^{w}en 真^{ŋ} q^{wh}i̱ŋs
17213 眴 許縣 曉先去四合 h^{w}en 真^{ŋ} q^{wh}i̱ŋs

---

1 《广韵》作"䰟"。

2 见"營"字注。

3 见"營"字注。

4 见"營"字注。

5 《诗·江汉》"王命召虎，來旬來宣"，郑注："旬當作營。""旬" * sɢ^{w}iŋ 通"營" * ɢ^{w}eŋ。

6 "酌"与"匀"同音，"匀"的读音 j^{w}in，发音部位有前后前的往复动作，省力原则会发生两种音变，一是"匀"那样发生 * j^{w}iŋ>j^{w}in，另一是"酌"那样发生 * j^{w}iŋ>jin。

17214 袀 翾縣 曉先去四合 hʷen 真ᵑ qʷʰi̱ŋs
17215 迿 黃練 匣先去四合 ɦʷen 真ᵑ ɢʷi̱ŋs
17216 姰 黃練 匣先去四合 ɦʷen 真ᵑ ɢʷi̱ŋs
17217 眴 黃練 匣先去四合 ɦʷen 真ᵑ ɢʷi̱ŋs
17218 旬 黃練 匣先去四合 ɦʷen 真ᵑ ɢʷi̱ŋs
17219 郇[1] 户關 匣山平二合 ɦʷɯɛn 真ᵑ ɢʷri̱ŋ
17220 惸 渠營 群清平三合 ɡʷiᴇŋ 耕 ɡʷeŋ
17221 赹 渠營 群清平三合 ɡʷiᴇŋ 耕 ɡʷeŋ
17222 愬 渠營 群清平三合 ɡʷiᴇŋ 耕 ɡʷeŋ
17223 訇 呼宏 曉耕平二合 hʷɯɛŋ 耕 qʷʰʳe̱ŋ
17224 鍧 呼宏 曉耕平二合 hʷɯɛŋ 耕 qʷʰʳe̱ŋ
17225 响 所律 生櫛入三合 ʂʷɪt 質ᵍ sqʷʳig

允 yǔn

17226 捘 七倫 清真平三合 tsʰʷin 文ᵘ skʰun
17227 逡 七倫 清真平三合 tsʰʷin 文ᵘ skʰun
17228 竣 七倫 清真平三合 tsʰʷin 文ᵘ skʰun
17229 皴 七倫 清真平三合 tsʰʷin 文ᵘ skʰun
17230 䲡 七倫 清真平三合 tsʰʷin 文ᵘ skʰun
17231 踆 七倫 清真平三合 tsʰʷin 文ᵘ skʰun
17232 夋 七倫 清真平三合 tsʰʷin 文ᵘ skʰun
17233 僢 尺尹 昌真上三合 tɕʰʷin 文ᵘ kʰʲunʔ
17234 狁 余準 以真上三合 jʷin 文ᵘ ɢunʔ
17235 駺 余準 以真上三合 jʷin 文ᵘ ɢunʔ
17236 阭 庾準 以真上三合 jʷin 文ᵘ ɢunʔ
17237 鈗 庾準 以真上三合 jʷin 文ᵘ ɢunʔ
17238 允 余準 以真上三合 jʷin 文ᵘ ɢunʔ
17239 吮 食尹 船真上三合 ʑʷin 文ᵘ ɢʲunʔ
17240 俊 子峻 精真去三合 tsʷin 文ᵘ skuns
17241 晙 子峻 精真去三合 tsʷin 文ᵘ skuns
17242 餕 子峻 精真去三合 tsʷin 文ᵘ skuns
17243 畯 子峻 精真去三合 tsʷin 文ᵘ skuns
17244 駿 子峻 精真去三合 tsʷin 文ᵘ skuns
17245 䲡 子峻 精真去三合 tsʷin 文ᵘ skuns
17246 焌 子峻 精真去三合 tsʷin 文ᵘ skuns
17247 晙 祖峻 精真去三合 tsʷin 文ᵘ skuns
17248 峻 私閏 心真去三合 sʷin 文ᵘ squns
17249 浚 私閏 心真去三合 sʷin 文ᵘ squns
17250 陖 私閏 心真去三合 sʷin 文ᵘ squns
17251 鵔 私閏 心真去三合 sʷin 文ᵘ squns
17252 晙 私閏 心真去三合 sʷin 文ᵘ squns
17253 鵕 須閏 心真去三合 sʷin 文ᵘ squns
17254 舜[2] 舒閏 書真去三合 ɕʷin 文ᵘ qʰʲuns
17255 蕣 舒閏 書真去三合 ɕʷin 文ᵘ qʰʲuns
17256 瞬 舒閏 書真去三合 ɕʷin 文ᵘ qʰʲuns
17257 焌 子寸 精魂去一合 tsu̱on 文ᵘ sku̱ns
17258 捘 子寸 精魂去一合 tsu̱on 文ᵘ sku̱ns
17259 朘 子泉 精仙平三合 tsʷiᴇn 元ᵒ skon
17260 朘 遵全 精仙平三合 tsʷiᴇn 元ᵒ skon
17261 悛 此緣 清仙平三合 tsʰʷiᴇn 元ᵒ skʰon
17262 阭 粗兖 從仙上三合 dzʷiᴇn 元ᵒ sgonʔ
17263 吮 徂兖 從仙上三合 dzʷiᴇn 元ᵒ sgonʔ
17264 兖 以轉 以仙上三合 jʷiᴇn 元ᵒ ɢonʔ
17265 沇 以轉 以仙上三合 jʷiᴇn 元ᵒ ɢonʔ
17266 駺 以轉 以仙上三合 jʷiᴇn 元ᵒ ɢonʔ
17267 阭 以轉 以仙上三合 jʷiᴇn 元ᵒ ɢonʔ
17268 䨘 素官 心寒平一合 sʷɑn 元ᵒ skˡo̱n
17269 酸 素官 心寒平一合 sʷɑn 元ᵒ sqo̱n
17270 狻 素官 心寒平一合 sʷɑn 元ᵒ sqo̱n
17271 痠 素官 心寒平一合 sʷɑn 元ᵒ sqo̱n
17272 葰 息遺 心脂平三合 sʷi 微ᵘ squl
17273 荾 息遺 心脂平三合 sʷi 微ᵘ squl
17274 荾 息遺 心脂平三合 sʷi 微ᵘ squl
17275 朘 臧回 精灰平一合 tsu̱oi 微ᵘ sku̱l
17276 阭 俞罪 以灰上一合 ju̱oi 微ᵘ ɢu̱lʔ
17277 捘 子對 精灰去一合 tsu̱oi 微ᵘ sku̱ls
17278 梭 蘇禾 心歌平一合 sʷɑ 歌ᵒ sqo̱l
17279 葰 蘇果 心歌上一合 sʷɑ 歌ᵒ sqo̱lʔ
17280 葰 沙瓦 生麻上二合 ʂʷɯæ 歌ᵒ skʳo̱lʔ
17281 鈗 俞芮 以祭去三合 jʷiᴇi 月ᵒ ɢods
17282 趍 七溜 清尤去三合 tsʰiu 幽 skʰus
17283 焌 倉聿 清質入三合 tsʰʷit 物ᵘ skʰud

孕 yùn

17284 孕[3] 以證 以蒸去三開 jɨŋ 侵ᵘ b.lums

---

1 见"存"字注。原为删韵，但是根据谐声系统应该为山韵，《切韵》音系二等有山、删的历史层次。

2 《说文新证》以为"舜"字从"允"得声。

3 "孕"的上古汉语是 *b.lums>*luŋs>中古 jɨŋ，可比较"熊"的类似变化：*ɢum>*ɢʷɯŋ>中古 ɦʷʲuŋ。"孕"在北京话中是 *lums>*luns>jun，还保留圆唇音。

帀 zā

17285 帀 子荅 精合入一開 tsəp 緝^{u} su̱b

雥 zá

17286 雥 徂合 從合入一開 dzəp 緝^{u} zu̱b

災 zāi

17287 災 祖才 精咍平一開 tsəi 之 sɯ̱

宰 zǎi

17288 梓 即里 精之上三開 tsɨ 之 sɯʔ
17289 滓 阻史 莊之上三開 tʂɨ 之 srɯʔ
17290 莘 阻史 莊之上三開 tʂɨ 之 srɯʔ
17291 宰 作亥 精咍上一開 tsəi 之 sɯ̱ʔ
17292 縡 作亥 精咍上一開 tsəi 之 sɯ̱ʔ
17293 䎰 作亥 精咍上一開 tsəi 之 sɯ̱ʔ
17294 縡 作代 精咍去一開 tsəi 之 sɯ̱s

再 zài

17295 洅[1] 子罪 精灰上一合 tsu̯oi 之 sɯ̱ʔ
17296 再 作代 精咍去一開 tsəi 之 sɯ̱s
17297 洅 作代 精咍去一開 tsəi 之 sɯ̱s

贊 zàn

17298 鑽[2] 借官 精寒平一合 ts^{w}ɑn 元^{o} so̱n
17299 劗 借官 精寒平一合 ts^{w}ɑn 元^{o} so̱n
17300 巑 在丸 從寒平一合 dz^{w}ɑn 元^{o} zo̱n
17301 酇 在丸 從寒平一合 dz^{w}ɑn 元^{o} zo̱n
17302 劗 在丸 從寒平一合 dz^{w}ɑn 元^{o} zo̱n
17303 欑 在丸 從寒平一合 dz^{w}ɑn 元^{o} zo̱n
17304 纘 作管 精寒上一合 ts^{w}ɑn 元^{o} so̱nʔ
17305 儹 作管 精寒上一合 ts^{w}ɑn 元^{o} so̱nʔ
17306 籫 作管 精寒上一合 ts^{w}ɑn 元^{o} so̱nʔ
17307 酇 作管 精寒上一合 ts^{w}ɑn 元^{o} so̱nʔ
17308 鑽 子筭 精寒去一合 ts^{w}ɑn 元^{o} so̱ns
17309 攢 在玩 從寒去一合 dz^{w}ɑn 元^{o} zo̱ns
17310 瓚 藏旱 從寒上一開 dzɑn 元^{a} za̱nʔ
17311 讚 則旰 精寒去一開 tsɑn 元^{a} sa̱ns
17312 酇 則旰 精寒去一開 tsɑn 元^{a} sa̱ns
17313 饡 則旰 精寒去一開 tsɑn 元^{a} sa̱ns
17314 灒 則旰 精寒去一開 tsɑn 元^{a} sa̱ns
17315 𡤻 則旰 精寒去一開 tsɑn 元^{a} sa̱ns
17316 攢 則旰 精寒去一開 tsɑn 元^{a} sa̱ns
17317 賛 則旰 精寒去一開 tsɑn 元^{a} sa̱ns
17318 贊 則旰 精寒去一開 tsɑn 元^{a} sa̱ns
17319 𡤻 徂贊 從寒去一開 dzɑn 元^{a} za̱ns
17320 囋 徂贊 從寒去一開 dzɑn 元^{a} za̱ns
17321 賛 子末 精曷入一開 tsɑt 月^{a} sa̱d
17322 囋 才割 從曷入一開 dzɑt 月^{a} za̱d

葬 zàng

17323 髒 子朗 精唐上一開 tsɑŋ 陽 sa̱ŋʔ
17324 葬 則浪 精唐去一開 tsɑŋ 陽 sa̱ŋs

早 zǎo

17325 早 子晧 精豪上一開 tsɑu 幽 su̱ʔ
17326 草 采老 清豪上一開 ts^{h}ɑu 幽 s^{h}u̱ʔ
17327 慅 采老 清豪上一開 ts^{h}ɑu 幽 s^{h}u̱ʔ
17328 皂[3] 昨早 從豪上一開 dzɑu 幽 zu̱ʔ

蚤 zǎo

17329 糔 息有 心尤上三合 siu 幽 s^{l}uʔ
17330 騷 蘇遭 心豪平一開 sɑu 幽 s^{l}u̱
17331 搔 蘇遭 心豪平一開 sɑu 幽 s^{l}u̱
17332 鰠 蘇遭 心豪平一開 sɑu 幽 s^{l}u̱
17333 溞 蘇遭 心豪平一開 sɑu 幽 s^{l}u̱
17334 𠋮 蘇遭 心豪平一開 sɑu 幽 s^{l}u̱
17335 慅 蘇遭 心豪平一開 sɑu 幽 s^{l}u̱
17336 蚤 子晧 精豪上一開 tsɑu 幽 su̱ʔ
17337 慅 采老 清豪上一開 ts^{h}ɑu 幽 s^{h}u̱ʔ
17338 瘙 蘇到 心豪去一開 sɑu 幽 s^{l}u̱s
17339 鼜 七到 清豪去一開 ts^{h}ɑu 幽 s^{h}u̱s
17340 瑵 側絞 莊肴上二開 tʂ^{ɯ}æu 幽 sru̱ʔ

棗 zǎo

17341 棗 子晧 精豪上一開 tsɑu 幽 su̱ʔ

---

1 见“存”字注。

2 “贊”为开口,“鑽”则为合口。出土文献通“贊”。很可能合口后来产生。

3 《广韵》又同“皁”。

喿 zào

17342 幧 七遥 清宵平三開 tsʰiɛu 宵ᵃ sʰaʷ
17343 臊 蘇遭 心豪平一開 sɑu 宵ᵃ sˡa̠ʷ
17344 鱢 蘇遭 心豪平一開 sɑu 宵ᵃ sˡa̠ʷ
17345 繰 蘇遭 心豪平一開 sɑu 宵ᵃ sˡa̠ʷ
17346 操 七刀 清豪平一開 tsʰɑu 宵ᵃ sʰa̠ʷ
17347 幧 七刀 清豪平一開 tsʰɑu 宵ᵃ sʰa̠ʷ
17348 澡 子晧 精豪上一開 tsɑu 宵ᵃ sa̠ʷʔ
17349 藻 子晧 精豪上一開 tsɑu 宵ᵃ sa̠ʷʔ
17350 璪 子晧 精豪上一開 tsɑu 宵ᵃ sa̠ʷʔ
17351 繰 子晧 精豪上一開 tsɑu 宵ᵃ sa̠ʷʔ
17352 燥 蘇老 心豪上一開 sɑu 宵ᵃ sˡa̠ʷʔ
17353 慅 采老 清豪上一開 tsʰɑu 宵ᵃ sʰa̠ʷʔ
17354 趮 則到 精豪去一開 tsɑu 宵ᵃ sa̠ʷs
17355 躁 則到 精豪去一開 tsɑu 宵ᵃ sa̠ʷs
17356 喿 蘇到 心豪去一開 sɑu 宵ᵃ sˡa̠ʷs
17357 譟 蘇到 心豪去一開 sɑu 宵ᵃ sˡa̠ʷs
17358 操 七到 清豪去一開 tsʰɑu 宵ᵃ sʰa̠ʷs
17359 鄵 七到 清豪去一開 tsʰɑu 宵ᵃ sʰa̠ʷs
17360 橾 山芻 生虞平三合 ʂiʊ 侯 sʳo
17361 橾 蘇后 心侯上一合 su 侯 sˡo̠ʔ
17362 剿 子了 精蕭上四開 tseu 宵ᵉ se̠ʷʔ

則 zé

17363 廁 初吏 初之去三開 tʂʰɨ 職 skʰrɯɡs
17364 萴 阻力 莊職入三開 tʂɨk 職 skrɯɡ
17365 側 阻力 莊職入三開 tʂɨk 職 skrɯɡ
17366 測 初力 初職入三開 tʂʰɨk 職 skʰrɯɡ
17367 惻 初力 初職入三開 tʂʰɨk 職 skʰrɯɡ
17368 墈 初力 初職入三開 tʂʰɨk 職 skʰrɯɡ
17369 崱 士力 崇職入三開 dʐɨk 職 sɡrɯɡ
17370 萴 士力 崇職入三開 dʐɨk 職 sɡrɯɡ
17371 則 子德 精德入一開 tsək 職 skɯ̠ɡ
17372 賊[1] 昨則 從德入一開 dzək 職 sɡɯ̠ɡ
17373 蠈 昨則 從德入一開 dzək 職 sɡɯ̠ɡ

夨 zè

17374 昃 札色 莊職入三開 tʂɨk 職 srɯɡ
17375 夨 阻力 莊職入三開 tʂɨk 職 srɯɡ

仄 zè

17376 仄 阻力 莊職入三開 tʂɨk 職 srɯɡ

曾 zēng

17377 鬸 即凌 精蒸平三開 tsɨŋ 蒸 sɯŋ
17378 橧 慈陵 從蒸平三開 dzɨŋ 蒸 zɯŋ
17379 繒 疾陵 從蒸平三開 dzɨŋ 蒸 zɯŋ
17380 鄫 疾陵 從蒸平三開 dzɨŋ 蒸 zɯŋ
17381 驓 疾陵 從蒸平三開 dzɨŋ 蒸 zɯŋ
17382 橧 疾陵 從蒸平三開 dzɨŋ 蒸 zɯŋ
17383 竲 疾陵 從蒸平三開 dzɨŋ 蒸 zɯŋ
17384 嶒 疾陵 從蒸平三開 dzɨŋ 蒸 zɯŋ
17385 磳 仕兢 崇蒸平三開 dʐɨŋ 蒸 zrɯŋ
17386 甑 子孕 精蒸去三開 tsɨŋ 蒸 sɯŋs
17387 鬸 子孕 精蒸去三開 tsɨŋ 蒸 sɯŋs
17388 橧 子孕 精蒸去三開 tsɨŋ 蒸 sɯŋs
17389 磳 作滕 精登平一開 tsəŋ 蒸 sɯ̠ŋ
17390 曾 作滕 精登平一開 tsəŋ 蒸 sɯ̠ŋ
17391 矰 作滕 精登平一開 tsəŋ 蒸 sɯ̠ŋ
17392 罾 作滕 精登平一開 tsəŋ 蒸 sɯ̠ŋ
17393 熷 作滕 精登平一開 tsəŋ 蒸 sɯ̠ŋ
17394 竲 作滕 精登平一開 tsəŋ 蒸 sɯ̠ŋ
17395 橧 作滕 精登平一開 tsəŋ 蒸 sɯ̠ŋ
17396 譄 作滕 精登平一開 tsəŋ 蒸 sɯ̠ŋ
17397 層 作滕 精登平一開 tsəŋ 蒸 sɯ̠ŋ
17398 增 作滕 精登平一開 tsəŋ 蒸 sɯ̠ŋ
17399 憎 作滕 精登平一開 tsəŋ 蒸 sɯ̠ŋ
17400 僧 蘇增 心登平一開 səŋ 蒸 sˡɯ̠ŋ
17401 橧 徂棱 從登平一開 dzəŋ 蒸 zɯ̠ŋ
17402 曾 昨棱 從登平一開 dzəŋ 蒸 zɯ̠ŋ
17403 層 昨棱 從登平一開 dzəŋ 蒸 zɯ̠ŋ
17404 增 子鄧 精登去一開 tsəŋ 蒸 sɯ̠ŋs
17405 橧 子鄧 精登去一開 tsəŋ 蒸 sɯ̠ŋs
17406 蹭 千鄧 清登去一開 tsʰəŋ 蒸 sʰɯ̠ŋs
17407 䶛 千鄧 清登去一開 tsʰəŋ 蒸 sʰɯ̠ŋs
17408 贈 昨亘 從登去一開 dzəŋ 蒸 zɯ̠ŋs

1　与“克” *kʰɯ̠ɡ 同根，都是“杀”的意思，《公羊传》曰：“克之者何，殺之也。”《书・舜典》：“寇賊姦宄。”传：“殺人曰賊。”故“賊”上古 * sɡɯ̠ɡ>dzɯ̠ɡ。

17409 噌 楚耕 初耕平二開 tʂ^{hɯ}ɛŋ 蒸 s^{h}rɯ̠ŋ
17410 鏳[1] 士耕 崇耕平二開 dʐ^{ɯ}ɛŋ 蒸 zrɯ̠ŋ
17411 澘 側詵 莊臻平三開 tʂiɪn 文^{ɯ} srɯn

乍 zhà

17412 作[2] 則箇 精歌去一開 tsɑ 鐸 sa̠gs
17413 作 臧祚 精模去一合 tsu̯o 鐸 sa̠gs
17414 胙 昨誤 從模去一合 dzu̯o 鐸 za̠gs
17415 阼 昨誤 從模去一合 dzu̯o 鐸 za̠gs
17416 飵 昨誤 從模去一合 dzu̯o 鐸 za̠gs
17417 秨 昨誤 從模去一合 dzu̯o 鐸 za̠gs
17418 祚 昨誤 從模去一合 dzu̯o 鐸 za̠gs
17419 作 則落 精鐸入一開 tsɑk 鐸 sa̠g
17420 迮 則落 精鐸入一開 tsɑk 鐸 sa̠g
17421 柞 則落 精鐸入一開 tsɑk 鐸 sa̠g
17422 酢 在各 從鐸入一開 dzɑk 鐸 za̠g
17423 莋 在各 從鐸入一開 dzɑk 鐸 za̠g
17424 怍 在各 從鐸入一開 dzɑk 鐸 za̠g
17425 笮 在各 從鐸入一開 dzɑk 鐸 za̠g
17426 柞 在各 從鐸入一開 dzɑk 鐸 za̠g
17427 犃 在各 從鐸入一開 dzɑk 鐸 za̠g
17428 岞 在各 從鐸入一開 dzɑk 鐸 za̠g
17429 飵 在各 從鐸入一開 dzɑk 鐸 za̠g
17430 昨 在各 從鐸入一開 dzɑk 鐸 za̠g
17431 秨 在各 從鐸入一開 dzɑk 鐸 za̠g
17432 砟 在各 從鐸入一開 dzɑk 鐸 za̠g
17433 笮 側駕 莊麻去二開 tʂ^{ɯ}æ 鐸 sra̠gs
17434 詐 側駕 莊麻去二開 tʂ^{ɯ}æ 鐸 sra̠gs
17435 咋 側駕 莊麻去二開 tʂ^{ɯ}æ 鐸 sra̠gs
17436 乍 鋤駕 崇麻去二開 dʐ^{ɯ}æ 鐸 zra̠gs
17437 詐 鋤駕 崇麻去二開 dʐ^{ɯ}æ 鐸 zra̠gs
17438 迮 側伯 莊陌入二開 tʂ^{ɯ}æk 鐸 sra̠g
17439 窄 側伯 莊陌入二開 tʂ^{ɯ}æk 鐸 sra̠g
17440 笮 側伯 莊陌入二開 tʂ^{ɯ}æk 鐸 sra̠g
17441 咋[3] 側革 莊陌入二開 tʂ^{ɯ}æk 鐸 sra̠g
17442 莋 側格 莊陌入二開 tʂ^{ɯ}æk 鐸 sra̠g
17443 齚 鋤陌 崇陌入二開 dʐ$^{□}$æk 鐸 zra̠g
17444 咋 鋤陌 崇陌入二開 dʐ^{ɯ}æk 鐸 zra̠g
17445 岞 鋤陌 崇陌入二開 dʐ^{ɯ}æk 鐸 zra̠g
17446 鮓 側下 莊麻上二開 tʂ^{ɯ}æ 魚 sra̠ʔ

詹 zhān

17447 噡 職廉 章鹽平三開 tɕiᴇm 談^{a} kl^{j}am
17448 蟾 職廉 章鹽平三開 tɕiᴇm 談^{a} kl^{j}am
17449 詹 職廉 章鹽平三開 tɕiᴇm 談^{a} kl^{j}am
17450 瞻 職廉 章鹽平三開 tɕiᴇm 談^{a} kl^{j}am
17451 产 職廉 章鹽平三開 tɕiᴇm 談^{a} kl^{j}am
17452 薝 之廉 章鹽平三開 tɕiᴇm 談^{a} kl^{j}am
17453 幨 處占 昌鹽平三開 tɕ^{h}iᴇm 談^{a} k^{h}l^{j}am
17454 襜 處占 昌鹽平三開 tɕ^{h}iᴇm 談^{a} k^{h}l^{j}am
17455 蟾 視占 禪鹽平三開 dʑiᴇm 談^{a} gl^{j}am
17456 檐 余廉 以鹽平三開 jiᴇm 談^{a} ɢlam
17457 闂 余廉 以鹽平三開 jiᴇm 談^{a} ɢlam
17458 簷 余廉 以鹽平三開 jiᴇm 談^{a} ɢlam
17459 幨 昌豔 昌鹽去三開 tɕ^{h}iᴇm 談^{a} k^{h}l^{j}ams
17460 闂 昌豔 昌鹽去三開 tɕ^{h}iᴇm 談^{a} k^{h}l^{j}ams
17461 贍 時豔 禪鹽去三開 dʑiᴇm 談^{a} gl^{j}ams
17462 擔[4] 都甘 端談平一開 tɑm 談^{a} kla̠m
17463 儋 都甘 端談平一開 tɑm 談^{a} kla̠m
17464 聸 都甘 端談平一開 tɑm 談^{a} kla̠m
17465 甔 都甘 端談平一開 tɑm 談^{a} kla̠m
17466 澹 徒甘 定談平一開 dɑm 談^{a} gla̠m
17467 膽 都敢 端談上一開 tɑm 談^{a} kla̠mʔ
17468 黵 都敢 端談上一開 tɑm 談^{a} kla̠mʔ
17469 鶴 都敢 端談上一開 tɑm 談^{a} kla̠mʔ
17470 澹 徒敢 定談上一開 dɑm 談^{a} gla̠mʔ
17471 憺 徒敢 定談上一開 dɑm 談^{a} gla̠mʔ
17472 擔 都濫 端談去一開 tɑm 談^{a} kla̠ms
17473 甔 都濫 端談去一開 tɑm 談^{a} kla̠ms
17474 憺 徒濫 定談去一開 dɑm 談^{a} gla̠ms
17475 澹 徒濫 定談去一開 dɑm 談^{a} gla̠ms
17476 譫 章盍 章盍入一開 tɕɑp 盍^{a} kl^{j}a̠b
17477 譫 徒盍 定盍入一開 dɑp 盍^{a} gla̠b
17478 甔 丁含 端覃平一開 təm 談^{o} klo̠m

---

1 郑张尚芳：反切上字“士”由“七”校改。

2 铎部变成鱼部 a 以后发生滞后音变，与歌部合流。

3 原为麦韵，但是根据谐声系统应该为陌韵，《切韵》音系二等有陌、麦的历史层次。

4 可比较克木语 klam 肩负，景颇语 k^{h}ap55 担子，侗台语 *klam。

占 zhān

17479	鉆	巨淹	群鹽平B 開	gɨᴇm	談ᵉ	gʳem
17480	霑	張廉	知鹽平三開	ʈiᴇm	談ᵉ	klem
17481	沾	張廉	知鹽平三開	ʈiᴇm	談ᵉ	klem
17482	占	職廉	章鹽平三開	tɕiᴇm	談ᵉ	klʲem
17483	枯	息廉	心鹽平三開	siᴇm	談ᵉ	skˡem
17484	覘	丑廉	徹鹽平三開	ʈʰiᴇm	談ᵉ	kʰlem
17485	婝	丑廉	徹鹽平三開	ʈʰiᴇm	談ᵉ	kʰlem
17486	姑	處占	昌鹽平三開	tɕʰiᴇm	談ᵉ	kʰlʲem
17487	怗	處占	昌鹽平三開	tɕʰiᴇm	談ᵉ	kʰlʲem
17488	袩	處占	昌鹽平三開	tɕʰiᴇm	談ᵉ	kʰlʲem
17489	惉	處占	昌鹽平三開	tɕʰiᴇm	談ᵉ	kʰlʲem
17490	黏	女廉	娘鹽平三開	ɳiᴇm	談ᵉ	mglem
17491	鲇	女廉	娘鹽平三開	ɳiᴇm	談ᵉ	mglem
17492	粘	女廉	娘鹽平三開	ɳiᴇm	談ᵉ	mglem
17493	蛅	汝鹽	日鹽平三開	ȵiᴇm	談ᵉ	mglʲem
17494	箔	昨鹽	從鹽平三開	dziᴇm	談ᵉ	sglem
17495	苫	失廉	書鹽平三開	ɕiᴇm	談ᵉ	qʰlem
17496	婝	失廉	書鹽平三開	ɕiᴇm	談ᵉ	qʰlem
17497	痁	失廉	書鹽平三開	ɕiᴇm	談ᵉ	qʰlem
17498	阽	余廉	以鹽平三開	jiᴇm	談ᵉ	ɢlem
17499	颭	占琰	章鹽上三開	tɕiᴇm	談ᵉ	klʲemʔ
17500	占	章豔	章鹽去三開	tɕiᴇm	談ᵉ	klʲems
17501	覘	丑豔	徹鹽去三開	ʈʰiᴇm	談ᵉ	kʰlems
17502	婔	舒贍	書鹽去三開	ɕiᴇm	談ᵉ	qʰlems
17503	苫	舒贍	書鹽去三開	ɕiᴇm	談ᵉ	qʰlems
17504	佔	丁兼	端添平四開	tem	談ᵉ	kle̱m
17505	詀	丁兼	端添平四開	tem	談ᵉ	kle̱m
17506	聑	丁兼	端添平四開	tem	談ᵉ	kle̱m
17507	袩	丁兼	端添平四開	tem	談ᵉ	kle̱m
17508	沾	他兼	透添平四開	tʰem	談ᵉ	kʰle̱m
17509	黇	他兼	透添平四開	tʰem	談ᵉ	kʰle̱m
17510	酟	他兼	透添平四開	tʰem	談ᵉ	kʰle̱m
17511	鮎	奴兼	泥添平四開	nem	談ᵉ	mgle̱m
17512	鲇	奴兼	泥添平四開	nem	談ᵉ	mgle̱m
17513	拈	奴兼	泥添平四開	nem	談ᵉ	mgle̱m
17514	踮	多忝	端添上四開	tem	談ᵉ	kle̱mʔ
17515	蒧	多忝	端添上四開	tem	談ᵉ	kle̱mʔ
17516	點	多忝	端添上四開	tem	談ᵉ	kle̱mʔ
17517	玷	多忝	端添上四開	tem	談ᵉ	kle̱mʔ
17518	者	多忝	端添上四開	tem	談ᵉ	kle̱mʔ
17519	刮	多忝	端添上四開	tem	談ᵉ	kle̱mʔ
17520	坫	都念	端添去四開	tem	談ᵉ	kle̱ms
17521	沾	都念	端添去四開	tem	談ᵉ	kle̱ms
17522	痁	都念	端添去四開	tem	談ᵉ	kle̱ms
17523	者	都念	端添去四開	tem	談ᵉ	kle̱ms
17524	煔	他念	透添去四開	tʰem	談ᵉ	kʰle̱ms
17525	詀[1]	竹咸	知咸平二開	ʈᵚɛm	談ᵉ	kle̱m
17526	槪	所咸	生咸平二開	ʂᵚɛm	談ᵉ	skʳe̱m
17527	杉	所咸	生咸平二開	ʂᵚɛm	談ᵉ	skʳe̱m
17528	詀[2]	佇陷	澄咸去二開	ɖᵚɛm	談ᵉ	gle̱ms
17529	姑	叱涉	昌葉入三開	tɕʰiᴇp	盍ᵉ	kʰlʲeb
17530	詀	叱涉	昌葉入三開	tɕʰiᴇp	盍ᵉ	kʰlʲeb
17531	袩	的協	端帖入四開	tep	盍ᵉ	kle̱b
17532	笘	丁惬	端帖入四開	tep	盍ᵉ	kle̱b
17533	跕	丁惬	端帖入四開	tep	盍ᵉ	kle̱b
17534	鞊	丁惬	端帖入四開	tep	盍ᵉ	kle̱b
17535	怗	他協	透帖入四開	tʰep	盍ᵉ	kʰle̱b
17536	帖	他協	透帖入四開	tʰep	盍ᵉ	kʰle̱b
17537	鉆	他協	透帖入四開	tʰep	盍ᵉ	kʰle̱b
17538	鞊	他協	透帖入四開	tʰep	盍ᵉ	kʰle̱b
17539	貼	他協	透帖入四開	tʰep	盍ᵉ	kʰle̱b
17540	跕	他協	透帖入四開	tʰep	盍ᵉ	kʰle̱b
17541	呫	他協	透帖入四開	tʰep	盍ᵉ	kʰle̱b
17542	袩	諾叶	泥帖入四開	nep	盍ᵉ	mgle̱b
17543	枯	知林	知侵平三開	ʈim	侵ⁱ	klim
17544	坫	知林	知侵平三開	ʈim	侵ⁱ	klim
17545	砧	知林	知侵平三開	ʈim	侵ⁱ	klim
17546	煔	胡甘	匣談平一開	ɦɑm	談ᵃ	gɑm

斬 zhǎn

17547	漸	子廉	精鹽平三開	tsiᴇm	談ᵃ	sam
17548	槧	七廉	清鹽平三開	tsʰiᴇm	談ᵃ	sʰam
17549	螹	昨鹽	從鹽平三開	dziᴇm	談ᵃ	zam
17550	塹	七漸	清鹽上三開	tsʰiᴇm	談ᵃ	sʰamʔ
17551	蔪	慈染	從鹽上三開	dziᴇm	談ᵃ	zamʔ

---

1 见定母和澄母"荼"字注。

2 见定母和澄母"荼"字注。

17552 蹔 慈染 從鹽上三開 dziᴇm 談ᵃ zamʔ
17553 𨢿 慈染 從鹽上三開 dziᴇm 談ᵃ zamʔ
17554 鏨 慈染 從鹽上三開 dziᴇm 談ᵃ zamʔ
17555 螹 慈染 從鹽上三開 dziᴇm 談ᵃ zamʔ
17556 槧 慈染 從鹽上三開 dziᴇm 談ᵃ zamʔ
17557 鏩 疾染 從鹽上三開 dziᴇm 談ᵃ zamʔ
17558 漸 慈染 從鹽上三開 dziᴇm 談ᵃ zamʔ
17559 塹 七豔 清鹽去三開 tsʰiᴇm 談ᵃ sʰams
17560 槧 七豔 清鹽去三開 tsʰiᴇm 談ᵃ sʰams
17561 蹔 財甘 從談平一開 dzɑm 談ᵃ za̱m
17562 慚 昨甘 從談平一開 dzɑm 談ᵃ za̱m
17563 鏨 昨甘 從談平一開 dzɑm 談ᵃ za̱m
17564 槧 才敢 從談上一開 dzɑm 談ᵃ za̱mʔ
17565 鏨 才敢 從談上一開 dzɑm 談ᵃ za̱mʔ
17566 暫 藏濫 從談去一開 dzɑm 談ᵃ za̱ms
17567 鏨 藏濫 從談去一開 dzɑm 談ᵃ za̱ms
17568 𧼯 昨濫 從談去一開 dzɑm 談ᵃ za̱ms
17569 蹔 藏濫 從談去一開 dzɑm 談ᵃ za̱ms
17570 鏩[1] 鋤咸 崇銜平二開 dʐᵚæm 談ᵃ zra̱m
17571 獑[2] 士咸 崇銜平二開 dʐᵚæm 談ᵃ zra̱m
17572 鏨[3] 士咸 崇銜平二開 dʐᵚæm 談ᵃ zra̱m
17573 獑 鋤銜 崇銜平二開 dʐᵚæm 談ᵃ zra̱m
17574 磛 鋤銜 崇銜平二開 dʐᵚæm 談ᵃ zra̱m
17575 斬[4] 側減 莊銜上二開 tʂᵚæm 談ᵃ sra̱mʔ
17576 摲 楚鑒 初銜去二開 tʂʰᵚæm 談ᵃ sʰra̱ms

𤩅 zhǎn

17577 驏 丑展 徹仙上三開 ʈʰiᴇn 元ᵃ tʰanʔ
17578 蹍 知輦 知仙上三開 ʈiᴇn 元ᵉ tenʔ
17579 展 知演 知仙上三開 ʈiᴇn 元ᵉ tenʔ
17580 輾 知演 知仙上三開 ʈiᴇn 元ᵉ tenʔ
17581 𤩅 知演 知仙上三開 ʈiᴇn 元ᵉ tenʔ
17582 碾 尼展 娘仙上三開 ɳiᴇn 元ᵉ ndenʔ
17583 蹍 尼展 娘仙上三開 ɳiᴇn 元ᵉ ndenʔ
17584 驏 陟扇 知仙去三開 ʈiᴇn 元ᵉ tens
17585 襄 陟扇 知仙去三開 ʈiᴇn 元ᵉ tens
17586 𤩅 視戰 禪仙去三開 dʑiᴇn 元ᵉ dʲens
17587 輾 女箭 娘仙去三開 ɳiᴇn 元ᵉ ndens
17588 碾 女箭 娘仙去三開 ɳiᴇn 元ᵉ ndens

蘸 zhàn

17589 蘸 莊陷 莊咸去二開 tʂᵚɛm 談ᵉ sre̱ms

章 zhāng

17590 蔁 諸良 章陽平三開 tɕiaŋ 陽 klʲaŋ
17591 章 諸良 章陽平三開 tɕiaŋ 陽 klʲaŋ
17592 漳 諸良 章陽平三開 tɕiaŋ 陽 klʲaŋ
17593 樟 諸良 章陽平三開 tɕiaŋ 陽 klʲaŋ
17594 慞 諸良 章陽平三開 tɕiaŋ 陽 klʲaŋ
17595 璋 諸良 章陽平三開 tɕiaŋ 陽 klʲaŋ
17596 彰 諸良 章陽平三開 tɕiaŋ 陽 klʲaŋ
17597 墇 諸良 章陽平三開 tɕiaŋ 陽 klʲaŋ
17598 障 諸良 章陽平三開 tɕiaŋ 陽 klʲaŋ
17599 麞 諸良 章陽平三開 tɕiaŋ 陽 klʲaŋ
17600 鄣 諸良 章陽平三開 tɕiaŋ 陽 klʲaŋ
17601 暲 諸良 章陽平三開 tɕiaŋ 陽 klʲaŋ
17602 傽 諸良 章陽平三開 tɕiaŋ 陽 klʲaŋ
17603 遧 諸良 章陽平三開 tɕiaŋ 陽 klʲaŋ
17604 獐 諸良 章陽平三開 tɕiaŋ 陽 klʲaŋ
17605 障 之亮 章陽去三開 tɕiaŋ 陽 klʲaŋs
17606 墇 之亮 章陽去三開 tɕiaŋ 陽 klʲaŋs
17607 嶂 之亮 章陽去三開 tɕiaŋ 陽 klʲaŋs
17608 瘴 之亮 章陽去三開 tɕiaŋ 陽 klʲaŋs

丈 zhàng

17609 杖 直兩 澄陽上三開 ɖiaŋ 陽 daŋʔ
17610 仗 直兩 澄陽上三開 ɖiaŋ 陽 daŋʔ
17611 扙 雉兩 澄陽上三開 ɖiaŋ 陽 daŋʔ
17612 丈 直兩 澄陽上三開 ɖiaŋ 陽 daŋʔ
17613 仗 直亮 澄陽去三開 ɖiaŋ 陽 daŋs

釗 zhāo

17614 釗 止遥 章宵平三開 tɕiᴇu 宵ᵉ klʲeʷ

---

1 原为咸韵，但是根据谐声系统应该为銜韵，《切韵》音系二等有銜、咸的历史层次。

2 原为咸韵，但是根据谐声系统应该为銜韵，《切韵》音系二等有銜、咸的历史层次。

3 原为咸韵，但是根据谐声系统应该为銜韵，《切韵》音系二等有銜、咸的历史层次。

4 原为咸韵，但是根据谐声系统应该为銜韵，《切韵》音系二等有銜、咸的历史层次。

17615 釗[1] 古堯 見蕭平四開 keu 幽^i ki̱^{w}

叉 zhǎo

17616 叉 側絞 莊肴上二開 tʂ^{ɯ}æu 幽 sru̱ʔ

兆 zhào

17617 晁 直遥 澄宵平三開 ɖiᴇu 宵^e gle^w
17618 珧 餘昭 以宵平三開 jiᴇu 宵^e ɢle^w
17619 銚 餘昭 以宵平三開 jiᴇu 宵^e ɢle^w
17620 姚 餘昭 以宵平三開 jiᴇu 宵^e ɢle^w
17621 洮 餘昭 以宵平三開 jiᴇu 宵^e ɢle^w
17622 烑 餘昭 以宵平三開 jiᴇu 宵^e ɢle^w
17623 兆 治小 澄宵上三開 ɖiᴇu 宵^e gle^{w}ʔ
17624 旐 治小 澄宵上三開 ɖiᴇu 宵^e gle^{w}ʔ
17625 狣 治小 澄宵上三開 ɖiᴇu 宵^e gle^{w}ʔ
17626 翴 治小 澄宵上三開 ɖiᴇu 宵^e gle^{w}ʔ
17627 鮡 治小 澄宵上三開 ɖiᴇu 宵^e gle^{w}ʔ
17628 駣 治小 澄宵上三開 ɖiᴇu 宵^e gle^{w}ʔ
17629 垗 治小 澄宵上三開 ɖiᴇu 宵^e gle^{w}ʔ
17630 兆卜 治小 澄宵上三開 ɖiᴇu 宵^e gle^{w}ʔ
17631 朓 丑召 徹宵去三開 ʈ^{h}iᴇu 宵^e k^{h}le^{w}s
17632 窕 弋照 以宵去三開 jiᴇu 宵^e ɢle^{w}s
17633 恌 吐彫 透蕭平四開 t^{h}eu 宵^e k^{h}le̱^{w}
17634 斛 吐彫 透蕭平四開 t^{h}eu 宵^e k^{h}le̱^{w}
17635 庣 吐彫 透蕭平四開 t^{h}eu 宵^e k^{h}le̱^{w}
17636 銚 吐彫 透蕭平四開 t^{h}eu 宵^e k^{h}le̱^{w}
17637 趒 吐彫 透蕭平四開 t^{h}eu 宵^e k^{h}le̱^{w}
17638 祧 吐彫 透蕭平四開 t^{h}eu 宵^e k^{h}le̱^{w}
17639 佻 吐彫 透蕭平四開 t^{h}eu 宵^e k^{h}le̱^{w}
17640 挑 吐彫 透蕭平四開 t^{h}eu 宵^e k^{h}le̱^{w}
17641 朓 吐彫 透蕭平四開 t^{h}eu 宵^e k^{h}le̱^{w}
17642 跳 徒聊 定蕭平四開 deu 宵^e gle̱^{w}
17643 佻 徒聊 定蕭平四開 deu 宵^e gle̱^{w}
17644 趒 徒聊 定蕭平四開 deu 宵^e gle̱^{w}
17645 鮡 徒聊 定蕭平四開 deu 宵^e gle̱^{w}
17646 朓 土了 透蕭上四開 t^{h}eu 宵^e k^{h}le̱^{w}ʔ
17647 宨 土了 透蕭上四開 t^{h}eu 宵^e k^{h}le̱^{w}ʔ
17648 窕 徒了 定蕭上四開 deu 宵^e gle̱^{w}ʔ
17649 誂 徒了 定蕭上四開 deu 宵^e gle̱^{w}ʔ
17650 挑 徒了 定蕭上四開 deu 宵^e gle̱^{w}ʔ
17651 眺 他弔 透蕭去四開 t^{h}eu 宵^e k^{h}le̱^{w}s
17652 覜 他弔 透蕭去四開 t^{h}eu 宵^e k^{h}le̱^{w}s
17653 趒[2] 他弔 透蕭去四開 t^{h}eu 宵^e k^{h}le̱^{w}s
17654 咷 他弔 透蕭去四開 t^{h}eu 宵^e k^{h}le̱^{w}s
17655 絩 他弔 透蕭去四開 t^{h}eu 宵^e k^{h}le̱^{w}s
17656 銚 徒弔 定蕭去四開 deu 宵^e gle̱^{w}s
17657 蛛 餘招 以宵平三開 jiᴇu 宵^a ɢla^w
17658 洮 土刀 透豪平一開 t^{h}ɑu 宵^a k^{h}la̱^{w}
17659 挑 土刀 透豪平一開 t^{h}ɑu 宵^a k^{h}la̱^{w}
17660 咷 徒刀 定豪平一開 dɑu 宵^a gla̱^{w}
17661 桃 徒刀 定豪平一開 dɑu 宵^a gla̱^{w}
17662 逃 徒刀 定豪平一開 dɑu 宵^a gla̱^{w}
17663 鼗 徒刀 定豪平一開 dɑu 宵^a gla̱^{w}
17664 駣 徒刀 定豪平一開 dɑu 宵^a gla̱^{w}
17665 鞉 徒刀 定豪平一開 dɑu 宵^a gla̱^{w}
17666 駣 徒晧 定豪上一開 dɑu 宵^a gla̱^{w}ʔ
17667 趒 徒晧 定豪上一開 dɑu 宵^a gla̱^{w}ʔ
17668 趒 奴晧 泥豪上一開 nɑu 宵^a ŋgla̱^{w}ʔ
17669 趒 徒到 定豪去一開 dɑu 宵^a gla̱^{w}s
17670 趒 那到 泥豪去一開 nɑu 宵^a ŋgla̱^{w}s

罩 zhào

17671 罩[3] 都教 知肴去二開 ʈ^{ɯ}æu 藥^e kle̱g^{w}s

肇 zhào

17672 肇 治小 澄宵上三開 ɖiᴇu 宵^a da^{w}ʔ
17673 庫 治小 澄宵上三開 ɖiᴇu 宵^a da^{w}ʔ

乇 zhé

17674 秺 當故 端模去一合 tu̱o 鐸 kla̱gs
17675 秅 當故 端模去一合 tu̱o 鐸 kla̱gs
17676 妒 當故 端模去一合 tu̱o 鐸 kla̱gs
17677 詫 當故 端模去一合 tu̱o 鐸 kla̱gs

---

1 杨宝忠(《疑难字续考》,《燕赵学术》2008 年第 2 期,第 10—23 页):“釗”乃“釚”字之变。……“釗”则“釚”字之异构。“釗”字从“丩”得声,而从“丩”之字俗书多变作“刂”,“糾”俗作“糾”、“赳”俗作“赳”,是其证。故“釗”俗书或变作“釗”,“釗”训“弩機”,变作“釗”,亦训“弩機”。然训弩機之“釗”当读同“釗”,巨鸠切。与“止遙切”“堅堯切”之“釗”同形,非一字也。

2 《说文》段注:“雀行也。今人槩用‘跳’字。”汉越语中读 k^{h}ieu,故“趒”上古读*k^{h}le̱^{w}s>t^{h}eu。

3 见定母和澄母“茶”字注。

17678 託[1] 他各 透鐸入一開 tʰɑk 鐸 kʰla̱g

17679 飥 他各 透鐸入一開 tʰɑk 鐸 kʰla̱g

17680 馲 他各 透鐸入一開 tʰɑk 鐸 kʰla̱g

17681 侂 他各 透鐸入一開 tʰɑk 鐸 kʰla̱g

17682 魠 他各 透鐸入一開 tʰɑk 鐸 kʰla̱g

17683 矺 他各 透鐸入一開 tʰɑk 鐸 kʰla̱g

17684 頊 徒落 定鐸入一開 dɑk 鐸 gla̱g

17685 饦 徒落 定鐸入一開 dɑk 鐸 gla̱g

17686 毫 傍各 並鐸入一開 bɑk 鐸 bgˡa̱g

17687 馲 盧各 來鐸入一開 lɑk 鐸 g.ra̱g

17688 奼[2] 陟駕 知麻去二開 ʈᵚæ 鐸 kla̱gs

17689 詫[3] 陟駕 知麻去二開 ʈᵚæ 鐸 kla̱gs

17690 矺[4] 竹亞 知麻去二開 ʈᵚæ 鐸 kla̱gs

17691 吒[5] 陟駕 知麻去二開 ʈᵚæ 鐸 kla̱gs

17692 咤[6] 陟駕 知麻去二開 ʈᵚæ 鐸 kla̱gs

17693 詫[7] 丑亞 徹麻去二開 ʈʰᵚæ 鐸 kʰla̱gs

17694 侘[8] 丑亞 徹麻去二開 ʈʰᵚæ 鐸 kʰla̱gs

17695 秺[9] 除駕 澄麻去二開 ɖᵚæ 鐸 gla̱gs

17696 秺[10] 除駕 澄麻去二開 ɖᵚæ 鐸 gla̱gs

17697 虴[11] 陟格 知陌入二開 ʈᵚæk 鐸 kla̱g

17698 矺[12] 陟革 知陌入二開 ʈᵚæk 鐸 kla̱g

17699 馲[13] 陟格 知陌入二開 ʈᵚæk 鐸 kla̱g

17700 頊[14] 陟格 知陌入二開 ʈᵚæk 鐸 kla̱g

17701 乇[15] 陟格 知陌入二開 ʈᵚæk 鐸 kla̱g

17702 庑[16] 陟格 知陌入二開 ʈᵚæk 鐸 kla̱g

17703 頊[17] 丑格 徹陌入二開 ʈʰᵚæk 鐸 kʰla̱g

17704 宅[18] 場伯 澄陌入二開 ɖᵚæk 鐸 gla̱g

17705 乇[19] 直格 澄陌入二開 ɖᵚæk 鐸 gla̱g

17706 秺[20] 陟加 知麻平二開 ʈᵚæ 魚 kla̱

17707 咤[21] 陟加 知麻平二開 ʈᵚæ 魚 kla̱

17708 挓[22] 陟加 知麻平二開 ʈᵚæ 魚 kla̱

17709 庑[23] 陟加 知麻平二開 ʈᵚæ 魚 kla̱

17710 秺[24] 陟加 知麻平二開 ʈᵚæ 魚 kla̱

17711 侘[25] 敕加 徹麻平二開 ʈʰᵚæ 魚 kʰla̱

17712 秅[26] 宅加 澄麻平二開 ɖᵚæ 魚 gla̱

17713 秺[27] 宅加 澄麻平二開 ɖᵚæ 魚 gla̱

17714 庑[28] 直加 澄麻平二開 ɖᵚæ 魚 gla̱

17715 奼[29] 丑下 徹麻上二開 ʈʰᵚæ 魚 kʰla̱ʔ

耴 zhé

17716 㡇 丁兼 端添平四開 tem 談ᵉ kle̱m

17717 鮿 陟涉 知葉入三開 ʈiɛp 盍ᵉ kleb

17718 輒 陟葉 知葉入三開 ʈiɛp 盍ᵉ kleb

17719 耴 陟葉 知葉入三開 ʈiɛp 盍ᵉ kleb

17720 䎮 陟葉 知葉入三開 ʈiɛp 盍ᵉ kleb

17721 㧖 陟葉 知葉入三開 ʈiɛp 盍ᵉ kleb

17722 鮿 陟葉 知葉入三開 ʈiɛp 盍ᵉ kleb

17723 㡇 陟葉 知葉入三開 ʈiɛp 盍ᵉ kleb

17724 踂 尼輒 娘葉入三開 ɳiɛp 盍ᵉ mkleb

17725 㧖 丁愜 端帖入四開 tep 盍ᵉ kle̱b

17726 㡇 他協 透帖入四開 tʰep 盍ᵉ kʰle̱b

---

1 “託”通“各”*kˡa̱g,《管子·国蓄》:“故託用於其重。”《地数》“託”作“各”。“宅”通“石”*glʲa̱g,《简帛古书通假字大系·金縢》:“周公石(宅)東三年。”

2 见定母和澄母“荼”字注。

3 见定母和澄母“荼”字注。

4 见定母和澄母“荼”字注。

5 见定母和澄母“荼”字注。

6 见定母和澄母“荼”字注。

7 见定母和澄母“荼”字注。

8 见定母和澄母“荼”字注。

9 见定母和澄母“荼”字注。

10 见定母和澄母“荼”字注。

11 《说文》:“蟅,蟲也。”段玉裁改为“螽也”。王筠曰:“按即今北人謂蚂蚱,江南人謂之蝗蟲。”《尔雅·释虫》“土螽,蠰谿”郭璞注:“似蝗而小,今謂之土蠑”。唐陆德明《经典释文》:“蠑,字又虴。《誥幼》云:虴,虴蜢也。善跳。”《方言》“蟒,宋魏之閒謂之蚮,南楚之外謂之蟅蟒,或謂之蟒”,注:“蟒,蝗也。亦呼虴蚂。”王念孙曰:“虴蚂,猶言蟅蟒也。”侗台的蝗虫 plak,tak,与汉语的“陟格切”“虴”*glak>tak 同源。侗台的“蝗虫”加上前缀 p-,就有以下的变化:*pklak>plak>tak。见定母和澄母“荼”字注。

12 见定母和澄母“荼”字注。原为麦韵,但是根据谐声系统应该为陌韵,《切韵》音系二等有陌、麦的历史层次。

13 见定母和澄母“荼”字注。

14 见定母和澄母“荼”字注。

15 见定母和澄母“荼”字注。

16 见定母和澄母“荼”字注。

17 见定母和澄母“荼”字注。

18 见定母和澄母“荼”字注。

19 见定母和澄母“荼”字注。

20 见定母和澄母“荼”字注。

21 见定母和澄母“荼”字注。

22 见定母和澄母“荼”字注。

23 见定母和澄母“荼”字注。

24 见定母和澄母“荼”字注。

25 见定母和澄母“荼”字注。

26 见定母和澄母“荼”字注。

27 见定母和澄母“荼”字注。

28 见定母和澄母“荼”字注。

29 见定母和澄母“荼”字注。

折 zhé

17727 娎 許列 曉薛入B開 hɨɛt 月^{e} q^{hr}ed
17728 晢 征例 章祭去三開 tɕiɛi 月^{e} kl^{j}eds
17729 狾 征例 章祭去三開 tɕiɛi 月^{e} kl^{j}eds
17730 踅 丑例 徹祭去三開 ʈ^{h}iɛi 月^{e} k^{h}leds
17731 逝 時制 禪祭去三開 dʑiɛi 月^{e} gl^{j}eds
17732 誓 時制 禪祭去三開 dʑiɛi 月^{e} gl^{j}eds
17733 鏊 時制 禪祭去三開 dʑiɛi 月^{e} gl^{j}eds
17734 哲 陟列 知薛入三開 ʈiɛt 月^{e} kled
17735 蜇 陟列 知薛入三開 ʈiɛt 月^{e} kled
17736 悊 陟列 知薛入三開 ʈiɛt 月^{e} kled
17737 菥 之列 章薛入三開 tɕiɛt 月^{e} kl^{j}ed
17738 晣 旨熱 章薛入三開 tɕiɛt 月^{e} kl^{j}ed
17739 晢 旨熱 章薛入三開 tɕiɛt 月^{e} kl^{j}ed
17740 浙 旨熱 章薛入三開 tɕiɛt 月^{e} kl^{j}ed
17741 折[1] 旨熱 章薛入三開 tɕiɛt 月^{e} kl^{j}ed
17742 硩 丑列 徹薛入三開 ʈ^{h}iɛt 月^{e} k^{h}led
17743 折 常列 禪薛入三開 dʑiɛt 月^{e} gl^{j}ed
17744 晣 式列 書薛入三開 ɕiɛt 月^{e} q^{h}led
17745 褺 子計 精齊去四開 tsei 月^{e} ske̱ds
17746 絜 方結 幫屑入四開 pet 月^{e} pk^{l}e̱d
17747 絜 普蔑 滂屑入四開 p^{h}et 月^{e} pk^{hl}e̱d
17748 哳[2] 陟鎋 知黠入二開 ʈ^{ɯ}ɛt 月^{e} kle̱d
17749 折 杜奚 定齊平四開 dei 歌^{e} gle̱l
17750 晢 他歷 透錫入四開 t^{h}ek 錫 k^{h}le̱g

者 zhě

17751 諸[3] 正奢 章麻平三開 tɕiæ 魚 kl^{j}a
17752 闍 視遮 禪麻平三開 dʑiæ 魚 gl^{j}a
17753 譇 詩車 書麻平三開 ɕiæ 魚 q^{h}la
17754 奢 式車 書麻平三開 ɕiæ 魚 q^{h}la
17755 書 傷魚 書麻平三開 ɕiæ 魚 q^{h}la
17756 豬 陟魚 知魚平三開 ʈiɤ 魚 kla
17757 瀦 陟魚 知魚平三開 ʈiɤ 魚 kla
17758 櫫 陟魚 知魚平三開 ʈiɤ 魚 kla
17759 藸 陟魚 知魚平三開 ʈiɤ 魚 kla
17760 諸 章魚 章魚平三開 tɕiɤ 魚 kl^{j}a
17761 櫧 章魚 章魚平三開 tɕiɤ 魚 kl^{j}a
17762 藷 章魚 章魚平三開 tɕiɤ 魚 kl^{j}a
17763 礑 章魚 章魚平三開 tɕiɤ 魚 kl^{j}a
17764 蠩 章魚 章魚平三開 tɕiɤ 魚 kl^{j}a
17765 屠 直魚 澄魚平三開 ɖiɤ 魚 gla
17766 藸 直魚 澄魚平三開 ɖiɤ 魚 gla
17767 儲 直魚 澄魚平三開 ɖiɤ 魚 gla
17768 著 直魚 澄魚平三開 ɖiɤ 魚 gla
17769 躇 直魚 澄魚平三開 ɖiɤ 魚 gla
17770 者[4] 章也 章麻上三開 tɕiæ 魚 kl^{j}aʔ
17771 赭 章也 章麻上三開 tɕiæ 魚 kl^{j}aʔ
17772 堵 章也 章麻上三開 tɕiæ 魚 kl^{j}aʔ
17773 糯 昌者 昌麻上三開 tɕ^{h}iæ 魚 k^{h}l^{j}aʔ
17774 褚 丁吕 知魚上三開 ʈiɤ 魚 klaʔ
17775 著[5] 丁吕 知魚上三開 ʈiɤ 魚 klaʔ
17776 陼 章与 章魚上三開 tɕiɤ 魚 kl^{j}aʔ
17777 渚 章与 章魚上三開 tɕiɤ 魚 kl^{j}aʔ
17778 煮 章与 章魚上三開 tɕiɤ 魚 kl^{j}aʔ
17779 楮 丑吕 徹魚上三開 ʈ^{h}iɤ 魚 k^{h}laʔ
17780 褚 丑吕 徹魚上三開 ʈ^{h}iɤ 魚 k^{h}laʔ
17781 緒[6] 徐吕 邪魚上三開 ziɤ 魚 sglaʔ
17782 暑 舒吕 書魚上三開 ɕiɤ 魚 q^{h}laʔ
17783 著 陟慮 知魚去三開 ʈiɤ 魚 klas
17784 翥 章恕 章魚去三開 tɕiɤ 魚 kl^{j}as
17785 箸 遲倨 澄魚去三開 ɖiɤ 魚 glas
17786 署 常恕 禪魚去三開 dʑiɤ 魚 gl^{j}as
17787 藷 常恕 禪魚去三開 dʑiɤ 魚 gl^{j}as

1　自动词"常列切",使动词"自熱切",*s.gl^{j}ed>*kl^{j}ed。

2　见定母和澄母"荼"字注。原为鎋韵,但是根据谐声系统应该为黠韵,《切韵》音系二等有黠、鎋的历史层次。

3　"諸"通"庶"q^{h}lags,武威汉简甲本《泰射》:"諸(庶)子執(設)折楮(俎)。""諸"为"之於"二字的合音,"之"上古*kl^{j}ɯ。可见"諸"的上古音为*kl^{j}a。

4　"煮"古文字写作"鬻",出现的时间比较晚。但是"煮"是人类最重要的日常活动,应该很早就出现了,我们认为"者"就是它的初文。朱芳圃说,"者"字形的上面象树枝舒展状。《金文诂林补》谓字形下面为"箕",燎薪于箕。但是从字形看,它不一定就是"箕"字,而是更象一皿,上象燎薪,下于皿中煮物。煮在藏缅语中有以下的同源词:Mikir[Karbi]沸 ar klak,Lushai[Mizo]煮沸 tlak,羌(桃坪)煮 χqɑ33,緬文煮 k^{h}jak,怒蘇(南部)煮 ki̱ɔ53,Akha(Thai)煮 tjàq,拉祜(澜沧)煮 tɕɑ35。

5　"著"通"宁"*glaʔ。《诗经·齐风·著》"俟我于著乎而",毛传:"门屏之间曰著。"陈奂传疏:"著,《爾雅》作'宁'。《釋宫》:'門屏之間謂之宁。'傳所本也。"

6　"緒"通"絡"*g.rag,张家山汉简《二年》"鋪緒(絡)","绪"上古当为*sglaʔ。

17788 藷 常恕 禪魚去三開 dʑiɤ 魚 gl^{j}as
17789 曙 常恕 禪魚去三開 dʑiɤ 魚 gl^{j}as
17790 箸 陟慮 知魚去三開 ʈiɤ 魚 tas
17791 都 當孤 端模平一合 tu̯o 魚 kla̠
17792 闍 當孤 端模平一合 tu̯o 魚 kla̠
17793 屠 同都 定模平一合 du̯o 魚 gla̠
17794 瘏 同都 定模平一合 du̯o 魚 gla̠
17795 鄌 同都 定模平一合 du̯o 魚 gla̠
17796 鷵 同都 定模平一合 du̯o 魚 gla̠
17797 覩 當古 端模上一合 tu̯o 魚 kla̠ʔ
17798 睹 當古 端模上一合 tu̯o 魚 kla̠ʔ
17799 賭 當古 端模上一合 tu̯o 魚 kla̠ʔ
17800 堵 當古 端模上一合 tu̯o 魚 kla̠ʔ
17801 帾 當古 端模上一合 tu̯o 魚 kla̠ʔ
17802 楮 當古 端模上一合 tu̯o 魚 kla̠ʔ
17803 瞀 當古 端模上一合 tu̯o 魚 kla̠ʔ
17804 睹 當古 端模上一合 tu̯o 魚 kla̠ʔ
17805 觰[1] 陟加 知麻平二開 ʈ^{ɯ}æ 魚 kla̠
17806 譇[2] 陟加 知麻平二開 ʈ^{ɯ}æ 魚 kla̠
17807 譇[3] 抽加 徹麻平二開 ʈ^{hɯ}æ 魚 k^{h}la̠
17808 踷[4] 宅加 澄麻平二開 ɖ^{ɯ}æ 魚 gla̠
17809 鄌[5] 宅加 澄麻平二開 ɖ^{ɯ}æ 魚 gla̠
17810 觰[6] 都賈 知麻上二開 ʈ^{ɯ}æ 魚 kla̠ʔ
17811 著[7] 張略 知藥入三開 ʈiak 鐸 s.glag
17812 礛 張略 知藥入三開 ʈiak 鐸 klag
17813 櫡 張略 知藥入三開 ʈiak 鐸 klag
17814 鐯 張略 知藥入三開 ʈiak 鐸 klag
17815 著 直略 澄藥入三開 ɖiak 鐸 glag

真 zhēn

17816 鎮 陟鄰 知真平三開 ʈin 真^{n} klin
17817 填 陟鄰 知真平三開 ʈin 真^{n} klin
17818 真[8] 職鄰 章真平三開 tɕin 真^{n} kl^{j}in
17819 禛[9] 職鄰 章真平三開 tɕin 真^{n} kl^{j}in
17820 稹[10] 職鄰 章真平三開 tɕin 真^{n} kl^{j}in
17821 磌[11] 職鄰 章真平三開 tɕin 真^{n} kl^{j}in
17822 縝 丑人 徹真平三開 ʈ^{h}in 真^{n} k^{h}lin
17823 瞋 昌真 昌真平三開 tɕ^{h}in 真^{n} k^{h}l^{j}in
17824 膜 昌真 昌真平三開 tɕ^{h}in 真^{n} k^{h}l^{j}in
17825 縝 昌真 昌真平三開 tɕ^{h}in 真^{n} k^{h}l^{j}in
17826 嗔 昌真 昌真平三開 tɕ^{h}in 真^{n} k^{h}l^{j}in
17827 謓 昌真 昌真平三開 tɕ^{h}in 真^{n} k^{h}l^{j}in
17828 稹 章忍 章真上三開 tɕin 真^{n} kl^{j}inʔ
17829 縝 章忍 章真上三開 tɕin 真^{n} kl^{j}inʔ
17830 鬒 章忍 章真上三開 tɕin 真^{n} kl^{j}inʔ
17831 槙 章忍 章真上三開 tɕin 真^{n} kl^{j}inʔ
17832 黰 章忍 章真上三開 tɕin 真^{n} kl^{j}inʔ
17833 鎮 陟刃 知真去三開 ʈin 真^{n} klins
17834 瑱 陟刃 知真去三開 ʈin 真^{n} klins
17835 填 陟刃 知真去三開 ʈin 真^{n} klins
17836 謓 之刃 章真去三開 tɕin 真^{n} kl^{j}ins
17837 慎 時刃 禪真去三開 dʑin 真^{n} g^{j}ins
17838 巔 都年 端先平四開 ten 真^{n} kli̠n
17839 傎 都年 端先平四開 ten 真^{n} kli̠n
17840 蹎 都年 端先平四開 ten 真^{n} kli̠n
17841 顛 都年 端先平四開 ten 真^{n} kli̠n
17842 鷆 都年 端先平四開 ten 真^{n} kli̠n
17843 驞 都年 端先平四開 ten 真^{n} kli̠n
17844 槙 丁堅 端先平四開 ten 真^{n} kli̠n
17845 瘨 都年 端先平四開 ten 真^{n} kli̠n
17846 滇 都年 端先平四開 ten 真^{n} kli̠n
17847 趚 都年 端先平四開 ten 真^{n} kli̠n
17848 填 徒年 定先平四開 den 真^{n} gli̠n
17849 寘 徒年 定先平四開 den 真^{n} gli̠n
17850 闐 徒年 定先平四開 den 真^{n} gli̠n
17851 磌 徒年 定先平四開 den 真^{n} gli̠n
17852 鷏 徒年 定先平四開 den 真^{n} gli̠n
17853 嗔 徒年 定先平四開 den 真^{n} gli̠n
17854 滇 徒年 定先平四開 den 真^{n} gli̠n
17855 搷 徒年 定先平四開 den 真^{n} gli̠n
17856 瑱 他甸 透先去四開 t^{h}en 真^{n} k^{h}li̠ns

1 见定母和澄母"荼"字注。
2 见定母和澄母"荼"字注。
3 见定母和澄母"荼"字注。
4 见定母和澄母"荼"字注。
5 见定母和澄母"荼"字注。
6 见定母和澄母"荼"字注。
7 自动词"直略切",使动词"张略切",*s.glag>*klag。
8 郑张尚芳:原"側鄰切",依韵目改。
9 见"真"字注。
10 见"真"字注。
11 见"真"字注。

17857	滇	他甸	透先去四開	t^{h}en	真^{n}	k^{h}li̱ns
17858	窴	堂練	定先去四開	den	真^{n}	ɡli̱ns
17859	闐	堂練	定先去四開	den	真^{n}	ɡli̱ns
17860	填	堂練	定先去四開	den	真^{n}	ɡli̱ns
17861	䞣	堂練	定先去四開	den	真^{n}	ɡli̱ns
17862	黰	烏閑	影山平二開	ʔ^{ɯ}ɛn	真^{n}	q^{r}i̱n
17863	𩃰	即夷	精脂平三開	tsi	脂^{l}	skil
17864	𩃰	疾資	從脂平三開	dzi	脂^{l}	sɡlil
17865	寘	支義	章支去三開	tɕie	佳	kl^{j}els
17866	䡩	口莖	溪耕平二開	k^{hɯ}ɛŋ	耕	k^{hr}e̱ŋ

㐱 zhěn

17867	胗[1]	居忍	見真上A 開	kin	文^{ɯ}	kɯnʔ
17868	珍	陟鄰	知真平三開	ʈin	文^{ɯ}	klɯn
17869	𥐰	之人	章真平三開	tɕin	文^{ɯ}	kl^{j}ɯn
17870	眕[2]	職鄰	章真平三開	tɕin	文^{ɯ}	kl^{j}ɯn
17871	趁	直珍	澄真平三開	ɖin	文^{ɯ}	ɡlɯn
17872	駗	力珍	來真平三開	lin	文^{ɯ}	ɡ.rɯn
17873	軫	章忍	章真上三開	tɕin	文^{ɯ}	kl^{j}ɯnʔ
17874	胗	章忍	章真上三開	tɕin	文^{ɯ}	kl^{j}ɯnʔ
17875	眕	章忍	章真上三開	tɕin	文^{ɯ}	kl^{j}ɯnʔ
17876	紾	章忍	章真上三開	tɕin	文^{ɯ}	kl^{j}ɯnʔ
17877	診	章忍	章真上三開	tɕin	文^{ɯ}	kl^{j}ɯnʔ
17878	袗	章忍	章真上三開	tɕin	文^{ɯ}	kl^{j}ɯnʔ
17879	畛	章忍	章真上三開	tɕin	文^{ɯ}	kl^{j}ɯnʔ
17880	𧵳	章忍	章真上三開	tɕin	文^{ɯ}	kl^{j}ɯnʔ
17881	駗	章忍	章真上三開	tɕin	文^{ɯ}	kl^{j}ɯnʔ
17882	𥐰	止忍	章真上三開	tɕin	文^{ɯ}	kl^{j}ɯnʔ
17883	疹	章忍	章真上三開	tɕin	文^{ɯ}	kl^{j}ɯnʔ
17884	㐱	章忍	章真上三開	tɕin	文^{ɯ}	kl^{j}ɯnʔ
17885	袗	章刃	章真去三開	tɕin	文^{ɯ}	kl^{j}ɯns
17886	趁	丑刃	徹真去三開	ʈ^{h}in	文^{ɯ}	k^{h}lɯns
17887	診	直刃	澄真去三開	ɖin	文^{ɯ}	ɡlɯns
17888	飻	他典	透先上四開	t^{h}en	文^{ɯ}	k^{h}lɯ̱nʔ
17889	殄	徒典	定先上四開	den	文^{ɯ}	ɡlɯ̱nʔ
17890	跈	徒典	定先上四開	den	文^{ɯ}	ɡlɯ̱nʔ
17891	跈	乃殄	泥先上四開	nen	文^{ɯ}	mɡlɯ̱nʔ
17892	抮	呼典	曉先上四開	hen	文^{ɯ}	q^{hl}ɯ̱nʔ
17893	飻	他結	透屑入四開	t^{h}et	物^{ɯ}	k^{h}lɯ̱d
17894	餮	他結	透屑入四開	t^{h}et	物^{ɯ}	k^{h}lɯ̱d
17895	疹	乃結	泥屑入四開	net	物^{ɯ}	mɡlɯ̱d
17896	紾	知演	知仙上三開	ʈiᴇn	元^{a}	klanʔ
17897	趁	尼展	娘仙上三開	ɳiᴇn	元^{a}	mɡlanʔ
17898	沴	郎計	來齊去四開	lei	微^{ɯ}	ɡ.rɯ̱ls

𠕒 zhèn

17899	𠕒[3]	直刃	澄真去三開	ɖin	真^{n}	lins
17900	藺	良刃	來真去三開	lin	真^{n}	rins
17901	閔	良刃	來真去三開	lin	真^{n}	rins

朕 zhèn

17902	勝	識蒸	書蒸平三開	ɕɨŋ	侵^{u}	q^{h}lum
17903	塍	食陵	船蒸平三開	ʑɨŋ	侵^{u}	ɢl^{j}um
17904	朕	直稔	澄侵上三開	ɖim	侵^{u}	ɡlumʔ
17905	䲢	直稔	澄侵上三開	ɖim	侵^{u}	ɡlumʔ
17906	螣	直稔	澄侵上三開	ɖim	侵^{u}	ɡlumʔ
17907	栚	直稔	澄侵上三開	ɖim	侵^{u}	ɡlumʔ
17908	黱	直稔	澄侵上三開	ɖim	侵^{u}	ɡlumʔ
17909	眹[4]	直引	澄真上三開	ɖin	侵^{u}	ɡlumʔ
17910	黺[5]	子峻	精真去三合	ts^{w}in	侵^{u}	sklums
17911	勝	詩證	書蒸去三開	ɕɨŋ	侵^{u}	q^{h}lums
17912	滕	詩證	書蒸去三開	ɕɨŋ	侵^{u}	q^{h}lums
17913	賸	以證	以蒸去三開	jɨŋ	侵^{u}	ɢlums
17914	媵	以證	以蒸去三開	jɨŋ	侵^{u}	ɢlums
17915	倂	以證	以蒸去三開	jɨŋ	侵^{u}	ɢlums
17916	媵	實證	船蒸去三開	ʑɨŋ	侵^{u}	ɢl^{j}ums
17917	賸	實證	船蒸去三開	ʑɨŋ	侵^{u}	ɢl^{j}ums
17918	螣	徒登	定登平一開	dəŋ	侵^{u}	ɡlu̱m
17919	藤	徒登	定登平一開	dəŋ	侵^{u}	ɡlu̱m
17920	騰	徒登	定登平一開	dəŋ	侵^{u}	ɡlu̱m
17921	滕	徒登	定登平一開	dəŋ	侵^{u}	ɡlu̱m

1　文^{ɯ} 部中,不能有 A 类,应该改为 B 类。

2　见“真”字注。

3　《战国时代各系文字间的用字差异现象研究》载汉私印有“藺親”、“藺布”(《印徵》1. 11),传世古籍亦用“藺”为藺地、藺氏之“藺”,当反映了秦文字的特点。三晋文字用“閔”表示藺地、藺氏之“藺”,见侯马盟书、晋玺、兵器、货币铭文。《说文》:“𠕒讀若軍敶之敶。”

4　从“朕(关)”得声的字,有可能出现中古的真韵,可比较“孕”在北京话中是 *b.lums> *luns>jun。

5　“黺”,《说文》“从黹弅聲”。《广韵》有两个反切,“子峻切”和“乳兖切”。后者误以为从“黹”得声。

17922	滕	徒登	定登平一開	dəŋ	侵^{u}	glu̠m
17923	幐	徒登	定登平一開	dəŋ	侵^{u}	glu̠m
17924	䲢	徒登	定登平一開	dəŋ	侵^{u}	glu̠m
17925	黱	徒登	定登平一開	dəŋ	侵^{u}	glu̠m
17926	謄	徒登	定登平一開	dəŋ	侵^{u}	glu̠m
17927	幐	徒亘	定登去一開	dəŋ	侵^{u}	glu̠ms
17928	黱[1]	徒耐	定咍去一開	dəi	緝^{u}	glu̠bs
17929	螣[2]	徒得	定德入一開	dək	緝^{u}	glu̠b
17930	送	蘇弄	心東去一合	suŋ	談^{o}	sq^{l}o̠ms

争 zhēng

17931	狰	疾郢	從清上三開	dziᴇŋ	耕	zeŋʔ
17932	竫	疾郢	從清上三開	dziᴇŋ	耕	zeŋʔ
17933	净	疾政	從清去三開	dziᴇŋ	耕	zeŋs
17934	[illegible]	疾政	從清去三開	dziᴇŋ	耕	zeŋs
17935	争	側莖	莊耕平二開	tʂ^{ɯ}ɛŋ	耕	sre̠ŋ
17936	筝	側莖	莊耕平二開	tʂ^{ɯ}ɛŋ	耕	sre̠ŋ
17937	埩	側莖	莊耕平二開	tʂ^{ɯ}ɛŋ	耕	sre̠ŋ
17938	䋫	側莖	莊耕平二開	tʂ^{ɯ}ɛŋ	耕	sre̠ŋ
17939	狰	側莖	莊耕平二開	tʂ^{ɯ}ɛŋ	耕	sre̠ŋ
17940	琤	楚耕	初耕平二開	tʂ^{hɯ}ɛŋ	耕	s^{h}re̠ŋ
17941	錚	楚耕	初耕平二開	tʂ^{hɯ}ɛŋ	耕	s^{h}re̠ŋ
17942	净	楚耕	初耕平二開	tʂ^{hɯ}ɛŋ	耕	s^{h}re̠ŋ
17943	峥	士耕	崇耕平二開	dʐ^{ɯ}ɛŋ	耕	zre̠ŋ
17944	[illegible]	士耕	崇耕平二開	dʐ^{ɯ}ɛŋ	耕	zre̠ŋ
17945	埩	士耕	崇耕平二開	dʐ^{ɯ}ɛŋ	耕	zre̠ŋ
17946	諍	側迸	莊耕去二開	tʂ^{ɯ}ɛŋ	耕	sre̠ŋs

徵 zhēng

17947	徵	陟陵	知蒸平三開	ʈɨŋ	蒸	tɯŋ
17948	癥	陟陵	知蒸平三開	ʈɨŋ	蒸	tɯŋ
17949	澂	直陵	澄蒸平三開	ɖɨŋ	蒸	dɯŋ
17950	懲	直陵	澄蒸平三開	ɖɨŋ	蒸	dɯŋ
17951	徵	陟里	知之上三開	ʈɨ	之	tɯʔ

正 zhèng

17952	征	諸盈	章清平三開	tɕiᴇŋ	耕	kl^{j}eŋ
17953	鉦	諸盈	章清平三開	tɕiᴇŋ	耕	kl^{j}eŋ
17954	怔	諸盈	章清平三開	tɕiᴇŋ	耕	kl^{j}eŋ
17955	正	諸盈	章清平三開	tɕiᴇŋ	耕	kl^{j}eŋ
17956	[illegible]	諸盈	章清平三開	tɕiᴇŋ	耕	kl^{j}eŋ
17957	眐	諸盈	章清平三開	tɕiᴇŋ	耕	kl^{j}eŋ
17958	佂	諸盈	章清平三開	tɕiᴇŋ	耕	kl^{j}eŋ
17959	姃	諸盈	章清平三開	tɕiᴇŋ	耕	kl^{j}eŋ
17960	竀	丑貞	徹清平三開	ʈ^{h}iᴇŋ	耕	k^{h}leŋ
17961	整	之郢	章清上三開	tɕiᴇŋ	耕	kl^{j}eŋʔ
17962	政	之盛	章清去三開	tɕiᴇŋ	耕	kl^{j}eŋs
17963	正	之盛	章清去三開	tɕiᴇŋ	耕	kl^{j}eŋs
17964	証	之盛	章清去三開	tɕiᴇŋ	耕	kl^{j}eŋs
17965	姃	之盛	章清去三開	tɕiᴇŋ	耕	kl^{j}eŋs
17966	定	丁定	端青去四開	teŋ	耕	kle̠ŋs
17967	顁	丁定	端青去四開	teŋ	耕	kle̠ŋs
17968	錠	丁定	端青去四開	teŋ	耕	kle̠ŋs
17969	定	徒徑	定青去四開	deŋ	耕	gle̠ŋs
17970	錠	徒徑	定青去四開	deŋ	耕	gle̠ŋs
17971	竀[3]	丑庚	徹耕平二開	ʈ^{hɯ}ɛŋ	耕	k^{h}le̠ŋ
17972	綻	堂練	定先去四開	den	真^{ŋ}	gli̠ŋs
17973	綻[4]	丈莧	澄山去二開	ɖ^{ɯ}ɛn	真^{ŋ}	gli̠ŋs

支 zhī

17974	[illegible][5]	居隋	見支平A合	k^{w}ie	佳	k^{w}e
17975	岐	巨支	群支平A開	gie	佳	ge
17976	歧	巨支	群支平A開	gie	佳	ge
17977	郊	巨支	群支平A開	gie	佳	ge
17978	馶	巨支	群支平A開	gie	佳	ge
17979	蚑	巨支	群支平A開	gie	佳	ge
17980	[illegible]	巨支	群支平A開	gie	佳	ge
17981	[illegible]	巨支	群支平A開	gie	佳	ge
17982	汥	巨支	群支平A開	gie	佳	ge
17983	跂	巨支	群支平A開	gie	佳	ge
17984	伎	巨支	群支平A開	gie	佳	ge
17985	馶	居企	見支上A開	kie	佳	keʔ
17986	跂[6]	丘弭	溪支上A開	k^{h}ie	佳	k^{h}eʔ

1 緝^{u} 部的韵尾-b 在主元音 u 的异化下变成职部韵尾-g。

2 *glu̠b>*glɯ̠g，圆唇元音 u 与唇音韵尾-b 发生异化变成 ɯ。

3 见定母和澄母“茶”字注。原为庚韵，但是根据谐声系统应该为耕韵，《切韵》音系二等有耕、庚的历史层次。

4 见定母和澄母“茶”字注。

5 见“[illegible]”字注。

6 郑张尚芳：切语同“跬”，《集韵》改“遣爾切”。

17987 頍[1] 丘弭 溪支上A 合 kʰʷie 佳 kʷʰeʔ
17988 跂 去智 溪支去A 開 kʰie 佳 kʰes
17989 跂 去智 溪支去A 開 kʰie 佳 kʰes
17990 蚑 去智 溪支去A 開 kʰie 佳 kʰes
17991 妓 居宜 見支平B 開 kɨe 佳 kʳe
17992 攲 去奇 溪支平B 開 kʰɨe 佳 kʰʳe
17993 魃 渠羈 群支平B 開 gɨe 佳 gʳe
17994 庋 居綺 見支上B 開 kɨe 佳 kʳeʔ
17995 攱[2] 過委 見支上B 合 kʷɨe 佳 kʷʳeʔ
17996 庪[3] 過委 見支上B 合 kʷɨe 佳 kʷʳeʔ
17997 趆 墟彼 溪支上B 開 kʰɨe 佳 kʰeʔ
17998 伎 渠綺 群支上B 開 gɨe 佳 geʔ
17999 敲 魚倚 疑支上B 開 ŋɨe 佳 ŋgʳeʔ
18000 技 渠綺 群支上B 開 gɨe 佳 gʳeʔ
18001 妓 渠綺 群支上B 開 gɨe 佳 gʳeʔ
18002 攲[4] 詭僞 見支去B 合 kʷɨe 佳 kʷʳes
18003 攱[5] 詭僞 見支去B 合 kʷɨe 佳 kʷʳes
18004 芰 奇寄 群支去B 開 gɨe 佳 gʳes
18005 魃 奇寄 群支去B 開 gɨe 佳 gʳes
18006 汥 奇寄 群支去B 開 gɨe 佳 gʳes
18007 敊 章移 章支平三開 tɕie 佳 kʲe
18008 肢 章移 章支平三開 tɕie 佳 kʲe
18009 支 章移 章支平三開 tɕie 佳 kʲe
18010 汥 章移 章支平三開 tɕie 佳 kʲe
18011 枝 章移 章支平三開 tɕie 佳 kʲe
18012 馶 章移 章支平三開 tɕie 佳 kʲe
18013 鳷 章移 章支平三開 tɕie 佳 kʲe
18014 雉 章移 章支平三開 tɕie 佳 kʲe
18015 忮 支義 章支去三開 tɕie 佳 kʲes
18016 伎 支義 章支去三開 tɕie 佳 kʲes
18017 敊 支義 章支去三開 tɕie 佳 kʲes
18018 豉 是義 禪支去三開 dʑie 佳 gʲes
18019 翅 施智 書支去三開 ɕie 佳 qʰʲes
18020 馶 施智 書支去三開 ɕie 佳 qʰʲes
18021 雉 施智 書支去三開 ɕie 佳 qʰʲes
18022 屐 奇逆 群陌入三開 giæk 錫 gʳeg

巵 zhī

18023 巵 章移 章支平三開 tɕie 佳 kʲe
18024 梔 章移 章支平三開 tɕie 佳 kʲe

知 zhī

18025 蜘 珍離 知支平三開 ʈie 佳 te
18026 知 陟離 知支平三開 ʈie 佳 te
18027 鼅 陟離 知支平三開 ʈie 佳 te
18028 踟 直離 澄支平三開 ɖie 佳 de
18029 智 知義 知支去三開 ʈie 佳 tes
18030 澌 竹益 知昔入三開 ʈiɛk 錫 teg
18031 覥 他歷 透錫入四開 tʰek 錫 tʰe̱g
18032 澌 場伯 澄麥入二開 ɖᵚɛk 錫 de̱g
18033 澌[6] 場伯 澄麥入二開 ɖᵚɛk 錫 de̱g

隻 zhī

18034 隻 之石 章昔入三開 tɕiɛk 錫 tʲeg

戠 zhī

18035 幟 式吏 書之去三開 ɕɨ 職 l̥ɯgs
18036 織 職吏 章之去三開 tɕɨ 職 tʲɯgs
18037 識 職吏 章之去三開 tɕɨ 職 tʲɯgs
18038 熾 昌志 昌之去三開 tɕʰɨ 職 tʰʲɯgs
18039 幟 昌志 昌之去三開 tɕʰɨ 職 tʰʲɯgs
18040 識 賞職 書職入三開 ɕɨk 職 l̥ɯg
18041 蟙 之翼 章職入三開 tɕɨk 職 tʲɯg
18042 樴 之翼 章職入三開 tɕɨk 職 tʲɯg
18043 蘵 質力 章職入三開 tɕɨk 職 tʲɯg
18044 膱 之翼 章職入三開 tɕɨk 職 tʲɯg
18045 職 之翼 章職入三開 tɕɨk 職 tʲɯg
18046 戠 之翼 章職入三開 tɕɨk 職 tʲɯg
18047 織 之翼 章職入三開 tɕɨk 職 tʲɯg
18048 樴 徒得 定德入一開 dək 職 dɯ̱g

直 zhí

18049 置 陟吏 知之去三開 ʈɨ 職 tɯgs

---

1 合口与声符不合。《释名》"頍,傾也",以合口字"傾"为声训。

2 见"攲"字注。

3 见"攲"字注。

4 合口与声符不合。

5 见"攲"字注。

6 见定母和澄母"荼"字注。原为陌韵,但是根据谐声系统应该为麦韵,《切韵》音系二等有麦、陌的历史层次。

18050	埴	昌志	昌之去三開	tɕʰɨ	職	tʰʲɯgs
18051	值	直吏	澄之去三開	ɖɨ	職	dɯgs
18052	植	直吏	澄之去三開	ɖɨ	職	dɯgs
18053	稙	竹力	知職入三開	ʈɨk	職	tɯg
18054	膱	之翼	章職入三開	tɕɨk	職	tʲɯg
18055	淔	恥力	徹職入三開	ʈʰɨk	職	tʰɯg
18056	直	除力	澄職入三開	ɖɨk	職	dɯg
18057	犆	除力	澄職入三開	ɖɨk	職	dɯg
18058	膇	除力	澄職入三開	ɖɨk	職	dɯg
18059	埴	常職	禪職入三開	dʑɨk	職	dʲɯg
18060	植	常職	禪職入三開	dʑɨk	職	dʲɯg
18061	殖	常職	禪職入三開	dʑɨk	職	dʲɯg
18062	德	多則	端德入一開	tək	職	tɯ̱g

執 zhí

18063	鞶	陟利	知脂去三開	ʈi	緝^{i}	klibs
18064	鷙	陟利	知脂去三開	ʈi	緝^{i}	klibs
18065	摯	脂利	章脂去三開	tɕi	緝^{i}	klʲibs
18066	贄	脂利	章脂去三開	tɕi	緝^{i}	klʲibs
18067	鷙	脂利	章脂去三開	tɕi	緝^{i}	klʲibs
18068	鏊	脂利	章脂去三開	tɕi	緝^{i}	klʲibs
18069	鶖	脂利	章脂去三開	tɕi	緝^{i}	klʲibs
18070	縶	脂利	章脂去三開	tɕi	緝^{i}	klʲibs
18071	墊	脂利	章脂去三開	tɕi	緝^{i}	klʲibs
18072	縶	陟立	知緝入三開	ʈip	緝^{i}	klib
18073	霸	陟立	知緝入三開	ʈip	緝^{i}	klib
18074	執[1]	之入	章緝入三開	tɕip	緝^{i}	klʲib
18075	瓡	之入	章緝入三開	tɕip	緝^{i}	klʲib
18076	鏊	之入	章緝入三開	tɕip	緝^{i}	klʲib
18077	墊	之入	章緝入三開	tɕip	緝^{i}	klʲib
18078	慹	之入	章緝入三開	tɕip	緝^{i}	klʲib
18079	蓻	子入	精緝入三開	tsip	緝^{i}	sklib
18080	絷	丑入	徹緝入三開	ʈʰip	緝^{i}	kʰlib
18081	蟄	直立	澄緝入三開	ɖip	緝^{i}	glib
18082	慹	秦入	從緝入三開	dzip	緝^{i}	sglib
18083	褺	徒協	定帖入四開	dep	緝^{i}	gli̱b
18084	蟄	徒協	定帖入四開	dep	緝^{i}	gli̱b
18085	墊	徒協	定帖入四開	dep	緝^{i}	gli̱b
18086	嚞	奴協	泥帖入四開	nep	緝^{i}	mgli̱b
18087	慹	奴協	泥帖入四開	nep	緝^{i}	mgli̱b
18088	慹	之涉	章葉入三開	tɕiɛp	盍^{e}	klʲeb
18089	讋	之涉	章葉入三開	tɕiɛp	盍^{e}	klʲeb
18090	墊	都念	端添去四開	tem	侵^{i}	kli̱ms
18091	霸	都念	端添去四開	tem	侵^{i}	kli̱ms
18092	褺	都念	端添去四開	tem	侵^{i}	kli̱ms
18093	褺	丁愜	端帖入四開	tep	盍^{e}	kle̱b

㬹 zhí

18094	㬹	陟立	知緝入三開	ʈip	緝^{i}	tib

夂 zhǐ

18095	夂	豬几	知脂上三開	ʈi	脂^{1}	tilʔ

止 zhǐ

18096	芝	止而	章之平三開	tɕɨ	之	klʲɯ
18097	之	止而	章之平三開	tɕɨ	之	klʲɯ
18098	蚩	赤之	昌之平三開	tɕʰɨ	之	kʰlʲɯ
18099	嗤	赤之	昌之平三開	tɕʰɨ	之	kʰlʲɯ
18100	媸	赤之	昌之平三開	tɕʰɨ	之	kʰlʲɯ
18101	崽	赤之	昌之平三開	tɕʰɨ	之	kʰlʲɯ
18102	持	直之	澄之平三開	ɖɨ	之	glɯ
18103	鰣	市之	禪之平三開	dʑɨ	之	glʲɯ
18104	時	市之	禪之平三開	dʑɨ	之	glʲɯ
18105	塒	市之	禪之平三開	dʑɨ	之	glʲɯ
18106	鼭	市之	禪之平三開	dʑɨ	之	glʲɯ
18107	榯	市之	禪之平三開	dʑɨ	之	glʲɯ
18108	蒔	市之	禪之平三開	dʑɨ	之	glʲɯ
18109	欪	許其	曉之平三開	hɨ	之	qʰɯ
18110	詩	書之	書之平三開	ɕɨ	之	qʰlɯ
18111	邿	書之	書之平三開	ɕɨ	之	qʰlɯ
18112	洔	諸市	章之上三開	tɕɨ	之	klʲɯʔ
18113	止	諸市	章之上三開	tɕɨ	之	klʲɯʔ
18114	畤	諸市	章之上三開	tɕɨ	之	klʲɯʔ
18115	沚	諸市	章之上三開	tɕɨ	之	klʲɯʔ
18116	趾	諸市	章之上三開	tɕɨ	之	klʲɯʔ
18117	址	諸市	章之上三開	tɕɨ	之	klʲɯʔ
18118	阯	諸市	章之上三開	tɕɨ	之	klʲɯʔ
18119	芷	諸市	章之上三開	tɕɨ	之	klʲɯʔ

1 “執”通“攝” * qʰleb。《马王堆汉墓帛书（壹）》乙本《老子・德经》“執”通“攝”，“蓋聞善執（攝）生者”，故“執”音 * klʲib。

18120 祉 敇里 徹之上三開 ʈʰɨ 之 kʰlɯʔ
18121 齒[1] 昌里 昌之上三開 tɕʰɨ 之 kʰlʲɯʔ
18122 峙 直里 澄之上三開 ɖɨ 之 glɯʔ
18123 崻 直里 澄之上三開 ɖɨ 之 glɯʔ
18124 痔 直里 澄之上三開 ɖɨ 之 glɯʔ
18125 偫 直里 澄之上三開 ɖɨ 之 glɯʔ
18126 洔 直里 澄之上三開 ɖɨ 之 glɯʔ
18127 庤 直里 澄之上三開 ɖɨ 之 glɯʔ
18128 市 時止 禪之上三開 dʑɨ 之 glʲɯʔ
18129 恃 時止 禪之上三開 dʑɨ 之 glʲɯʔ
18130 畤 時止 禪之上三開 dʑɨ 之 glʲɯʔ
18131 志 職吏 章之去三開 tɕɨ 之 klʲɯs
18132 誌 職吏 章之去三開 tɕɨ 之 klʲɯs
18133 侍 時吏 禪之去三開 dʑɨ 之 glʲɯs
18134 蒔 時吏 禪之去三開 dʑɨ 之 glʲɯs
18135 寺 祥吏 邪之去三開 zɨ 之 sgˡɯs
18136 臺 徒哀 定咍平一開 dəi 之 glɯ̱
18137 嬯 徒哀 定咍平一開 dəi 之 glɯ̱
18138 儓 徒哀 定咍平一開 dəi 之 glɯ̱
18139 等 多改 端咍上一開 təi 之 klɯ̱ʔ
18140 待 徒亥 定咍上一開 dəi 之 glɯ̱ʔ
18141 儓 他代 透咍去一開 tʰəi 之 kʰlɯ̱s
18142 鼓 豬几 知脂上三開 ʈi 脂 kliʔ
18143 滍 直几 澄脂上三開 ɖi 脂 gliʔ
18144 特 徒得 定德入一開 dək 職 glɯ̱g
18145 栕[2] 陟革 知麥入二開 ʈʷɛk 職 klɯ̱g
18146 等 多肯 端登上一開 təŋ 蒸 klɯ̱ŋʔ

只 zhǐ

18147 枳 居帋 見支上A 開 kie 佳 keʔ
18148 只 章移 章支平三開 tɕie 佳 kʲe
18149 疻 章移 章支平三開 tɕie 佳 kʲe
18150 只 諸氏 章支上三開 tɕie 佳 kʲeʔ
18151 軹 諸氏 章支上三開 tɕie 佳 kʲeʔ
18152 枳 諸氏 章支上三開 tɕie 佳 kʲeʔ
18153 咫 諸氏 章支上三開 tɕie 佳 kʲeʔ
18154 汦 諸氏 章支上三開 tɕie 佳 kʲeʔ
18155 抧 諸氏 章支上三開 tɕie 佳 kʲeʔ
18156 穦 諸氏 章支上三開 tɕie 佳 kʲeʔ
18157 駅 諸氏 章支上三開 tɕie 佳 kʲeʔ
18158 伿 支義 章支去三開 tɕie 佳 kʲes
18159 伿 以豉 以支去三開 jie 佳 ɢes
18160 傒 胡禮 匣齊上四開 ɦei 佳 ge̱ʔ
18161 疻 旨夷 章脂平三開 tɕi 脂 kʲi
18162 迟 苦席 溪昔入三開 kʰiɛk 錫 kʰeg
18163 齞 研峴 疑先上四開 ŋen 元[e] ŋge̱nʔ

旨 zhǐ

18164 眉 詰利 溪脂去A 開 kʰi 脂 kʰis
18165 鬐 渠脂 群脂平B 開 gɨi 脂 gʳi
18166 耆 渠脂 群脂平B 開 gɨi 脂 gʳi
18167 鰭 渠脂 群脂平B 開 gɨi 脂 gʳi
18168 鮨 渠脂 群脂平B 開 gɨi 脂 gʳi
18169 脂 旨夷 章脂平三開 tɕi 脂 kʲi
18170 鴲 旨夷 章脂平三開 tɕi 脂 kʲi
18171 蓍 式脂 書脂平三開 ɕi 脂 qʰli
18172 旨 職雉 章脂上三開 tɕi 脂 kʲiʔ
18173 指 職雉 章脂上三開 tɕi 脂 kʲiʔ
18174 恉 職雉 章脂上三開 tɕi 脂 kʲiʔ
18175 鴲 脂利 章脂去三開 tɕi 脂 kʲis
18176 鞊 脂利 章脂去三開 tɕi 脂 kʲis
18177 嗜 常利 禪脂去三開 dʑi 脂 gʲis
18178 稽 古奚 見齊平四開 kei 脂 ki̱
18179 嵇 胡雞 匣齊平四開 ɦei 脂 gi̱
18180 稽 康禮 溪齊上四開 kʰei 脂 kʰi̱ʔ
18181 䭫 康禮 溪齊上四開 kʰei 脂 kʰi̱ʔ
18182 鑙 遣禮 溪齊上四開 kʰei 脂 kʰi̱ʔ
18183 詣 五計 疑齊去四開 ŋei 脂 ŋgi̱s
18184 楮 章移 章支平三開 tɕie 佳 kʲe

黹 zhǐ

18185 襹 展几 知脂上三開 ʈi 脂 tiʔ
18186 黹 豬几 知脂上三開 ʈi 脂 tiʔ

至 zhì

18187 駤 陟利 知脂去三開 ʈi 質[9] kligs
18188 懥 陟利 知脂去三開 ʈi 質[9] kligs
18189 䞇 陟利 知脂去三開 ʈi 質[9] kligs

---

1 可比较藏文 ri 牙齿，厦门话 kʰi，故“齒”上古 * kʰlʲɯʔ > tɕʰɨ。

2 见定母和澄母“荼”字注。

18190 致 陟利 知脂去三開 ʈi 質^{g} kligs
18191 撴 陟利 知脂去三開 ʈi 質^{g} kligs
18192 至 脂利 章脂去三開 tɕi 質^{g} kl^{j}igs
18193 蛭 丑利 徹脂去三開 ʈ^{h}ɨ 質^{g} k^{h}ligs
18194 蛭 丑利 徹脂去三開 ʈ^{h}i 質^{g} k^{h}ligs
18195 跮 丑利 徹脂去三開 ʈ^{h}i 質^{g} k^{h}ligs
18196 痓 充自 昌脂去三開 tɕ^{h}i 質^{g} k^{h}l^{j}igs
18197 緻 直利 澄脂去三開 ɖi 質^{g} gligs
18198 倁 直利 澄脂去三開 ɖi 質^{g} gligs
18199 闋 直利 澄脂去三開 ɖi 質^{g} gligs
18200 蛭 丁悉 知質入三開 ʈit 質^{g} klig
18201 窒 陟栗 知質入三開 ʈit 質^{g} klig
18202 挃 陟栗 知質入三開 ʈit 質^{g} klig
18203 庢 陟栗 知質入三開 ʈit 質^{g} klig
18204 銍 陟栗 知質入三開 ʈit 質^{g} klig
18205 胵 陟栗 知質入三開 ʈit 質^{g} klig
18206 遷 陟栗 知質入三開 ʈit 質^{g} klig
18207 螲 陟栗 知質入三開 ʈit 質^{g} klig
18208 銍 陟栗 知質入三開 ʈit 質^{g} klig
18209 晊 之日 章質入三開 tɕit 質^{g} kl^{j}ig
18210 郅 之日 章質入三開 tɕit 質^{g} kl^{j}ig
18211 侄 之日 章質入三開 tɕit 質^{g} kl^{j}ig
18212 桎 之日 章質入三開 tɕit 質^{g} kl^{j}ig
18213 蛭 之日 章質入三開 tɕit 質^{g} kl^{j}ig
18214 銍 之日 章質入三開 tɕit 質^{g} kl^{j}ig
18215 咥 丑栗 徹質入三開 ʈ^{h}it 質^{g} k^{h}lig
18216 跮 丑栗 徹質入三開 ʈ^{h}it 質^{g} k^{h}lig
18217 姪 直一 澄質入三開 ɖit 質^{g} glig
18218 載 直質 澄質入三開 ɖit 質^{g} glig
18219 臸[1] 人質 日質入三開 ɲit 質^{g} mgl^{j}ig
18220 室 式質 書質入三開 ɕit 質^{g} q^{h}lig
18221 鮿 丁計 端齊去四開 tei 質^{g} kli̱gs
18222 蛭 丁結 端屑入四開 tet 質^{g} kli̱g
18223 咥 丁結 端屑入四開 tet 質^{g} kli̱g
18224 窒 丁結 端屑入四開 tet 質^{g} kli̱g
18225 耊 他結 透屑入四開 t^{h}et 質^{g} k^{h}li̱g
18226 姪 徒結 定屑入四開 det 質^{g} gli̱g
18227 垤 徒結 定屑入四開 det 質^{g} gli̱g
18228 耋 徒結 定屑入四開 det 質^{g} gli̱g
18229 絰 徒結 定屑入四開 det 質^{g} gli̱g
18230 咥 徒結 定屑入四開 det 質^{g} gli̱g
18231 荎 徒結 定屑入四開 det 質^{g} gli̱g
18232 胵 徒結 定屑入四開 det 質^{g} gli̱g
18233 载 徒結 定屑入四開 det 質^{g} gli̱g
18234 戩 即淺 精仙上三開 tsiᴇn 真^{ŋ} skliŋʔ
18235 榗 子賤 精仙去三開 tsiᴇn 真^{ŋ} skliŋs
18236 晉[2] 即刃 精真去三開 tsin 真^{ŋ} skliŋs
18237 搢 即刃 精真去三開 tsin 真^{ŋ} skliŋs
18238 縉 即刃 精真去三開 tsin 真^{ŋ} skliŋs
18239 瑨 即刃 精真去三開 tsin 真^{ŋ} skliŋs
18240 咥 火至 曉脂去A 開 hi 脂 q^{hl}is
18241 垤 止而 章之平三開 tɕɨ 脂 kl^{j}i
18242 胵 處脂 昌脂平三開 tɕ^{h}i 脂 k^{h}l^{j}i
18243 荎 直尼 澄脂平三開 ɖi 脂 gli
18244 撴 豬几 知脂上三開 ʈi 脂 kliʔ
18245 鄑 即移 精支平三開 tsie 歌^{e} skle

豸 zhì

18246 豸 池爾 澄支上三開 ɖie 佳 gleʔ

制 zhì

18247 猘 居例 見祭去B 開 kɨᴇi 月^{e} k^{r}eds
18248 制 征例 章祭去三開 tɕiᴇi 月^{e} k^{j}eds
18249 製 征例 章祭去三開 tɕiᴇi 月^{e} k^{j}eds
18250 晢 征例 章祭去三開 tɕiᴇi 月^{e} k^{j}eds
18251 掣 尺制 昌祭去三開 tɕ^{h}iᴇi 月^{e} k^{hj}eds
18252 掣 昌列 昌薛入三開 tɕ^{h}iᴇt 月^{e} k^{hj}ed
18253 懘 當割 端曷入一開 tɑt 月^{a} kla̱d

炙 zhì

18254 炙 之夜 章麻去三開 tɕiæ 鐸 kl^{j}ags
18255 碳 山戟 生陌入三開 ʂiæk 鐸 sk^{r}ag
18256 炙 之石 章昔入三開 tɕiᴇk 鐸 kl^{j}ag

---

1 段注"至"亦声。与"至"*kl^{j}igs 相比，"臸"*mgl^{j}ig 多了一个鼻冠音，在许慎看来读音不一样，所以不作"至"声来看待。

2 "晉"《说文》从日从臸。"臸"应该就是声符，可能就是词根。"臸"通"令"*g.reŋ，上博简本《缁衣》"臸（令）"作"霝"。"晉"的词根应该就是与"臸"的读音很相近的 k^{l}iŋs，词根加了冠音 s-就是*skliŋs>*stiŋs>中古 tsin。郭店楚墓竹简《缁衣》"晉"通"祭"*skleds，"晉（祭）公之寡（顧）命員（云）"。按，"晉（祭）"字从李家浩《楚大府镐铭文新释》（《语言学论丛》第二十二辑，商务印书馆 1999 年）释读。"晉"*skliŋs>*sklins 与"祭"*skleds 的读音非常相似。

陟 zhì

18257 陟 竹力 知職入三開 ʈɨk 職 tɯg
18258 騭 之日 章質入三開 tɕit 質^{g} t^{j}ig

廌 zhì

18259 廌 池爾 澄支上三開 ɖie 佳 gleʔ
18260 廌[1] 宅買 澄佳上二開 ɖ^{ɯ}ɛ 佳 gle̱ʔ

疐 zhì

18261 疐 陟利 知脂去三開 ʈi 質^{g} tigs
18262 懥 陟利 知脂去三開 ʈi 質^{g} tigs
18263 懥 脂利 章脂去三開 tɕi 質^{g} t^{j}igs
18264 嚏 都計 端齊去四開 tei 質^{g} ti̱gs
18265 疐 都計 端齊去四開 tei 質^{g} ti̱gs

質 zhì

18266 懫 陟利 知脂去三開 ʈi 質^{d} tids
18267 躓 陟利 知脂去三開 ʈi 質^{d} tids
18268 質 陟利 知脂去三開 ʈi 質^{d} tids
18269 礩 脂利 章脂去三開 tɕi 質^{d} t^{j}ids
18270 質 之日 章質入三開 tɕit 質^{d} t^{j}id
18271 鑕 之日 章質入三開 tɕit 質^{d} t^{j}id
18272 ⿰口質 之日 章質入三開 tɕit 質^{d} t^{j}id
18273 懫 之日 章質入三開 tɕit 質^{d} t^{j}id
18274 礩 之日 章質入三開 tɕit 質^{d} t^{j}id
18275 瓆 職日 章質入三開 tɕit 質^{d} t^{j}id

中 zhōng

18276 中 陟弓 知東平三合 ʈiuŋ 終 kluŋ
18277 衷 陟弓 知東平三合 ʈiuŋ 終 kluŋ
18278 忠 陟弓 知東平三合 ʈiuŋ 終 kluŋ
18279 ⿱艹中 陟弓 知東平三合 ʈiuŋ 終 kluŋ
18280 忡 敕中 徹東平三合 ʈ^{h}iuŋ 終 k^{h}luŋ
18281 盅 敕中 徹東平三合 ʈ^{h}iuŋ 終 k^{h}luŋ
18282 ⿱艹中 直弓 澄東平三合 ɖiuŋ 終 gluŋ
18283 沖 直弓 澄東平三合 ɖiuŋ 終 gluŋ
18284 种 直弓 澄東平三合 ɖiuŋ 終 gluŋ
18285 盅 直弓 澄東平三合 ɖiuŋ 終 gluŋ
18286 中 陟仲 知東去三合 ʈiuŋ 終 kluŋs
18287 衷 陟仲 知東去三合 ʈiuŋ 終 kluŋs
18288 衶 直衆 澄東去三合 ɖiuŋ 終 gluŋs
18289 仲 直衆 澄東去三合 ɖiuŋ 終 gluŋs

眾 zhòng

18290 眾 職戎 章東平三合 tɕiuŋ 終 k^{j}uŋ
18291 潨 職戎 章東平三合 tɕiuŋ 終 k^{j}uŋ
18292 ⿱雨眾 職戎 章東平三合 tɕiuŋ 終 k^{j}uŋ
18293 ⿰虫眾 職戎 章東平三合 tɕiuŋ 終 k^{j}uŋ
18294 眾 之仲 章東去三合 tɕiuŋ 終 k^{j}uŋs
18295 ⿰虫眾 之仲 章東去三合 tɕiuŋ 終 k^{j}uŋs
18296 潨 藏宗 從冬平一合 dzu̯oŋ 終 sgu̱ŋ
18297 潨 徂紅 從東平一合 dzuŋ 東 sgo̱ŋ

舟 zhōu

18298 侜 張流 知尤平三合 ʈiu 幽 klu
18299 輈 張流 知尤平三合 ʈiu 幽 klu
18300 ⿹勹舟 之由 章尤平三合 tɕiu 幽 kl^{j}u
18301 洀 之由 章尤平三合 tɕiu 幽 kl^{j}u
18302 舟 職流 章尤平三合 tɕiu 幽 kl^{j}u
18303 受 殖酉 禪尤上三合 dʑiu 幽 gl^{j}uʔ
18304 綬 殖酉 禪尤上三合 dʑiu 幽 gl^{j}uʔ
18305 授 承呪 禪尤去三合 dʑiu 幽 gl^{j}us
18306 綬 承呪 禪尤去三合 dʑiu 幽 gl^{j}us
18307 鵃[2] 陟交 知肴平二開 ʈ^{ɯ}æu 幽 klu̱
18308 鵃 止遥 章宵平三開 tɕiᴇu 幽^{i} kl^{j}i^{w}

州 zhōu

18309 州 職流 章尤平三合 tɕiu 幽 k^{j}u
18310 洲 職流 章尤平三合 tɕiu 幽 k^{j}u
18311 ⿰舟州 職流 章尤平三合 tɕiu 幽 k^{j}u
18312 酬 市流 禪尤平三合 dʑiu 幽 g^{j}u
18313 詶 市流 禪尤平三合 dʑiu 幽 g^{j}u
18314 詶 之又 章尤去三合 tɕiu 幽 k^{j}us
18315 詶 承呪 禪尤去三合 dʑiu 幽 g^{j}us
18316 ⿰舟州 之六 章屋入三合 tɕiuk 覺 k^{j}ug

周 zhōu

18317 啁 張流 知尤平三合 ʈiu 幽 klu

---

1 见定母和澄母"荼"字注。
2 见定母和澄母"荼"字注。

18318 調 張流 知尤平三合 ʈiu 幽 klu
18319 周[1] 職流 章尤平三合 tɕiu 幽 klʲu
18320 輖 職流 章尤平三合 tɕiu 幽 klʲu
18321 賙 職流 章尤平三合 tɕiu 幽 klʲu
18322 婤 職流 章尤平三合 tɕiu 幽 klʲu
18323 婤 丑鳩 徹尤平三合 ʈʰiu 幽 kʰlu
18324 惆 丑鳩 徹尤平三合 ʈʰiu 幽 kʰlu
18325 裯 直由 澄尤平三合 ɖiu 幽 glu
18326 綢 直由 澄尤平三合 ɖiu 幽 glu
18327 稠 直由 澄尤平三合 ɖiu 幽 glu
18328 椆 直由 澄尤平三合 ɖiu 幽 glu
18329 裯[2] 直誅 澄虞平三合 ɖiʊ 幽 glu
18330 賙 職救 章尤去三合 tɕiu 幽 klʲus
18331 鬻 職救 章尤去三合 tɕiu 幽 klʲus
18332 椆 職救 章尤去三合 tɕiu 幽 klʲus
18333 裯 都牢 端豪平一開 tɑu 幽 klu̱
18334 艄 都勞 端豪平一開 tɑu 幽 klu̱
18335 綢 土刀 透豪平一開 tʰɑu 幽 kʰlu̱
18336 翢 土刀 透豪平一開 tʰɑu 幽 kʰlu̱
18337 翢 徒刀 定豪平一開 dɑu 幽 glu̱
18338 錭 徒刀 定豪平一開 dɑu 幽 glu̱
18339 裯 都晧 端豪上一開 tɑu 幽 klu̱ʔ
18340 啁[3] 陟交 知肴平二開 ʈᵚæu 幽 klu̱
18341 艄 丁聊 端蕭平四開 teu 幽^{i} kli̱ʷ
18342 篙 丁聊 端蕭平四開 teu 幽^{i} kli̱ʷ
18343 鬻 都聊 端蕭平四開 teu 幽^{i} kli̱ʷ
18344 琱 都聊 端蕭平四開 teu 幽^{i} kli̱ʷ
18345 凋 都聊 端蕭平四開 teu 幽^{i} kli̱ʷ
18346 鯛 都聊 端蕭平四開 teu 幽^{i} kli̱ʷ
18347 雕 都聊 端蕭平四開 teu 幽^{i} kli̱ʷ
18348 彫 都聊 端蕭平四開 teu 幽^{i} kli̱ʷ
18349 蜩 徒聊 定蕭平四開 deu 幽^{i} gli̱ʷ
18350 調 徒聊 定蕭平四開 deu 幽^{i} gli̱ʷ
18351 鬻 徒聊 定蕭平四開 deu 幽^{i} gli̱ʷ
18352 調 徒弔 定蕭去四開 deu 幽^{i} gli̱ʷs
18353 掚 直紹 澄宵上三開 ɖiᴇu 幽^{i} gliʷʔ
18354 倜 他歷 透錫入四開 tʰek 覺^{i} kʰliɡʷ

盩 zhōu

18355 盩 張流 知尤平三合 ʈiu 幽 tu
18356 盩 直祐 澄尤去三合 ɖiu 幽 dus

肘 zhǒu

18357 肘[4] 陟柳 知尤上三合 ʈiu 幽 kruʔ
18358 疛 陟柳 知尤上三合 ʈiu 幽 kruʔ
18359 紂 除柳 澄尤上三合 ɖiu 幽 gruʔ
18360 酎 直祐 澄尤去三合 ɖiu 幽 grus
18361 疛 直祐 澄尤去三合 ɖiu 幽 grus
18362 狩 舒救 書尤去三合 ɕiu 幽 qʰlus
18363 守 舒救 書尤去三合 ɕiu 幽 qʰlus
18364 討 他浩 透豪上一開 tʰɑu 幽 tʰu̱ʔ

帚 zhǒu

18365 帚 之九 章尤上三合 tɕiu 幽 pʲuʔ
18366 箒 之九 章尤上三合 tɕiu 幽 pʲuʔ
18367 婦 房久 並尤上三合 biu 幽 buʔ

晝 zhòu

18368 晝 陟救 知尤去三合 ʈiu 幽 tus

朱 zhū

18369 株 陟輸 知虞平三合 ʈiʊ 侯 klo
18370 誅[5] 陟輸 知虞平三合 ʈiʊ 侯 klo
18371 邾 陟輸 知虞平三合 ʈiʊ 侯 klo
18372 鼄[6] 陟輸 知虞平三合 ʈiʊ 侯 klo
18373 跦 陟輸 知虞平三合 ʈiʊ 侯 to
18374 袾 陟輸 知虞平三合 ʈiʊ 侯 to
18375 鴸 陟輸 知虞平三合 ʈiʊ 侯 to
18376 蛛 陟輸 知虞平三合 ʈiʊ 侯 klo

---

1 《左传》“公孫周”之“周”，《史记》作“纠”，故“周”作复辅音 *klʲu>tʲu>tɕiu。

2 幽部滞后到侯部。

3 见定母和澄母“荼”字注。

4 本字为“九”，为“肘”字象形。因为数词“九”为高频词，后加一点为新造字用来表示肘。数词“九”上古为 *kuʔ，跟“肘”的读音很近。可比较藏文 gru、kʰru 肘，扎巴语 ku，达让僜语 kɹɑu，嘉戎语 kru。故“肘”为复辅音 *kruʔ>ʈu。

5 “誅”通“裯”klu̱，《周礼·春官·甸祝》“裯馬”，郑注：“裯讀如伏誅之誅。”“誅”又通“討”kʰlu̱ʔ，《左传·襄公二十七年》：“請爲子討之。”《史记·齐太公世家》“討”作“誅”。故“誅”的上古音当为 *klo。

6 “蛛”在侗台语中有关系词 klo，“蛛”汉语上古音 *klo。

18377	朱[1]	章俱	章虞平三合	tɕiʊ	侯	kl^{j}o
18378	珠	章俱	章虞平三合	tɕiʊ	侯	t^{j}o
18379	侏	章俱	章虞平三合	tɕiʊ	侯	t^{j}o
18380	絑	章俱	章虞平三合	tɕiʊ	侯	t^{j}o
18381	袾	章俱	章虞平三合	tɕiʊ	侯	t^{j}o
18382	咮	章俱	章虞平三合	tɕiʊ	侯	kl^{j}o
18383	鴸	章俱	章虞平三合	tɕiʊ	侯	t^{j}o
18384	姝	昌朱	昌虞平三合	tɕ^{h}iʊ	侯	t^{hj}o
18385	袾	昌朱	昌虞平三合	tɕ^{h}iʊ	侯	t^{hj}o
18386	筞	昌朱	昌虞平三合	tɕ^{h}iʊ	侯	t^{hj}o
18387	趎	直誅	澄虞平三合	ɖiʊ	侯	do
18388	殊	市朱	禪虞平三合	dʑiʊ	侯	d^{j}o
18389	銖	市朱	禪虞平三合	dʑiʊ	侯	gl^{j}o
18390	洙	市朱	禪虞平三合	dʑiʊ	侯	d^{j}o
18391	茱	市朱	禪虞平三合	dʑiʊ	侯	gl^{j}o
18392	絑	市朱	禪虞平三合	dʑiʊ	侯	d^{j}o
18393	咮	中句	知虞去三合	ʈiʊ	侯	klos
18394	袾	之戍	章虞去三合	tɕiʊ	侯	t^{j}os
18395	咮	張流	知尤平三合	ʈiu	幽	tu
18396	咮	陟救	知尤去三合	ʈiu	幽	klus

竹 zhú

18397	竹	張六	知屋入三合	ʈiuk	覺	tug
18398	竺	張六	知屋入三合	ʈiuk	覺	tug
18399	筑	張六	知屋入三合	ʈiuk	覺	tug
18400	築	張六	知屋入三合	ʈiuk	覺	tug
18401	茿	張六	知屋入三合	ʈiuk	覺	tug
18402	筑	直六	澄屋入三合	ɖiuk	覺	dug
18403	篤	冬毒	端沃入一合	tu̯ok	覺	tu̱g
18404	竺	冬毒	端沃入一合	tu̯ok	覺	tu̱g
18405	竺	丁木	端屋入一合	tuk	屋	to̱g

逐 zhú

18406	蓫	丑六	徹屋入三合	ʈ^{h}iuk	覺	k^{h}lug
18407	逐	直六	澄屋入三合	ɖiuk	覺	glug
18408	鱁	直六	澄屋入三合	ɖiuk	覺	glug
18409	蓫	直六	澄屋入三合	ɖiuk	覺	glug
18410	篴	直六	澄屋入三合	ɖiuk	覺	glug
18411	蓫	許竹	曉屋入三合	hiuk	覺	q^{hl}ug
18412	篴	徒歷	定錫入四開	dek	覺^{ɯ}	glɯ̱g^{w}

丶 zhǔ

18413	丶	知庾	知虞上三合	ʈiʊ	侯	toʔ
18414	拄	知庾	知虞上三合	ʈiʊ	侯	toʔ
18415	柱	知庾	知虞上三合	ʈiʊ	侯	toʔ
18416	炷	之庾	章虞上三合	tɕiʊ	侯	t^{j}oʔ
18417	主	之庾	章虞上三合	tɕiʊ	侯	t^{j}oʔ
18418	麈	之庾	章虞上三合	tɕiʊ	侯	t^{j}oʔ
18419	宔	之庾	章虞上三合	tɕiʊ	侯	t^{j}oʔ
18420	柱	直主	澄虞上三合	ɖiʊ	侯	doʔ
18421	跓	直主	澄虞上三合	ɖiʊ	侯	doʔ
18422	胜	重主	澄虞上三合	ɖiʊ	侯	doʔ
18423	鉒	中句	知虞去三合	ʈiʊ	侯	tos
18424	駐	中句	知虞去三合	ʈiʊ	侯	tos
18425	住	中句	知虞去三合	ʈiʊ	侯	tos
18426	註	中句	知虞去三合	ʈiʊ	侯	tos
18427	注	之戍	章虞去三合	tɕiʊ	侯	t^{j}os
18428	疰	之戍	章虞去三合	tɕiʊ	侯	t^{j}os
18429	罜	之戍	章虞去三合	tɕiʊ	侯	t^{j}os
18430	狌	之戍	章虞去三合	tɕiʊ	侯	t^{j}os
18431	註	之戍	章虞去三合	tɕiʊ	侯	t^{j}os
18432	炷	之戍	章虞去三合	tɕiʊ	侯	t^{j}os
18433	住	持遇	澄虞去三合	ɖiʊ	侯	dos
18434	姓	天口	透侯上一合	t^{h}u	侯	t^{h}o̱ʔ
18435	黈	天口	透侯上一合	t^{h}u	侯	t^{h}o̱ʔ
18436	鴸	天口	透侯上一合	t^{h}u	侯	t^{h}o̱ʔ
18437	鴸	徒口	定侯上一合	du	侯	do̱ʔ
18438	罜	徒谷	定屋入一合	duk	屋	do̱g

祝 zhù

18439	呪	職救	章尤去三合	tɕiu	覺	t^{j}ugs
18440	祝	職救	章尤去三合	tɕiu	覺	t^{j}ugs
18441	祝	之六	章屋入三合	tɕiuk	覺	t^{j}ug

---

1 "朱"通"婁"*g.ro。《孟子·离娄上》:"離婁之明。"《庄子·骈拇》"離婁"作"離朱",故"朱"为*klo>*to>中古 ʈiʊ。由此可见,从"朱"得声的字在中古读 t-,其中许多字是从上古*kl-变来的,所以构拟为*kl-。但是还有些以"朱"为声符的字是发生在 kl->t-以后才产生的,它们的上古读音只能构拟为*t-。但是我们并不知道发生 kl->t-音变的精确时间是什么时候。在这种情况下,我们只能谨慎地构拟为*t-,今后如果发现与 K 类字谐声,我们会重新构拟。

18442 柷 之六 章屋入三合 tɕiuk 覺 tʲug
18443 柷 昌六 昌屋入三合 tɕʰiuk 覺 tʰʲug

羿 zhù

18444 羿 之戍 章虞去三合 tɕiʊ 屋 tʲogs

邁 zhù

18445 邁 中句 知虞去三合 ʈiʊ 侯 tos

爪 zhuǎ

18446 抓 側交 莊肴平二開 tʂᵚæu 幽 sru̱
18447 爪 側絞 莊肴上二開 tʂᵚæu 幽 sru̱ʔ
18448 抓 側絞 莊肴上二開 tʂᵚæu 幽 sru̱ʔ
18449 抓 側教 莊肴去二開 tʂᵚæu 幽 sru̱s

叀 zhuān

18450 專 職緣 章仙平三合 tɕʷiᴇn 元ᵒ tʲon
18451 磚[1] 職緣 章仙平三合 tɕʷiᴇn 元ᵒ tʲon
18452 篿 職緣 章仙平三合 tɕʷiᴇn 元ᵒ tʲon
18453 嫥 職緣 章仙平三合 tɕʷiᴇn 元ᵒ tʲon
18454 膞 職緣 章仙平三合 tɕʷiᴇn 元ᵒ tʲon
18455 鱄 職緣 章仙平三合 tɕʷiᴇn 元ᵒ tʲon
18456 鷒 職緣 章仙平三合 tɕʷiᴇn 元ᵒ tʲon
18457 鄟 職緣 章仙平三合 tɕʷiᴇn 元ᵒ tʲon
18458 塼[2] 朱遄 章仙平三合 tɕʷiᴇn 元ᵒ tʲon
18459 傳 直攣 澄仙平三合 ɖʷiᴇn 元ᵒ don
18460 塼 淳沿 禪仙平三合 dʑʷiᴇn 元ᵒ dʲon
18461 轉 陟兖 知仙上三合 ʈʷiᴇn 元ᵒ tonʔ
18462 剸 旨兖 章仙上三合 tɕʷiᴇn 元ᵒ tʲonʔ
18463 鱄 旨兖 章仙上三合 tɕʷiᴇn 元ᵒ tʲonʔ
18464 溥 旨兖 章仙上三合 tɕʷiᴇn 元ᵒ tʲonʔ
18465 膞 旨兖 章仙上三合 tɕʷiᴇn 元ᵒ tʲonʔ
18466 摶 持兖 澄仙上三合 ɖʷiᴇn 元ᵒ donʔ
18467 膞 市兖 禪仙上三合 dʑʷiᴇn 元ᵒ dʲonʔ
18468 鄟 市兖 禪仙上三合 dʑʷiᴇn 元ᵒ dʲonʔ
18469 腨 市兖 禪仙上三合 dʑʷiᴇn 元ᵒ dʲonʔ
18470 囀 知戀 知仙去三合 ʈʷiᴇn 元ᵒ tons
18471 傳 知戀 知仙去三合 ʈʷiᴇn 元ᵒ tons
18472 轉 知戀 知仙去三合 ʈʷiᴇn 元ᵒ tons
18473 剸 之囀 章仙去三合 tɕʷiᴇn 元ᵒ tʲons
18474 傳 直戀 澄仙去三合 ɖʷiᴇn 元ᵒ dons
18475 叀 時釧 禪仙去三合 dʑʷiᴇn 元ᵒ dʲons
18476 溥 多官 端寒平一合 tʷɑn 元ᵒ to̱n
18477 鄟 度官 定寒平一合 dʷɑn 元ᵒ do̱n
18478 溥[3] 度官 定寒平一合 dʷɑn 元ᵒ do̱n
18479 鷒 度官 定寒平一合 dʷɑn 元ᵒ do̱n
18480 摶 度官 定寒平一合 dʷɑn 元ᵒ do̱n
18481 槫 徒官 定寒平一合 dʷɑn 元ᵒ do̱n
18482 團 度官 定寒平一合 dʷɑn 元ᵒ do̱n
18483 慱 度官 定寒平一合 dʷɑn 元ᵒ do̱n
18484 篿 度官 定寒平一合 dʷɑn 元ᵒ do̱n
18485 剸 度官 定寒平一合 dʷɑn 元ᵒ do̱n
18486 蓴 常倫 禪真平三合 dʑʷin 文ᵘ dʲun

孨 zhuǎn

18487 潺 士山 崇山平二開 dʐᵚɛn 文ᵚ sgrɯ̱n
18488 孱 士山 崇山平二開 dʐᵚɛn 文ᵚ sgrɯ̱n
18489 僝 士山 崇山平二開 dʐᵚɛn 文ᵚ sgrɯ̱n
18490 轏 士限 崇山上二開 dʐᵚɛn 文ᵚ sgrɯ̱nʔ
18491 孱 士限 崇山上二開 dʐᵚɛn 文ᵚ sgrɯ̱nʔ
18492 僝 士限 崇山上二開 dʐᵚɛn 文ᵚ sgrɯ̱nʔ
18493 樼 鋤連 崇仙平三開 dʐiᴇn 元ᵉ sgren
18494 潺 士連 崇仙平三開 dʐiᴇn 元ᵉ sgren
18495 孱 士連 崇仙平三開 dʐiᴇn 元ᵉ sgren
18496 孨 旨兖 章仙上三合 tɕʷiᴇn 元ᵒ klʲonʔ
18497 孨 莊眷 莊仙去三合 tʂʷiᴇn 元ᵒ skrons
18498 僝[4] 士戀 崇仙去三合 dʐʷiᴇn 元ᵒ sgrons
18499 樼 側詵 莊臻平三開 tʂiɪn 真ⁿ skrin

巽 zhuàn

18500 襈 渠卷 群仙去B合 gʷɨᴇn 元ᵒ gʳons
18501 蟤 莊緣 莊仙平三合 tʂʷiᴇn 元ᵒ skron
18502 饌 此緣 清仙平三合 tsʰʷiᴇn 元ᵒ skʰlon
18503 譔 此緣 清仙平三合 tsʰʷiᴇn 元ᵒ skʰlon
18504 選 思兖 心仙上三合 sʷiᴇn 元ᵒ skˡonʔ
18505 巽 思兖 心仙上三合 sʷiᴇn 元ᵒ skˡonʔ

---

1 《广韵》作“甎”。
2 《广韵》作“甎”。
3 可比较藏文 rlon 湿。青田方言“潮湿”说定母寒韵合口。
4 见“饌”字注。

18506	籑	思兖	心仙上三合	s^{w}iᴇn	元^{o}	sk^{l}onʔ
18507	撰	士免	崇仙上三合	dʐ^{w}iᴇn	元^{o}	sɡronʔ
18508	僎	士免	崇仙上三合	dʐ^{w}iᴇn	元^{o}	sɡronʔ
18509	頙	士免	崇仙上三合	dʐ^{w}iᴇn	元^{o}	sɡronʔ
18510	譔	士免	崇仙上三合	dʐ^{w}iᴇn	元^{o}	sɡronʔ
18511	巽	息絹	心仙去三合	s^{w}iᴇn	元^{o}	sk^{l}ons
18512	繏	息絹	心仙去三合	s^{w}iᴇn	元^{o}	sk^{l}ons
18513	選	息絹	心仙去三合	s^{w}iᴇn	元^{o}	sk^{l}ons
18514	膳	士戀	崇仙去三合	dʐ^{w}iᴇn	元^{o}	sɡrons
18515	饌[1]	士戀	崇仙去三合	dʐ^{w}iᴇn	元^{o}	sɡrons
18516	襈[2]	士戀	崇仙去三合	dʐ^{w}iᴇn	元^{o}	sɡrons
18517	僎[3]	士戀	崇仙去三合	dʐ^{w}iᴇn	元^{o}	sɡrons
18518	譔[4]	士戀	崇仙去三合	dʐ^{w}iᴇn	元^{o}	sɡrons
18519	叩[5]	士戀	崇仙去三合	dʐ^{w}iᴇn	元^{o}	sɡrons
18520	撰	雛鯇	崇删上二合	dʐ^{wɯ}æn	元^{o}	sɡro̱nʔ
18521	饌	雛鯇	崇删上二合	dʐ^{wɯ}æn	元^{o}	sɡro̱nʔ
18522	巽[6]	所晏	生删去二開	ʂ^{ɯ}æn	元^{o}	sk^{r}o̱ns
18523	僎	將倫	精真平三合	ts^{w}in	文^{u}	sklun
18524	簨	思尹	心真上三合	s^{w}in	文^{u}	sk^{l}unʔ
18525	膳	蘇本	心魂上一合	su̯on	文^{u}	sk^{l}u̱nʔ
18526	巽	蘇困	心魂去一合	su̯on	文^{u}	sk^{l}u̱ns
18527	潠	蘇困	心魂去一合	su̯on	文^{u}	sk^{l}u̱ns

隹 zhuī

18528	睢	許維	曉脂平A合	h^{w}i	微^{u}	q^{hl}ul
18529	倠	許維	曉脂平A合	h^{w}i	微^{u}	q^{hl}ul
18530	婎	許維	曉脂平A合	h^{w}i	微^{u}	q^{hl}ul
18531	婎	香季	曉脂去A合	h^{w}i	微^{u}	q^{hl}uls
18532	睢	香季	曉脂去A合	h^{w}i	微^{u}	q^{hl}uls
18533	錐	職追	章脂平三合	tɕ^{w}i	微^{u}	kl^{j}ul
18534	隹	職追	章脂平三合	tɕ^{w}i	微^{u}	kl^{j}ul
18535	廱	職追	章脂平三合	tɕ^{w}i	微^{u}	kl^{j}ul
18536	騅	職追	章脂平三合	tɕ^{w}i	微^{u}	kl^{j}ul
18537	鼪[7]	職追	章脂平三合	tɕ^{w}i	微^{u}	kl^{j}ul
18538	萑	職追	章脂平三合	tɕ^{w}i	微^{u}	kl^{j}ul
18539	嶉	醉綏	精脂平三合	ts^{w}i	微^{u}	sklul
18540	推[8]	尺隹	昌脂平三合	tɕ^{hw}i	微^{u}	k^{h}l^{j}ul
18541	蓷[9]	尺隹	昌脂平三合	tɕ^{hw}i	微^{u}	k^{h}l^{j}ul
18542	椎	直追	澄脂平三合	ɖ^{w}i	微^{u}	ɡlul
18543	頧	直追	澄脂平三合	ɖ^{w}i	微^{u}	ɡlul
18544	誰	視隹	禪脂平三合	dʑ^{w}i	微^{u}	ɡl^{j}ul
18545	脽	視隹	禪脂平三合	dʑ^{w}i	微^{u}	ɡl^{j}ul
18546	雖	息遺	心脂平三合	s^{w}i	微^{u}	sq^{l}ul
18547	睢	息遺	心脂平三合	s^{w}i	微^{u}	sq^{l}ul
18548	琟	以追	以脂平三合	j^{w}i	微^{u}	ɢul
18549	唯	以追	以脂平三合	j^{w}i	微^{u}	ɢul
18550	惟	以追	以脂平三合	j^{w}i	微^{u}	ɢul
18551	維	以追	以脂平三合	j^{w}i	微^{u}	ɢul
18552	潍	以追	以脂平三合	j^{w}i	微^{u}	ɢul
18553	蓶	以追	以脂平三合	j^{w}i	微^{u}	ɢul
18554	帷	洧悲	云脂平三合	ɦ^{ɨw}i	微^{u}	ɢ^{r}ul
18555	嶉[10]	遵誄	精脂上三合	ts^{w}i	微^{u}	sklulʔ
18556	趡	千水	清脂上三合	ts^{hw}i	微^{u}	sk^{h}ulʔ
18557	唯	以水	以脂上三合	j^{w}i	微^{u}	ɢulʔ
18558	蓶	以水	以脂上三合	j^{w}i	微^{u}	ɢulʔ
18559	鷕[11]	以水	以脂上三合	j^{w}i	微^{u}	ɢulʔ
18560	蜼	力軌	來脂上三合	l^{w}i	微^{u}	ɡ.rulʔ
18561	蜼	以醉	以脂去三合	j^{w}i	微^{u}	ɢuls
18562	䨊	以醉	以脂去三合	j^{w}i	微^{u}	ɢuls
18563	堆	都回	端灰平一合	tu̯oi	微^{u}	klu̱l
18564	雇	都回	端灰平一合	tu̯oi	微^{u}	klu̱l
18565	嗺	臧回	精灰平一合	tsu̯oi	微^{u}	sklu̱l
18566	蓷	他回	透灰平一合	t^{h}u̯oi	微^{u}	k^{h}lu̱l
18567	推	他回	透灰平一合	t^{h}u̯oi	微^{u}	k^{h}lu̱l
18568	崔	倉回	清灰平一合	ts^{h}u̯oi	微^{u}	sk^{h}u̱l
18569	催	倉回	清灰平一合	ts^{h}u̯oi	微^{u}	sk^{h}u̱l
18570	踓	倉回	清灰平一合	ts^{h}u̯oi	微^{u}	sk^{h}u̱l
18571	雇	杜回	定灰平一合	du̯oi	微^{u}	ɡlu̱l

---

1 郑张尚芳：反切上“士”由“七”校正。

2 见“饌”字注。

3 见“饌”字注。

4 见“饌”字注。

5 见“饌”字注。

6 《玉篇》“先卷切”，应为合口字，二等的合口介音失落，见“街”字注。

7 《广韵》作“鼬”。

8 郑张尚芳：由“叉隹切”校正。

9 见“推”字注。

10 此字原作“嗺”，误。《切三》《王一》《王二》《王三》作“嶉”。切语原作“子于切”，乔宇轩：《新撰字镜》“嶉，遵誄反”，《玉篇》“嶉，子誄反”。“誅”或为“誄”之讹。

11 以沼切，《经典释文》：“鷕，……《説文》以水反。”黄焯校“以水反”并非“以小反”之讹误。*ɢ 在前高元音前变成以母 l-。

18572 魋 杜回 定灰平一合 du̲oi 微^{u} glu̲l
18573 灉 杜回 定灰平一合 du̲oi 微^{u} glu̲l
18574 摧 昨回 從灰平一合 dzu̲oi 微^{u} sglu̲l
18575 崔 昨回 從灰平一合 dzu̲oi 微^{u} sglu̲l
18576 慛 昨回 從灰平一合 dzu̲oi 微^{u} sglu̲l
18577 嗺 素回 心灰平一合 su̲oi 微^{u} sq^{l}u̲l
18578 摧 子罪 精灰上一合 tsu̲oi 微^{u} sklu̲lʔ
18579 磪 取猥 清灰上一合 ts^{h}u̲oi 微^{u} sk^{h}u̲lʔ
18580 漼 七罪 清灰上一合 ts^{h}u̲oi 微^{u} sk^{h}u̲lʔ
18581 璀 七罪 清灰上一合 ts^{h}u̲oi 微^{u} sk^{h}u̲lʔ
18582 陮 徒猥 定灰上一合 du̲oi 微^{u} glu̲lʔ
18583 匯 胡罪 匣灰上一合 ɦu̲oi 微^{u} g^{l}u̲lʔ
18584 碓 都隊 端灰去一合 tu̲oi 微^{u} klu̲ls
18585 繀 蘇内 心灰去一合 su̲oi 微^{u} sk^{l}u̲ls
18586 匯 苦淮 溪皆平二合 k^{hwɯ}ɛi 微^{u} k^{hr}u̲l
18587 淮 户乖 匣皆平二合 ɦ^{wɯ}ɛi 微^{u} ɢ^{r}u̲l
18588 準 之尹 章真上三合 tɕ^{w}in 文^{u} kl^{j}unʔ
18589 [illegible] 而尹 日真上三合 ɲ^{w}in 文^{u} mgl^{j}unʔ
18590 騅 思尹 心真上三合 s^{w}in 文^{u} sq^{l}unʔ
18591 隼 思尹 心真上三合 s^{w}in 文^{u} sq^{l}unʔ
18592 睢 許規 曉支平A 合 h^{w}ie 歌^{o} q^{hl}ol
18593 靃 息委 心支上三合 s^{w}ie 歌^{o} sq^{l}olʔ
18594 蜼[1] 余救 以尤去三合 jiu 幽 ɢus

叕 zhuì

18595 贅 之芮 章祭去三合 tɕ^{w}iɛi 月^{o} kl^{j}ods
18596 畷 之芮 章祭去三合 tɕ^{w}iɛi 月^{o} kl^{j}ods
18597 惙 朱芮 章祭去三合 tɕ^{w}iɛi 月^{o} kl^{j}ods
18598 叕[2] 之芮 章祭去三合 tɕ^{w}iɛi 月^{o} kl^{j}ods
18599 鬗 子芮 精祭去三合 ts^{w}iɛi 月^{o} sklods
18600 惙 稱芮 昌祭去三合 tɕ^{hw}iɛi 月^{o} k^{h}l^{j}ods
18601 鬗 此芮 清祭去三合 ts^{hw}iɛi 月^{o} sk^{h}lods
18602 惙 此芮 清祭去三合 ts^{hw}iɛi 月^{o} sk^{h}lods
18603 蕞 取外 清泰去一合 ts^{hw}ɑi 月^{o} sk^{h}lo̲ds
18604 竅 麤最 清泰去一合 ts^{hw}ɑi 月^{o} sk^{h}lo̲ds
18605 隸[3] 郎計 來齊去四開 lei 物^{ɯ} g.rɯ̲ds
18606 翻 郎計 來齊去四開 lei 物^{ɯ} g.rɯ̲ds
18607 槺 郎計 來齊去四開 lei 物^{ɯ} g.rɯ̲ds
18608 叡 雖遂 心脂去三合 s^{w}i 物^{u} sk^{l}uds
18609 鷞 辛聿 心質入三合 s^{w}it 物^{u} sk^{l}ud

卓 zhuó

18610 焯 之若 章藥入三開 tɕiak 藥^{e} kl^{j}eg^{w}
18611 逴 丑略 徹藥入三開 ʈ^{h}iak 藥^{e} k^{h}leg^{w}
18612 踔 敕略 徹藥入三開 ʈ^{h}iak 藥^{e} k^{h}leg^{w}
18613 綽 昌約 昌藥入三開 tɕ^{h}iak 藥^{e} k^{h}l^{j}eg^{w}
18614 婥 昌約 昌藥入三開 tɕ^{h}iak 藥^{e} k^{h}l^{j}eg^{w}
18615 踔 尺約 昌藥入三開 tɕ^{h}iak 藥^{e} k^{h}l^{j}eg^{w}
18616 掉 徒弔 定蕭去四開 deu 藥^{e} gle̲g^{w}s
18617 罩 都教 知肴去二開 ʈ^{ɯ}æu 藥^{e} kle̲g^{w}s
18618 鵫 都教 知肴去二開 ʈ^{ɯ}æu 藥^{e} kle̲g^{w}s
18619 踔 敕教 徹肴去二開 ʈ^{hɯ}æu 藥^{e} k^{h}le̲g^{w}s
18620 趠[4] 丑教 徹肴去二開 ʈ^{hɯ}æu 藥^{e} k^{h}le̲g^{w}s
18621 踔 丑教 徹肴去二開 ʈ^{hɯ}æu 藥^{e} k^{h}le̲g^{w}s
18622 棹 直教 澄肴去二開 ɖ^{ɯ}æu 藥^{e} gle̲g^{w}s
18623 淖 奴教 娘肴去二開 ɳ^{ɯ}æu 藥^{e} ŋgle̲g^{w}s
18624 卓[5] 竹角 知覺入二開 ʈ^{ɯ}ɔk 藥^{e} kle̲g^{w}
18625 穛 竹角 知覺入二開 ʈ^{ɯ}ɔk 藥^{e} kle̲g^{w}
18626 倬 竹角 知覺入二開 ʈ^{ɯ}ɔk 藥^{e} kle̲g^{w}
18627 晫 竹角 知覺入二開 ʈ^{ɯ}ɔk 藥^{e} kle̲g^{w}
18628 鵫 竹角 知覺入二開 ʈ^{ɯ}ɔk 藥^{e} kle̲g^{w}
18629 逴 敕角 徹覺入二開 ʈ^{hɯ}ɔk 藥^{e} k^{h}le̲g^{w}
18630 暷 敕角 徹覺入二開 ʈ^{hɯ}ɔk 藥^{e} k^{h}le̲g^{w}
18631 踔 敕角 徹覺入二開 ʈ^{hɯ}ɔk 藥^{e} k^{h}le̲g^{w}
18632 踔 敕角 徹覺入二開 ʈ^{hɯ}ɔk 藥^{e} k^{h}le̲g^{w}
18633 鵫 直角 澄覺入二開 ɖ^{ɯ}ɔk 藥^{e} gle̲g^{w}
18634 掉 女角 娘覺入二開 ɳ^{ɯ}ɔk 藥^{e} ŋgle̲g^{w}
18635 悼 徒到 定豪去一開 dɑu 藥^{a} gla̲g^{w}s
18636 掉 徒了 定蕭上四開 deu 宵^{e} gle̲^{w}ʔ

叕 zhuó

18637 罬 紀劣 見薛入B 合 k^{w}ɨɛt 月^{o} k^{l}od
18638 綴 陟衛 知祭去三合 ʈ^{w}iɛi 月^{o} klods

---

1 幽与微^{u}是能够对转的,如"九侯"又作"鬼侯"。

2 "叕"与"叡"在古文字中的写法相同。

3 李豪:据秦汉文字,"隸"字本作"隸",从叕声。"叕"即古文"介"字。

4 见定母和澄母"荼"字注。

5 《古字通假会典》宵部第十八,《韩非子·内储说下》:"前時王使邵滑之越。"《战国策·楚策四》"邵"作"卓"。"邵"上古音 *gl^{j}e^{w}s,故"卓"音 *kle̲g^{w}。"卓"声字的二等,介音是 l,而不是 r,可见"荼"字注。

18639	醊	陟衛	知祭去三合	ʈʷiɛi	月ᵒ	klods
18640	[illegible]	陟衛	知祭去三合	ʈʷiɛi	月ᵒ	klods
18641	啜	陟衛	知祭去三合	ʈʷiɛi	月ᵒ	klods
18642	餟	陟衛	知祭去三合	ʈʷiɛi	月ᵒ	klods
18643	腏	陟衛	知祭去三合	ʈʷiɛi	月ᵒ	klods
18644	錣	陟衛	知祭去三合	ʈʷiɛi	月ᵒ	klods
18645	輟	陟衛	知祭去三合	ʈʷiɛi	月ᵒ	klods
18646	啜	嘗芮	禪祭去三合	dʑʷiɛi	月ᵒ	glʲods
18647	罬	陟劣	知薛入三合	ʈʷiɛt	月ᵒ	klod
18648	輟	陟劣	知薛入三合	ʈʷiɛt	月ᵒ	klod
18649	[illegible]	陟劣	知薛入三合	ʈʷiɛt	月ᵒ	klod
18650	惙	陟劣	知薛入三合	ʈʷiɛt	月ᵒ	klod
18651	餟	陟劣	知薛入三合	ʈʷiɛt	月ᵒ	klod
18652	剟	陟劣	知薛入三合	ʈʷiɛt	月ᵒ	klod
18653	醊	陟劣	知薛入三合	ʈʷiɛt	月ᵒ	klod
18654	啜	陟劣	知薛入三合	ʈʷiɛt	月ᵒ	klod
18655	綴	陟劣	知薛入三合	ʈʷiɛt	月ᵒ	klod
18656	掇	陟劣	知薛入三合	ʈʷiɛt	月ᵒ	klod
18657	腏	陟劣	知薛入三合	ʈʷiɛt	月ᵒ	klod
18658	[illegible]	陟劣	知薛入三合	ʈʷiɛt	月ᵒ	klod
18659	叕	陟劣	知薛入三合	ʈʷiɛt	月ᵒ	klod
18660	蝃	職悅	章薛入三合	tɕʷiɛt	月ᵒ	klʲod
18661	棳	朱劣	章薛入三合	tɕʷiɛt	月ᵒ	klʲod
18662	歠	昌悅	昌薛入三合	tɕʰʷiɛt	月ᵒ	kʰlʲod
18663	啜	昌悅	昌薛入三合	tɕʰʷiɛt	月ᵒ	kʰlʲod
18664	啜	殊雪	禪薛入三合	dʑʷiɛt	月ᵒ	glʲod
18665	掇	丁括	端曷入一合	tʷɑt	月ᵒ	klo̱d
18666	剟	丁括	端曷入一合	tʷɑt	月ᵒ	klo̱d
18667	鵽	丁括	端曷入一合	tʷɑt	月ᵒ	klo̱d
18668	腏	丁括	端曷入一合	tʷɑt	月ᵒ	klo̱d
18669	鵽[1]	丁刮	知鎋入二合	ʈʷɯæt	月ᵒ	klo̱d
18670	窡[2]	丁刮	知鎋入二合	ʈʷɯæt	月ᵒ	klo̱d
18671	窡	丁滑	知黠入二合	ʈʷɯɛt	物ᵘ	klu̱d
18672	[illegible]	丁滑	知黠入二合	ʈʷɯɛt	物ᵘ	klu̱d
18673	娺	丁滑	知黠入二合	ʈʷɯɛt	物ᵘ	klu̱d
18674	錣[3]	丁刮	知鎋入二合	ʈʷɯæt	月ᵒ	klo̱d
18675	[illegible]	乎刮	匣鎋入二合	ɦʷɯæt	月ᵒ	gʳo̱d
18676	逫	竹律	知質入三合	ʈʷit	物ᵘ	klud
18677	鵽[4]	丁滑	知黠入二合	ʈʷɯɛt	物ᵘ	klu̱d
18678	娺	陟隹	知脂平三合	ʈʷi	微ᵘ	klul

丵 zhuó

18679	糳	則落	精鐸入一開	tsɑk	藥ᵒ	so̱gʷ
18680	鑿	則落	精鐸入一開	tsɑk	藥ᵒ	so̱gʷ
18681	鑿	在各	從鐸入一開	dzɑk	藥ᵒ	zo̱gʷ
18682	丵	士角	崇覺入二開	dʐɯɔk	藥ᵒ	zro̱gʷ
18683	鑿	昨木	從屋入一合	dzuk	屋	zo̱g

甾 zī

18684	菑	側持	莊之平三開	tʂɨ	之	srɯ
18685	輜	側持	莊之平三開	tʂɨ	之	srɯ
18686	鶅	側持	莊之平三開	tʂɨ	之	srɯ
18687	緇	側持	莊之平三開	tʂɨ	之	srɯ
18688	椔	側持	莊之平三開	tʂɨ	之	srɯ
18689	錙	莊持	莊之平三開	tʂɨ	之	srɯ
18690	甾	莊持	莊之平三開	tʂɨ	之	srɯ
18691	葘[5]	側持	莊之平三開	tʂɨ	之	srɯ
18692	甾	側持	莊之平三開	tʂɨ	之	srɯ
18693	輜	楚持	初之平三開	tʂʰɨ	之	sʰrɯ
18694	椔	側吏	莊之去三開	tʂɨ	之	srɯs
18695	鶅	側吏	莊之去三開	tʂɨ	之	srɯs
18696	甾	側吏	莊之去三開	tʂɨ	之	srɯs
18697	甾	將來	精咍平一開	tsəi	之	sɯ̱
18698	葘	祖才	精咍平一開	tsəi	之	sɯ̱

𠂹 zǐ

18699	趀	取私	清脂平三開	tsʰi	脂	sʰi
18700	[illegible]	取私	清脂平三開	tsʰi	脂	sʰi
18701	姊	將几	精脂上三開	tsi	脂	siʔ
18702	秭	將几	精脂上三開	tsi	脂	siʔ
18703	[illegible]	牋西	精齊平四開	tsei	脂	si̱
18704	[illegible]	前西	從齊平四開	dzei	脂	zi̱
18705	泲	子禮	精齊上四開	tsei	脂	si̱ʔ
18706	胏	阻史	莊之上三開	tʂɨ	之	srɯʔ
18707	𠂹	阻史	莊之上三開	tʂɨ	之	srɯʔ
18708	[illegible]	壯仕	莊之上三開	tʂɨ	之	srɯʔ

1 见定母和澄母“荼”字注。

2 见定母和澄母“荼”字注。

3 见定母和澄母“荼”字注。

4 见定母和澄母“荼”字注。

5 《集韵》“菑”下注:“俗作葘,非是。”

18709	第	阻史	莊之上三開	tʂɨ	之	srɯʔ
18710	杫	鉏里	崇之上三開	dʐɨ	之	zrɯʔ
18711	柹[1]	鉏里	崇之上三開	dʐɨ	之	zrɯʔ

自 zì

18712	膞	毗至	並脂去A 開	bi	質^{d}	b^{l}ids
18713	鼻[2]	毗至	並脂去A 開	bi	質^{d}	b^{l}ids
18714	襣	毗至	並脂去A 開	bi	質^{d}	b^{l}ids
18715	嚊	匹備	滂脂去B 開	p^{h}ɨi	質^{d}	p^{hr}ids
18716	膞	匹備	滂脂去B 開	p^{h}ɨi	質^{d}	p^{hr}ids
18717	濞	匹備	滂脂去B 開	p^{h}ɨi	質^{d}	p^{hr}ids
18718	膞	平祕	並脂去B 開	bɨi	質^{d}	b^{r}ids
18719	自[3]	疾二	從脂去三開	dzi	質^{d}	sblids
18720	濞	匹詣	滂齊去四開	p^{h}ei	質^{d}	p^{h}i̠ds

宗 zōng

18721	崇	鋤弓	崇東平三合	dʐiuŋ	終	zruŋ
18722	宗	作冬	精冬平一合	tsu̯oŋ	終	su̠ŋ
18723	賨	藏宗	從冬平一合	dzu̯oŋ	終	zu̠ŋ
18724	琮	藏宗	從冬平一合	dzu̯oŋ	終	zu̠ŋ
18725	悰	藏宗	從冬平一合	dzu̯oŋ	終	zu̠ŋ
18726	淙	藏宗	從冬平一合	dzu̯oŋ	終	zu̠ŋ
18727	鬃	藏宗	從冬平一合	dzu̯oŋ	終	zu̠ŋ
18728	綜	子宋	精冬去一合	tsu̯oŋ	終	su̠ŋs
18729	淙	士江	崇江平二開	dʐ^{ɯ}ɔŋ	終	zru̠ŋ
18730	鬃	士江	崇江平二開	dʐ^{ɯ}ɔŋ	終	zru̠ŋ
18731	淙	色絳	生江去二開	ʂ^{ɯ}ɔŋ	終	s^{r}u̠ŋs

走 zǒu

18732	走	子苟	精侯上一合	tsu	侯	so̠ʔ
18733	走	則候	精侯去一合	tsu	侯	so̠s

奏 zòu

18734	奏	則候	精侯去一合	tsu	侯	so̠s
18735	蹍	則候	精侯去一合	tsu	侯	so̠s
18736	輳	倉奏	清侯去一合	ts^{h}u	侯	s^{h}o̠s
18737	腠	倉奏	清侯去一合	ts^{h}u	侯	s^{h}o̠s
18738	湊	倉奏	清侯去一合	ts^{h}u	侯	s^{h}o̠s
18739	榛	倉奏	清侯去一合	ts^{h}u	侯	s^{h}o̠s
18740	揍	千候	清侯去一合	ts^{h}u	侯	s^{h}o̠s
18741	榛	才奏	從侯去一合	dzu	侯	zo̠s

足 zú

18742	足	子句	精虞去三合	tsiʊ	屋	sogs
18743	躖	初六	初屋入三合	tʂ^{h}iuk	屋	s^{h}rog
18744	足	即玉	精燭入三合	tsi̯ʊk	屋	sog
18745	哫	即玉	精燭入三合	tsi̯ʊk	屋	sog
18746	促	七玉	清燭入三合	ts^{h}i̯ʊk	屋	s^{h}og
18747	趗	七玉	清燭入三合	ts^{h}i̯ʊk	屋	s^{h}og
18748	趗	千木	清屋入一合	ts^{h}uk	屋	s^{h}o̠g
18749	捉	側角	莊覺入二開	tʂ^{ɯ}ɔk	屋	sro̠g
18750	娖	測角	初覺入二開	tʂ^{hɯ}ɔk	屋	s^{h}ro̠g
18751	躖	測角	初覺入二開	tʂ^{hɯ}ɔk	屋	s^{h}ro̠g
18752	齪	測角	初覺入二開	tʂ^{hɯ}ɔk	屋	s^{h}ro̠g
18753	浞	士角	崇覺入二開	dʐ^{ɯ}ɔk	屋	zro̠g

卒 zú

18754	醉	將遂	精脂去三合	ts^{w}i	物^{u}	suds
18755	誶	雖遂	心脂去三合	s^{w}i	物^{u}	s^{l}uds
18756	粹	雖遂	心脂去三合	s^{w}i	物^{u}	s^{l}uds
18757	睟	雖遂	心脂去三合	s^{w}i	物^{u}	s^{l}uds
18758	晬	雖遂	心脂去三合	s^{w}i	物^{u}	s^{l}uds
18759	翠	七醉	清脂去三合	ts^{hw}i	物^{u}	s^{h}uds
18760	濢	七醉	清脂去三合	ts^{hw}i	物^{u}	s^{h}uds
18761	顇	秦醉	從脂去三合	dz^{w}i	物^{u}	zuds
18762	悴	秦醉	從脂去三合	dz^{w}i	物^{u}	zuds
18763	瘁	秦醉	從脂去三合	dz^{w}i	物^{u}	zuds
18764	焠	即聿	精質入三合	ts^{w}it	物^{u}	sud
18765	卒	子聿	精質入三合	ts^{w}it	物^{u}	sud
18766	殚	子聿	精質入三合	ts^{w}it	物^{u}	sud
18767	啐	子聿	精質入三合	ts^{w}it	物^{u}	sud
18768	崒	慈䘏	從質入三合	dz^{w}it	物^{u}	zud
18769	踤	慈䘏	從質入三合	dz^{w}it	物^{u}	zud
18770	誶	慈䘏	從質入三合	dz^{w}it	物^{u}	zud
18771	捽	慈䘏	從質入三合	dz^{w}it	物^{u}	zud
18772	齰[4]	初栗	初櫛入三開	tʂ^{h}iɪt	物^{u}	s^{h}rud

---

1 《广韵》作“杫”。

2 全州瑶语 bli（鼻子），说明汉语的声母带 * l-。可比较藏文 sbrid 喷嚏。

3 “鼻”之初文。

4 物^{u} 部质韵，不可能是开口字。

18773 綷 子對 精灰去一合 tsu̯oi 物^{u} su̯ds

18774 晬 子對 精灰去一合 tsu̯oi 物^{u} su̯ds

18775 䘹 子對 精灰去一合 tsu̯oi 物^{u} su̯ds

18776 ⿰𤔔卒 子對 精灰去一合 tsu̯oi 物^{u} su̯ds

18777 碎 蘇内 心灰去一合 su̯oi 物^{u} s^{l}u̯ds

18778 ⿰卒瓦 蘇内 心灰去一合 su̯oi 物^{u} s^{l}u̯ds

18779 誶 蘇内 心灰去一合 su̯oi 物^{u} s^{l}u̯ds

18780 啐 蘇内 心灰去一合 su̯oi 物^{u} s^{l}u̯ds

18781 倅[1] 七内 清灰去一合 ts^{h}u̯oi 物^{u} s^{h}u̯ds

18782 淬[2] 七内 清灰去一合 ts^{h}u̯oi 物^{u} s^{h}u̯ds

18783 焠[3] 七内 清灰去一合 ts^{h}u̯oi 物^{u} s^{h}u̯ds

18784 啐[4] 七内 清灰去一合 ts^{h}u̯oi 物^{u} s^{h}u̯ds

18785 䘹 取内 清灰去一合 ts^{h}u̯oi 物^{u} s^{h}u̯ds

18786 卒 臧没 精没入一合 tsu̯ot 物^{u} su̯d

18787 倅 臧没 精没入一合 tsu̯ot 物^{u} su̯d

18788 窣 蘇骨 心没入一合 su̯ot 物^{u} s^{l}u̯d

18789 猝 倉没 清没入一合 ts^{h}u̯ot 物^{u} s^{h}u̯d

18790 卒 倉没 清没入一合 ts^{h}u̯ot 物^{u} s^{h}u̯d

18791 ⿰歹卒 倉没 清没入一合 ts^{h}u̯ot 物^{u} s^{h}u̯d

18792 捽 昨没 從没入一合 dzu̯ot 物^{u} zu̯d

18793 椊 昨没 從没入一合 dzu̯ot 物^{u} zu̯d

18794 ⿰齒卒 昨没 從没入一合 dzu̯ot 物^{u} zu̯d

18795 濢 遵誄 精脂上三合 ts^{w}i 微^{u} sulʔ

18796 萃 秦醉 從脂去三合 dz^{w}i 微^{u} zuls

18797 啐 倉夬 初夬去二合 tʂ^{hwɯ}æi 月^{o} s^{h}ro̯ds

族 zú

18798 嗾 蘇奏 心侯去一合 su 屋 s^{l}o̯gs

18799 嗾 倉奏 清侯去一合 ts^{h}u 屋 s^{h}o̯gs

18800 蔟 倉奏 清侯去一合 ts^{h}u 屋 s^{h}o̯gs

18801 鏃 作木 精屋入一合 tsuk 屋 so̯g

18802 瘯 千木 清屋入一合 ts^{h}uk 屋 s^{h}o̯g

18803 蔟 千木 清屋入一合 ts^{h}uk 屋 s^{h}o̯g

18804 簇 千木 清屋入一合 ts^{h}uk 屋 s^{h}o̯g

18805 族 昨木 從屋入一合 dzuk 屋 zo̯g

18806 鷟 士角 崇覺入二開 dʐ^{ɯ}ɔk 屋 zro̯g

18807 嗾 蘇后 心侯上一合 su 侯 s^{l}o̯ʔ

辠 zuì

18808 嶵 徂壘 從脂上三合 dz^{w}i 微^{u} zulʔ

18809 ⿰氵辠 七罪 清灰上一合 ts^{h}u̯oi 微^{u} s^{h}u̯lʔ

18810 罪 徂賄 從灰上一合 dzu̯oi 微^{u} zu̯lʔ

18811 辠 徂賄 從灰上一合 dzu̯oi 微^{u} zu̯lʔ

18812 嶵 徂賄 從灰上一合 dzu̯oi 微^{u} zu̯lʔ

尊 zūn

18813 遵 將倫 精真平三合 ts^{w}in 文^{u} sun

18814 嶟 將倫 精真平三合 ts^{w}in 文^{u} sun

18815 鷷 將倫 精真平三合 ts^{w}in 文^{u} sun

18816 墫 七倫 清真平三合 ts^{hw}in 文^{u} zun

18817 鷷 昨旬 從真平三合 dz^{w}in 文^{u} zun

18818 繜 祖昆 精魂平一合 tsu̯on 文^{u} su̯n

18819 尊 祖昆 精魂平一合 tsu̯on 文^{u} su̯n

18820 樽 祖昆 精魂平一合 tsu̯on 文^{u} su̯n

18821 嶟 祖昆 精魂平一合 tsu̯on 文^{u} su̯n

18822 蹲 徂尊 從魂平一合 dzu̯on 文^{u} zu̯n

18823 蓴 茲損 精魂上一合 tsu̯on 文^{u} su̯nʔ

18824 僔 茲損 精魂上一合 tsu̯on 文^{u} su̯nʔ

18825 譐 茲損 精魂上一合 tsu̯on 文^{u} su̯nʔ

18826 ⿰尊刂 茲損 精魂上一合 tsu̯on 文^{u} su̯nʔ

18827 撙 茲損 精魂上一合 tsu̯on 文^{u} su̯nʔ

18828 噂 茲損 精魂上一合 tsu̯on 文^{u} su̯nʔ

18829 譐 取本 清魂上一合 ts^{h}u̯on 文^{u} s^{h}u̯nʔ

18830 鱒 才本 從魂上一合 dzu̯on 文^{u} zu̯nʔ

18831 鐏 徂悶 從魂去一合 dzu̯on 文^{u} zu̯ns

18832 鱒 徂悶 從魂去一合 dzu̯on 文^{u} zu̯ns

18833 ⿷匚尊 此緣 清仙平三合 ts^{hw}iᴇn 元^{o} s^{h}on

左 zuǒ

18834 嗟 子邪 精麻平三開 tsiæ 歌^{a} sal

18835 蒫 子邪 精麻平三開 tsiæ 歌^{a} sal

18836 瘥 子邪 精麻平三開 tsiæ 歌^{a} sal

18837 ⿱髟差 子邪 精麻平三開 tsiæ 歌^{a} sal

18838 嵯 楚宜 初支平三開 tʂ^{h}ie 歌^{a} s^{h}ral

18839 齹 楚宜 初支平三開 tʂ^{h}ie 歌^{a} s^{h}ral

18840 縒 楚宜 初支平三開 tʂ^{h}ie 歌^{a} s^{h}ral

---

1 见“⿰石妻”字注。

2 见“⿰石妻”字注。

3 见“⿰石妻”字注。

4 见“⿰石妻”字注。

18841	差	楚宜	初支平三開	tʂʰie	歌ᵃ	sʰral
18842	嵳	叉宜	初支平三開	tʂʰie	歌ᵃ	sʰral
18843	鹺	士宜	崇支平三開	dʐie	歌ᵃ	zral
18844	羞[1]	取私	清脂平三開	tsʰi	歌ᵃ	sʰal
18845	羞[2]	疾資	從脂平三開	dzi	歌ᵃ	zal
18846	髊	疾智	從支去三開	dzie	歌ᵃ	zals
18847	傞	素何	心歌平一開	sɑ	歌ᵃ	sˡa̱l
18848	溠	七何	清歌平一開	tsʰɑ	歌ᵃ	sʰa̱l
18849	傞	七何	清歌平一開	tsʰɑ	歌ᵃ	sʰa̱l
18850	鹺	七何	清歌平一開	tsʰɑ	歌ᵃ	sʰa̱l
18851	磋	七何	清歌平一開	tsʰɑ	歌ᵃ	sʰa̱l
18852	蹉	七何	清歌平一開	tsʰɑ	歌ᵃ	sʰa̱l
18853	瑳	七何	清歌平一開	tsʰɑ	歌ᵃ	sʰa̱l
18854	搓	七何	清歌平一開	tsʰɑ	歌ᵃ	sʰa̱l
18855	瘥	昨何	從歌平一開	dzɑ	歌ᵃ	za̱l
18856	瘥	昨何	從歌平一開	dzɑ	歌ᵃ	za̱l
18857	醝	昨何	從歌平一開	dzɑ	歌ᵃ	za̱l
18858	嵯	昨何	從歌平一開	dzɑ	歌ᵃ	za̱l
18859	蒫	昨何	從歌平一開	dzɑ	歌ᵃ	za̱l
18860	艖	昨何	從歌平一開	dzɑ	歌ᵃ	za̱l
18861	鹾	昨何	從歌平一開	dzɑ	歌ᵃ	za̱l
18862	鹺	昨何	從歌平一開	dzɑ	歌ᵃ	za̱l
18863	鹺	昨何	從歌平一開	dzɑ	歌ᵃ	za̱l
18864	髪	昨何	從歌平一開	dzɑ	歌ᵃ	za̱l
18865	左	臧可	精歌上一開	tsɑ	歌ᵃ	sa̱lʔ
18866	尪	臧可	精歌上一開	tsɑ	歌ᵃ	sa̱lʔ
18867	𠂇	臧可	精歌上一開	tsɑ	歌ᵃ	sa̱lʔ
18868	縒	蘇可	心歌上一開	sɑ	歌ᵃ	sˡa̱lʔ
18869	髪	千可	清歌上一開	tsʰɑ	歌ᵃ	sʰa̱lʔ
18870	瑳	千可	清歌上一開	tsʰɑ	歌ᵃ	sʰa̱lʔ
18871	佐	則箇	精歌去一開	tsɑ	歌ᵃ	sa̱ls
18872	左	則箇	精歌去一開	tsɑ	歌ᵃ	sa̱ls
18873	尪	則箇	精歌去一開	tsɑ	歌ᵃ	sa̱ls
18874	袏	則箇	精歌去一開	tsɑ	歌ᵃ	sa̱ls
18875	磋[3]	七過	清歌去一開	tsʰɑ	歌ᵃ	sʰa̱ls
18876	溠	側加	莊麻平二開	tʂᵚæ	歌ᵃ	sra̱l
18877	差	初牙	初麻平二開	tʂʰᵚæ	歌ᵃ	sʰra̱l
18878	艖	初牙	初麻平二開	tʂʰᵚæ	歌ᵃ	sʰra̱l
18879	羞[4]	士佳	崇麻平二開	dʐᵚæ	歌ᵃ	zra̱l
18880	嵳	側下	莊麻上二開	tʂᵚæ	歌ᵃ	sra̱lʔ
18881	槎	士下	崇麻上二開	dʐᵚæ	歌ᵃ	zra̱lʔ
18882	嵳	仕下	崇麻上二開	dʐᵚæ	歌ᵃ	zra̱lʔ
18883	溠	側駕	莊麻去二開	tʂᵚæ	歌ᵃ	sra̱ls
18884	差[5]	楚懈	初麻去二開	tʂʰᵚæ	歌ᵃ	sʰra̱ls
18885	瘥[6]	楚懈	初麻去二開	tʂʰᵚæ	歌ᵃ	sʰra̱ls
18886	謎	楚懈	初麻去二開	tʂʰᵚæ	歌ᵃ	sʰra̱ls
18887	縒	倉各	清鐸入一開	tsʰɑk	鐸	sʰa̱g

1 从谐声看，当为支韵，《玉篇》“七移切”。

2 从谐声看，当为支韵。

3 《王一》《王三》作“七箇切”，且《韵镜》《七音略》等韵图将“磋”列于开口箇韵位置。

4 原为佳韵，但是根据谐声系统应该为麻韵，《切韵》音系二等有麻、佳的历史层次。

5 原为佳韵，但是根据谐声系统应该为麻韵，《切韵》音系二等有麻、佳的历史层次。

6 原为佳韵，但是根据谐声系统应该为麻韵，《切韵》音系二等有麻、佳的历史层次。

附录：《广韵》以外韵书字头序号

1.《集韵》

00036、00037、00053、00083、00095、00108、00110、00118、00133、00136、00159、00160、00163、00167、00218、00220、00238、00255、00258、00309、00318、00329、00353、00366、00367、00381、00419、00420、00453、00457、00458、00467、00470、00471、00499、00504、00522、00530、00546、00557、00578、00587、00591、00592、00620、00621、00636、00642、00643、00658、00668、00669、00670、00678、00731、00756、00760、00800、00839、00882、00884、00891、00898、00900、00922、00925、00933、00934、00969、00985、00986、01002、01011、01012、01013、01015、01017、01021、01025、01044、01045、01055、01056、01057、01058、01059、01064、01065、01108、01109、01113、01129、01199、01213、01236、01237、01278、01296、01338、01422、01427、01445、01460、01496、01519、01548、01580、01628、01650、01651、01655、01657、01698、01751、01761、01766、01777、01812、01828、01829、01830、01836、01852、01860、01907、01939、01948、01963、01965、01966、01967、01994、02001、02002、02003、02034、02041、02045、02068、02072、02073、02078、02133、02162、02193、02226、02265、02313、02339、02344、02345、02353、02376、02413、02414、02424、02425、02429、02465、02475、02482、02483、02498、02513、02528、02546、02553、02562、02614、02634、02639、02700、02826、02855、02873、02938、02939、02949、02950、02951、02963、03121、03142、03157、03172、03269、03309、03310、03313、03326、03327、03333、03336、03356、03357、03358、03371、03401、03425、03429、03432、03436、03440、03451、03472、03473、03518、03519、03529、03539、03545、03552、03560、03561、03562、03569、03571、03595、03598、03618、03622、03632、03633、03732、03736、03739、03750、03782、03808、03809、03820、03822、03823、03838、03839、03853、03889、03891、03907、03910、03925、03944、03950、03951、03977、03979、03999、04002、04056、04067、04096、04107、04108、04111、04112、04119、04132、04141、04171、04172、04173、04191、04196、04215、04220、04235、04237、04238、04277、04290、04355、04370、04385、04386、04393、04394、04404、04406、04419、04420、04421、04451、04489、04499、04504、04505、04506、04517、04525、04537、04584、04585、04604、04627、04628、04642、04646、04647、04672、04682、04685、04690、04692、04713、04714、04716、04717、04723、04724、04816、04876、04877、04886、04902、04904、04906、04979、05083、05091、05094、05103、05109、05159、05164、05168、05169、05171、05183、05192、05201、05218、05231、05257、05294、05318、05326、05332、05336、05343、05356、05370、05378、05388、05405、05423、05461、05466、05473、05489、05500、05504、05534、05537、05542、05547、05548、05565、05580、05588、05601、05679、05684、05696、05697、05698、05710、05715、05717、05727、05729、05735、05744、05771、05772、05773、05778、05788、05793、05795、05804、05805、05811、05842、05879、05886、05896、05906、05936、05956、05958、06004、06005、06010、06011、06013、06015、06016、06024、06025、06027、06028、06043、06047、06048、06062、06065、06077、06079、06082、06084、06140、06141、06154、06158、06181、06185、06187、06188、06225、06280、06287、06291、06309、06313、06329、06330、06335、06340、06342、06391、06399、06425、06475、06495、

06503、06505、06512、06575、06622、06647、06648、06649、06650、06673、06688、06692、06704、06743、06751、06757、06758、06759、06766、06823、06847、06866、06867、06875、06887、06900、06901、06913、06928、06929、06937、06941、06953、06962、06964、06978、06990、07078、07079、07086、07098、07110、07115、07119、07141、07142、07143、07144、07189、07204、07205、07233、07242、07262、07271、07280、07320、07321、07322、07323、07367、07373、07386、07396、07401、07406、07408、07411、07494、07531、07567、07574、07634、07640、07652、07656、07661、07669、07670、07671、07680、07683、07690、07698、07705、07718、07735、07736、07738、07760、07764、07767、07800、07806、07822、07823、07829、07833、07834、07836、07838、07860、07861、07877、07878、07900、07930、08015、08020、08052、08061、08154、08158、08193、08204、08205、08227、08231、08297、08298、08307、08309、08351、08362、08378、08396、08407、08420、08425、08426、08443、08444、08445、08453、08471、08481、08486、08509、08510、08523、08528、08556、08592、08604、08609、08610、08611、08658、08683、08685、08701、08717、08721、08765、08766、08771、08772、08773、08801、08865、08896、08905、08912、08914、08915、08930、08931、08945、08946、08951、08953、08963、08984、09003、09036、09092、09104、09141、09197、09201、09236、09245、09281、09312、09313、09314、09315、09321、09326、09329、09330、09331、09347、09349、09353、09355、09397、09405、09406、09407、09412、09419、09425、09432、09436、09462、09464、09473、09474、09492、09501、09510、09511、09517、09518、09532、09554、09598、09601、09602、09634、09658、09664、09675、09684、09690、09692、09693、09694、09709、09710、09716、09731、09737、09767、09768、09772、09784、09808、09822、09829、09833、09837、09840、09848、09851、09852、09853、09889、09924、09925、09931、09950、09971、09980、09981、09982、09983、10002、10015、10037、10063、10096、10102、10104、10123、10132、10178、10182、10186、10200、10208、10233、10251、10266、10417、10418、10426、10429、10438、10488、10533、10558、10569、10570、10577、10587、10591、10592、10611、10654、10663、10682、10683、10684、10685、10686、10688、10781、10783、10784、10786、10799、10802、10816、10825、10828、10832、10862、10865、10889、10890、10921、10934、10941、10942、10943、10944、10945、10969、10978、10998、11068、11104、11115、11128、11134、11137、11151、11155、11156、11157、11158、11164、11166、11168、11189、11203、11204、11212、11263、11268、11269、11277、11301、11302、11329、11366、11373、11422、11434、11459、11474、11476、11516、11518、11524、11531、11532、11596、11666、11667、11674、11675、11682、11687、11694、11705、11725、11748、11751、11754、11758、11759、11791、11829、11832、11846、11867、11868、11870、11879、11880、11898、11905、11906、11936、11942、11967、11970、11971、11984、11996、11997、12000、12010、12011、12012、12014、12017、12019、12065、12066、12067、12073、12074、12081、12109、12129、12132、12144、12185、12191、12194、12238、12247、12287、12370、12399、12400、12411、12422、12445、12469、12490、12491、12500、12516、12517、12525、12530、12555、12557、12567、12614、12632、12633、12634、12635、12651、12655、12664、12667、12701、12715、12728、12736、12739、12766、12770、12825、12826、12843、12854、12855、12877、12886、12890、12902、12903、12945、12961、12974、12991、13026、13097、13098、13114、13147、13166、13170、13171、13184、13215、13235、13240、13243、13246、13247、13249、13251、13274、13283、13303、13337、13367、13405、13415、13418、13426、13438、13446、13447、13469、13481、13494、13514、13532、13563、13590、13615、13620、13633、13634、13635、13641、13652、13676、13678、13746、13747、13759、13779、13780、13794、13817、13850、13855、13861、13865、13922、13944、13984、14004、14021、14081、14090、14103、14104、14115、14119、14166、14217、14226、14228、14231、14318、14345、14357、14386、14404、14413、14426、14427、14428、14434、14441、14447、14451、14456、14471、14492、14501、14509、14534、14536、14548、14552、14555、14556、14593、14615、14616、14625、14626、14628、14629、14632、14647、14651、14654、14669、14677、14683、

14685、14687、14708、14768、14798、14807、14808、14824、14843、14850、14851、14863、14864、14879、14903、14916、14921、14927、14956、14975、14991、15050、15052、15063、15065、15068、15069、15092、15099、15131、15147、15169、15171、15185、15236、15269、15299、15345、15355、15375、15389、15390、15429、15432、15440、15443、15452、15453、15466、15472、15474、15492、15527、15539、15608、15611、15619、15626、15698、15718、15770、15771、15776、15850、15893、15929、15935、15936、15946、15954、15955、15960、16079、16083、16084、16093、16098、16146、16155、16159、16162、16172、16191、16254、16259、16303、16395、16458、16476、16490、16499、16500、16510、16530、16541、16542、16603、16611、16623、16627、16629、16660、16696、16717、16728、16762、16764、16776、16777、16798、16810、16821、16860、16866、16874、16877、16905、16906、16910、16914、16915、16927、16934、16973、16975、17001、17002、17003、17018、17023、17038、17158、17186、17188、17189、17192、17195、17205、17214、17236、17237、17247、17253、17260、17262、17267、17276、17281、17317、17321、17374、17442、17452、17488、17489、17507、17510、17515、17531、17542、17557、17568、17570、17574、17577、17578、17583、17602、17603、17611、17647、17657、17701、17702、17705、17708、17709、17714、17717、17737、17745、17753、17806、17807、17869、17882、17901、17959、17965、18025、18043、18145、18162、18182、18185、18188、18189、18199、18208、18218、18221、18225、18233、18250、18275、18288、18300、18301、18330、18334、18341、18342、18353、18422、18460、18481、18570、18579、18597、18600、18602、18612、18615、18619、18628、18632、18661、18675、18690、18705、18708、18735、18740、18785、18842、18880、18882

2.《说文》

00312、00335、01155、02118、02756、03971、05249、07028、07899、08018、09042、09680

3.《玉篇》

07622、07751

笔画索引

七画

〔一〕

字	编号	页
妎	07128	109
妎	07151	110
妗	07302	112
妗	07309	112
妗	07325	112
妢	03351	52
姂	03076	48
姂	03082	48
姂	03083	48
妐	04366	67
姊	18701	291
妨	03186	50
妨	03207	50
妉	16014	250
妜	04691	72
妜	04721	72
姒	15623	244
妤	16713	261
努	10378	160
卲	02318	37
卲	02332	37
卲	02337	37
卲	02338	37
邵	02335	37
劭	02336	37
忍	11558	178
甬	16221	253
郚	15638	244
矣	15672	244
夋	17232	269
癸	14119	220
災	01156	18

八画

〔一〕

字	编号	页
邽	05819	90
邦	08463	129
邦	08467	129
奉	03414	53
玤	03437	54
玗	16771	262
玞	03458	54
玩	16911	264
玡	14850	232
玭	00541	8
玭	00542	8
武	13812	215
青	12122	188
玠	07133	109
玲	07237	111
玲	07308	112
玲	07316	112
玢	03320	52
表	00906	14
玫	09958	153
玟	13641	212
玦	04696	72
盂	16481	258
扶	00239	4
忝	13046	203
忝	13047	203
抹	09968	153
長	01366	22
長	01371	22
長	01378	22
刲	04850	74
卦	04890	75
邽	04842	74
抾	05523	85
抾	11383	176
拑	03801	59
抴	12355	191
抴	12364	191
郝	18111	282
坷	08134	124
坷	08141	124
抲	08127	124
拓	12248	190
拓	12263	190
抪	03715	58
抪	03718	58
坺	00115	2
坺	00131	2
拔	00114	2
拔	00128	2
拔	00137	2
拋	10407	161
拋	10408	161
坪	10564	163
抨	10575	163
坫	17520	273
坫	17544	273
拈	17513	273
苹	18279	285
苹	18282	285
坦	02281	36
坥	11038	170
坥	11065	171
担	02280	36
抯	11044	170
抯	11046	170
抯	11095	171
坤	08264	126
押	06473	100
押	06482	100
抽	16321	255
坱	15148	236
抧	18155	283
抰	15131	236
抰	15147	236
劼	06231	96
抩	11509	177
抩	11511	177
坰	07535	115
抶	12192	189
拖	12968	201
坿	03730	58
坿	03746	58
拊	03738	58
者	17770	277
拍	00179	3
坼	10206	157
拆	10205	157
耇	12651	196
抓	04608	71
坴	09058	139
垀	05588	86
抮	17892	279
夌	08975	137
奔	09052	139
坻	02399	38
坻	02418	38
坻	02431	38
抵	02419	38
拘	08159	125
抑	09602	147
抱	00256	4
拄	18414	287
拉	08606	132
幸	14506	227
拌	00217	4
拌	00222	4
拕	12959	201
拕	12963	201
扼	02947	46
抋	00587	9
抋	00591	9
抋	00592	9
抋	00636	10
抋	00642	10
抳	10165	157
坲	03568	56
拂	03553	56
拙	01707	27
招	02310	36
坡	10474	162
披	10450	161
披	10457	161
拚	00832	13
拚	00854	13
亞	14876	232
坶	10063	155
拇	10027	154
坳	15277	238
拗	15279	238
耵	02580	41
刵	03019	47
其	10660	165
其	10670	165
耶	14792	231
取	11319	175
取	11338	175
苷	03805	59
苦	04527	69
苦	04548	70
苯	00463	7
茉	12607	195
昔	13940	217
苛	08120	124
若	11683	180
若	11692	180
若	11695	180
茂	13857	216
茇	00120	2
茇	00132	2
苹	10561	163
迣	12344	191
苫	17495	273
苫	17503	273
苜	10070	155
苴	11018	170
苴	11030	170
苴	11047	170
苴	11100	171
苗	09854	151
苗	16346	255
苗	16355	255
英	15122	236
苋	14550	227
苢	15630	244
苒	11502	177
茵	11242	174
茵	11245	174
芙	12204	189
芙	12296	190
苲	17442	272
茉	05297	82
苻	03729	58
苽	04594	70
茶	03060	48
茶	03061	48
茶	03062	48
苓	09029	138
茚	16093	251
茋	02402	38
苟	08207	125
茆	09600	147
茆	09624	147
苳	02621	41
苑	17006	265
苞	00262	4
苙	08593	131
苙	08602	132
范	03166	50
苧	14852	232
苧	14857	232
苾	00595	9
苾	00638	10
直	18056	282
苨	10160	156
茀	03532	55
茀	03554	56
茁	01675	27
茁	01701	27
茁	01711	27
苕	02348	37
茄	06412	99
苔	15640	244
茅	09573	146
苺	10030	154
林	10546	163
枉	05831	90
枅	06548	101
枎	03469	54
杬	16876	264
林	08898	136
柿	03497	55
枝	18011	281
杯	01102	17
柜	07737	119
枒	14838	232
枒	14849	232
杶	13193	205
枇	00486	8
枇	00497	8
枇	00526	8
桓	05733	88
杫	11760	182
杪	14349	224
杳	15387	240
枘	10114	156
杵	13803	215
杅	12466	193
枖	15287	239
枚	09663	148
析	13985	218
板	03162	50
枔	13903	217
來	08325	127
枌	03346	52
柉	03078	48
松	04373	67
柹	18710	292
枊	00027	1
枊	00033	1
杸	12479	193
杭	08008	123
枋	03181	50
枓	02695	42
枓	02697	42
杰	07020	108
述	12613	195
枕	15997	250
枕	16005	250
枕	16008	250
枎	04707	72
杻	01630	26
杻	01634	26
杷	00101	2
杷	00107	2
杼	16719	261
杼	16726	261
軋	15602	243
東	02655	42
或	06067	93
叀	18475	288
臥	13675	213
邱	01436	23
邱	01441	23
臤	01431	23
臤	01449	23
臤	01455	23
臤	01459	23
事	12284	190
事	12291	190
刺	01936	31

臭	03970	61
臭	04080	63
郎	02127	34
帛	00181	3
卑	00336	5
的	11944	185
迫	00171	3
阜	03755	58
甹	10558	163
卹	14742	230
卹	14744	230
侔	10010	154
所	07176	110
欣	07178	110
郈	05571	86
征	17952	280
徂	11078	171
𢓌	16351	255
往	05834	90
爬	00100	2
佛	03558	56
彼	10456	161
所	05736	88
舠	17096	267
飑	11954	185
舍	16567	259
舍	16572	259
金	07214	111
侖	09367	143
郚	05316	82
郚	05338	82
命	09010	138
肴	15309	239
瓴	07280	111
丱	17630	275
忩	07148	110
戋	06619	102
斧	03706	58
叕	08548	131
叕	08549	131
采	01189	18
圣	16033	250
受	18303	285
乳	11609	179
欦	07301	112
欦	07312	112
念	07306	112
夆	03371	53
攽	03322	52
忿	03363	53
忿	03372	53
瓮	04405	68
肺	03499	55
肢	18008	281
肧	01073	17
肧	01094	17
肧	01103	17
肰	11480	177
肱	04354	67
肬	16317	255
肫	13191	205
肭	10126	156
肭	10135	156
肵	07189	110
肵	07204	110
肸	13993	218
肸	13994	218
肣	07285	112
肣	07294	112
肦	03353	52
肦	03385	53
朋	10421	161
胏	18706	291
股	04471	69
肮	08011	123
肪	03179	50
肪	03191	50
肬	16022	250
肤	04711	72
刖	16060	251
刖	16066	251
刖	16071	251
𦙶	01636	26
肥	03306	52
服	03520	55
周	18319	286
邙	13377	208
邙	13413	209
昏	06019	92
迡	02414	38
迡	02424	38
郁	17178	268
郁	17219	269
兔	13160	205
狋	11426	176
狋	12337	191
匋	00252	4
狉	01044	16
狉	01057	16
狘	17110	267
臽	14261	223
臽	14272	223
狚	02279	36
狚	02292	36
狚	02304	36
狙	11032	170
狙	11067	171
狎	06476	100
狌	12121	188
狌	12131	188
狛	00159	3
狛	00160	3
狛	00163	3
狛	00167	3
曶	13845	216
狐	04605	71
忽	13841	215
狗	08213	125
匊	18300	285
狍	00274	4
狂	18430	287
訇	05317	82
訇	05333	82
狖	11602	179
狔	10163	157
狒	03546	55
狕	15281	238
咎	07637	117
咎	07642	117
殅	12096	187
匊	07703	118
夘	02909	45
夘	02910	46
炙	18254	284
炙	18256	284
㝵	16995	265
婴	17001	265
婴	17002	265
婴	17018	266

〔丶〕

冽	08861	136
京	07461	114
享	14315	223
亩	08960	137
废	00134	2
夜	15781	246
府	03734	58
底	02416	38
庖	00268	4
疛	18358	286
疛	18361	286
疝	11801	182
疝	11806	182
疙	10807	167
疚	07617	117
疣	13263	206
疲	06177	95
疲	06193	95
疲	06203	95
应	08611	132
卒	18765	292
卒	18786	293
卒	18790	293
郊	06861	105
効	06894	106
忞	09895	151
究	14997	234
究	14998	234
庚	04263	66
瓬	08020	123
洛	04150	64
净	17942	280
咅	01132	18
妾	11111	171
盲	13349	208
瓬	03196	50
瓬	03247	51
放	03193	50
放	03202	50
刻	05149	79
於	13696	213
於	13709	213
郊	05119	79
劾	05147	79
劾	05150	79
劾	05151	79
斻	08015	123
育	16781	262
氓	13347	208
邴	00982	15
券	07811	120
卷	07772	119
卷	07779	119
卷	07796	119
卷	07809	120
並	01005	16
炬	07743	119
炖	13215	206
炒	14402	225
炘	07181	110
炘	07192	110
炊	01783	28
炕	08016	123
炕	08023	123
炕	08032	123
炎	14947	233
炔	04693	72
炔	04695	72
沫	13528	211
沫	13533	211
沬	09961	153
沬	09970	153
法	05493	84
泔	03806	59
泄	12349	191
泄	12360	191
沽	04496	69
沽	04524	69
沽	04546	70
沭	12610	195
河	08117	124
泝	12264	190
泙	10563	163
泧	17109	267
泧	17113	267
泧	17129	267
沾	17481	273
沾	17508	273
沾	17521	273
沮	11019	170
沮	11024	170
沮	11031	170
沮	11053	170
沮	11061	171
沺	13054	203
油	16327	255
油	16338	255
泱	15130	236
泱	15150	236
泆	12287	190
泿	18154	283
况	14553	227
泂	07543	115
泗	11244	174
泗	12806	198
泆	12181	189
泆	12207	189
泭	03725	58
泭	03731	58
泊	00165	3
泝	10180	157
泒	04597	70
沴	17898	279
泠	09022	138
泜	02391	38
泜	02398	38
沿	14992	234
泃	08193	125
泃	08205	125
泡	00267	4
泡	00277	5
注	18427	287
泣	08591	131
泫	14670	229
泮	00229	4
泬	14713	230
沱	12950	201
沱	12964	201
泌	00602	9
泌	00616	9
泌	00623	10
泳	16203	253
洞	12701	197
泥	10158	156
泥	10161	156
泯	09880	151
泯	09883	151
沸	03534	55
泓	04350	67
泏	01679	27
泏	01695	27
沼	02323	37
波	10470	162
治	15609	244
治	15634	244
治	15654	244
泑	15261	238
泑	15267	238
怔	17954	280
怯	05522	85
怙	04529	69
怵	12604	195
怲	00937	15
怲	00941	15
怖	03719	58
怦	10571	163
怴	17131	267
怗	17535	273
怛	02300	36
怚	11015	170
怚	11054	170
怚	11060	171
怞	16324	255
怏	15138	236
怏	15142	236

字	编号	页
怳	14551	227
性	12107	187
怍	17424	272
怕	00166	3
怕	00175	3
怜	09032	138
怜	09045	138
怟	02425	38
怐	08191	125
怐	08226	126
怐	08228	126
怐	08234	126
怭	00601	9
怩	10151	156
怋	06018	92
怋	09881	151
怫	03542	55
怫	03567	56
⿰忄出	01676	27
⿰忄出	01682	27
怓	10392	160
怊	02312	36
怊	02314	36
怪	08244	126
怡	15613	244
怮	15257	238
怮	15263	238
怮	15265	238
怮	15273	238
宗	18722	292
定	17966	280
定	17969	280
宕	12271	190
宜	15571	243
宙	16343	255
官	04730	72
宇	16458	257
空	04297	66
空	04318	66
穸	13900	217
穹	04346	67
宛	16998	265
宛	17011	265
宔	18419	287
宓	00609	9
宓	00630	10
弘	04351	67
弘	04352	67
郎	08740	134
戾	08628	132
戾	08631	132
肩	06638	102
房	03187	50
房	03220	50
衦	03852	60
衦	03864	60
衧	16476	257
衫	11794	182
衱	06196	95
衱	06199	95
⿰衤勺	11922	184
衪	15423	241
衪	15447	241
⿰衤比	00495	8
⿰衤比	00501	8
⿰衤比	00528	8
⿰衤止	18120	283
神	18288	285
祆	15286	239
祈	07198	110
祇	12318	191
祋	12484	193
祋	12485	193
祊	03236	51
瓬	16019	250
杸	15993	249
杸	16004	250
罙	09740	149
〔乛〕		
建	06806	105
录	09264	141
隶	02138	34
隶	02149	34
帚	18365	286
届	08250	126
居	04481	69
居	04550	70
屄	13227	206
刷	12653	196
刷	12654	196
屃	01144	18
迡	10162	157
屈	01661	27
屈	01665	27
殀	16061	251
弣	03737	58
弧	04606	71
弨	02422	38
弦	05796	89
弢	13039	203
弨	02315	37
弨	02325	37
承	01509	24
孟	09905	152
陃	09237	141
牀	10976	169
狀	10990	170
戕	10974	169
戕	10993	170
戕	11001	170
陌	00184	3
陑	02954	46
⿰爿开	10957	169
斨	10966	169
孤	04593	70
陓	16453	257
⿰虫欠	18109	282
⿰阝虫	01576	25
⿰阝虫	01577	25
亟	06259	96
亟	06262	96
降	06843	105
降	06845	105
⿰阝各	04141	64
⿰阝各	04173	64
陊	02906	45
陊	02914	46
函	05180	80
函	05187	80
⿰阝衣	15490	242
陔	05120	79
限	04227	65
妹	13531	211
妹	09969	153
姃	17959	280
姃	17965	280
姑	04490	69
妸	08125	124
妸	08138	124
妬	12257	190
妭	00126	2
⿰女戊	17112	267
⿰女占	17486	273
⿰女占	17529	273
姐	02301	36
姐	11043	170
妯	16322	255
妯	16348	255
姎	15146	236
姎	15155	236
⿰女奴	10353	160
姌	11501	177
姌	11515	177
姍	11811	183
姓	12108	187
姁	08174	125
姁	08178	125
姁	08184	125
姁	08196	125
妵	18434	287
姅	00225	4
姅	00232	4
始	15627	244
帑	10375	160
帑	10393	160
弩	10380	160
拏	10376	160
姆	10031	154
迢	02346	37
迦	06413	99
妿	06402	98
妿	06403	98
⿰缶干	03849	60
⿰缶干	03857	60
坴	00853	13
坴	00852	13
郍	16744	261
迨	15649	244
柔	16717	261
叕	18659	291
肴	15847	247
肴	15851	247
糾	07564	116
甾	18692	291
甾	18696	291
甾	18697	291

九画

〔一〕

字	编号	页
砉	04903	75
砉	04905	75
耔	12782	198
契	07087	109
契	07105	109
契	07125	109
奏	18734	292
春	13194	205
珂	08115	124
玷	17517	273
珇	11081	171
珀	00177	3
珍	17868	279
玲	09013	138
玽	08208	125
珊	11810	183
珋	09606	147
玹	14666	229
玹	14676	229
珌	00589	9
珉	09886	151
珈	06414	99
毒	02739	43
⿱丐弓	06551	101
型	07502	115
匧	06438	99
拭	15758	246
垚	15350	239
挂	04891	75
封	03398	53
封	03417	53
持	18102	282
奊	04909	75
拮	06206	95
拮	06219	95
拷	08052	123
拱	04431	68
垣	14644	229
⿰扌亘	01440	23
⿰扌百	00188	3
挎	16492	258
挒	08849	135
城	02555	40
垤	18227	284
挃	18202	284
⿰扌此	01897	30
⿰扌此	01899	30
⿰扌此	01915	30
政	17962	280
赴	01026	16
赳	07565	116
⿱吉大	06220	95
⿱吉大	06221	95
挏	13108	204
挏	13120	204
⿰扌因	15924	249
壴	02712	43
哉	01152	18
挺	13074	203
挺	13083	203
括	04616	71
⿱耂占	17518	273
⿱耂占	17523	273
⿰土伏	03577	56
埏	14907	233
埏	14922	233
挻	14923	233
郝	15784	246
郝	15785	246
郝	15795	246
垍	02117	34
垢	05567	86
耇	08210	125
拴	11396	176
拾	05372	83
挑	17629	275
挑	17640	275
挑	17650	275
挑	17659	275
垝	13376	208
垝	13392	209
指	18173	283
垎	04185	65
挌	04152	64
挌	04180	65
垑	02900	45
拸	02890	45
埩	17937	280
埩	17945	280
挍	06867	105
挍	06875	106
挍	06887	106
垓	05117	79
拼	00991	15
挓	17708	276
按	00007	1
垠	04194	65
垠	04197	65
垠	04204	65
拯	01512	24
垛	02928	46
拹	14431	225
⿰扌次	11376	175
⿱艹厓	05825	90
某	10016	154
苿	08466	129
甚	12047	187
甚	12051	187
荆	07488	114
茙	11587	179
茥	04838	74
茥	04851	74
茿	18401	287
茸	11592	179
荁	14659	229
革	04120	64

朏	01697	27
朏	03314	52
朏	03316	52
胎	15635	244
俌	03656	57
負	03787	59
迿	17204	268
迿	17215	269
色	01858	30
敂	08212	125
敂	08230	126
斪	08169	125
欨	08177	125
欨	08185	125
勉	09811	150
狟	14653	229
風	03097	49
風	03105	49
狪	13097	204
狪	13114	204
㧢	15932	249
狦	11819	183
狦	11821	183
狦	11823	183
𤞟	13077	203
狤	11980	185
狿	14909	233
狿	14928	233
狣	17625	275
㺀	02888	45
狰	17931	280
狰	17939	280
狡	06880	106
狩	18362	286
觓	07558	116
狠	04191	65
狠	04196	65
曽	01293	20
訇	17211	268
訇	17223	269
𠄢	07586	116
𠄢	07597	116
𠄢	07601	116
𩈝	02961	46
𩈝	11649	180
𩈝	13261	206
逄	03435	54
迻	02882	45
怨	17000	265
怨	17019	266
急	06172	95
烏	00243	4
烏	00276	5
胤	16095	251
〔丶〕		
計	12231	189
訂	02570	41
訂	02584	41
訂	02588	41
訂	02590	41
訃	01027	16
訄	07595	116
訆	07572	116
訒	10076	155
亯	14316	223
哀	15499	242
亭	02576	41
亮	07477	114
庤	18127	283
度	12260	190
度	12266	190
庢	18203	284
庛	01909	30
弈	15788	246
奕	15789	246
帟	15790	246
迹	01943	31
庭	13067	203
庥	14576	228
庣	17635	275
疣	16316	255
𤵸	12691	197
㾓	03149	49
疥	07132	109
疷	12320	191
痑	18708	291
疫	15812	247
疢	01500	24
疦	04708	72
疦	04725	72
兗	17264	269
庠	15165	237
庰	00968	15
庰	00973	15
庳	10176	157
这	06862	105
垐	01988	32
垐	02005	32
咨	01978	31
姿	01982	31
竐	17995	281
竐	18003	281
竑	04361	67
音	15964	249
彦	05210	80
帝	02497	39
盍	13330	208
斿	16358	256
施	15433	241
施	15458	241
施	15459	241
差	18841	294
差	18877	294
差	18884	294
美	09673	148
羑	07613	116
姜	15158	236
迸	00996	15
叛	00235	4
帣	07788	119
料	00226	4
送	17930	280
卷	07761	119
卷	07786	119
粠	04303	66
迷	09732	149
敉	10359	160
前	10930	169
酋	16370	256
首	12470	193
首	12472	193
豙	12901	200
逆	10172	157
炳	00939	15
炦	00125	2
炟	02302	36
炯	07538	115
炯	07542	115
炮	00271	4
炮	00282	5
炷	18416	287
炷	18432	287
炫	14674	229
炥	03565	56
炪	01681	27
炪	01708	27
炤	02362	37
剃	02480	39
洭	05822	90
娔	16504	258
洼	04840	74
洼	04883	75
洔	18112	282
洔	18126	283
洱	03012	47
洱	03021	47
洪	04440	68
洹	14645	229
洹	14657	229
洅	17295	270
洅	17297	270
涑	01952	31
洒	13907	217
洒	13911	217
洦	00178	3
洦	00187	3
洧	16416	257
洊	01183	18
洏	02958	46
洿	16495	258
洿	16503	258
洌	08842	135
洌	08860	136
洟	15551	243
洟	15558	243
泚	01904	30
泚	01916	30
洸	04809	74
洸	04815	74
洩	15467	241
洞	13105	204
洞	13129	204
洇	15921	248
洄	05960	92
洙	18390	287
洗	14142	221
洗	14149	221
涏	13090	203
涏	13094	204
活	04617	71
活	04633	71
涎	14915	233
涎	14930	233
洎	02114	34
洎	02115	34
洫	14747	230
洶	14483	226
洐	05264	81
派	10400	161
洀	18301	285
洽	05357	82
洮	17621	275
洮	17658	275
染	02932	46
染	02934	46
洈	13373	208
洈	13383	208
洵	17184	268
洵	17198	268
洶	14512	227
洶	14519	227
洚	06839	105
洚	06840	105
洚	06846	105
洚	06849	105
洛	04169	64
净	17933	280
洨	06870	106
浓	15492	242
洋	15163	237
洋	15176	237
洴	00984	15
洲	18310	285
洝	00009	1
津	07364	113
泿	04195	65
泿	04205	65
洳	10354	160
洳	10366	160
恇	05821	90
恃	18129	283
恅	08368	128
㤨	04434	68
㤨	04439	68
恆	04233	65
恢	16435	257
恍	04812	74
怈	15470	241
怈	15471	241
恫	13116	204
恫	13130	204
恛	05958	91
恬	11969	185
恤	14743	230
恮	11385	176
恮	11394	176
恌	17633	275
恑	13380	208
恂	17185	268
恉	18174	283
恟	14513	227
恪	04147	64
恀	02894	45
恀	02903	45
恀	02907	45
恔	06851	105
㤥	05146	79
恲	00992	15
𢘉	17685	276
恨	04219	65
恊	14426	225
恈	10012	154
宣	14633	229
宦	05817	90
宥	16422	257
宬	02557	40
室	18220	284
宗	06940	106
宧	15384	240
宮	04408	68
穽	07491	115
穽	07495	115
突	13138	204
突	13139	204
穿	01768	28
穿	01769	28
窀	13188	205
窀	13213	206
窀	13223	206
窕	17647	275
窆	03071	48
宎	04720	72
客	04183	65
冠	16882	264
冠	16908	264
軍	07939	122
扂	05515	85
扂	05525	85
扂	05527	85
扂	11382	176
扁	00754	11
扁	00762	12
扁	00777	12
扁	00778	12
扃	07533	115
祆	03457	54
祖	11576	178
祖	11580	178
祍	11554	178
衿	07139	109
衿	07147	110
衿	07210	110
衿	07230	111
衯	03339	52
衳	04364	67

〔乛〕

十画

〔一〕

字	编号	页
唬	09506	145
晐	05123	79
晏	00010	1
晏	00015	1
昜	12986	202
趿	06189	95
畕	06816	105
畫	10946	169
畛	17870	279
畛	17875	279
畟	01298	20
畟	01299	20
蚌	03438	54
蚟	13354	208
蚈	06522	100
蚨	03467	54
蚖	16869	263
蚖	16893	264
蚞	10068	155
蚑	17979	280
蚑	17990	281
蚘	16320	255
蚷	07736	119
蚷	07738	119
蚍	00485	8
蚋	10121	156
畔	00236	4
蚚	07201	110
蚚	07207	110
蚊	03709	58
蚊	03711	58
蚙	07242	111
蚙	07322	112
蚡	03359	53
蚡	03369	53
蚣	04363	67
蚣	04392	68
蚳	12324	191
蚐	13629	212
蚢	08010	123
蚢	08027	123
蚢	08036	123
蚄	03175	50
蚪	02698	42
蚇	01543	25
蚗	04709	72
蚓	16064	251
蚓	16073	251
蚎	01644	26
蚆	00093	2
蚆	00098	2
呦	15269	238
哨	14366	224
哨	14378	224
員	16965	265
員	16971	265
員	16984	265
哯	06775	104
冕	09690	148
圃	03660	57
圃	03665	57
哭	08246	126
哫	18745	292
圄	13771	214
唈	15801	246
唈	15804	246
唏	13928	217
唏	13930	217
欭	15933	249
恩	15934	249
盎	15152	236
盎	15156	236
唅	07290	112
唅	07300	112
唤	05812	90
圂	06038	93
唁	14934	233
哓	15184	237
唪	08353	128
哏	08736	134
哏	08759	134
唧	06240	96
唧	06250	96
唉	15659	244
唉	15677	244
唉	15688	245
崋	16526	258
崋	16534	258
帆	17716	276
帆	17723	276
帆	17726	276
帢	13684	213
豈	10744	166
帳	01469	23
峽	06461	99
散	13433	209
峌	07451	114
罟	04520	69
罛	02126	34
罝	11011	170
罠	04601	71
罝	00241	4
罝	00266	4
罜	18429	287
罜	18438	287
罠	09887	151
罞	09574	146
罞	09577	146
峭	14377	224
帩	14380	224
峼	04111	63
峨	13668	213
裞	16254	254
帨	09656	148
崣	13248	206
崣	13254	206
峰	03401	53
峷	14451	226
峷	14456	226
帨	02810	44
帨	02815	44
峵	02834	44
峮	07916	121
圓	17045	266
圓	17066	266
峻	17248	269
圁	14939	233
剛	13363	208
〔丿〕		
眚	12141	188
牲	12022	186
瓶	18392	287
挌	04172	64
缻	03087	48
缺	04688	72
缺	04715	72
氤	15919	248
毨	14145	221
氣	10787	166
氣	10791	167
特	18144	283
郵	16361	256
造	04100	63
造	04087	63
造	04114	64
牷	11400	176
牸	12799	198
乘	01539	24
乘	01542	24
舐	15844	247
秼	09963	153
秫	12609	195
秠	01042	16
秠	01063	16
秠	01071	17
秠	01088	17
秮	12252	190
租	11075	171
秧	15128	236
秧	15134	236
蚤	05298	82
蚤	05304	82
秩	12186	189
秨	17417	272
秨	17431	272
秝	08649	132
秖	02388	38
秘	00620	9
秘	00643	10
秜	10154	156
透	14587	228
透	14588	228
秴	11530	178
舀	14507	227
笄	06549	101
笠	05731	88
笍	10116	156
笍	10137	156
笑	14421	225
笫	18709	292
笓	13217	206
笏	13844	215
笇	12888	200
笐	07996	122
笐	08042	123
笲	17202	268
俸	03418	53
俸	03428	54
倩	12111	187
倩	12151	188
俵	00908	14
倀	01364	22
倀	01381	22
倖	14508	227
屔	10156	156
倛	10683	165
倛	10688	165
借	13935	217
借	13938	217
值	18051	282
倷	08912	136
倈	08320	127
倯	04372	67
倄	14571	228
倲	02657	42
傳	12285	190
倚	08095	124
倚	08105	124
俺	15016	234
俺	15018	234
倢	07032	108
郳	02974	47
俴	06565	101
俴	06572	101
倒	02358	37
倒	02360	37
俳	03300	51
俶	12526	194
倬	18626	290
條	16244	254
倏	16262	254
脩	16251	254
倘	11867	184
倘	11880	184
倘	11898	184
俱	07757	119
倮	05091	78
倮	05109	79
倡	01354	21
倡	01359	21
傷	15821	247
個	04536	69
候	05566	86
乗	11545	178
倕	01794	29
恁	11539	178
恁	11546	178
倭	13506	210
倭	13519	210
倭	13522	210
倪	02971	47
倠	18529	289
俾	00354	6
倫	09358	143
脩	15314	239
倗	10425	161
倗	10427	161
倗	10431	161
俷	03309	52
俷	03310	52
俷	03313	52
倜	18354	286
倄	06025	92
倄	06027	93
偕	07635	117
偕	07645	117
隼	18591	290
隻	18034	281
倞	07476	114
俯	03733	58
倅	18781	293
倅	18787	293
倍	01115	17
倣	03195	50
倦	07801	119
倓	14966	234
倓	14982	234
倓	14983	234
倌	04734	73
倌	04755	73
倥	04295	66
倥	04307	66
倥	04315	66
倇	17013	266
臬	10242	158
健	06807	105
臭	01652	26
射	11981	185
射	11983	185
射	11988	185
射	11990	185
皋	03962	61
躬	04409	68
息	13995	218
島	10222	158
郫	00352	6
郫	00364	6
郫	00384	6
烏	13704	213
倨	04486	69
倔	01669	27
師	12211	189
衃	01072	17
衃	01106	17
衄	01643	26
衄	01647	26
𧖧	00477	7
徒	13146	204
虒	12706	197
徑	07440	114
徎	01527	24
徎	01532	24
徐	16563	259
徸	03404	53
㲻	15813	247

字	编号	页码
涂	16550	259
涂	16588	259
浴	04560	70
浮	03479	54
涣	05815	90
涣	05816	90
浼	09839	150
流	16787	262
涚	02816	44
涕	02476	39
涕	02481	39
浣	16898	264
浣	16907	264
浣	16921	264
涬	08351	128
浪	08747	134
浪	08767	134
涒	07934	122
浸	11123	171
浸	11135	172
涊	11560	178
涊	11570	178
涌	16220	253
涘	15668	244
浚	17249	269
盈	03170	50
悈	07152	110
悈	07155	110
悖	00418	6
悖	00424	7
悚	12643	196
悟	13790	215
𢙀	00476	7
𢙀	00513	8
悭	07439	114
悄	14371	224
悍	03876	60
悝	08532	130
悝	08539	131
悃	08293	127
悁	17046	266
悒	15800	246
悔	10048	154
悔	10055	154
悇	16575	259
悇	16578	259
悇	16579	259
悕	13919	217
悗	09831	150
悋	08967	137
悅	02825	44
悌	02479	39
悌	02487	39
悢	08734	134
悀	16225	253
悛	17261	269
害	05157	79
宧	15564	243
宔	14863	232
宸	01474	23
家	06417	99
宵	14358	224
宲	00302	5
宴	15067	235
宴	15070	235
宦	15404	240
宦	15405	240
窅	06480	100
窇	07574	116
盌	09903	152
窄	17439	272
窊	04610	71
窊	04611	71
容	04375	67
窌	09614	147
窌	09626	147
窋	01677	27
窈	15275	238
突	12023	186
窉	05809	89
宰	17291	270
㝗	08751	134
㝗	08764	134
宭	07924	121
宭	07928	121
案	00008	1
冢	09696	148
朗	08761	134
冣	11329	175
庨	02887	45
㡾	15495	242
庫	17673	275
冡	01745	28
扇	11835	183
扇	11840	183
扆	05747	88
袜	09971	153
袪	11368	175
衹	12354	191
袏	18874	294
袥	12261	190
袯	00119	2
袩	17488	273
袩	17507	273
袩	17531	273
袩	17542	273
袒	02283	36
袒	02297	36
袓	11013	170
袓	11055	170
袖	16334	255
袡	11492	177
袘	15429	241
袝	03750	58
袗	17878	279
袗	17885	279
袛	02405	38
袧	08158	125
袧	08204	125
袧	08227	126
袧	08231	126
袧	16627	260
袍	00246	4
袨	14672	229
袢	00216	4
䘢	14856	232
袕	14709	230
袕	14712	230
袉	12942	201
袉	12962	201
袉	12966	201
袑	02328	37
被	10459	161
被	10467	162
袾	18381	287
袾	18394	287
袺	04634	71
袺	04640	71
袷	05358	82
祧	17638	275
祪	13382	208
祥	15166	237
祤	16739	261
祤	16741	261
冥	09932	152
隺	05708	88
隺	05720	88
冤	16855	263
盐	00608	9

〔乛〕

字	编号	页码
書	17755	277
剥	09268	142
帬	07926	121
堲	06239	96
堲	06246	96
堲	06249	96
展	17579	274
屒	01478	23
屒	01483	23
屑	14092	220
屐	18022	281
㞊	16731	261
㞊	16735	261
㞊	16736	261
屖	12177	189
剧	01663	27
剧	01705	27
弲	17049	266
弲	17060	266
昲	03544	55
弱	11700	180
陚	13816	215
陼	17776	277
陸	09054	139
陵	08973	137
陬	11315	175
陬	11331	175
陬	11342	175
陳	11998	186
陳	12013	186
娿	08123	124
娿	08139	124
奘	10996	170
奘	11000	170
陭	08079	123
陭	08107	124
盄	12523	194
牂	10992	170
㝃	09814	150
㝃	09820	150
孫	12910	200
陖	06575	101
陫	03280	51
蚩	18098	282
耑	18101	282
祟	12909	200
陲	01793	29
陮	18582	290
陴	00345	6
陯	09356	143
陰	07238	111
陶	00247	4
陶	00291	5
陷	14270	223
陪	01111	17
陒	07782	119
陘	02331	37
胥	01508	24
烝	01507	24
烝	01515	24
姬	15560	243
姬	15565	243
娕	12642	196
娪	13776	214
娠	01479	23
娠	01493	24
娝	01060	16
㛍	06423	99
㛍	06441	99
㛍	06446	99
㛍	06465	99
娙	07432	114
娙	07456	114
娋	14398	225
娋	14407	225
娛	13723	214
娛	13732	214
娌	08535	130
娉	10553	163
娖	18750	292
娟	17048	266
挐	10350	160
挐	10385	160
恕	10370	160
娥	13667	213
㛗	13394	209
㛗	13397	209
娩	09810	150
娩	09818	150
娩	09824	150
娩	09836	150
婞	14447	226
娧	02824	44
娧	02831	44
娣	02478	39
娣	02488	39
娘	08728	134
娓	13497	210
娓	13498	210
娓	13500	210
砮	10373	160
砮	10381	160
娭	15661	244
哿	08128	124
皰	00283	5
皰	00284	5
脋	14432	225
脋	14433	225
畚	00855	13
翌	13359	208
㹻	17981	280
𦊓	09533	146
𦊓	09534	146
通	16231	253
能	10141	156
能	10142	156
能	10144	156
能	10147	156
逡	17227	269
務	13874	216
桑	11724	181
剢	18652	291
剢	18666	291
豙	12304	191
彖	09676	148
𥁕	02731	43
紜	17152	268
紑	01069	16
紑	01074	17
紑	01087	17
紘	04357	67
純	13196	205
純	13197	205
紕	00475	7
紕	00536	8
紗	11772	182
納	10127	156
紝	09526	145
紉	11536	178
紉	11541	178
紒	07144	110
紟	07251	111
紛	03338	52
紙	12329	191
紋	13626	212
紡	03200	50
紏	02700	43
紞	16024	250
紖	16059	251
紐	01632	26
紓	16712	261
紓	16724	261
邕	16179	253

十一画

〔一〕

字	编号	页码
彗	05976	92
彗	05981	92

字	编号	页码
乾	03934	61
菉	09254	141
菎	01689	27
菰	04603	71
菡	05184	80
菇	04489	69
菑	18684	291
栟	09169	140
叙	18598	290
械	07156	110
彬	00918	14
梵	03103	49
梵	03114	49
婪	08910	136
梂	11259	174
桲	00430	7
梗	00950	15
梀	12620	195
梀	12628	196
梀	12638	196
梧	13777	214
桓	02724	43
桭	01467	23
桭	01477	23
栝	01101	17
梜	06433	99
梜	06456	99
梐	00511	8
梐	00521	8
桱	07444	114
梢	14387	225
桯	01531	24
桯	13065	203
梩	08525	130
梬	10549	163
梱	08291	127
梱	08294	127
梣	07259	111
梣	07260	111
梣	07266	111
梏	04090	63
梏	04105	63
梅	10038	154
梔	18024	281
杸	15816	247
杸	15818	247
梌	16580	259
梌	16595	259
梌	16599	259
桼	10634	164
桽	13400	209
麥	08350	128
逨	08336	128
逨	08344	128
梷	09287	142
梷	09290	142
桴	03480	54
桴	03490	55
桵	13238	206
桷	06948	107
梓	17288	270
梳	12486	193
梲	02819	44
梲	02840	45
梲	02847	45
梯	02466	39
梡	16888	264
梡	16900	264
梡	16902	264
桹	08742	134
梫	11118	171
梫	11126	172
梫	11131	172
梛	06248	96
梛	06252	96
梮	08237	126
蚻	15599	243
桶	16234	254
桶	16235	254
梭	17278	269
救	11262	174
教	00428	7
軖	05827	90
軘	13212	206
戜	01538	24
軜	10129	156
斬	17575	274
軓	03144	49
軗	15323	239
軨	07233	111
軨	07323	112
軝	12322	191
軟	11639	179
專	18450	288
郾	15055	235
郾	15064	235
戚	06070	93
曹	01279	20
敕	08589	131
欶	12624	196
欶	12641	196
副	03582	56
副	03593	56
副	03606	56
區	11270	174
區	11293	174
敔	13770	214
堅	01442	23
婜	01427	23
婜	01460	23
豉	18018	281
毀	02717	43
票	10533	162
郵	15959	249
酢	03514	55
酗	14547	227
酌	17205	268
酖	16013	250
殹	15516	242
脣	01480	23
欣	01488	24
戚	10648	164
帶	02156	34
戛	06468	99
硎	07496	115
硎	07505	115
硈	06232	96
盔	16414	256
盔	16427	257
硐	13103	204
硐	13121	204
硟	14925	233
硟	14931	233
硫	13389	209
硌	04161	64
硉	16780	262
硍	04228	65
勔	09847	151
瓠	16494	258
瓠	16511	258
匏	00270	4
奢	17754	277
匬	16696	261
奞	14786	231
奞	14787	231
奞	14788	231
奞	14789	231
爽	12681	196
悏	06440	99
𡯁	18612	290
𡯁	18615	290
𡯁	18619	290
𡯁	18632	290
豣	06517	100
豣	06542	100
豛	15815	247
豝	00091	2
谹	04359	67
殍	00910	14
殍	00912	14
殍	03486	54
盛	02559	40
盛	02560	40
雩	16462	257
雩	16483	258
雪	05985	92
頃	11153	172
頃	11154	172
雂	15763	246
𡿺	10106	156
韭	03288	51

〔丨〕

字	编号	页码
啙	03252	51
啙	03279	51
婓	03262	51
祡	01922	30
眥	01910	30
眥	01920	30
葡	00448	7
逴	18611	290
逴	18629	290
郞	02603	41
郞	02607	41
离	14435	225
鹵	09242	141
烊	15169	237
羿	07494	115
虛	05603	86
虛	05615	86
虘	11074	171
虖	05629	87
虖	05649	87
虖	05651	87
虓	10804	167
彪	00881	13
處	05631	87
處	05639	87
虙	00632	10
雀	11431	176
堂	11885	184
常	11857	183
眶	05824	90
眭	04828	74
眭	04836	74
眭	04859	74
眭	04907	75
戰	03836	60
眲	03024	47
眲	03032	47
敱	03882	60
敱	03905	61
唪	03415	53
唪	03431	54
鄍	07722	118
昦	10217	157
晣	17738	277
晣	17744	277
匙	12406	192
晡	03650	57
晤	13789	215
晍	13110	204
晍	13118	204
晍	13131	204
晨	01473	23
晨	01482	23
㫗	05580	86
晘	05257	81
脈	10406	161
眺	17651	275
敗	00441	7
敗	00443	7
販	03148	49
貶	03070	48
眗	17180	268
眗	17213	268
眗	17217	269
眳	09927	152
眳	09930	152
略	04131	64
略	04154	64
眵	02875	45
眵	02876	45
䀰	13326	207
䀰	13334	208
眹	17909	279
眯	09734	149
眼	04229	65
眸	10008	154
野	16716	261
野	16721	261
圊	12092	187
啞	14877	232
啞	14880	232
啞	14885	232
㪷	10849	167
唭	10687	165
唧	14798	231
唶	13934	217
喏	11694	180
啚	00544	8
啉	08911	136
閈	03877	60
閉	00701	11
閉	00702	11
晛	06776	104
晛	06790	104
勖	09649	148
問	09682	148
𠲜	06075	93
婁	09179	140
婁	09203	141
曼	09466	145
曼	09478	145
晧	04112	63
晦	10056	154
晞	13913	217
唵	15027	235
喚	05811	89
冕	09815	150
晚	09817	150
啄	01738	28
啄	01744	28
冐	02129	34
睆	16903	264
啑	07035	108
啑	07040	108
晙	17241	269
晙	17252	269
畦	04856	74
畤	18114	282
畤	18130	283
異	15868	248
㖮	06939	106
㖮	10639	164
趼	06533	100
趼	06536	100
趼	06543	100
趺	03454	54
跂	17983	280
跂	17986	280
跂	17989	281
距	07742	119
趾	18116	282
趻	07271	111
𧿳	03336	52

字	编号	页
跀	17091	267
跀	17093	267
跀	17098	267
跃	12334	191
趽	03184	50
趽	03204	50
趽	03219	50
趹	04710	72
略	04129	64
蛄	04493	69
蚾	00144	3
蛅	17493	273
蛆	11017	170
蛆	11033	170
蛆	11066	171
蚰	16329	255
蚺	11497	177
圉	16766	262
蛈	12209	189
蚯	11218	173
蚹	03751	58
蚮	15770	246
蚸	10175	157
蚸	10177	157
蛉	09027	138
蚔	02395	38
蚼	08175	125
蚼	08222	126
蚿	14171	221
蛇	12939	201
蛇	12956	201
蛇	15428	241
蛇	02945	46
蚭	10152	156
蚰	01710	27
蛁	02342	37
郻	14471	226
蚴	15266	238
唬	05692	87
唬	05703	88
累	08454	129
累	08456	129
豊	11268	174
鄂	10192	157
鄂	10190	157
唱	01358	21
國	06066	93
患	01775	28
啯	11467	177
唾	01814	29
啘	02970	47
啘	02998	47
唯	18549	289
唯	18557	289
唫	07235	111
唫	07246	111
唸	07304	112
唸	07333	112
啁	18317	285
啁	18340	286
啗	06024	92
啗	14278	223
啍	01842	29
啐	18767	292
啐	18780	293
啐	18784	293
啐	18797	293
唼	11115	171
啖	14981	234
啌	04333	67
啌	04338	67
唳	08630	132
唳	08634	132
唰	12652	196
啗	05183	80
啜	18641	291
啜	18646	291
啜	18654	291
啜	18663	291
啜	18664	291
崝	12139	188
帳	01372	22
帾	17801	278
崃	08329	127
崧	04407	68
崖	04835	74
崖	04872	75
崗	02757	43
崗	02767	44
崎	08065	123
崎	08149	125
崦	15006	234
崦	15031	235
崨	07033	108
崚	06566	101
崚	06586	101
崚	06609	102
崚	06612	102
崚	06614	102
崚	06600	101
罣	04864	74
罣	04894	75
罣	04896	75
罛	18290	285
罛	18294	285
罙	09738	149
崗	13362	208
崣	13514	210
崔	18568	289
崔	18575	290
帷	18554	289
崥	00359	6
崥	00373	6
崟	07236	111
崙	09369	143
崤	15305	239
崤	15310	239
崩	10419	161
崩	10417	161
崞	05061	78
崒	18768	292
崇	18721	292
崆	04292	66
崆	04332	67
崌	04477	69
崛	01671	27
崛	01674	27
帷	05794	89
崴	10969	169
崰	18690	291
圈	07783	119
圈	07808	119
圈	07815	120
過	04654	71
過	04668	71
〔丿〕		
铻	13795	215
鉆	17514	273
硯	09525	145
牾	13779	214
犤	09507	145
牼	07450	114
牼	07455	114
牿	04091	63
粖	16586	259
粡	09285	142
粡	09289	142
犄	06944	107
犄	11002	170
犄	11003	170
甜	11968	185
甜	11495	177
甜	11505	177
秸	06228	95
稍	08845	135
稍	08852	135
梨	08511	130
犁	08505	130
犁	08514	130
稠	13098	204
秳	04636	71
移	02881	45
秾	17695	276
秾	17706	276
秾	17713	276
秺	17674	275
秺	17696	276
秺	17710	276
逶	13508	210
動	02677	42
笑	11367	175
笨	00462	7
笨	00464	7
笱	08130	124
笱	08150	125
笘	17532	273
笪	02276	36
笪	02293	36
笪	02305	36
笪	11059	170
笛	16353	255
笙	12134	188
笮	17425	272
笮	17433	272
笮	17440	272
符	03728	58
笭	09016	138
笭	09037	138
笴	08209	125
笲	01289	20
笣	00258	4
笠	08600	132
笵	03168	50
笥	12703	197
笢	09884	151
笢	09885	151
第	02484	39
笰	03550	56
笯	10377	160
笯	10382	160
笯	10388	160
笳	06405	98
笄	00837	13
笄	00843	13
笄	00845	13
笞	15607	243
敏	10059	154
偰	07101	109
偆	13198	205
偆	13202	205
甹	00786	12
偞	12375	192
偞	12395	192
偃	15053	235
偪	03591	56
偪	03599	56
偠	15415	240
偭	09846	151
偭	09850	151
偄	11636	179
偄	11644	180
鄓	12824	199
偕	06997	107
袋	15775	246
偝	00411	6
偵	02606	41
偵	02608	41
偵	02613	41
悠	16255	254
側	17365	271
偒	15237	238
偢	12000	186
偢	12014	186
偶	16631	260
偶	16635	260
偈	05419	84
偈	05434	84
偎	13544	211
偲	14469	226
偲	14478	226
遈	15050	235
偅	02651	42
偟	05865	90
傀	04975	77
傀	04986	77
偊	16762	262
偫	18125	283
偷	16687	261
御	07849	120
御	07855	120
偁	01503	24
偩	03789	59
貨	05752	88
偑	03100	49
售	01626	26
進	07414	113
倞	15497	242
停	02574	41
傞	18847	294
傞	18849	294
偉	07963	122
偉	07966	122
偏	00750	11
偏	00763	12
郼	05850	90
梟	14337	224
鳥	10225	158
皐	10073	155
段	07626	117
兜	02693	42
皎	06852	105
皏	00994	15
假	06507	100
假	06511	100
郵	16757	262
郷	05548	85
郷	05565	86
鄉	05550	85
鄉	05561	85
偓	13688	213
偋	00972	15
偋	00989	15
偉	13461	210
偌	18492	288
悤	02014	32
偨	05011	77
偨	05014	77
徠	08337	128
徠	08341	128
術	12612	195
徛	08091	124
徛	08101	124
徲	06574	101
徘	03293	51
徙	11753	182
徜	11862	184
得	02365	37
從	02038	32
從	02042	32
從	02051	33
衒	14675	229
卛	04681	72
舸	08129	124
舳	16349	255
舶	00182	3

十二画

〔一〕

字	编号	页码
蒐	04998	77
葠	11128	172
葠	11137	172
葩	00096	2
萬	16750	262
萬	16759	262
葰	17272	269
葰	17279	269
葰	17280	269
葎	16779	262
葨	04213	65
葨	04230	65
菱	16934	264
葼	14521	227
葢	03349	52
葢	03378	53
葋	08171	125
萯	03788	59
敬	07523	115
葂	09808	150
葂	09822	150
葂	09837	150
葳	03109	49
葶	02575	41
葶	02581	41
葹	15434	241
蒫	18835	293
蒫	18859	294
葥	10926	169
鄑	18245	284
葀	04622	71
落	04166	64
蓱	07379	113
萱	14642	229
营	04412	68
营	04413	68
葵	13141	204
葷	07941	122
萹	00755	11
萹	00766	12
萹	00775	12
葅	11084	171
戟	06311	97
朝	01404	22
朝	01405	22
葴	06351	97
葭	06484	100
喪	11723	181
喪	11727	181
辜	04491	69
葺	03028	47
蒈	06005	92
葦	13463	210
蓧	16552	259
葌	06644	102
葉	15619	244
葵	05001	77
葇	09550	146
葇	09564	146
葤	13862	216
葤	13888	216
葯	11932	185
葯	11958	185
棖	01380	22
楮	17779	277
楮	17802	278
棱	08989	138
椰	14794	231
棷	11332	175
棷	11336	175
棷	11339	175
棷	11346	175
楛	04528	69
棤	13943	217
椛	03172	50
植	18052	282
植	18060	282
森	08891	136
棽	08892	136
棽	08893	136
棼	03348	52
焚	03388	53
棟	02680	42
棫	06057	93
椅	08077	123
椅	08097	124
椓	01742	28
棲	10615	164
棧	06576	101
棧	06599	101
棧	06604	102
椒	06942	106
棹	18622	290
椇	07758	119
棍	08285	127
棝	04545	70
楇	04657	71
棰	01812	29
楰	16605	259
楰	16608	259
椎	18542	289
椑	00338	5
椑	00372	6
椑	00395	6
椑	00398	6
晳	13983	218
梊	13990	218
棆	09364	143
棥	03126	49
棥	03128	49
棳	08347	128
棌	01196	19
棯	07269	111
棚	10424	161
棚	10435	161
椆	18328	286
椆	18332	286
椙	13846	216
椈	07695	118
棔	07644	117
棔	07647	117
椋	07468	114
椁	05062	78
椊	18793	293
棓	01079	17
棓	01139	18
椄	11106	171
棜	13703	213
棬	07762	119
棪	14954	233
棺	04732	72
棺	04747	73
椌	04293	66
椌	04327	67
榔	08744	134
榔	08763	134
楗	06804	105
棣	02141	34
椐	04478	69
椐	04483	69
椐	04488	69
極	06265	96
迦	06409	98
椶	18661	291
椔	18688	291
椔	18694	291
覃	13580	212
軲	04501	69
軻	08116	124
軻	08133	124
軻	08142	124
軷	00116	2
軷	00122	2
軷	00135	2
軒	10569	163
軒	10577	163
軸	16347	255
軹	18151	283
軮	15154	236
軦	14552	227
軦	14556	227
軼	12180	189
軼	12201	189
軵	11599	179
軱	04602	71
軤	05591	86
軫	17873	279
軨	09015	138
軝	02423	38
軥	08165	125
軥	08202	125
軥	08225	126
軶	02941	46
軗	10215	157
軺	02319	37
軺	02322	37
惠	05993	92
惑	06068	93
剨	08315	127
逼	03600	56
腎	01438	23
掔	01446	23
掔	01458	23
掔	01426	23
掔	01450	23
掔	01462	23
掔	01464	23
歁	06045	93
歁	06050	93
罣	04857	74
罥	10862	168
罥	10865	168
覃	13036	202
粟	12852	199
覗	18700	291
棗	17341	270
棘	06272	96
酣	03812	59
酤	04492	69
酤	04534	69
酤	04540	70
酟	17510	273
酢	17422	272
酥	16708	261
酏	15432	241
酓	09036	138
酡	12954	201
雉	18014	281
雉	18021	281
鄗	11614	179
匲	05507	85
幂	00061	1
硒	00586	9
硬	00959	15
硤	06462	99
硫	09510	145
硜	07452	114
硝	14355	224
硯	06789	104
硱	08296	127
硞	04099	63
硞	04106	63
硪	13665	213
硪	13673	213
确	06951	107
硠	08746	134
厤	08655	132
雁	05226	80
攲	08058	123
攲	08068	123
攲	08086	124
欹	08080	124
匫	01267	20
厥	07866	121
厥	07884	121
厠	11676	180
猋	00885	13
㾏	08793	135
㾏	08803	135
尳	04572	70
尳	04576	70
尰	02641	42
狙	11041	170
猔	11663	180
猔	11664	180
猔	11665	180
豟	02943	46
豥	01739	28
殖	18061	282
殑	08060	123
殑	08064	123
殑	08085	124
殗	15036	235
㱦	01993	32
㱦	01996	32
殘	06610	102
裂	08853	135
𣨛	13509	210
𣨛	13518	210
雄	04353	67
殙	06023	92
殚	18766	292
殚	18791	293
殔	02148	34
殛	06260	96
雲	17160	268
雰	03332	52
雯	13627	212
雱	03212	50
猗	08067	123
雅	14844	232
晉	07351	112
晉	07355	113
碢	04666	71
琼	07469	114
琼	07484	114
臸	18219	284
臸	18241	284

〔丨〕

字	编号	页码
棐	03272	51
辈	03282	51
斐	03277	51
悲	03251	51
惄	12542	194
㞗	12528	194
雈	05792	89
柴	01875	30
柴	01927	31
柴	01928	31
蚩	01873	30
訾	01893	30
訾	01914	30
訾	01918	30
觜	01885	30
觜	01913	30
𨋮	01879	30
紫	01891	30
殽	07621	117
殽	07624	117
覘	17484	273
覘	17501	273
容	11666	180
容	11675	180
虘	11582	178
鄍	10939	169

菐 10595 164
菐 10600 164
萧 18186 283
敞 11864 184
棠 11886 184
牚 11911 184
㲂 11901 184
堂 11873 184
𤴓 11866 184
𤴓 11910 184
掌 11863 184
晴 12094 187
喫 07127 109
脤 01497 24
暴 07755 119
睽 06424 99
睽 06425 99
睽 06447 99
睽 06454 99
睽 06458 99
睽 06464 99
睽 11829 183
睹 17798 278
暑 17782 277
最 11352 175
敱 05086 78
敳 05097 78
晰 13984 218
睄 14404 225
睅 03896 60
睍 06780 104
量 08782 134
量 08783 134
睊 17054 266
睊 17072 266
睋 13662 213
睎 13916 217
貼 17539 273
晻 15014 234
晻 15026 234
貺 14554 227
睉 13401 209
貾 02397 38
貯 14854 232
䝿 12504 194
貱 10462 162
貽 15614 244
晚 09833 150
逷 15252 238
睇 02467 39
睇 02486 39
睆 16917 264
䀶 08733 134
䀶 08737 134
䀶 08739 134
䀶 08760 134
䀶 08770 134
鼎 02609 41
睃 17247 269
睃 17260 269
晫 18627 290
晫 18630 290
啿 12067 187
戢 10838 167
喋 12379 192
喋 12385 192
喋 12396 192
嗒 05330 82
嗒 05385 83
嘝 04504 69
喖 04506 69
閏 11678 180
開 06559 101
閎 04358 67
閑 14843 232
閑 14851 232
晶 07486 114
閞 07129 109
閞 07146 110
閒 14212 222
閒 14239 222
暘 15830 247
閈 00839 13
閔 09897 151
閌 08031 123
閝 03235 51
閔 17901 279
悶 09687 148
遇 16624 260
㖶 15954 249
喓 15409 240
喊 14181 221
喊 14200 222
喊 14201 222
晥 02991 47
暀 05835 90
暀 05843 90
暀 05846 90
敭 15822 247
遏 05477 84
晷 07649 117
景 07474 114
晬 18774 293
晼 17015 266
暃 13847 216
喈 06998 107
䟣 10557 163
跐 12345 191
跐 12353 191
跊 12605 195
跖 12246 190
跋 00123 2
跋 17111 267
跕 17533 273
跕 17540 273
跙 11056 170
跌 12200 189
跗 03720 58
跗 03752 58
跅 10178 157
跅 10186 157
跈 17890 279
跈 17891 279
跔 08161 125
跚 11809 183
跑 00275 5
跑 00289 5
跓 18421 287
跘 00218 4
跘 00220 4
跘 00238 4
跎 12951 201
跜 10153 156
𨀈 03559 56
跛 10464 162
跛 10477 162
跆 15644 244
貴 05037 78
晦 10045 154
蛙 04881 75
蛣 06209 95
蛸 16437 257
蛸 16442 257
蛚 08857 136
蛦 15546 243
蛭 18200 284
蛭 18213 284
蛭 18222 284
蚼 08287 127
蛐 11269 174
蛛 18376 286
蜓 13075 203
蜓 13082 203
蜓 13093 203
蛞 04630 71
蜒 14912 233
蛜 15488 242
蛤 05325 82
蛛 17657 275
蛫 13381 208
蛒 04181 65
蛥 02923 46
蛟 06857 105
蛘 15179 237
蛘 15183 237
蛢 00978 15
蛝 04225 65
蛡 15881 248
蛑 10014 154
畯 17243 269
敷 02528 40
鄖 16969 265
勛 16967 265
遝 10193 157
喁 16638 260
嗢 13618 212
嗢 13621 212
喝 05485 84
喝 05486 84
喅 08614 132
喟 13554 211
喟 13567 211
單 02182 35
單 02199 35
單 02202 35
單 02209 35
喦 06276 96
嵒 14984 234
嵓 10265 158
罰 18311 285
罰 18316 285
斝 06515 100
喘 02759 43
喢 01306 20
喢 01307 20
喢 01311 20
喢 01317 21
啾 11220 173
喤 05869 90
喤 05873 90
喉 05556 85
喻 16661 260
喻 16684 260
嗆 05378 83
喛 16929 264
喛 16955 265
煦 08186 125
喑 15967 249
喑 15971 249
喑 15973 249
喭 05208 80
喭 05215 80
嗟 18834 293
嗞 12761 198
喧 14638 229
喀 04184 65
喗 07943 122
嘅 06360 98
㗇 06495 100
㗇 06503 100
喔 13691 213
喙 13179 205
喙 13182 205
嵁 12055 187
嵁 12059 187
嵁 12068 187
嵁 12070 187
嵁 12072 187
嵌 03817 59
嵌 03818 59
幅 03585 56
幅 03601 56
剴 10750 166
剴 10757 166
凱 10765 166
崴 13424 209
遄 02750 43
買 09445 144
罥 17068 266
罥 17074 266
罞 10034 154
罞 10040 154
罞 10052 154
罦 03481 54
罦 03488 55
詈 08659 133
罠 08765 134
崼 12422 192
斮 17369 271
崵 15216 237
崵 15240 238
帽 09636 147
嵎 16616 260
嵑 05463 84
嵔 13538 211
嵔 13548 211
嵔 13537 211
崽 14480 226
崿 10196 157
嵬 04982 77
嵬 04991 77
幝 02856 45
幝 02860 45
幝 02871 45
嵂 16777 262
崳 16640 260
崳 16677 260
嵕 14523 227
嵏 14536 227
嵐 03108 49
嵃 05207 80
崺 15448 241
嵯 18838 293
嵯 18858 294
崷 16373 256
嵫 12759 198
幝 07954 122
幄 13689 213
幃 13448 209
圌 02749 43
圌 02778 44
嵉 12516 194
淼 09862 151
黑 05543 85
甌 13368 208
圍 13451 209
圍 13472 210
骭 03861 60
骭 03898 60
骬 16472 257
骫 13264 206
辪 03267 51

〔丿〕

甥 12137 188
無 13735 214
犇 00568 9
秸 04841 74
掣 18251 284
掣 18252 284
懘 18253 284
缿 05581 86
短 02727 43
智 18029 281
毳 02070 33
毳 02075 33

〔乛〕

十三画

〔一〕

瑑	13168	205
葝	11934	185
瑙	10104	155
遘	04460	68
婺	14034	219
𡕒	14039	219
葉	06537	100
愿	06435	99
頑	16916	264
魂	17168	268
搆	04465	69
髡	16922	264
髦	15465	241
跳	17667	275
跳	17668	275
跳	17669	275
跳	17670	275
肆	02147	34
挈	03399	53
摸	09989	153
摸	10004	154
搢	18237	284
填	17817	278
填	17835	278
填	17848	278
填	17860	279
搷	17855	278
搸	12927	201
載	01165	18
載	01167	18
載	01170	18
搏	03672	57
搏	03683	57
搏	03696	58
搞	08564	131
截	01173	18
截	01175	18
馯	03879	60
馯	03894	60
彃	18444	288
馱	02111	33
馱	02112	34
馲	17680	276
馲	17687	276
馲	17699	276
馴	01763	28
馰	11938	185
馺	06191	95
馳	15430	241
搙	11620	179
搙	11622	179

搣	14591	228
㨖	18191	284
㨖	18244	284
鄏	14889	232
鄏	14898	233
鄏	14900	233
趌	06205	95
趌	06207	95
趌	06213	95
趌	06236	96
趄	14646	229
趚	01951	31
趙	16432	257
趆	06833	105
越	01906	30
趎	18387	287
趏	04641	71
趏	04645	71
趒	17637	275
趒	17644	275
趒	17653	275
趍	02879	45
趑	01984	32
搋	10934	169
搋	10941	169
搋	10942	169
搋	10943	169
搋	10944	169
搋	10945	169
堤	12410	192
莫	09870	151
蓏	00490	8
塒	18105	282
搨	12982	202
塤	16966	265
損	16990	265
遠	16962	265
摑	06033	93
摑	06039	93
鼓	04590	70
歖	15536	242
截	01168	18
塏	10761	166
觟	01575	25
艴	11738	181
塢	13710	213
塢	13715	214
搲	00534	8
蜇	17735	277
裚	17745	277
𥿍	17746	277

𥿍	17747	277
勢	15860	247
摋	11789	182
搯	15396	240
搶	01253	19
搶	01256	19
搶	01258	19
塕	04403	68
摓	03420	53
豋	04330	67
搖	16286	254
搖	16306	255
塯	09618	147
㨨	09582	147
㨨	09620	147
㨨	09627	147
塙	04019	62
塉	06292	97
摛	08482	130
塘	04253	66
搪	04250	65
搒	03230	50
搒	03241	51
搐	01751	28
垟	14498	226
瓡	18075	282
搤	15710	245
搘	05164	79
搘	05168	80
搈	04382	67
壼	08288	127
壼	08289	127
㱿	11456	177
𧯛	15526	242
𧯛	15529	242
𧯛	15537	242
㝅	11432	176
㝅	11433	176
㝅	11457	177
塓	09949	153
搉	05712	88
搉	05718	88
搦	11702	180
搦	11706	180
擠	14422	225
堎	08981	137
堎	08991	138
摢	05531	85
摢	05532	85
聖	12154	188
聘	10551	163

蓁	11144	172
戡	12044	186
戡	12057	187
歁	12061	187
歁	12075	187
斟	12035	186
蔽	00044	1
蒜	12874	200
蒱	03658	57
蓍	18171	283
蓋	05495	84
蓋	05503	85
蓋	05512	85
鄞	07384	113
鄞	07402	113
勤	07397	113
蓮	08720	133
蓮	08722	133
靳	07187	110
靲	07229	111
靹	00030	1
尊	03697	58
靭	16068	251
靭	16069	251
靶	00105	2
散	13945	217
散	13957	217
蒚	08560	131
蒚	08572	131
蔌	01963	31
蔌	01966	31
蓐	11612	179
蔵	17515	273
蒝	11415	176
蓒	04452	68
蓫	18406	287
蓫	18409	287
蓫	18411	287
蒔	18108	282
蒔	18134	283
華	00685	10
墓	09978	153
幕	09985	153
嫫	09996	153
蒀	10745	166
蒀	10768	166
夢	09714	149
夢	09717	149
蒛	04689	72
蓪	04082	63
蒩	11035	170

蒩	11076	171
蒩	11083	171
菻	08658	133
蒨	12148	188
蓧	16238	254
蓧	16270	254
蓨	16267	254
蒦	06079	93
蓂	03965	61
蒠	13999	218
蒒	12212	189
蓏	09384	143
蔱	11778	182
蔱	11785	182
蓌	13405	209
蓌	13415	209
蓌	13418	209
蓙	13396	209
蓓	16297	255
蓓	16305	255
蒵	14019	218
蒵	14024	219
蒼	01263	20
蒼	01268	20
蓊	04398	68
蓊	04400	68
蒯	08252	126
蓬	03422	53
蓑	12659	196
蓑	12662	196
蒿	03983	62
蓆	12255	190
蒺	06269	96
蓘	14999	234
蔀	01119	17
蔀	01124	17
蒴	08182	125
蒴	08189	125
蒡	03228	50
蒡	03242	51
蓄	01748	28
蓄	01752	28
蒹	06664	103
蒴	10203	157
蒲	03657	57
蒤	16593	259
蓍	05167	79
蓉	04379	67
䔒	17290	270
蒙	09695	148
蓂	09936	152

蓂	09946	153
蒮	05724	88
蒬	16856	263
鄿	03935	61
幹	03948	61
嫛	12776	198
嫛	12777	198
蒻	11697	180
蔯	11996	186
蓀	12911	200
蔭	07256	111
蒸	01506	24
蓻	10349	160
蓻	10386	160
蓩	13887	216
蓩	13892	216
蒶	03358	52
楔	07099	109
楔	07116	109
楱	18739	292
楱	18741	292
椿	13192	205
椹	12034	186
楪	12372	192
榙	05331	82
榙	05339	82
禁	08883	136
禁	08888	136
楂	11098	171
楚	12505	194
楚	12521	194
椻	15063	235
楋	08317	127
楅	03592	56
楅	03602	56
楝	06762	104
椷	14193	221
楲	13423	209
槈	11630	179
楷	07001	107
楷	07012	107
楨	02601	41
楢	12099	187
楊	15207	237
想	14295	223
楫	10848	167
楫	10852	167
楣	09633	147
楣	09640	147
楬	05431	84
楬	05442	84

字	编号	页码
楇	05490	84
椳	13543	211
椯	02754	43
楸	11226	173
椱	03761	58
椱	03777	59
椴	02793	44
楩	00862	13
楩	00865	13
楼	12830	199
槐	04980	77
槐	04996	77
楀	16752	262
楀	16758	262
槌	02801	44
槌	02807	44
楯	02857	45
楯	02864	45
楯	02867	45
晳	13986	218
榆	16650	260
啬	11741	181
剺	10636	164
剺	10629	164
郲	10632	164
嫠	08324	127
榴	07859	120
楥	16948	265
椶	14525	227
楓	03098	49
楟	02573	41
榕	02002	32
榹	15421	240
槎	18881	294
楢	16381	256
楢	16389	256
楢	16396	256
椽	12904	200
楄	04238	65
楎	07961	122
楎	07977	122
楄	00758	12
楄	00773	12
椵	06504	100
楃	13690	213
椲	13464	210
楣	09667	148
楈	12496	194
楈	12514	194
榅	16124	252
楑	05003	77
楑	05008	77
楙	09538	146
楺	09561	146
楲	13885	216
椽	13163	205
裘	11265	174
輀	05823	90
輀	05828	90
軾	15759	246
輭	02001	32
輁	04429	68
輁	04436	68
輔	02956	46
輈	18299	285
輇	11384	176
輇	11397	176
輇	11398	176
輇	11403	176
輅	04136	64
軫	02925	46
較	15319	239
較	15322	239
輆	05136	79
軿	00981	15
軿	00999	15
軝	07664	117
毄	06142	94
輖	18462	288
輖	18473	288
輖	18485	288
輈	18457	288
輈	18468	288
輈	18477	288
匽	15875	248
畺	06815	105
臨	01463	23
鬲	05057	78
腎	01457	23
腎	01461	23
剽	10512	162
剽	10524	162
勡	10528	162
甄	15947	249
甄	15956	249
歅	15944	249
郡	10864	168
賈	14865	232
賈	14867	232
賈	14869	232
酭	16428	257
酪	04158	64
酬	18312	285
頍	17987	280
蜃	01486	24
蜃	01495	24
甈	05949	91
甈	05957	91
感	14176	221
碩	01112	17
碩	01134	18
擘	06532	100
碏	13956	217
碄	08896	136
碕	08066	123
碕	08074	123
碕	08089	124
碕	08148	125
碔	10627	164
碝	15882	248
碾	08281	127
碅	11459	177
碏	12979	202
硾	01807	29
硯	03008	47
碓	18584	290
碑	00363	6
碊	18255	284
碎	18777	293
碌	09257	141
碌	09261	141
鹼	16510	258
豋	08794	135
厰	03916	61
厰	03917	61
厰	03931	61
豥	05116	79
豥	05134	79
豤	04206	65
豤	04212	65
豤	04222	65
殜	12367	192
殜	12378	192
殜	12401	192
殞	16429	257
殟	13613	212
殟	13617	212
尴	06686	103
匯	18583	290
匯	18586	290
鄠	16502	258
電	12018	186
雷	08434	129
零	09017	138
零	09039	138
零	09044	138
雹	00288	5
雺	09541	146
雺	09556	146
雺	09575	146
雺	09579	146
頓	13220	206
盞	06595	101
背	03265	51
背	03302	52
〔丨〕		
督	12537	194
甏	11660	180
甏	11661	180
歲	17106	267
歱	02646	42
貲	01863	30
觜	01889	30
觜	01926	31
訾	01868	30
訾	01890	30
粢	01244	19
虡	05600	86
虡	05609	86
虡	05638	87
虞	13722	214
鄜	11072	171
虜	05685	87
鄜	05683	87
虘	03813	59
業	15475	241
鳰	01032	16
掔	14367	224
掔	14406	225
掔	14415	225
鄞	11884	184
當	11874	184
當	11902	184
睛	12087	187
睛	12101	187
睹	17804	278
睦	09050	138
睞	08340	128
睚	04875	75
睚	04901	75
睌	15034	235
睫	07021	108
題	12449	193
尟	14242	222
嗽	00049	1
嗦	12842	199
賜	15829	247
賙	18250	284
睡	01808	29
睨	02992	47
睢	18528	289
睢	18532	289
睢	18547	289
睢	18592	290
睢	11034	170
睥	00382	6
賊	17372	271
睔	09372	143
睔	09374	143
睔	09375	143
賄	16441	257
賂	04139	64
賅	05126	79
睭	18330	286
睜	01820	29
睜	01832	29
睟	18757	292
睒	14950	233
睒	14976	234
睕	17016	266
睕	17031	266
睕	17040	266
睩	09267	142
暍	13679	213
擥	13677	213
嗜	18177	283
嗑	05502	85
嗑	05511	85
嗼	09993	153
嗼	09999	153
嗔	17826	278
嗔	17853	278
鄙	00543	8
閜	08145	124
暘	15206	237
閛	10572	163
嘷	03685	57
閘	06469	99
閘	06481	100
喔	12129	188
喝	05445	84
喝	05484	84
閟	00614	9
閞	00835	13
閞	00851	13
黽	09917	152
黽	09922	152
黽	09923	152
鄖	09178	140
鄖	09204	141
嗝	08567	131
甌	16634	260
愚	16613	260
鄮	09464	145
鄮	09474	145
鄮	09492	145
嗕	11617	179
嗄	14131	220
嗄	14133	220
暖	16928	264
暖	16941	264
暖	16953	265
盟	07546	115
盟	07549	115
盟	07552	115
煦	08187	125
煦	08197	125
歇	05469	84
歇	05447	84
暗	15978	249
暆	15424	241
暄	14643	229
暉	07975	122
暈	07947	122
暇	06513	100
暋	06015	92
暐	13460	210
號	05279	81
號	05282	81
照	02329	37
畸	08055	123
跬	04830	74
跨	16508	258
跨	16517	258
跨	16529	258
跨	16531	258
跠	15540	242
跠	15552	243
跮	18195	284
跮	18216	284
跐	01894	30
跐	01898	30
跐	01901	30
跐	01925	30
跦	18373	286

字	编号	页
跣	14144	221
跧	11386	176
跧	11401	176
跧	11402	176
跲	05307	82
跲	05309	82
跲	05352	82
跳	17642	275
跪	13387	208
跪	13388	208
跭	06844	105
路	04133	64
跡	01941	31
跰	00995	15
跰	00997	15
跟	04200	65
園	16959	265
遣	10947	169
遣	10950	169
蛃	10111	156
蛃	10115	156
蛃	10118	156
蛷	11248	174
蜄	01496	24
蛺	06431	99
螔	09508	145
蛙	00499	8
蛙	00522	8
蛵	07434	114
蛘	09747	149
蛘	09748	149
蛸	14356	224
蛸	14394	225
蜆	06778	104
蜆	06782	104
蜆	06785	104
蜎	17047	266
蜎	17050	266
蜎	17062	266
蜎	17071	266
蛾	13653	213
蛾	13661	213
蜊	08512	130
蜍	16553	259
蜍	16556	259
蜉	09286	142
蜉	09292	142
蜉	03477	54
蜂	03406	53
蜂	03424	54
蜣	16790	262
蟯	15160	236
蛻	02814	44
蛻	02823	44
蛻	02827	44
蛻	02828	44
蜴	02474	39
蜋	08730	134
蜋	08748	134
蜿	17009	265
蝍	06238	96
蝍	06247	96
蝍	06257	96
蛹	16227	253
蜓	10936	169
圔	05529	85
嗢	18640	291
嗢	18649	291
豊	08554	131
農	10335	159
嗣	12702	197
喿	17356	271
嗅	01655	26
嗅	01657	26
嗥	03968	61
嗚	13705	213
嗁	12731	197
嗂	16300	255
嗘	14004	218
嗡	04394	68
嗡	04404	68
嗃	04007	62
嗃	04009	62
嗃	04010	62
嗙	03238	51
嗌	15702	245
嗛	06675	103
嗤	18099	282
𣩁	00365	6
嵗	00053	1
歆	02755	43
歆	02761	43
嵟	18564	289
嵲	03305	52
罫	04886	75
署	17786	277
罯	15723	245
置	18049	281
罧	08904	136
罧	08907	136
罭	06056	93
罥	11213	173
罨	15015	234
罨	15035	235
罨	15037	235
罪	18810	293
罩	18617	290
罶	07838	120
遝	02122	34
罹	17671	275
蜀	12571	195
罬	18637	290
罬	18647	291
幌	04818	74
鄗	10428	161
鄗	10437	161
嵩	12810	199
嵣	04261	66
嵣	04262	66
嵰	06654	102
幏	06418	99
幏	06421	99
嵱	04383	67
幏	09702	148
幏	09711	149
幎	09945	153
圓	16964	265
圓	16988	265
歃	04578	70
歃	04586	70
骫	08022	123
骫	08025	123
〔丿〕		
幐	02159	34
矮	13523	210
雉	12294	190
顉	10828	167
顉	10832	167
氳	13592	212
粯	07726	118
粇	05295	82
粄	06488	100
歆	01305	20
歆	01310	20
稑	09055	139
稜	08985	137
稜	08988	138
稙	18053	282
稧	08334	128
稞	05074	78
稞	05105	79
稇	04538	70
稛	11475	177
稚	12169	188
稗	00393	6
稔	07268	111
稠	18327	286
毻	11233	173
揫	11221	173
愁	11229	173
筭	09170	140
筠	17193	268
筦	15561	243
筵	12460	193
筴	01971	31
筴	06429	99
筴	06451	99
筲	14392	225
筱	16245	254
筡	16548	258
筡	16594	259
筓	03484	54
筋	11952	185
筩	11813	183
筩	11814	183
筩	11816	183
筩	11817	183
筩	11820	183
筯	11953	185
筯	11955	185
筦	16897	264
筤	08756	134
節	06256	96
筩	16233	254
䌛	03135	49
與	14801	231
與	14819	232
與	14832	232
債	01954	31
債	01960	31
傿	14904	233
僅	07388	113
傳	18459	288
傳	18471	288
傳	18474	288
傮	01277	20
傴	11282	174
僄	10500	162
僄	10526	162
傶	10647	164
毀	05969	92
毀	05971	92
舅	07629	117
鼠	12601	195
牒	12384	192
牐	03604	56
牐	03615	56
傾	11152	172
牏	16652	260
牏	16678	260
牏	16691	261
牑	00770	12
僂	09189	140
僂	09208	141
僂	09233	141
僈	09473	145
傫	08426	129
催	18569	289
傰	10418	161
傰	10426	161
傰	10429	161
傰	10438	161
僁	11555	178
賃	11549	178
傷	15197	237
傷	15222	237
傯	02025	32
傯	02027	32
傱	02048	32
傒	14047	219
傒	14049	219
雩	16466	257
雩	16473	257
像	14327	224
傀	05756	88
傺	06378	98
傭	16204	253
傭	16213	253
傽	17602	274
皐	18811	293
鄡	14340	224
皛	03623	57
魅	17993	281
魅	18005	281
魆	07205	110
魁	04977	77
敫	06955	107
敫	06963	107
曾	12674	196
粵	16538	258
奧	00074	2
僇	09088	139
僇	09124	139
傪	01218	19
傪	01227	19
頎	07199	110
猒	02873	45
衙	07839	120
衘	13767	214
衘	13772	214
衘	13797	215
遞	12738	197
遞	12740	197
微	13432	209
徯	14010	218
徯	14022	218
衒	14691	229
衒	14692	229
徬	03234	51
愆	15040	235
覜	10398	161
覜	10403	161
艁	04089	63
艁	04113	64
艅	16559	259
幣	00198	3
嫳	00206	4
嫳	00213	4
盦	16592	259
鉦	17953	280
鉣	05519	85
鉗	03802	59
鉗	03803	59
鉗	03816	59
鉥	12614	195
鉼	00943	15
鉟	01048	16
鉟	01050	16
鉞	17118	267
鉆	17479	273
鉆	17537	273
鉏	11039	170
鉏	11058	170
鉀	06470	99
鉀	06474	100
鈿	13052	203
鈿	13061	203
鉠	15121	236
鉠	15127	236
鈴	09028	138
鉛	14993	234
鉤	08198	125
鉒	18423	287
鉉	14671	229
鉈	12938	201

字	编号	页码
黏	17502	273
黏	17524	273
黏	17546	273
塋	16141	252
甇	16132	252
嫈	16138	252
嫈	16167	252
嫈	16171	253
煇	07957	122
煇	07971	122
煇	07979	122
煆	06502	100
煆	06514	100
煒	13459	210
煣	09560	146
煣	09571	146
溱	11145	172
滶	00043	1
溝	04454	68
溘	05497	85
溘	05526	85
漭	09513	145
漭	09515	145
漠	09990	153
滇	17846	278
滇	17854	278
滇	17857	279
溹	12925	201
溹	12928	201
溹	12931	201
漣	08712	133
溥	03661	57
溥	03692	57
滆	08112	124
溧	08642	132
溽	11616	179
滅	14590	228
源	11409	176
𡎯	09500	145
溼	12218	189
溑	12934	201
滭	00699	11
溳	16970	265
溳	16979	265
溷	06037	93
溰	10746	166
溦	13426	209
溦	13438	209
滌	16269	254
滫	16250	254
滫	16258	254
準	18588	290
㴩	11987	185
㴲	12708	197
塗	16583	259
塗	16600	259
滏	03714	58
滔	15393	240
滄	01265	20
滃	04401	68
漨	03408	53
溜	09611	147
滾	12655	196
滈	03994	62
滈	04023	62
漷	05066	78
漷	05070	78
漓	08497	130
溏	04256	66
滂	03210	50
滀	01749	28
溔	04071	63
溢	15912	248
溓	06658	102
溓	06672	103
溓	06682	103
溯	10182	157
溯	10200	157
溶	04376	67
溶	04387	67
滓	17289	270
溟	09934	152
溟	09942	153
㴾	05710	88
㴾	05715	88
㴾	05717	88
溺	11698	180
溺	11704	180
滍	18143	283
𥓓	10472	162
𥓓	10476	162
粱	01780	28
慠	00035	1
愫	12843	199
㥾	10207	157
㥾	10211	157
慔	09979	153
慎	17837	278
慄	08641	132
愪	16972	265
愪	16983	265
愷	10759	166
愾	10790	167
愾	10817	167
慥	04088	63
慺	12677	196
㥠	12720	197
㥠	12727	197
愮	16288	254
慆	15394	240
愴	01257	19
愴	01260	20
慉	01756	28
慊	06677	103
愵	11701	180
塞	11735	181
塞	11736	181
搴	05192	80
搴	05201	80
寞	09992	153
寘	17865	279
嗀	04419	68
嗀	04420	68
嗀	04421	68
窳	16764	262
窢	06047	93
窢	06077	93
窠	05073	78
窞	14265	223
窣	18788	293
窟	01694	27
窡	18670	291
窡	18671	291
寑	11129	172
寐	09737	149
甂	00767	12
睯	10779	166
睯	17803	278
裓	00907	14
褚	17774	277
褚	17780	277
裬	08984	137
裲	08772	134
裺	15013	234
裺	15022	234
𧛔	07043	108
𧛔	07044	108
裶	03264	51
裸	05090	78
裼	15840	247
裞	02981	47
裞	02990	47
裞	03007	47
裨	00340	5
裨	00349	6
裯	18325	286
裯	18329	286
裯	18333	286
裪	00254	4
𧚍	15783	246
𧚍	15793	246
䘹	18785	293
裷	07802	119
裷	07804	119
裧	14945	233
裧	14972	234
裾	04474	69
𧛻	01672	27
褉	07091	109
禖	10022	154
福	03584	56
禋	15937	249
禎	02602	41
禔	12405	192
禔	12409	192
禔	12438	193
禓	15204	237
禓	15215	237
禗	14468	226
禘	02500	39
禕	13473	210
禑	12515	194
煩	16006	250
煩	16018	250

〔乛〕

字	编号	页码
肅	12856	200
盠	09262	141
頨	16056	251
群	07925	121
槩	06356	97
鄏	17795	278
鄏	17809	278
殿	13224	206
殿	13226	206
辟	00713	11
辟	00717	11
辟	00724	11
屦	13243	206
遲	12163	188
遲	12170	188
敯	06013	92
暋	06012	92
暋	09882	151
愍	09901	151
彃	00690	10
隖	14903	233
鞆	10128	156
敳	13446	209
𨺏	11276	174
裝	10963	169
裝	10988	170
遜	12912	200
隕	11157	172
晵	10167	157
䡟	14120	220
𨻴	09188	140
𨻴	09205	141
陛	00514	8
陛	00515	8
際	06376	98
障	17598	274
障	17605	274
肈	01511	24
肈	01513	24
媾	04462	69
嫟	10208	157
媐	04833	74
嫫	10001	153
嫄	11410	176
嬍	13431	209
媲	00523	8
媱	16292	254
嫨	14011	218
𡝗	01725	27
嫉	06266	96
嫉	06268	96
𡟤	01754	28
嫌	06667	103
嫁	06420	99
嫇	09938	153
嫇	09941	153
嫇	09944	153
嫕	16857	263
嫋	11707	181
媸	18100	282
鳭	02351	37
冡	06459	99
冡	06467	99
劉	09070	139
劉	09126	139
鄝	09119	139
勠	09074	139
勠	09090	139
勠	09122	139
戣	05015	77
預	16733	261
稓	13979	218
稓	13980	218
黎	13894	216
愁	13864	216
剶	01237	19
黜	01686	27
黜	01706	27
彙	13559	211
綠	11255	174
綍	00414	6
綆	00953	15
綊	06442	99
經	07427	114
經	07441	114
綃	14364	224
綃	14396	225
綑	08298	127
絹	17051	266
絺	13923	217
綌	07848	120
綏	13241	206
絻	09807	150
絻	09832	150
絻	09834	150
綈	02468	39
綄	16889	264
綄	16901	264
綅	11120	171
綅	11124	171
綅	11139	172
鄛	01399	22
勦	01386	22
勦	01397	22
舒	14855	232

十四画

〔一〕

字	编号	页码
耤	13949	217
瑪	09436	144
瑨	18239	284
瑱	17834	278
瑱	17856	278
璉	08718	133
瑮	08646	132
瑣	12933	201
遺	01939	31
碧	00158	3
瑦	13707	213
瑦	13713	214

瑫	15397	240
瑲	01249	19
瑶	16302	255
瑠	09589	147
璃	08488	130
嫯	00042	1
摮	00050	1
熬	00040	1
斠	04470	69
愿	10212	157
瑦	03828	60
孷	14037	219
嫠	14033	219
覡	11975	185
嫛	04915	75
嫛	04916	75
嫛	04918	75
嫛	04919	75
摏	01560	25
摫	04912	75
髦	09520	145
髤	07136	109
髣	03197	50
髡	16023	250
墐	07381	113
墐	07395	113
㨷	07383	113
㨷	07410	113
摲	17576	274
塼	18458	288
塼	18460	288
摶	18466	288
摶	18480	288
塸	11307	174
摳	11275	174
摳	11288	174
摼	01454	23
摽	10504	162
摽	10520	162
摽	10529	162
馶	17978	280
馶	17985	280
馶	18012	281
馶	18020	281
駏	07747	119
駔	11579	178
駋	18094	282
馻	07140	109
駁	15321	239
駠	00026	1
駠	00031	1
駠	00032	1
駮	13628	212
駃	04699	72
駃	04729	72
䮀	17235	269
䮀	17266	269
摵	10641	164
摵	10646	164
摵	10653	164
墆	02168	34
墆	02173	35
摕	02166	34
摕	02170	34
摕	02174	35
搲	16536	258
摦	16539	258
趚	12632	196
趙	14373	224
𧻓	08538	131
趗	18747	292
趗	18748	292
趖	13393	209
𧻖	08766	134
𧻘	16224	253
䞭	17282	269
菽	18189	283
摣	11097	171
墲	05693	87
蓾	16402	256
募	10000	153
葴	12540	194
蒯	01121	17
塿	09225	141
摟	09175	140
摟	09213	141
墁	09481	145
墁	09489	145
嘉	06410	98
臺	18136	283
摧	18574	290
撾	04672	72
塲	15196	237
赫	01550	25
𥠄	07419	113
截	07059	108
翥	17784	277
摠	02018	32
摠	02020	32
晢	17732	277
摐	02040	32
摐	02057	33
𢅆	18070	282
鍪	04269	66
鍪	04278	66
摭	12243	190
墉	16210	253
摝	09276	142
墇	17597	274
墇	17606	274
境	07507	115
摬	07509	115
摘	02512	40
摘	02517	40
墊	18085	282
墊	18090	282
𡡞	18071	282
𡡞	18077	282
撇	00669	10
摍	12845	199
瑴	11439	176
瑴	11449	177
𣪊	11438	176
㲉	11434	176
糓	11445	177
摢	05744	88
愨	11453	177
壽	01599	26
壽	01603	26
撱	05931	91
摺	14066	219
摺	14070	219
摎	09075	139
摎	09098	139
朅	05426	84
摻	01232	19
𧍝	14875	232
暋	14879	232
摜	04766	73
摷	01394	22
摷	01402	22
聝	06074	93
𦰩	05989	92
綦	10691	165
聚	11320	175
聚	11328	175
蔫	14887	232
蔫	14896	233
㩇	18541	289
㩇	18566	289
蓻	15856	247
蓺	18079	282
菫	07386	113
菫	07401	113
菫	07408	113
菫	07411	113
萑	05791	89
蔪	17551	273
䩞	12352	191
蓴	18486	288
鞊	17534	273
鞊	17538	273
靼	02299	36
靼	02306	36
鞅	15132	236
靺	04125	64
靰	17003	265
鞄	00273	4
鞄	00281	5
鞄	00285	5
鞄	00287	5
靽	00227	4
䩃	12943	201
𩊀	00596	9
鞃	04349	67
鞀	02357	37
鞁	10468	162
蓸	01283	20
蔌	12637	196
蓝	11281	174
蓝	11285	174
蓝	11303	174
蓝	11311	175
蔈	10492	162
蔕	02164	34
勩	12348	191
勩	12403	192
蔞	09241	141
蔖	11073	171
蔖	11085	171
慕	09976	153
暮	09975	153
摹	09980	153
摹	10002	154
蘇	09736	149
蔞	09172	140
蔞	09196	140
蔞	09207	141
勱	13287	207
蔓	09465	145
蔓	09479	145
鄙	05460	84
蒖	15870	248
蔷	18691	291
蔷	18698	291
蔂	08458	129
蓶	18553	289
蓶	18558	289
蔑	09863	151
薨	09729	149
蔺	07784	119
蔺	07817	120
薖	04660	71
蔾	08523	130
䔟	02886	45
蔦	10226	158
蔦	10229	158
蔥	02008	32
蓰	11751	182
蓰	11754	182
蓰	11758	182
蓯	02056	33
蔡	06387	98
蔎	11994	186
蔗	12237	190
蔍	09278	142
蔁	17590	274
蔐	11853	183
蔟	18800	293
蔟	18803	293
蔽	00647	10
蕖	07732	118
蔩	16036	250
蔩	16046	250
蔩	16049	250
蓿	12850	199
蔤	00629	10
斡	03946	61
乾	03955	61
幹	03961	61
熙	12775	198
蔚	13574	211
蔚	13579	212
兢	07487	114
嘏	06506	100
蓨	05925	91
蓨	05930	91
蔣	10960	169
蔣	10983	169
蓼	09118	139
蓼	09123	139
蔘	01201	19
蔘	01211	19
薌	14300	223
蕬	02618	41
榛	11140	172
榛	11147	172
榛	11148	172
榛	11149	172
構	04461	68
榬	16960	265
榰	18184	283
楘	04277	66
榼	05505	85
樺	16525	258
樺	16535	258
構	00446	7
模	10003	154
榗	18235	284
槙	17831	278
槙	17844	278
槤	08716	133
榑	03635	57
樕	12633	196
槅	08566	131
槈	11618	179
榝	18188	283
榐	10940	169
榯	18107	282
㮿	00691	10
榻	12983	202
樱	01297	20
槶	06032	93
槶	06035	93
榭	11986	185
槔	03964	61
𣙃	13996	218
槐	00480	8
槐	00509	8
蜇	13992	218
榹	12707	197
覞	14072	219
對	01162	18
歋	10818	167
榣	16285	254
槄	15395	240
槄	15399	240
榽	14014	218
榽	14027	219
槍	01250	19
槍	01270	20
樗	17183	268
樗	17196	268
榤	07048	108
榴	09588	147
榱	12657	196

字	编号	页码
槁	03990	62
槉	06271	96
槒	08489	130
榶	04258	66
榜	03227	50
榜	03240	51
榜	03246	51
槏	06695	103
榷	05711	88
榍	14093	220
榒	11705	180
槍	00856	13
壼	18261	285
壼	18265	285
輒	17718	276
輔	03644	57
輕	07416	113
輕	07426	114
毄	06140	94
毄	06141	94
毄	06154	94
塹	17550	273
塹	17559	274
輈	13053	203
輓	09816	150
輓	09823	150
輐	16904	264
輐	16905	264
輐	16910	264
輐	16914	264
遬	08715	133
輯	07915	121
匱	05035	78
歌	08109	124
遭	01274	20
遨	08590	131
匰	02206	35
監	06725	103
監	06738	104
朢	13302	207
朢	13313	207
敲	17999	281
豎	01451	23
緊	01428	23
鄠	13011	202
奭	06275	96
酺	03655	57
酲	01522	24
酮	17073	266
酷	04097	63
酴	16584	259
酹	09288	142
酹	09296	142
酸	17269	269
酳	16096	251
鞅	12011	186
鞅	12017	186
堅	15507	242
堅	15511	242
嫛	15505	242
厲	13271	207
啓	10640	164
遰	02169	34
碡	02736	43
碡	02741	43
醎	16447	257
殄	17880	279
厭	15073	235
厭	15077	235
厭	15079	235
厭	15084	235
硜	15936	249
硜	15946	249
碩	12250	190
碝	11627	179
碝	11632	179
厬	07650	117
碭	15234	238
碭	15251	238
碣	05435	84
碣	05441	84
碨	13551	211
碨	13553	211
碬	02790	44
磈	04972	77
磈	04987	77
磋	18851	294
磋	18875	294
碌	12906	200
磁	12770	198
碬	06490	100
愿	11420	176
戩	01533	24
爾	03047	48
劂	07870	121
劂	07865	121
奪	02926	46
臧	10991	170
豧	03627	57
豧	03646	57
豧	03705	58
豯	00922	14
豯	00925	14
豵	01746	28
豨	13918	217
豨	13926	217
殠	09994	153
殞	16978	265
殪	10749	166
殪	10755	166
殠	01649	26
殠	01653	26
匲	18833	293
需	14618	228
霆	13071	203
霆	13088	203
霂	16026	250
霂	16028	250
零	04159	64
霘	16746	261
鳶	04115	64
戩	18234	284

〔丨〕

字	编号	页码
蜚	03275	51
蜚	03286	51
裴	03268	51
裴	03292	51
翡	03287	51
裂	12538	194
裂	12539	194
雌	01876	30
鴜	01871	30
鴜	01878	30
歔	16404	256
叡	03792	59
叡	03796	59
睿	11673	180
遐	07625	117
虘	05656	87
虘	05674	87
對	02850	45
嘗	11860	184
掌	02919	46
裳	11859	183
嘈	05987	92
暱	10213	157
睸	12393	192
睸	12394	192
瞂	14209	222
睦	04861	74
暴	07756	119
嘖	01958	31
嘖	01977	31
曄	15482	242
曄	15483	242
數	00687	10
暯	09982	153
夥	05087	78
夥	05102	79
睼	12444	193
睼	12458	193
睸	09631	147
睸	09644	147
瞍	12813	199
瞍	12834	199
睺	05560	85
睺	05562	85
賕	11252	174
睮	16660	260
賑	01484	23
賑	01492	24
賏	16108	251
賏	16113	252
賒	16544	258
暖	16930	264
暖	16942	264
暖	16951	265
瞍	07160	110
瞍	14540	227
瞍	14542	227
覞	15419	240
暉	07970	122
暉	07972	122
睽	05017	77
墅	16720	261
嗎	14890	232
幞	12016	186
嘲	09621	147
嘆	05237	81
嘆	05244	81
暢	15219	237
闉	04843	74
聞	09681	148
聞	09683	148
閔	04446	68
閩	09677	148
閩	09679	148
間	09297	142
閥	03091	48
閤	05319	82
閣	04143	64
閡	05148	79
嘈	01282	20
嗽	12639	196
嗽	12640	196
嘔	11290	174
嘔	11304	174
遱	09221	141
嘊	10762	166
嘌	10509	162
鬲	03986	62
暝	09940	153
暝	09943	153
髦	12984	202
㬎	12221	189
㬎	14245	222
暵	11626	179
暵	11637	179
暵	11640	179
暵	11653	180
盬	14632	229
踕	13147	204
踥	17730	277
踙	17724	276
踬	01489	24
跾	01143	18
踃	14383	224
跽	00437	7
跽	00440	7
踇	10028	154
踈	08257	126
踈	08259	126
蹝	12492	194
蹝	12520	194
踉	08731	134
踉	08735	134
踉	08753	134
踻	08239	126
踞	06295	97
踊	16222	253
踆	17231	269
暘	15221	237
暉	02692	42
蜂	03439	54
蜻	12084	187
蜻	12125	188
蜋	01369	22
蜡	13937	217
蜡	13971	218
蜥	13987	218
蚣	04371	67
蜙	02659	42
蜙	02674	42
蜮	06055	93
蜮	06069	93
蜽	08777	134
蜨	07036	108
蜷	06598	101
蜷	06606	102
蜾	05081	78
蜫	08266	127
蜫	08276	127
蜴	15827	247
蜩	11462	177
蜩	11465	177
蝸	04675	72
暛	18855	294
蜲	13504	210
蜲	13512	210
蜺	02972	47
蜺	03005	47
蜼	18560	289
蜼	18561	289
蜼	18594	290
蜱	00350	6
蜱	00402	6
蜦	09363	143
蜦	09378	143
蜩	18349	286
蜪	00245	4
蜪	00253	4
蜭	14264	223
蜭	14276	223
蜹	07714	118
蜳	01829	29
蜳	01830	29
蜳	01836	29
蜳	01852	29
蜷	07775	119
蜙	14975	234
蜿	16999	265
蜿	17008	265
蜿	17025	266
蜾	08624	132
蝠	01667	27
蝒	05176	80
蝒	05178	80
蝃	18660	291
嘑	05650	87
暩	09546	146
骳	00335	5
貶	17157	268
貶	17166	268
團	18482	288
鄲	02203	35

〔乛〕

十五画

〔一〕

字	编号	页码
輢	08104	124
輢	08106	124
輚	06601	101
輚	06603	101
輫	03295	51
輫	03301	52
輠	05079	78
輠	05088	78
輠	05107	79
輠	05110	79
輥	08279	127
輞	13307	207
輗	02977	47
輹	00381	6
槧	17548	273
槧	17556	274
槧	17560	274
槧	17564	274
暫	17566	274
輪	09360	143
輚	02035	32
輣	10434	161
輖	18320	286
輬	07472	114
輨	04737	73
輐	16992	265
輐	17041	266
輐	17043	266
輟	18645	291
輟	18648	291
輜	18685	291
輜	18693	291
敷	03631	57
甌	11292	174
歐	11291	174
歐	11305	174
毆	11306	174
頣	01439	23
豎	02704	43
賢	01447	23
堅	13676	213
堅	13678	213
豍	00368	6
遷	10863	168
醋	13962	218
醆	06592	101
醇	07471	114
醇	01826	29
醉	18754	292
醅	01075	17
醅	01105	17
醊	18639	291
醊	18653	291
鴗	18013	281
慼	10649	164
蔕	02152	34
蔕	02167	34
蔕	02175	35
碚	01070	17
碚	01083	17
磝	00060	1
磕	05496	85
磕	05506	85
磕	05533	85
磌	17821	278
磌	17851	278
碣	08570	131
磊	08474	130
憂	16275	254
碩	16980	265
磑	10758	166
磑	10769	166
磃	12709	197
碫	15989	249
碟	12268	190
磄	04255	66
磅	03213	50
磅	03239	51
磏	06648	102
磏	06673	103
碻	05162	79
碻	05163	79
確	05719	88
碾	17582	274
碾	17588	274
鴈	05225	80
厱	10880	168
厱	10908	168
厲	13646	213
甀	12684	196
甀	12687	197
遼	08805	135
僻	00716	11
豬	17756	277
豣	06640	102
殣	07390	113
殤	15199	237
震	01490	24
霄	14360	224
霅	12992	202
霅	12993	202
霅	12995	202
霅	12996	202
霂	10067	155
霈	03506	55
霓	15996	250
鴉	14839	232
遷	18206	284

〔丨〕

字	编号	页码
輩	03298	51
劇	17099	267
齒	18121	283
暋	01886	30
敹	08784	134
劇	05699	88
勮	05641	87
歔	05617	86
膚	05627	87
慮	05644	87
戲	05652	87
覤	05698	87
覤	14104	220
劌	15478	241
鄨	15476	241
輝	07974	122
賞	11869	184
瞋	17823	278
暈	07754	119
暵	05238	81
暵	05246	81
暴	00304	5
暴	00328	5
畀	07685	118
畀	07691	118
暥	00016	1
瞵	16268	254
賦	13815	215
賭	17799	278
賤	06581	101
賜	15823	247
賙	18321	286
賥	18758	292
鄵	05068	78
瞜	08481	130
瞎	05170	80
瞀	14714	230
瞑	09937	152
瞑	09951	153
瞑	09952	153
嘵	15353	239
嘖	00571	9
嘖	00575	9
嘻	14075	219
噎	15535	242
噁	14872	232
嘶	12752	198
嘆	13281	207
嘆	13291	207
嘲	01407	22
虢	05280	81
閭	08292	127
閼	14940	233
閱	02822	44
閬	08758	134
閬	08768	134
閜	08137	124
鄳	09915	152
鄳	09919	152
甎	09227	141
數	09182	140
數	09199	141
數	09234	141
數	09235	141
嘾	13024	202
暹	14150	221
影	07475	114
暲	17601	274
睫	02136	34
嘈	07352	112
嘈	07363	113
歸	14307	223
歸	14308	223
歸	14309	223
歸	14313	223
踉	01368	22
踑	10681	165
踖	13939	217
踖	13947	217
踖	13958	217
踦	08063	123
踦	08084	124
踕	07034	108
踐	06569	101
踫	03290	51
踧	10638	164
踧	12541	194
踔	18621	290
踔	18631	290
踝	05104	79
踼	15837	247
踴	11476	177
踏	12972	201
踟	18028	281
踒	13521	210
踘	07696	118
踘	07715	118
踤	18769	292
踣	01131	17
踣	01138	18
踛	11110	171
踡	07768	119
踠	17007	265
踞	04487	69
踀	01664	27
踀	01670	27
遺	15574	243
遺	15579	243
畾	08439	129
蝳	02742	43
蝶	12383	192
蝶	12391	192
蝘	15059	235
蝘	15066	235
蝠	03588	56
蝡	15474	241
蝒	09841	151
螁	11629	179
螁	11655	180
蝤	12109	187
蝤	12144	188
蝭	12442	193
蝭	12451	193
蝪	15232	238
蝹	13589	212
蝹	13596	212
蝹	13623	212
蝎	05471	84
蝟	04582	70
蝪	15256	238
蝮	03768	59
蝺	16860	263
蝺	16866	263
蝗	05856	90
蝗	05867	90
蝗	05874	90
蝸	04960	76
蝸	04995	77
蝂	05559	85
蝓	16649	260
蝍	07856	120
蝍	07858	120
蝣	16357	255
蝤	16363	256
蝤	16375	256
蝗	14641	229
蝙	00768	12
蝦	06497	100
蝟	12499	194
蝟	12518	194
螖	14427	225
蝚	09548	146
蝝	13164	205
噓	05618	86
噓	05643	87
嘬	11357	175
噴	05029	77
噴	05050	78
剿	17362	271
鄛	17359	271
罶	12478	193
嘽	02192	35
嘽	02210	35
遝	10168	157
嘿	05537	85
嘿	05542	85
嘸	13747	214
嘸	13759	214
嘷	06277	96
噍	06906	106
噍	06930	106
噍	06933	106
噲	05369	83
嘺	13477	210
噉	11488	177
噈	07658	117
噂	18828	293
噌	17409	272
嘮	08363	128
噳	05765	89
嘯	16808	263
嘯	16811	263
嘰	06316	97
嶢	15348	239
幘	00546	8
幘	00557	9
幘	00578	9
嶱	05466	84
嶱	05476	84
嶋	10411	161
嶋	10413	161
嶡	07861	120
嶡	07878	121
嶚	08817	135
嶜	07339	112
罵	09435	144

憰	16819	263
賨	18723	292
戭	16040	250
戭	16047	250
寮	08802	135
寫	14112	220
賔	17849	278
賔	17858	279
審	12031	186
寱	16247	254
寱	16248	254
窮	04416	68
窳	16765	262
窯	04070	63
窵	13493	210
竅	18604	290
頞	00018	1
翩	00751	11
褠	04455	68
褲	03693	58
褥	11613	179
褥	11623	179
褫	12717	197
褫	12723	197
褫	12725	197
褫	12741	197
褵	08491	130
褣	04381	67
遹	04667	71
鴆	16009	250
鴜	07367	113
親	09250	141
親	09259	141

〔乛〕

蝨	14784	231
犟	13573	211
熨	13570	211
熨	13578	212
慰	13571	211
嬖	15745	245
劈	00733	11
履	09310	142
層	02536	40
層	02541	40
鳩	04702	72
層	17397	271
層	17403	271
彈	02214	35
彈	02221	35
選	18504	288
選	18513	289
韐	05315	82
韐	05351	82
隮	05924	91
隮	05948	91
槳	10982	169
獎	10980	169
漿	10959	169
險	10873	168
隦	07069	108
嬈	15338	239
嬈	15358	240
嬈	15366	240
嬉	14078	219
嬉	14087	219
嫜	04498	69
嫥	13008	202
嫥	13034	202
嫽	08792	135
嫽	08815	135
嫽	08827	135
嫺	14221	222
嬇	05043	78
嬇	05048	78
嬋	02186	35
嫵	13749	214
嬌	04032	62
嬌	04046	62
嬌	04058	63
嫶	06901	106
嫣	13475	210
嬀	09348	143
嬈	11479	177
嬈	11485	177
嬈	11487	177
嬉	11842	183
嫿	05763	89
駑	10374	160
駕	06415	99
緦	14424	225
預	16743	261
遻	12404	192
遻	12424	192
甑	16912	264
豭	05554	85
戮	09121	139
豰	14529	227
豰	14539	227
翬	07976	122
豌	17230	269
豌	17245	269
遹	16800	262
螫	13870	216
螫	13872	216
螫	13879	216
螫	13889	216
摯	13878	216
稽	05156	79
豫	16732	261
紂	03429	54
紂	03436	54
緤	12358	191
緗	14288	223
緟	15935	249
練	06767	104
緘	14184	221
緬	09842	151
緛	11638	179
緒	07005	107
緹	12439	193
緹	12448	193
緝	10842	167
緼	13593	212
緼	13599	212
緼	13605	212
緼	13608	212
緭	13564	211
緦	14467	226
緡	04567	70
緟	02638	42
緟	02654	42
緶	00861	13
緶	00867	13
緥	00300	5
線	11425	176
緱	05546	85
縋	02808	44
縋	02863	45
緰	16645	260
緰	16694	261
緩	16950	265
緵	14531	227
緵	14544	227
締	02499	39
締	02523	40
縒	18840	293
縒	18868	294
縒	18887	294
緧	16367	256
縌	10174	157
緪	04231	65
緪	04236	65
緷	07952	122
緷	07967	122
緷	07969	122
編	00747	11
編	00765	12
編	00774	12
緍	06007	92
緍	09890	151
緯	13471	210
縕	16125	252
緣	13165	205
緣	13175	205
畿	06331	97
鬰	07900	121
鼶	08874	136

十六画

〔一〕

鄯	13951	217
鄯	13969	218
耨	11619	179
耨	11621	179
耦	16968	265
璥	07518	115
璙	08788	135
璙	08814	135
璙	08829	135
璔	07337	112
虩	00308	5
璞	10596	164
靜	12103	187
璑	13739	214
璠	00810	12
璘	08923	137
璲	12897	200
鳌	00047	1
璒	02372	37
璇	12300	190
璇	12301	190
璐	13582	212
璣	06325	97
匴	10210	157
熏	06538	100
髻	06215	95
髭	03031	47
髳	11594	179
髫	02955	46
髺	04618	71
髲	01997	32
髊	18837	293
敽	15344	239
敽	15380	240
敽	15372	240
墻	05499	85
擭	06093	93
擭	06098	94
擭	06111	94
擽	08884	136
擓	06823	105
駥	11588	179
駒	03013	47
騂	18187	283
騑	04823	74
騆	13128	204
駰	15917	248
駰	15925	249
駺	14135	220
駩	11391	176
駣	17628	275
駣	17664	275
駣	17666	275
駱	04162	64
駮	06896	106
駹	13331	208
駭	05142	79
駢	01000	15
撼	14180	221
擓	00292	5
趦	07082	109
趧	12443	193
趨	05437	84
薊	06399	98
趥	16681	260
趙	16369	256
趙	16397	256
據	05636	87
據	05686	87
歕	00570	9
歕	00574	9
薄	03632	57
擋	11900	184
蕭	10919	168
操	17346	271
操	17358	271
歖	14077	219
熹	14074	219
憙	14083	219
憙	14086	219
擇	15737	245
擐	11196	173
擐	11209	173
擐	11203	173
擉	12590	195
擉	12591	195
蕫	01505	24
蕫	01517	24
蔆	13865	216
椵	06492	100
墽	06985	107
撽	06978	107
燚	14946	233
撿	10897	168
擔	17462	272
擔	17472	272
壇	02268	36
擅	02263	36
壞	08961	137
擁	16193	253
擬	13652	213
縠	03449	54
縠	11436	176
縠	11441	177
螌	11446	177
縠	11444	177
鄗	01591	25
鄗	01596	25
鄗	01600	26
擗	00721	11
磬	11170	172
甂	12746	197
甂	12751	198
覞	12036	186
覞	12054	187
覞	12058	187
覞	12064	187
褧	04267	66
聹	17293	270
鄹	11321	175
鄹	11341	175
鄹	11364	175
蕼	02145	34
夢	09723	149
蕅	16963	265
薔	10973	169
薔	11743	181
鞮	02726	43
鞍	06453	99
鞘	14376	224
鞘	14393	225
覲	06793	104
鞘	17057	266
鞘	17070	266
鞔	09830	150

〔丨〕

字	编号	页码
閻	14248	222
閼	13716	214
閼	13717	214
閼	13718	214
閼	13719	214
暾	01837	29
曈	02661	42
曈	02669	42
曈	02676	42
鴞	05287	81
顋	13532	211
踜	18735	292
踳	13200	205
踸	12045	186
蹀	12386	192
踏	05326	82
踏	05336	82
踏	05343	82
踾	03590	56
踾	03611	56
踾	03616	56
噦	17100	267
噦	17107	267
噦	17124	267
踛	04831	74
踶	12413	192
踶	12452	193
踼	15230	237
踼	15235	238
踼	15250	238
踹	02762	43
踹	02776	44
踵	02645	42
踽	16749	262
踽	16754	262
踰	16641	260
踰	16659	260
踰	16676	260
踱	12267	190
蹉	18852	294
蹁	00771	12
蹁	00772	12
蹆	06489	100
蹂	09549	146
蹂	09558	146
蹂	09563	146
蹂	09568	146
螓	11142	172
蟒	09514	145
蟆	10007	154
螈	11422	176
蜻	14101	220
螘	10748	166
螘	10770	166
螬	04108	63
螟	01650	26
螟	01651	26
螕	00510	8
螔	12713	197
螔	12722	197
蝙	11839	183
螇	14007	218
螇	14013	218
螉	04396	68
螭	08483	130
螗	04252	66
螊	06649	102
螊	06688	103
螊	06692	103
螛	05159	79
螛	05169	80
螟	09935	152
噱	05700	88
噳	13727	214
瞜	09076	139
頤	08290	127
頤	08300	127
嘓	08144	124
嘓	08147	125
器	10854	167
噥	10336	160
噥	10341	160
戰	02200	35
毇	10323	159
噮	11195	173
噠	02121	34
噣	12551	194
噣	12579	195
噣	12589	195
噣	12599	195
噬	12459	193
嘟	06255	96
噭	06959	107
噞	10872	168
噞	10879	168
噲	05414	83
鴦	15125	236
鴦	15144	236
噡	17447	272
噫	15903	248
噫	15905	248
噰	16181	253
嘯	12865	200
遾	14121	220
遾	14246	222
幪	09691	148
羿	15718	245
還	11188	172
還	11205	173
罷	09273	142
罹	09379	143
罻	13572	211
罺	01393	22
罺	01400	22
業	15477	241
嶩	10343	160
幧	17342	271
幧	17347	271
嶧	15728	245
嶵	18808	293
嶵	18812	293
嶼	14822	232
嶭	14701	230
嶭	14704	230
嶮	10871	168
嶮	10877	168
嶒	05388	83
嶒	05405	83
幨	17453	272
幨	17459	272
嶰	07068	108
嵰	06647	102
羲	13656	213
圛	15720	245
圜	11185	172
圜	11201	173
默	05539	85
黗	13205	206
黗	13214	206
黔	07221	111
黔	07318	112
黕	16016	250
骾	00956	15

〔丿〕

字	编号	页码
甒	13753	214
毹	02080	33
䧳	01796	29
䧳	01809	29
頶	04102	63
犝	02667	42
憩	10855	167
積	01930	31
積	01942	31
穮	10488	162
穆	10072	155
貍	11577	178
頹	15585	243
頹	15592	243
穄	06377	98
穅	04243	65
穋	09067	139
穋	09125	139
敿	04056	63
篝	04457	68
篚	03271	51
篤	18403	287
篟	14391	225
築	18400	287
篕	05513	85
遾	12462	193
篙	08558	131
篴	18410	287
篴	18412	287
篹	12884	200
篡	12883	200
篳	00696	11
簉	04081	63
篠	16246	254
篩	12213	189
篪	12716	197
䈎	15398	240
篛	04399	68
篛	04402	68
篷	03423	54
篘	01731	27
篙	03976	62
篖	04251	66
篰	01123	17
篣	03222	50
篣	03243	51
篦	09308	142
篸	14968	234
篁	11585	178
䈿	09948	153
篧	05716	88
篧	05723	88
舉	14815	231
興	14493	226
興	14496	226
盥	04772	73
盥	04773	73
嚳	14724	230
嚳	14727	230
學	14726	230
儓	18138	283
儓	18141	283
儔	01581	25
儔	01621	26
儦	00451	7
儦	00453	7
憊	00452	7
憊	00454	7
憊	00455	7
傿	14575	228
鵂	03721	58
儒	14602	228
嫛	05965	92
毉	05966	92
鼩	11921	184
鼩	11923	184
鼩	11940	185
鼩	11950	185
𠐊	02852	45
肇	16241	254
儑	12222	189
儑	12224	189
儗	15664	244
儗	15676	244
儗	15684	245
儗	15696	245
䭂	01625	26
儕	10737	166
儐	09781	150
儐	09793	150
䁤	01973	31
䠎	10243	158
劓	15914	248
鼽	07591	116
翱	03969	61
駉	08114	124
駅	18157	283
駃	12184	189
駃	12208	189
駈	02429	38
邀	06981	107
邀	06983	107
𦤀	03757	58
䴭	02758	43
䴭	02780	44
徼	06956	107
徼	06984	107
衡	05267	81
䑰	11796	182
䑰	11798	182
盤	00210	4
縏	00207	4
艗	15708	245
錏	14883	232
錤	10661	165
錤	10678	165
錯	13963	218
錯	13965	218
錡	08069	123
錡	08092	124
錡	08093	124
鋑	13265	207
錢	06563	101
錢	06564	101
錕	08273	127
錕	08282	127
錫	15839	247
錪	02526	40
錪	02531	40
錮	04543	70
錔	12970	201
鋼	13364	208
鋼	13371	208
鍋	04656	71
錘	01791	29
錘	01804	29
錗	13251	206
錐	18533	289
錦	07243	111
錍	00344	6
錍	00370	6
錭	18338	286
錉	06003	92
錎	14259	223
錎	14274	223
錖	17222	269
錞	01825	29
錞	01847	29
錞	01848	29
錈	07764	119
錈	07806	119
錟	14963	233
錠	17968	280
錠	17970	280
錧	04742	73
錧	04744	73
鍵	06797	104
鍵	06798	104
鍵	06805	105
録	09248	141
鋸	04485	69

字	编号	页码
擠	10726	166
螯	18355	286
螯	18356	286
蟄	18081	282
㩵	18083	282
縶	18072	282
擲	02538	40
擯	09794	150
縠	11448	177
轂	11437	176
穀	11447	177
穀	11455	177
觳	11443	177
觳	11454	177
聲	11165	172
罄	11172	172
擢	02455	39
藉	13936	217
藉	13948	217
聰	02010	32
䵷	10667	165
聯	08725	134
薵	01588	25
藄	10693	165
藂	11326	175
藂	11358	175
藂	11361	175
懃	07398	113
艱	04224	65
鞥	15032	235
鞥	15039	235
鞜	12973	201
鞞	00341	5
鞞	00355	6
鞞	00375	6
鞞	00406	6
鞠	07700	118
鞠	07707	118
鞠	07713	118
鞚	04741	73
鞚	04317	66
鞬	06799	104
鞕	06264	96
鞿	18658	291
鞋	04858	74
鞋	04888	75
鞋	04898	75
鞧	16419	257
鞧	16443	257
藗	12630	196
藍	06706	103
藺	03056	48
藏	10995	170
藏	10999	170
薱	02854	45
藈	05020	77
薑	09299	142
藋	04797	74
蔄	03096	48
藒	05428	84
薰	14752	230
薰	14760	231
舊	07633	117
藴	08527	130
藴	08540	131
藴	08544	131
藐	09660	148
藐	09661	148
蕿	14565	227
薿	15665	244
薿	15692	245
歒	03973	62
歒	04003	62
歒	04006	62
藱	04979	77
藡	02513	40
薺	10701	165
薺	10721	166
藻	01389	22
韸	05196	80
薴	10277	159
韓	03949	61
藎	07376	113
蕒	15583	243
藋	02443	39
隸	18605	290
橿	12153	188
檏	03675	57
檴	04451	68
樓	06096	94
樓	06104	94
檣	10972	169
檞	10635	164
櫑	06820	105
櫝	14866	232
檬	05612	86
橾	17360	271
橾	17361	271
檡	15715	245
檡	15739	245
檈	11186	172
檈	11216	173
檉	02123	34
櫛	06253	96
檄	05968	92
檄	06972	107
檢	10867	168
檜	05393	83
檜	05409	83
歛	11740	181
斃	10011	154
檐	17456	272
檀	02269	36
檍	15902	248
檥	13655	213
檆	17526	273
橚	12863	200
橚	12871	200
懋	09539	146
轃	11146	172
轃	11150	172
轅	16961	265
轄	05508	85
輾	17866	279
轄	05155	79
轄	05166	79
斛	07663	117
輾	17580	274
輾	17587	274
繫	06127	94
繫	06151	94
擊	06136	94
繳	06134	94
繫	06132	94
繫	06143	94
轃	11725	181
橐	03452	54
鬙	10110	156
臨	10543	163
臨	10545	163
翻	10506	162
翻	10527	162
醖	08561	131
醢	16440	257
醳	00700	11
醠	15151	236
醠	15157	236
醨	08487	130
醵	09701	148
醘	00607	9
翳	15503	242
翳	15510	242
緊	15509	242
緊	15515	242
蘇	17974	280
磽	15357	240
磽	15367	240
磽	15373	240
磽	15378	240
壓	15086	235
壓	15074	235
壓	15080	235
壓	15083	235
鵃	16412	256
鄾	16279	254
磾	02232	35
碣	14107	220
礁	06284	96
磻	00820	12
磶	13481	210
磷	08928	137
磷	08938	137
磳	17385	271
磳	17389	271
磯	06317	97
雗	11654	180
鴯	02962	46
曆	03807	59
曆	03814	59
磨	08654	132
鷗	06834	105
鴹	16497	258
奮	04796	73
邇	03048	48
豲	11421	176
豯	14009	218
殭	06819	105
盪	06608	102
鴷	08847	135
鴷	08844	135
鴷	08858	136
殬	15729	245
殮	10904	168
霏	04122	64
霜	14291	223
霝	08993	138
霱	16761	262
霙	02933	46
霞	06499	100
鵝	15550	243
鵝	15556	243

〔丨〕

字	编号	页码
甏	03258	51
甏	03273	51
嶋	01907	30
齔	10612	164
齔	10613	164
鴬	01865	30
鴬	01887	30
鴬	01867	30
覞	16401	256
豳	00923	14
齞	03797	59
齞	03798	59
壑	05535	85
彪	00919	14
彪	00920	14
彪	00921	14
戲	05599	86
戲	05602	86
戲	05653	87
虞	05633	87
勴	05645	87
虧	05597	86
敝	00139	2
瞦	14073	219
瞫	13007	202
瞫	13030	202
瞭	08816	135
瞭	08822	135
瞎	07358	113
瞎	07362	113
礐	00320	5
礐	00325	5
曤	06084	93
矇	09707	148
顆	05084	78
瞯	11677	180
瞯	14224	222
瞶	05038	78
瞶	15580	243
瞁	09444	144
瞴	13736	214
瞴	13756	214
購	04464	69
賻	03673	57
嬰	16104	251
瞬	17256	269
瞳	02665	42
瞵	08925	137
瞵	08940	137
瞪	02367	37
瞪	02370	37
瞪	02383	38
瞲	16823	263
嚇	01547	25
嚇	01551	25
嚏	18264	285
闉	15938	249
闌	06746	104
闃	07728	118
闅	09678	148
闅	09688	148
闅	09689	148
闆	05492	84
闟	16667	260
闇	15979	249
闊	04629	71
闌	13450	209
闋	05022	77
嚂	06711	103
嚂	06712	103
嚂	06717	103
嚂	06724	103
曙	17789	278
嗷	06990	107
曖	06365	98
曖	06371	98
嚅	14607	228
蹻	16530	258
蹎	17840	278
蹕	00686	10
蹋	12987	202
蹏	12732	197
蹓	16301	255
蹈	15401	240
蹊	14012	218
蹌	01251	19
蹐	06289	97
蹗	03218	50
蹍	17578	274
蹍	17583	274
勵	08436	129
勵	08451	129
蟦	01940	31
蟦	01961	31
螞	14894	233
螼	07385	113
螼	07387	113
蟥	05877	90
蟖	17549	273
蟖	17555	274
螬	01281	20
螵	10508	162
螵	10513	162

字	编号	页
螮	02165	34
瞳	02691	42
螳	11887	184
螻	09214	141
蟃	09467	145
螺	08459	129
蟈	06071	93
瞵	08920	137
瞵	08943	137
蟂	14338	224
螐	01570	25
蟌	02013	32
蹤	02039	32
蹤	02053	33
蟋	14045	219
蟋	14048	219
蟓	14329	224
蟓	14334	224
蟅	12238	190
蟅	12247	190
蟰	16216	253
螰	09272	142
螪	11854	183
蟀	12669	196
螾	16037	250
螾	16038	250
螾	16042	250
螲	18207	284
蟉	09066	139
蟉	09082	139
覞	16986	265
雖	18546	289
嚊	18715	292
嶷	15673	244
嶷	15693	245
嚝	05904	91
嚌	10728	166
嚧	07373	113
幬	01584	25
幬	01617	26
幭	09873	151
幧	06704	103
覬	10743	166
斁	15726	245
斁	15730	245
斁	15731	245
斶	06396	98
斀	12588	195
歜	12565	195
歜	12600	195
斣	12580	195
罿	02629	41
罿	02666	42
罾	17392	271
罼	18505	288
罼	18511	289
罼	18522	289
嶺	09007	138
嶷	15657	244
嶷	15691	245
嶽	16828	263
嶸	16130	252
嶸	16163	252
黚	03800	59
黚	03819	59
點	17516	273
黕	02303	36
黜	01680	27
黝	15264	238
黝	15283	238
髁	05076	78
髁	05098	79
髁	05101	79
髆	15833	247
髆	15836	247
髀	00357	6
髀	00378	6
髀	00399	6

〔丿〕

字	编号	页
鴹	18375	286
鴹	18383	287
矱	05695	87
矯	04054	63
矰	17391	271
稯	02068	33
稯	02072	33
稯	02073	33
稯	02078	33
犡	06817	105
鴰	04621	71
鴰	04644	71
穗	05992	92
穛	18625	290
馧	07648	117
穛	06936	106
黏	04513	69
黏	17490	273
穜	02637	42
穜	02672	42
穟	12900	200
魏	04974	77
穖	06334	97
盨	04051	63
簦	05979	92
簣	01956	31
簎	13952	217
簎	13978	218
簎	13982	218
篁	07396	113
篁	07406	113
簧	05882	91
簙	18452	288
簙	18484	288
篪	12739	197
簍	09191	140
簍	09215	141
簍	09226	141
簂	06064	93
篾	09867	151
篴	04661	71
篴	04671	72
簃	02877	45
簃	02885	45
篼	02694	42
簁	11752	182
簁	11757	182
簏	09271	142
簇	18804	293
簰	00383	6
簋	07620	117
簉	01592	25
篘	10981	169
篘	10984	169
篸	01210	19
篸	01221	19
篸	01228	19
繁	03136	49
繁	03138	49
繁	03139	49
輿	14806	231
輿	14827	232
歟	14802	231
歟	14820	232
歟	14831	232
懙	14810	231
懙	14817	231
舉	14729	230
舉	14732	230
舉	14736	230
頣	17132	267
儥	16847	263
儥	16849	263
鵂	14574	228
優	16276	254
擘	05967	92
齡	07275	111
齡	07284	111
𪗉	03355	52
𪗉	03365	53
歔	13632	212
歔	13640	212
黛	15774	246
儢	05635	87
儵	16253	254
償	11861	184
償	11872	184
儡	08435	129
儡	08449	129
雋	11535	178
雋	11538	178
雋	11552	178
僇	09100	139
僇	09103	139
顀	18543	289
儲	17767	277
儦	00893	14
曉	15361	240
鼾	03847	60
鼾	03871	60
鮫	06866	105
鼀	04920	76
鼀	04922	76
顆	00377	6
皤	00823	12
皤	00827	13
魌	10666	165
魎	08778	134
魖	05657	87
魍	13310	207
魋	18572	290
擊	06966	107
擊	06971	107
儠	08870	136
屬	12567	195
徽	13439	209
禦	13801	215
聳	02047	32
儔	10554	163
嶲	01422	23
衛	12671	196
儸	11749	181
儸	11750	181
遽	07028	108
頿	14598	228
艜	02160	34
艏	03726	58
艏	03753	58
鵃	18307	285
鵃	18308	285
艙	12851	199
鍥	07096	109
鍥	07107	109
鍖	12046	186
鍱	12374	192
鍊	06768	104
鍼	14173	221
鍼	14207	222
鎮	07215	111
鎮	07244	111
鎮	07295	112
鍇	06995	107
鍇	07013	107
鍉	12430	192
鍚	15211	237
鍝	16621	260
鍡	13549	211
鍔	10195	157
鍴	02770	44
鍤	01308	20
鍤	01315	20
鍾	02625	41
鍑	03758	58
鍑	03766	59
鍛	02788	44
鎪	12820	199
鍠	05870	90
鍭	05547	85
鍭	05551	85
鍭	05564	86
鎚	02800	44
鎚	02802	44
鎚	02803	44
鍮	16688	261
鍰	16956	265
鍧	17224	269
鍦	15436	241
鍦	15460	241
鎡	12762	198
鍜	06498	100
鍻	06009	92
鍏	13454	209
鍏	13468	210
鍒	09545	146
龠	17142	267
斂	10896	168
斂	10905	168
鴿	05320	82
餛	12073	187
鐵	06623	102
豀	14021	218
螢	04565	70
爵	07892	121
繇	16294	255
繇	16312	255
繇	16314	255
雞	05844	90
貘	09997	153
邈	09659	148
貔	00483	8
貕	14020	218
懇	04210	65
谿	14005	218
餬	04508	69
餚	05929	91
餳	15236	238
餲	05420	84
餲	05472	84
餲	05480	84
餲	05487	84
餭	05862	90
餽	04964	77
餽	04967	77
餱	05555	85
餫	07948	122
餫	07965	122
餘	13181	205
臒	06081	93
臒	06102	94
朦	09704	148
朦	09706	148
臄	05702	88
膿	10339	160
臊	17343	271
臅	12566	195
臉	10884	168
臉	10911	168
膾	05390	83
膽	17467	272
膻	02286	36
臁	06650	102
臆	15896	248
臃	16191	253
臏	17913	279
臏	17917	279
賸	17926	280

膷 12866 200
膷 12867 200
颸 07467 114
颸 07482 114
甑 17465 272
甑 17473 272
甑 17478 272
顁 06017 92
鴿 18170 283
鴿 18175 283
龜 01332 21
龜 01344 21
鮭 04846 74
鮭 04852 74
鮭 04870 75
鮚 06212 95
鮪 16417 257
鮞 02959 46
鮞 02967 47
鮬 16493 258
鮬 16512 258
鮧 15547 243
鮧 15557 243
鮇 12535 194
鮦 13096 204
鮦 13109 204
鮦 13135 204
鮯 05324 82
鮡 17627 275
鮡 17645 275
鮨 18168 283
鮥 04165 64
鮥 04187 65
鮫 06860 105
鮮 14152 221
鮮 14156 221
鮮 14157 221
獮 03063 48
獳 14603 228
獳 14623 228
颶 13839 215
颶 13849 216
獯 14755 230
獷 05875 90
獷 05909 91
獱 09790 150
觽 12724 197
觲 14499 226
觹 11703 180
獾 02458 39
臒 06100 94
鴿 04151 64
鴿 04179 64
螽 02616 41
穎 11162 172
穎 11163 172

〔丶〕

講 04467 69
譁 16528 258
謨 10005 154
謓 17827 278
謓 17836 278
謰 08717 133
謰 08721 133
謜 11407 176
謜 11413 176
謖 01294 20
謝 11985 185
謕 12711 197
謕 12730 197
謕 12734 197
謟 15392 240
謑 14023 218
謑 14028 219
諜 07049 108
謠 16287 254
謞 04013 62
謞 04022 62
謫 08500 130
謫 08502 130
謗 03232 51
謚 15853 247
謚 15911 248
謙 06666 103
燮 14437 225
謐 00606 9
諯 12164 188
諯 12172 189
褻 15864 247
襄 10279 159
氈 02243 36
廬 12235 190
廬 12245 190
縻 09398 144
縻 09399 144
靡 09403 144
靡 09409 144
靡 09430 144
鄜 01322 21
膺 16099 251
應 16100 251
應 16103 251
鏖 00351 6
鏖 00385 6
鏖 00407 6
㾷 12749 198
㾷 12756 198
癘 13272 207
療 08797 135
癇 14222 222
瘠 15586 243
瘴 02207 35
瘴 02212 35
瘴 02230 35
瘴 02231 35
瘸 06934 106
瘦 03782 59
癘 13491 210
癉 02640 42
癉 02662 42
癆 08361 128
癈 01008 16
頯 18761 292
鵁 06859 105
麈 04839 74
麋 09742 149
鶩 01998 32
燮 14440 225
辮 00193 3
竲 17383 271
竲 17394 271
齋 10736 166
齋 10717 165
旟 10498 162
甕 16192 253
甕 16197 253
甕 16200 253
羵 01932 31
羵 01938 31
羶 01773 28
羶 01776 28
鵜 15178 237
鵝 01003 15
糟 01273 20
糞 03392 53
糅 14046 219
糅 14050 219
麗 09739 149
糝 01214 19
糝 01222 19
鹹 06072 93
䉽 12474 193
䉽 12476 193
斃 00653 10
鱉 00668 10
鱉 00670 10
鱉 00678 10
燦 01246 19
燥 17352 271
燡 15717 245
燭 12558 194
燬 05970 92
甇 16133 252
罃 16148 252
罃 16149 252
謍 16144 252
謍 16164 252
謍 16169 252
鴻 04305 66
鴻 04309 66
濤 01608 26
濛 10684 165
濊 09872 151
濊 09877 151
濫 06719 103
濫 06735 103
濿 13275 207
瀰 03039 48
濡 14604 228
濡 14630 228
濬 11671 180
盪 15244 238
盪 15231 238
盪 15245 238
盪 15249 238
濕 12215 189
濕 12217 189
濕 12219 189
濕 12220 189
潭 12877 200
潭 12886 200
澣 00391 6
濮 10583 163
濞 18717 292
濞 18720 292
濙 16039 250
濙 16043 250
濠 03982 62
濻 05890 91
濟 10719 165
濟 10725 166
濜 15182 237
濜 15190 237
濚 16143 252
濚 16158 252
濱 09777 150
濘 10273 159
濘 10275 159
濘 10278 159
濾 07365 113
濾 07371 113
濾 07372 113
濾 07377 113
瀡 05933 91
澀 11747 181
濯 02453 39
濯 02456 39
澤 18760 292
澤 18795 293
濰 18552 289
懤 01590 25
懤 01602 26
懤 01615 26
懱 09864 151
憶 18262 285
憶 18263 285
懦 14606 228
懝 15685 245
懝 15694 245
懭 05886 91
懭 05896 91
懭 05906 91
懠 10716 165
懠 10735 166
豁 05160 79
蹇 05198 80
蹇 05200 80
賽 11733 181
搴 05193 80
搴 05202 80
謇 05194 80
顁 17967 280
竀 08256 126
窺 17960 280
窺 17971 280
寮 08806 135
竄 02071 33
竄 02074 33
竄 02077 33
寱 03771 59
寱 03779 59
邃 12891 200
窬 16822 263
窶 13026 202
寱 10236 158
寱 10239 158
寱 10241 158
鴳 00014 1
顧 06642 102
禤 15332 239
襋 06274 96
襆 10581 163
襆 10582 163
襹 18185 283
襀 05028 77
襀 05039 78
禪 02208 35
襴 13452 209
禬 00812 12
襌 02634 41
襌 02639 42
禘 02498 39
襚 12895 200
襘 17378 271
襘 17388 271
襘 17401 271
襘 17405 271
禱 14766 231
禱 14771 231
襁 11007 170
襈 18500 288
襈 18516 289
襏 01020 16
襛 16820 263
禮 08550 131
襘 05392 83
襘 05403 83
襢 02246 36
襢 02262 36
覬 09939 153
覬 09947 153

〔乛〕

歗 12864 200
斅 07930 121
蟗 13575 211
褽 13576 211
臀 13230 206
擗 00712 11
檗 00741 11
甓 00738 11
臂 00708 11
擘 00742 11
憵 00735 11
屨 09198 140

十八画

〔一〕

字	编号	页码
簸	10478	162
簸	10483	162
篗	06086	93
簳	03943	61
簳	03952	61
籈	15948	249
籈	15958	249
籇	05607	86
籇	05630	87
簬	04140	64
籅	14808	231
𥳽	13428	209
𥳽	13436	209
簽	10889	168
籆	06362	98
簷	17458	272
簾	06655	102
簿	03664	57
簿	03701	58
簺	11734	181
簫	12869	200
簸	13231	206
鶂	02984	47
鶂	02999	47
鶂	03003	47
躊	18106	282
䶑	13068	203
躒	04149	64
躒	04156	64
牘	16846	263
儦	09722	149
繫	04424	68
儳	01336	21
儳	01347	21
儳	01350	21
鏦	02044	32
儴	10296	159
躹	08206	125
䠶	12081	187
雔	18590	290
鶃	00337	5
鶃	00404	6
魑	08484	130
懲	17950	280
懥	13585	212
顡	01039	16
顡	01054	16
艨	09698	148
艨	09712	149
鞶	00203	4
鏏	05980	92
鐯	17814	278
鐄	05902	91
鏩	17557	274
鏩	17570	274
鏉	12623	196
鏉	12647	196
鏉	12650	196
鏂	11299	174
鏗	01456	23
鏢	10499	162
鏚	10650	164
鏜	11881	184
鏤	09177	140
鏤	09231	141
鏝	09476	145
鏝	09484	145
鍋	04664	71
鍋	04669	71
鏓	02015	32
鏦	02037	32
鏦	02058	33
鏗	02730	43
鏞	16211	253
鏕	09277	142
鏡	07512	115
鏟	05224	80
鏟	05227	80
鏑	02505	39
鏃	18801	293
鏇	14682	229
鏇	14690	229
鏔	16048	250
鏔	16051	250
鏥	05936	91
鏥	05956	91
鏘	10964	169
鏐	09081	139
饃	14325	224
蹵	17663	275
飄	16295	255
獼	02217	35
獼	02235	35
覶	09349	143
覶	09353	143
覶	09355	143
辭	01861	30
饉	07392	113
饇	11286	174
臕	00314	5
臕	00324	5
鵬	10423	161
鵬	03521	55
臘	08876	136
劖	01330	21
鄺	01348	21
鯖	12080	187
鯖	12124	188
鯥	09057	139
鯪	08980	137
鯕	10679	165
鰸	11318	175
鰸	11335	175
鰸	11340	175
鯠	08332	128
鯙	18628	290
鯜	05106	79
鯤	08271	127
鯢	02979	47
鯩	09362	143
鯛	18346	286
鮥	14271	223
鯌	07634	117
鯌	07640	117
鯌	07652	117
鯏	07694	118
鯏	07711	118
鯏	07717	118
鯨	07465	114
鯘	11108	171
鯘	11113	171
鯞	18366	286
鵃	13161	205
獺	08310	127
獺	08318	127
獹	05665	87
觶	02224	35
觶	02225	35
觿	04055	63
蟹	07065	108
鰟	01010	16
鰟	01024	16
鱖	07880	121
鶋	07693	118
鶋	07712	118
䶂	10327	159
䶂	10333	159

〔丶〕

字	编号	页码
譊	15369	240
譆	14080	219
譩	15534	242
講	13285	207
講	13288	207
講	13292	207
謥	05998	92
譚	13016	202
譚	13025	202
譖	07346	112
讃	05047	78
讃	05053	78
譁	02193	35
譕	13742	214
譎	04025	62
譎	04060	63
譙	06916	106
譣	05362	83
譒	00828	13
識	18037	281
識	18040	281
譜	10604	164
譐	18825	293
譐	18829	293
譛	17396	271
謗	08362	128
譔	18503	288
譔	18510	289
譔	18518	289
證	02369	37
譎	16817	263
総	09317	142
総	09324	142
総	09337	143
譏	06315	97
鄺	10293	159
贑	01839	29
贑	01853	29
鶉	01821	29
廜	11347	175
靡	09408	144
廬	05622	86
鵷	15782	246
癡	15655	244
癠	10718	165
癠	10720	165
癠	10722	166
癠	10734	166
龐	09165	140
鶌	04264	66
麒	10675	165
麑	02985	47
麠	18535	289
麡	16274	254
麔	07636	117
麔	07462	114
辦	00874	13
辦	00878	13
瓣	00876	13
彝	09131	140
彝	09140	140
彝	09167	140
韻	16985	265
齍	10699	165
羸	09387	144
羸	09390	144
羸	09385	143
旟	14809	231
旝	05394	83
旞	02179	35
甕	16185	253
甕	16199	253
羷	10900	168
羶	02238	35
類	04069	63
類	04077	63
羹	04266	66
類	08475	130
糬	15714	245
顛	06691	103
顛	06694	103
顛	06696	103
顛	06698	103
顛	06700	103
鼈	00674	10
爆	00310	5
爆	00313	5
爆	00316	5
爍	08369	128
瀳	06810	105
瀳	06813	105
瀚	03959	61
瀨	08304	127
瀝	08653	132
瀖	06120	94
瀣	03793	59
瀣	03795	59
瀘	05669	87
瀾	14249	222
瀤	05777	89
瀙	14450	226
瀙	14460	226
瀙	14462	226
瀧	09144	140
瀧	09164	140
瀧	09166	140
瀛	16175	253
瀗	05175	80
瀷	16075	251
瀷	16076	251
瀷	16077	251
瀷	16087	251
瀏	09105	139
瀏	09107	139
懶	08319	127
懩	06394	98
懷	05774	89
竆	07692	118
竵	04418	68
鵷	16996	265
寴	14459	226
寵	09136	140
襪	09875	151
襤	06705	103
襦	14605	228
禱	18714	292

〔一〕

字	编号	页码
鶡	04476	69
襞	00711	11
檗	00744	11
檗	00745	11
繴	00729	11
繴	00746	11
鶥	01662	27
疆	06822	105
疆	06826	105
韝	04456	68
韝	04459	68
韡	13465	210
韛	03695	58
韣	13447	209
韠	00697	11
韜	15391	240
騺	18258	285
嬿	15089	235
嬿	15096	236
嬛	07829	120
嬛	07833	120
嬛	07834	120
嬛	07836	120
嬽	14494	226
嬽	14497	226
嬴	16174	253
難	09092	139
鶩	13877	216
顙	11726	181

廿画

〔一〕

〔丨〕

〔丿〕

字	编号	页码
籊	02446	39
籊	02448	39
譽	14803	231
譽	14825	232
壨	14488	226
疊	14487	226
覺	14721	230
覺	14722	230
嚳	14716	230
觷	14719	230
觷	14730	230
觷	14731	230
斆	14737	230
儷	10251	158
齬	13782	214
儡	04952	76
儡	04959	76
犨	01623	26
儺	08486	130
嶲	13494	210
軆	18221	284
躭	14345	224
蟲	00403	6
礫	08391	128
魌	05254	81
魖	05619	86
魒	00890	14
鶩	06976	107
鶩	06980	107
警	06957	107
聶	03754	58
鼬	04714	72
鼬	04716	72
鼬	04723	72
巇	09869	151
鶣	02859	45
衛	13581	212
衛	13586	212
衛	13588	212
纍	05586	86
顛	00342	5
艦	06732	103
鐃	15371	240
鐀	00554	9
鐀	00563	9
鐁	12748	198
鐔	12999	202
鐔	13004	202
鐔	13018	202
鐐	08811	135
鐐	08828	135
鐕	07348	112
鐗	14237	222
鐍	04041	62
鐷	06282	96
鐷	06285	96
鐫	07820	120
鐎	06907	106
鐎	06918	106
鐇	00792	12
鐇	00816	12
鐓	01851	29
鐘	02626	41
鐏	18831	293
鐩	12899	200
鐨	17410	272
鐲	11008	170
鐲	11009	170
鐉	18502	288
鐙	02378	37
鏺	01022	16
鐍	16818	263
鐖	06323	97
鑫	16690	261
釋	15713	245
懇	09658	148
饒	15330	239
饒	15339	239
饋	00545	8
饎	14084	219
饐	15522	242
饊	11714	181
饏	07508	115
饋	05030	77
饌	18515	289
饌	18521	289
饑	06319	97
饓	07240	111
饓	07287	112
饓	07313	112
臛	06121	94
臚	05620	86
騰	17920	279
鰈	12402	192
鰋	15060	235
鰓	12421	192
鰓	12423	192
鰓	12455	193
鰅	16620	260
鰅	16637	260
鰇	12118	187
鰌	13562	211
鰓	14476	226
鰐	10198	157
鰍	04581	70
鰒	03781	59
鰎	00858	13
鰒	12825	199
鯸	05558	85
鰟	02524	40
鰖	16374	256
鰦	12763	198
鰗	04237	65
鯿	00782	12
鰕	06494	100
鰖	12494	194
鰠	17332	270
饕	15698	245
玃	04795	73
飂	09077	139
飂	09089	139
獵	06622	102
觸	12564	195
獼	03037	48
獠	08790	135
獠	08825	135

〔丶〕

字	编号	页码
護	06087	93
譏	17123	267
譔	07688	118
譝	09909	152
譴	10951	169
譟	17357	271
譯	15724	245
譞	11182	172
譠	02124	34
譣	10875	168
譣	10888	168
譫	17476	272
譫	17477	272
譠	02266	36
譠	02296	36
譩	15904	248
譩	15906	248
譩	15908	248
議	13659	213
歒	04690	72
歒	04717	72
彈	02229	35
磨	09416	144
魔	09415	144
廮	16110	252
膺	16102	251
癬	14153	221
癬	14155	221
瘯	08380	128
瘯	08387	128
癥	17948	280
廮	14197	221
廮	11647	180
廮	06485	100
廦	03030	47
辮	00873	13
饕	07987	122
饕	07990	122
巢	09142	140
競	07529	115
顡	15887	248
顡	15888	248
顡	15889	248
齍	10702	165
齍	10698	165
鶭	02525	40
贏	16177	253
糲	13278	207
糲	13279	207
糲	13282	207
糴	02451	39
鶿	12764	198
鶿	12768	198
爐	05670	87
爓	14257	223
瀸	17108	267
瀸	17126	267
瀨	08727	134
灌	04804	74
瀘	10544	163
瀴	16114	252
瀴	16115	252
瀴	16122	252
瀾	06745	104
瀾	06756	104
瀶	15969	249
瀶	15977	249
瀾	06397	98
瀌	06922	106
瀹	17139	267
瀸	06616	102
瀳	07898	121
瀺	01349	21
瀼	10295	159
瀵	03393	53
瀵	03394	53
瀰	03038	48
瀰	03040	48
瀰	03054	48
瀷	15873	248
瀷	15877	248
懽	04789	73
懽	04798	74
懺	06635	102
懹	10316	159
寶	03453	54
騫	05191	80
竇	16833	263
鷄	13142	204
鶤	07951	122
鶤	07955	122
鶣	00756	11
襫	12463	193
襭	06224	95
襮	00311	5
襮	00332	5
襬	00146	3
襬	00152	3

〔乛〕

字	编号	页码
鬑	06344	97
鬑	06370	98
甓	00715	11
譬	00709	11
鷊	06031	93
孅	16299	255
鑺	05926	91
隰	16082	251
隳	05055	78
隧	12907	200
孀	14293	223
嬬	07622	117
嬬	07628	117
孅	06626	102
孃	10287	159
孃	10301	159
龔	15878	248
顙	09102	139
鶵	05000	77
鶵	09553	146
鶩	13861	216
鶩	13884	216
鶩	13890	216
鶵	13173	205
鶵	13178	205
鶵	13183	205
鬻	02733	43
鬻	02735	43
饗	14304	223
響	14303	223
鼇	08708	133
鼇	08709	133
繻	14610	228
繻	14617	228
纁	14756	231
纀	10586	163
纆	18562	289
纊	05895	91
繽	09785	150
繼	06400	98

廿一画

〔一〕

字	编号	页码
耰	16281	254
鬹	07111	109
蠢	13199	205
瓘	04803	74
護	06090	93
瓔	14439	225
瓖	10283	159
鷔	00045	1
鰲	00052	1
蘱	12664	196
蘱	12667	196
鷨	04911	75
鑈	03035	48
鬗	09449	144
鬗	09454	144
鬖	10628	164
鬖	14577	228
顤	15351	239
顤	15363	240
顤	15374	240
攝	10260	158
攝	10263	158
驅	11272	174
驅	11283	174
驃	10532	162
驉	05616	86
騾	08457	129
驊	08521	130
驄	02012	32
驜	09275	142
騽	14058	219
騽	14065	219
驂	01216	19
趨	11667	180
趨	11674	180

廿二画

〔一〕

〔丨〕

〔丿〕

图书在版编目(CIP)数据

汉语古音手册/潘悟云著. —上海：中西书局，2023

ISBN 978-7-5475-2119-9

Ⅰ.①汉… Ⅱ.①潘… Ⅲ.①汉语—古音—手册 Ⅳ.①H11-62

中国国家版本馆CIP数据核字(2023)第086798号

汉语古音手册

潘悟云 著

责任编辑 田 颖
装帧设计 黄 骏
责任印制 朱人杰

出版发行 上海世纪出版集团
中西書局(www.zxpress.com.cn)
地　　址 上海市闵行区号景路159弄B座(邮政编码：201101)
印　　刷 常熟市人民印刷有限公司
开　　本 889毫米×1194毫米 1/16
印　　张 24.75
字　　数 682 000
版　　次 2023年6月第1版 2023年6月第1次印刷
书　　号 ISBN 978-7-5475-2119-9/H·142
定　　价 180.00元